BIBLIOTHÈQUE

DE LA PLÉIADE

FLAUBERT

Correspondance

IV

(janvier 1869 - décembre 1875)

ÉDITION ÉTABLIE, PRÉSENTÉE
ET ANNOTÉE
PAR JEAN BRUNEAU

GALLIMARD

CE VOLUME CONTIENT :

Préface
par Jean Bruneau

LES LETTRES DE FLAUBERT
ET DE QUELQUES CORRESPONDANTS
DE JANVIER 1869 À DÉCEMBRE 1875

Appendices

I. Lettres et extraits de lettres
de Maxime Du Camp à Gustave Flaubert

II. Extraits du *Journal* des frères Goncourt

III. Lettres et extraits de lettres
de Louis Bouilhet à Gustave Flaubert

Notes et variantes

À Lavinia.

PRÉFACE

Ce quatrième et avant-dernier volume de la Correspondance *de Flaubert couvre la période du 1er janvier 1869 au 31 décembre 1875. Il comprend soixante-seize lettres inédites : onze à Agénor Bardoux, une à Eugène Bataille, quatre à Alfred Baudry, deux à Frédéric Baudry, deux à Louis Bonenfant, une à Olympe Bonenfant, deux à Henri de Bornier, une à Georges Charpentier, deux à Jean Clogenson, une à Eugène Crépet, cinq à M. Desbois, trois à Ernest Feydeau, une à la seconde épouse d'Ernest Feydeau, une à Paul Chéron ou Edmond de Goncourt, cinq à Henry Harrisse, une à Émile Husson, une à M. Klein, deux à Edmond Laporte, une à Caroline Laurent, une à Alphonse Lemerre, une à Philippe Leparfait, une à Charles d'Osmoy, deux à Adèle Perrot, cinq à Raoul Duval, une à Marie Régnier, une à Élisa Schlésinger, dix à Jeanne de Tourbey, devenue comtesse de Loynes le 31 août 1871, une à Jules Troubat.*

Grâce aux autographes, j'ai pu compléter quatre-vingt-dix-neuf lettres de l'édition Conard, qui a longtemps fait autorité : six à Agénor Bardoux, une à Georges Charpentier, une à Jules Cloquet, soixante-trois à Caroline Commanville, deux à Maxime Du Camp, deux à Jules Duplan, deux à Ernest Feydeau, deux à Théophile Gautier, une à Philippe Leparfait, deux à Marie Régnier, dix-sept à Edma Roger des Genettes et une à Jeanne de Tourbey.

Ce volume compte trois appendices : Les lettres et extraits de lettres de Maxime Du Camp à Flaubert du 19 février 1869 au 31 mai 1871 ; les lettres suivantes ont été brûlées par Du Camp jusqu'à celle du 3 mai 1877, en commun accord avec Flaubert, qui a fait de même ; mais tous deux ont gardé des lettres, Flaubert cent quarante et une, et Du Camp vingt-quatre[1]. *Les extraits du* Journal *des Goncourt concernant Flaubert pour la période 1869-1875. Les lettres et extraits de lettres de Louis Bouilhet à Flaubert du 11 janvier au 2 juin 1869.*

*Avec l'année 1869 commencent les années noires de Flaubert. Louis Bouilhet, son meilleur ami, meurt le 18 juillet 1869 ; Jules Duplan, son ami le plus intime après Bouilhet, le 1*er *mars 1870. La défaite de la France par les armées allemandes, consommée en six mois — du 2 août 1870 au 1*er *février 1871 — et qui avait entraîné la chute du Second Empire, fut une catastrophe pour lui. Sa mère meurt le 6 avril 1872. De plus, il avait confié sa fortune à son neveu Commanville, qui est mis en liquidation en 1875 ; Flaubert est à peu près ruiné. Il lui reste sa nièce Caroline et quelques amis, dont les plus proches sont Léonie Brainne, son dernier rayon de soleil, et son fidèle soutien, Edmond Laporte, rencontré en 1872.*

Tous mes remerciements à MM. l'abbé Bernard Dagron, Jean-Pierre Duquette, Laboussine Moukhlis, et à M. Christoph Oberle, qui m'a aimablement communiqué les photocopies de treize lettres inédites de Flaubert et de trois lettres à lui adressées, découvertes dans les bibliothèques d'Allemagne et d'Autriche.

JEAN BRUNEAU.

1. Voir la Préface du tome I de la présente édition (n. 1, p. x).

CORRESPONDANCE
DE FLAUBERT

À GEORGE SAND

[Croisset,] nuit de la Saint-Sylvestre, 1 heure.
[1er janvier 1869.]

Pourquoi ne commencerais-je pas l'année 1869 en vous la souhaitant à vous et aux vôtres « bonne et heureuse, accompagnée de plusieurs autres » ? C'est rococo, mais ça me plaît.

Maintenant, causons !

Non, « je ne me brûle pas le sang[1] ». Car jamais je ne me suis mieux porté. On m'a trouvé à Paris « frais comme une jeune fille », et les gens qui ignorent ma biographie ont attribué cette apparence de santé à l'air de la campagne ! Voilà ce que c'est que les idées reçues ! Chacun a son hygiène. Moi, quand je n'ai pas faim, la seule chose que je puisse manger, c'est du pain sec. — Et les mets les plus indigestes, tels que des pommes à cidre, *vertes* et du lard, sont ce qui me retire les maux d'estomac. Ainsi de suite. Un homme qui n'a pas le sens commun ne doit pas vivre d'après les règles du sens commun.

Quant à ma rage de travail, je la comparerai à une dartre. Je me gratte en criant. C'est à la fois[a] un plaisir et un supplice. — Et je ne fais rien de ce que je veux ! Car on ne choisit pas ses sujets. Ils s'imposent. Trouverai-je jamais le mien ? Me tombera-t-il du ciel une idée en rapport complet avec mon tempérament ? Pourrai-je faire un livre où je me donnerai tout entier ? Il me semble, dans mes moments de vanité, que je commence à entrevoir *ce que doit être* un roman. Mais j'en ai encore trois ou quatre à écrire avant celui-là (qui eſt d'ailleurs fort vague !) et au train dont je vais, c'eſt tout au plus si j'écrirai ces trois ou quatre. Je suis comme M. Prudhomme[1] qui trouve que la plus belle église serait celle qui aurait à la fois la flèche[a] de Strasbourg, la colonnade de Saint-Pierre, le portique du Parthénon, etc., j'ai des *idéaux* contradictoires. De là embarras, arrêt, impuissance !

Que « la clauſtration où je me condamne soit un état de délices », non ! Mais que faire ? Se griser avec de l'encre vaut mieux que se griser avec de l'eau-de-vie. La Muse, si revêche qu'elle soit, donne moins de chagrins que la Femme ! *Je ne peux accorder l'une avec l'autre.* Il faut opter. Mon choix eſt fait depuis longtemps ! Reſte l'hiſtoire des sens. Ils ont toujours été mes serviteurs. Même au temps de ma plus verte jeunesse, j'en faisais absolument ce que je voulais. Je touche à la cinquantaine ; et ce n'eſt pas leur fougue qui m'embarrasse !

Ce régime-là n'eſt pas drôle, j'en conviens. On a des moments de vide et d'horrible ennui. Mais ils deviennent de plus en plus rares à mesure qu'on vieillit. Enfin, *vivre* me semble un métier pour lequel je ne suis pas fait ! et cependant !...

Je suis reſté à Paris trois jours, que j'ai employés à chercher des renseignements et à faire des courses pour mon bouquin[2]. J'étais si exténué vendredi dernier que je me suis couché à 7 heures du soir. Telles sont mes folles orgies dans la capitale.

J'ai trouvé les de Goncourt dans l'admiration frénétique d'un ouvrage intitulé : *Hiſtoire de ma vie*, par G. Sand. Ce qui prouve de leur part plus de bon goût que d'érudition[3]. Ils voulaient même vous écrire pour vous exprimer toute leur admiration. En revanche, j'ai trouvé notre ami Harrisse[4] ſtupide ! Il compare Feydeau à Chateaubriand, admire beaucoup *Le Lépreux de la cité d'Aoſte*[5], trouve *Don Quichotte* ennuyeux, etc. !

Remarquez-vous combien le sens littéraire eſt rare ! La connaissance des langues, l'archéologie, l'hiſtoire, etc., tout cela devrait servir, pourtant ! Eh bien, pas du tout ! Les gens soi-disant éclairés deviennent de plus en plus ineptes en fait d'art. — Ce qui eſt l'art même leur échappe. Les gloses sont pour eux chose plus importante que le texte. Ils font plus de cas des béquilles que des jambes.

Le père Sainte-Beuve m'a paru ragaillardi. — Il eſt irrévocablement infirme, et non malade[1].

Je n'ai pas eu le temps d'aller chez le Prince[2], qui a la fièvre tierce, ou du moins qui l'avait. « Je me suis laissé conter » (comme dit Brantôme[3]) qu'il s'était *fatigué* à Cythère. — Quel singulier homme ! non pas à cause de cela, mais à cause de tout le reſte !

Je ne bougerai pas d'ici avant *Pasques*. Je compte avoir fini à la fin de mai. — Vous me verrez cet été à Nohant, quand même il tomberait des bombes[4] !

Et le travail ! que faites-vous maintenant, chère maître ?

Quand se verra-t-on ? viendrez-vous à Paris au printemps ?

Je vous embrasse.

GEORGE SAND À GUSTAVE FLAUBERT

[Nohant,] 1er janvier [18]69.

Il eſt 1 h du matin. Je viens d'embrasser mes enfants. Je suis lasse d'avoir passé la nuit dernière à faire le coſtume complet d'une grande poupée pour Aurore ; mais je ne veux pas aller pioncer, sans t'embrasser aussi, mon grand ami et mon gros enfant chéri. Que 69 te soit léger et voie la fin de ton roman, que tu te portes bien et sois toujours *toi* ! Je ne vois rien de mieux, et je t'aime.

G. SAND.

Je n'ai pas l'adresse des Goncourt, veux-tu faire mettre la réponse ci-jointe à la poſte ?

À EDMOND LAPORTE

[Croisset, janvier-mars 1869 ?]

Billet invitant Laporte à venir « un de ces jours, celui qui [lui] plaira, le plus prochain sera le meilleur » [...] « Présentez-vous pour déjeuner ou pour dîner, voire pour coucher, à votre guise. »

À EDMOND ET JULES DE GONCOURT

[Croisset, 7 janvier 1869.]

Vous seriez bien gentils de me donner des détails sur l'affaire *Sainte-Beuve — Temps — Princesse*[1].

Est-ce qu'il y a de sa part volte-face ? et rupture entre eux deux ?

Je vous la souhaite Bonne et vous embrasse.

Votre vieux

Jeudi.

À LA PRINCESSE MATHILDE

[Croisset,] jeudi [7 janvier 1869].

Votre lettre d'hier m'a affligé, Princesse, et j'y aurais répondu tout de suite sans le mariage de Mlle Leroy, la fille du Préfet[2]. J'ai fait une grande débauche. J'ai été à Rouen, en soirée !

Puisque vous avez du chagrin, j'en ai. Mais permettez-moi de vous dire qu'il me semble que vous vous en exagérez un peu la cause ? Ce n'est pas le drapeau qu'il faut regarder, mais ce qu'il y a dessous. *Où* l'on écrit importe peu ; le principal est *ce* que l'on écrit.

Je ne défends nullement le journal *Le Temps*, qui me déplaît profondément *comme tous les journaux*, d'ailleurs. Je hais cette petite manière de publier sa pensée et je témoigne ma haine par une abstention complète, en dépit de l'argent que je pourrais gagner.

La Presse n'est dangereuse que par l'importance exagérée qu'on lui donne. Amis et ennemis sont là-dessus d'accord, malheureusement ! Ah ! si on laissait faire les sceptiques !

J'en reviens à Sainte-Beuve. Son plus grand tort, selon moi, est de faire quelque chose qui vous déplaise, et du moment que vous le priez de ne pas écrire dans ce journal, il aurait dû vous complaire[3]. Telles sont mes opinions politiques.

Je comprends du reste, parfaitement, sa fureur, si on lui a refusé un article. Il faut être homme de lettres pour savoir combien ces choses-là vous blessent. J'ai intenté un procès à la *Revue de Paris* qui s'était permis de me retrancher trois ou quatre lignes[1]. Ma maxime eſt qu'on doit se montrer, là-dessus, intraitable. Donc j'excuse sa rancune. Mais ce que je n'excuserais pas, ce serait une rupture avec un gouvernement qui l'a comblé.

Cela n'eſt pas possible ! et malgré tout ce que vous me dites, je doute encore !

Je relis votre lettre en vous écrivant, et je suis navré, à en avoir les larmes aux yeux, car il me semble que cette affaire vous a blessée au cœur, et que vous en souffrez comme d'une trahison ?

Vous seriez bien bonne de me donner là-dessus de plus longs éclaircissements. Je voudrais apprendre que vous vous êtes trompée ? Car enfin, s'il n'écrit dans *Le Temps* que des articles purement littéraires, le mal eſt léger. Mais encore une fois ce qui me déplaît et ce que je ne lui pardonne pas, c'eſt de vous affliger ! Vous, vous, Princesse ! qui avez été pour lui, particulièrement, plus que bonne, *dévouée*, et puis quand même ! du moment qu'on vous connaît[2]...

Malgré ma résolution vertueuse de ne pas revenir à Paris avant la fin de mars, je me promets d'aller vous faire une petite visite le mois prochain.

Je me mets à vos pieds, Princesse, je vous baise les mains, et suis

Tout à vous, entièrement.

À JULES DUPLAN

[Croisset, 10 janvier 1869.]

Mon bon Vieux,

Je te demande un *service littéraire.*

Tu sais tout ce qui se passe dans une maison d'accouchement des environs de Paris[3]. J'ai besoin : 1° de l'aspect de la chambre, mobilier, uſtensiles, garde, etc. ; 2° la binette de la sage-femme qui accouche ; 3° ma sage-femme propose à mon jeune homme (père de l'enfant) de le débarrasser dudit poupon. C'eſt un dialogue difficile ! Comment ça vient-il ? Bref, c'eſt une scène de 1er plan qui se trouve dans mon livre et dont je n'ai pas la 1re idée !

Tu vois d'ici mon embarras ! envoie-moi le plus de détails que tu pourras. Je n'aurai pas besoin de la chose avant 8 ou 10 jours[1].

Depuis mon retour, j'ai travaillé le plan de mes deux derniers chapitres, c'est encore soixante pages que j'ai à écrire[a] (sans compter l'épilogue[2] !). Je suis épouvanté par ce qui me reste à faire !

Je vais m'y mettre ce soir. — Mais j'en ai le cœur malade ! mon Dieu, mon Dieu ! que je suis fatigué !

Adieu, cher pauvre vieux. Je compte sur toi et t'embrasse.

Dimanche, 11 heures.

À MICHEL LÉVY

[Croisset, 10 janvier 1869.]

Mon cher Michel,

J'ai reçu il y a quelques jours de M. Francesco Beltranne [...]

À JULES DUPLAN

[Croisset, 14 janvier 1869.]

Tu es beau comme un Ange ! ce que tu m'envoies sur la Vatnas est parfait[3].

Tu comprends ce dont j'ai besoin pour la maison d'accouchement : c'est le tableau physique et moral, choses et gens[4].

J'arriverai à cet endroit-là, vers la fin de la semaine prochaine. Si donc tu pouvais m'envoyer tes renseignements dans quatre à cinq jours, tu serais bien gentil[5].

Porte-toi bien, mon cher vieux. Tu me verras probablement deux ou trois jours au commencement de février[6].

Je sur-bûche et t'embrasse.

Jeudi soir.

À LA PRINCESSE MATHILDE

[Croisset, 14 janvier 1869.]

Princesse,

J'ai peur de vous avoir *déplu*, dans ma dernière lettre[1] ? Ce sera la suite de la mauvaise chance que j'ai près de vous quand je veux *défendre* les personnes. Ce rôle héroïque ne me réussit pas.

Est-ce une *rupture* ? Quelle est son attitude[2], maintenant ?

J'ai écrit au Palais-Royal à Ferri-Pisani[3] pour avoir des nouvelles du Prince[4]. Il ne m'a pas fait l'honneur de me répondre. — Comment va-t-il, à présent ? (Le Prince, et non Ferri.)

Je me mets à vos pieds, Princesse, et suis entièrement

Tout à vous.
Jeudi soir.

À GEORGE SAND

[Croisset,] jeudi soir [14 janvier 1869].

Je n'ai rien, mais rien du tout à vous dire, si ce n'est que je m'ennuie de l'individu nommé George Sand, et que je voudrais bien avoir de ses nouvelles.

Savez-vous, chère maître, que c'est très gentil à nous deux, de nous être écrit simultanément pendant la nuit de la Saint-Sylvestre ? Il y a un fort croc, décidément.

Je ne vois personne[5], je ne sais rien, je vis comme un ours empaillé. — La semaine dernière, cependant, j'ai été à Rouen *dans les salons de la Préfecture* ! oui, pour signer le contrat de mariage de la fille du Préfet[6]. Mes compatriotes ont des binettes gigantesques. Et je me suis très amusé.

Pourquoi ne sent-on pas le comique, quand on est jeune ?

J'ai envoyé votre lettre aux Goncourt, tout de suite, bien entendu[7]. Je vous assure (derechef) qu'ils sont très gentils. — Et il y a tant de Pignoufs !...

C'est un produit du XIXe siècle que Pignouf ; nous arrivons même à Pignouflard, qui est son fils, et à Pignouflarde, qui est sa bru.

Connaissez-vous des détails sur l'incident Sainte-Beuve[1] ? Moi, pas un ! Est-ce qu'il lâche décidément l'Empire ? Il a donc cédé à celui de la colère ? — Pardon !

Je vous embrasse comme je vous aime, à deux bras et très fort.

GEORGE SAND À GUSTAVE FLAUBERT

Nohant, 17 janvier [18]69.

L'individu nommé G. Sand se porte bien, savoure le merveilleux hiver qui règne en Berry, cueille des fleurs, signale des anomalies botaniques intéressantes, coud des robes et des manteaux pour sa belle-fille, des costumes de marionnettes, découpe des décors, habille des poupées, lit de la musique, mais surtout passe des heures avec la petite Aurore qui est une fillette étonnante. Il n'y a pas d'être plus calme et plus heureux dans son intérieur que ce vieux troubadour retiré des affaires, qui chante de temps en temps sa petite romance à la lune, sans grand souci de bien ou mal chanter pourvu qu'il dise le motif qui lui trotte par la tête, et qui, le reste du temps, flâne délicieusement. Ça n'a pas toujours été si bien que ça. Il a eu la bêtise d'être jeune, mais comme il n'a point fait de mal, ni connu les mauvaises passions, ni vécu pour la vanité, il a le bonheur d'être paisible et de s'amuser de tout. Ce pâle personnage a le grand plaisir de t'aimer de tout son cœur, de ne point passer de jour sans penser à l'autre vieux troubadour, confiné dans sa solitude en artiste enragé, dédaigneux de tous les plaisirs de ce monde, ennemi de la loupe et de ses douceurs[2]. Nous sommes, je crois, les deux travailleurs les plus différents qui existent. Mais puisqu'on s'aime comme ça, tout va bien. Puisqu'on pense l'un à l'autre à la même heure, c'est qu'on a besoin de son contraire. On se complète en s'identifiant par moments à ce qui n'est pas soi.

Je t'ai dit, je crois, que j'avais fait une pièce en revenant de Paris. Ils l'ont trouvée bien[3], mais je ne veux pas qu'on la joue au printemps, et leur fin d'hiver est remplie, à moins que la pièce qu'ils répètent ne tombe. Comme je ne sais pas faire de *vœux* pour le mal de mes confrères, je ne suis pas pressée et mon manuscrit est sur la planche. J'ai le temps. Je fais mon petit roman de tous les ans[4], quand j'ai une ou deux heures par jour pour m'y remettre. Il ne me déplaît pas d'être empêchée d'y penser. Ça le mûrit. J'ai toujours, avant de m'endormir, un petit quart d'heure agréable pour le continuer dans ma tête, voilà.

Je ne sais rien, mais rien de l'incident Sainte-Beuve, je reçois une douzaine de journaux dont je respecte tellement la bande que, sans Lina, qui me dit de temps en temps les nouvelles *principales*, je ne saurais pas si Isidore[1] eſt encore de ce monde. Sainte-Beuve eſt extrêmement colère, et, en fait d'opinions, si parfaitement sceptique, que je ne serai jamais étonnée, quelque chose qu'il fasse dans un sens ou dans l'autre. Il n'a pas toujours été comme ça, du moins tant que ça ; je l'ai connu plus croyant et plus républicain que je ne l'étais alors. Il était maigre, pâle et doux. Comme on change ! Son talent, son savoir, son esprit ont grandi immensément. Mais j'aimais mieux son caractère. C'eſt égal, il y a encore bien du bon. Il y a l'amour et le respect des lettres, et il sera le dernier des critiques. Les autres sont des artiſtes ou des crétins. Le critique proprement dit disparaîtra. Peut-être n'a-t-il plus sa raison d'être. Que t'en semble ?

Il paraît que tu étudies le pignouf. Moi, je le fuis, je le connais trop. J'aime le paysan berrichon qui ne l'eſt pas, qui ne l'eſt jamais, même quand il ne vaut pas grand-chose ; le mot *pignouf* a sa profondeur, il a été créé pour le bourgeois exclusivement, n'eſt-ce pas ? Sur cent bourgeoises de province, quatre-vingt-dix sont pignouflardes renforcées, même avec de jolies petites mines, qui annonceraient des inſtincts délicats. On eſt tout surpris de trouver un fonds de suffisance grossière dans ces fausses dames. Où eſt la femme maintenant ? Ça devient une excentricité dans le monde.

Bonsoir mon troubadour. Je t'aime et je t'embrasse bien fort. Maurice aussi.

G. SAND.

À JULES DUPLAN

[Croisset, 18 janvier 1869.]

Ne t'embarrasse pas des détails que je t'ai demandés[2].

Tu [me ?] verras au commencement de la semaine prochaine.

Ton géant.

Lundi, 1 heure.

À EDMOND ET JULES DE GONCOURT

[Paris, 23 janvier 1869.]

Quel jour voulez-vous dîner chez la Tourbey[3] ?

J'ai choisi vendredi prochain. — Mais ce sera le jour de cette semaine que vous voudrez[4].

Tâchez donc de venir demain soir chez la Princesse[5].

Je vous en écrirais plus, si la sacrée nom de Dieu de merde de plume de fer dont j'use ne m'exaspérait.

Je vous embrasse.

Samedi, 9 heures du soir.

À HENRY HARRISSE

[Paris,] dimanche matin [24 janvier 1869].

Nous vous verrons la semaine prochaine, mon cher ami. — Je passerai chez vous à tout hasard.

En tout cas, je compte sur votre visite, dimanche prochain, au boulevard du Temple.

Etes-vous des nôtres, définitivement[1] ? J'aime à croire que oui.

Tout à vous.

IVAN TOURGUENEFF À GUSTAVE FLAUBERT

Carlsruhe, hôtel Prince-Max.
Lundi, 25 janvier 1869.

Il faut pourtant que j'aie de vos nouvelles, mon cher ami. Voyons — en deux mots : où en êtes-vous, et que fait le roman[2] ? Je vous écris à Croisset, et peut-être êtes-vous à Paris, humant l'air du temps. — Dans tous les cas, je ne crois pas que vous y resterez longtemps.

Je ne vous ai pas encore remercié pour la photographie, qui a l'air bien militaire et bien peigné[3] — mais c'est vous, et c'est toujours bon à voir. — Pourquoi ne faites-vous pas faire quelque chose de bien ?

J'ai souvent pensé à Croisset et je me dis que c'est un bon nid, pour y faire éclore des oiseaux chanteurs.

Quant à moi, je n'ai presque rien fait. Je me suis embarqué dans un travail qui me répugne, et j'y patauge tristement. Je ne puis reculer, mais quand cela sera fini, je pousserai un bon ouf ! Ce sont des espèces de fragments de mémoires littéraires que j'ai promis à mon éditeur[4] ; je n'ai jamais travaillé dans cet article-là, et ça n'est pas amusant. Oh ! deux heures de Sainte-Beuve ! Je voudrais savoir si cela l'amuse beaucoup, lui.

Mes meilleures amitiés à votre respectable mère, qui me fait l'effet de la meilleure maman que l'on puisse rêver[1], et une bonne et vigoureuse poignée de main à vous.

Votre

P.-S. Je suis ici pour tout l'hiver, parce que mes amis, les Viardot[2], s'y trouvent. — Ce n'est pas bien gai, Carlsruhe, mais cela vaut mieux que sa réputation. — Je viendrai à Paris vers la fin de mars.

À FRÉDÉRIC FOVARD

Croisset, 2 février [1869].

Mon cher Bonhomme,

Mon concierge *se plaint* de n'être pas payé de mes deux termes d'octobre et de janvier.

Il se représentera chez ton Excellence dans quelques jours. Fais-moi le plaisir de lui aligner les espèces, — afin de me conserver sa considération.

J'étais à Paris la semaine dernière, mais si occupé (de 7 à 9 heures de fiacre par jour) que je n'ai pu aller te voir.

Tu jouiras de ce plaisir à la fin du mois prochain.

Je t'embrasse.

À JULES MICHELET

Croisset, 2 février 1869.

Mon cher Maître,

J'ai reçu avant-hier votre *Préface* de *la Terreur*[3] et je vous en remercie du fond de l'âme. Ce n'est pas du souvenir que je vous remercie, car je suis accoutumé à vos bienveillances — mais de la chose en elle-même.

Je hais comme vous la prêtraille jacobine, Robespierre et ses fils que je connais pour les avoir lus et fréquentés.

Le livre que je finis maintenant[4] m'a forcé à étudier un peu le socialisme. Je crois qu'une partie de nos maux viennent du néo-catholicisme républicain.

J'ai relevé dans les prétendus hommes du progrès, à commencer par Saint-Simon[5] et à finir par Proudhon, les plus étranges citations. *Tous* partent de la révélation religieuse.

Ces études-là m'ont amené à lire les *Préfaces* de Buchez[1]. La démocratie moderne ne les a point dépassées. Rappelez-vous l'indignation qu'a excitée le livre de Guizot[2]...

Si la République revenait demain, on re-bénirait les arbres de la liberté, j'en suis sûr. Ils trouveraient cela « politique ».

J'ai lu, cet hiver, au coin de mon feu, quatorze volumes de l'histoire parlementaire[3]. Ce qui m'a fait relire pour la six ou septième fois votre Révolution[4], c'est que j'ai eu des remords à votre endroit. Il m'a semblé, mon cher maître, que, jusqu'à présent, je n'avais pas eu pour vous assez d'admiration. La connaissance matérielle des faits m'a permis de mieux apprécier votre extraordinaire mérite. Quelle perspicacité et quelle justice ! J'omets tout le reste, pour n'avoir pas l'air d'un courtisan.

J'espère vous voir à la fin du mois prochain, vers Pâques, et causer longtemps avec vous.

Je vous prie de me rappeler au souvenir de Mme Michelet et de me croire plus que jamais, mon cher Maître,

Votre tout dévoué.

À GEORGE SAND

Croisset, mardi 2 février [1869].

Ma chère Maître,

Vous voyez en votre vieux troubadour un homme éreinté. J'ai passé huit jours à Paris, à la recherche de renseignements assommants (7 à 9 heures de fiacre tous les jours, ce qui est un joli moyen de faire fortune avec la Littérature. Enfin !). Je viens de relire mon plan. Tout ce que j'ai encore à écrire m'épouvante, ou plutôt m'écœure à vomir. Il en est toujours ainsi, quand je me remets au travail. C'est alors que je m'ennuie ! que je m'ennuie, que je m'ennuie ! Mais cette fois dépasse les autres ! Voilà pourquoi je redoute tant les interruptions dans la pioche. Je ne pouvais faire autrement, cependant. Je me suis trimbalé aux pompes funèbres, au Père-Lachaise, dans la vallée de Montmorency, le long des boutiques d'objets religieux, etc.[5] !

Bref, j'en ai encore pour quatre ou cinq mois. Quel bon *ouf* je pousserai quand ce sera fini, et que je ne suis pas près de refaire des bourgeois ! Il est temps que je m'amuse !

J'ai vu Sainte-Beuve et la princesse Mathilde, et je connais, à fond, l'histoire de leur rupture, qui me paraît irrévocable[1]. Sainte-Beuve a été indigné contre Dalloz et est passé au *Temps*. La Princesse l'a supplié de n'en rien faire. — Il ne l'a pas écoutée. Voilà tout. Mon jugement là-dessus, si vous tenez à le savoir, est celui-ci. Le premier tort est à la Princesse, qui a été violente ; mais le second et le plus grave est au père Beuve, qui ne s'est pas conduit en galant homme. Quand on a pour ami un aussi « bon bougre », et que cet ami vous a donné 30 mille livres de rente[2], on lui doit des égards. — Il me semble qu'à la place de Sainte-Beuve, j'aurais dit : « Ça vous déplaît, n'en parlons plus ! » Il a manqué *de manières* et d'altitude. — Ce qui m'a un peu dégoûté, entre nous, c'est l'éloge qu'il m'a fait de l'Empereur ! Oui, à moi ! l'éloge de Badinguet ! — Et nous étions seuls !

La Princesse avait pris, dès le début, la chose trop sérieusement. Je le lui ai écrit, en donnant raison à Sainte-Beuve[3], lequel, j'en suis sûr, m'a trouvé froid. C'est alors que, pour se justifier par-devers moi, il m'a fait ces protestations d'amour isidorien[4], qui m'ont un peu humilié. — Car c'était me prendre pour un franc imbécile.

Je crois qu'il se prépare des funérailles à la Béranger, et que la popularité du père Hugo le rend jaloux[5] ? Pourquoi écrire dans les journaux quand on peut faire des livres et qu'on ne crève pas de faim ? !

Il est loin d'être un sage, celui-là ; il n'est pas comme vous !

Votre Force me charme et me stupéfie. Je dis la Force de toute la personne, pas celle du cerveau, seulement.

Vous me parlez de la critique dans votre dernière lettre, en me disant qu'elle disparaîtra, prochainement[6]. — Je crois, au contraire, qu'elle est tout au plus à son aurore. On a pris le contre-pied de la précédente. Mais rien de plus. (Du temps de La Harpe, on était grammairien. — Du temps de Sainte-Beuve et de Taine, on est historien.) Quand sera-t-on *artiste*, rien qu'artiste, mais bien artiste ? Où connaissez-vous une critique qui s'inquiète de l'œuvre en *soi*, d'une façon intense ? On analyse très finement le milieu où elle s'est produite et les causes qui l'ont amenée. — Mais la poétique *insciente*, d'où elle résulte ? Sa composition, son style ? le point de vue de l'auteur ? *Jamais* !

Il faudrait pour cette critique-là une grande imagination et une grande bonté, je veux dire une faculté d'enthousiasme toujours prête. — Et puis du *goût*, qualité rare, même dans les meilleurs, si bien qu'on n'en parle plus, du tout !

Ce qui m'indigne tous les jours, c'eſt de voir mettre sur le même rang un chef-d'œuvre et une turpitude. On exalte les petits et on rabaisse les grands. — Rien n'eſt plus bête ni plus immoral.

À propos de bêtise « je me suis laissé conter » comme dit le sieur de Brantôme[1] que Plessy[2] devenait ſtupide, et insociable. Ses amis s'écartent d'elle.

J'ai été pris au Père-Lachaise d'un dégoût de l'humanité, profond et douloureux. Vous n'imaginez pas le fétichisme des tombeaux ! Le vrai Parisien eſt plus idolâtre qu'un nègre ! Ça m'a donné envie de me coucher dans une des fosses.

Et les gens *avancés* croient qu'il n'y a rien de mieux à faire que de réhabiliter Robespierre ! Voir le livre de Hamel[3] ! Si la République revenait, ils rebéniraient les arbres de la liberté, par politique, et croyant cette mesure-là, forte !

Embrassez vos deux petites-filles pour moi.

Je vous baise sur les deux joues, tendrement.

Votre vieux

Quand se verra-t-on ?

Je compte être à Paris de Pâques à la fin de mai. Cet été, j'irai vous voir à Nohant. Je me le jure[4].

À JEANNE DE TOURBEY

[Croisset, 2 février 1869.]

Ma chère et belle Amie,

J'ai été surpris par le temps, dimanche et n'ai pu aller vous voir. 1° pour vous voir, 2° pour vous dire adieu, hélas — et enfin pour vous remercier de la charmante soirée que vous nous avez fait passer vendredi[5].

Je suis exténué par mes courses en fiacre sur le macadam parisien et je me remets à la besogne.

Donnez-moi de vos nouvelles quand vous n'aurez rien de mieux à faire.

Je vous baise les deux mains comme je vous aime. C'eſt à dire très fort.

Vôtre.

2 février.

À IVAN TOURGUENEFF

Croisset, 2 février [1869].

Mon cher Ami,

Je suis toujours à Croisset, c'est-à-dire que j'y suis revenu, hier, ayant passé toute la semaine dernière à Paris à la recherche des plus sots renseignements qu'on puisse imaginer : enterrements, cimetières et pompes funèbres d'une part, saisie mobilière et procédure de l'autre[1], etc., etc. Bref, je suis brisé de fatigue et d'ennui. Mon interminable roman m'écœure et m'assomme ! Et j'en ai encore pour quatre mois, au moins !

Je *brûle* d'envie de voir votre critique littéraire[2]. Car la vôtre sera celle d'un *praticien*, — chose importante. Ce qui me choque dans mes amis Sainte-Beuve et Taine, c'est qu'ils ne tiennent pas suffisamment compte de l'*Art*, de l'œuvre en soi, de la composition, du style, bref de ce qui fait le Beau.

On était grammairien du temps de La Harpe, on est maintenant historien, voilà toute la différence.

Avec votre manière de sentir si originale et si intense, votre critique égalera vos créations, j'en suis sûr.

Et moi aussi, je songe très souvent à l'après-midi que vous avez passé dans ma cabane[3]. Vous y avez séduit tout le monde ; ma mère et ma nièce parlent souvent de vous et me demandent de vos nouvelles.

Quant à moi, vous savez quelle affection je vous ai portée dès le premier jour !

Pourquoi ne vivons-nous pas dans le même pays ?

Je serai à Paris vers Pasques. — N'y venez pas avant !

Je vous embrasse très fort.

À SA NIÈCE CAROLINE

[Croisset,] dimanche, 11 heures [9 février 1869].

Mon Loulou,

Laisse les petits rideaux de vitrage. Mais qu'on ferme bien les persiennes et les grands rideaux.

Le successeur de Guy m'avait promis : 1° des caleçons, 2° des chaussettes, 3° des gants.

Je me réjouis de l'idée de te revoir demain et de recommencer le sheik[1].

Si quelquefois les affaires d'Ernest[2] le forçaient à retarder son départ, écrivez-nous-le par le télégraphe.

Voilà le bateau qui arrive. — Nous amenant Monseigneur[3] et ta tante Achille ; je n'ai que le temps de faire deux gros bécots[a].

PISALEY[4], aubergiste.

GEORGE SAND À GUSTAVE FLAUBERT

Nohant, 11 février [18]69.

Pendant que tu trottes pour ton roman, j'invente tout ce que je peux pour ne pas faire le mien[5]. Je me laisse aller à des fantaisies *coupables*. Une lecture m'entraîne et je me mets à barbouiller du papier qui restera dans mon bureau et ne me rapportera rien[6]. Ça m'a amusé ou plutôt ça m'a commandé, car c'est en vain que je lutterais contre ces caprices. Ils m'interrompent et m'obligent... Tu vois que je n'ai pas la force que tu crois.

Quant à notre ami, il est ingrat, tandis que notre amie est trop exigeante[7]. Tu l'as dit : ils ont tort tous les deux et ce n'est pas leur faute. C'est l'engrainage *(sic)* social qui le veut. Le genre de reconnaissance, c'est-à-dire de soumission *qu'elle* exige, tient à une tradition que le temps présent met encore à profit (c'est là le mal) mais n'accepte plus comme un devoir. Les notions de l'obligé sont changées, celles de l'obligeur devraient changer aussi. Il devrait se dire qu'on n'achète la liberté morale par aucun bienfait, — et quant à *lui*, il eût dû prévoir qu'on le croirait enchaîné. Le plus simple eût été de ne pas tenir à avoir 30.000 livres de rente. Il est si facile de s'en passer ! Laissons-les se débrouiller. On ne nous y prendra pas : Pas si bête.

Tu dis de très bonnes choses sur la critique. Mais pour la faire comme tu dis, il faudrait des artistes, et l'artiste est trop occupé de son œuvre pour s'oublier à approfondir celle des autres.

Mon Dieu, quel beau temps ! En jouis-tu au moins de ta fenêtre ? Je parie que le tulipier est en boutons. Ici, pêchers et abricotiers sont en fleurs. On dit qu'ils seront fricassés. Ça ne les empêche pas d'être jolis et de ne pas se tourmenter.

Nous avons fait notre carnaval de famille. La nièce, les petits-neveux, etc. Nous tous, avons revêtus *(sic)* des déguisements. Ce n'est pas difficile ici. Il ne s'agit que de monter au vestiaire et on redescend en Cassandre, Scapin, Mezzetin, Figaro, Bazile, etc. Tout cela exact et très joli. La perle c'était Lolo en petit Louis XIII satin cramoisi rehaussé de satin blanc frangé et galonné d'argent. J'avais passé trois jours à faire ce costume avec un grand chic, c'était si joli et si drôle sur cette fillette de trois ans, que nous étions tous stupéfiés à la regarder. Nous avons joué ensuite des charades, soupé, folâtré jusqu'au jour. Tu vois que, relégués dans un désert, nous gardons pas mal de vitalité. Aussi je retarde tant que je peux le voyage de Paris et le chapitre des affaires. Si tu y étais, je ne me ferais pas tant tirer l'oreille. Mais tu y vas à la fin de mars et je ne pourrai tirer la ficelle jusque-là. Enfin tu jures de venir cet été et nous y comptons absolument. J'irai plutôt te chercher par les cheveux. Je t'embrasse de toute ma force sur ce bon espoir.

G. SAND.

À EDMOND ET JULES DE GONCOURT

[Croisset,] dimanche, 5 heures [14 février 1869].

Nom de Dieu ! c'est *Fort*, oui, FORT ! FORT !

Ah ! saprelotte !

J'espère bien qu'on va fortement vous engueuler. Et que ça va faire du bruit.

J'ai commencé votre bouquin[1] à 11 heures et je ne me suis interrompu que pour tousser. Car votre ami a une grippe abominable. La lecture m'a tenu tout le temps béant et ravi. Jusqu'à l'église San-Agostino[2], je vous ai cherché des chicanes, mais à partir de cet endroit-là, je n'ai eu qu'une admiration sans le moindre mélange.

Le problème du livre est résolu, à savoir : faire admettre qu'une femme philosophe et bonne *devienne* mystique et cruelle. C'est de l'Art, cela. Du plus fin et du plus haut !

J'ai envie de vous embrasser, et je *mouille.* Quels bons bougres vous faites !

Il y a des mots sublimes « tu diras ce que font les domestiques[3] », et l'apparition du frère ! faisant des reproches à sa sœur ! et le joli médecin avec sa *pâte des martyrs*[4] ! Puis les descriptions, pas trop longues, et justes ! J'ai revu Rome.

C'est un bouquin ! Dites-vous ça, et foutez-vous du reste.

(*N. B.* Dans la prochaine édition, je vous *prie* de surveiller un peu trop de *de* qui se régissent ? J'aime tant ce polisson de livre-là que je voudrais le voir irréprochable, même aux yeux des pédants.)

Mais encore un coup, c'est raide ! J'en suis *stomaché*[1].

Sans compter la valeur intrinsèque de ladite œuvre, qui selon moi est immense, je lui crois une portée philosophique considérable ?

La haine qu'elle va susciter contre leurs *(sic)* auteurs, vous prouvera que je ne me trompe pas !

On riposte à l'injure, à la négation, mais ce qu'on ne pardonne jamais, c'est l'analyse, c'est la Science.

Ah ! vous allez vous faire bien voir de messieurs les ecclésiastiques !

Envoyez-moi le dessus du panier, en fait d'outrages. — Ou plutôt gardez-les pour me les montrer au dessert, chez vous.

Je suis bien curieux de savoir ce que pensent Michelet et Renan.

Quelle page que celle sur l'imitation[2] !

Adieu, je vous embrasse plus fort que jamais en vous répétant que vous avez fait un vrai livre, et que je vous aime.

P.-S. Je ne vous fais pas l'injure de vous louer sur l'Absence du Vi. — Qui est cependant une grande originalité.

La gradation suivante est excellente : M. de Flamen, le père jésuite, le frère trinitaire[3]. — J'ai remarqué plusieurs merveilles de style, que je vous dirai. Des choses exquises, *faites pour moi* enfin.

Matériellement le volume est agréable à tenir dans les mains et à lire.

À EDMOND ET JULES DE GONCOURT

Croisset, mardi soir [16 février 1869].

Mes bons Vieux,

J'ai été ému en lisant votre accident[4] et réjoui tout aussitôt en voyant qu'il ne vous en était rien resté ? Est-ce bien vrai ? pas de vertiges ? Donnez-moi un peu de vos nouvelles.

Je ne vous ai pas assez dit dimanche combien j'étais content de *Madame Gervaisais*[5]. Je la relirai, dans quelque temps, lentement. Mais la première impression a été excellente.

Je suis bien curieux de savoir ce que les abrutis du Compte rendu vont débagouler.

Adieu. Je vous embrasse.

DU CANTAL[1].

Non ! je le dépasse !

À LA PRINCESSE MATHILDE

[Croisset,] mardi soir [16 février 1869].

J'ai, dans ce moment-ci, deux maladies, Princesse : d'abord un grand ennui de ne pas vous voir, et puis une abominable grippe qui ne me laisse pas un moment de tranquillité.

Il paraît que tout le monde eſt affligé de cette indisposition ? Vous ne l'avez pas, j'espère ?

Comment allez-vous, d'ailleurs ? Les de Goncourt m'ont écrit qu'il n'*y* paraissait plus[2]. Quant à moi, vous savez qu'*on*[3] me garde rancune. Mais de cela, je me moque profondément.

Que pensez-vous de *Madame Gervaisais*, entre nous ? Je n'ose pas vous dire que je trouve ce livre très remarquable, car vous avez le goût difficile. C'eſt pourquoi je tremble en songeant à mon pauvre roman[4]. Il avance ! et dans six semaines je commencerai le dernier chapitre.

Ce billet va vous arriver demain au soir, mercredi, le jour où la petite bande des amis se trouve près de vous. C'eſt vous dire que je l'envie, Princesse.

Je me mets à vos pieds et suis

Tout à vous.

À LA PRINCESSE MATHILDE

[Croisset, 18 février 1869.]

Princesse,

J'ai été hier matin partagé entre l'attendrissement et l'amour-propre, ce croisement de nos deux lettres me donnant la preuve nouvelle[a] d'une sympathie qui m'est bien précieuse.

Ne vous semble-t-il pas, que tous, tant que nous sommes (malgré les différences de fortune, de rang et même de sexe), nous vivons sur un radeau de la *Méduse* ? et qu'en dehors de ce petit nombre-là, il y a, tout autour de nous, comme un océan d'hostilité et de bêtise ? C'est pourquoi il faut se tenir ferme et garder l'espoir.

Ce que vous me dites des de Goncourt ne m'étonne nullement. Je les tiens pour les plus galants hommes qui existent. Je ne connais rien d'aussi propre dans la Littérature. Ce sont des *Bons.* Fiez-vous à eux. Ils ont d'ailleurs pour Votre Altesse une affection qui me les ferait chérir.

Vous me parlez des turpitudes de la Presse ; j'en suis si écœuré que j'éprouve à l'encontre des journaux un dégoût physique radical. J'aimerais mieux ne rien lire du tout que de lire ces abominables carrés de papier. Mais on fait tout ce qu'on peut pour leur donner de l'importance ! On y croit et on en a peur. Voilà le mal. Tant qu'on n'aura pas détruit *le respect pour ce qui est imprimé*, on n'aura rien fait ! Inspirez au public le goût des grandes choses et il délaissera les petites. — Ou plutôt laissez les petites se dévorer entre elles.

Je regarde comme un des bonheurs de ma vie de ne pas écrire dans les journaux. Il en coûte à ma bourse, mais ma conscience s'en trouve bien, ce qui est le principal.

Je compte les jours qui me séparent de la fin du mois de mars[1], c'est-à-dire du moment où je vous reverrai, Princesse, et où je pourrai, en réalité, vous baiser les mains et vous dire, encore, que je suis tout à vous.

Croisset, jeudi.

GEORGE SAND À GUSTAVE FLAUBERT

Nohant, 21 février [1869].

Je suis toute seule à Nohant, comme tu es tout seul à Croisset. Maurice et Lina sont partis pour Milan, pour voir Calamatta dangereusement malade[2]. S'ils ont la douleur de le perdre, il faudra que, pour liquider ses affaires, ils aillent à Rome, un ennui sur un chagrin, c'est toujours comme cela. Cette brusque séparation a été triste, ma pauvre Lina pleurant de quitter ses filles et pleurant de ne pas être auprès de son père. On m'a laissé les enfants que je quitte à peine et qui ne me laissent travailler que quand ils dorment, mais je suis encore heureuse d'avoir ce soin sur les bras pour me consoler. J'ai tous les jours, en deux heures, par télégramme, des nouvelles de Milan. Le malade est mieux, mes enfants ne sont encore qu'à Turin aujourd'hui et ne savent pas encore ce que je sais ici. Comme ce télégraphe change les notions de la vie, et quand les formalités et formules seront encore simplifiées, comme l'existence sera pleine de faits et dégagée d'incertitudes.

Aurore qui vit d'adorations sur les genoux de son père et de sa mère et qui pleure tous les jours quand je m'absente, n'a pas demandé une seule fois où ils étaient. Elle joue et rit, puis s'arrête, ses grands beaux yeux se fixent, elle dit *mon père* — une autre fois elle dit *maman*. Je la distrais, elle n'y songe plus, et puis cela recommence. C'est très mystérieux, les enfants ! Ils pensent sans comprendre. Il ne faudrait qu'une parole triste pour faire sortir son chagrin. Elle le porte sans savoir. Elle me regarde dans les yeux pour voir si je suis triste ou inquiète, je ris et elle rit. Je crois qu'il faut tenir la sensibilité endormie le plus longtemps possible, et qu'elle ne me pleurerait jamais si on ne lui parlait pas de moi. Quel est ton avis, à toi qui as élevé une nièce intelligente et charmante ? Est-il bon de les rendre aimants et tendres de bonne heure ? J'ai cru cela autrefois, j'ai eu peur en voyant Maurice trop impressionnable et Solange trop contraire et réagissant. Je voudrais qu'on ne montrât aux petits que le doux et le bon de la vie, jusqu'au moment où la raison peut les aider à accepter ou à combattre le mauvais. Qu'est-ce que tu en dis ?

Je t'embrasse et te demande de me dire quand tu iras à Paris. Mon voyage étant retardé, vu que mes enfants peuvent être un mois absents, je pourrai peut-être me trouver avec toi à Paris.

Ton vieux solitaire

G. SAND.

Quelle admirable définition je retrouve avec surprise dans le fataliste Pascal !

« La nature agit par progrès, *itus et reditus*. Elle passe et revient, puis va plus loin, puis deux fois moins, puis plus que jamais[1]. »

Quelle manière de dire, hein ? Comme la langue fléchit, se façonne, s'assouplit et se condense sous cette patte grandiose !

À GEORGE SAND

[Croisset,] nuit de mardi [23 février 1869].

Ce que j'en dis, chère Maître ? S'il faut exalter ou réprimer la sensibilité des enfants ? Il me semble qu'il ne faut avoir, là-dessus, aucun parti pris. *C'est selon* qu'ils inclinent vers le trop, ou le trop peu. — On ne change pas le fond, d'ailleurs. Il y a des natures tendres et des natures sèches, irrémédiablement. Et puis, le même spectacle, la même leçon peut produire des effets opposés. Rien n'aurait dû me durcir plus que d'avoir été élevé dans un hôpital, et d'avoir joué, tout enfant, dans un amphithéâtre de dissection ? Personne n'est pourtant plus apitoyable que moi sur les douleurs physiques. Il est vrai que je suis le fils d'un homme qui était extrêmement humain, sensible dans la bonne acception[a] du mot. La vue d'un chien souffrant lui mouillait les paupières. Il n'en faisait pas moins bien ses opérations chirurgicales. Et il en a inventé quelques-unes de terribles.

« Ne montrer aux petits que le doux et le bon de la vie, jusqu'au moment où la raison peut les aider à accepter ou à combattre le mauvais[1]. » Tel n'est pas mon avis. — Car il doit se produire alors dans leur cœur quelque chose d'affreux, un désenchantement infini. Et puis, comment la raison pourrait-elle se former, si elle ne s'applique pas (ou si [on] ne l'applique pas journellement) à distinguer le bien du mal ? La vie doit être une éducation incessante. Il faut[b] tout apprendre, depuis Parler jusqu'à Mourir.

Vous me dites des choses bien vraies sur *l'inscience* des enfants. Celui qui lirait nettement dans ces petits cerveaux y saisirait les racines mêmes du génie humain, l'origine des Dieux, la Sève[c] qui produit plus tard les actions, etc. Un nègre qui parle à son idole et un enfant à sa poupée me semblent près l'un de l'autre.

L'enfant et le barbare (le primitif) ne distinguent pas le réel du fantastique. — Je me souviens très nettement qu'à cinq ou six ans je voulais « envoyer mon cœur » à une petite fille dont j'étais amoureux (je dis mon cœur *matériel*). Je le voyais au milieu de la paille, dans une bourriche, une bourriche d'huîtres !

Mais personne n'a été si loin que vous dans ces analyses. Il y a dans l'*Histoire de ma vie* des pages là-dessus, qui sont d'une profondeur démesurée. Ce que je dis est vrai, puisque les esprits les plus éloignés du vôtre sont restés ébahis devant elles. Témoin les de Goncourt[2].

Avez-vous lu leur *Madame Gervaisais* ? C'est à lire.

Votre pauvre belle-fille doit être bien tourmentée ? et Maurice, par contrecoup ? et vous aussi ? Je vous plains tous. J'ai vu M. Calamatta, deux fois : une fois chez Mme Colet, et la seconde chez vous, rue Racine, la première fois que je vous ai fait une visite[1]. Donnez-moi de ses nouvelles.

Voilà l'hiver qui s'avance ! J'en ai rarement passé de meilleur. — Malgré une abominable grippe qui m'a fait tousser et moucher pendant trois semaines. — J'espère, dans une dizaine de jours, commencer mon avant-dernier chapitre ! Quand il sera bien en train (au milieu) je m'en irai à Paris vers Pâques, pas avant. *Je compte* vous y rencontrer. Car je m'ennuie de vous comme une bête ou plutôt comme un homme d'esprit.

Ce bon Tourgueneff doit être à Paris à la fin de mars. Ce qui serait gentil, ce serait de dîner tous les trois ensemble.

Je repense à Sainte-Beuve. Sans doute « on peut se passer de 30 000 livres de rente », mais il y a quelque chose de plus facile encore : c'est, quand on les a, de ne pas débagouler, toutes les semaines, dans les torche-culs appelés journaux. Pourquoi ne fait-il pas de livres, puisqu'il est riche et qu'il a du talent !

Je relis, en ce moment, *Don Quichotte.* Quel gigantesque bouquin ! Y en a-t-il un plus beau[2] ?

Voilà quatre heures, bientôt. Il est temps de se mettre dans les nappes.

Adieu, je vous bécote sur les deux joues comme du bon pain, ainsi que Mlle Aurore, avec toutes les tendresses du troubadour.

À CLAUDIUS POPELIN

[Croisset,] mardi, minuit [février 1869].

Un mot de la Princesse m'apprend le malheur qui vous frappe, pauvre cher ami[3] !

Je ne vous envoie aucune parole de consolation, parce que vous ne vous consolerez pas !

Mais je vous embrasse tendrement.

Votre

À EDMOND ET JULES DE GONCOURT

[Croisset,] vendredi [5 mars 1869].

Enfin j'ai de vos nouvelles ! (C'était un peu pour en avoir que je vous ai envoyé de la crème de Sotteville[1].) Je vous ai écrit une lettre, il y aura dimanche prochain trois semaines[2], immédiatement après avoir lu votre livre qui m'avait enchanté et qui m'eſt reſté dans la cervelle, preuve qu'il eſt puissant. — Puis, je vous ai récrit, deux jours après[3], pour savoir si votre accident de voiture ne vous avait pas laissé de traces fâcheuses ?

Avez-vous reçu ces deux lettres ? Plusieurs de votre ami (ou à lui adressées) ont été perdues, dernièrement, myſtère ?

Vous ne me paraissez pas joviaux ? à cause ?

La Princesse[4] m'a l'air également mélancolique.

Quel eſt donc le vent qui souffle là-bas ?

Moi, j'ai eu depuis le commencement de février un rhume à la Du Cantal[5] dont je ne suis pas encore débarrassé et qui m'éreinte ! Je continue néanmoins mon odieux bouquin[6], avec acharnement. Mais il m'emmerde d'une telle façon que j'en ai, parfois, envie de pleurer. Le décrochage de la fin eſt dur ! J'espère qu'elle arriv[er]a dans trois mois. Vous me verrez vers Pâques.

Mais vous seriez bien gentils de m'envoyer, d'ici là, un peu de votre écriture.

Je vous embrasse l'un et l'autre, mes bons chers vieux, comme je vous aime, c'eſt-à-dire très fort.

À LA PRINCESSE MATHILDE

[Croisset,] nuit de samedi [6 mars ? 1869].

Comme votre dernière lettre[7] eſt triſte, Princesse ! Elle m'a profondément peiné. Car vous n'êtes pas née pour souffrir ! La sanité[8] naturelle de votre esprit, qui eſt d'une conſtitution ferme et robuſte, n'a rien de commun avec nos brumes normandes. Vous êtes pleine de force et de soleil ! Reſtez vous-même, pour vous d'abord, et ensuite pour ceux qui vous aiment, et qui ne veulent vous savoir du chagrin.

On a ses mauvais jours, je le sais ! Mais *avec de la volonté*, ils deviennent de plus en plus rares. Croyez-en là-dessus un grand maître en fait de mélancolie ! J'ai passé par de vrais spasmes d'ennui, que je ne souhaiterais pas à un assassin. C'était dans ma jeunesse. Car ces bouillonnements lugubres ne sont rien autre chose que les excès de la sève, le trop-plein qui ne peut (ou ne veut) sortir. Quant aux déceptions que le monde peut vous faire éprouver, je trouve que c'est lui faire trop d'honneur, il ne mérite pas cette importance. Pour moi, voici le principe : *on a toujours affaire à des canailles.* — On est toujours trompé, dupé, calomnié, bafoué. *Mais il faut s'y attendre.* Et quand l'exception se présente, remercier le Ciel.

C'est pour cela que je n'oublie rien des plus petits bonheurs qui m'arrivent, pas une poignée de main cordiale, pas un sourire ! Tout est trésor pour les pauvres.

Je vous demande pardon de vous parler sur ce ton-là, Princesse. Mais il semble que vous me le permettez, n'est-ce pas ?

J'avais pensé à vous envoyer de la crème de Sotteville. — Mais on m'a dit, hier, que vous deviez en recevoir lundi prochain. — Vous voyez que je connais vos actions.

Ne vous laissez pas assombrir. C'est une mauvaise habitude. J'espère que votre prochaine lettre m'apprendra que vous allez mieux ?

Il fait bien beau temps. Sortez-vous ? Faites-vous des promenades ? Et la peinture ?

Moi, j'attends Pâques avec impatience, car à ce moment-là je vous reverrai, et je pourrai vous baiser les deux mains, Princesse, en vous redisant encore que je suis

Tout à vous.

À JULES DUPLAN

[Croisset,] nuit de dimanche [7 mars 1869].

Mon bon Vieux,

Je viens d'envoyer à Blamont une petite note[1] où je lui demande un expédient pour un *effet* qui m'est indispensable dans mon bouquin[2].

Comme j'ai de mal, mon pauvre bonhomme ! J'en ai parfois des envies de pleurer ! La fin est dure.

Et toi, comment vas-tu ? Max m'a écrit[1], il y a quelque temps, que tu allais tout doucement, ce qui ne veut pas dire bellement.

Tu me verras à Pâques ou dans la semaine d'après. J'espère toujours avoir fini vers la fin de mai.

J'ai eu (et ai encore) une grippe abominable ! joins-la à l'emmerdement de mon livre et tu peux te figurer dans quel état je suis !

L'ogresse de Montauban[2] est une jolie figure de Keepsake, n'est-ce pas ? Qu'on dise ensuite que le Vieux[3] n'est pas vrai !

Parle de mon affaire à Blamont quand tu le verras mercredi. J'attends sa réponse et un mot de toi.

Ton vieux

géant

t'aime et t'embrasse.

GEORGE SAND À GUSTAVE FLAUBERT

Nohant, 7 mars [1869].

Toujours seule avec mes petites-filles. Mes neveux et les amis viennent passer trois jours sur deux, mais je m'ennuie de Maurice et de Lina. Le pauvre Calamatta est au plus mal.

Donne-moi donc l'adresse des Goncourt[4]. Tu ne me l'as jamais donnée. Je ne la saurai donc jamais ? Ma lettre pour eux est là qui attend.

Je t'aime et je t'embrasse ; je t'aime beaucoup, beaucoup, et je t'embrasse bien fort.

G. SAND.

À GEORGE SAND

[Croisset,] lundi 8 [mars 1869].

Les de Goncourt demeurent : *boulevard de Montmorency, 53, Auteuil, Paris.*

Je vous ferai observer, pour mon excuse, chère maître du bon Dieu, que vous ne m'avez jamais demandé leur adresse !

Comme vous ne la saviez pas, vous m'avez, cet hiver, envoyé pour eux une lettre sur laquelle je l'ai mise. Voilà[1].

Et j'ai du chagrin puisque vous en avez.

Tenez-moi au courant de tout. — Comme je m'ennuie de ne pas vous voir ! Est-ce bête de passer sa vie loin de ceux qu'on aime !

Je vous embrasse bien tendrement.

Je n'ai rien du tout à vous narrer. Je pioche énormément et avec de plus en plus de peines !

GEORGE SAND À GUSTAVE FLAUBERT

[Nohant,] 12 mars [1869].

Le pauvre Calamatta[2] est mort le 9. Mes enfants reviennent. Ma Lina doit être désolée. Je n'ai de leurs nouvelles que par télégramme. De Milan ici, en 1 h ½. Mais cela manque de détails, et je me tourmente.

Je t'embrasse tendrement.

G. SAND.

Merci pour l'adresse.

À GEORGE SAND

[Croisset,] samedi soir [13 mars 1869].

Comme je plains votre pauvre belle-fille, Maurice, et vous ! Donnez-moi de leurs nouvelles quand ils seront revenus !

Le voyage aura été une diversion, et la vue des petits enfants, au retour, leur fera du bien. Ce sera comme un cadeau[3].

On meurt effroyablement, cet hiver ! Rossini, Berryer, Lamartine, Mérimée[4] !... sans compter les autres !

Je n'aurais que des banalités à vous dire ! Je m'arrête. Mais j'ai bien envie de vous embrasser, ma très chère maître !

Votre vieux troubadour.

À EDMOND ET JULES DE GONCOURT

Croisset, samedi soir [13 mars 1869].

Mes chers Bons,

1° Connaissez-vous quelque part une théorie quelconque pour les *portraits d'enfants*[1].

2° Quels sont les plus beaux portraits d'enfants ?

Ma situation est celle-ci : un esthétiqueur qui fait le portrait d'un *enfant mort*, et se livre, devant la mère, à un débagoulage artistique indélicat, le tout pour briller[2].

Si vous ne connaissez rien, envoyez-moi *le fruit* de vos observations personnelles. J'aurais besoin de quatre à cinq lignes substantielles. Et je ne saurais, chers Messieurs, m'adresser mieux qu'à vous.

Merci de votre dernière lettre.

Vous me verrez à la fin du mois, du moins, je l'espère ! Je vous embrasse. Soignez-vous ! C'est embêtant cette santé qui ne va pas.

Je n'ai pas reçu l'article de Zola[3] que vous deviez m'envoyer.

À EDMOND ET JULES DE GONCOURT

[Croisset,] dimanche, 4 heures [14 mars 1869].

Merci ! J'ai reçu ce matin les articles de Zola et de Barbey[4] !

Ce dernier m'a indigné d'abord, puis fait rire, et finalement inspiré une profonde pitié !

Ledit Barbey vous admire au fond, puisqu'il déclare que vous avez trouvé le joint.

Et encore le dîner Magny ! Faut-il [être] à court de critique ! Quelles misères !

Pensez à ma peinture[5].

Je vous embrasse.

J'espère que nous nous verrons d'aujourd'hui en quinze.

À IVAN TOURGUENEFF

Croisset, mercredi 17 mars [1869].

Mon cher Ami,

Je vous fais souvenir de votre promesse, c'est-à-dire que je compte vous voir à Paris dans la semaine qui suit Pasques.

Je compte y arriver la veille de Pasques. Et vous ? Répondez-moi un petit mot dès que ceci vous sera parvenu.

Je vous embrasse comme je vous aime, c'est-à-dire bien fort.

IVAN TOURGUENEFF À GUSTAVE FLAUBERT

Carlsruhe, hôtel Prince-Max.
Dimanche 21 mars 1869.

Mon cher Ami,

Votre lettre adressée à « Stuttgart ou à Bade » ne me parvient ici qu'à l'instant. Je me hâte de vous faire savoir que je pars pour Paris *mercredi*, et que j'y arrive *jeudi* à 5 heures du matin. — Je descends à l'hôtel Byron, rue Laffitte. — Je reste une semaine à Paris. Il est superflu de dire combien je serai content de vous voir. En attendant, je vous embrasse de toute mon amitié.

P.-S. Rappelez-moi au souvenir de madame votre mère.

À IVAN TOURGUENEFF

Croisset, jeudi matin [25 mars 1869].

Si vous n'avez rien de mieux à faire dimanche dans l'après-midi, venez chez moi *boulevard du Temple, 42*.

J'arriverai à Paris samedi soir. Mon intention est de dîner lundi chez les Husson[1]. En tout cas, réservez-moi *mardi*.

Je me réjouis à l'idée de vous revoir bientôt. D'ici là je vous embrasse.

Écrivez-moi un petit mot boulevard du Temple pour me dire le programme de votre semaine. Je m'y conformerai. Comme j'ai envie de tailler une bavette avec vous.

IVAN TOURGUENEFF À GUSTAVE FLAUBERT

Paris, hôtel Byron, rue Laffitte.
Vendredi [26 mars 1869].

Cher Ami,

Je viendrai chez vous dimanche à *deux* heures ; cela vous va-t-il ? Il faut que nous fassions toutes sortes de choses ensemble.

À vous.

IVAN TOURGUENEFF À GUSTAVE FLAUBERT

[Paris,] hôtel Byron, rue Laffitte.
Samedi [27 mars 1869].

Cher Ami,

Je vous ai écrit hier que je viendrais chez vous dimanche à *2* heures ; mais je ne pourrai venir qu'à *3*, *fort exactement.*

À vous.

MADEMOISELLE LEROYER DE CHANTEPIE À GUSTAVE FLAUBERT

Angers, ce 29 mars 1869.

Il y a longtemps, cher Monsieur, que je voulais vous écrire et vous remercier de votre aimable envoi ! Rien ne pouvait me faire plus de plaisir que votre portrait, et je retrouve dans les traits de votre noble et belle figure, l'expression telle que je la suppose de votre caractère. Si j'ai tant, tant tardé à vous remercier de cette marque de souvenir, c'est que j'ai toujours été souffrante. Je n'ose encore écrire et je ne puis m'accoutumer à dicter ; vous ne sauriez croire combien cela nuit à l'expression de ma pensée. Je viens pourtant de refaire ainsi deux petites nouvelles, mais je n'en suis pas satisfaite, et cette manière de travailler me fatigue beaucoup, plus que si je pouvais le faire moi-même. Je pense que vous êtes encore à la campagne et que votre travail s'achèvera bientôt et que nous aurons le plaisir de lire votre nouveau roman. Je l'attends avec impatience, j'ai grand besoin de lire un ouvrage intéressant, car il ne paraît absolument rien qui mérite ce nom, et c'est vraiment à dégoûter de la lecture. La *Revue des Deux Mondes* est devenue des plus nulle et le dernier roman d'About me paraît fort ennuyeux[1]. Je ne sais si vous avez des nouvelles de Mme Sand, je désire qu'elle soit heureuse et bien portante, car je l'aime infiniment, et je voudrais bien qu'elle écrivît quelque chose de nouveau, afin de pouvoir le lire. Vous me parlez de la question religieuse que vous trouvez plus opportune que la question politique[2] ; pour moi, je trouve que les questions sociale et religieuse sont une seule et même chose. On a fait du catholicisme un parti politique et cette transformation, la plus funeste de toutes, n'est assurément pas celle que j'attendais. J'avoue que le catholicisme est loin de me satisfaire et que je voudrais qu'il subît une transformation générale. Je vois des deux côtés qu'une lutte acharnée se prépare et je crois que le cas échéant les libres penseurs auraient tout lieu de s'attendre à une nouvelle Saint-Barthélemy. Ce n'est pas à coup sûr l'envie qui en manque à leurs adversaires. Nous ne verrons point la fin de tout ceci, mais il y aura certainement une transformation absolue dans le monde religieux et moral. En attendant, je veux rester en dehors de toutes ces questions dont plusieurs sont contradictoires, et je m'abstiens. Je voudrais que le clergé rentrât dans sa mission évangélique, alors il serait aimé et respecté, ce qui n'aura pas lieu tant qu'il s'incorporera dans un parti aussi rétrograde que celui qu'il a embrassé. Quoiqu'il en soit, l'hypocrisie joue son rôle et nous voyons partout d'étranges comédies ; il est moins facile d'en rire que de s'en indigner, car tout cœur honnête se révolte contre la duplicité et le mensonge. Comme vous, je suis toujours à la campagne où il neige depuis quelques jours, ce qui est assez triste et prolonge ma captivité. Si je pouvais lire et écrire, je ne m'en inquiéterais guère, mais l'inaction est pour moi un supplice. J'espère que la santé de Mme votre mère se soutient ; quant à sa surdité, c'est un brevet de longue vie. J'ai tant aimé ma mère que je puis affirmer qu'aucune affection ne peut être comparée à celle-là. Je vis toujours avec elle par la pensée. Souvent je crois la voir et l'entendre et peut-être que le sentiment que j'ai de sa présence invisible n'est point une illusion. Vous me parlez de l'avenir infini, j'y crois plus que personne, mais je me demande quel sera cet avenir, je n'en puis comprendre le mystère, que je cherche vainement à pénétrer. Les idées de Jean Reynaud[3] ne me satisfont qu'à moitié ! car cette absence de mémoire est une véritable mort puisque l'oubli n'est autre chose que le néant ; il est vrai qu'à la fin nous retrouverons la mémoire de toutes nos existences antérieures, mais jusque-là il nous faudra mourir bien des fois. Adieu, cher Monsieur et ami, je pense bien à vous et serais heureuse de vous voir ; ne m'oubliez pas trop et croyez à l'inaltérable attachement avec lequel je suis

M.-S. LEROYER DE CHANTEPIE.

À GEORGE SAND

[Paris, 31 mars 1869.]

Je m'ennuie et m'inquiète de vous, chère Maître !

Dans quel état êtes-vous tous ! Quand vous verrai-je, etc. ? etc. !

Je suis arrivé ici samedi au soir ; toutes mes courses sont finies. Et je me remets cette après-midi au travail.

Sainte-Beuve me paraît très malade ? Je crois qu'il n'en a pas pour longtemps[1] ?

J'aî dîné avant-hier et hier avec Tourgueneff. Cet homme-là a une telle puissance d'images, même dans la conversation, qu'il *m'a montré* G. Sand, accoudée sur un balcon dans le château de Mme Viardot, à Rozay. Il y avait sous la tourelle un fossé, dans le fossé un bateau... et Tourgueneff, assis sur le banc de cette barque, vous regardait d'en bas... le soleil couchant frappait sur vos cheveux noirs[2]...

Du Camp[3] et le Prince Napoléon[4] m'ont demandé de vos nouvelles.

Je vous embrasse bien fort.

Mercredi.

Je suis en train de payer des notes. Ça m'agace *naturellement.* — La prochaine fois nous causerons mieux.

Boulevard du Temple, 42.

À HENRY HARRISSE

[Paris, 1er avril 1869.]

Mon cher Ami,

Quand je dis que mon roman est terminé, je mens impudemment. J'ai encore à écrire tout un chapitre, ce qui est l'affaire de deux mois[5]. D'autre part, une partie de ma famille *m'incombe*[6]. Bref, je me vois forcé de supprimer, pendant quelque temps, mes dimanches[1]. Je vous en préviens pour que vous ne me fassiez pas de la peine en me disant qu'on vous a refusé ma porte. Il me faut encore six bonnes semaines de pioche souterraine. Je m'y remets aujourd'hui. Je pense vous voir dimanche soir chez la Princesse[2]. Vous m'excusez n'est-ce pas ?

Tout à vous.

À LA PRINCESSE MATHILDE

[Paris, 1er avril 1869.]

Je reçois à l'instant le mot de M. de Solms adressé à Votre Altesse ; et je vous en remercie bien ! Cela s'ajoute au reste, Princesse. L'addition de mes gratitudes s'allonge[3].

J'attends ma mère, samedi, ce qui ne m'empêchera pas d'aller le soir chez la princesse Charlotte[4] où j'espère vous rencontrer ? sans préjudice du lendemain, dimanche. — Car je profite de mes courts séjours dans « la Capitale » et autant que je peux, je répare pour moi le temps perdu.

En me mettant à vos pieds, Princesse, et en vous redisant que je suis

Vôtre.

Jeudi, 6 heures du soir.

GEORGE SAND À GUSTAVE FLAUBERT

Nohant, 2 avril [18]69.

Cher Ami de mon cœur,

Nous voici redevenus calmes. Mes enfants me sont arrivés bien fatigués. Aurore a été un peu malade. La mère de Lina[5] est venue s'entendre avec elle pour leurs affaires. C'est une loyale et excellente femme, très artiste et très aimable. J'ai eu aussi un gros rhume mais tout se remet, et nos charmantes fillettes consolent leur petite mère. S'il faisait moins mauvais temps et si j'étais moins enrhumée, je me rendrais tout de suite à Paris, car je veux t'y trouver. Combien de temps y restes-tu ? Dis-moi vite.

Je serai bien contente de renouer connaissance avec Tourgueneff que j'ai un peu connu sans l'avoir lu, et que j'ai lu depuis avec une admiration entière. Tu me parais l'aimer beaucoup, alors je l'aime aussi et je veux que quand ton roman sera fini, tu l'amènes chez nous. Maurice aussi le connaît et l'apprécie beaucoup, lui qui aime ce qui ne ressemble pas aux autres.

Je travaille à mon roman de *cabotins*[1], comme un forçat. Je tâche que ce soit amusant et explique *l'art*. C'est une forme nouvelle pour moi et qui m'amuse. Ça n'aura peut-être aucun succès. Le goût du jour est aux marquises et aux lorettes, mais qu'est-ce que ça fait ? Tu devrais bien me trouver un titre qui résumât cette idée : *Le Roman comique moderne*[2].

Mes enfants t'envoient leurs tendresses, ton vieux troubadour embrasse son vieux troubadour.

G. SAND.

Réponds vite combien tu comptes rester à Paris.

Tu dis que tu paies des notes et que tu es agacé. Si tu as besoin de *quibus*, j'ai pour le moment quelques sous à toucher. Tu sais que tu m'as offert une fois de me prêter et que si j'avais été gênée, j'aurais accepté.

Dis toutes mes amitiés à Maxime Du Camp et remercie-le de ne pas m'oublier.

À GEORGE SAND

[Paris, 3 avril 1869.]

Chère Maître,

Je ne compte pas m'en aller de Paris avant le 10 ou le 12 juin, quand mon roman sera fini et recopié.

Merci de l'offre pécuniaire ! Je n'ai besoin, présentement, de rien du tout.

Puisque votre roman roule sur les cabots, pourquoi ne pas l'appeler *Les Gens de théâtre*[3] ? vous connaissez la matière à fond. Je ne redoute qu'une chose pour le livre, c'est votre indulgence. Car enfin, ces gredins-là n'aiment pas l'art.

À propos de titres, vous m'aviez promis de m'en trouver un pour mon roman, à moi, voici celui que j'ai adopté, en désespoir de cause :

L'Éducation sentimentale,
Histoire d'un jeune homme

Je ne dis pas qu'il soit bon. Mais jusqu'à présent c'est celui qui rend le mieux la pensée du livre.

Cette difficulté de trouver un bon titre me fait croire que *l'idée* de l'œuvre (ou plutôt[a] sa conception) n'est pas claire ?

J'ai bien envie de vous en lire la fin.

Je m'habille pour aller au-devant de ma mère qui restera ici, avec ma nièce, jusqu'à la fin du mois.

Guérissez votre rhume et arrivez-nous.

Amitiés aux vôtres. — Et à vous, chère bon Maître, toutes mes tendresses.

Samedi matin.

À JULES DUPLAN

[Paris, 16 avril 1869.]

Turcaret[1],

As-tu vu fini ton emprunt[2], espagnol que tu es ? Quand renonceras-tu à tes infâmes spéculations, ô Saint-Florent[3] ? On sait à quoi s'en tenir sur ces disettes, etc.

Bref, viendras-tu déjeuner dimanche chez ton vieux, sacré nom de Dieu !

Je t'embrasse.

Ton G. FL[AUBERT].
Vendredi matin.

À GEORGE SAND

[Paris, 16 avril 1869.]

Je suis inquiet de vous, chère Maître, car malgré votre exactitude ordinaire vous n'avez pas répondu à ma dernière lettre[4] ? Il y a longtemps que vous devriez être à Paris, n'est-ce pas ?...

Dites à Maurice de m'écrire si vous êtes malade.

Je vous embrasse bien fort.

Vendredi matin.

À JULES DUPLAN

[Paris,] vendredi, 3 heures [16 avril 1869].

Cher Vieux,

Si tu n'as pas de rendez-vous ce soir, tu serais bien gentil de venir chez moi. *J'ai* BESOIN *de te parler pour une affaire*[1].

Viens même dîner si tu veux, je reste chez moi. — Je t'attendrai jusqu'à 7 h ½. — Et ensuite toute la soirée.

Sinon, viens demain avant d'aller à ta boutique.

À toi.

GEORGE SAND À GUSTAVE FLAUBERT

[Nohant,] 17 avril [1869].

Je me porte bien. Je finis (aujourd'hui, j'espère) mon roman comique moderne qui s'appellera je ne sais comment. Je suis un peu fatiguée, car j'ai fait bien d'autres choses. Mais je vas me reposer à Paris dans huit à dix jours, t'embrasser, te parler de toi, de ton travail, oublier le mien, Dieu merci ! et t'aimer comme toujours bien fort et bien tendrement.

G. SAND.

Amitiés de Maurice et de sa femme.

À GEORGE SAND

[Paris, 18 avril 1869.]

Chère Maître[a],

Tous mes soirs de la semaine prochaine sont pris. *Nonobstant*, dès que vous serez arrivée, envoyez-moi un mot par le télégraphe, et je me précipiterai vers vous. On va donc se revoir, enfin !

Ma mère qui est à Paris avec sa petite-fille m'a inquiété dans ces derniers temps. (Elle va, présentement, mieux, Dieu merci !) Cela me force à sortir tous les jours et retarde la fin de mon roman[1] qui eſt dure à décrocher. J'en ai encore pour un mois.

Comme il me tarde de vous embrasser ! Amitiés aux vôtres. Et à vous, toutes mes tendresses.

GEORGE SAND À GUSTAVE FLAUBERT

[Paris,] lundi [26 avril 1869].

Je suis arrivée hier soir. Je cours comme un rat. Mais tous les jours à 6 heures on eſt sûr de me trouver chez Magny, et le premier jour où tu seras libre, viens dîner avec ton vieux troubadour qui t'aime et t'embrasse.

Avertis-moi pourtant pour que, par un hasard exceptionnel, je n'aie pas la *malchance* de te manquer.

À JULES DUPLAN

[Paris, 27 avril 1869.]

Je viens de recevoir l'énorme pli de la *banque de Paris*[2]. Merci, vieux.

Donne-moi de tes nouvelles, je n'ai même pas le temps d'ouvrir ton pli, parce que je vais conduire ma mère au chemin de fer.

Je t'embrasse.

Ton

Mardi, 10 heures du matin.

À GEORGE SAND

[Paris, 29 avril 1869.]

Chère Maître,

Puisque vous n'avez rien à faire samedi soir, et que ce jour-là, d'ailleurs, votre (ou plutôt notre) ami Plauchut[3] promène son neveu, voulez-vous venir dîner chez votre vieux troubadour en tête à tête ? Je vous dégoiserais quelques pages.

Je suis absolument libre demain et après-demain depuis l'aurore jusqu'à la nuit.

Les premiers jours de la semaine prochaine (jusqu'à vendredi), je ne serai pas libre. — Donc venez samedi prochain et dites-moi ce que vous voulez manger. Mon mameluk ne cuisine pas trop mal.

Je vous reconduirai le soir, ou bien votre femme de chambre[1], en sortant du Vaudeville, prendra une voiture et viendra vous chercher.

J'espère demain finir mon dernier chapitre ? Je n'aurai plus que l'épilogue, 12 pages[2].

À samedi, n'est-ce pas ?

Je vous embrasse.

B[oulevar]d du Temple, 42, jeudi, 2 heures.

P.-S. — Arrivez *de très bonne heure*, qu'on ait le temps de se voir[3] !

GEORGE SAND À GUSTAVE FLAUBERT

[Paris,] jeudi soir [29 avril 1869].

Je rentre de Palaiseau[4] et je trouve ta lettre. Samedi je ne suis pas sûre d'être libre ; j'ai à lire ma pièce avec Chilly[5] pour quelques objections de détail et je te l'avais dit. Mais je le vois demain soir et je tâcherai qu'il me donne un autre jour. Je t'écrirai donc demain soir vendredi, et s'il me laisse ma liberté j'irai chez toi vers 3 heures samedi pour que nous lisions avant et après dîner. Je dîne d'un peu de poisson, d'une aile de poulet, d'une glace et d'une tasse de café, jamais rien autre. Moyennant quoi l'estomac va bien. Si je suis pincée par Chilly nous remettrons à la semaine prochaine après vendredi.

J'ai vendu Palaiseau aujourd'hui, à un maître cordonnier qui a un emplâtre *de cuir* sur l'œil droit, et qui appelle les sumacs du jardin des *schumakre*[6].

Donc samedi matin, tu auras un mot de ton vieux camarade.

G. SAND.

GEORGE SAND À GUSTAVE FLAUBERT

[Paris,] vendredi soir [30 avril 1869].

Pas moyen de sortir aujourd'hui. Est-ce bête, cet esclavage du métier ? D'ici à vendredi, je t'écrirai pour que nous nous retrouvions un jour. Je t'embrasse, mon vieux troubadour aimé.

G. SAND.

À SA COUSINE CAROLINE LAURENT

[Paris, 3 mai 1869.]

Ma chère Caroline,

Depuis que je te sais revenue à Paris, tu es pour moi un remords quotidien. Car je veux aller te voir tous les jours. Mais je suis surchargé ou plutôt surmené de travail. Je me suis juré d'avoir fini mon livre à la fin de la semaine prochaine[1], et je ne bouge ! Voilà.

Ta tante est toute seule à Croisset où elle s'ennuie beaucoup, naturellement. Elle me dit de *te prier* de venir lui faire la visite que [tu] lui as promise.

Si tu peux te mettre en route maintenant, tu lui rendrais un vrai service, et à moi aussi, par contrecoup.

Je n'aime pas à la savoir trop longtemps dans la solitude. — Et comme je ne peux m'en retourner à Croisset avant un mois, j'aimerais bien à ce que tu fusses un peu près d'elle, d'ici là.

Je passerai chez toi un de ces matins (avant midi).

Je t'embrasse.

Ton vieux cousin en pain d'épice.

Lundi, 3 heures.

GEORGE SAND À GUSTAVE FLAUBERT

[Paris,] lundi [3 mai 1869].

On m'envahit de plus en plus. J'ai tous mes jours pris jusqu'à dimanche inclusivement. Dis-moi vite si tu veux de moi lundi, d'aujourd'hui en huit, ou si c'est un autre jour, fixons-le, car voilà que je ne sais à qui entendre.

Ton troubadour qui ne veut pas que ce *train-là* continue !

G. SAND.

À GEORGE SAND

[Paris,] mardi, 11 heures [4 mai 1869].

Certainement, chère Maître ! c'est convenu ! *lundi prochain* je vous attends pour dîner*[1] !

Je crois que je ne sortirai pas de chez moi ni vendredi ni samedi. — Si vous passiez, par hasard, dans mon quartier, montez mes quatre étages, s.v.p.

En tout cas, à lundi.

Mille tendresses.

Comme la vie est difficile à Paris !

GEORGE SAND À GUSTAVE FLAUBERT

[Paris,] mardi soir [4 mai 1869].

À lundi donc, et si j'ai une heure de liberté j'irai embrasser mon troubadour, auparavant. Mais ne te dérange de rien, je le sais bien qu'on ne fait ici rien de ce qu'on voudrait. En tout cas, à lundi entre 3 et 4, ramone ton galoubet[2] pour me lire une partie avant dîner.

G. SAND.

À SA NIÈCE CAROLINE

[Paris,] mercredi matin [5 mai 1869].

Oui, mon loulou, tu m'as échappé au moment du départ. Nos adieux n'ont pas été convenables. Je m'en étais parfaitement aperçu, ma belle dame, puisque je ne t'avais pas bécoté selon ma coutume.

* Venez dans l'après-midi à l'heure qu'il vous plaira.

J'espère que l'air de la mer va te redonner un peu de forces ? Tu n'as pas été vaillante tout le temps de ton séjour à Paris, pauvre Caro ! Le père Cloquet[1] pense que ton voyage en Norvège[2] te fera grand bien. Que ne puis-je vous accompagner ! Moi, aussi, j'aurais bien besoin d'un petit voyage ! mais...

J'espère dans quinze jours ou trois semaines avoir enfin terminé mon roman[a3] ! c'est-à-dire donner au copiste les premières pages vers le 20 ou le 25 de ce mois. — Quel soulagement ! Quant à une lecture entre nous deux, la partie me semble manquée, irrévocablement. Il faut attendre le livre imprimé.

Toi et ton mari, vous ne devez pas manquer de sujets de conversation : 1° le voyage ; 2° l'ameublement de l'hôtel[4] !

Penses-tu à la manière dont ton oncle Achille Dupont[5] en parlera ? Tu vas marcher, dans son estime, immédiatement après la baronne[6], puisque : ayant déjà une « délicieuse villa » à Dieppe, tu auras « un charmant hôtel » à Paris.

Mais comment faire passer la chose à notre pauvre vieille ? Pourvu qu'elle ne l'apprenne pas avant votre retour !

D'après la lettre que j'ai reçue d'elle ce matin, elle me paraît un peu remontée ?

Tu as, sans doute, lu dans les feuilles le détail de la fête qu'a donnée jeudi dernier la Princesse Mathilde à son cousin[7] ? J'ai contemplé de près, pendant longtemps, celui qui nous a sauvés. Son épouse paraît m'avoir oublié ? En revanche, j'ai beaucoup causé avec Mme de Metternich[8]. — Je suis invité à aller demain entendre chanter, chez Mme Espinasse[9], une dame de Bordeaux que j'ai entendue déjà il y a deux ans et qui est fort curieuse. — Je n'irai probablement pas, car j'ai envie de me *cloîtrer* pendant quelques jours pour avoir fini plus vite.

En fait de bêtise parisienne, que dis-tu de ceci ? Hier, pendant que la pluie tombait le plus fort, les bourgeois qui habitent en face de moi, *dînaient sur leur terrasse*, à l'abri d'une tente. — Et il faisait un froid de chien ! J'avais du feu !

Adieu, pauvre loulou. Écris-moi longuement et aime toujours ton vieil oncle en pain d'épice, qui t'embrasse.

Mille amabilités à mon beau neveu[10] bien entendu. Est-il habitué à l'absence de ses favoris ?

À LA PRINCESSE MATHILDE

[Paris,] jeudi matin [13 mai 1869].

Princesse,

La belle visite que vous avez reçue hier au soir m'a empêché de vous rappeler le nom de mon neveu[1]. Vous aviez l'air de tellement vous amuser que je n'ai pas osé vous interrompre.

Quelle tête ! et quel chapeau ! quelle bouche[2] !

Mais comme le dîner avait été bon ! C'est le seul moment agréable que j'aie passé depuis six semaines. Vous voir de près, vous entendre, et vous regarder tout à mon aise m'a fait un bien exquis.

Je compte renouveler cette joie-là lundi prochain ? En l'attendant, je vous baise les deux mains, Princesse, et suis tout à vous.

À GEORGE SAND

[Paris, 13 mai 1869.]

Ci-joint le traité[3] avec l'enfant d'Israël (on peut s'écrier en le lisant : « Dieu des Juifs, tu l'emportes[4] ! »). Voyez, faites, chère maître...

Je compte toujours avoir *tout* fini vers le milieu de la semaine prochaine[5].

Dites-moi le programme de vos soirs à partir de jeudi.

Il me semble que nous avons besoin de résumer, ensemble, un tas de choses ?

Je vous embrasse tendrement.

Nuit de jeudi.

Mon mameluk se recommande à vous pour des billets de spectacle.

À JULES DUPLAN

[Paris,] dimanche matin [16 mai 1869],
5 heures moins 4 minutes.

Fini ! mon vieux ! — Oui, mon bouquin[1] eſt fini !

Ça mérite que tu lâches ton emprunt et que tu viennes m'embrasser.

Je suis à ma table, depuis hier, 8 heures du matin. — La tête me pète. N'importe ! J'ai un fier poids de moins sur l'eſtomac.

À toi

Gve.

GEORGE SAND À GUSTAVE FLAUBERT

[Paris,] mardi soir [18 mai 1869].

J'ai vu aujourd'hui Lévy. Je l'ai tâté d'abord ; j'ai vu qu'il ne voudrait à aucun prix céder son traité. Je lui ai dit alors beaucoup de bien du livre et j'ai fait la remarque qu'il l'avait à bien bon marché. « Mais, m'a-t-il dit, si le livre a deux volumes, ce sera 20 000 francs, c'eſt convenu. » Il me semble que tu auras deux volumes[2] ? J'ai pourtant insiſté et il m'a dit : « Si le livre a du succès, je ne regarderai pas à deux ou trois mille francs en plus. » J'ai dit que tu ne lui demanderais rien, que ce n'était pas ta manière d'agir, mais que *moi*, j'insiſterais pour toi, à ton insu, et il m'a quittée en me disant : « Soyez tranquille, je ne dis pas non ; que le livre réussisse, j'en ferai profiter l'auteur. » Tiendra-t-il parole ? C'eſt tout ce que j'ai pu faire à présent, mais j'y reviendrai en temps et lieu. Laisse-moi faire. Je te renvoie ton traité.

Quel jour de l'autre semaine veux-tu venir dîner avec moi chez Magny ? Je suis un peu fatiguée. Tu serais bien gentil de venir me lire chez moi, nous serions seuls et une soirée nous suffira pour ce qui reſte. Donne-moi ton jour, et à 6 h ½ si ça ne te fait rien ; l'eſtomac commence à souffrir un peu des habitudes de Paris.

Ton troubadour qui t'aime,

G. SAND.

Le reſte de cette semaine finira Palaiseau[3]. Mais dimanche, si tu veux, je suis libre. Réponds si tu veux dimanche chez Magny 6 h ½.

GEORGE SAND À GUSTAVE FLAUBERT

[Paris, jeudi matin, 20 mai 1869.]

Oui lundi[1], mon cher bon ami, je compte sur toi et je t'embrasse.

G. SAND.

Je pars pour Palaiseau *et il eſt 10 heures du matin* !

GEORGE SAND À GUSTAVE FLAUBERT

[Paris,] jeudi soir [20 mai 1869].

Donc lundi, je compte sur toi, à 6 h ½, mais comme je vais à Palaiseau, je peux être en retard de quelques minutes, ou en avance. Le premier débarqué chez Magny attendra l'autre. Je me fais une fête d'entendre *la suite*. N'oublie pas le manuscrit[2].

Ton troubadour.

À SA NIÈCE CAROLINE

[Paris,] dimanche matin [23 mai 1869].

Je suis si exténué que j'ai à peine la force de t'écrire. Maintenant que j'ai fini mon roman[3], je m'aperçois de ma fatigue. — J'ai passé la semaine à recaler mon manuscrit que je donne demain à recopier. Ce sera l'affaire de 8 à 10 jours. Il faudra que je le relise, puis je m'en retournerai à Croisset.

Si vous pouviez différer votre départ jusqu'au 8 ou 10 juin, ta grand-mère, de cette façon, ne reſterait pas seule[4].

Eſt-ce que tu as toujours l'intention d'aller aux Pyrénées au mois d'août ? Je ne te cache pas, mon loulou, que si vous pouvez vous priver de ce voyage, vous m'obligerez infiniment, autrement je n'aurais aucune vacance, puisqu'il faut que je sois à Paris dès le 1er septembre pour imprimer mon livre, et franchement, j'ai besoin de prendre l'air.

Je suis bien perplexe quant à la queſtion de déménagement. Mon pauvre petit logis me fait peine à quitter. D'autre part, je ne peux le garder. Il est trop cher, me coûte trop de voitures. Et sera trop loin du vôtre. — Mais le déménagement va me coûter « les yeux de la tête, ma chère dame », et puis, je n'ai pas le temps de me chercher un logement, puisque j'ai à peine le temps de faire recopier mon manuscrit. Cependant... perplexité, embarras.

Autre sujet de fatigue : la princesse Mathilde m'a demandé par deux fois à ce que je lui lise des fragments de mon roman. À la 3e requête, j'ai cédé. — Et hier je me suis mis à lire les 3 premiers chapitres. Là-dessus, enthousiasme de l'aréopage impossible à décrire[a], et *il faut* que tout y passe. Ce qui va me demander (au milieu[b] de mes autres occupations) quatre séances de quatre heures chacune.

Elle a le temps de m'entendre, *elle* ! Elle ne repousse pas vieux, au dernier plan.

Pauvre loulou, nous allons être bien longtemps sans nous voir. — Et l'hiver prochain, nous nous verrons bien peu. Tu seras à Paris. — Et moi, tout seul, là-bas, à rebûcher. Voilà la vie.

Présente mes respects à mon beau neveu et prie-le de m'envoyer *mille francs*. Je suis sans le sol. — Embrasse-le de ma part pour le remercier. Et dis-lui pour le rassurer sur mon sort que je compte tirer à Lévy un supplément de 5 à 6 mille francs. C'est à la mère Sand que je devrai cela[1].

Je bécote tes deux bonnes joues.

Ton vieil oncle.

Ta bonne-maman me paraît aller mieux décidément. Mais pendant ton absence ?...

À SA NIÈCE CAROLINE

[Paris,] mardi matin [25 mai 1869].

Mon cher Caro,

Remercie ton mari de sa célérité à m'envoyer les mille francs dont j'avais besoin. Je t'apprendrai, à propos d'argent (mais je n'ose y croire, moi-même), qu'il serait possible qu'au lieu de 10 mille francs Lévy me donnât *20* mille francs ! Pour t'expliquer cela, il faudrait entrer dans de longs détails[2].

Pauvre loulou, si ma dernière lettre[1] était un peu triste, c'est qu'en l'écrivant je songeais à ma future solitude. Il m'ennuiera de toi beaucoup, quand je serai à Croisset ! *Vieux* n'a pas l'habitude de gémir sur l'existence. Mais il n'est pas toujours folâtre, au fond.

J'ai été hier chez Mme de La Chaussée[2] ; elle m'a dit qu'elle serait à Croisset jeudi soir.

Moi, il m'est impossible d'y être avant le samedi ou le lundi prochain en huit. Je ne trouve pas utile d'aller près de ta grand-mère pour un jour, puis de revenir ici et de m'en retourner là-bas ? Qu'en penses-tu ?

J'aime mieux que vous partiez tout de suite pour revenir dès le commencement d'août.

Les élections[3] ont laissé Paris parfaitement calme.

Dis-moi le jour de votre départ.

J'espère que les ennuis d'Ernest ne sont pas graves ?

Je t'embrasse bien fort.

Ton vieil oncle.

Je vais, aujourd'hui, chercher un logement dans votre quartier.

À GEORGE SAND

[Paris, 26-27 mai 1869.]

Chère Maître,

Il est donc convenu que nous dînons vendredi prochain chez Magny, au lieu de dîner chez moi ?

Je viens de répondre au Prince[4] que je serais au rendez-vous.

Mille tendresses.

Nuit de mercredi.

GEORGE SAND À GUSTAVE FLAUBERT

[Paris,] samedi [29 mai 1869].

J'ai dû signer ce matin le traité avec l'Odéon. Il n'y a pas eu moyen de faire autrement. Je lis en octobre et on me joue en novembre[5] ; ce n'est pas l'époque qui me plaît, mais on ne peut me garantir l'autre époque que je voulais. On me dit et me jure que l'on ne s'engage par traité et signature que pour une pièce qui eſt *au point*, que celle de Bouilhet[1] n'eſt pas terminée, que quand elle le sera, elle ne sera pas encore *au point* pour cela, que l'opération de la *mise au point* eſt souvent la plus longue et la plus difficile pour l'auteur, parce que cette opération exige parfois des remaniements très longs, en somme, sincères ou non, ils traitent Bouilhet comme ils m'ont traitée pour ma pièce. Elle devait passer en février dernier. Ils l'ont ajournée, ne voulant pas me laisser la mettre au point tout de suite. J'aurais pu le faire, je l'aurais fait. Ils ont préféré donner *Guttemberg*[2] qui était prêt, et qui n'a pas réussi. Ce syſtème eſt gros de déceptions pour les auteurs et pour les direċteurs. Mais le syſtème contraire que suivait La Rounat[3] expose le théâtre à attendre les mains vides. Voilà les raisons données. Garde ma lettre pour toi, mais explique à Bouilhet que j'ai agi sous le coup de force majeure.

À bientôt, n'eſt-ce pas ? Je t'embrasse. C'eſt le Prince[4] qui avait volé ton paletot. Je te l'ai envoyé ce matin.

À FRÉDÉRIC FOVARD

[Paris, 30 mai 1869.]

Le logement de la rue Murillo me plaît tellement que j'ai presque retenu[5]. Tu es beau ! Et tu m'as rendu un fier service en me l'indiquant.

Je viendrai demain chez toi de 11 heures à midi, plutôt à 11 heures et demie qu'à midi.

À toi, ton

Dimanche, 5 heures.

À GEORGE SAND

[Paris, 4 juin 1869.]

Chère Maître,

Je compte aller vous voir dimanche matin, de 11 heures à midi. Eſt-ce trop tôt ?

J'ai *déployé* depuis huit jours une aċtivité furibonde. La copie de mon roman[6] eſt finie, et je me suis trouvé un logement ! mais je suis éreinté.

Je pars lundi, sans faute. Partirai-je seul ? Tâchez que Non[1]. Je vous embrasse.

Vendredi, 11 heures.

À LA PRINCESSE MATHILDE

[Croisset, 8 juin 1869.]

J'use de la permission que vous m'avez donnée, Princesse, et je vous envoie le nom de mon neveu.

Sa demande est déposée depuis quelques jours à la Légation de Prusse. — Un petit mot de vous suffira pour enlever la chose d'emblée !

Quelle bonne soirée j'ai passée avant-hier !

Je vous baise les deux mains.

J'ai vu *l'homme*[2], hier.

Mardi matin.

M. *Ernest Commanville*, négociant à Dieppe, marchand de bois du Nord, propriétaire d'une scierie mécanique et de vastes terrains dans la même ville :

demande la place de vice-consul de Prusse à Dieppe.

Le premier commis de sa maison parle toutes les langues du Nord.

À SA NIÈCE CAROLINE

[Croisset,] mercredi soir [9 juin 1869].

Mon Loulou,

Flavie[3] m'avait paru tellement inquiète de n'avoir pas reçu de Hambourg[4] une dépêche télégraphique que j'étais moi-même un peu troublé, dimanche. — Lundi matin elle n'avait encore rien reçu et je tremblais d'arriver à Croisset. Mais heureusement que ta grand-mère avait, de toi, une dépêche et une lettre.

Elle va bien, sauf un rhume. La compagnie de cette bonne Cora[1] et de sa petite-fille lui fait du bien. Néanmoins elle compte les jours et s'ennuie de toi beaucoup.

Quant à Vieux, il est revenu de Paris brisé de fatigue et affecté d'une grippe abominable. Je ne fais que tousser et cracher. J'ai les membres moulus comme si on m'avait donné des coups de bâton. Je me sens la tête vide et bourdonnante. J'ai trop travaillé depuis six mois et j'ai besoin d'un long repos. Ce qui ne m'empêche pas d'avoir repris les notes de *Saint Antoine*[2] et d'y rêvasser tout doucement. À la fin de la semaine prochaine, Monseigneur[3] sera revenu de Paris et nous nous mettrons à corriger *L'Éducation sentimentale*, phrase par phrase. Ce sera l'affaire d'une quinzaine au moins. — Ma dernière lecture chez la Princesse[4] a atteint les suprêmes limites[a] de l'enthousiasme (textuel). Une bonne partie de ce succès doit revenir à la manière dont j'ai lu. Je ne sais pas ce que j'avais ce jour-là, mais j'ai débité le dernier chapitre d'une façon qui m'en a ébloui moi-même.

J'ai signé mon bail de la rue Murillo. — Et choisi les étoffes pour le tendre. Je crois qu'à peu de frais je peux m'organiser là un gentil réduit, une « délicieuse bonbonnière », comme dirait M. Achille Dupont[5].

Ta grand-mère tient à la voir, quand elle sera prête (ce qui aura lieu, je pense, vers le milieu de septembre). Elle veut faire le voyage de Paris, tout exprès. Ce sera le moment de lui montrer sa chambre dans votre hôtel[6]. Cette manière de lui apprendre votre changement de domicile est, je crois, la plus douce ?

L'agitation électorale est finie. Ce bon Pouyer-Quertier[7] est enfoncé, ainsi que papa Ledier[8]. — En y ajoutant le père Barbet[9], ça fait un joli trio. — Je suis revenu de Paris lundi matin avec ce dernier (M. Barbet). Il m'a eu l'air de supporter sa déconfiture stoïquement. Mais il laisse pousser sa barbe, ce que je trouve énorme.

Après trois jours de chaleur atroce, le temps s'est rafraîchi. Et ce soir j'ai fait du feu. Nous attendons Mme Vasse et Flavie[10] vers la fin de cette semaine. — Voilà toutes les nouvelles, ma chère Caro. Et toi ? et vous ? Il me tarde d'avoir quelques détails sur votre voyage. Vous amusez-vous bien ? Avez-vous vu de beaux paysages ? Oui, n'est-ce pas ? Je ne vous cache pas que je vous envie profondément, et voudrais vous accompagner.

Te rappelles-tu la dame qu'on a arrêtée sous les fenêtres du café Riche, le jour où nous y dînions ensemble ? C'était une dame du monde qui venait de flanquer des gifles à son époux qu'elle avait rencontré au bras d'une cocotte. L'histoire en était le lendemain dans tous les journaux.

La Princesse[1] m'a dit que « notre consul de Prusse[2] » ne serait pas nommé sans difficulté. Son rival (je ne sais lequel, est protégé par Mme Pourtalès[3]). Elle espère néanmoins remporter la victoire. Dans ma prochaine lettre, je lui recommanderai, derechef, monsieur mon neveu.

Bonenfant[4] a écrit aujourd'hui à ma mère qu'il avait six mille francs à envoyer. J'ai conseillé à ma mère de dire à Bonenfant de les garder jusqu'au retour d'Ernest[5]. Ai-je bien fait ?

Adieu, mon bibi. Portez-vous bien. — Et amusez-vous. Je clorai ma lettre demain matin.

Et je t'embrasse.

Ton vieil oncle qui t'aime.

Jeudi [10 juin].

J'ai reçu ce matin ta lettre de Copenhague (dimanche 6 juin). Comme je suis content de te savoir en si bonne humeur !

La nomination de M. *de* Commanville *(sic)*, comme vice-consul de Turquie à Dieppe, était hier dans le *Journal de Rouen*[6].

À JULES DUPLAN

[Croisset,] dimanche soir [13 juin 1869].

Mon cher Vieux,

Tu as dû dîner aujourd'hui chez Mme Husson ? et savoir si elle a fini mon Roman[7].

Dès qu'elle n'en aura plus besoin, fais-moi le plaisir de porter ce fort colis chez Blamont[8].

Si tu pouvais me l'envoyer dans une dizaine de jours, vers le milieu de la semaine prochaine, tu serais bien aimable.

— Expédie-le à l'adresse suivante : « M. G. Fl. chez Mme Flaubert, quai du Havre, 7. Rouen. »

Rien de neuf. — Je continue à être éreinté. Je ne fais que dormir. Ce qui ne m'empêche pas d'avoir repris mes vieilles notes de *Saint Antoine*, et d'avoir lu cette semaine trois in-quarto sur l'histoire ecclésiastique.

Écris-moi. — Donne-moi de tes nouvelles.

Je t'embrasse.

Ton

À FRÉDÉRIC FOVARD

[Croisset, 13 juin 1869.]

N'oublie pas de m'envoyer le modèle de la lettre que je dois adresser à M. Rigaud[1], mon propriétaire.

Il faut qu'elle lui parvienne avant le 30 juin. — Nous sommes capables de l'oublier.

Je t'embrasse.

Ton

Dimanche soir, Croisset.

À LA PRINCESSE MATHILDE

[Croisset,] mardi matin [15 juin 1869].

Comment allez-vous, Princesse ? Vous reposez-vous suffisamment sous les beaux ombrages de Saint-Gratien ?

Quant à moi je m'ennuie de vous démesurément. Voilà la vérité toute crue. Et je compte les semaines qui me séparent de mon retour.

Le rhume que j'ai attrapé, la dernière semaine de mon séjour à Paris, s'est ajouté à ma vieille fatigue et depuis que je suis revenu ici je ne fais guère que dormir. — J'ai repris cependant de vieilles paperasses et je recommence à rêver un autre bouquin[2].

J'ai trouvé ma mère en bon état physique, mais de plus en plus sourde et faible. Une conversation suivie est devenue maintenant impossible. Quelle triste chose que la vieillesse !

Je n'étais pas gai, l'autre dimanche soir, en vous quittant. — Et j'ai franchi le seuil de votre hôtel avec un vrai serrement de cœur.

Quels bons moments, entre tous les autres, j'y ai passés il y a quinze jours ! Le souvenir des cinq après-midi où je vous ai lu mon long roman[1] restera éternellement dans ma mémoire comme une des meilleures choses de ma vie. Il faut être *auteur* pour savoir jusqu'à quel point j'ai été flatté. Cela s'appelle un succès ; non, un bonheur.

Il me semble que les troubles de Paris[2] sont finis ? Êtes-vous entièrement contente ? Moi, je suis plus que jamais plein de confiance. « Ah ! si j'étais le gouvernement ! » comme disent les portières.

Si vous n'avez rien de mieux à faire, je vous engage à lire *Les Nouvelles moscovites*[3] de Tourgueneff, qui viennent de paraître. Vous trouverez là deux ou trois histoires d'*hommes timides*, fort amusantes, selon moi.

Ayez la bonté, Princesse, de me donner quelquefois de vos nouvelles. — Et laissez courir la plume sur le papier tant qu'il vous plaira...

Je me mets à vos pieds, je vous baise les deux mains et suis

Tout à vous.

À LA PRINCESSE MATHILDE

[Croisset,] jeudi, 3 heures [17 juin 1869].

Oui, nos deux lettres se sont croisées[4], Princesse. — Ce qui prouve que nous pensions l'un à l'autre en même temps. Je prends cela pour un peu plus qu'une politesse du hasard.

Mais si je vous écrivais toutes les fois que je songe à vous, je vous écrirais tous les jours, et presque tout le long du jour ! Comment voulez-vous qu'il n'en soit pas ainsi !...

Le mercredi particulièrement me ramène le souvenir de la rue de Courcelles[5]. Je ne me console de n'y plus être que par l'espoir d'y revenir. 1869 aura été une bonne année pour moi. J'ai fait un livre[6] qui vous a plu. — Et je passerai non loin de vous quatre mois de plus qu'à l'ordinaire. Car je compte bien rester à Paris du milieu d'août, du commencement de septembre au plus tard, jusqu'au mois de décembre.

La tristesse que me cause toujours mon départ de là-bas se calme un peu. L'étourdissement du silence diminue. Je me suis remis à travailler. — Fade consolation, mais consolation.

Je comprends ce qu'il vous en coûte de vous séparer de Mme de Fly[1]. Je la regretterai, pour ma part. Car je l'ai toujours trouvée charmante. Quelle bonne vieille aimable et « comme il faut » ! C'est le privilège des femmes de pouvoir plaire à tous les âges ! et de se faire aimer de toutes les façons. Nous ne sommes pas comme cela, nous autres !

Est-ce que vous êtes seule à Saint-Gratien[2] ? Vous m'avez l'air d'être dans un moment de tristesse ? C'est la réaction des fatigues de l'hiver, le repos succédant au mouvement. Dans quelques jours cela se passera. — Et puis le soleil va enfin briller[a] ! espérons-le.

Il n'y a pas « de manque de dignité » à sentir ce que vous me dites par rapport à Sainte-Beuve[3]. Cela prouve que vous avez le cœur bon, tout simplement. L'ingénuité du sentiment est ce qui nous distingue des mannequins. Une bûche ne vibre pas comme une lyre. Parmi tous les dons dont la Providence vous a comblée, celui-là est un des plus rares. Vos amis en sont heureux. — Soyez-en fière.

Je vous baise les mains aussi longtemps que vous le permettrez, Princesse, et suis

À vous.

À SA NIÈCE CAROLINE

[Croisset,] samedi soir, 19 [juin 1869].
En réponse à la lettre de Stockholm[4] du 14 juin.

Oui, ma chère Carolo, tu es bien gentille pour les lettres. Seulement tu as eu tort, en partant de Paris, de promettre à Flavie[5] de nous envoyer une dépêche télégraphique dès ton arrivée[b] à Hambourg. Voilà tout.

Je n'ai rien à t'apprendre. Les plus grands événements de notre vie sont l'arrivée des lettres de la « Fameuse fille ». Ta bonne-maman va bien et son moral se remonte. Elle a eu ces jours-ci un rhume, qui est maintenant à peu près passé. Coralie est partie hier ; sa sœur et sa mère sont arrivées mercredi[6]. Cette bonne compagnie fait le plus grand bien à ta grand-mère. Mais quand elle ne l'aura plus, que deviendra-t-elle ? Et moi, que deviendrai-je ? Ce ne sera pas gai !

Ta cousine Juliette[1] eſt venue la semaine dernière, un jour, à Rouen, pour voir le produit de Guſtave Roquigny[2], mais n'a pas jugé à propos de pousser jusqu'à Croisset. Il paraît que Mme Achille eſt toujours souffrante. (Prie ton mari de ne pas trop s'en inquiéter[3].) Sa présence ici ne serait pas inutile pour faire aller messieurs les maçons. La porte[a] du jardin potager reſte dans le même état. — On ne voit pas non plus les couvreurs. Il faut aller chez eux sans cesse ! et personne n'arrive !

Je ne me rappelle pas ce que je t'ai dit à la porte du café Riche ? N'était-ce pas de prendre des notes ?

Celles que tu peux écrire sont sans doute plus pittoresques que les miennes, présentement. Car je suis perdu dans les Pères de l'Église. — Ma fatigue eſt passée, et je médite un *Saint Antoine* nouveau. Mon ancien ne me servira que comme fragments.

Dans une huitaine de jours, je me mettrai aux corrections de mon roman[4].

Quant à l'extérieur, la politique eſt au calme plat. À Saint-Étienne, près Lyon, il y a eu révolte des ouvriers mineurs et on a cassé quelques prolétaires.

J'oubliais de te dire que jeudi, ton oncle Achille Dupont[5] eſt venu déjeûner. — Il eſt de plus en plus beau, et a beaucoup diverti les dames Vasse. — Il m'a raconté l'hiſtoire de Mlle de Triquerville[6], que j'ignorais ; puis des détails sur la sœur cadette, qui sont HÉNAURMES ! Tout cela jette un jour bien défavorable sur « nos campagnes ».

Pauvre loulou, je voudrais bien traverser avec toi celles qui t'entourent ! Je t'avoue que je vous jalouse bassement. Tu n'imagines pas comme je suis content de voir que les voyages te plaisent ! N'eſt-ce pas que c'eſt une sorte de vie nouvelle[b] qui vous eſt révélée ? Comme on respire bien dans les pays inconnus ! et comme *on aime tout* !

Je suis flatté des *belles* connaissances que vous faites. Les personnes de la famille royale de Suède sont, à ce qu'on m'a dit, les meilleures gens du monde. Celles qui les entourent doivent leur ressembler.

Du point où vous êtes maintenant, votre itinéraire eſt fixé, n'eſt-ce pas ? Allez-vous, dans le Nord plus loin que Drontheim ? Prenez garde de vous casser la margoulette dans les montagnes. — Rapportez-nous vos personnes en bon état.

J'embrasse vos deux mines, et la tienne particulièrement.

Ton vieil oncle.

Il continue à faire très froid dans notre belle Normandie. Mais, vous, n'avez-vous pas trop chaud ? Et les moustiques ? Ernest[1] a-t-il tiré quelque bon coup de fusil ? Vous devez voir des oiseaux farces ?

À SA NIÈCE CAROLINE

[Croisset, 20 juin ? 1869.]

Mon Loulou,

Aie soin de bien nous indiquer ton itinéraire et de multiplier autant que possible tes épîtres. La lettre écrite de Stockholm[2] le vendredi n'est arrivée, ici, que ce matin mercredi. N'est-ce pas Drontheim qui est le point le plus éloigné de votre voyage ? — Prends-tu beaucoup de croquis et de notes ? Cela est dur, en route, mais on en est si content, ensuite, que je t'engage à avoir cette énergie.

L'agitation politique de Paris est complètement calmée. L'empereur a eu sur les boulevards une véritable « ovation », comme on dit dans les journaux. Ce qui a mis fin à ces manifestations, c'est que les bourgeois se sont rangés du côté des agents de police et tombaient à coups de canne sur les braillards. Monseigneur[3] a dû revenir aujourd'hui de Paris où il a été lire à Chilly son *Aïssé*[4]. Sa pièce passera à la fin de janvier, après celle de George Sand[5]. — Je l'ai trouvé, il y a huit jours, malingre et triste.

Ton ami Gustave Roquigny est père d'une petite fille[6]. — La mère Séréville *dévisse son billard.* Et les Censier[7] se sont établis dans sa maison de campagne, à Beautot[8]. Il y a eu l'été dernier querelle de voisins entre le père Séréville et mon ami Bataille[9]. De là, calomnies dudit Séréville à l'endroit de Bataille, qu'il a tâché de faire passer pour ruiné, pour vouloir vendre son castel, etc.

J'ai été hier à Rouen acheter un tapis turc à ta bonne-maman. Ainsi tu verras dans sa chambre un tapis neuf, — et dans le salon des rideaux neufs.

J'ai repris mes vieilles notes de *Saint Antoine*, car je rêvasse une refonte générale de cette ancienne toquade. Je lis des bouquins ecclésiastiques ; et je viens de finir le *Saint Paul*, de Renan, paru il y a quatre ou cinq jours[1].

Personne ne se doute de votre futur établissement à Paris. Achète des costumes (surtout des coiffures) pour appendre aux murs de ton atelier.

Je ne vous défends pas de me rapporter une pelisse de fourrure.

Les Achille ne démarrent pas d'Ouville[2]. Ton oncle viendra, cependant, dîner ici vendredi.

Dans une huitaine de jours, je me mettrai à corriger mon roman avec Monseigneur[3]. — Après quoi je vous attendrai pour décamper vers la Capitale et prendre des petites vacances dont j'ai grand besoin.

Ta bonne-maman compte les semaines. Mais pendant que vous êtes là-bas, ne négligez rien. Et voyez bien tout ce qu'il y a à voir.

Ton ancien professeur, le père Brévière[4], est mort à Hyères. — Pas de nouvelles de Baudry[5].

Nous avons un temps abominable. — De la pluie, du froid ! On fait du feu comme en hiver, et nous mangeons dans la petite salle.

Adieu, mon pauvre loulou. Continue à te tenir en bonne santé et en bonne humeur. Soignez-vous l'un l'autre. — Et revenez en bon état vers ton vieux ganachard qui t'aime et t'embrasse.

Embrasse Ernest pour moi. — J'ai vu deux fois le père Harlofsen[6]. Je le comprends et l'étudie. Belle binette !

Je suis revenu de Rouen, hier, sur le bateau de La Bouille, au milieu de « l'*éluite* ». J'ai fait la conversation, j'ai été charmant. C'était infect.

À MADAME ERNEST FEYDEAU

[Croisset,] jeudi, 1 heure [24 juin 1869].

Chère Madame,

Je commençais à trouver que vous m'oubliiez un peu, quand ce matin j'ai reçu votre aimable billet. Remerciez ce bon Feydeau de la page qu'il m'a écrite[7].

J'avais eu de ses nouvelles hier par Bouilhet, lequel eſt dans un état nerveux si déplorable que la semaine prochaine il part pour le Midi de la France[1]. Mes amis ont maintenant ce que j'ai eu jadis[2]. Chacun son tour ! J'espère et je suis sûr qu'ils s'en tireront comme je m'en suis tiré.

Si l'électricité n'a amené encore aucun résultat, c'eſt qu'Onimus[3] y va sans doute très prudemment. Dans quelque temps elle fera de l'effet. On pourra alors user d'une médicamentation un peu énergique. — En vous recommandant le d[oc]teur Onimus j'étais convaincu que vous en seriez très contents. Je ne le connais pas. Mais je connais beaucoup Robin[4], son maître, qui m'en avait fait de grands éloges.

Je ne verrai pas notre cher malade avant le milieu du mois d'août. Mais alors nous nous verrons souvent, car je serai votre voisin[5].

Les douleurs ont-elles cessé ?

Faites-lui toutes mes tendresses.

Je vous baise les deux mains et suis, chère Madame, votre très affectionné.

P.-S. Ma mère embrasse votre mari.

À GEORGE SAND

[Croisset,] jeudi 24 [juin 1869].

Eh bien, chère Maître, comment ça va-t-il ? L'eſtomac eſt-il remis ? Avez-vous trouvé tous les vôtres en bon état ? etc ? etc ?

Ne devez-vous pas venir à Paris dans le commencement, ou au milieu de juillet ? Eſt-ce alors que vous pousserez une petite pointe jusqu'à Croisset[6] ?

Je n'aurai pas grandes diſtractions à vous y offrir. Ma pauvre bonne femme de mère vieillit bien ! Sa surdité et sa faiblesse augmentent de jour en jour ! Elle a maintenant près d'elle les dames Vasse de Saint-Ouen[7] (que vous connaissez et qui me chargent, etc.). Sa triſtesse, grâce à cette compagnie, eſt un peu moindre. Mais quand nous sommes seuls, en tête à tête, je vous assure, chère maître, que c'eſt lamentable. Mais parlons d'autre chose.

Est-il vrai que vous et Renan soyez fâchés[1] ? C'est le Prince[2] qui m'a dit cela, la veille de mon départ.

Ma prédiction s'est réalisée. Mon ami Renan n'a gagné à sa candidature que du ridicule[3]. C'est bien fait. Quand un homme de style s'abaisse à l'action, il déchoit et doit être puni. Et puis, est-ce qu'il s'agit de Politique, maintenant ! Les citoyens qui s'échauffent pour ou contre l'Empire ou la République me semblent aussi utiles que ceux qui discutaient sur la grâce efficace, ou la grâce efficiente[4]. Dieu merci, la politique est morte, comme la théologie ! Elle a eu trois cents ans d'existence, c'est bien assez !

Vous rappelez-vous que je vous avais annoncé la conversion religieuse de cette bonne Plessy[5] ? Je vous en annonce une autre, laquelle se fera je ne sais quand. Mais *qui se fera.* C'est celle d'Alexandre Dumas, fils[6]. J'ai été frappé de l'expression mystique de sa figure la dernière fois que je l'ai vu. Tout me porte à croire que je ne me trompe pas ? Observez la gradation catholique de toutes ses œuvres, et ses dernières préfaces[7] ! Gardez cette appréciation pour vous, bien entendu. Mais ne soyez pas étonnée si, à quelques jours, vous le voyez aller à la Messe.

Moi, présentement, je suis perdu dans les Pères de l'Église. (Quant à mon roman, *L'Éducation sentimentale*, je n'y pense plus, Dieu merci ! Il est recopié. D'autres mains y ont passé. Donc la chose n'est plus mienne. Elle n'existe plus. Bonsoir !) J'ai repris ma vieille toquade de *Saint Antoine.* J'ai relu mes notes, je refais un nouveau plan, et je dévore les *Mémoires ecclésiastiques* de Le Nain de Tillemont[8]. J'espère parvenir à trouver[a] un lien logique (et partant un intérêt dramatique) entre les différentes hallucinations du Saint. Ce milieu extravagant me plaît. Et je m'y plonge. Voilà.

Mon pauvre Bouilhet m'embête. Il est dans un tel état nerveux qu'on lui a conseillé de faire un petit voyage dans le Midi de la France. Il est gagné par une hypocondrie invincible. Est-ce drôle, lui qui était si gai, autrefois[9] !

Ma nièce[10] s'amuse énormément en Norvège. Je ne quitterai ma mère qu'à son retour, vers le milieu du mois d'août. Alors j'irai vous voir, et je déménagerai.

Mon Dieu ! comme la vie des Pères du désert est chose belle, et farce ! Mais c'étaient tous [des] bouddhistes, sans doute. Voilà un problème chic à travailler, et sa solution importerait plus que l'élection de Jouvencel[11] ou de Renan. « Oh ! hommes de peu de foi ! » Vive saint Polycarpe !

Embrassez vos petites-filles pour moi.

Je vous baise sur les deux joues.

Votre vieux toujours *H*indigné.

Fangeat[1], reparu ces jours derniers, eſt le citoyen qui le 25 février 48 a demandé la mort de Louis-Philippe « sans jugement ». C'eſt comme ça qu'on sert la cause du Progrès.

À JULES DUPLAN

[Croisset, 27 juin 1869.]

Comme ça m'embête de te savoir repris de tes douleurs, mon pauvre bonhomme. Dès que tu iras mieux, écris-le-moi.

Garde le pli de Du Camp[2] que tu m'enverras avec le manuscrit ; et prie ton frère de ne pas être plus d'une huitaine encore à en faire la lecture[3].

Je voudrais l'avoir au commencement de la semaine prochaine ?

Je t'embrasse.

Ton vieux.

Dimanche, 4 heures.

À JULES DUPLAN

[Paris, avant le 30 juin 1869.]

Mon cher Vieux,

Sois chez toi demain de 10 heures et demie à midi. Nous[4] irons te faire une petite visite.

Ton

Lundi matin. Midi.

À JULES DUPLAN

[Croisset, 30 juin 1869.]

Cher Vieux,

J'attends toujours la cassette[1] ! et ne vois rien venir. Pourquoi ? Blamont[2] doit avoir lu mon roman ?

Es-tu malade, derechef, pauvre bougre aimé ?

Monseigneur[3] m'inquiète. Il est parti hier pour Vichy. On ne sait pas trop ce qu'il a, peut-être quelque chose de très grave, car son *hypocondrie* qui est complète doit avoir une cause ?

Moi, je travaille comme un furieux à *Saint Antoine.*

Et je t'embrasse.

Ton

Mercredi.

À MADAME DE VOISINS D'AMBRE

Croisset près Rouen, 3 juillet [1869].

Madame,

J'ai lu avec beaucoup d'attention et de plaisir le volume que vous m'avez fait l'honneur de m'envoyer.

Vos contes sont intéressants, et je ne m'étonne pas de leur succès ; ils ont un mérite très grand pour moi, c'est qu'ils sont écrits.

Je suis fâché de voir, çà et là, dans votre style, dont le fonds est ferme, des tournures toutes faites, des formules usées. Voilà mon seul reproche ; mais je suis peut-être le seul homme au monde qui fasse attention à de pareilles fautes. Je n'en sais rien.

Je connais un peu cet Orient que vous décrivez avec passion, et j'admire la fidélité de vos paysages[4]. Vous sentez. C'est le principal.

Le chevalier Ali me semble un peu troubadour. Croyez-vous qu'un musulman puisse être aussi romanesque[5] ?

La Fille du capitaine est tout près d'être un chef-d'œuvre. Je dis la fille, Mlle Sidonie, et non pas son amant, lequel est humiliant pour les autres par excès d'héroïsme[1].

Quant aux *Filles d'Adam*[2], j'applaudis des deux mains, et je m'incline.

Lors de mon prochain voyage à Paris, je prendrai la liberté de me présenter chez vous, pour vous renouveler mes remerciements et vous dire, Madame, que je suis entièrement vôtre.

À JULES DUPLAN

[Croisset,] lundi, 9 heures [5 juillet 1869].

Tu es beau ! Je viens de recevoir la boîte[3], en parfait état.

Envoie-moi les notes de Maxime[4], j'en suis d'autant plus curieux que je vois en marge de ma copie des coups de crayon dont je ne comprends pas l'intention ?

Et Blamont[5] ?

Je t'embrasse tendrement. Meilleure santé, mon pauvre vieux. Ton

À GEORGE SAND

[Croisset,] lundi [5 juillet 1869].

Quelle bonne et charmante lettre que la vôtre, Maître adoré ! Il n'y a donc plus que vous, ma parole d'honneur ! Je finis par le croire ! Un vent de bêtise et de folie souffle maintenant sur le monde. Ceux qui se tiennent debout fermes et droits sont rares.

Ma pauvre mère continue à me désespérer. Quand elle ne s'inquiète de sa petite-fille et qu'elle a fini de se tourmenter sur sa santé, elle gémit sur les embarras que lui cause son ménage. Puis ça recommence. Les dames Vasse[6] l'emmènent demain chez elles à Verneuil. J'espère que le changement d'air lui fera du bien. Je vais rester seul avec les Pères de l'Église auxquels j'adjoins un tas de choses. Votre troubadour pioche férocement. La joie de n'avoir plus à peindre et à faire parler des bourgeois me rend allègre en dépit de tout. — Mon pauvre Bouilhet est maintenant à Vichy. — Puis il ira au Mont-Dore[1]. Sa dernière lettre n'était pas mauvaise[2]. J'espère qu'il se guérira. Mais la dernière fois que je l'ai vu (il y a dix jours), il m'a navré. Quant à dire ce qu'il a, *au fond*, on n'en sait rien. Il est très oppressé, et vit dans une terreur presque continuelle.

Je crois absolument qu'on peut se guérir quand on le veut. Mais la volonté n'est pas donnée à tout le monde. Il y a dans la douleur une certaine volupté qui fait qu'on s'y abandonne.

Mes études religieuses m'ont inspiré un tel dégoût de la théologie et des chrétiens, que je lis les œuvres philosophiques de Cicéron[3], avec délices. Quelle différence entre cette société-là et celle qui lui a succédé ! Je viens de relire le *Jésus* de Renan[4]. C'est un joli livre plutôt qu'un beau livre. Quel singulier esprit ! L'élément féminin et l'élément épiscopal y dominent trop. Son *Saint Paul*[5] est dédié à sa femme comme son *Jésus* l'était à sa sœur. Il me semble qu'une intelligence éprise avant tout du Vrai et du Juste n'aurait pas ainsi arboré deux cotillons au frontispice de son œuvre.

S'il a navigué entre deux eaux pour son élection[6], il n'a fait en cela que suivre sa nature, laquelle est toute[a] en nuances, en nuages, en compromis. C'est pour cela que son envie de se mêler aux affaires de ce monde m'a semblé si grotesque. L'action qui est une déchéance pour les hommes de sa trempe exige une netteté dont il n'est pas capable.

Voilà ce que j'ai voulu dire en écrivant que le temps de la Politique était passé[7]. Au XVIIIe siècle, l'affaire capitale était la diplomatie. « Le secret des cabinets » existait réellement. Les peuples se laissaient encore assez conduire pour qu'on les séparât et qu'on les confondît. Cet ordre de choses me paraît avoir dit son dernier mot en 1815. Depuis lors, on n'a guère fait autre chose que de disputer sur la Forme extérieure qu'il convient [de] donner à l'être fantastique et odieux appelé *l'État*.

L'expérience prouve (il me semble) qu'aucune Forme ne contient le bien en soi ; orléanisme, république, empire ne veulent plus rien dire, puisque les idées les plus contradictoires peuvent entrer dans chacun de ces casiers. Tous les drapeaux ont été tellement souillés de sang et de merde qu'il est temps de n'en plus avoir, du tout ! À bas les mots ! Plus de symboles, ni de fétiches ! La grande moralité de ce règne-ci sera de prouver que le suffrage universel est aussi bête que le droit divin, quoiqu'un peu moins odieux ?

La question est donc déplacée. Il ne s'agit plus de rêver la meilleure forme de gouvernement, puisque toutes se valent, mais de *faire prévaloir la Science.* Voilà le plus pressé. Le reste s'ensuivra fatalement. Les hommes purement intellectuels ont rendu plus de services au genre humain que tous les saint Vincent de Paul du monde ! Et la Politique sera une éternelle niaiserie tant qu'elle ne sera pas une dépendance de la Science. Le gouvernement d'un pays[a] doit être une section de l'Institut et *la dernière de toutes*[1].

Avant de vous occuper de caisses de secours, et même d'agriculture, envoyez dans tous les villages de France des Robert-Houdin[2] pour faire des miracles.

Le plus grand crime d'Isidore[3], c'est la crasse où il laisse notre belle patrie. — *Dixi.*

J'admire les occupations de Maurice[4], et sa vie si salubre ! Mais je ne suis pas capable de l'imiter. La nature, loin de me fortifier, m'épuise. Quand je me couche sur l'herbe, il me semble que je suis déjà sous terre, et que[b] les pieds de salade commencent à pousser dans mon ventre. Votre troubadour est un homme naturellement malsain. Je n'aime la campagne qu'en voyage, parce qu'alors l'indépendance de mon individu me fait passer par-dessus la conscience de mon néant.

Mes respects à votre bélier, M. Gustave[5]. De qui l'idée ? ça m'a fait bien rire.

Aimez-moi toujours.

Toutes mes tendresses.

Bon travail, bonne santé, bonne humeur, et un tas de baisers à vos petites-filles.

À SA NIÈCE CAROLINE

[Croisset,] mercredi 7 juillet [1869].

Quelle bonne lettre tu m'as écrite, mon pauvre loulou ! (je parle de celle du 27 juin[6]). — Nous avons, hier, reçu votre dépêche de Drontheim. J'y ai répondu, une heure après, en revenant de conduire au chemin de fer ta bonne-maman et les dames Vasse. — Il me semble que vous n'allez pas tarder à revenir ? Savez-vous maintenant l'époque à peu près certaine de votre retour ?

Monseigneur[1] est parti pour Vichy il y a 8 jours. Il ira ensuite au Mont-Dore. On ne sait pas au juste ce qu'il a. Sa terrible hypocondrie doit avoir une cause organique ? mais peut-être que non ! Il m'a *navré* les deux dernières fois que je l'ai vu. — Sa maladie, outre qu'elle m'afflige beaucoup, pour lui, me gêne dans mes petites affaires personnelles, car nous devions ensemble revoir mon roman. Quand sera-t-il en état de s'occuper de cette besogne ? S'il ne revient pas dès le commencement d'août, je serai obligé de revenir ici dans le mois de septembre. Tout cela détraque mes vacances[2]. — Mais il faut avoir de la philosophie !

Croirais-tu que je ne pense pas du tout à mon roman[3] ? *Saint Antoine* m'occupe entièrement d'une part, et de l'autre *je brûle* de m'installer dans mon logement de la rue Murillo.

Cette lettre a été interrompue deux fois : la première, par la visite de Mme Heuzey et de sa fille[4] qui sont venues m'inviter à dîner pour aujourd'hui, et la seconde, par la visite du citoyen Raoul-Duval[5], accompagné de son épouse. — J'ai donc dîné aujourd'hui à Rouen (j'y retourne demain pour dîner chez Lapierre[6]). Tu vois que je me vautre, que je me dégrade. Cependant, j'ai refusé d'aller aux courses, dimanche dernier. Et on m'avait offert une place dans la « Loge des Autorités » ! Le festin chez la mère Heuzey a été des plus gais. J'étais à côté de Mme Chauchart[7], mais les lumières lui vont mieux que le grand jour. — En revanche, Mme Mazeline[8] m'a semblé plus jolie que jamais. Enfin, j'étais si bien disposé que Louis Delamarre[9] ne m'a pas agacé. Quel miracle !

Comme tu as l'air de t'amuser, mon Carolo ! N'est-ce pas que c'est bon, les voyages ? Je comprends parfaitement ton envie de voir la Grèce et l'Italie. *Je dirai plus*, je t'engage à y céder. Tu m'as fait rire avec ta description des Lions suédois. J'aurais voulu voir Ernest[10] étaler ses grâces dans des Polkas échevelées ! Vous allez rester dans la tête de ces braves gens-là comme le type du chic parisien. Ils vous ont trouvé un « cachet plein de distinction », j'en suis sûr.

Je ne vois aucune nouvelle à vous narrer. La Politique est au calme. On s'attend cependant à des changements ministériels, à des réformes libérales. Il faudra bien que l'Empereur en passe par là. Quant à de l'agitation, il n'y en a aucune.

Ta cousine Juliette[11] est chez ses amis les Lambert. Puis elle ira à Trouville. Elle se prive de ses parents pendant un grand mois.

Les dames Vasse[1] vont tâcher de garder ta grand-mère une bonne quinzaine. J'ai promis d'aller la chercher à Verneuil. Es-tu toujours dans l'intention d'aller aux Pyrénées ? Je te répète que ça ne te servira à rien ; ce sont les eaux de Saint-Gervais qui te conviendraient. Consulte l'homme le plus fort qu'il y ait maintenant sur les maladies de peau, le docteur *Hardy*[2]. — Je suis presque sûr qu'il sera de mon avis.

Tu n'imagines pas comme les dames Vasse ont été aimables pour ta grand-mère. — Et pour toi. Elles m'ont fait un tricot.

Hier, sur le bateau de La Bouille, j'ai vu une chose gigantesque, à savoir *deux plats montés* pour le repas de noces de Mlle Hardel[3]. Quelle architecture ! Le pâtissier se tenait debout auprès, et l'*éluite* venait les examiner. Ces deux pâtisseries, hautes d'un pied et demi, étaient terminées par une sylphide ou ange portant des couronnes. Le reste demanderait une page de description.....

Je suis bien content de savoir qu'Ernest fait de bonnes affaires. Car je vous souhaite une montagne d'or, mes chers enfants.

Tu serais bien aimable de m'écrire comment s'est passé votre voyage de Suède en Norvège.

Je vous embrasse.

Mille bécots sur ta bonne mine.

Ton vieil oncle qui t'aime.

À LA PRINCESSE MATHILDE

Croisset, jeudi, 4 heures [8 juillet 1869].

Je commençais à trouver le temps long, Princesse ! Il me semblait que vous m'oubliiez un peu quand, hier, j'ai reçu votre bonne lettre, mélancolique. Pourquoi cela ? La Politique vous inquiète. Les choses pourraient être en meilleur état. C'est vrai. Mais je ne les envisage pas comme si désespérées que vous le pensez. — Je n'ai pas plus peur d'une révolution que de la chute du soleil. — Il me semble (à moi qui ne suis qu'un observateur) que le remède ne serait pas bien difficile et qu'avec un peu d'esprit, et de hauteur d'âme surtout, tous les partis se tairaient.

Ma mère est en ce moment chez une vieille amie dans le

département de l'Eure, à Verneuil[1]. J'irai la chercher à la fin de la semaine prochaine, et je profiterai de cela pour aller jusqu'à Saint-Gratien vous faire une petite visite[2]. Car je m'ennuie trop de ne pas vous voir.

Moi, aussi, je ne suis pas très joyeux. Mon pauvre Bouilhet, qui eſt à Vichy, me donne des inquiétudes sérieuses. Dans une quinzaine de jours on saura à quoi s'en tenir, mais présentement je suis très tourmenté. Il paraît avoir une albuminurie ? C'eſt une maladie dont on ne guérit pas !

Mon roman[3] eſt là, dans sa boîte, et je n'y pense pas plus que s'il n'exiſtait point. Je le reprendrai dans six semaines pour y faire les dernières corrections. — Et puis vogue la galère !

Le souvenir des lectures que j'ai faites chez vous, Princesse, me reſtera comme une des meilleures choses de ma vie. Vous ne sauriez croire à quel point était chatouillée « l'orgueilleuse faiblesse de mon cœur » ainsi qu'eût dit le grand Racine[4].

J'ai repris une vieille *toquade*, un livre que j'ai déjà écrit deux fois et que je veux refaire à neuf[5]. C'était une extravagance complète, mais qui m'amuse. Aussi suis-je perdu, maintenant, dans les Pères de l'Église, comme si je me deſtinais à être prêtre !

Quelle chaleur ! J'espère qu'elle ne vous incommode pas ? Je vous vois d'ici, à l'ombre, sous vos beaux arbres. Je voudrais y être près de vous, pour vous baiser les mains, Princesse, et vous répéter que je suis

Entièrement vôtre.

À LA PRINCESSE MATHILDE

[Croisset,] mardi, 5 heures [20 juillet 1869].

Princesse,

J'ai à vous annoncer *la mort* de mon pauvre Bouilhet. Je viens de mettre en terre une partie de moi-même, un vieil ami dont la perte eſt irréparable !...

Au milieu de mon désespoir je me tourne vers vous. Pourquoi ? Je n'en sais rien. Mais il me semble que vous me comprendrez.

Vous étiez bien triſte dimanche, et moi aussi[6] !....

Je vous baise les deux mains.

À GEORGE SAND

[Croisset,] mardi, 5 heures [20 juillet 1869].

Je viens *d'enterrer*[1] mon pauvre Bouilhet. — Et en rentrant à Croisset je trouve vos portraits. Il me semble que vous me les envoyez pour me consoler. Merci, chère maître.

Je vais me flanquer une *bosse de désespoir*. Puis je re-serai d'aplomb ! je l'espère du moins. Mais c'est dur ! un vieil ami de trente-sept ans qui s'en va !....

Et c'est moi qui ai conduit le deuil ! détails grotesques et atroces, etc. ! je n'en puis plus et vous embrasse.

À FRÉDÉRIC FOVARD

[Croisset,] mercredi soir [21 juillet 1869].

Oui, c'est vrai ! je l'ai enterré hier. — Et aujourd'hui j'ai été chercher ma mère à Verneuil. Je rentre ici à Croisset, à l'instant même.

Je suis coupé en quatre. La moitié de mon cerveau est restée pour jamais au Cimetière Monumental.

Je ne parle pas du reste !

Je t'embrasse.

Ton

À ERNEST FEYDEAU

[Croisset, 22 juillet 1869.]

Mon pauvre vieux Feydeau,

Tu ne saurais croire *le bien* que m'a causé ta bonne lettre[2]. Je tiens à t'en remercier tout de suite, quoique je sois brisé de fatigue.

J'ai aujourd'hui rapporté chez moi tous les papiers de notre ami[3] et rien ne sera perdu.

Sa vie a été abrégée par ses deux sœurs[1] qui sont revenues *lui faire des scènes* pour la religion. Il a été, du reste, splendide et *roide*. Quand le délire l'a pris dimanche soir, il s'est mis à faire un scénario sur l'Inquisition.

Sa perte, au point de vue littéraire, est pour moi irréparable, et je ne parle pas du reste ! Tenons-nous bien. Tâchons qu'il en reste encore.

Je suis sûr que dans trois semaines, quand je te reverrai, je te retrouverai en meilleur état. Maintenant je suis sûr de ta guérison. Tu redeviendras le Feydeau d'autrefois. Mais il faudra te ménager un peu plus, mon bonhomme.

Il passe tous les jours devant ma grille un vieillard de soixante-dix ans, qui boite, il est vrai, mais qui, à la suite d'une attaque, a été l'année dernière six mois dans son lit, *complètement* paralysé. Du courage et de la patience ! Ça reviendra.

Il faut être « philosophe et homme d'esprit », comme disait le grand de Sade[2]. Mais ce n'est pas tous les jours facile.

Je t'embrasse plus tendrement que jamais.

À FRÉDÉRIC FOVARD

[Croisset,] jeudi soir [22 juillet 1869].

Il est mort d'une albuminurie dont on s'est aperçu fort tard et qui était inguérissable.

Sa fin a été hâtée par ses deux sœurs qui sont venues lui faire des *scènes religieuses*. Et qui voulaient s'emparer du mobilier.

Il les a reçues d'une manière *antique*. Mais la réaction lui a fait sans doute monter son œdème dans la poitrine et au cerveau. Le délire l'a pris dimanche à 5 heures du soir, et il a expiré vers dix, sans s'en apercevoir.

C'est une perte, pour moi, irréparable. — J'ai enterré avant-hier ma conscience littéraire, mon jugement, ma boussole, — sans compter le reste !

Je suis broyé, et je t'embrasse plus tendrement que jamais.

Ton

Ma mère va bien.

Caroline[1] revient de Norvège dans une dizaine de jours.

Je compte revenir à Paris vers le 20 août.

P.-S. — Eſt-ce que je [ne] t'ai pas écrit depuis avant-hier ? Il me semble qu'oui[2] ?

Ma pauvre tête eſt si troublée !

À MAXIME DU CAMP

[Croisset,] vendredi soir, 10 heures [23 juillet 1869].

Mon bon vieux Max,

J'éprouve le besoin de t'écrire une longue lettre. Je ne sais pas si j'en aurai la force, je vais essayer.

Depuis qu'il était revenu à Rouen, notre pauvre Bouilhet était convaincu qu'il y laisserait ses os. Tout le monde (et moi comme les autres) le plaisantait sur sa triſtesse ! Ce n'était plus l'homme que tu as connu, il était *complètement* changé, sauf l'intelligence littéraire qui était reſtée la même.

Bref, quand je suis revenu de Paris au commencement de juin, je lui ai trouvé une figure lamentable. Un voyage qu'il a fait à Paris pour *[Mademoiselle] Aïssé* et où Chilly lui a demandé des changements dans le second acte[3], lui a été tellement pénible, qu'il n'a pu que se traîner du chemin de fer à l'Odéon.

En arrivant chez lui, le dernier dimanche de juin, j'ai trouvé le docteur Péan[4] de Paris, une autre brute de Rouen qui s'appelle Leroy[5], le d[octeu]r Morel, l'aliéniſte[6], et un brave pharmacien de ses amis, nommé Dupré[7]. — B[ouilhet] *n'osait pas* demander une consultation à Achille[8], se sentant très malade et ayant peur qu'on ne lui dît la vérité. Péan l'a expédié à Vichy, d'où Willemin[9] s'eſt empressé de le renvoyer vers Rouen.

En débarquant à Rouen, il a enfin appelé Achille. Le mal était irréparable, comme Willemin me l'avait, d'ailleurs, écrit[10].

Pendant ces quinze derniers jours, ma mère était à Verneuil, chez les dames Vasse[11], et les lettres de Caroline[12] ont eu trois semaines de retard ! Tu vois par quelles angoisses j'ai passé. — J'allais voir B[ouilhet] tous les deux jours et *je trouvais de l'amélioration* ! L'appétit était excellent ainsi que le moral, et l'œdème des jambes diminuait. Ses sœurs sont venues de Cany[1] lui faire *des scènes religieuses* et ont été tellement ignobles qu'elles ont scandalisé un brave chanoine de la Cathédrale. Notre pauvre vieux a été *superbe.* Il les a envoyées faire foutre carrément. Quand je l'ai quitté pour la dernière fois samedi, il avait un volume de La Mettrie[2] sur sa table de nuit, ce qui m'a rappelé mon pauvre Alfred lisant Spinoza[3]. Aucun prêtre n'a mis les pieds dans son domicile. La colère qu'il avait eue contre ses sœurs le soutenait encore samedi. Et je suis parti pour Paris avec l'espoir qu'il pouvait vivre encore longtemps.

Le dimanche à 5 heures, il a été pris de délire et s'est mis à faire tout haut le scénario d'un drame Moyen Âge sur l'Inquisition. Il m'appelait pour me le montrer et en était enthousiasmé. Puis un tremblement l'a saisi, il a balbutié : « Adieu, adieu » en se fourrant la tête sous le menton de Léonie[4], et il est mort, très doucement.

Le lundi matin à 9 heures mon portier m'a réveillé avec un télégramme m'annonçant la chose en style de télégraphe. J'étais seul. J'ai fait mon paquet. Je t'ai expédié la nouvelle. J'ai été la dire à Duplan[5] qui était au milieu de ses affaires, puis j'ai battu le pavé jusqu'à 1 heure, et il faisait chaud dans les rues, autour du chemin de fer !

De Paris à Rouen, dans un wagon rempli de monde, j'avais devant moi une cocotte qui fumait des cigarettes, étendait ses pieds sur la banquette, et chantait ! En revoyant les clochers de Mantes[6], j'ai cru devenir fou, et je suis sûr que je n'en ai pas été loin. — Me voyant si pâle, la cocotte m'a offert de l'eau de Cologne. Ça m'a ranimé, mais quelle soif ! Celle du désert de Quosseïr n'était rien auprès[7].

Enfin je suis arrivé rue de Bihorel. Ici je t'épargne les détails ! Je n'ai pas connu un meilleur cœur que celui du petit Philippe[8]. Lui et cette bonne Léonie ont soigné B[ouilhet] *admirablement.* Ils ont fait une chose que je trouve propre. Pour le rassurer, pour lui persuader qu'il n'était pas dangereusement malade, Léonie a refusé de se marier avec lui, et son fils l'encourageait dans cette résistance. C'était si bien l'intention de B[ouilhet] qu'il avait fait venir tous ses papiers. De la part du jeune homme, surtout, je trouve le procédé assez gentleman.

Moi et d'Osmoy[9], nous avons conduit le deuil. — Il a eu un enterrement très nombreux, deux mille personnes au moins !

Préfet, procureur général, etc., toutes les herbes de la Saint-Jean. Eh bien croiras-tu qu'en suivant son cercueil, je savourais très nettement le grotesque de la cérémonie ? J'entendais les remarques qu'il me faisait là-dessus. Il me parlait en moi. Il me semblait qu'il était là à mes côtés, et que nous suivions ensemble le convoi d'un autre. Il faisait une chaleur atroce, un temps d'orage. J'étais trempé de sueur, et la montée du Cimetière Monumental m'a achevé.

Son ami Caudron[1] (l'ancien commis du maire Verdrel[2]) avait choisi son terrain près de celui du père Flaubert. — Je me suis appuyé sur une balustrade pour respirer. — Le cercueil était sur les bâtons, au-dessus de la fosse. — Les discours allaient commencer (il y en a eu trois !). Alors j'ai renâclé. Achille et un inconnu m'ont emmené.

Le lendemain, j'ai été chercher ma mère à Serquigny[3]. — Hier j'ai été à Rouen prendre *tous* ses papiers. Aujourd'hui j'ai lu les lettres qu'on m'a écrites. Et voilà !

Ah ! c'est une rude calotte, mon bon vieux !

Il laisse par son testament 30 mille francs à Léonie, et quelque chose encore. — Tous ses livres et tous ses papiers appartiennent à Philippe. Il l'a chargé de prendre quatre amis pour savoir ce qu'on doit faire de ses œuvres inédites : moi, d'Osmoy, toi et Caudron. Il laisse un excellent volume de poésies[4], quatre pièces en prose[5] et *[Mademoiselle] Aïssé*[6]. Chilly n'aime pas le second acte. Je ne sais ce qu'il fera.

Il faudra, cet hiver, que tu viennes ici avec d'Osmoy, et que nous réglions ce qui doit être publié.

Remercie le Mouton[7] de ses bonnes paroles.

Ma tête me fait trop souffrir pour continuer. Adieu. Que pourrais-je te dire d'ailleurs.

Je t'embrasse avec ardeur.

À toi, mon pauvre vieux Max, il n'y a « plus que toi », toi, seul !

P.-S. — Dans *toutes* les lettres que j'ai reçues, il y a cette phrase : « Serrons nos rangs ! »

Un monsieur *que je ne connais pas* m'a envoyé sa carte avec ces deux mots : *Sunt lacrymae*[8] !

À SAINTE-BEUVE

[Croisset,] vendredi matin [23 juillet 1869].

Merci de votre bonne lettre, mon cher maître[1].

Je suis *broyé* : la fatigue physique domine tout.

Mon pauvre Bouilhet eſt mort en *philosophe* et sans l'assiſtance d'aucun ecclésiaſtique. Sa fin a été hâtée par ses sœurs qui sont venues lui faire des *scènes religieuses* et qui voulaient s'emparer du mobilier. Je vous donnerai plus tard des détails si vous y tenez.

Quant à moi, qui conduisais le deuil, j'ai fait bonne figure jusqu'aux *discours*. Exclusivement. J'aime la littérature plus que personne. Mais c'eſt comme la merde, je veux qu'on me la serve à part.

J'ai passé par de jolis moments depuis lundi matin ! N'en parlons plus.

Quant à ce brave Monselet[2], que mon pauvre Bouilhet aimait beaucoup, je ne demanderais pas mieux que de lui être utile. Mais on nommera à cette place de bibliothécaire ou une « brute de la localité », ou un jeune paléographe de Paris.

Mon frère était le camarade de collège de Verdrel, le maire qui a nommé Bouilhet. Ledit Verdrel eſt mort et non remplacé. La nomination en queſtion va donc dépendre du conseil municipal. Je crois que l'archevêché s'agite ? Bouilhet avait eu du mal à être nommé.

On lui avait fait promettre qu'il habiterait Rouen toute l'année. C'était une condition.

J'aimerais mieux voir à la Bibliothèque notre ami Monselet que tout autre. Mais je crois qu'il n'a aucune chance. Voilà.

Je ne sais pas, entre nous, si Frédéric Baudry[3] n'a pas envie de cette place ? (Dans ce cas-là, vous comprenez, je ne puis rien faire pour Monselet, sinon, tout ce qu'il voudra.)

Baudry s'était mis sur les rangs, puis s'était retiré, Bouilhet se présentant.

Je n'en peux plus de mal de tête, car je suis surchargé *d'affaires*.

Je vous embrasse.

Soignez-vous bien ! Qu'il en reste encore un peu sur la terre de ceux qui aiment le beau !

Hein, les pauvres amants du style, comme ils s'en vont !

À SA NIÈCE CAROLINE

[Croisset,] samedi matin [24 juillet 1869].

Dépêchez-vous de revenir. Ta pauvre grand-mère *n'y tient plus.*

C'est ce soir ou demain que je lui ferai part du projet[1]. Elle l'acceptera mieux dans la joie de votre retour. Tranquillise-toi du reste. Je l'y ai préparée, en l'engageant à vivre maintenant avec vous l'hiver. Ce à quoi elle est décidée si ça ne contrarie pas Ernest[2]. — Et franchement elle n'est plus capable de tenir son ménage toute l'année.

Son séjour chez les dames Vasse[3] lui a fait grand bien.

Ne manquez pas de revenir bien vite.

Je vous embrasse.

Votre vieil oncle.

À SA COUSINE OLYMPE BONENFANT

[Croisset,] lundi matin [26 juillet 1869].

Merci, ma bonne Olympe.

Ma vie est bouleversée. — J'aurai du mal à me remettre de ce coup-là !

Ma mère va bien. — Nous attendons Caroline[4] à la fin de cette semaine.

Je vais avoir beaucoup d'affaires à régler cet automne, car outre les miennes je vais m'occuper des *siennes*[5]. — Aussi à partir du 12 août, je ne bougerai guère de Paris.

Donne-nous des nouvelles de Laurent[6].

Je t'embrasse.

Ton

À AGÉNOR BARDOUX

Croisset, 26 juillet [1869].

Merci de ta lettre[1], mon cher ami. — Et puis, que veux-tu que je te dise ? Je suis navré, broyé. C'est non seulement ma vie qui se trouve prodigieusement dérangée. — Mais ma littérature. J'ai perdu mon conseiller, mon guide ; un vieux compagnon de 37 ans !...

On m'a nommé le Président d'une commission qu'on a formée hier pour lui élever un monument. — Je t'enverrai la 1re liste.

Ma mère se porte bien, malgré ses 77 ans bientôt. Mais son moral baisse. — Et je vis dans une inquiétude permanente.

Je reste encore à Croisset une huitaine de jours. — Puis, à partir du 15, je serai à Paris, b[oulevar]d du Temple, 42. — Mais dès le 1er octobre, comme j'ai changé de logement, écris-moi, ou plutôt viens me voir : rue Murillo, 4 (parc Monceau).

Et toi ? Que deviens-tu ? Quand il y a si longtemps qu'on ne s'est vu, on n'ose plus se faire de questions.

Bouilhet laisse : 1° *M[ademois]elle Aïssé*, drame en vers qui sera joué à l'Odéon au mois de janvier[2] ; 2° de quoi faire un très beau volume de vers[3] ; 3° plusieurs pièces de théâtre en prose.

Je t'embrasse.

À LA COMTESSE PRIMOLI

[Croisset, 27 juillet 1869.]

Princesse[4],

Je vous remercie de vos bonnes paroles. Comme vous êtes délicate ! excellente ! charmante !

Je n'ai que la force de vous baiser les mains, en vous priant, Princesse, de me croire

Votre très affectionné.

Veuillez, je vous prie, présenter mes respects au Cte Primoli et mes amitiés à monsieur votre fils.

J'espère vous voir cet automne à Saint-Gratien[1].

À FRÉDÉRIC BAUDRY

[Croisset,] jeudi [29 juillet 1869].

Oui ! c'est une rude calotte que je reçois là, mon pauvre cher vieux !

J'ai le sentiment d'une amputation considérable. — Une grande partie de moi-même a disparu.

La fin de mon pauvre Bouilhet a été hâtée par ses sœurs, qui sont venues lui faire des *scènes religieuses* et pour s'emparer du mobilier (*sic*).

Il les a reçues à la *d'Holbach*[2], et aucun ecclésiastique n'a mis les pieds chez lui.

Je suis littéralement broyé, et tellement étourdi que ma fatigue physique dépasse mon chagrin.

Le père Fossard[3] a fait un discours ! Tout est ironique, ce qui ne veut pas dire drôle.

Je suis sûr qu'il y a déjà plusieurs démarches faites pour avoir sa place[4].

Y re-pensez-vous ?

Je partirai de Croisset vers le 10 août. Et n'y reviendrai pas avant le milieu de l'hiver.

Vous seriez bien gentil de venir me faire une visite dans les premiers jours d'août.

Il faut être « philosophe et homme d'esprit[5] », mais ce n'est pas facile en de certains jours.

Adieu, cher ami. Je vous embrasse et ne suis pas gai. Oh non !

À JULES DUPLAN

[Croisset,] jeudi [29 juillet 1869].

Cher Vieux,

Ton pauvre géant a reçu une rude calotte dont il ne se remettra pas. Je me dis : « À quoi bon écrire maintenant, puisqu'il n'est plus là ! » C'est fini, les bonnes gueulades, les enthousiasmes en commun, les œuvres futures rêvées ensemble.

Il faut être « philosophe et homme d'esprit », comme Bandole[1], mais ce n'est pas facile.

Je te raconterai *les détails* quand nous nous verrons. Sache pour le moment qu'il est mort en philosophe, et qu'aucun ecclésiastique n'a souillé son domicile.

Ce que j'ai éprouvé de plus dur a été mon voyage de Paris à Rouen ; j'ai cru crever de soif. — Et j'avais devant moi une cocotte qui riait, chantait et fumait des cigarettes ! etc.

Il s'est formé une commission pour lui élever un monument. On lui fera un petit tombeau convenable et un buste qu'on mettra au musée. On m'a nommé le Président de cette commission ; je t'enverrai la première liste de souscripteurs[2].

L'Odéon m'a écrit deux très belles lettres, j'ai rendez-vous avec les directeurs pour le 12 août[3].

C'est moi qui possède *tous* ses papiers ; il reste de lui un très beau volume de vers, que mon intention est de publier peu de jours après qu'*Aïssé* sera jouée[4].

Je n'ai pas eu la force de relire mon roman[5], d'autant plus que les observations de Maxime[6], si justes qu'elles soient, m'irritent. J'ai peur de les accepter toutes, ou d'envoyer tout promener.

Quelle perte pour la littérature, mon pauvre vieux ! quelle perte ! — et je ne parle pas du reste.

Tu es donc toujours malade, toi ! Ne l'imite pas, nom de Dieu ! il ne me manquera plus que ça[7].

Je t'embrasse.

Ton

À CHARLES MONSELET

Croisset près Rouen, jeudi [29 juillet 1869].

Ce que je redoutais arrive, mon cher ami : on vient de nommer à la place de mon pauvre Bouilhet un ancien libraire âgé de cinquante-huit ans, un idiot que je soupçonne (entre nous) d'être un drôle[8].

Cette nomination, non encore officielle, mais certaine, eſt due à l'influence de l'archevêque[1].

Notre ami était à peine enterré qu'il avait une promesse formelle.

Je suis presque aussi contrarié que vous, et peut-être plus.

Je vous serre les mains très fort.

À LA PRINCESSE MATHILDE

Croisset, vendredi soir [30 juillet 1869].

Comme vous êtes bonne de songer à moi, Princesse ! Vous faites bien, je vous l'avoue, car je suis extrêmement à plaindre ! Ma vie eſt bouleversée par cette mort-là ! et j'aurai du mal à revenir de l'ébranlement qu'elle m'a causé.

Il faut se roidir et continuer son chemin, cependant !

J'ai rendez-vous avec l'Odéon pour le 12 août, afin d'aviser à monter *sa* pièce[2]. Vers le mois de janvier, je publierai un volume[3] de ses vers, inédit et fort beau.

Je relis maintenant mon roman[4] pour en effacer les fautes de français et ôter à la critique malveillante le plus de prétextes possibles. — Elle m'épargnera fort peu, néanmoins. Mais je m'en moque parfaitement.

Vous ne me dites pas comment vous allez ? Etes-vous toujours aussi triſte ? Ah ! l'exiſtence n'eſt pas drôle ! Et le soleil brille, l'eau continue à couler, le ciel eſt splendide.

Je vous envoie tout ce que j'ai de meilleur dans l'âme. Je me mets à vos pieds, Princesse, je vous baise les deux mains et je suis

Tout à vous.

J'espère vous aller voir dans 10 à 12 jours ? puis, à partir du 1er septembre, ne plus bouger de Paris (sauf peut-être pendant une huitaine que je prendrai, au mois de septembre, pour aller chez le père Cloquet, à Lamalgue[5]).

L'idée de vous voir bientôt, un peu longuement, eſt ma seule consolation présente.

À MICHEL LÉVY

[Croisset, 5 août 1869.]

Mon cher Michel,

Je compte vous apporter, moi-même, le manuscrit de mon roman mercredi prochain[1]...

À PHILIPPE LEPARFAIT

[Croisset,] vendredi midi [6 août 1869].

Voici ce que je reçois ce matin de Mme Porcher.

Tout ce que j'y comprends, c'est que tu dois de l'argent à ladite personne.

Si nos amis Bardoux[2] et d'Osmoy[3] eussent été autres, on t'en devrait. Dieu sait pourtant si je les ai obsédés là-dessus !

Croirais-tu que d'Osmoy ne m'a pas envoyé les *deux lignes* que je lui demandais pour l'affaire de la souscription Bouilhet ?

Il *lui doit* 300 francs ; s'il ne paye pas, je lui fourre un huissier au cul, carrément.

Réponds à Mme Porcher.

À toi.

À EDMOND ET JULES DE GONCOURT

[Croisset, 6 août 1869.]

Duplan[4] demeure rue Laffitte, 43.

Le médecin le plus fort comme électriseur est un élève de Robin[5] nommé *Onimus*[6]. Feydeau se trouve très bien de ses soins. Je vous conseille de vous adresser à lui.

J'espère vous voir très prochainement chez vous ou chez la Princesse[7]...

Je vous embrasse.

Vendredi 6 août.

À GEORGE SAND

[Croisset,] vendredi 6 août [1869].

Chère Maître,

Je pars demain pour Paris, écrivez-moi donc boulevard du Temple, 42.

La mort de mon pauvre Bouilhet (qui a bouleversé ma vie) dérange mes vacances.

Quand irai-je à Nohant ? Pas avant cet hiver probablement. Je vais être surchargé de besogne. J'ai 1° à déménager, 2° à faire imprimer mon roman[1], 3° à m'occuper d'*Aïssé* et puis, du reste !

Et vous ? donnez-moi de vos nouvelles. Quand j'aurai un peu de tranquillité, je vous écrirai longuement.

Je vous embrasse bien tendrement.

Votre vieux

GEORGE SAND À GUSTAVE FLAUBERT

Nohant, 6 août [1869].

Eh bien cher bon ami, nous voici en août, et tu as promis de venir. On ne l'oublie pas, on y compte, on en rêve et on en parle tous les jours. Tu devais d'abord faire une excursion au bord de la mer, si je ne me trompe. Tu dois avoir besoin de secouer ton chagrin. Ça ne le chasse pas, mais ça le force à vivre à côté de nous sans nous opprimer trop. J'ai bien pensé à toi tous ces temps-ci. J'aurais couru te voir si je n'avais pensé te trouver entouré d'amis plus anciens et plus autorisés que moi. Je t'ai écrit en même temps que tu m'écrivais, nos lettres s'étaient croisées. Viens nous voir, mon vieux chéri. Je n'irai pas à Paris ce mois-ci, je ne veux pas te manquer. Mes enfants seront heureux de te gâter, et de tâcher de te distraire. Nous t'aimons tous, et moi *passionnément*, comme tu sais.

À PHILIPPE LEPARFAIT

[Paris, 7 août 1869.]

Rédige-moi la lettre que je dois t'envoyer[1]. Franchement je n'ai pas le temps matériel de l'écrire comme il la faudrait et encore moins la liberté d'esprit nécessaire. Envoie-la-moi tout de suite, je la copierai et tu la recevras lundi soir.

La *Féerie*[2] revient sur l'eau !!!...

Je vais passer chez Peragallo[3] et au *Moniteur*. Quant à activer la souscription, j'attends Deslandes[4] qui doit revenir à Paris dans les premiers jours de septembre.

Je ne sais pas quand j'irai à Dieppe[5] ; pas avant d'être emménagé, c'est-à-dire pas avant trois semaines au moins.

Je vous embrasse tous les deux bien tendrement.

À EUGÈNE NOËL

[Paris, 8 août 1869.]

Cher Monsieur,

Hier au soir, en arrivant chez Sainte-Beuve, il m'a montré le numéro de *L'Univers illustré*[6] où est votre article sur mon pauvre Bouilhet.

Je vous en remercie doublement puisque vous avez pensé à me l'envoyer. Les gens de cœur se reconnaissent à ces petites choses-là.

Il y avait longtemps, du reste, que je vous connaissais pour être *un brave*, et ça m'a plus attendri qu'étonné.

Je vous serre la main très fort.

Dimanche matin.
Paris, boulevard du Temple, 42.

À PHILIPPE LEPARFAIT

[Paris, 9 août 1869.]

Je te conseille, après t'être fait tirer l'oreille, de montrer la lettre ci-incluse, ou plutôt de la lire jusqu'au bas du *verso*. — Là, tu t'arrêteras et tu diras : « Ceci vous concerne, et est trop désagréable pour vous, je ne veux pas vous le montrer. » Elles[1] insisteront. — Et tu exhiberas la 3e page. Par ce moyen-là, elles comprendront qu'il n'y a rien à attendre de moi.

J'ai peut-être été trop modéré.

Tu sais que j'ai, au contraire, très grand espoir. Je crois au succès de toutes les façons[2].

Autre histoire : Lévy m'a fortement conseillé de faire jouer la Féerie[3]. — Ce dont je m'occuperai vers le 8 ou 10 septembre, quand Deslandes[4] sera revenu de Dieppe et que d'Osmoy[5] en aura fini avec son conseil général.

Je ne pourrai pas aller à Dieppe avant trois grandes semaines encore. — Mon déménagement ne sera pas terminé avant ce temps-là.

Fais inscrire M. Achille Dupont[6] *pour 20 francs.* Envoie-moi la 2e et la 3e liste[7] et des pièces de vers détachées[8].

À toi.

Je suis impatient de savoir tout réglé du côté de Cany.

Lundi matin, 9 heures.

À PHILIPPE LEPARFAIT

[Paris,] lundi, 4 heures [9 août 1869].

Mon cher Enfant,

J'ai enfin, hier au soir, mis la main sur les directeurs de l'Odéon[9]. Ils m'ont paru fort désappointés lorsque je leur ai fait voir le second acte. Ils se figuraient, les imbéciles, que notre pauvre Bouilhet avait pu terminer les corrections convenues et refaire un acte entier du 12 juin, jour de sa dernière lecture au 18 juillet, jour de sa mort.

Lorsque je vais être installé dans mon nouveau logement[10] il faudra que tu viennes ici pour que nous rétablissions cet acte, d'après ses notes et ses ratures. Ce ne sera pas chose facile ; j'aurai absolument besoin de toi pour amener à bien cette besogne.

S'ils ne veulent pas jouer *Aïssé* ou qu'on me donne des acteurs insuffisants, ce qui est très possible, nous la publierons en volume ou dans un journal.

Quant au volume de vers[1], Lévy, qui prétend ne pas gagner d'argent avec les vers, imprimera le volume pour rien, mais c'est tout.

Je ne vois pas d'autre chose à faire.

Bref, le succès matériel des œuvres posthumes de notre pauvre vieux me paraît très problématique. Tu sais que les absents ont tort et que les morts sont vite oubliés.

Que devient la souscription[2] ?

Celle qui est ouverte à Paris ne marche pas raide.

Si tu le juges convenable, consulte nos amis communs, d'Osmoy, Guérard et Caudron[3] sur ce que j'ai à faire.

En as-tu fini avec mesdemoiselles Bouilhet[4] ? Si elles t'embêtent, envoie-les faire foutre carrément. Ce sont des misérables à ne pas ménager. Quand je pense à l'homme de génie, à l'homme excellent, au cœur d'or qu'elles ont fait souffrir, la colère m'étouffe et je voudrais pouvoir les injurier en face, ce que je ne manquerai pas de faire quand j'écrirai sa biographie, laquelle sera insérée dans *Le Moniteur* de Dalloz[5].

Voilà ce que j'ai à te dire.

Comment va ta chère maman[6] ?

Adieu, mon bon Philippe, je te baise sur les deux joues.

À PHILIPPE LEPARFAIT

[Paris,] mardi matin [10 août 1869].

Tu es beau, et je crois, de plus, que tu as fait une bonne affaire.

Prie Mulot[7] d'écrire des lettres de remerciement à toutes les personnes qui se sont mêlées du concert[8]. Il me les enverra, je les signerai. Cela me semble indispensable et *urgent* ! — Ne pas oublier de m'envoyer les adresses de ces braves gens.

De qui le compte-rendu du concert dans le *Journal de Rouen*[9] ?

C'est M. Clogenson[10] qui m'a envoyé le journal.

Fais inscrire *Miss Juliet Herbert*[11], *20 francs.*

Embrasse ta mère pour moi.

Ton

Et ces listes[12] ?

À MICHEL LÉVY

[Paris,] jeudi matin [12 août 1869].

Mon cher Michel,

Pouvez-vous recevoir mon manuscrit[1] samedi matin...

À PHILIPPE LEPARFAIT

[Paris, 12 août 1869.]

Mon cher Philippe,

Je viens de voir moi-même, sur le registre de Mme Porcher, que Bouilhet lui devait mille francs depuis le mois de février. — Cette ligne était écrite par lui avec sa signature. J'ai donné ton adresse à Mme Porcher.

Aïssé sera jouée sans le moindre changement. Ce matin, j'ai eu avec Chilly[2] une longue conférence. — Et j'attends, en ce moment, un copiste, qui va copier chez moi tout le second acte.

Je crois que l'Odéon va brûler la politesse à Mme Sand et donner *Aïssé* au commencement de novembre[3] ? Chilly m'a prié de ne pas le quitter d'une minute pendant les répétitions.

Je m'occupe aussi du *Cœur à droite*, qui peut être joué sur le théâtre de Cluny[4]. Tu sais que la souscription[5] est depuis hier annoncée dans plusieurs journaux. Elle va l'être dans *Le Moniteur*, où j'ai trouvé beaucoup de complaisance.

Ledit *Moniteur* m'a proposé d'imprimer tout *Aïssé* le lendemain de la première. L'idée est peut-être lucrative ? Nous verrons cela.

Dalloz me demande aussi une biographie[6]. Ce n'est pas le moment. Mais comme *Le Moniteur* paye très bien et que cet argent doit te revenir, j'ai été doux.

Je leur ai promis une pièce de vers inédite. Quand j'irai à Dieppe, au mois de septembre, tu viendras avec moi à Croisset, et nous verrons ce qui peut convenir.

Est-ce fini avec les rosses de Cany[7] ? et la Procuration ?

Fais-moi le plaisir d'écrire à d'Osmoy[8] en ses différents domiciles, et mets sur les lettres : « Faire parvenir », qu'on sache où il est, nom de Dieu ! Quel intolérable coco ! J'aurais besoin de lui pour un tas de choses.

Camille Doucet[1] a été très gentil.

Mardi ou mercredi prochain je me mets à corriger mes épreuves[2], et j'ai, tous les jours, à aller dans mon nouveau domicile, pour surveiller les ouvriers.

Embrasse bien tendrement pour moi ta pauvre mère, et qu'elle t'en fasse autant de ma part.

Ton[3].

B[oulevar]d du Temple, 42, jeudi 12 août.

À EUGÈNE DELATTRE

[Paris,] 13 août [18]69, b[oulevar]d du Temple, 42.

Mon cher Ami,

Tu serais bien aimable de me retrouver *Le Cœur à droite* qui a été publié dans une feuille t'appartenant[4].

Est-ce que tu n'es pas comme moi ? N'éprouves-tu pas le besoin *de nous voir* pour causer de notre pauvre vieux ?

Comment nous rencontrer ?

Donne-moi un rendez-vous, très tard ou très matin. Pendant la quinzaine qui va venir, je suis obligé de sortir de chez moi vers dix heures.

Mille poignées de main.

À SA MÈRE

[Paris,] samedi 14, midi [août 1869].

Chère bonne Vieille,

Je suppose que tu seras bien aise d'avoir, pour ton dimanche, des nouvelles de ton petit dernier.

Il se porte très bien, se couche dès minuit et fait des nuits de 9 à 10 heures !

J'attends en ce moment la copie d'*Aïssé*. — Pour la porter aux Français[5].

Elle arrive ! Donc je te fausse compagnie et m'habille pour sortir.

Caro[1] doit venir te tenir compagnie ce soir. Et ne s'en ira que jeudi. — J'espère être revenu près de toi, ce jour-là ? mais j'aime mieux ne te rien promettre, afin que tu n'aies pas de déception.

J'attends demain ou lundi une lettre de toi.

Je t'embrasse. Ton vieux fils bien occupé.

Gve.

GEORGE SAND À GUSTAVE FLAUBERT

Nohant, 14 août [18]69.

Le changement de tes projets nous désole, cher ami, mais devant tes ennuis et tes chagrins, nous n'osons pas nous plaindre. Nous devons désirer que tu fasses ce qui t'en distrairont *(sic)* le plus et qui te coûtera le moins. J'ai l'espoir de te retrouver à Paris puisque tu y restes quelque temps et que j'y ai toujours affaire. Mais on se voit si peu à Paris et on est surmené par tant d'obligations ennuyeuses ! Enfin c'est une vraie douleur pour moi que de n'avoir plus à t'attendre *chez nous*, où nous t'aurions aimé à qui mieux mieux, et où tu aurais été *chez toi*, triste quand tu aurais voulu, occupé si bon t'eût semblé. Je me résigne, à la condition que tu seras mieux ailleurs et que tu nous dédommageras quand tu pourras.

As-tu au moins arrangé tes affaires avec Lévy ? Te paie-t-il deux volumes ? Je voudrais que tu eusses de quoi vivre indépendant et maître de ton temps.

Ici, repos d'esprit au milieu d'une activité exubérante de Maurice et de sa courageuse petite femme, qui se prend à aimer tout ce qu'il aime et à l'aider ardemment dans tout ce qu'il entreprend. Moi, j'ai l'air de la paresse incarnée au milieu de ce travail positif. Je fais de la botanique et je me baigne dans un petit torrent glacé. J'apprends à lire à mon domestique, je corrige des épreuves, et je me porte bien. En voilà une existence ! Et rien ne m'ennuie en ce monde où je trouve que, *relativement à moi*, tout est pour le mieux. Mais j'ai peur de devenir encore plus ennuyeuse que je ne l'étais. On n'aime guère les gens de ma trempe. Ils sont trop inoffensifs. Aime-moi pourtant toujours un peu, car je sens par le chagrin de ne pas te voir, que j'en aurais énormément si ton manque de parole était volontaire.

Et je t'embrasse tendrement, cher vieux.

G. SAND.

À SA NIÈCE CAROLINE

[Paris, 15 août 1869.]

Ma chère Caro,

Mon intention était de t'écrire longuement, uniquement pour le plaisir de causer avec toi, mais *je tombe sur les bottes*, tant j'ai d'occupations. Je veux te dire que je m'ennuie de toi beaucoup et que j'ai bien envie de t'embrasser.

Penses-tu un peu moins à la Norvège ? As-tu repris ton petit train-train ?

J'ai été voir votre hôtel[1], mais il était si encombré par les meubles *qu'*on y apportait, *que* j'ai pu, à peine, distinguer les murailles. Le salon m'a paru très beau.

Ton mari devait venir pour s'entendre avec M. de Flahaut[2]. Le portier a même dû lui écrire à ce sujet ? Dis à Ernest que, s'il veut venir me donner de vos nouvelles, il se présente au boulevard du Temple, de très grand matin. Pendant une quinzaine, je vais sortir tous les jours dès 9 heures.

Après-demain je recevrai la 1re épreuve de mon roman[3], et *Aïssé* va entrer en répétition tout de suite, sans doute ?

Je ne sais pas quand j'irai passer quelques jours à Saint-Gratien[4]. Mais mon intention est d'aller vous faire une visite à Dieppe dans les premiers jours de septembre.

Adieu, pauvre Caro chéri.

Je t'embrasse bien fort.

Dimanche matin.

À GEORGE SAND

[Paris, 15 août 1869.]

Chère bon Maître adorée,

Je veux depuis plusieurs jours vous écrire une longue lettre où je vous aurais dit tout ce que j'ai ressenti depuis un mois. — C'est *drôle*. J'ai passé par des états différents, et bizarres. Mais je n'ai pas assez de temps ni de repos d'esprit pour me recueillir suffisamment.

Quant à Nohant, j'irai cet *hiver*, lorsque je serai débarrassé de mon roman[5] et d'*Aïssé*.

Lévy m'a donné 6 mille francs (1er paiement). Nous n'avons pas parlé du reste. Ça aura deux volumes in-8°. — Ne vous inquiétez pas de votre troubadour. Il aura toujours « son indépendance et sa liberté », parce qu'il fera comme il a toujours fait. Il a tout lâché plutôt que de subir une obligation quelconque, et puis, avec l'âge, les besoins diminuent. Je ne souffre plus de ne pas vivre dans des Alhambras.

Ce qui me ferait du bien, maintenant, ce serait de me jeter furieusement dans *Saint-Antoine.* Mais je n'ai même pas le temps de lire. Et en fait de voyages j'irai tout bonnement passer deux dimanches à Dieppe chez Caroline.

Ouïssez ceci : votre pièce[1], primitivement, devait passer après *Aïssé.* — Puis il a été convenu qu'elle passerait *avant.* — Or, Chilly et Duquesnel[2] veulent maintenant qu'elle passe après, uniquement « pour profiter de l'occasion », pour exploiter la mort de mon pauvre Bouilhet. Ils vous donneront un « dédommagement quelconque ». Eh bien ! moi, qui suis le propriétaire et le maître d'*Aïssé* comme si j'en étais l'auteur, je ne veux pas de ça. Je ne veux pas, entendez-vous, que vous vous gêniez en rien.

Vous croyez que je suis doux comme un mouton, détrompez-vous. — Et faites absolument comme si *Aïssé* n'existait pas ; et surtout, pas de délicatesse, hein ? Ça m'offenserait. Entre simples amis, on se doit des égards et des politesses. — Mais de vous à moi, ça me semblerait peu convenable. — Nous ne nous devons rien du tout que nous aimer. *Dixi.*

Je crois que les Directeurs de l'Odéon regretteront B[ouilhet] de toutes les manières. Je serai moins commode que lui aux répétitions.

Ne deviez-vous pas venir à Paris pour *La Petite Fadette*[3], au mois de septembre ? Je voudrais bien vous lire *Aïssé*, afin d'en causer un peu ; quelques-uns des acteurs qu'on propose sont, selon moi, impossibles. C'est dur d'avoir affaire à des illettrés !

Amitiés aux vôtres et à vous, cher Maître,

Toutes mes tendresses.

Dimanche matin, 15 août, jour de la fête d'Isidore[4].

GEORGE SAND À GUSTAVE FLAUBERT

Nohant, 17 août [1869].

Puisque tu veux que je décide sans rien sacrifier, je désire, cher vieux troubadour chéri, m'en tenir à ma lettre de traité avec l'Odéon. Je dois lire le 10 octobre pour être jouée vers le 15 ou 20 novembre. C'est eux qui l'ont voulu alors que je les engageais à jouer *Aïssé* à cette époque. Ils ont juré que cette pièce n'était pas terminée et qu'ils voulaient la mienne. Ils ont signé. J'ai signé. Et maintenant j'ai arrangé mes occupations et mes affaires de l'année en conséquence. Il me serait désagréable au possible de changer tous mes plans. En outre quand on cède sur un manque de parole au théâtre, on ne retrouve plus de certitude avec *eux*, et aucun traité ne les engage plus envers vous. Dis-leur donc que je ne veux pas changer d'époque. Plus on attendra *Aïssé* cette année, plus il y aura curiosité et succès. La mort n'est pas une heureuse exploitation, et si ma pièce n'a pas de succès, celle de notre ami en aura ensuite d'autant plus.

Tu dis que tu ne seras pas si commode que ce pauvre Louis[1]. Tu verras qu'il faut être commode ou nuire à l'étude, par conséquent au succès de la pièce. Les acteurs sont des instruments fragiles ; si on les touche fort, ils se rompent. Il faut toujours leur dire que c'est bien, ils ne vibrent que sous la louange, la critique les brise. Au reste, si tu veux me consulter sur le choix des acteurs propres à chaque rôle, je crois les bien connaître et savoir à fond de quoi sont capables presque tous ceux de l'Odéon, et aussi, chose bien utile à savoir, le degré d'influence de chacun sur le public de l'endroit. Je les ai tant vus, des deux côtés de la rampe ! Je regrette que tu ne puisses venir me lire la pièce. Je tâcherai d'aller à Paris pour cela, si tu as besoin de moi avant le moment où je dois y être.

Je ne puis t'écrire plus long. J'ai mal à la patte. Je me suis coupée et écorchée. Je fais de la botanique ne pouvant griffonner. Il me reste les bras pour te serrer le cou et t'embrasser.

À SA NIÈCE CAROLINE

[Paris,] mercredi matin [18 août 1869].

Quelle bonne lettre gentille et charmante, ma chère Caro ! Sais-tu que tu me *flattes* en me disant tant de bien de mon roman[2] ?

Quant à notre pauvre vieille, elle eſt si contente de vivre avec toi que je t'engage à ne pas lui faire remarquer l'exiguïté de sa chambre. Arrangez votre hôtel[1], puis quand tout sera prêt, tu lui montreras sa chambre. Elle la trouvera bien, *quand même.* D'ailleurs, elle s'y tiendra seule fort peu. L'idée que ton atelier eſt contigu à cette pièce la charmera. — Si tu lui faisais là-dessus quelque observation, sa tête se remettrait à travailler. Vous lui offrez ce que vous avez. Vous ne pouvez rien de plus.

Je vais passer mon après-midi au miniſtère d'État pour *Aïssé*[2], et ce soir j'aurai ma 1re épreuve[3].

Mes ouvriers de la rue Murillo m'embêtent. Il m'a fallu du génie pour l'arrangement de mes meubles.

Vous finirez par vous tuer en voiture. — Prenez garde. *Vous êtes sur une pente.*

Tu ne saurais croire, mon Carolo, comme je m'ennuie de toi. — Depuis que je n'ai plus mon pauvre Bouilhet, dont l'image m'obsède, je crois que je t'aime encore plus qu'auparavant.

Dès que j'aurai un peu de liberté, j'irai à Neuville[4] tout bonnement pour te voir et te bécoter.

Soigne ce bon Erneſt[5].

Je t'embrasse bien fort.

Ton vieux.

À JEAN CLOGENSON

[Paris, 18 août 1869.]

Cher et vénérable Ami,

Je vous demande pardon de n'avoir pas répondu plus vite à votre spirituel et tendre cadeau[6]. J'ai eu « le temps de vous lire » et de vous admirer, mais j'ai à peine celui de vous écrire, car je suis surchargé d'affaires. Je soigne la gloire de notre pauvre ami qui vous aimait tant. Vous reveniez très souvent dans ces conversations que je n'aurai plus !...

J'espère qu'*Aïssé* sera un grand succès.

Cet hiver paraîtra aussi un volume de vers[7].

Je vous embrasse cordialement et suis vôtre.

Mercredi.

À SA NIÈCE CAROLINE

[Paris,] jeudi, minuit [19 août 1869].

Mon Loulou,

L'exaspération démesurée que j'ai eue tantôt dans le bureau de ton hôtel[1] où l'on m'a offert successivement, et à de longs intervalles : 1° une feuille de papier ; 2° une bougie ; 3° une plume, et 4° un encrier où il n'y avait pas d'encre, tout cela, *dis-je* (tournure élégante), m'a empêché de te prévenir que : demain vendredi, entre 6 et 7, je passerai rue du Helder pour te voir.

En tout cas, viendrez-vous déjeuner chez moi dimanche ?

Je ne sais pas encore ce que je ferai samedi.

À toi.

Ton vieux ganachon.

Jeudi, minuit.

À PHILIPPE LEPARFAIT

[Paris,] jeudi, 1 heure [19 août 1869].

Les feuilletons qui contiennent *Le Cœur à droite* sont dans une vieille couverture du livre rouge.

C'est Delattre lui-même qui vient de me donner ce renseignement. Tâche de retrouver cela et de me l'expédier promptement[2].

Delattre fera cet hiver une conférence sur B[ouilhet][3].

Bonne préparation au succès d'*Aïssé*. Mais il a d'autres idées que j'approuve moins. Je te les communiquerai.

Comment se porte maintenant ta pauvre maman[4] !

Adieu, mon cher enfant, je t'embrasse.

À PHILIPPE LEPARFAIT

[Paris, 20 août 1869.]

Je ne vois pas de seconde liste[5] ?

Fais inscrire *pour 40 francs M. Johanny Maisiat*[6]*, peintre.*

Et les affaires avec Cany[1] ?

Camille Doucet est enthousiasmé d'*Aïssé* et prétend que ce sera un succès colossal[2]. Je vais tâcher d'avoir le père Beauvallet pour le rôle du commandeur, et Berton *le père* pour le chevalier. Ces MM. m'ont proposé le fils, qui est déjà engagé à l'Odéon ; j'ai dit *merde* très fortement[3].

Comme *Le Moniteur* m'a demandé des pièces inédites, il ne serait pas mal, d'ici à la pièce, d'en publier trois ou quatre pour soutenir l'attention sur notre pauvre vieux.

Donc tu ferais bien d'en copier quelques-unes. — Qui ne soient ni politiques ni religieuses, telles que *La Fille du fossoyeur*, *Paix des neiges*, etc. Mais prends garde de perdre le cahier, nom de Dieu[4] !

Je t'assure que je *déploie* une belle activité !

Embrasse ta mère pour moi.

Ton

Tu as dû recevoir une lettre de Mme Porcher[5].

D'Osmoy m'a écrit. Il est à Trouville jusqu'au 22, rue de Bonsecours, 20.

MADEMOISELLE LEROYER DE CHANTEPIE À GUSTAVE FLAUBERT

[Angers,] ce 22 août 1869.

Cher Monsieur,

Je pense bien à vous, je comprends tout ce que vous avez dû souffrir[6] ! Quelle tristesse profonde succède au paroxysme de la douleur ! Quelle perte que celle d'un ami ! Lorsque je vis mourir ma mère que je soignais depuis 20 ans, prier pour elle me donnait la force de vivre, il me semblait que je lui étais encore utile. Je me désolais en pensant qu'après moi, personne ne prierait plus pour elle. J'avais racheté notre maison parce qu'il y a dans le jardin un noyer et qu'elle s'inquiétait de le voir abattre après elle par des étrangers. Je la perdis le 10 août, date toujours douloureuse pour moi ; lorsque vinrent les brumes de l'automne, vers le soir un oiseau venait chanter tristement perché sur le noyer et je me disais que peut-être une des pensées de ma mère avait revêtu cette forme ; à quel abandon, à quelles tristes rêveries je fus en proie ! Encore à présent, je me sens seule partout, car nul n'a remplacé ma mère dans mon cœur, elle me manque toujours ! Cependant, cher Monsieur, je ne crois ni aux peines, ni aux séparations éternelles ! Il est impossible que ce cœur, cette âme qui nous aimait, ne nous aime pas toujours ! C'eſt une absence ! et même je crois que la communication intellectuelle n'eſt point tout à fait interrompue. Dans ce monde inconnu où ils sont entrés, nos amis nous secourent, comme nous essayons, de notre côté, d'arriver jusqu'à eux. J'ai vu disparaître toutes mes amies d'enfance et une famille entière, je suis accablée de misères physiques et morales et me voilà reſtée en ce monde ! Tous les journaux sont remplis de l'éloge de votre ami ; le nôtre[1], quoique bien modeſte, en a fait l'éloge à son tour ! Je le regrette sans l'avoir connu ! Vous allez peut-être voyager pour apporter un peu de changement dans le cours de vos triſtes pensées ! Cher Monsieur, combien je voudrais vous dire quelques paroles sympathiques et consolantes ! On assure que votre dernier ouvrage[2] eſt paru ; si vous le permettez, j'en parlerai dans notre journal, qui eſt aussi mien, car j'ai contribué naguère à le sauver du naufrage. Adieu, cher Monsieur et ami, croyez à l'inaltérable affection avec laquelle je suis

M.-S. LEROYER DE CHANTEPIE.

À PHILIPPE LEPARFAIT

[Paris, 23 ou 24 août 1869.]

J'ai reçu ce matin *Le Cœur à droite*[3]. Merci.

J'attends toujours quelques pièces détachées, afin d'en donner de temps à autre, d'ici à la première d'*Aïssé*. Tu ferais bien, puisque tu as le bon cahier, d'en copier le plus possible. Ce sera autant d'économisé pour le volume. Aie soin de n'écrire que sur un seul côté[4].

Voilà trois fois, au moins, que je demande les liſtes de souscriptions.

Fais inscrire *Mme de Tourbey*[5], *100 francs*.

Et les affaires[6] ?

Il me semble que vous vous endormez un peu à Rouen.

Je t'embrasse.

À JEAN CLOGENSON

[Paris, 24 août 1869.]

Oui ! certainement ! il faut les imprimer, vos vers[7], rien de ce qui eſt bon ne devant être perdu.

Votre lettre datée du 22 m'arrive le 23 au soir[1]. — Je ne serai guère chez moi cette semaine, car je me mets en courses dès 9 heures du matin et ne rentre au gîte que vers 11 heures.

Mais la semaine prochaine j'aurai moins d'embarras, et j'aimerais bien à vous voir un peu longuement.

Je vous embrasse tendrement, mon cher et vénérable Ami.

Mardi matin, 24, 7 heures.

À MICHEL LÉVY

[Paris,] samedi, 10 heures [28 août 1869 ?].

Comment ? Pas d'épreuves[2] !...

À MICHEL LÉVY

[Paris, fin août 1869.]

Ça me semble très bien !...

À SA NIÈCE CAROLINE

[Paris,] mardi, 10 heures [31 août 1869].

Mon Loulou,

J'irai demain dîner à Saint-Gratien, et je parlerai du consulat, derechef[3].

On dit que l'Empereur a la même maladie que Sainte-Beuve. Je ne sais si c'est vrai ? Ma prochaine lettre te renseignera là-dessus, positivement.

Tu feras des reproches, de ma part, à ta bonne-maman. Elle ne m'écrit pas. Pourquoi ?

Il m'est, jusqu'à présent, impossible de te dire l'époque de ma petite excursion à Dieppe[4]. — Je voudrais bien ne pas m'absenter de Paris avant d'avoir déménagé complètement. Les peintres auront fini cette semaine. — Puis j'aurai les tapissiers. — Puis il faudra transférer mes meubles. — Bref, ne compte pas sur ton vieux Cruchard avant quinze jours ou trois semaines, du 15 au 20 septembre.

Je corrige tous les jours trois épreuves. Tous mes projets de voyage, sauf celui de Dieppe, sont abandonnés.

Je ne suis pas sorti, hier, de toute la journée. — Mais je recommence mes trimbalages aujourd'hui.

Je m'ennuie *énormément* de toi, mon pauvre Carolo, et je voudrais être à Croisset tout bonnement, dans ta charmante compagnie, à travailler *Saint Antoine*. Voilà le fond de mon cœur.

Parle-moi un peu de tes lectures — sérieuses — et de tout ce que tu voudras. Je tiens, dans ta correspondance, à la quantité, étant sûr du reste.

Adieu, chérie. Je te baise sur tes deux bonnes joues bien tendrement.

VIEUX.

À GEORGE SAND

[Paris, 31 août ou 1er septembre 1869.]

Chère Maître,

Depuis quinze jours environ, que j'ai communiqué à Chilly vos intentions qui sont aussi les miennes, je n'en ai reçu aucune réponse[1]. —

Et vous ?

Votre vieux troubadour est écœuré par la correction de ses épreuves. — Comment l'imprimerie peut-elle exalter certaines personnes ! Moi, ça me donne des nausées.

Mon emménagement rue Murillo m'embête mêmement. — J'aurais besoin de voir du bleu ou de travailler avec fureur.

Je vous embrasse.

Quand venez-vous à Paris ? Et *La Petite Fadette*[2] ? Contez-moi vos projets.

À SON COUSIN LOUIS BONENFANT

Paris, mercredi, 9 heures du matin [1er septembre 1869 ?].

Mon cher Ami,

Je reçois ton paquet juste au moment où je pars pour Saint-Gratien[1]. Je n'ai que le temps de te remercier. Tu es bien gentil et bien aimable.

Embrasse pour moi tout ton monde.

Ton vieux

À LAURE DE MAUPASSANT

[Paris,] 2 septembre [1869].

Je te remercie bien de ton obligeance, ma bonne Laure. Ton petit mot à M. Danton[2] sera très utile. Et j'espère que G[eorges] Pouchet sera rétabli au Muséum[3].

Hélas, non ! Je n'irai pas à Étretat. À peine si j'aurai le temps d'aller à Dieppe passer un dimanche. Je manque de parole à Du Camp[4], au père Cloquet[5] et à Mme Sand[6]. — Mais la Mort est plus forte que tout. Celle de Bouilhet, qui a bouleversé ma vie, a dérangé mes projets de vacances. — J'ai à m'occuper maintenant : 1° de ses affaires ; 2° de mon roman et 3° de mon emménagement rue Murillo.

Toutes les douleurs se tiennent. Comme j'ai pensé à mon pauvre Alfred[7] dans ces derniers temps ! Mais quand je l'ai perdu, j'étais plus jeune et, partant, plus robuste qu'aujourd'hui ! Je me sens très vieux et fatigué jusque dans la moelle des os.

Tu reviens sans doute à Rouen vers le commencement d'octobre ? Je serai forcé d'être à Croisset, au milieu de novembre, pendant une huitaine de jours. Alors je pourrai te voir. J'ai grand besoin de passer avec toi un long après-midi, au coin du feu.

Je t'embrasse de tout mon cœur, ma chère Laure.

Ton vieil ami.

À PHILIPPE LEPARFAIT

[Paris,] jeudi matin [2 septembre 1869].

Mon cher enfant,

Maintenant que nous sommes entièrement libres, je vais agir.

Envoie-moi encore deux ou trois pièces comme *Paix des neiges* et *La Fille du fossoyeur.* — Enfin tout ce que tu pourras, afin de donner, d'un seul coup, un *morceau* au *Moniteur*, que je tiens à ménager[1].

Tu sais qu'il m'a proposé de publier tout *Aïssé*, dès le lendemain de la première.

Quant au moment où il faut la faire jouer, novembre ou janvier, les avis sont partagés. C'est, en somme, peu important, et moi j'aime mieux janvier. — Il ne faut jamais avoir un grand nom derrière soi. On vous talonne. — On vous écourte.

N'aie pas peur, j'aurai Berton père et Beauvallet. Je suis disposé à être rébarbatif, chien, et insociable. Je *vengerai* notre pauvre vieux[2] qui a tant souffert de ces canailles-là. Je te dirai même que je voudrais avoir un prétexte pour me fâcher avec l'Odéon, car les Français ont envie d'*Aïssé*, et là tu gagneras beaucoup plus. — Mais l'Odéon ne me lâchera pas. Il y aura des brouilles. — Des raccommodements. Puis tout ira supérieurement, j'en suis sûr.

Remercie ce brave Malenfant[3] de sa bonne lettre. J'attends l'envoi de Mulot[4]. — Et celui de Caudron[5].

Mon déménagement m'occupe beaucoup, et je corrige trois épreuves par jour. Tu vois que je suis occupé.

Embrasse ta mère pour moi et qu'elle te le rende.

Ton

Ma position avec l'Odéon est superbe, car ce n'est pas ma pièce, et je puis parler haut, sans ridicule. De plus j'apporte un succès ; de plus Chilly[6] (ceci est en dehors d'*Aïssé*) m'a refusé un petit engagement d'actrice. — Poliment, c'est vrai. Mais c'est un précédent dont je me servirai.

Je te répète, mon bon Philippe, qu'en agissant aussi noblement que tu l'as fait, tu n'as pas agi sottement ; au contraire !

GEORGE SAND À GUSTAVE FLAUBERT

[Nohant,] jeudi [2-4 septembre 1869].

Je ne sais rien non plus de Chilly et rien de *La Petite Fadette*. Je vais dans quelques jours faire un tour en Normandie. Je passerai par Paris. Si tu veux venir courir avec moi, — oh mais non, tu ne cours pas, toi ; enfin on se verra en passant. J'ai bien gagné un peu de vacances. J'ai travaillé comme une bête de somme. J'ai besoin aussi de voir du bleu. Mais le bleu de la mer me suffit, et tu voudrais, toi, le bleu du firmament artistique et littéraire sur nos têtes. Bah ! ça n'existe pas. Tout est prose et plate prose dans le milieu que les hommes se sont arrangé. Ce n'est qu'en s'isolant un peu qu'on retrouve en soi l'être normal.

Je reprends ma lettre interrompue pendant deux jours par ma patte blessée qui me gêne fort. Je ne vais plus en Normandie, mes Lambert que j'allais voir à Yport reviennent à Paris et mes affaires m'y appellent aussi. Je te verrai donc la semaine prochaine probablement, et je t'embrasserai comme un gros fanfan à moi. Que ne puis-je mettre le visage rose-brun d'Aurore à la place du mien. Elle n'est pas ce qu'on appelle jolie, mais elle est adorable et d'une rapidité de compréhension qui nous étonne tous. Elle est aussi amusante dans son babil qu'une personne — qui serait amusante.

Je vas donc être forcée de me remettre à penser à mes affaires ! C'est la chose que j'ai en horreur et qui trouble réellement ma sérénité. Tu me consoleras en bavardant un peu avec moi, quand tu auras le temps.

À bientôt, bon courage au travail nauséeux des épreuves. Moi je sabre ça, mais il ne faut pas faire comme moi.

Mes enfants t'envoient des tendresses et ton troubadour t'aime.

G. SAND.

Samedi soir.

J'ai reçu tantôt des nouvelles de l'Odéon. Ils s'occupent de monter ma pièce et ne me parlent de rien autre.

À PHILIPPE LEPARFAIT

[Paris, 5 septembre 1869.]

Envoie-moi le plus de pièces de vers que tu pourras.

J'ai pour acteurs :
Berton père : LE CHEVALIER
Berton fils : D'ARGENTAL
Prévost fils : PONT DE VEYLE
Mlle Page : MME DE TENCIN
Beauvallet : LE COMMANDEUR
Reste à trouver une Mme de Ferriol convenable.

Tout cela est décidé depuis hier. — Mais il y a eu du tirage.

Je vais, maintenant, m'occuper du *Cœur à droite*[1]. Puis de la *Féerie*[2].

D'Osmoy sera à Paris à la fin de cette semaine.

Aïssé passera à la fin de janvier ou au commencement de février. Un peu avant la première, Delattre[3] fera une conférence, afin que nous ayons comme renfort (et comme gueulards) la bande des Purs. Je prévois une 1re frénétique. Chilly[4] croit à un *grand succès d'argent*. — Tu le mérites, mon cher enfant, et tu l'auras !

Je m'arrangerai pour que le volume de poésies paraisse dans la semaine qui suivra la Première représentation.

J'attends cet après-midi la visite de Bardoux[5].

Écris-moi toujours boulevard du Temple. Je ne serai pas emménagé rue Murillo avant 18 jours. — Mes ouvriers me font crever de rage. — Aussi Monsieur n'est-il pas commode. Il a le système agacé.

Je t'embrasse, ainsi que ta brave mère.

Ton

Dimanche matin.

À GEORGE SAND

[Paris,] dimanche matin [5 septembre 1869].

On va donc se voir ! enfin.

Prévenez-moi, par un mot, dès que vous serez débarquée.

Chilly[6] va mettre votre pièce en répétition tout de suite.

Je l'ai vu, hier. C'est décidé.

Votre troubadour continue à n'être pas folichon.

Il vous embrasse tendrement.

Je suis encore au boulevard du Temple pour une quinzaine de jours.

GEORGE SAND À GUSTAVE FLAUBERT

[Paris,] lundi soir [6 septembre 1869].

On m'a écrit hier d'arriver parce qu'on avait besoin de moi à l'Opéra-Comique. Me voilà rue Gay-Lussac. Quand nous verrons-nous ? Dis. Tous mes jours sont encore libres.

Je t'embrasse.

G. SAND.

À PHILIPPE LEPARFAIT

[Paris, 7 septembre 1869.]

PAIX DES NEIGES

7e quatrain.

?
parmi les fraîches importunes
praiches
?

Je ne peux pas lire. Je ne comprends pas[1].
Est-ce : *Je suis sur le courant des âges*[2] ?

Je ne sais pas où est Delattre[3] ? boulevard Saint-Michel, sans doute. Ou plus probablement à la campagne, à la chasse ! Ce délire de la chasse.

À toi.

Qui est un sieur *Clément* ? rue Grosse-Horloge ?

Mardi matin.

À SA NIÈCE CAROLINE

[Paris,] mercredi, 11 heures [8 septembre 1869].

Mon cher Carolo,

Je ne pourrai pas aller à Dieppe avant le 20 ou le 25 de ce mois. D'ici là, fais donc tout ce que tu voudras. — J'espère que mes peintres auront fini, complètement, cette semaine. — Toute la semaine prochaine sera prise par mon tapissier, puis il faudra déménager et emménager !

Je n'ai presque plus de meubles. Tu ne saurais croire le mouvement de tristesse qui m'a pris, lundi, quand j'ai vu partir mon grand fauteuil de cuir, et mon divan. Cela me fait de la peine de quitter le boulevard du Temple, où je laisse des souvenirs très doux. Tu y es mêlée, ou plutôt tu y tiens une grande place, pauvre chérie. Enfin, il faut être philosophe pour cela, comme pour tout le reste.

J'ai, hier, dîné chez le père Cloquet [1], avec ton ami le baron Larrey [2]. — Petit repas fort bon et fort aimable. — Vendredi je dîne avec la mère Sand et samedi je vais à la 1re représentation de *La Petite Fadette*, un opéra-comique que l'on a fait sur son roman.

J'ai eu, dimanche, toute la journée, la visite de ce bon Bardoux (de Clermont [3]).

Le roman de ton Vieux est attendu très impatiemment. Les petites feuilles s'occupent beaucoup de moi, et disent pas mal de bêtises sur mon compte. Rien que *quatre* articles sur la Boîte qui contenait mon manuscrit [4] !

Quant à *Aïssé*, j'ai le plus grand espoir.

Comme ta bonne-maman va s'ennuyer à Croisset ! Arrange-toi pour qu'elle n'y reste pas longtemps. Dans toutes ses lettres, elle me talonne pour revenir. — Sans songer que j'ai des affaires qui me forcent à rester à Paris. Ainsi, depuis que je suis levé, j'ai corrigé *trois* épreuves. Et après mon déjeuner, je vais aller à l'imprimerie. — J'espère toujours paraître vers la fin d'octobre ? Mais il ne faut pas perdre de temps.

Adieu, mon pauvre Caro chéri. — Fais mes amitiés à Ernest [5]. Dis, de ma part, à Mme Winter [6] tout ce que tu pourras trouver de plus aimable.

Je t'embrasse bien fort et très tendrement.

Ton vieux bonhomme en baudruche.

GEORGE SAND À GUSTAVE FLAUBERT

[Paris,] mercredi matin [8 septembre 1869].

Je te renvoie ton cachepif que tu as laissé dans le sapin[1]. C'est bien demain *jeudi* que nous dînons ensemble ? J'ai écrit au gros Marchal[2] de venir aussi chez Magny.

Ton troubadour.

G. SAND.

À PHILIPPE LEPARFAIT

[Paris,] jeudi matin [9 septembre 1869].

Tu m'en demandes plus que je n'en sais.

J'ai *supplié*, par deux fois, d'Osmoy de venir cette semaine et de m'avertir du jour et de l'heure. Il m'a simplement répondu qu'il viendrait à la fin de la semaine.

Comme, à partir de lundi prochain, je n'aurai plus un meuble chez moi, je m'en irai à Saint-Gratien[3]. — Mais je viendrai presque tous les jours à Paris. D'ailleurs mon domestique m'y fera tous les matins une visite pour m'apporter les lettres et les épreuves. Écris-moi donc boulevard du Temple, jusqu'à nouvel ordre.

J'accepte le silence de Préault[4] et je t'en remercie.

Ton Vieux.

J'ai donné hier au *Moniteur Sombre amour*[5].

À GEORGE SAND

[Paris, 12 septembre 1869.]

Nous avons, ou plutôt, j'ai encore oublié *Mme Espinasse*[6] ! collez ce nom-là à votre glace. Pour que la commission soit faite quand vous reviendrez.

Quelle bonne soirée que celle d'hier[7], n'est-ce pas ?

À bientôt. Et mille tendresses de votre vieux troubadour.

Dimanche matin.

À SA NIÈCE CAROLINE

[Paris, 18 septembre 1869.]

C'est bien mal de répondre par un court billet à ta bonne lettre[1], ma chère Caro. Nous causerons plus longuement la semaine prochaine. Car mon intention est d'aller te voir samedi prochain. — Réponds-moi pour me dire si ça t'arrange.

Je ne peux pas m'absenter de Paris plus de cinq ou six jours tout au plus. Il faut que j'aille chez ta cousine Juliette[2]. Veux-tu que je commence par elle ? J'irais y passer le dimanche ?

Je t'embrasse comme je t'aime, c'est-à-dire bien fort.

Ton vieil oncle.

Samedi matin.

À SA NIÈCE CAROLINE

[Paris, 21 septembre 1869.]

Oui ! mon loulou, mon intention est de prendre samedi l'express de l'après-midi. — Et d'arriver chez toi avec notre pauvre vieille[3].

J'enverrai rue de Clichy[4] les meubles dont je n'ai pas besoin.

Amitiés à Ernest[5].

Et à toi bons baisers de

VIEUX.

Mardi.

À SA NIÈCE CAROLINE

[Paris,] vendredi, 1 heure [24 septembre 1869].

Mon Carolo,

Je suivrai tes premiers conseils, c'est-à-dire que j'irai demain coucher à Ouville[6]. — Je viens de l'écrire à ta cousine.

Comme les Bonenfant[1] ne me paraissent pas près de venir, garde ta grand-mère quelques jours encore, puis elle ira à Ouville, — à moins qu'elle ne veuille venir avec moi demain, et repartir avec moi lundi. Car je compte coucher dans « ta délicieuse villa » lundi.

J'arriverai demain par l'express qui part de Paris à 1 heure. — Conséquemment, je serais fort désappointé si je ne trouvais pas vos binettes à la gare, en descendant de wagon à 4 h 50 mn.

Je t'embrasse tendrement d'ici là.

Ton vieux ganachon.

À JEAN CLOGENSON

[Paris, 24 septembre 1869.]

Cher et vénérable Ami,

Je vous suppose revenu à Rothomagus[2]. Moi, hélas, je ne suis pas encore installé au parc Monceau ! J'espère, cependant, y pouvoir coucher dans une huitaine de jours. C'est là que j'attendrai votre *Aïssé*[3] ! Mais rien ne presse encore. La pièce de notre pauvre Bouilhet ne sera pas mise en répétition avant le Jour de l'An, à moins que celle de Mme Sand ne tombe à plat.

J'ai reçu vos vers[4]. — Et je vous en remercie, derechef, en vous embrassant comme je vous aime, c'est-à-dire très fort.

Vendredi.

À NOËL PARFAIT

[Paris, septembre 1869.]

Cher Ami,

Les trois fautes de style que vous m'indiquez[5]...

À MICHEL LÉVY

[Paris, septembre 1869.]

Feuille 27, p. 426...

À MICHEL LÉVY

[Paris, septembre 1869.]

J'ai enlevé, p. 19 « s'arrêtant *tous les deux*[1] », supprimé un *eh* à « eh non ».

[P.] 31, *plus sombre, plus malveillant, plus irascible* me semble bien lourd ! Laissez comme ça eſt[2].

J'ai trois corrections inutiles. Il y a donc trois gribouillis que je vous prie de surveiller.

J'ai supprimé, p. 18, 2 lignes, inutiles. J'avais d'ailleurs un *et puis* qui était une répétition et qui m'embarrassait.

P. 24, c'eſt bien *tombac* et non *tabac*. On fume du tombac dans les narguilehs et ne mettez pas d'italique. Ça aurait l'air trop prétentieux[3].

P. 32, *fourni* (ajouté par vous) multiplie les *i*. Il n'y en a que trop dans cette phrase : appr*i*t, sort*i*, Pélag*i*e. Eſt-ce que la phrase n'eſt pas claire avec *n'ayant*, tout seul[4] ?

J'ai mis plusieurs blancs, qui me paraissent indispensables.

Envoyez-moi les épreuves avant 1 heure. De cette façon-là, j'aurai le temps de les corriger « dans le silence du Cabinet ». — Et je vous les apporterai avant 6 heures.

J'en attends demain, que je donnerai à votre jeune homme lundi, quand il apportera les autres.

Tout à vous, cher ami.

Vendredi, 5 h ½.

À MICHEL LÉVY

[Paris, septembre 1869.]

J'ai enlevé plusieurs *tout à coup*, merci !...

À MICHEL LÉVY

[Paris, septembre 1869.]

P. 106. Je ne comprends pas votre remarque...

À JULES TROUBAT

Croisset, près Rouen, samedi matin
[25 septembre ? 1869].

Mon cher Ami,

Un entrefilet de journal me donne des inquiétudes sur la santé de notre maître[1].

Qu'y a-t-il de vrai ?

Je vous prie de me répondre poste pour poste, et de me donner des détails.

Mille remerciements d'avance, et à vous.

À IVAN TOURGUENEFF

[Paris,] jeudi [septembre-octobre 1869 ?].

Je croyais que j'allais avoir de *vraies* nouvelles de mon vieux Tourgueneff, c'est-à-dire une gigantesque épître, en compensation de son silence prolongé depuis bientôt six mois. Mais non ! il m'oublie, ce n'est pas gentil.

Moi, je n'ai rien à lui dire. Ma vie est de moins en moins gaie. Elle est même abominablement triste, et je travaille comme trente-six millions de nègres.

Nonobstant, j'embrasse ledit vieux avec tendresse.

Son

AU DOCTEUR JULES CLOQUET

[Paris,] samedi 2 octobre [1869].

Hélas ! cher bon Ami, je ne puis réaliser le rêve que j'avais fait. Il m'est impossible cet automne d'aller chez vous à Lamalgue. Mon roman[1], que je croyais pouvoir publier à la fin de ce mois, ne paraîtra pas avant le 15 novembre, et cela grâce à l'intéressant Troppmann[2]. Les ouvriers-imprimeurs désertent les imprimeries pour les journaux, dont quelques-uns se sont tirés jusqu'à 500 mille exemplaires. Il y a depuis quinze jours un paroxysme de Stupidité dans le public ! Cela dépasse tout ce qu'on a vu, jusqu'à présent.

J'ai eu aussi, et j'ai encore, de petits ennuis, fort nombreux, relativement à ma mansarde du parc Monceau[3]. Comme tout est difficile, cher ami ! Comme la vie est compliquée !

J'ai été la semaine dernière à Dieppe passer trois jours chez Caroline[4], et maintenant je suis à Saint-Gratien chez la princesse Mathilde pour quatre ou cinq jours encore.

Avez-vous beau temps là-bas ? Ici la pluie tombe à torrents. Voilà l'hiver. Tant mieux puisque c'est la saison où l'on se retrouve.

Quand revenez-vous à Paris ? Je vous embrasse, comme je vous aime, cher vieil ami, c'est-à-dire très tendrement.

Votre

Rue Murillo, 4, parc Monceau.

À JULES TROUBAT

[Paris,] samedi matin [3 octobre ? 1869].

Vous êtes bien aimable, cher Ami, de m'avoir envoyé des nouvelles du maître. Elles me rassurent tout à fait. Philipps a trouvé le joint[5].

Néanmoins, je compte sur votre bonne volonté de temps à autre.

Donnez de ma part, à celui que nous aimons, une bonne poignée de main, et croyez-moi tout à vous.

J'ai trouvé ma mère vieillie. Sa santé ne me donne pas d'inquiétude immédiate, mais... ?

À EUGÈNE CRÉPET

[Paris,] mardi, 2 heures [5 octobre 1869].

Comment ? votre père ! mon pauvre ami, j'ai passé par là. C'est dur et je vous plains[1].

Le billet de faire-part m'arrive à l'instant. Voilà pourquoi vous ne m'avez pas vu à vos côtés.

Je suis très souffrant. Dès que je pourrai sortir, j'irai chez vous.

Je vous embrasse bien tendrement.

Votre

GEORGE SAND À GUSTAVE FLAUBERT

Paris, mardi [5 octobre 1869].

Où es-tu à présent, mon cher troubadour ? Je t'écris encore boulevard du Temple mais peut-être as-tu pris possession de ton délicieux logement. Je ne sais pas l'*adresse*, bien que j'aie vu la maison, le local et la vue. Moi, j'ai été deux fois dans les Ardennes[2] et dans 8 ou 10 jours, si Lina ou Maurice ne viennent pas à Paris comme ils en ont la velléité, je repartirai pour Nohant. Il faut donc se rejoindre et se revoir.

Me voilà un peu *sfogata* [3] de mon besoin de courir, et enchantée de ce que j'ai vu. Dis-moi quel jour, excepté demain mercredi, tu peux me donner, pour dîner avec moi chez Magny ou ailleurs avec ou sans Plauchut, avec qui tu voudras, pourvu que je te voie et que je t'embrasse[4].

Ton vieux camarade qui t'aime.

G. SAND.

À JULES TROUBAT

[Paris, 10 octobre 1869.]

Mon cher Ami,

Vous seriez bien aimable de m'envoyer un mot pour me dire comment va maintenant notre maître[5].

Je ne pourrai pas aller chercher de ses nouvelles moi-même avant le milieu de cette semaine.

Tout à vous.

4, rue Murillo, parc Monceau.
Dimanche 10 octobre.

GEORGE SAND À GUSTAVE FLAUBERT

[Paris,] lundi soir [11 octobre 1869].

J'ai vu ce soir Chilly qui a très peur que tu ne lui retires *Haïssé [sic]*. Il m'a chargé *[sic]* de plaider sa cause et je la trouve bonne, sa cause. J'avais de lui un engagement que j'aurais rompu si tu l'eusses exigé, que je romprai encore si tu le veux. Il n'y a pas d'intérêt qui tienne devant l'amitié. Si j'avais été jouée le mois prochain, tu avais tout le printemps pour *Aïssé (je crois qu'il n'y a pas d'*H). Mais *Le Bâtard* a du succès[1], et on ne peut pas le pousser dehors pour prendre sa place. Il nous poussera, nous, jusqu'en décembre, je ne parle pas du Latour-Saint-Ybars[2] qui n'ira, dit-on, que 8 jours. Enfin il est certain que je serai jouée fin décembre ou les premiers jours de janvier. Je peux ne pas durer plus longtemps que le Saint-Ybars, on ne sait jamais rien de la chance. Alors on se hâterait de monter *Aïssé* et elle arriverait en février. Mais supposons que j'aie un succès, janvier, février, mars. C'est beaucoup. Tu arriverais en avril, tu aurais avril, mai et juin, ce qui est beaucoup aussi. L'Odéon n'est pas forcé de fermer. Quand ils tiennent un succès, ils ne font pas la bêtise de La Rounat qui a fermé *Villemer* sur 3 000 fr de recette, parce qu'il avait envie d'aller à la campagne. D'ailleurs, depuis La Rounat, les habitudes parisiennes se sont encore modifiées. On ne quitte plus Paris qu'en plein été et on n'y revient plus qu'en plein hiver. *Villemer* a été joué en mars et aurait pu aller jusqu'en juillet. Et puis, qu'est-ce que ça fait d'être interrompu avant la 100e ? La reprise est meilleure, et après la bêtise de La Rounat *Villemer* a encore eu plus de 100 représentations. Il n'est pas de l'intérêt des directeurs de lâcher un succès, et Chilly n'est pas une bête. C'est un homme de parole et s'il te promet une bonne et prompte reprise, il tiendra. Ne porte donc pas la pièce aux Français. C'est une pétaudière dont tu n'as pas d'idée et où le nom de Bouilhet n'est pas vénéré comme il l'est à l'Odéon. Et puis Berton ! c'est le seul acteur sympathique et pénétré. Je sais que tu as rendez-vous avec Chilly mercredi, veux-tu auparavant passer chez moi ?

Tu étais souffrant l'autre jour, es-tu mieux, cher ami de mon cœur ?

Ton vieux camarade.

À MAXIME DU CAMP

[Paris,] mercredi 13, 11 heures du soir [octobre 1869].

Sainte-Beuve est mort tantôt à 1 heure et demie sonnant. Je suis arrivé chez lui, par hasard, à 1 h 35.

Encore un de parti ! La petite bande diminue ! Les rares naufragés du radeau de la *Méduse* disparaissent !

Avec qui causer de littérature, maintenant ? Celui-là l'aimait. Et bien que ce ne fût pas précisément un ami, sa mort m'afflige profondément. Tout ce qui, en France, tient une plume, fait en lui une perte irréparable.

Ton vieux Caraphon[1] n'est pas gai !

J'ai, à propos d'*Aïssé*, des embêtements graves. Latour-Saint-Ybars surgit avec un traité et *force* l'Odéon à le jouer avant la mère Sand. Or, comme *Le Bâtard* fait de l'argent, et que L'*Affranchi* ne sera pas représenté avant le commencement de décembre, cela rejette *Aïssé* je ne sais quand[2]. Rien n'est encore absolument décidé. Mais je suis contrarié à cause du petit Philippe[3].

Le retard de la pièce entraîne celui du volume de vers[4], etc., etc. Quoique je n'aie rien à te dire, j'éprouve un besoin démesuré de te voir et d'embrasser mon vieux Max.

Amitiés au Major ; tendresses au Mouton[5].

Ton

Rue Murillo, 4, parc Monceau.

GEORGE SAND À GUSTAVE FLAUBERT

[Paris,] mercredi soir [13 octobre 1869].

On n'enterrera notre pauvre ami[6] qu'après-demain. On me fera savoir où et à quelle heure il faut se rendre, je t'avertirai par télégramme.

J'ai vu deux fois aujourd'hui les directeurs. Ce matin il était convenu avec *Duquesnel* qu'on ferait une tentative auprès de Latour-Saint-Ybars. Je cédais mon tour à *Aïssé*, je ne venais qu'en mars. Ce soir, j'y suis retournée, Chilly *ne veut pas*, et Duquesnel, mieux renseigné que ce matin, regarde la démarche comme inutile et nuisible. J'ai allégué alors mon traité, mon droit. La belle chose que le théâtre ! Le traité de M. Saint-Ybars prime le mien. On avait compté que *Le Bâtard* durerait 15 jours et il durera 40 jours encore. Latour-Saint-Ybars nous précède donc et je ne peux pas céder mon tour à *Aïssé* sans être remise à l'année prochaine ce que je ferai si tu le veux mais ce qui me serait bien préjudiciable, car je suis endettée avec la revue et j'ai besoin de remplir ma bourse.

Dans tout cela, les directeurs sont-ils des coquins ? Non, mais des maladroits qui ont toujours peur de manquer de pièces et qui en reçoivent trop, dans la prévision qu'elles n'auront pas de succès. Les succès arrivant, si les auteurs *engagés* se fâchent, il faut plaider. Je n'ai pas le goût des disputes et des scandales de coulisses et de journaux ; et tu ne l'as pas non plus. Quel serait le résultat ? de faibles indemnités et beaucoup de bruit pour rien. Il faut une patience à toute épreuve. Je l'ai, et je te répète que si tu as un vrai chagrin de ce retard, je suis prête à me sacrifier.

Sur ce, je t'embrasse et je t'aime.

G. SAND.

À SA NIÈCE CAROLINE

[Paris,] jeudi, 10 heures [14 octobre 1869].

Mais, mon pauvre loulou, je ne t'ai pas écrit parce que je ne savais pas si tu étais à Saint-Martin[1] ou à Neuville ? Est-ce que je ne t'ai pas envoyé, de chez la Princesse, une lettre à Saint-Martin ?

Crois-tu que je n'aie pas pensé à toi depuis quinze jours, pauvre chérie ? Est-ce supposable ? —

Accepte donc mes excuses, et mes remerciements, chère Madame, pour la délicieuse hospitalité, etc[2].

Je ne suis pas gai ! Sainte-Beuve est mort hier, à 1 heure et demie de l'après-midi. Je suis arrivé chez lui comme il venait d'expirer. — Quoique celui-là ne fût pas un intime, sa disparition de ce monde m'afflige profondément. Le cercle des gens avec lesquels je peux causer se rétrécit. La petite bande diminue, les rares naufragés du radeau de la *Méduse* s'anéantissent. J'avais fait *L'Éducation sentimentale*, en partie pour Sainte-Beuve. Il sera mort sans en connaître une ligne ! Bouilhet n'en a pas entendu les deux[a] derniers chapitres. Voilà nos projets ! L'année 1869 aura été dure pour moi ! — Je vais donc encore me trimbaler dans les cimetières ! — Causons d'autre chose.

Je t'engage, mon Carolo, à faire à Paris un voyage où tu régleras ton emménagement, puis à revenir à Croisset. Autrement, tu vas rester un temps infini à l'hôtel où *tu te mangeras le sang.*

Messieurs les ouvriers de Mulhouse étant en grève, je n'aurai que dans un mois l'étoffe qu'il me faut pour mes rideaux, mes portières, deux fauteuils, et un canapé-lit. Quant au reste, ce sera prêt à la fin de l'autre semaine ! Espérons-le.

Mon roman[1] paraîtra, à ce que dit l'imprimeur, à la fin de ce mois. Mais je n'en crois rien. S'il paraît le 10 ou le 12 novembre, on aura le temps de le lire avant l'ouverture de la Chambre. Tu n'imagines pas comme il m'intéresse peu ! Ce que je voudrais, ce serait d'être à Croisset, tranquillement, entre toi et notre pauvre vieille, à travailler *Saint Antoine.* Tel est mon caractère.

Il m'ennuie de ta gentille personne et de ta spirituelle compagnie.

Deux bécots sur tes bonnes joues.

Ton vieil oncle.

N.B. Fais-moi le plaisir de m'acheter chez Vanieri 12 boîtes des fameuses pastilles. Elles ont eu un tel succès chez la Princesse[2] que je suis contraint, par le savoir-vivre, à en faire des générosités.

P.-S. Ne pas donner la commission au consul de Turquie[3], parce qu'il l'oublierait.

Embrasser de ma part ledit agent diplomatique.

À JULES CLAYE

[Paris, 14 octobre 1869.]

Monsieur,

Vous avez promis à Michel Lévy (me l'a-t-il dit, lui-même) que mon roman pouvait paraître à la fin de ce mois. Mais il me semble que cela est inexécutable, puisque nous n'avons plus que deux semaines. N'y aurait-il pas moyen de pousser les ouvriers le plus possible ? Vous me rendriez, Monsieur, un très grand service, si vous pouviez faire en sorte que

L'Éducation sentimentale fût livrée au public vers le 8 ou le 10 novembre.

On aurait alors le temps de la lire et d'en parler dans les journaux avant l'ouverture de la Chambre ; autrement, la politique va prendre toute la place et on ne s'occupera plus de mon pauvre bouquin !

Pour activer les choses, je vais tous les jours chez Lévy corriger l'épreuve. Je peux en corriger tant que vous en enverrez.

Je compte, Monsieur, sur l'obligeance qui vous est habituelle envers les gens de lettres, et vous prie d'agréer l'assurance de toute ma considération.

Rue Murillo, 4, parc Monceau.
14 octobre 69.

À GEORGE SAND

[Paris, 14 octobre 1869.]

Chère Maître,

Non ! pas de sacrifices ! tant pis ! Si je ne regardais les affaires de Bouilhet comme miennes absolument, j'aurais accepté tout de suite votre proposition. Mais : 1° c'est mon affaire ; 2° les morts ne doivent pas nuire aux vivants.

La Féerie[1], le volume de vers[2], d'autres œuvres encore dépendent du succès de la première d'*Aïssé*. N'importe, à la grâce de Dieu !

Mais j'en veux à ces messieurs, je ne le cache pas, de ne nous avoir rien dit du Latour-Saint-Ybars. Car ledit Latour est reçu depuis longtemps. Pourquoi n'en savions-nous rien ?

Bref, que Chilly m'écrive la lettre dont nous sommes convenus mercredi. — Et qu'il n'en soit plus question.

Il me semble que vous pouvez être jouée le 15 décembre, si *L'Affranchi*[3] commence vers le 20 novembre ? Deux mois et demi font environ 50 représentations ; si vous les dépassez, *Aïssé* ne se présentera que l'année prochaine.

J'ai bien peur que Berton ne soit fatigué au mois de mars ?

Donc c'est convenu ! puisqu'on ne peut pas supprimer Latour-Saint-Ybars, vous passerez après lui. Et *Aïssé* ensuite, *si je le juge convenable.*

Nous nous verrons samedi, à l'enterrement du pauvre Sainte-Beuve. Comme la petite bande diminue ! Comme les rares naufragés du radeau de la *Méduse* disparaissent !

Mille tendresses de votre

À PHILIPPE LEPARFAIT

[Paris, 14-15 octobre 1869.]
4, rue Murillo, parc Monceau.

Mon cher Enfant,

Voici ce qui arrive :

L'Odéon n'avait pas compté sur *Le Bâtard*, qui est un succès, et qui sera joué jusqu'à la fin de novembre. Mme Sand devait passer après, et elle s'y attendait, quand, tout à coup, surgit Latour-Saint-Ybars avec un traité antérieur qui prime celui de George Sand. Celle-ci réclame, etc., etc., rien n'y fait[1].

Voilà deux jours que je passe en marches et en démarches, et dans une belle fureur, je te prie de croire.

Mme Sand m'a offert, *par écrit*, de me céder son tour[2], mais l'Odéon ne veut pas deux pièces en vers l'une après l'autre.

Chilly dit que *L'Affranchi*[3] sera joué tout au plus 8 fois. Duquesnel dit 20[4]. C'est une pièce qui leur a été *imposée*. Je le sais par le ministre d'État. Latour-Saint-Ybars a traîné Doucet[5] dans la fange. Il leur a fait peur. Bref ils sont forcés de le jouer.

Donc la mère Sand passera le 15 décembre. Du 15 décembre au 28 février, cela fait 70 représentations. Je doute, entre nous, moi qui connais la pièce, qu'elle aille jusque-là... Mais enfin ça peut en avoir 100. Alors *Aïssé* se trouverait rejetée en avril, ce qui est inadmissible.

Que faire ? La porter aux Français ? Mais nous ne serons pas joués cette année, et aux Français nous n'aurons ni Berton ni Beauvallet !

J'ai pris conseil de Doucet, de Deslandes[6] et de mon petit Duplan, et voici ce qui est convenu (voir ci-inclus la lettre de Chilly — je garde l'original[7]).

J'attends ta réponse pour la transmettre à Chilly.

Je crois, mon cher enfant, qu'il faut en passer par là.

Je suis presque sûr qu'*Aïssé* peut être jouée en février,

peut-être même à la fin de janvier car : *L'Affranchi* tombera et *L'Autre*[1], étant la même histoire que *Le Bâtard*, n'aura pas la vie longue.

Si tu acceptes la proposition de Chilly, ce à quoi je t'engage (car que faire, nom de Dieu !), je te conseille, lors de ton premier voyage à Paris, de lui prendre de l'argent. Tu pourras aussi en prendre chez Mme Porcher. Celui de l'Odéon est une avance à titre gratuit.

Au mois de janvier aura lieu la représentation pour le monument, qui sera splendide (la représentation). Nous aurons des acteurs de l'Opéra et des Français[2].

La recette peut aller à 4 mille francs.

Ramelli étant libre, je vais m'occuper de la faire rentrer à l'Odéon (chose facile) pour jouer Mme de Tencin ou plutôt Mme Ferriol. Ce sera Page qui fera la Tencin.

Je vais tâcher aussi d'avoir *Lia*[3] au lieu de Sarah Bernhardt, mais c'est difficile. Réponds-moi tout de suite,

Je t'embrasse.

Ton

On a offert de l'argent à Latour-Saint-Ybars pour être remis à plus tard ; il a tout refusé. C'est pour lui une question de vie ou de mort.

La mère Sand a été parfaite de franchise et de dévouement. Tout vient de la bêtise de l'Odéon, car leur intérêt est de jouer *Aïssé* tout de suite. Ils le savent et se mordent les pouces ; ils maudissent Latour-Saint-Ybars et je ne serais pas surpris quand ils s'arrangeraient pour le faire tomber, ce qui se fera, sans doute, tout naturellement.

Lévy s'est chargé, formellement, avant-hier de parler de la Féerie à Félix[4].

Donc, cher enfant, il ne faut pas se chagriner.

Nous *lui*[5] ferons de belles funérailles, sois-en convaincu !

Mais ton ami a bougrement ragé, à cause de toi, surtout !

À PHILIPPE LEPARFAIT

[Paris,] samedi, 9 heures du soir [16 octobre 1869].

« Un peu sèche » (ta lettre[6]) ? Non ! pas assez roide. Nous ne risquons rien d'être rébarbatifs. Au contraire ! ils nous embêtent, emmerdons-les !

Donc ! Tu vas me recopier tout de suite la lettre destinée à être montrée, en faisant un autre préambule, en enlevant l'alinéa relatif à Duquesnel[1], en y intercalant ce que j'ai marqué d'une barre longitudinale dans l'autre lettre (celle sur papier bleu). Tu peux même insister davantage sur le tort pécuniaire que ça te fait. — Enfin, au mot *avance*[2], récrie-toi : « Parbleu ! J'en trouverai, chez Porcher, des avances ! Je remercie ces messieurs de me faire crédit », etc. Montre-toi très blessé. Cependant, que ta lettre soit dans des termes polis, et publiable au besoin. Fais l'éloge de Berton[3] et trépigne légèrement les autres, pour montrer que lui seul nous importe, ce qui est vrai.

Je l'ai vu tantôt au convoi de Sainte-Beuve. Tu n'as pas l'idée de son exaspération. Il traite Chilly d'idiot. Il écume.

Ces MM. ont été (je le sais par lui) terrifiés de mon calme. J'ai bien pensé à les assommer. Mais ça aurait pu avoir des inconvénients, même pour la pièce.

Ils se mordent les pouces, ils sont très penauds.

Après tout, c'est peut-être un retard de 12 ou 15 jours, tout au plus ? Si les deux pièces qui nous précèdent allaient faire four, nous serions joués en février. Il est inouï, dans les fastes théâtraux, que trois pièces de suite aient du succès !

N'importe, ça me chagrine. Pour toi d'abord, et puis pour les autres publications.

Envoie-moi ce que j'attends *illico*.

Tout à toi.

Embrasse ta mère et qu'elle te le rende de ma part[4].

Ton

À JEANNE DE TOURBEY

[Paris,] rue Murillo, 4.
Samedi soir, minuit [16 octobre 1869].

« [...] Votre cadeau[5] est arrivé à temps ! Comme c'est gentil ce que vous avez fait là ! Il a dû en tressaillir dans son cercueil, comme d'une caresse dernière.

« [...] Je croyais avoir pleuré toutes les larmes de mon cœur à l'enterrement de mon pauvre Bouilhet. J'en ai trouvé encore quelques-unes en arrivant tantôt devant la petite maison de la rue Montparnasse[1]. Quelle foule ! » Flaubert évalue cette foule « de 20 à 30 mille personnes » ; il note que tous les amis étaient là, et que Troubat « était lamentable ».

« [...] Ce roman[2] que j'imprime, c'était spécialement pour lui que je l'avais fait. Car on écrit toujours en vue de quelqu'un. Pourquoi écrire maintenant ! pour qui faire de l'art ? avec qui causer des choses qui nous tiennent aux entrailles ?

« [...] Il me semble que la terre n'est plus peuplée que de pignoufs ! Une tristesse noire me submerge [...]. »

À SA NIÈCE CAROLINE

[Paris, 17 octobre 1869.]

N'oublie pas, mon loulou, dès que tu sauras le jour de ton départ, de me prévenir, afin que nous dînions ensemble, et que je n'aie pas un autre engagement. Ainsi mercredi prochain, je ne suis pas libre.

Je vais donc revoir ta chère binette ! Tâche de faire prendre patience à notre pauvre vieille et embrasse-la de ma part, ainsi que mon beau neveu.

Vieux.

(Dimanche matin.)

N'oublie pas de m'apporter :

1° un de tes keepsake anglais rouge, celui, par exemple, où est l'histoire de l'homme au sable[3].

2° la mesure de ta chambre et de mon cabinet de toilette,

3° les pastilles[4],

4° LA FAMEUSE PELLLLLISSSE !

À PHILIPPE LEPARFAIT

[Paris,] mardi matin [19 octobre 1869].

Pourquoi n'ai-je pas la lettre que je te demande ? Tu as dû recevoir de moi un grand pli dimanche soir[5].

Je devais aller aujourd'hui à l'Odéon, rapporter ta réponse. Il n'y a que demi-mal, car Chilly s'absente jusqu'à jeudi. Pourquoi ? Mystère. Je crois qu'il a peur de moi.

Je t'embrasse.

Ton.

Plus d'activité dans les affaires, fichtre !

GEORGE SAND À GUSTAVE FLAUBERT

[Paris,] jeudi matin [21 octobre 1869].

Nous partons, Lina et moi, samedi matin et jusque-là nous sommes toujours en course. Si tu voulais venir dîner avec nous vendredi chez Magny à 6 h, au moins on se dirait adieu. Tu serais libre à 9 h. Car on se couche comme les poules pour partir le lendemain de bonne heure. Qu'en dis-tu ?

Je t'aime de tout mon cœur.

À GEORGE SAND

[Paris, 21 octobre 1869.]

Chère Maître,

D'abord merci du coussin ! mais il est tellement mirifique que je n'oserai pas y toucher. — L'impératrice de la Chine est seule digne de poser dessus sa tête ! et l'impératrice de la Chine ne vient pas dans mon humble asile ! triste ! triste !

Je n'avais pas besoin de ça pour penser à vous, maintes fois par jour, chère maître adoré *[sic]*.

J'accepte l'invitation pour demain mais, puisque vous êtes en courses toute la journée, vous est-il indifférent de dîner ailleurs que chez Magny ? où je suis toujours malade et rébarbatif, il me semble ? D'ailleurs le souvenir de [...][1]

[La fin de la lettre manque.]

À PHILIPPE LEPARFAIT

[Paris,] vendredi, 10 heures [22 octobre 1869].

Ta lettre est PARFAITE. Je vais la porter *illico* à l'Odéon et ce soir, quand je serai rentré chez moi, je t'écrirai.

Observe qu'il y a eu cette semaine deux réclames dans *Le Figaro* pour *Aïssé*, l'une mardi, l'autre hier (courrier des théâtres[1]). Cela vient d'*eux*[2] ! Ils se mordent les pouces et voudraient la crevaison de Latour-Saint-Ybars[3].

Je t'embrasse ainsi que ta brave maman.

GEORGE SAND À GUSTAVE FLAUBERT

[Paris, 22 octobre 1869.]

Impossible, cher vieux chéri. Brébant est trop loin, j'ai si peu de temps. Et puis j'ai donné rendez-vous à Marchal et à Berton[4] chez Magny pour les adieux. Si tu peux venir, je serai bien heureuse et pourtant si cela doit te rendre malade, ne viens pas, je sais bien que tu m'aimes et je ne t'en voudrai de rien.

G. SAND.

À PHILIPPE LEPARFAIT

[Paris,] mardi matin [26 octobre 1869].

Publier les pièces anti-catholiques avant *Aïssé* me semble une idée déplorable ; c'est vouloir faire siffler la pièce par le parti catholique, et renouveler l'histoire de *Gaetana*[5]. Quand on a besoin du Public, on ne l'irrite pas d'avance, ou du moins, on n'en irrite pas une portion considérable. 2° Ce serait *déflorer* le volume de poésies dont ces vers-là seront les plus remarqués.

Et puis qui est-ce qui s'occupe du concile[6] !!! Quoi qu'en dise Delattre[7], cette publication serait dangereuse.

J'espère pousser à l'Odéon *Le Cœur à droite*[8] et, *cette semaine*, je vais entrer en pourparlers avec Raphaël pour la *Féerie*[9].

C'est Lévy qui est notre intermédiaire. Il m'a prévenu que, probablement, Raphaël ne voudrait sur l'Affiche que mon nom et celui de B[ouilhet]. — Que faire dans ce cas-là[1] ?

Chilly a été pris d'une espèce de spasme, à la lecture de ta lettre, qui était très bonne, et bien suffisante. Elle les a cinglés ; nous avions trouvé l'endroit sensible.

J'ai été, dans le dialogue, plus content de Duquesnel que de Chilly[2]. — Il s'est même emporté contre toi de telle façon que je l'ai prié de se taire. Enfin, après avoir chicané et bataillé pendant une heure, pour *en finir* j'ai fait un rabais.

Alors il a été attendri, et j'ai cru que nous allions nous embrasser. Bref, nous nous sommes quittés les meilleurs amis du monde, si bien que je lui ai promis (sur sa prière) de ne te rien dire de son « mouvement de vivacité ».

Le dialogue a été beau, et la pantomime sublime. Je m'étais cuirassé de patience, dans la rue. Aussi n'ai-je pas perdu la boule. Mais j'ai vu le moment où tout allait se brouiller.

Veux-tu que je te dise *le fond* de mon opinion ? *Aïssé* sera jouée au mois de février. *Le Bâtard* (que j'irai voir moi-même un de ces jours) n'a pas la vie si longue qu'on dit. Ils font 1 500 francs. Latour-Saint-Ybars tombera, et *L'Autre* ne dépassera peut-être pas 50 à 60 représentations[3] ?

Je ne sais pas encore quand j'irai à Croisset. Il faut que mon bouquin soit paru et que j'aie fait mes distributions d'exemplaires. Ce sera probablement dans le commencement de décembre, ou à la fin de novembre.

Quelles sont les pièces de vers mises en musique qu'on pourrait chanter à la représentation pour le monument ? (C'est à voir.) Elle aura lieu en janvier[4].

Quant à Achille[5], fais absolument ce que tu voudras. Va lui faire une visite et demande-lui, carrément, ce que tu lui dois. Je serais fort étonné s'il acceptait quelque chose.

Adieu, mon bon Philippe, tout à toi.

Ton vieux

Sois sûr que j'ai fait à l'Odéon tout ce qui était *possible* et pratique. Nous nous sommes conduits en gentlemen, ce qui donne toujours de l'autorité sur les gens. Cela me permettra d'être plus exigeant pour beaucoup de choses, quand on montera la pièce.

La représentation au bénéfice de Bernhardt a lieu le 5 novembre ; elle y jouera le 5e acte de *La Conjuration d'Amboise*[1] ; ce sera une éprouvette[2].

À MICHEL LÉVY

[Paris, octobre 1869.]

Cher Ami,

Voici le bon à tirer de la feuille 15 [...]

À MICHEL LÉVY

[Paris, octobre 1869.]

Je garde la feuille 19 [...]

À MICHEL LÉVY

[Paris, octobre 1869.]

Ces deux épreuves-là sont pleines de fautes [...]

À MICHEL LÉVY

[Paris, octobre 1869.]

Mon cher Ami,

J'aurais besoin de vous parler[3] [...]

À MICHEL LÉVY

[Paris, fin d'octobre 1869.]

Mon cher Ami,

Il faudrait se hâter. Nous ne serons jamais prêts le 12 [...]

À MICHEL LÉVY

[Paris, fin d'octobre 1869.]

Mon cher Ami,

1° Ci-joint une liste de gens de presse[1] [...]

À RAOUL-DUVAL

[Paris,] nuit de jeudi [4 novembre 1869].

Mon cher Ami,

1° J'approuve beaucoup votre idée d'une conférence faite par Deschanel. Je crois qu'elle sera très utile à notre œuvre[2].

2° Venez *mercredi prochain*, rue Murillo, 4, déjeuner, chez un homme qui vous aime. Il ne pourra pas ce jour-là dîner avec vous, parce qu'il est pris.

Si vous ne pouvez mercredi, venez le lendemain. — Et, si vous ne pouvez le lendemain, venez le surlendemain ou la veille.

C'est mercredi 17 que paraît mon bouquin.

J'ai bien envie de vous voir, et je vous serre les deux mains fortement.

Tout à vous.

R.S.V.P.

À SA NIÈCE CAROLINE

[Paris,] 6 novembre [1869].

Je n'ai rien de neuf à te dire, depuis ton départ, ma chère Caro. — Je travaille toujours la Féerie[3] avec d'Osmoy. — Mon roman[4] paraîtra le 17 courant. — On me promet mon étoffe pour le milieu de la semaine prochaine. J'ai été, ce matin, rue de Clichy[5]. L'appartement de ta bonne-maman ne sera pas prêt avant vendredi ou samedi. Je ne sais pas comment elle va prendre la chose ? Je lui ai écrit, tantôt, pour la calmer.

Et vous ? Le voyage s'est-il bien passé[1] ? Je m'attends à une lettre de toi lundi. — Mais écris surtout à notre pauvre vieille, qui s'ennuie là-bas démesurément.

Les petites bottes de fourrure ont-elles été utiles ? J'imagine que non ? Car le temps s'est bien radouci.

J'ai été hier à l'Odéon voir Sarah Bernhardt, dans le 5e acte de *La Conjuration d'Amboise*[2]. J'étais dans un bel état nerveux ! J'en suis encore tout brisé aujourd'hui ! Cette représentation (à bénéfice) a été splendide. — J'y ai entendu la Patti[3], qui m'a semblé, ce soir-là, merveilleuse. — Voilà !

Embrasse ton mari pour moi. Dis de ma part à ta compagne[4] tout ce que tu pourras trouver de plus gentil. — Et ramène-moi en bon état ma chère nièce que j'aime.

Ton vieux ganachon.
Samedi soir, 6 novembre.

À SA NIÈCE CAROLINE

[Paris,] mercredi soir, 11 heures [10 novembre 1869].

Mon Loulou,

J'ai reçu tantôt ta dépêche télégraphique datée de 11 h 35 mn, et presque en même temps ta bonne lettre de lundi 8.

Je les ai montrées l'une et l'autre à ta grand-mère qui est arrivée à 4 h 1/2, car elle *ne pouvait plus tenir* à Croisset. Elle est, présentement, à l'hôtel du Helder où elle restera jusqu'à ce que sa chambre, chez toi, soit prête. Les ouvriers n'avancent à rien ! Ils viennent à 3 heures et s'en vont à 4.

Vous trouverez à votre retour bien peu de besogne faite !

Tu apprendras avec plaisir que ta bonne-maman va très bien. — Il y a peut-être quatre ans que je ne l'ai vue en si bon état. Son moral est *excellent.* Et pas une fois pendant le dîner je ne [me] suis aperçu qu'elle était sourde. Elle ne m'a pas fait répéter un seul mot ! C'est incompréhensible ! Je crois que c'est l'effet de la joie d'avoir quitté sa solitude.

Mme Laurent[5] vient demain dîner avec elle. — Elle grille d'envie de voir votre hôtel[6]. — Mais je l'ai priée d'attendre que son appartement soit prêt.

Mon roman paraîtra, sans faute, mercredi prochain 17, jour de l'ouverture du canal de Suez[7].

Ma Princesse est partie ce matin pour Compiègne[1].

D'Osmoy revient vendredi re-travailler à la féerie[2].

Voilà toutes les nouvelles.

Moi, aussi, pauvre loulou, je voudrais être chez toi. Tu me dis, sur notre petit dîner de l'autre jour, précisément ce que j'ai senti. — Nous nous entendons bien, n'est-ce pas, ma chère Carolo ?

Quand reviens-tu ? Il y a si longtemps qu'on ne s'est vu un peu longuement ! Mon intention est de m'en retourner à Croisset vers le 20 décembre et d'y rester jusqu'à la fin de janvier. — Puis j'irai passer huit jours chez Mme Sand ; je reviendrai à Paris, et j'en partirai avec vous au mois de mai pour aller à Croisset travailler à ce brave *Saint Antoine*.

À la fin de cette semaine j'inaugurerai la fameuse fourrure. J'espère dans une huitaine posséder le complément de mon mobilier[a], et mon bouquin paraîtra en même temps ! Il ne me manquera (pour compléter mon luxe) que ma fameuse nièce.

Deux bons baisers sur ta gentille mine.

VIEUX.

Ernest[3] est-il content de ses affaires ?

Respects et compliments à ta compagne[4], naturellement.

À NOËL PARFAIT

[Paris, 12 novembre 1869.]

Nous avons oublié *Le Nouvelliste de Rouen*[5] [...]

À NOËL PARFAIT

[Paris, 12 novembre 1869.]

Mon cher Noël,

Pouvez-vous disposer d'un fragment[6] [...]

À ALFRED DARCEL

[Paris,] samedi matin [13 novembre 1869].

Mon cher Ami,

Transportez-vous immédiatement chez Lévy et demandez-lui un extrait de mon roman.

Vous vous y êtes pris un peu tard et je crois que les fragments qui doivent paraître dans les journaux sont maintenant distribués ?

Je ne comprends goutte au second paragraphe de votre lettre[1] !

Que m'avez-vous donc demandé jusqu'à présent ? Quel refus avez-vous essuyé de votre

Je vous remercie des souhaits que vous faites « néanmoins » pour le succès de mon livre.

Samedi matin.

GEORGE SAND À GUSTAVE FLAUBERT

Nohant, 15 novembre [1869].

Qu'est-ce que tu deviens, mon vieux troubadour chéri ? tu corriges tes épreuves comme un forçat, jusqu'à la dernière minute ? On annonce ton livre *pour demain* depuis deux jours. Je l'attends avec impatience, car tu ne vas pas m'oublier ? On va te louer et t'abîmer, tu t'y attends. Tu as trop de vraie supériorité pour n'avoir pas des envieux et tu t'en bats l'œil, pas vrai ? Et moi aussi pour toi. Tu es de force à être stimulé par ce qui abat les autres. Il y aura du pétard, certainement. Ton sujet va être tout à fait de circonstance en ce moment de *Regimbards*[2]. Les bons progressistes, les vrais démocrates t'approuveront. Les idiots seront furieux, et tu diras : vogue la galère !

Moi je corrige aussi les épreuves de *Pierre qui roule* et je suis à la moitié d'un roman nouveau qui ne fera pas grand bruit[3]. C'est tout ce que je demande pour le quart d'heure. Je fais alternativement *mon roman*, celui qui me plaît, et celui qui ne déplaît pas autant à la revue et qui me plaît fort peu. C'est arrangé comme cela, je ne sais pas si je ne me trompe pas. Peut-être ceux que je préfère sont-ils les plus mauvais. Mais j'ai cessé de prendre souci de moi, si tant est que j'en aie jamais eu grand souci. La vie m'a toujours emportée hors de moi et elle m'emportera jusqu'à la fin. Le cœur est toujours pris au détriment de la tête. À présent c'est les enfants qui mangent tout mon intellect, Aurore est un bijou, une nature devant laquelle je suis en admiration. Ça durera-t-il comme ça ?

Tu vas passer l'hiver à Paris, et moi je ne sais pas quand j'irai. Le succès du *Bâtard* continue. Mais je ne m'impatiente pas, tu as promis de venir dès que tu serais libre, à Noël, au plus tard, faire réveillon avec nous. Je ne pense qu'à ça et si tu nous manques de parole, ça sera un désespoir ici.

Sur ce, je t'embrasse à plein cœur comme je t'aime.

G. SAND.

À SA NIÈCE CAROLINE

[Paris,] lundi 15, minuit [novembre 1869].

Rien de nouveau, mon loulou. Ta bonne-maman va bien, quoique hier, au dîner que j'ai fait chez toi avec d'Osmoy, je n'aie pas trouvé ses oreilles ni son moral en aussi bon état que mercredi dernier[1]. Cela tenait peut-être à ce qu'elle nous avait attendus trop longtemps pour dîner ? En effet, ton brave homme d'oncle est accablé d'affaires à en perdre la boule.

Non seulement mon livre[2] va paraître, mais 2° il est question de jouer *Aïssé* prochainement (il n'y a rien encore de positif) ; 3° nous travaillons toujours la Féerie[3] ; 4° nous intriguons souterrainement pour la faire recevoir, et 5° j'ai eu et j'ai encore une autre histoire (qui ne me regarde pas) et que je te conterai dans le silence du cabinet.

Des fragments de *L'Éducation sentimentale* paraissent demain dans une *trentaine* de journaux.

La semaine est mal choisie à cause de la politique. — Qui change d'aspect, cependant, car Rochefort est complètement démonétisé. — Et il pourrait bien ne pas être nommé[4] ? L'opposition est en baisse dans l'opinion publique.

Tu ne m'as pas l'air de faire un voyage bien pittoresque. Et il me semble que, sans ta compagne, tu t'ennuierais[5].

Ta bonne-maman a dû aller aujourd'hui chez Racaut pour obtenir qu'il envoie des ouvriers. Rien, mais absolument rien n'est fait chez vous. Il faudrait *l'œil du Maître* et le maître devra même faire les gros yeux.

J'ai reçu une lettre de Mme Sandeau qui s'informe beaucoup de toi.

Demain je dîne chez la Princesse[1] et jeudi chez Du Camp. — Voilà toutes les nouvelles.

Embrasse ton mari pour moi, et qu'il te le rende.

Ton vieux ganachon qui t'aime.

Je suis curieux de voir le petit chien[2], quoique je désapprouve ce surcroît de personnel. Ce sont des embarras et des chagrins que tu te prépares, mon Carolo.

À GEORGE SAND

[Paris,] mardi midi [16 novembre 1869].

Chère Maître,

Je commence par déclarer que : *Je suis un cochon.* J'aurais dû vous écrire. Mais j'ai eu : 1° mes épreuves[3], 2° la Féerie[4] que je retravaille depuis 15 jours, sans désemparer, 3° des courses à faire pour le logement de ma nièce qui est présentement en Pologne, 4° à recevoir ma mère qui, en attendant sa chambre chez sa petite-fille, loge à l'hôtel, et 5° une affaire qui ne me regarde pas, et que je vous raconterai dans *le silence du cabinet.*

Mon bouquin paraît, je crois, demain. — Après-demain au plus tard. Vous aurez le 1er exemplaire, parbleu !

La Politique va-t-elle me faire du tort ? J'en ai peur.

À moins qu'elle ne me fasse du bien.

Le vent a tourné. Rochefort est en grande baisse, pour le quart d'heure[5].

Comme *Le Chevalier de Maison-Rouge*[6] est un four carabiné, il se pourrait que Félix voulût bien de notre grosse machine[7] ? Nous avons effacé toutes les inégalités de ton, modernisé l'ensemble et enlevé le comique convenu. Voilà.

Je ne vois pas pourquoi je n'irais pas vers Noël à Nohant ?

D'ici là, amitiés aux vôtres et à vous, chère Maître,

Mille tendresses de votre vieux.

À LA PRINCESSE MATHILDE

[Paris, 17 novembre 1869.]

Princesse,

Voici le livre que vous avez daigné entendre lire d'un bout à l'autre[1].

Je n'ai pu y faire une dédicace convenable. Trop de choses ont remué dans mon cœur en vous l'offrant. N'importe ! Quand vos yeux rencontreront ces deux volumes, vous penserez un peu à un homme qui vous aime bien, Princesse, et qui est

Tout à vous.

Mercredi, 2 heures.

À JULES DUPLAN

[Paris,] mercredi matin [24 novembre 1869].

Mon bon Vieux,

Puisque ça te fait plaisir, j'enverrai un exemplaire à Mme C[ornu], mais uniquement à cause de cela, je t'en fous ma parole d'honneur ! Je ne vois pas pourquoi toujours donner et ne jamais recevoir. Tu comprends ce que je veux dire[2].

Mais je n'ai pas l'adresse de Mme C[ornu]. Envoie-la-moi.

Jusqu'à présent l'enthousiasme des populations est modéré (Rochefort à part). Les roses ne m'étouffent pas. On évite même de me parler de mon livre comme si on avait peur de se compromettre[3].

À dimanche. — Tu auras le père Baudry[4].

Tout à toi, mon vieux bardache[5]. Ton géant.

À JEAN CLOGENSON

[Paris,] jeudi 25 novembre [1869].

Cher et vénérable Ami,

Comment se fait-il que je ne vous aie pas adressé mes deux volumes ? Vous étiez le premier sur ma liste rouennaise, et vous y êtes encore ! J'aurai passé par-dessus votre nom. — Excusez-moi, je vous en prie.

J'attends depuis huit jours quelques exemplaires sur papier de Hollande. Je vous en enverrai un[1], dès que je les aurai.

Mille [excuses[2]] encore une fois.

Je vous embrasse.

4, rue Murillo, parc Monceau.

À JULES DUPLAN

[Paris, 25 novembre 1869.]

Donne-moi donc l'adresse de Maisiat[3], son exemplaire que je rencontre à chaque minute depuis 10 jours et qui encombre mon appartement m'agace dans des proportions gigantesques.

24 heures de plus, et je le donne à un autre.

J'ai re-dépensé aujourd'hui 100 francs d'exemplaires. Ça devient abusif. Il n'y a que moi pour arriver à ce degré de ridicule.

Ton vieux géant.

À dimanche *11 heures* (avec le père Baudry[4]).

Jeudi soir.

MADEMOISELLE LEROYER DE CHANTEPIE À GUSTAVE FLAUBERT

Angers, 26 novembre 1869.

Je ne puis vous exprimer, cher Monsieur et ami, combien je suis reconnaissante de l'envoi de votre ouvrage. Ce souvenir qui prouve que vous ne m'oubliez pas m'eſt précieux à double titre. Votre ouvrage était généralement attendu par tous ceux qui ont lu *Madame Bovary* et *Salammbô*. Je l'attendais avec impatience et je suis sûre d'avance que la presse sera unanime à en faire l'éloge. Je vais me faire lire votre œuvre et j'espère mêler ma faible voix au concert de louanges qui doit l'accueillir. Mes yeux me condamnent toujours à l'inaction ; je veux refaire un roman commencé depuis longtemps, il me faut relire et dicter, ce qui me fatigue affreusement. J'ai passé le mois d'octobre à Château-Gontier, ma ville natale ; j'espérais y retrouver un peu de santé, c'était mon idéal que ce petit coin de terre où j'ai passé le seul temps heureux de ma vie ; mon espoir ne s'est pas réalisé. J'ai été si souffrante et si inquiète de rester malade sans mon médecin, que je ne crois pas qu'un condamné à mort puisse souffrir davantage. J'ai été malade à mon retour et je ne me remets pas. Par une étrange contradiction, j'éprouve à présent le désir de retourner là où j'ai tant souffert. Comment se porte notre bien-aimée G. Sand, vous qui avez le bonheur de la voir, vous pouvez me parler d'elle. On me lit *Pierre qui roule*[1], c'est admirable comme tout ce qu'elle écrit. Cette œuvre a pour moi un attrait tout particulier, j'aime le théâtre avec passion, et la vue des artistes me fait autant de plaisir que celle des abbés aux dévotes. Je vous dirai que le père Hyacinthe[2] est mon admiration et presque mon compatriote, le cousin du poète Loyson[3] de Château-Gontier. J'ai encore en ce moment bien d'autres admirations ; comme vous devez le penser on m'a lu *Les Grandes Dames* et *Les Parisiennes*[4] que je n'admire pas ; il y a de l'esprit, mais cela ne vaut pas grand-chose et ne sera jamais lu deux fois. Pensez un peu à moi qui gémis comme une âme en peine, sans distractions artistiques, ces seules sympathies.

Adieu, cher Monsieur et ami. Toute à vous de cœur et d'âme.

M.-S. LEROYER DE CHANTEPIE.

À PAUL DE SAINT-VICTOR

[Paris, 27 novembre 1869.]

Mon cher Ami,

J'ai dit plusieurs fois chez Lévy qu'on vous envoie un exemplaire de mon roman[5].

J'ignore votre adresse et j'ai peur que l'exemplaire sur papier de Hollande qui vous est destiné ne soit perdu.

Venez le chercher dimanche. Il y a si longtemps que nous ne nous sommes vus[6] !

Tout à vous.

Jeudi soir.
Rue Murillo, 4, parc Monceau.

À JULES DUPLAN

[Paris, 29 novembre 1869.]

Lévy ne m'a donné que 16 mille francs, mais m'a promis de me donner une prime dans quelque temps.

Aux termes *stricts* de mon traité, il ne me devait que 14 mille francs[1].

Je crois qu'il ira jusqu'à 20 mille. Il paraît content de la vente[2].

Je n'ai pas lu un éreintement de B. d'Aurevilly[3] paru aujourd'hui dans *Le Constitutionnel.* — C'est le second que publie ladite feuille.

Je t'embrasse.

Ton géant.

Lundi soir.

À THÉODORE DE BANVILLE

[Paris,] mardi matin [30 novembre 1869].

Mon très cher de Banville,

Je cherche comment vous remercier ? et je ne trouve pas de termes[4]. Voilà le vrai...

Je vous assure que les suffrages de l'Académie ne me feraient pas autant de plaisir que me fait le vôtre[5]. Comme vous êtes bon ! aimable et généreux !

Mille poignées de main, encore une fois, et tout à vous[6].

GEORGE SAND À GUSTAVE FLAUBERT

[Nohant,] mardi 30 novembre [1869].

Cher Ami de mon cœur,

J'ai voulu relire ton livre et ma belle-fille l'a lu aussi, et quelques-uns de mes jeunes gens, tous lecteurs de bonne foi et de premier jet, et pas bêtes du tout. Nous sommes tous du même avis que c'est un beau livre, de la force des meilleurs de Balzac et plus réel, c'est-à-dire plus fidèle à la vérité d'un bout à l'autre. Il faut le grand art, la forme exquise et la sévérité de ton travail pour se passer des fleurs de la fantaisie. Tu jettes pourtant la poésie à pleines mains sur ta peinture, que tes personnages la comprennent ou non. Rosanette à Fontainebleau ne sait sur quelles herbes elle marche, et elle est poétique quand même. Tout cela est d'un maître et ta place est bien conquise pour toujours. Vis donc tranquille autant que possible pour durer longtemps et produire beaucoup.

J'ai vu deux bouts d'article qui ne m'ont pas eu l'air en révolte contre ton succès, mais je ne sais guère ce qui se passe, la politique me paraît absorber tout. Tiens-moi au courant. Si on ne [te] rendait pas justice, je me fâcherais et je dirais ce que je pense. C'est mon droit.

Je ne sais au juste quand, mais dans le courant du mois, j'irai sans doute t'embrasser et te chercher si je peux te démarrer de Paris. Mes enfants y comptent toujours, et, tous, nous t'envoyons nos louanges et nos tendresses.

À toi. Ton vieux troubadour.

G. SAND.

À NOËL PARFAIT

[Paris, novembre 1869.]

1° A-t-on envoyé des exemplaires [...]

À NOËL PARFAIT

[Paris, novembre 1869.]

Mon cher Ami,

J'envoie chez vous quelques exemplaires [...]

À RAOUL-DUVAL

[Paris, 1er décembre 1869.]

Mon cher Ami,

Pouvez-vous me dire quel jour (lundi, mardi ou mercredi) vous déjeunerez chez moi, afin que je ne vous fasse pas faux bond, comme cet été. Je veux absolument vous voir 1° pour vous voir et causer avec vous et 2° pour vous remercier de la bonne lettre que j'ai reçue ce matin.

Tout à vous.

Rue Murillo, 4, parc Monceau.
Mercredi soir.

À MICHEL LÉVY

[Paris,] jeudi matin [2 décembre 1869].

Mon cher Michel,

Pouvez-vous me dire [...]

À NOËL PARFAIT

[Paris, début de décembre ? 1869.]

Mon cher Ami,

Mettez de côté la page ci-jointe [...]

À GEORGE SAND

[3 décembre 1869.]

Chère bon Maître,

Votre vieux troubadour eſt fortement dénigré par les Feuilles. Lisez *Le Conſtitutionnel*[1] de lundi dernier et *Le Gaulois*[2] de ce matin, c'eſt carré et net. On me traite de crétin et de canaille. L'article de Barbey d'Aurevilly *(Conſtitutionnel)* eſt, en ce genre, un modèle, et celui du bon Sarcey, quoique moins violent, ne lui cède en rien. Ces messieurs réclament au nom de la morale et de l'idéal ! J'ai eu aussi des éreintements dans *Le Figaro*[3] et dans *Paris*[4] par Cesena et Duranty.

Je m'en fiche profondément ! ce qui n'empêche pas que je suis étonné par tant de haine[a]. — Et de mauvaise foi.

La Tribune[5], *Le Pays*[6] et *L'Opinion nationale*[7] m'ont en revanche fort exalté.

Quant aux amis, aux personnes qui ont reçu un exemplaire orné de ma griffe, elles ont peur de se compromettre et on me parle de tout autre chose. Les braves sont rares. Le livre se vend néanmoins très bien, malgré la politique, et Lévy m'a l'air content[8].

Je sais que les bourgeois de Rouen sont furieux contre moi, à cause du père Roque et du caveau des Tuileries[1]. Ils trouvent qu'« on devrait empêcher de publier des livres comme ça » (textuel), que je donne la main aux rouges, que je suis bien coupable d'attiser les passions révolutionnaires, etc., etc. !

Bref, je recueille, jusqu'à présent, très peu de lauriers et aucune feuille de rose ne me blesse.

Je vous ai dit, n'est-ce pas, que je retravaillais la féerie[2] ? (Je fais maintenant un *tableau des courses*[3] et j'ai enlevé tout ce qui me semblait poncif.) Raphaël Félix[4] ne m'a pas l'air empressé de la connaître. — Problème !

Dans une quinzaine j'aurai fini, et serai alors tout prêt à m'en aller vers vous.

Comme j'ai envie de vous embrasser !

Mille tendresses de votre vieux.

Tous les journaux citent comme preuve de ma bassesse l'épisode de la Turque[5], que l'on dénature, bien entendu, et Sarcey me compare au marquis de Sade, qu'il avoue n'avoir pas lu[6] !

Tout ça ne me dévisse nullement. Mais je me demande : à quoi bon imprimer ?

À MICHEL LÉVY

[Paris, vers le 4 décembre 1869.]

Merci, mon cher ami ! Vous êtes un brave [...]

À NOËL PARFAIT

[Paris, 6 décembre 1869.]

Le brocheur s'est trompé [...]

À GEORGE SAND

[Paris,] mardi, 4 heures [7 décembre 1869].

Chère Maître,

Votre vieux troubadour eſt trépigné d'une façon inouïe. Les gens qui ont reçu de moi un exemplaire de mon roman craignent de m'en parler. — Par peur de se compromettre ou par pitié pour moi. Les plus indulgents trouvent que je n'ai fait que des tableaux, et que la composition, le dessin manquent absolument !

Saint-Victor, qui prône les livres d'Arsène Houssaye, ne veut pas faire d'article sur le mien, le trouvant trop mauvais[1]. Voilà. Théo[2] eſt absent, et personne (absolument personne) ne prend ma défense.

Donc, (vous devinez le reſte) si vous voulez vous charger de ce rôle-là, vous m'obligerez. Voilà. Si ça vous embête, n'en faites rien. Pas de complaisances entre nous.

Autre hiſtoire : hier Raphaël et Michel Lévy ont entendu la lecture de la Féerie. — Applaudissements, enthousiasme. J'ai vu le moment où le traité allait être signé, séance tenante. Raphaël a si bien compris la pièce, qu'il m'a fait deux ou trois critiques *excellentes*. Je l'ai trouvé, d'ailleurs, un charmant garçon. Il m'a demandé jusqu'à samedi pour me donner une réponse définitive.

Puis, tout à l'heure, lettre (fort polie) dudit Raphaël où il me déclare que la Féerie l'entraînerait à des dépenses trop considérables pour lui[3]. Enfoncé derechef ! Il faut se tourner d'un autre côté.

Rien de neuf de l'Odéon[4].

Sarcey a re-publié un second article contre moi[5]. Barbey d'Aurevilly prétend que je salis le ruisseau en m'y lavant *(sic[6])*.

Tout cela ne me démonte nullement. Mais, nom de Dieu, comme on eſt bête !

Quand venez-vous à Paris ?

Je vous embrasse.

4, rue Murillo, parc Monceau.

À JULES DUPLAN

[Paris,] jeudi soir [9 décembre 1869].

Rengaine tes compliments, mon cher vieux !

Nous sommes *enfoncés* ! Raphaël, dès le lendemain, a reculé devant la dépense[1].

Cependant Lévy ne m'a pas l'air d'avoir perdu tout espoir[a] ? Je fais des corrections excellentes (profitant de ce que Raphaël m'a dit) : un tableau supprimé, et un autre plus corsé.

Tirons de cette honte un profit pour nous-mêmes[2].

À propos de honte, ce n'est plus Mme Sandeau *qui me plaint*, mais Maxime[3].

Sur 150 personnes environ, auxquelles j'ai envoyé mon livre, il y en a tout au plus trente qui m'ont accusé réception des exemplaires. Brillent par leur mutisme : Fovard, Mme Cornu, Renan, etc.[4].

La Province renchérit sur Paris, — car le journal *La Gironde* m'appelle « Prudhomme[5] ».

Mais le plus beau, c'est M. Scherer[6] :

Oh ! dans nos bouches !

Pour en revenir à la Féerie, elle sera reçue d'ici à un mois, ou imprimée dans trois, au plus tard. Telle est ma décision[7].

L'ange nommé Mme de Metternich[8] m'a fait, dimanche, les compliments les plus chouettes sur *L'Éducation sentimentale.* — J'ai été aussi très content de Viollet-Le-Duc[9].

À dimanche, pour déjeuner.

Nous serons seuls.

Je t'embrasse.

GEORGE SAND À GUSTAVE FLAUBERT

[Nohant,] jeudi, 2 h du matin [9 décembre 1869].

Mon camarade, c'est fait. L'article partira demain. Je l'adresse à... qui ? Réponse par télégramme. J'ai envie de l'envoyer à Girardin[10]. Mais peut-être as-tu une meilleure idée, je ne sais pas bien l'importance et le crédit des divers journaux. Envoie-moi un nom propre et *l'adresse* par télégramme. J'ai *celle* de Girardin.

Je ne suis pas bien contente de ma prose. J'ai la fièvre et une espèce d'entorse depuis deux jours. Mais il faut se hâter.

Je t'embrasse.

G. SAND.

À NOËL PARFAIT

[Paris, 10 décembre 1869.]

Donnez, je vous prie, un exemplaire [...]

À GEORGE SAND

[Paris,] vendredi, 10 heures du soir [10 décembre 1869].

Chère Maître, bon comme du bon pain,

Je vous ai, tantôt, envoyé par le télégraphe ce mot : « À Girardin. » *La Liberté* insérera votre article, tout de suite[1]. — Que dites-vous de mon ami Saint-Victor, qui a refusé d'en faire un, trouvant « le livre mauvais[2] » ? Vous n'avez pas tant de conscience que cela, vous !

Je continue à être roulé dans la fange. *La Gironde* m'appelle Prudhomme[3]. — Cela me paraît neuf.

Comment vous remercier ? J'éprouve le besoin de vous dire des tendresses. J'en ai tant dans le cœur qu'il ne m'en vient pas une au bout des doigts. Quelle bonne femme vous faites, et quel brave homme ! Sans compter le reste !

Je vous embrasse.

Votre vieux troubadour.

Soignez l'entorse, et la fièvre et donnez-moi des nouvelles de l'un[e] et de l'autre.

GEORGE SAND À GUSTAVE FLAUBERT

[Nohant, 10-11 décembre 1869.]
Vendr. à samedi dans la nuit.

J'ai refait aujourd'hui et ce soir mon article. Je me porte mieux, c'est un peu plus clair. J'attends demain ton télégramme. Si tu n'y mets pas ton *veto* j'enverrai l'article à Ulbach qui, le 15 de ce mois, ouvre son journal, et qui m'a écrit ce matin pour me demander avec instance un article quelconque. Ce premier numéro sera, je pense, beaucoup lu, et ce serait une bonne publicité. Lévy serait meilleur juge que nous de ce qu'il y a de plus utile à faire : consulte-le.

Tu sembles étonné de la malveillance. Tu es trop naïf. Tu ne sais pas combien ton livre est original, et ce qu'il doit froisser de personnalités par la force qu'il contient. Tu crois faire des choses qui passeront comme une lettre à la poste, ah bien oui !

J'ai insisté sur le *dessin* de ton livre. C'est ce que l'on comprend le moins et c'est ce qu'il y a de plus fort. J'ai essayé de faire comprendre aux simples comment ils doivent lire ; car ce sont les simples qui font les succès. Les malins ne veulent pas du succès des autres. Je ne me suis pas occupée des méchants ; ce serait leur faire trop d'honneur.

De la main de Lina :
Ma mère reçoit votre télégramme et envoie son manuscrit à Girardin.

LINA.

4 heures du soir.

À ALFRED DARCEL

[Paris,] mardi soir, 11 heures [14 décembre 1869].

Mon cher Ami,

On me remet, à l'instant seulement, votre analyse de *L'Éducation sentimentale* parue dans le *Journal de Rouen*, il y a douze jours[1].

Quand j'ai eu fini de la lire, mon cri intérieur a été : « Ah ! enfin ! en voilà un qui me fait des reproches *justes* ! » Vous êtes le seul, oui *le seul* (selon moi) qui ait trouvé le défaut capital du livre. Toute l'avant-dernière colonne (« la répétition du même procédé sent un peu le système, ... *l'artifice de la composition* », etc.) est pleine de vérité. — Donc, je vous remercie bien sincèrement[2].

Quant aux idées socialistes de la Vatnaz, je vous jure (et je peux vous le prouver textes en main) qu'il n'y a *aucune* exagération. Tout cela a été imprimé en 48. En fait de bas-bleu, j'ai connu la fleur du panier et qui ne ressemblait nullement à la Vatnaz[3].

Il en est un de notre connaissance intime, que j'ai servi le plus possible, pour qui j'ai couru, que j'ai même défendu contre vous (je vous en fais mes excuses) et qui a jugé à propos : 1° de m'écrire deux lettres fort aigres où il n'est pas plus question d'art que de géométrie, et 2° de me vitupérer violemment dans *La Voix des femmes*. Mais « le Sacerdoce » avant tout ! Que l'ombre d'Eugénie Niboyet[1] le bénisse[2] !

Mon livre est pris, généralement, à rebours. Mais dans peu de temps il paraîtra tout simple.

Votre article m'a remis en tête un vers de Boileau... à propos de l'ami dont le crayon sûr va chercher

L'endroit que l'on sent faible et qu'on se veut cacher[3].

Merci encore une fois et tout à vous.

4, rue Murillo, parc Monceau.

À JULES DUPLAN

[Paris, 14 décembre 1869.]

Non, mon vieux d'Avaray[4], il n'y a, jusqu'à présent, rien de vrai dans la note du *Gaulois*[5]. C'est le résultat des intrigues de mon collaborateur[6]. Quelque chose de pareil doit être inséré dans diverses feuilles.

Mais d'ici à peu de jours (ce matin j'ai été chez Lévy rien que pour ça), nous saurons le dernier mot du Raphaël[7].

À jeudi soir, n'est-ce pas, chez le Mouton[8].

Ton géant.

Mardi soir, minuit.

GEORGE SAND À GUSTAVE FLAUBERT

[Nohant,] 14 décembre [1869].

Je ne vois pas paraître mon article[9] et il en paraît d'autres qui sont mauvais et injustes. Les ennemis sont toujours mieux servis que les amis. Et puis quand une grenouille commence à coasser, toutes les autres s'en mêlent. Un certain respect violé, c'est à qui sautera sur les épaules de la statue. C'est toujours comme ça. Tu subis les inconvénients d'une manière qui n'est pas encore consacrée par la rangaine *[sic]* et c'est à qui se fera idiot pour ne pas comprendre. *L'impersonna-*

lité absolue est discutable, et je ne l'accepte pas *absolument.* Mais j'admire que Saint-Victor qui l'a tant prêchée et qui a abîmé mon théâtre parce qu'il n'était pas *impersonnel*, t'abandonne au lieu de te défendre. La critique ne sait plus où elle en est, trop de théories !

Ne t'embarrasse pas de tout cela et va devant toi. N'aie pas de système et obéis à ton inspiration.

Voilà le beau temps, chez nous du moins et nous nous préparons à nos fêtes de Noël en famille, au coin du feu. J'ai dit à Plauchut de tâcher de t'enlever, nous l'attendons. Si tu ne peux venir avec lui, viens du moins faire le réveillon et te soustraire au Jour de l'An de Paris. C'est si ennuyeux ! Lina me charge de te dire qu'on t'autorisera à ne pas quitter ta robe de chambre et tes pantoufles. Il n'y a pas de dames, pas d'étrangers. Enfin tu nous rendras bien heureux et il y a longtemps que tu promets.

Je t'embrasse et suis encore plus en colère que toi de ces attaques, mais non démontée et si je t'avais là, nous nous remonterions si bien que tu repartirais de l'autre jambe tout de suite pour un nouveau roman.

Je t'embrasse.

Ton vieux troubadour.

G. SAND.

À GEORGE SAND

[Paris,] vendredi soir [17 décembre 1869].

Chère Maître,

J'espère que dans huit jours, à cette heure-ci, j'arriverai chez vous. Plauchut que j'ai vu hier doit se présenter à Nohant en même temps que ma lettre ?

Votre article[1] n'a pas encore paru dans *La Liberté.* J'ai fait demander à Girardin « qu'est-ce que ça voulait dire ? » Pas de réponse ! La politique, je crois, est seule cause de ce retard. — À moins qu'il n'y ait contre mon malheureux livre *une conjuration d'holbachique*[2] ?

Je vous assure qu'on en veut *à la personne* de votre vieux troubadour. Cela est manifeste dans les articles. Heureusement que je ne suis pas un homme sensible !

J'ai fini ce matin les corrections de la Féerie, qui m'ont exclusivement occupé depuis six semaines. Raphaël la refuse[3]. Elle va rentrer dans un tiroir, et je reprends le bon *Saint Antoine.*

Je n'ai eu, cette semaine, que trois éreintements (c'est peu !). Lire celui de la *Revue des Deux Mondes*[4].

Une amie, Mlle Bosquet (qui a reçu, de moi, de vrais services) m'a écrit deux lettres fort aigres, et la seconde était accompagnée d'un article dans *La Voix des femmes*, où elle me déchire en plein[1]. J'aime mieux la conduite de Saint-Victor, qui au moins, lui, s'abstient[2].

Tout cela ne me fait aucune peine, mais m'étonne grandement.

Je vous embrasse, chère Maître.

À bientôt,

Et tout à vous.

Mon intention est de partir vendredi prochain par le train de 9 heures.

À EUGÈNE DELATTRE

[Paris,] vendredi soir [17 décembre 1869].

Ah ! saprelotte ! ça m'embête ! parce que « la semaine prochaine » je serai à Nohant, chez Mme Sand.

Donc nous ne nous verrons qu'en 1870.

Pense à mon (ou plutôt à ton) article[3]. J'ai besoin d'être défendu. On me trépigne violemment.

À toi.

Ton G. F.

GEORGE SAND À GUSTAVE FLAUBERT

[Nohant,] 17 décembre [1869].

Plauchut nous écrit que *tu promets* de venir le 24. Viens donc le 23 au soir, pour être reposé dans la nuit du 24 au 25 et faire réveillon avec nous. Autrement tu arriveras de Paris fatigué et endormi, et nos bêtises ne t'amuseront pas. Tu viens chez des enfants, je t'en avertis, et comme tu es bon et tendre, tu aimes les enfants. Plauchut t'a-t-il dit d'apporter robe de chambre et pantoufles, parce que nous ne voulons pas te condamner à la toilette. J'ajoute que je compte que tu apporteras quelque manuscrit. La *féerie* refaite, *Saint Antoine*, ce qu'il y a de fait. J'espère bien que tu es en train de travailler. Les critiques sont un défi qui stimule. Ce pauvre René Taillandier est aussi cuistre

que la Revue[1]. Sont-ils assez pudiques, dans cette pyramide ? Je bisque un peu contre Girardin. Je sais bien que je n'ai pas de puissance dans les lettres, je ne suis pas assez lettrée pour ces messieurs ; mais le bon public me lit et m'écoute un peu quand même.

Si tu ne venais pas, nous serions désolés et tu serais un gros ingrat. Veux-tu que je t'envoie une voiture à Châteauroux le 23 à 4h ? J'ai peur que tu ne sois mal dans cette patache qui fait le service, et il est si facile de t'épargner deux heures ½ de malaise !

Nous t'embrassons pleins d'espérance. Je travaille comme un bœuf pour avoir fini mon roman et n'y plus penser une minute quand tu seras là.

À JULES DUPLAN

[Paris, 18 décembre 1869.]

Ne viens pas demain, dimanche, je suis obligé de m'absenter toute la journée.

Je passerai à ton établissement un de ces jours.

Tout à toi.

Samedi, 11 heures.

À RAOUL-DUVAL

[Paris,] samedi soir [18 décembre 1869].

Mon cher Ami,

Je ne comprends goutte à la déplorable anecdote que vous me contez, et j'avais déjà demandé l'explication à Rouen.

Il faut que mon frère n'ait pas compris le but de la conférence Deschanel ? Mystère[2] !

Quoi qu'il en soit, je vous remercie DOUBLEMENT du mal que vous vous donnez pour la mémoire de mon pauvre vieux compagnon.

N'oubliez pas mardi de me dire l'adresse de M. Desch[anel[3]], afin que j'aille lui faire une visite de remerciement.

Je vous attends à 11 heures, mardi, *pour déjeuner*. C'est convenu.

Mille poignées de main et tout à vous.

À JEANNE DE TOURBEY

[Paris, 19 décembre 1869.]

Ma chère et belle Amie,

Je reçois ce matin une lettre de Mme Sand où elle me dit qu'elle « bisque un peu contre Girardin[1] ». L'absence prolongée de son article l'étonne, et moi aussi[2]. D'où vient ce mystère ?

À quelle heure faut-il, mardi, comparaître chez vous ?

Deux baisers sur vos mains sans pareilles.

Dimanche, 11 h ½.

GEORGE SAND À GUSTAVE FLAUBERT

[Nohant,] dimanche [19 décembre 1869].

Les femmes s'en mêlent aussi[3] ? Viens donc oublier cette persécution à nos cent mille lieux *(sic)* de la vie littéraire et parisienne ; ou plutôt, viens t'en réjouir, car ces grands éreintements sont l'inévitable consécration d'une grande valeur. Dis-toi bien que ceux qui n'ont pas passé par là restent *bons pour l'Académie.*

Nos lettres se sont croisées. Je te priais, je te prie encore de ne pas venir la veille de Noël, mais l'avant-veille de Noël pour faire réveillon le lendemain soir. La veille, c'est-à-dire le 24, voici le programme. On dîne à 6 h juste, on fait l'arbre de Noël et les marionnettes pour les enfants afin qu'ils puissent se coucher à 9 h. Après ça on jabote, et on soupe à minuit. Or la diligence arrive au plus tôt ici à 6 h ½, et on ne dînerait qu'à 7 h ce qui rendrait impossible la grande joie de nos petites trop attardées. Donc il faut partir jeudi 23 à 9 h du matin, afin qu'on se voie à l'aise, qu'on s'embrasse tous à loisir, et qu'on ne soit pas dérangé de la joie de ton arrivée par des fanfans impérieux et fous.

Il faut rester avec nous bien longtemps, bien longtemps ; on refera des folies pour le Jour de l'An, pour les Rois. C'est une maison bête, heureuse et c'est le temps de la récréation après le travail. Je finis ce soir ma tâche de l'année. Te voir, cher vieux ami bien aimé, serait ma récompense, ne me la refuse pas.

G. SAND.

Plauchut est à la chasse aujourd'hui avec le prince et ne viendra peut-être que mardi. Je lui écris de t'attendre jusqu'à jeudi, tu t'ennuieras moins en voyage.

Je viens d'écrire à Girardin et de me plaindre.

À GEORGE SAND

[Paris, 20 décembre 1869.]

Convenu ! chère Maître. Je partirai pour Nohant jeudi par le train de 9 heures du matin. — Et j'apporterai la Féerie. — Afin de la gueuler sur vos planches[1].

Je vais de ce pas chez le bon Plauchut voir si nous partons ensemble[2].

Quant à rester longtemps dans votre *bonne* compagnie, cela me sera impossible. Il faut que je sois revenu à Paris mardi au soir.

Je vous embrasse bien fort.

Votre vieux troubadour.

Lundi, 10 heures du matin.

À EDMA ROGER DES GENETTES

[Paris, 22 décembre 1869.]

J'ai été bien fâché, hier, chère Madame, de ne m'être pas trouvé chez moi. Remerciez, je vous prie, M. Roger d'être venu jusque dans des quartiers si lointains[3].

Je pars ce soir pour Nohant où je resterai une huitaine. Dès que les ennuyeuses fêtes du Jour de l'An seront passées, je me présenterai chez vous pour vous assurer une fois de plus, chère Madame, que je suis entièrement

Vôtre.

22.

À MADEMOISELLE LEROYER DE CHANTEPIE

Rue Murillo, 4 (parc Monceau), 22 décembre [1869].

Merci de votre bon article[4], chère Demoiselle. J'ai bien besoin d'être un peu défendu, car je suis attaqué avec acharnement. Mais il en sera, je l'espère, de *L'Éducation sentimentale* comme de la *Bovary*. On finira par en comprendre la moralité et trouver « cela tout simple ».

Quant au succès matériel, je n'ai pas à me plaindre, mon livre se vend extrêmement bien, malgré la politique.

Mille cordialités de votre tout dévoué.

22 décembre, midi.

À JULES DUPLAN

[Paris, 28 décembre 1869.]

Cher Bonhomme,

Ta lettre datée du 22 m'eſt arrivée avant-hier à Nohant[1].

Tu prendras dimanche prochain les articles que tu demandes.

Je suis arrivé à Paris ce soir, à 6 heures. En te la souhaitant bonne et heureuse, mon pauvre vieux !

Ton.

Mardi, 10 heures du soir.

À HIPPOLYTE TAINE

[Paris,] mardi soir, 10 heures [28 décembre 1869].

Mon cher Ami,

Je trouve votre lettre datée de vendredi dernier[2] — et je n'y comprends goutte.

Comment ? — eſt-ce que, deux ou trois jours après votre invitation, je ne vous ai pas écrit pour vous dire que je ne pouvais aller dîner chez vous parce que j'allais à Nohant chez Mme Sand ? — Je suis sûr de vous avoir écrit.

Mais par ce temps de Jour de l'An la poſte bat la breloque !

En même temps que votre billet j'en reçois un de Duplan, daté du 22 !

J'ai à vous remercier de votre volume[3] que j'ai balafré de coups de crayon.

Mille excuses encore une fois et tout à vous.

À ERNEST FEYDEAU

[Paris, 28-29 décembre 1869.]

Mon Bonhomme,

Je te préviens que j'ai été chez toi il y a une douzaine de jours. La maison était fermée et la sonnette cassée. J'ai vainement gueulé devant ta porte et en désespoir de cause jeté une carte de visite, qui doit être sous un buisson, à gauche.

Que deviens-tu ? etc.

Quant à moi, j'ai été fort occupé par les retouches de la féerie[1], que j'ai cru reçue un moment et qui est, derechef, refusée. Puis j'ai lu toutes les injures déversées sur mon bouquin[2], lesquelles forment un joli tas.

Présentement, j'arrive de Nohant[3] et dans peu de temps je retourne à Croisset pour un mois. J'espère t'aller voir d'ici mon départ.

Adieu, pauvre cher vieux. Bon courage.

À GEORGE SAND

[Paris, 30 décembre 1869.]

J'ai fait un bon voyage, chère Maître, le pis a été le trajet du Jardin des Plantes à la rue de Clichy. Les rues de Paris étaient abominables, et j'étais gelé dans mon fiacre.

Pendant toute la route je n'ai pensé qu'à Nohant. Je ne peux pas vous dire combien je suis attendri de votre réception. — Quels braves et aimables gens vous faites tous ! Maurice me semble l'homme *heureux* par excellence. Et je ne puis m'empêcher de l'envier, voilà !

Bécotez de ma part Mlle Lolo[4]. — Dont je m'ennuie extrêmement. Mes compliments à Coq-en-bois[5], et à tous « les chers lubriques[6] » dont j'ai partagé les festins. Et puisque c'est le moment des souhaits de bonne année, je vous souhaite à tous *la même continuation*, car je ne vois pas ce qui vous manque.

Tout ce que vous pourrez trouver de meilleur pour Mme Maurice, et à vous, chère Maître,

Mille tendresses de votre vieux troubadour.

Jeudi matin, 30 décembre.

À LA PRINCESSE MATHILDE

[Croisset, 31 décembre 1869.]

Quoique l'usage soit bien gothique, il me semble convenable ?

Je vous souhaite donc, Princesse, *une bonne année.*

Que chacun de vos désirs se réalise, que rien de fâcheux ne vous survienne, que tout enfin vous agrée, depuis les résolutions de la Politique jusqu'à la température du ciel ! Soyez aussi heureuse que possible.

Quand arrive cette époque, on résume, involontairement, ses douze mois, comme les négociants qui font leur inventaire. Moi, je retrouve votre nom à toutes les pages de mon grand livre, Princesse, du côté des bénéfices, bien entendu. Voilà une comparaison piètre, dont je vous demande excuse ; ce sera une sottise de plus à jeter dans les tas, avec les autres.

N'importe, parmi tous les hommages que l'on va vous rendre et les vœux que [l'on] va vous débiter, il n'en est pas de plus profonds et de plus sincères que les miens, Princesse, car je suis

Complètement à vous.
Croisset, nuit du 31 décembre.

GEORGE SAND À GUSTAVE FLAUBERT

[Nohant,] 31 décembre [18]69.

Nous espérions avoir un mot de toi ce matin. Ce froid subit est si dur, je le redoutais pour ton voyage. Nous savons que tu es très bien arrivé à Châteauroux. Mais as-tu trouvé un coupé et n'as-tu pas souffert en route ? Rassure-nous. Nous avons été si heureux de t'avoir que nous serions désolés si tu devais payer cette escapade *hivernale.*

Tout va bien ici et tous s'adorent. C'est la fin de l'année. On t'envoie ta part des baisers qu'on se donne.

G. SAND.

À UNE ACTRICE

[Paris, 1869-1870.]

J'ai vu moi-même Roqueplan[1] aujourd'hui (et hier j'avais été chez la Guimont[2]).

Présentez-vous à son cabinet (au Châtelet) avec ma carte ci-incluse. Vous serez reçue.

Je lui ai bien entendu chanté votre éloge.

Je ne sais à quelle heure il faut se présenter.

Mille tendresses du vieux.

Vendredi, 5 heures.

À EUGÈNE DELATTRE

[Paris,] samedi matin [hiver 1869-1870].

Mon cher Vieux,

Tu es bien aimable de m'avoir, hier, apporté une carte pour ta conférence[3]. Mais le dimanche est le seul jour de la semaine où ma porte soit ouverte, et, malgré mon envie, je ne puis laisser en plan les braves gens qui viendront me voir demain.

Quelle est la page de moi que ton éloquence et ton amitié commenteront ?

Tout à toi.

À FRÉDÉRIC FOVARD

Croisset, jeudi [hiver 1869-1870 ?].

Je n'ai rien à te dire, cher Ami, et aucune consolation à te donner. Je t'embrasse. Voilà tout.

À toi.

À GEORGE SAND

[Paris,] lundi matin [3 janvier 1870].

Chère Maître,

Je vous ai écrit jeudi dernier pour vous dire que j'avais fait un très bon voyage. Ma lettre, par ce temps de Jour de l'An, aura eu du retard. Je n'ai pas eu de coupé. Mais j'ai été seul dans mon wagon jusqu'à Orléans. — Je ne vous ai pas assez dit combien j'avais trouvé charmante l'hospitalité de Nohant. Ce sont les meilleurs [moments] de l'an 1869, qui n'a pas été doux pour moi !

On dit que vous avez retiré votre pièce de l'Odéon[1]. D'autre part, on annonce *L'Affranchi*[2] pour le 10 janvier. J'irai voir Duquesnel[3] mercredi, afin de savoir où ils en sont. Et ce qu'ils veulent. — Mon départ pour Croisset est subordonné à la première de *L'Affranchi*, et à votre présence « dans nos murs ». Dieu merci, on en a fini avec Troppmann[4] et nous avons un ministère[5] ! Quel bonheur !

J'ai repris mes lectures sur *Saint Antoine* et la *Féerie*[6] est remise de côté. Voilà ! Embrassez Lolo[7] pour moi, et n'oubliez personne dans le rappel de mes tendresses, pas même Fadet[8] !

Tout à vous, chère maître.

À GEORGE SAND

[Paris, 6 janvier 1870.]

Chère Maître,

J'ai vu hier Chilly et Duquesnel[9]. Ils m'ont dit que *L'Affranchi* passerait irrévocablement le 17 (de lundi prochain en huit). Et que votre pièce serait jouée *dès* qu'elle serait prête, c'est-à-dire vers le milieu de février, au plus tard. Ils m'ont l'air de compter de moins en moins sur *L'Affranchi*.

Je vais donc vous voir. — Dans une douzaine de jours ?

Mille tendresses de votre vieux troubadour qui vous embrasse.

Jeudi matin.

GEORGE SAND À GUSTAVE FLAUBERT

Nohant, 9 janvier [18]70.

J'ai eu tant d'épreuves à corriger, que j'en suis abrutie. Il me fallait cela pour me consoler de ton départ, troubadour de mon cœur, et d'un autre départ, encore, celui de mon abruti de Plauchemar[1], et encore d'un autre départ, celui de mon petit-neveu Edme, mon préféré, celui qui jouait les marionnettes avec Maurice. Il est reçu à l'*enregistrement*, et s'en va à Pithiviers, à moins que, par protection, nous n'obtenions qu'il fasse son surnumérariat à La Châtre. Connais-tu M. Roy, le chef suprême de cette administration des domaines ? Si, par hasard, la Princesse[2] le connaissait et voulait lui faire dire un mot en faveur du jeune *Simonnet* ? Je serais heureuse de lui devoir cette joie de famille et cette économie pour la mère qui est pauvre. Il paraît que cela est très facile à obtenir et qu'aucun règlement ne s'y oppose. Mais il faut être *appuyé*, un mot de la Princesse, une ligne de M. Roy et nos pleurs se changeraient en joie. Cet enfant m'est très cher. Il est si aimant et si bon ! Il a été élevé avec peine, toujours souffrant, toujours dorloté sur nos genoux, et toujours tendre et mignon. Il a beaucoup d'intelligence et il travaille bien à La Châtre, où son receveur l'adore et le pleure aussi. Enfin, fais ce que tu pourras, si tu peux quoi que ce soit.

On continue à abîmer ton livre[3]. Ça ne l'empêche pas d'être un beau et bon livre. Justice se fera plus tard, justice se fait toujours. Il n'est pas arrivé à son heure, apparemment ; ou plutôt, il y est trop arrivé. Il a trop constaté le désarroi qui règne dans les esprits. Il a froissé la plaie vive. On s'y est trop reconnu.

Tout le monde t'adore ici, et on est trop pur de conscience pour se fâcher de la vérité ; nous parlons de toi tous les jours. Hier, Lina me disait qu'elle admirait beaucoup tout ce que tu fais, mais qu'elle préférait *Salammbô* à tes peintures modernes. Si tu avais été dans un coin, voici ce que tu aurais entendu d'elle, de moi et des *autres*.

Il est plus grand et plus gros que la moyenne des êtres. Son esprit est comme lui, hors des proportions communes. En cela, il a du Victor Hugo au moins autant que du Balzac mais il a le goût et le discernement qui manquent à Hugo, et il est artiste, ce que Balzac n'était pas. — C'est donc qu'il est plus que l'un et l'autre ? — *Chi lo sa ?* Il n'a pas encore donné toute sa voix. Le volume énorme de son cerveau le trouble. Il ne sait s'il sera poète ou réaliste, et comme il est l'un et l'autre, ça le gêne. — Il faut qu'il se débrouille dans ses rayonnements. Il voit tout et veut tout saisir à la fois. — Il n'est pas à la taille du public qui veut manger par petites bouchées, et que les gros morceaux étouffent. Mais le public ira à lui quand même, quand il aura compris. — Il ira même assez vite, si l'auteur *descend* à vouloir être bien compris. — Pour cela il faudra peut-être quelques concessions à la paresse de son intelligence. — Il y a à réfléchir avant d'oser donner ce conseil.

Voilà le résumé de ce qu'on a dit. Il n'eſt pas inutile de savoir l'opinion des bonnes gens et des jeunes gens. Les plus jeunes disent que *L'Éducation sentimentale* les a rendus triſtes. Ils ne s'y sont pas reconnus, eux qui n'ont pas encore vécu. Mais ils ont des illusions, et disent : Pourquoi cet homme si bon, si aimable, si gai, si simple, si sympathique, veut-il nous décourager de vivre ? C'eſt mal raisonné, ce qu'ils disent, mais comme c'eſt inſtinctif, il faut peut-être en tenir compte.

Aurore parle de toi et berce toujours ton baby sur son cœur. Gabrielle appelle Polichinelle *son petit*, et ne veut pas dîner s'il n'eſt vis-à-vis d'elle. Elles sont toujours nos idoles, ces marmailles.

J'ai reçu hier, après ta lettre d'avant-hier, une lettre de Berton[1] qui croit qu'on ne jouera *L'Affranchi* que du 18 au 20. Attends-moi puisque tu peux retarder un peu ton départ. Il fait trop mauvais pour aller à Croisset ; c'eſt toujours pour moi un effort de quitter mon cher nid pour aller faire mon triſte *état* ; mais l'effort eſt moindre quand j'espère te trouver à Paris.

Je t'embrasse pour moi et pour toute la nichée.

G. SAND.

MADEMOISELLE LEROYER DE CHANTEPIE À GUSTAVE FLAUBERT

Angers, ce 10 janvier 1870.

Ne me remerciez pas, cher Monsieur, et ami, du compte rendu de votre si intéressant roman. Je n'ai pu exprimer que bien imparfaitement tout le bien que j'en pense et l'admiration méritée que m'inspire votre talent littéraire. Je ne suis pas étonnée de l'immense succès qu'obtient votre roman, il se diſtingue tant de tout ce qui se publie, qu'il eſt impossible que tous les gens de goût ne s'empressent de le regarder comme une œuvre supérieure et exceptionnelle. On vient seulement d'achever de me lire *Pierre qui roule*[2]. C'eſt toujours l'œuvre admirable où se reconnaît G. Sand ! Que devient-elle, donnez-m'en des nouvelles et si vous la voyez, dites-lui de ne pas m'oublier ; je pense tant à elle. Je suis bien malheureuse, mes yeux me forcent à ni lire, ni écrire, et une douleur d'irritation dans le sein gauche dont je souffrais depuis bien des années s'eſt augmentée et me voilà presque privée de tout travail manuel. Je me désole et désespère, et je suis si triſte que je ne songe qu'à mourir. Ce n'eſt pas un mal, mais quel mode d'exiſtence m'attend au-delà ? Je suis catholique, mais ce qui se passe en ce moment a un certain air d'Inquisition qui m'eſt antipathique. Cher Monsieur, soyez heureux que Dieu vous conserve votre mère qui eſt à peu près de mon âge[1], car je commence ma 70e année ; je dicte pourtant un roman que je voudrais achever. Je vous envoie le numéro de la *Comédie* contenant mon article[2] ; tout à vous.

M.-S. DE CHANTEPIE.

GEORGE SAND À GUSTAVE FLAUBERT

Nohant, 11 janvier [1870].

Plauchut m'écrit ce matin que ton roman a beaucoup de succès à Paris. Je suis contente de ne m'être pas trompée.

Je t'embrasse.

G. S.

À GEORGE SAND

[Paris,] mercredi après-midi [12 janvier 1870].

Chère Maître,

Votre commission était faite hier à une heure. La Princesse a, devant moi, pris une petite note sur votre affaire pour s'en occuper immédiatement[3]. Elle m'a paru très contente de pouvoir vous rendre service.

On ne parle que de la mort de Noir[4] ! Le sentiment général eſt *la Peur*, pas autre chose.

Dans quelles triſtes mœurs nous sommes plongés ! Il y a tant de bêtise dans l'air qu'on devient féroce. Je suis moins indigné que dégoûté ! Que dites-vous de ces messieurs qui viennent parlementer munis de piſtolets et de cannes à dard ! Et de cet autre, de ce Prince qui vit au milieu d'un arsenal et qui en use ? Joli ! Joli !

Quelle *chouette* lettre vous m'avez écrite avant-hier ! Mais votre amitié vous aveugle, chère bon maître. Je n'appartiens pas à la famille de ceux dont vous parlez. — Moi qui me connais, je sais ce qui me manque. Et il me manque énormément !

En perdant mon pauvre Bouilhet, j'ai perdu mon *accoucheur*, celui qui voyait dans ma pensée plus clairement que moi-même. Sa mort m'a laissé un vide, dont je m'aperçois, chaque jour davantage.

À quoi bon faire des concessions ? Pourquoi se forcer ? Je suis bien résolu, au contraire, à écrire pour mon agrément personnel, et sans nulle contrainte. — Advienne que pourra ! J'ai bientôt cinquante ans. Il eſt temps de s'amuser, c'eſt-à-dire de *se lâcher*.

Je [ne] m'en irai pas de Paris avant votre arrivée. Donc, je compte sur vous dans une dizaine de jours, n'eſt-ce pas ?

Amitiés à tous « les chers lubriques[1] », force bécots de nourrice à mes deux petites amies[2], etc., etc.

Et à vous, toutes les tendresses du vieux troubadour.

À LÉON DE SAINT-VALÉRY

[Paris,] 15 janvier [18]70.

Monsieur, ou plutôt cher Confrère,

Vous me demandez de vous répondre franchement à cette queſtion : « Dois-je continuer à faire des romans ? »

Or, voici mon opinion : *il faut toujours écrire*, quand on en a envie. Nos contemporains (pas plus que nous-mêmes) ne savent ce qui reſtera de nos œuvres. Voltaire ne se doutait pas que le plus immortel de ses ouvrages était *Candide*. Il n'y a jamais eu de grands hommes, vivants. C'eſt la poſtérité qui les fait. — Donc travaillons, si le cœur nous en dit, si nous sentons que la vocation nous entraîne. Quant au succès matériel (grand[a] ou petit, qui doit en résulter pour nous), il eſt impossible là-dessus de rien présager. Les plus malins (ceux qui prétendent connaître le public) sont, chaque jour, trompés.

Il n'en eſt pas de même de la réussite eſthétique. Ici les préjugés ont une base[b]. Un œil exercé ne peut se méprendre absolument. J'ai lu votre *Âge de cuivre*[3], avec grande attention, et je vous dis hardiment : « Faites-en d'autres ! »

Je viens donc, sans plus d'ambages, vous exprimer tout ce que je pense.

Le grand monologue du commencement m'a fort surpris, parce que c'eſt, à peu de chose près, un monologue qui exiſte dans une Féerie de moi, faite en collaboration avec Louis Bouilhet. C'eſt vous dire qu'il m'a plu, n'eſt-ce pas ?

Tous vos caractères sont vrais. — Et vous *voyez* juſte, ce qui eſt le principal. — Mais vous passez à côté de situations superbes dont vous ne tirez pas parti. Vous laissez vos diamants par terre, sans les enchâsser, ce qui est une maladresse. Les exemples me viendront tout à l'heure. Il y a trop, beaucoup trop de dialogues. Pourquoi ne pas vous servir plus souvent de la forme narrative et réserver le style direct pour les *scènes* principales ! Tous les entretiens de votre histoire n'ont pas eu, dans la vie, la même valeur. Ils doivent donc être présentés différemment.

Si vous aviez mis à l'indirect tout ce qui se dit chez[a] la portière, par exemple, les dialogues avec Laurence, sans y rien changer du tout, se trouvaient exhaussés.

Pourquoi parlez-vous en votre nom ? Pourquoi faites-vous des réflexions qui coupent le récit ? Je n'aime pas les locutions comme celle-ci : « Notre héros, lecteur », etc. Une réflexion morale ne vaut pas[b] une analyse, et quand vous en faites, des analyses, elles sont excellentes, témoin celle qui termine le n° 3.

J'aurais voulu *plus de développement aux endroits principaux*. Ainsi la soirée chez Mme Linski est trop courte par rapport à ce qui la précède et à ce qui la suit. L'épisode du bouquet est une chose charmante, mais gâtée par l'éternel portier que je rencontre une fois de plus, et qui n'est pas neuf. — L'histoire de la symphonie est une petite merveille.

Mais après les désillusions de Paris, j'aurais voulu que le contraste fût plus accusé quand il revoit la campagne. Puis, qu'après un accès bucolique, l'ignominie bourgeoise fût également plus saillante. Tout ce que je dis est dans votre livre, mais les seconds plans mangent les premiers. Vous vous perdez dans les dialogues. La mort de l'oncle et son enterrement catholique, parfaits. À quoi sert la conversation avec le médecin, lequel on ne reverra plus ? Mais une fois que nous sommes chez Alice, je n'ai plus que des éloges sans restriction. La 1re représentation, et l'Épilogue surtout, cette bonne Laurence qui revient, tout cela est réussi et amusant. J'ai été littéralement *empoigné*.

Si, à vos articles sur moi et à la lettre que vous m'avez fait l'honneur de m'écrire, je ne vous jugeais pas homme d'esprit, et galant homme, cette épître, cher confrère, eût été plus courte et plus louangeuse.

Je vous serre cordialement la main et suis tout à vous.

GEORGE SAND À GUSTAVE FLAUBERT

[Nohant,] 15 janvier [18]70.

L'Affranchi est pour mardi. Je travaille vite pour finir mes corrections et je pars mardi matin. Viens dîner avec moi chez Magny à 6h. Peux-tu ? Sinon, dois-je te garder place dans ma loge ? Un mot dans la journée de mardi, à mon domicile. Tu ne seras pas forcé d'avaler toute la représentation si elle t'ennuie.

Je t'aime et je t'embrasse pour moi et la nichée. Merci pour Edme[1].

G. S.

À GEORGE SAND

[Paris, 17 janvier 1870.]

Chère Maître,

Je ne peux dîner avec vous demain mardi (et je suis pris mêmement mercredi, jeudi et vendredi. Mais réservez-moi *samedi* pour dîner chez moi avec le bon Plauchut).

Vous me verrez le soir à l'Odéon dans votre loge, ou au foyer. Il serait possible que je vous amen*asse* Tourgueneff[2] ?

Il faut que je m'en retourne à Croisset. Mais je recule mon départ jusqu'à lundi.

Mille tendresses de votre vieux.

Lundi, 3 heures.

À GEORGE SAND

[Paris, 19 janvier 1870.]

Chère Maître,

J'irai vous voir demain, jeudi, de 3 à 4 heures, en sortant de la Bibliothèque impériale.

D'ici là, je vous baise sur les deux joues.

Mercredi, 6 heures.

GEORGE SAND À GUSTAVE FLAUBERT

[Paris,] mercredi soir [19 janvier 1870].

Cher Ami de mon cœur,

Je ne t'ai pas vu au théâtre. La pièce applaudie et sifflée, plus applaudie que sifflée. Berton très beau, Sarah[1] très jolie, mais point d'intérêt dans les personnages et trop d'acteurs de second plan ; pas bons. Je ne crois pas que ce soit un succès.

Je vas mieux. Pourtant je ne suis pas assez vaillante pour aller chez toi samedi et revenir de si loin par ce grand froid. J'ai vu ce soir Théo[2], je lui ai dit de venir dîner avec nous deux samedi chez Magny. Dis-moi donc oui, c'est moi qui te donne à dîner, et nous aurons un cabinet sans bruit. Après nous fumerons chez moi.

Plauchut n'aurait pu aller chez toi. Il était invité chez le Prince.

Un mot si c'est *non*. Rien si c'est oui. Je désire donc que tu ne m'écrives pas. J'ai vu Tourgueneff et je lui ai dit tout ce que je pense de lui. Il était étonné comme un enfant. Nous avons dit du mal de toi.

IVAN TOURGUENEFF À GUSTAVE FLAUBERT

Bade, Thiergartenstrasse, 3.
Dimanche, 30 janv[ier 18]70.

Mon cher Ami,

Dans le premier numéro d'une revue russe qui paraît à Saint-Pétersbourg, et qui se nomme *Le Messager russe* (c'est comme qui dirait *La Revue des Deux Mondes* de la Russie), il y a un énorme article sur votre livre (ce n'est que la première partie). On l'analyse par le menu et l'on raconte tout le sujet. On loue beaucoup et l'auteur et son œuvre ; cet article a pour titre : « La nouvelle société française ». Je vous dis tout cela parce que cela peut vous intéresser, quoique vous ayez un autre martel en tête à présent.

Je quitte Bade dans 4 à 5 jours. Je vais passer deux mois à Weimar (mon adresse est : g[ran]d-duché de Saxe-Weimar, Weimar, hôtel de Russie) et je passerai par Paris avant de rentrer en Russie au mois d'avril.

Donnez-moi de vos nouvelles. Travaillez-vous ferme ? Votre *Antoine*[3] me revient souvent à l'esprit. Hier soir, en me couchant, j'ai relu la scène du « Club de l'Intelligence » et l'Espagnol m'a fait rire tout haut[4].

Dites mille choses de ma part à Mme Sand, à Du Camp et *tutti quanti* ; je vous serre la main de toute la force de mon amitié.

GEORGE SAND À GUSTAVE FLAUBERT

[Paris, 5 février 1870.]

Je ne te vois pas. Tu passes à l'Odéon et quand on me dit que tu es là, je cours et ne te trouve plus. Dis-moi donc un jour où tu viendras manger ma côtelette.

Ton vieux troubadour éreinté qui t'aime.

À NOËL PARFAIT

[Paris, 7 février 1870.]

Mon cher Ami,

Tourgueneff m'écrit [...]

À GEORGE SAND

[Paris,] nuit de samedi, 2 heures [12 février 1870].

Chère Maître,

Je viens d'apprendre à l'Odéon que vous étiez malade, et que votre médecin vous défendait de parler et de recevoir. J'aime à croire qu'il y a de l'exagération dans ce qu'on m'a dit ? Est-ce simplement une forte grippe ?

Donnez-moi ou faites-moi donner de vos nouvelles.

La représentation de ce soir[1] a *très bien marché.* — Je suis exténué et je vais, enfin, rester au coin de mon feu — avec saint Épiphane[2] !

Je vous embrasse.

Votre vieux troubadour.

À JULES TROUBAT

[Paris, 12 février 1870.]

Mon cher Ami,

1° Je suis exténué par une forte grippe et 2° par le mal que je me suis donné pour la représentation de ce soir à l'Odéon.

Mais d'ici à samedi prochain tout cela, je l'espère, aura disparu. Donc, comptez sur moi (sauf avis contraire). À 2 heures samedi vous me verrez[1].

D'ici là tout à vous.

Nuit de samedi, 2 heures.

À IVAN TOURGUENEFF

[Paris,] 14 février [1870].
Rue Murillo, 4, parc Monceau.

Mon cher Ami,

Vous êtes bien bon de m'indiquer un journal où l'on fait l'éloge de mon malheureux livre[2] ! Car je ne suis pas étouffé sous les roses. Vous m'aviez parlé aussi d'une revue berlinoise[3] ? Je voudrais en savoir le titre. Tout cela pour Lévy, bien entendu.

Je trouve (je ne vous le cache pas) qu'on a été injuste envers moi. Rien n'est plus sot que de se prétendre incompris. C'est ce que je pense néanmoins. *Habent sua fata libelli*[4], comme dit Horace, — et Prudhomme.

Les études sur le bon M. Antoine[5] (dont vous vous inquiétez) ont été suspendues pendant quinze jours, passés exclusivement à organiser une représentation à l'Odéon, pour le monument de Bouilhet. Je suis le président de la commission de souscription, et j'ai dû, à tous les titres, m'occuper de la chose afin d'avoir le plus d'argent possible. Pendant deux semaines, et malgré une forte grippe, j'ai fait des courses dans Paris, sept heures de fiacre par jour ! et quel agacement nerveux ! Tout a bien marché, Dieu merci, et c'est fini !

On est venu de la part du théâtre de la Gaîté me demander ma féerie, *Le Château des cœurs*[6]. Je la lirai dès que j'aurai le larynx débrouillé.

Et vous, cher et grand ami, que faites-vous ? Que rêvez-vous ? Qu'écrivez-vous ? Quand vous reviendrez à Paris, faites en sorte d'y rester plus longtemps !

Les moments que j'ai passés avec vous dernièrement ont été les seules bonnes heures que j'aie eues depuis huit mois ! Vous n'imaginez pas ma solitude intellectuelle ! c'est pourquoi je saute sur vous avec avidité, dès que votre personne se présente.

Ma noble patrie devient de plus en plus stupide. La bêtise générale influe sur les individus. Chacun se range, peu à peu, au niveau de tous.

Vous me semblez un homme heureux, vous, — et je vous porterais envie si je ne vous aimais fortement.

Je vous embrasse.

Votre

À MONSIEUR HUBERT ?

[Paris,] mardi 15 [février 1870].

Cher Monsieur,

Je prie M. Boulet[1] de venir chez moi parce qu'il m'est impossible de sortir d'ici à quelques jours (j'ai un clou au visage).

Autre raison : une lecture de trois heures est fatigante. Il me serait pénible de la faire autre part que chez moi. — J'indique à M. Boulet samedi prochain.

Ne m'avez-vous pas demandé *à en être* ? En ce cas-là, regardez-vous comme invité.

Alexandre Dumas[2] ne désire-t-il pas entendre la chose ?

Un mot de réponse, je vous prie et croyez-moi, Monsieur,

Vôtre.

Rue Murillo, 4. parc Monceau[3].

À GEORGE SAND

[Paris, 15 février 1870.]

Chère Maître,

Je vous ai écrit, dans la nuit de samedi, pour avoir de vos nouvelles. Pourquoi n'ai-je pas de réponse ? ça m'inquiète.

Je suis encore bien fatigué. — Ma grippe est passée. Mais j'ai un clou au milieu du visage qui me défigure complètement.

Je me chauffe, je roupille, et je pense à vous.

Mardi après-midi.

GEORGE SAND À GUSTAVE FLAUBERT

[Paris,] mardi soir [15 février 1870].

Mon troubadour,

Nous sommes deux patraques. Moi j'ai eu une bronchite sérieuse et je sors de mon lit. Me voilà guérie, mais je ne sors pas encore de ma chambre. J'espère reprendre, dans deux jours, mon travail à l'Odéon.

Guéris-toi, ne sors pas, à moins que le dégel ne soit sérieux.

Ma pièce est pour le 22[1]. J'espère bien te voir ce jour-là. Et, en attendant, je t'embrasse et je t'aime.

G. SAND.

À GEORGE SAND

[Paris,] jeudi, 3 heures [17 février 1870].

Parbleu ! certainement ! oui ! j'irai à la 1re de *L'Autre*. Quand même je devrais garder l'emplâtre qui me dégrade actuellement la trombine. Je suis hideux ! Mais je me repose, tout en me livrant à l'étude des gnostiques[2].

C'est un mauvais jour le 22[3], car c'est un *mardi*. Mais ce sera sans doute mercredi ou jeudi. Dès que la chose sera irrévocable, faites-le moi savoir.

Prenez garde au froid. Je vous embrasse comme je vous aime, chère bon maître, c'est-à-dire très fort.

À PHILIPPE LEPARFAIT

[Paris, 17 février 1870.]

Caudron et Malenfant[4] qui sont revenus à Rouen lundi te donneront des détails.

Je suis *accablé* de fatigue. J'ai la grippe et un clou sous l'œil gauche.

Écris toi-même à d'Osmoy[5].

Je t'embrasse.

C'est samedi après-demain ou au commencement de la semaine prochaine que je dois dire la Féerie, à la Gaîté[1]. Ces MM. de la direction sont venus chez moi me la demander.

À JULES TROUBAT

[Paris, 17 février 1870.]

Mon cher Ami,

Je suis désolé, mais j'ai *un clou* sous l'œil gauche qui me fait souffrir et me rend hideux. Sera-t-il passé samedi[2] ? J'espère que oui, mais je n'en suis pas sûr.

Donc si vous ne me voyez pas, ne m'en voulez point et plaignez-moi.

Tout à vous.

Jeudi.

À SA NIÈCE CAROLINE

[Paris,] samedi, 9 h 1/4 [19 février 1870].

Merci de la Bible[3], mon loulou, et des billets de banque, aussi !

Quant à la Féerie[4], je suis ÉREINTÉ, mais non découragé ! Oh ! pas du tout ! Elle sera jouée, un jour ou l'autre ; et elle aura un grand succès ! Seulement, d'ici là, j'aurai encore bien des fatigues.

Grâce à l'ordonnance du père Cloquet[5], mon visage s'améliore.

Je n'irai demain ni chez la Princesse[6], ni chez Mme de Païva[7] où j'étais convié à dîner.

J'ai fait dire à Mme Sand de me donner ou de me retenir deux balcons pour sa première[8]. Et j'ai reçu d'Abbatucci[9], le conseiller d'État, le billet ci-joint, ce qui vous prouvera, ma belle dame, qu'on a pensé à vous. Ah ! — non ! on n'aime pas sa nièce ! C'est convenu.

Ton vieux rébarbaratif qui te bécotte.

Embrasse ta bonne-maman pour moi.

À JULES TROUBAT

[Paris, 19 février 1870.]

Impossible d'être des vôtres[1], cher Ami ! Non seulement j'ai un clou, mais tout un côté du visage enflammé, et de plus, re-grippe !

Plaignez-moi.

Tout à vous.

Samedi matin, 10 heures.

IVAN TOURGUENEFF À GUSTAVE FLAUBERT

Weimar, hôtel de Russie.
Ce 20 février [18]70.

Mon cher Ami,

L'article que M. Julian Schmidt écrit sur *L'Éducation sentimentale* n'a pas encore paru dans les *Preussische Jahrbücher* ; dès qu'il sera publié je vous l'enverrai. — Si vous y tenez, je lui demanderai de vous envoyer son article sur *Madame Bovary*. — Il a paru l'année passée. — Le second numéro du *Messager de l'Europe* (russe) que je viens de recevoir renferme la seconde et dernière moitié de l'article dont je vous ai parlé[2], et qui est plutôt un résumé très détaillé du roman. — On trouve également que la *femme* remplit une trop grande part dans la vie de Frédéric, et l'on se demande si tous les jeunes Français sont ainsi. — Oui, certainement, on a été injuste envers vous : mais c'est le moment de se raidir et de jeter à la tête des lecteurs un chef-d'œuvre. — Votre *Antoine*[3] peut être ce pavé-là. Ne vous y attardez pas trop : c'est mon refrain. — Il ne faut pas non plus oublier qu'on mesure les gens d'après la mesure qu'ils ont donnée eux-mêmes, et vous portez la peine de votre passé. Vous avez de l'énergie, vous : *El hombre debe ser feroz*, dit un proverbe espagnol, et l'artiste surtout. Votre livre n'aurait-il empoigné qu'une dizaine de gens ayant une certaine valeur, que c'est déjà assez. — Vous comprenez que je vous dis tout cela non pas pour vous consoler, mais pour vous exciter.

Je suis ici depuis une quinzaine de jours, et ma seule préoccupation est de me réchauffer. Les maisons sont mal bâties ici, et les poêles en fer ne valent rien. — Vous verrez une toute petite machine de moi dans le numéro de mars de la *Revue des Deux Mondes*[4]. C'est bien peu de chose. Je travaille à quelque chose de plus *conséquent*, c'est-à-dire que je me prépare à travailler.

J'irai à Paris avant de retourner en Russie : ce sera vers la fin d'avril. — J'y resterai bien une dizaine de jours, nous nous verrons souvent.

Si vous voyez Mme Sand, dites-lui mille bonnes choses de ma part. Saluez Du Camp et la famille Husson.

Je vous embrasse et vous dis : Courage ! Vous êtes Flaubert après tout.

Votre

GEORGE SAND À GUSTAVE FLAUBERT

[Paris,] dimanche soir [20 février 1870].

Je suis sortie aujourd'hui pour la première fois. Je vas mieux, sans être bien. Je suis tourmentée de n'avoir pas de nouvelles de cette lecture de la Féerie[1]. Es-tu content ? ont-ils compris ?

L'Autre passera jeudi, vendredi au plus tard. Ton neveu et ta nièce iront-ils aux fauteuils de galerie ou de balcon[2] ? Impossible d'avoir une loge. Si oui, un mot et je t'enverrai ces places, sur mon lot, qui comme toujours, ne sera pas brillant.

Ton vieux troubadour.

À GEORGE SAND

[Paris, 21 février 1870.]

Chère Maître,

Je n'ai pas trop la tête à moi, à cause de tout ce qui m'arrive.

Jules Duplan, un ami très intime (mon plus intime avec Bouilhet[a]), un bon vieux confident qui m'était dévoué comme un chien, est en train de mourir ou ne vaut guère mieux[3].

J'ai un joli eczéma sur la figure.

Mon domestique qui a un rhumatisme articulaire est couché dans ma salle à manger.

La Féerie a été, derechef, refusée[4], quoiqu'on la trouve « très bien ».

J'envoie votre lettre à ma nièce. Quant à moi, je ne sais pas si je pourrai aller à votre première.

Je suis physiquement brisé, broyé ! Et le moral est encore pire.

Ayez l'obligeance de dire à Duquesnel que je le remercie[1]. Je lui écrirai ou j'irai le voir dès que je le pourrai.

Je vous embrasse.

Tout à vous.

Je vous enverrai demain la réponse pour les places.

À GEORGE SAND

[Paris, 22 février 1870.]

Galerie ou balcon, peu importe, chère Maître.

N. B. — Si la représentation n'avait lieu que vendredi, n'envoyez aucun billet par la raison que ma nièce ne sera pas à Paris.

Elle me charge de vous remercier beaucoup.

Je vous embrasse.

Mon pauvre ami[2] est de plus en plus mal. Je retourne près de lui.

Dans quel piètre état sont les nerfs de votre vieux troubadour !

Mardi, 3 heures.

GEORGE SAND À GUSTAVE FLAUBERT

[Paris, 22 février 1870.]

C'est pour vendredi. Donc je dispose des deux fauteuils que je destinais à ta nièce.

Si tu as un moment de répit et que tu entres à l'Odéon ce soir-là, tu me trouveras dans la loge de l'administration, avant-scène rez-de-chaussée.

J'ai le cœur gros de tout ce que tu me dis. Te voilà encore dans le noir, dans le triste, dans le chagrin. Pauvre cher ami ! espérons encore que tu sauveras ton malade. Mais tu es malade aussi, et je me tourmente bien pour toi, j'en suis tout accablée ce soir, au reçu de ton billet, et n'ai plus le cœur à rien.

Un mot quand tu peux, pour me donner de tes nouvelles.

G. SAND.

À GEORGE SAND

[Paris, 24 février 1870.]

Chère bon Maître,

Il me sera impossible d'aller demain à votre 1re[1].

Je prie Plauchut[2] de venir samedi matin m'en donner des nouvelles.

Je vais me décider à mettre mon pauvre larbin dans une maison de santé, car dans peu de temps, si je continuais, c'est moi qu'il faudrait y mettre. Je ne peux plus monter les escaliers, mais dès que je serai seul, et tranquille, j'irai bien.

Mon petit Duplan est toujours extrêmement malade. Hier soir pourtant, on avait un peu d'espérance. La vie est décidément « une froide plaisanterie », comme disait M. de Voltaire.

Et vous ? la grippe est-elle tout à fait passée ? Comme j'ai envie de vous voir !

Bonne chance pour demain.

Je vous embrasse très fort.

Jeudi matin.

À JULES DUPLAN

[Paris, 1870 ?]

Pas n'est besoin, je pense, de te dire que je t'attends demain pour déjeuner.

Ton géant.

Samedi midi.

À JULES DUPLAN

[Paris, 1870 ?]

Je t'attends demain pour déjeuner. Nous resterons ensemble jusqu'à 4 heures.

Ton vieux.

À GEORGE SAND

[Paris, 1er mars 1870.]

Chère Maître,

C'est fini. Mon pauvre Duplan est mort ce matin à midi.

On l'enterre après-demain. Donc ne comptez pas sur moi jeudi[1].

Donnez-moi de vos nouvelles. Je vous écrirai dès que je serai un peu remis.

Je vous embrasse.

Ah ! votre pauvre troubadour n'est pas gai !

GEORGE SAND À GUSTAVE FLAUBERT

[Paris,] mercredi soir [2 mars 1870].

Pauvre cher Ami,

Tes malheurs me navrent. C'est trop coup sur coup, et je pars samedi matin, te laissant dans toutes ces douleurs ! Veux-tu venir à Nohant avec moi, changer d'air, ne fût-ce que deux ou trois jours. J'ai un coupé, nous serions seuls et ma voiture m'attend à Châteauroux. Tu serais triste chez nous à ton aise. Nous avons aussi un deuil dans la famille[2]. Changement de logement, de figures, d'habitudes, cela fait quelquefois un bien physique. On n'oublie pas son chagrin, on force son corps à le supporter.

Je t'embrasse de toute mon âme. Un mot et je compte sur toi.

À GEORGE SAND

[Paris, 3 mars 1870.]

Non ! chère bon Maître, ce qu'il me faut maintenant, ce n'est pas la campagne, mais le travail. Quand ma grippe qui m'a repris sera passée, je me précipiterai à la bibliothèque de l'Institut, où j'aurai à faire tous les jours pendant six semaines, au moins.

J'ai fait ce matin, au milieu de la souffrance intense qui m'étouffait, une foule de réflexions amèrement grotesques. — Et personne à qui parler ! personne qui *sente* comme vous !

Depuis dimanche, j'ai eu de vives inquiétudes à propos de mon frère, qui a une pleurésie. On m'écrit, aujourd'hui, qu'il va mieux.

Au milieu ou à la fin de la semaine, je demanderai à l'Odéon deux places pour aller voir *L'Autre*.

Quel est donc le deuil que vous avez dans votre famille[1] ?

Donnez-moi de vos nouvelles quand vous serez délassée.

Embrassez bien fort Aurore[2] pour moi.

Mille tendresses de votre pauvre vieux troubadour, peu facétieux pour le moment.

Jeudi, 6 heures du soir.

À EDMOND DE GONCOURT

[Paris,] vendredi, 8 heures [4 mars 1870].

Merci de votre poignée de main[3], mon cher ami.

Mon frère va mieux depuis hier, mais il reste dans son lit avec une pleurésie et deux vésicatoires sur la poitrine.

Quant à moi, je suis, physiquement parlant, *broyé*. (Je ne parle pas du moral.) D'autant plus que je suis repris violemment par la grippe. — J'ai eu un eczéma sur la figure et mon domestique, à côté de moi, qui gueulait d'un rhumatisme articulaire. C'était complet ! Il n'est pas toujours facile d'être « philosophe et homme d'esprit ».

Je vous embrasse.

Donnez-moi des nouvelles de Jules[4]. — Ah ! comme je vous plains, pauvre cher ami !

À ERNEST FEYDEAU

[Paris,] vendredi soir [4 mars 1870].

Mon cher Ami,

J'ai hier enterré mon petit Duplan. C'est te dire l'état moral dans lequel je suis.

Quant au physique, la fièvre ne me quitte pas. — Et j'ai du mal à me tenir debout.

L'idée que tu as besoin de moi et que je ne me rends pas à ton appel me désole ! Envoie-moi donc ton frère[1].

Le mien a une fluxion de poitrine. J'ai été inquiet toute la semaine dernière.

Je suis accablé et je t'embrasse.

Ton

Mon domestique est à l'hôpital avec un rhumatisme articulaire. C'est complet !

AU DOCTEUR DUMONT

[Paris,] 6 mars [1870].

Mon cher Ami,

Je te remercie de ton invitation. Mais j'ai :

1° la grippe ;

2° un eczéma à la figure ;

3° des clous à différents endroits du corps ;

et 4° je suis accablé par la mort de mon petit Duplan. Si bien que je serais un convive peu gai, gênant pour les autres, et gêné moi-même, ce qui est plus grave.

Je m'invite pour un peu plus tard. Tu m'excuses, n'est-ce pas ?

Tout à toi.

GEORGE SAND À GUSTAVE FLAUBERT

[Nohant,] 11 mars [18]70.

Comment vas-tu, mon pauvre enfant ? Je suis contente d'être ici, au milieu de mes amours de famille. Mais je suis triste tout de même, de t'avoir laissé chagrin, malade et contrarié. Donne-moi de tes nouvelles, un mot du moins, et sache bien que nous nous tourmentons tous de tes ennuis et souffrances.

G. SAND.

À CHARLES-FRANCISQUE BERTON

[Paris,] mardi soir [15 mars 1870].

Mon cher Ami,

Des deux pièces récitées par Mme Plessy[1], l'une « À une petite fille élevée au bord de la mer » se trouve dans le volume de Bouilhet intitulé *Festons et astragales*[2], l'autre, qui n'a pas de titre, a été imprimée dans le feuilleton de Théo[phile] Gautier qui rendait compte, huit jours après, de la représentation à bénéfice[3]. Le souffleur de l'Odéon doit, d'ailleurs, avoir une copie de cette pièce ?

J'ai eu bien des chagrins depuis un mois[4]. Voilà pourquoi je n'ai pas été encore vous applaudir dans *L'Autre*[5]. Je me réserve ce plaisir-là pour la fin de cette semaine ou le commencement de l'autre[6].

D'ici là, tout à vous.

Elle commence ainsi : *Toute ma lampe a brûlé goutte à goutte*[7].

P.-S. S'il vous était impossible de la retrouver, je la recopierais pour vous[8].

À GEORGE SAND

[Paris,] mardi soir [15 mars 1870].

Chère Maître,

Je suis toujours bien éreinté et très faible, encore plus d'esprit que de corps. — J'entre dans la période hargneuse et misanthropique. Tout et tous m'ennuient et m'irritent. Je sens que la vieillesse me prend ! Je ne vois plus personne avec qui causer !

Pendant dix jours je me suis livré franchement, pleinement, à une tristesse noire. J'avais fermé ma porte et je n'ai vu personne. — Puis je me suis remis à travailler, à lire des choses rébarbatives telles que les *Ennéades* de Plotin[9]. Je vais tous les jours à la Bibliothèque impériale ou à celle de l'Institut. — Je dîne seul chez moi, je me couche à 11 heures et je dors jusqu'à 9 heures du matin. Voilà.

Je n'ai pas encore vu *L'Autre*[1], je me donnerai ce plaisir-là, à la fin de cette semaine ou au commencement de la semaine prochaine.

Mon visage se rétablit. Je prends de l'huile de foie de morue pour me tonifier un peu.

Et vous ? Quand se verra-t-on ? Au commencement d'avril, n'eſt-ce pas ?

Mon frère a eu une fluxion de poitrine *très* sérieuse. — Mais il eſt tiré d'affaire.

Amitiés à tous les vôtres.

Et à vous, chère bon maître, mille tendresses.

À ALFRED MAURY

Paris, jeudi 17 mars [1870].
Rue Murillo, 4, parc Monceau.

Mon cher Ami[2],

Il m'eſt impossible de me procurer :

1° *Les Révélations de saint Pacôme*,
2° Le *Piſtis-Sophia* } de Dulaurier[3].

M. Tardieu a fait des recherches vaines dans la bibliothèque de l'Inſtitut.

J'en suis d'autant plus fâché que les fragments de *Piſtis-Sophia* que j'ai lus dans le *Journal asiatique*[4] m'ont extrêmement intéressé.

Puisque c'eſt demain votre jour d'Inſtitut, ne pourriez-vous pas demander à M. Dulaurier comment faire pour se procurer ces deux ouvrages ?

J'ai eu, tous ces temps-ci, bien des ennuis, sans compter un grand chagrin (la mort de Jules Duplan).

Je ne tarderai pas à m'en retourner dans ma solitude, mais je voudrais d'ici là passer avec vous quelques bons moments. Dites-moi les jours et les heures où vous êtes libre.

Merci d'avance et tout à vous.

À GEORGE SAND

[Paris, 17 mars 1870.]

Chère Maître,

J'ai reçu hier au soir un télégramme de Mme Cornu portant ces mots : « Venez chez moi, affaire pressée. » Je me suis donc transporté chez elle, aujourd'hui. Et voici l'histoire.

L'Impératrice prétend que vous avez fait à sa personne des allusions fort désobligeantes dans le dernier numéro de la *Revue*[1]. « Comment ? moi que tout le monde attaque maintenant ! Je n'aurais pas cru ça ! Et je voulais la faire nommer de l'Académie ! Mais que lui ai-je donc fait ? etc., etc. » Bref, elle eѕt *désolée*, et l'Empereur aussi ! Lui n'était pas indigné, mais *proѕtré (sic)*.

Mme Cornu lui a représenté en vain qu'elle se trompait et que vous n'aviez voulu faire aucune allusion.

Ici, une théorie de la manière dont on compose des romans.

« Eh bien, alors, qu'elle écrive dans les journaux qu'elle n'a pas voulu me blesser.

— C'eѕt ce qu'elle ne fera pas, j'en réponds !

— Écrivez-lui pour qu'elle vous le dise[a].

— Je ne me permettrai pas cette démarche.

— Mais je voudrais savoir la vérité, cependant ! Connaissez-vous quelqu'un qui... ! Alors Mme Cornu m'a nommé.

— Oh ! ne dites pas que je vous ai parlé de ça. »

Tel eѕt le dialogue que Mme Cornu m'a rapporté. Elle désire que vous m'écriviez une lettre où vous me direz que l'Impératrice ne vous a pas servi de modèle. J'enverrai cette lettre-là à Mme Cornu, qui la fera passer à l'Impératrice.

Je trouve cette hiѕtoire ѕtupide et ces gens-là sont bien délicats ! On nous en dit d'autres, à nous !

Maintenant, chère Maître du bon Dieu, vous ferez absolument ce qui vous conviendra.

L'Impératrice a toujours été très aimable pour moi, et je ne serais pas fâché de lui être agréable. — J'ai lu le fameux passage. Je n'y vois rien de blessant. Mais les cervelles de femmes sont si drôles !

Je suis bien fatigué de la mienne (ma cervelle) ou plutôt elle eѕt bien bas pour le quart d'heure ! J'ai beau travailler, ça ne va pas ! ça ne va pas ! Tout m'irrite et me blesse ; et comme je me contiens devant le monde, je suis pris, de temps à autre, par des crises de larmes où il me semble que je vais crever. — Je sens enfin, une chose toute nouvelle : les approches de la vieillesse. L'ombre m'envahit, comme dirait le père Hugo.

Mme Cornu m'a parlé avec enthousiasme d'une lettre que vous lui avez écrite sur une méthode d'enseignement[1]. J'irai voir *L'Autre* avec ma nièce samedi prochain[2].

J'attends votre retour à Paris avec une double impatience. Car dès que vous n'y serez plus, je m'en retournerai à Croisset. Paris commence à me taper un peu trop sur les nerfs.

Vous ai-je dit que je prenais de l'huile de foie de morue, comme un marmot ? n'est-ce pas pitoyable !

Je vous embrasse bien fort.

Votre vieux troubadour, rébarbatif.

Jeudi, 17 mars.

GEORGE SAND À GUSTAVE FLAUBERT

Nohant, 17 mars [1870].

Je ne veux pas de ça. Tu n'entres pas dans la vieillesse. Il n'y a pas de vieillesse dans le sens *hargneux* et *misanthrope*. Au contraire quand on est bon, on devient meilleur, et comme déjà, tu es meilleur que la plupart des autres, tu dois devenir exquis. Tu te vantes, au reste, quand tu te proposes d'être en colère contre *tout et tous*. Tu ne pourrais pas. Tu es faible devant le chagrin comme tous ceux qui sont tendres. Les forts sont ceux qui n'aiment pas. Tu ne seras jamais fort, et c'est tant mieux. Il ne faut pas non plus vivre seul. Quand la force revient, il faut vivre et ne pas la renfermer pour soi seul.

Moi j'espère que tu vas renaître avec le printemps. Voilà la pluie qui détend. Demain ce sera le soleil qui ranime. Nous sortons tous d'être malades. Nos filles rudement enrhumées, Maurice assez secoué par une courbature avec froid, moi reprise de frissons et d'anémie. Je suis bien, bien patiente et j'empêche tant que je peux les autres de s'impatienter. Tout est là ; l'ennui du mal double toujours le mal. Quand serons-nous *sages* comme les Anciens l'entendaient ? Cela, en somme, voulait dire *patient*, pas autre chose. Voyons, cher troubadour, il faut être patient, un peu pour commencer, et puis, on s'y habitue. Si nous ne travaillons pas sur nous-mêmes, comment espérer qu'on sera toujours en train de travailler sur les autres ?

Enfin, au milieu de tout cela, n'oublie pas qu'on t'aime et que le mal que tu te fais nous en fait aussi.

J'irai te voir et te secouer sitôt que j'aurai repris mes jambes et ma volonté qui sont encore en retard. J'attends, je sais qu'elles reviendront.

Tendresses de tous mes malades. Le polichinelle n'a encore perdu que son archet et il est encore souriant et bien doré. Le baby de Lolo a eu des malheurs. Mais ses robes habillent d'autres poupées. Moi, je ne bats que d'une aile, mais je t'embrasse et je t'aime.

G. SAND.

À RAOUL-DUVAL

[Paris, 19 mars 1870.]

Voici, cher Ami, ce que j'ai pris pour vous[1].

Vous seriez bien aimable de venir demain me faire une visite dans l'après-midi.

Tout à vous.

Gve.
Samedi matin.

Monsieur E. Raoul-Duval, avocat-général[2]
rue François-Ier, 45
Paris[3]

GEORGE SAND À GUSTAVE FLAUBERT

Nohant, 19 mars [1870].

Je sais, mon ami, que tu lui es très dévoué. Je sais qu'*Elle* est très bonne pour les malheureux qu'on lui recommande, voilà tout ce que je sais de sa vie privée. Je n'ai jamais eu ni révélation, ni document sur son compte, *pas un mot, pas un fait*, qui m'eût autorisée à la peindre. Je n'ai donc tracé qu'une figure de fantaisie, je le jure, et ceux qui prétendraient la reconnaître dans une satire quelconque seraient en tout cas, de mauvais serviteurs et de mauvais amis.

Moi, je ne fais pas de satire. Je ne sais ce que c'est. Je ne fais pas non plus de *portraits*, ce n'est pas mon état ; j'invente. Le public qui ne sait pas en quoi consiste l'invention veut voir partout des modèles. Il se trompe et rabaisse l'art.

Voilà ma réponse *sincère*. Je n'ai que le temps de [la] mettre à la poste.

G. SAND.

À HORTENSE CORNU

[Paris,] dimanche soir [20 mars 1870].

Votre dévouement s'était alarmé à tort, chère Madame. J'en étais sûr. Voici la réponse qui m'arrive poste pour poste[1].

Les gens du monde, je vous le répète, voient des allusions où il n'y en a pas. Quand j'ai fait *Madame Bovary* on m'a demandé plusieurs fois : « Est-ce Mme *** que vous avez voulu peindre ? » Et j'ai reçu des lettres de gens parfaitement inconnus, une entre autres d'un monsieur de Reims qui me félicitait de *l'avoir vengé* (d'une infidèle) !

Tous les pharmaciens de la Seine-Inférieure, se reconnaissant dans Homais, voulaient venir chez moi me flanquer des gifles ; mais le plus beau (je l'ai découvert cinq ans plus tard), c'est qu'il y avait alors, en Afrique, la femme d'un médecin militaire s'appelant Mme Bovaries et qui ressemblait à Mme Bovary, nom que j'avais inventé en dénaturant celui de Bouvaret.

La première phrase de notre ami Maury[2] en parlant de *L'Éducation sentimentale* a été celle-ci : « Est-ce que vous avez connu X***, un Italien, professeur de mathématiques ? Votre Sénécal est son portrait physique et moral ! Tout y est, jusqu'à la coupe des cheveux ! » D'autres prétendent que j'ai voulu peindre, dans Arnoux, Bernard-Latte (l'ancien éditeur) que je n'ai jamais vu, etc.

Tout cela est pour vous dire, chère Madame, que le public se trompe en nous attribuant des intentions que nous n'avons pas.

J'étais bien sûr que Mme Sand n'avait voulu faire aucun portrait : 1° par hauteur d'esprit, par goût, par respect de l'Art, et 2° par moralité, par sentiment des convenances, et aussi par *justice*.

Je crois même, entre nous, que cette inculpation l'a un peu blessée. Les journaux, tous les jours, nous roulent dans l'ordure, sans que jamais nous leur répondions, nous dont le métier, cependant, est de manier la plume ; et on croit que pour *faire de l'effet*, pour être applaudis, nous allons nous en prendre à tel ou à telle ? Ah ! non ! pas si humbles ! Notre ambition est plus haute et notre honnêteté plus grande.

Quand on estime son esprit, on ne choisit pas les moyens qu'il faut pour plaire à la canaille. Vous me comprenez, n'est-ce pas ?

Mais en voilà assez. J'irai vous voir un de ces matins. En attendant ce plaisir-là, chère Madame, je vous baise les mains et suis tout à vous.

À GEORGE SAND

[Paris, 20 mars 1870.]

Chère Maître,

Je viens d'envoyer votre lettre (dont je vous remercie) à Mme Cornu, en l'insérant dans une épître de votre troubadour où je me permets de dire *vertement* ma façon de penser. Les deux papiers seront mis sous les yeux de la dame et lui apprendront un peu d'esthétique.

Hier soir j'ai vu *L'Autre*[1] et j'ai pleuré à diverses reprises. Ça m'a fait du *bien*. Voilà ! Comme c'est tendre et exaltant ! Quelle jolie œuvre ! et comme on aime l'auteur ! Vous m'avez bien manqué. — J'avais besoin de vous bécoter, comme un petit enfant. — Mon cœur oppressé s'est détendu. Merci. Je crois que ça va aller mieux.

Il y avait beaucoup de monde. Berton et son fils ont été rappelés deux fois.

Soignez-vous ! Ne travaillez pas trop.

Embrassez pour moi Lolo[2] et les autres.

Mille tendresses de votre vieux troubadour.

À NOËL PARFAIT

[Paris, 29 mars 1870.]

Mon cher Ami,

Voici un roman [...]

À SA NIÈCE CAROLINE

[Paris, 3 avril 1870 ?]

Mon Loulou,

Je n'ai pas de nouvelles de ta bonne-maman ? Peux-tu m'en donner ?

Je me propose d'aller demain chez toi déjeuner ou dîner. Lequel t'est le plus commode ?

Un bon bécot sur chaque joue.

Ton vieux ganache.

Dimanche, 10 h ½.

GEORGE SAND À GUSTAVE FLAUBERT

Nohant, 3 avril [1870].

Ton vieux troubadour a passé par de cruelles angoisses. Maurice a été sérieusement, *dangereusement* malade. Heureusement, Favre[1], mon docteur, *à moi*, le seul en qui j'aie foi, est accouru à temps ; après cela, Lolo a eu de violents accès de fièvre. Autres terreurs ! Enfin notre sauveur est parti ce matin nous laissant presque tranquilles et nos malades se sont promenés au jardin pour la première fois. Mais ils veulent encore bien des soins et de la surveillance et je ne les quitterai pas avant 15 jours ou 3 semaines. Si donc tu m'attends à Paris et que le soleil t'appelle ailleurs n'y aie pas de regret. Je tâcherai de t'aller voir de Paris à Croisset entre un matin et un soir.

Au moins, dis-moi comment tu vas, ce que tu fais, si tu es sur pied de toutes façons. Mes malades et mes bien portants t'envoient leurs tendresses, et je t'embrasse comme je t'aime, ce n'est pas peu.

G. SAND.

Mon ami Favre a beaucoup de *goût* pour toi, et désire te connaître ; ce n'est pas un médecin qui cherche pratique, il ne pratique que pour ses amis et on l'offenserait en voulant le payer. *Ton être* l'intéresse, voilà tout, et je lui ai promis de te le présenter si tu y consens. Il est encore autre chose que médecin, je ne sais quoi, *chercheur*, de quoi ? *De tout.* Il est amusant, original et intéressant au possible. Tu me diras si tu veux le voir, autrement je m'arrangerai pour qu'il n'y pense plus. Réponse sur ce point.

À GEORGE SAND

[Paris,] lundi matin, 11 heures [4 avril 1870].

Je sentais qu'il vous était arrivé quelque chose de fâcheux, puisque je venais de vous écrire pour savoir de vos nouvelles, quand on m'a apporté votre lettre de ce matin. — J'ai repêché la mienne chez le portier. En voici une seconde.

Pauvre chère maître ! Comme vous avez dû être inquiète ! et Mme Maurice, aussi ! Vous ne me dites pas ce qu'il a eu (Maurice). Dans quelques jours, avant la fin de la semaine, écrivez-moi pour m'affirmer que tout est bien fini. La faute en est, je crois, à l'abominable hiver dont nous sortons ! On n'entend parler que de maladies et d'enterrements ! Mon pauvre larbin est toujours à la maison Dubois et je suis navré quand je vais le voir. Voilà deux mois qu'il reste sur son lit, en proie à des souffrances atroces.

Je me figure *vous* près du berceau de Lolo[1] et la surveillant. Ce ne devait pas être drôle. Bécottez-la bien de ma part pour la récompenser d'être guérie.

Quant à moi, ça va mieux, j'ai lu énormément, je me suis surmené et me revoilà à peu près sur pattes. — L'amas de noir que j'ai au fond du cœur est un peu plus gros, voilà tout. Mais dans quelque temps, je l'espère, on ne s'en apercevra pas. Je passe mes jours à la bibliothèque de l'Institut. Celle de l'Arsenal me prête des livres que je lis le soir, et je recommence le lendemain. — Au commencement de mai, je m'en retournerai à Croisset. — Mais je vous verrai d'ici là. Tout va se remettre avec le soleil.

La belle dame en question[2] m'a fait à votre endroit les excuses les plus convenables, m'affirmant qu'elle n'avait « jamais eu l'intention d'insulter le génie ».

Certainement, je veux bien connaître M. Favre[3] ; puisqu'il est un des vôtres, je l'aimerai.

Mille tendresses, chère bon Maître.

Je vous embrasse très fort.

À GEORGE SAND

Paris, jeudi [14 avril 1870].

M. Favre[1] m'a envoyé de vos nouvelles samedi. Ainsi donc, je sais que tout va bien là-bas et que vous n'avez plus d'inquiétude, chère bon maître.

Mais vous, personnellement, comment ça va-t-il ?

La quinzaine est près d'expirer et je ne vous vois pas venir.

Je décamperai de Paris vers le 8 ou 9 mai.

J'ai une re-grippe et j'ai eu une espèce de coup de sang dans l'œil gauche. L'humeur continue à n'être pas folichonne. Je me livre toujours à des lectures abominables, mais il est temps que je m'arrête, car je commence à me dégoûter de mon sujet.

Lisez-vous le fort bouquin de Taine[2] ? Moi, j'ai avalé le premier volume avec infiniment de plaisir. Dans cinquante ans, peut-être, ce sera la philosophie qui sera enseignée dans les collèges.

Et la préface des *Idées de Mme Aubray*[3] ! Je vous répète qu'*il* finira « dans le sein ! ».

Comme j'ai envie de vous voir, et de jaboter avec vous.

Mille baisers à Lolo, et qu'elle en donne quelques-uns de ma part à sa grand-mère.

Jeudi.

Je n'ai pas encore parlé à Lévy[4]. — Ayant dans ces affaires-là une pudeur invincible.

GEORGE SAND À GUSTAVE FLAUBERT

Nohant, 16 avril [18]70.

Qu'est-ce que j'aurai à dire à Lévy pour qu'il fasse les premiers pas ? Remets-moi au courant, car ma mémoire est faible. Tu lui avais vendu un volume 10000 ; il y en a deux, lui-même m'a dit que ça ferait 20000. Que t'a-t-il versé jusqu'à présent ? Quelles paroles avez-vous échangées lors de ce versement[5] ? Réponse et j'agis.

On va ici de mieux en mieux, les petites guéries, Maurice en bonne convalescence, moi fatiguée de l'avoir tant veillé et de le veiller encore, car il faut qu'il boive et se rince le bec dans la nuit, et il n'y a que moi dans la maison qui ai la faculté de veiller. Mais je ne suis pas malade, et je travaillote un peu en flânant. Dès que je pourrai le quitter, j'irai à Paris. Si tu y es encore, ce sera un bon « tant mieux » mais je n'ose désirer que tu y prolonges ton bagne, car je vois que tu y es toujours malade et que tu travailles trop. Croisset te guérira si tu consens à te ménager.

Je t'embrasse tendrement pour moi et toute la famille qui t'adore.

G. SAND.

À GEORGE SAND

[Paris,] mardi matin [19 avril 1870].

Chère Maître,

Ce n'est pas le séjour de Paris qui me fatigue, mais la série de chagrins que j'ai reçus depuis huit mois ! Je ne travaille pas trop. Car sans le travail que serais-je devenu ? J'ai bien du mal à être raisonnable, cependant. Je suis submergé par une mélancolie noire, qui revient à propos de tout et de rien, plusieurs fois dans la journée. Puis, ça se passe et ça recommence ! Il y a peut-être trop longtemps que je n'ai *écrit*. Le déversoir nerveux fait défaut ?

Dès que je serai à Croisset, je commencerai la notice sur mon pauvre Bouilhet[1], besogne pénible et douloureuse, dont j'ai hâte d'être débarrassé pour me mettre à *Saint Antoine*. — Comme c'est un sujet extravagant, j'espère qu'il me divertira.

Et vous ? Maurice n'est donc pas tout à fait rétabli que vous passez les nuits près de lui ?

J'ai vu votre médecin, le sieur Favre, qui m'a paru fort estrange et un peu fol, entre nous. Il doit être content de moi, car je l'ai laissé parler tout le temps. Il y a de grands éclairs dans sa conversation, des choses qui éblouissent un moment, puis on n'y voit plus goutte.

Quant à Lévy, voici l'histoire. Il m'a donné 16 mille francs. D'après le compte des pages il ne m'en devait, strictement, que quatorze. Lors du dernier paiement j'ai marqué ma surprise de ce qu'il ne m'en donnait pas 20 mille. — Là-dessus il m'a répondu : « Soyez sans crainte ! Plus tard, nous verrons ! Vous serez content de moi. Mais attendez un peu[2]. »

Je n'ose pas lui rappeler sa promesse et Dieu sait que ces 4 mille francs me feraient plaisir ! Car mon séjour prolongé de cette année à Paris a été désastreux pour ma petite bourse, et de plus j'ai des dettes ! Si Lévy n'est pas avec moi très poli, s'il se fait prier, s'il n'aboule pas rondement les susdites balles, je serai grossier et violent.

Cela est sûr. Je me connais. D'autant que votre troubadour est peu sociable et commode pour le quart d'heure. Monsieur a le système agacé. Je comprends mon comique, bien qu'il ne me fasse pas rire. — Et Lévy a bien le droit de regimber un peu, car enfin mon roman n'a pas réussi comme nous l'espérions. (Je me demande pourquoi, mais c'est ainsi.) D'autre part, il a gagné assez d'argent avec moi pour se fendre un peu. Et je mérite une petite consolation.

Telle est la situation, chère maître. Vous pouvez donc écrire audit Michel que j'attends la réalisation immédiate de sa promesse — que je ne lui rappellerai pas. S'il me refuse, je ne dirai mot, mais je lui garderai rancune. — S'il est prêt à ouvrir son escarcelle, je me précipite chez lui.

Mon intention est de partir, d'ici, vers le 8 mai. J'ai à faire jusque-là.

Embrassez pour moi toute la maisonnée et tous « les chers lubriques[1] ». Il m'ennuie de Lolo[2] ; j'y pense souvent !

À vous, à deux bras et du fond du cœur.

AU DOCTEUR JULES CLOQUET

[Paris,] samedi soir [23 avril 1870].

Cher et excellent Ami,

Ma mère a bien envie que je la mène chez vous, car elle désire beaucoup vous voir.

Mais elle a une grande difficulté à monter les escaliers. D'autre part, je n'ai malheureusement pas le temps, la semaine prochaine, de l'accompagner. Vous seriez bien aimable d'aller la voir un de ces matins !

N. B. Je n'ai pas besoin, n'est-ce pas, de vous recommander, vis-à-vis d'elle (surtout), le silence le plus absolu sur la démarche que j'ai faite près de vous[3].

Présentez toutes mes excuses à Mme Cloquet, je vous prie. — Et acceptez pour vous une bonne embrassade de votre tout dévoué.

GEORGE SAND À GUSTAVE FLAUBERT

Nohant, 3 h du matin, 26 [avril 1870].

Lévy m'écrit qu'il a beaucoup d'amitié pour toi et qu'il fera tout ce qui peut te le prouver. Je lui ai écrit, comme de moi-même, et il ira te voir. Ne pars donc pas sans l'avoir vu, ce sera incessamment.

Je t'embrasse, on va bien chez nous, mais je ne peux partir encore.

G. SAND.

AU DOCTEUR CHARLES FORTIN

[Paris,] mercredi, 10 heures du matin [27 avril 1870].

Mon cher Ami,

Je n'ai pas besoin de vous recommander mon malheureux domestique qui est, depuis deux mois, atteint de rhumatismes articulaires[1]. Tout ce que Cazalis[2] a tenté pour le soulager n'a fait qu'empirer le mal. Les bains de vapeur entre autres lui ont été funestes. Le sulfate de quinine seul a paru procurer quelque bien.

Robin[3] m'a parlé de térébenthine ? Ce pauvre diable (pas Robin) est lamentable.

Ma mère revient au commencement de la semaine prochaine, et moi, vous me reverrez vers le 8 ou le 10 mai. Nous reprendrons nos bonnes bavettes. D'ici là, cher ami, je vous serre fortement les deux mains.

À GEORGE SAND

Paris, vendredi, 9 heures du soir [29 avril 1870].

Cher bon Maître,

Michel Lévy est entré chez moi tout à l'heure, à six heures et, après m'avoir parlé de choses et d'autres :

« Mme Sand m'a écrit que vous étiez gêné.

— C'est vrai ! Je le suis toujours !

— Eh bien ! » Là-dessus il s'est embarqué dans une série de phrases tendant à me prouver qu'il ne gagnait pas d'argent dans son métier, qu'il était même obligé d'en emprunter pour sa bâtisse près de l'Opéra[1], et qu'il n'avait pas encore fait ses frais avec *L'Éducation sentimentale*. Bref, savez-vous ce qu'il me propose : me *prêter*, sans intérêt, 3 ou 4 mille francs, *à condition* que mon prochain roman lui appartiendra aux mêmes conditions, c'est-à-dire moyennant 8 mille francs le volume. S'il ne m'a pas répété trente fois : « C'est pour vous obliger, ma parole d'honneur », je veux être pendu !

Ainsi toute sa générosité, toute sa tendresse pour moi se bornent à m'avancer de l'argent sur mon prochain livre, dont il fixe d'avance le prix. — Je vous assure que j'ai été beau, et qu'il doit, dans sa conscience, me considérer comme un joli crétin. Car je n'ai pas eu l'air étonné. Ma conclusion était que je réfléchirais. Mais c'est tout réfléchi. — Je ne manque pas d'amis, à commencer par vous, qui me prêteraient de l'argent *sans intérêt*. — Mais, Dieu merci, je n'en suis pas là. — À moins d'un besoin *pressant*, je ne comprends pas qu'on fasse des emprunts, car il faut tôt ou tard les rendre. — Et on n'en est pas plus avancé.

Problème psychologique : pourquoi suis-je *très gai* depuis la visite de Michel Lévy ? Mon pauvre Bouilhet me disait souvent : « Il n'y a pas d'homme plus moral ni qui aime l'immoralité plus que toi : une infamie te réjouit. » Il y a du vrai là-dedans. Est-ce un effet de mon orgueil ? ou par une certaine perversité ?

Bonsoir, après tout ! Ce ne sont pas ces choses-là qui m'émeuvent. Je me contente de répéter avec Athalie :

Dieu des Juifs, tu l'emportes[2] *!*

Et je n'y pense plus.

Je vous prie même de ne plus en parler à Lévy quand vous lui écrirez ou le verrez. — Il aura de moi la Préface du volume de vers de B[ouilhet[3]]. — Quant au reste, j'entends désormais être parfaitement libre. N-I ni, c'est fini !

Et vous, chère maître ? On ne se verra donc pas à Paris ? Je m'en retourne vers Croisset jeudi prochain. Et je n'en bouge d'ici au mois d'octobre. *Avis*.

J'ai revu le docteur Favre, hier, chez Dumas[1]. Estrange bonhomme ! J'aurais besoin d'un dictionnaire pour le comprendre.

Vous ne me dites pas comment va Maurice[2] ? Amitiés à tous, et à vous mille tendresses.

Avez-vous lu les deux volumes de Taine[3] ?

Je connaissais l'*Éthique* de Spinoza, mais pas du tout le *Tractatus theologico-politicus*[4], lequel m'épate, m'éblouit, me transporte d'admiration. Nom de Dieu, quel homme ! quel cerveau ! quelle science et quel esprit ! Il était plus fort que M. Caro[5], décidément.

Vous n'avez pas l'idée du degré de bêtise où le plébiscite[6] plonge les Parisiens ! C'est à en crever d'ennui. Aussi je m'esbigne.

Bécotez bien Lolo[7] de ma part.

Quand se verra-t-on ? Est-ce que je ne peux pas compter sur une petite visite à Croisset ? non pas petite, mais une bonne visite. J'ai à vous parler longuement de *deux* plans[8].

À HIPPOLYTE TAINE

[Paris,] vendredi soir [29 avril 1870].

Mon cher Ami,

J'ai fini il y a une dizaine de jours vos deux volumes[9] — et j'ai été chez vous immédiatement pour vous en parler.

Je m'en retourne vers ma chaumière, au milieu de la semaine prochaine, et la première chose que je ferai ce sera de relire votre fort bouquin. — Après quoi je vous écrirai ce que j'en pense en détail.

Dans vingt-cinq ans on vous enseignera dans les collèges. Tel est, jusqu'à présent, le résumé de mes impressions.

Il faut que je vous remercie des phrases qui sont à mon endroit. « On n'est pas plus aimable », mon cher ami[10]. Bref, vous m'aimez et vous faites bien. Car je vous le rends.

Êtes-vous à Paris ou à la campagne ? — Si je le peux, je passerai chez vous à tout hasard mardi prochain. Maury[11] viendra me voir dimanche. Vous seriez bien aimable de venir chez moi. Je vous dis cela pour vous allécher.

J'en reviens à votre livre qui me trotte dans la cervelle. Je doute que le public soit assez grave pour vous comprendre maintenant. Quant à la critique... ? Ah ! gardez-moi quelques feuilles. Ça me servira comme comique.

Tout à vous.

À IVAN TOURGUENEFF

[Paris,] samedi soir, 30 [avril 1870].

Je suis bien peiné d'apprendre par votre dernière lettre[1] que nous ne nous verrons pas cet été, mon cher ami. J'avais compté sur des bons moments d'expansion passés avec vous, avant votre départ pour la Russie. — Mais comme tout est difficile en ce monde !

Le grand chagrin que j'ai eu cet hiver, a été la mort de mon plus intime après Bouilhet, un brave garçon qui m'aimait comme un chien et qu'on appelait Jules Duplan[2]. — Ces deux morts-là, m'arrivant coup sur coup, m'ont accablé. — Joignez-y l'état lamentable de deux autres amis, moins amis il est vrai, mais enfin ils n'en faisaient pas moins partie de mon entourage immédiat, je veux dire la paralysie de Feydeau[3] et *l'imbécillité* de Jules de Goncourt[4]. La disparition de Sainte-Beuve[5], les agacements pécuniaires, le non-succès de mon roman[6], etc., etc., jusqu'au rhumatisme de mon domestique (celui qui ressemble à Lassouche[7]), tout, comme vous le voyez, a contribué à mon embêtement. Aussi est-il formidable.

Je peux bien dire que je n'ai eu de bon, depuis longtemps, que votre dernière visite, trop courte. Pourquoi vivons-nous si loin l'un de l'autre ? Vous êtes, je crois, le seul homme avec qui j'aime à causer. Je ne vois plus personne qui s'occupe d'art et de poésie. Le plébiscite[8], le socialisme, l'internationale, et autres ordures, encombrent tous les cerveaux.

J'ai peur de ne pouvoir me rendre à votre invitation cet été. Voici pourquoi : dans quatre ou cinq jours je m'en retourne à Croisset, où je vais faire immédiatement la préface du volume de vers de Bouilhet[9]. Ce sera l'affaire de deux ou trois mois. — Après quoi, je me mettrai au *Saint Antoine*, qui sera interrompu au mois d'octobre par les répétitions d'*Aïssé*[1]. Elles me prendront bien deux mois. Ainsi, jusqu'au Jour de l'An prochain, je n'ai guère que six semaines à consacrer au brave ermite. Je voudrais bien n'être pas plus de deux ans sur ce bonhomme. Or vous voyez comme je suis pressé par le temps. — Il faut que je m'embarque dans cette œuvre le plus vite possible, car je commence à m'en dégoûter. J'ai trop avalé de livres coup sur coup, mais c'était pour m'étourdir sur mes misères personnelles.

Envoyez-moi de vos nouvelles quand vous serez chez vous en Russie. Et pensez à moi souvent, car souvent je pense à vous, et vous embrasse. *Ex imo.*

Ma mère a été, comme on dit, très *sensible* à votre bon souvenir.

GEORGE SAND À GUSTAVE FLAUBERT

Nohant, 1er mai au soir [1870].

Que veux-tu ? le Juif sera toujours Juif. Il eût pu être pire. Il t'avait acheté un volume, le traité n'était pas clair. À la rigueur, il pouvait ne te donner que 10 000 fr, et dire que le reste du manuscrit lui était acquis. Il ne s'attendait réellement pas à deux volumes, car il a été surpris quand je lui en ai parlé, et dans le premier moment, il s'est laissé aller à me dire : « Mais alors, c'est 20 000 fr. » Et puis après il a dû réfléchir, examiner, voir que tu étais un peu à sa discrétion. Il a peut-être même pu consulter, le fait est qu'en causant avec lui à diverses reprises, je n'ai jamais pu lui faire répéter que ce serait 20 000 francs. Il éludait et répondait toujours : qu'il soit donc tranquille, nous nous arrangerons, et j'avoue que je comptais sur un bon mouvement, en même temps que j'avais aussi par moments quelques craintes. Enfin il t'a compté 16 000 fr et pour le reste, il voudrait bien ne pas le donner. Moi j'espère encore l'y amener, *de mon chef.* Mais pour cela, il faut le voir et s'obstiner, et aller doucement. Ne t'engage à rien. Tu es censé réfléchir, et ce qu'il faut faire si tu es ennuyé par des dettes, c'est d'accepter mon argent dont je n'ai pas besoin. Les premiers temps de *L'Autre* m'ont donné une dizaine de 1 000 fr que j'ai donné ordre de placer et qui ne le sont peut-être pas encore. Le fussent-ils, on peut, du jour au lendemain, revendre les obligations. Accepte donc comme j'accepterais de toi et tu me rendras quand tu pourras. Je n'ai besoin de mes quatre sous d'économies qu'en cas de maladies ou d'infirmités. Tant que je travaille, je joins maintenant sans effort les deux bouts. Il n'y a pas plus de trois ans qu'il en est ainsi, ce qui prouve que notre état n'est pas lucratif, à moins d'être... mille choses que nous ne pouvons pas être, toi et moi. Prenons-en notre parti ; mais pourtant, ne m'empêche pas de poursuivre la négociation avec Lévy. J'ai avec lui une patience qui le désarme peu à peu, et tu peux compter que je ne te compromettrai pas. S'il ne veut pas abouler les 4000 fr, il faut au moins qu'il s'engage pour le prochain à 10000 par volume. Et s'il ne veut pas cela, tu seras à temps de le quitter. Mais dans le temps de plébiscite et [de] confusion où nous sommes et où nous serons de plus en plus, n'oublie pas que Lévy est le plus solide éditeur, peut-être le seul. J'ai trouvé ailleurs un traité plus avantageux et j'ai eu peur. J'ai transigé pour ne pas le quitter[1].

Je comptais aller à Paris dans quelques jours. Mais voilà Maurice avec une inflammation à l'œil. Son mal sort de tous les côtés, car il est à peine guéri d'un petit abcès à la bouche, résultante inévitable de l'angine. Je ne veux pas le quitter encore. Il va très bien d'ailleurs, mais il faut quelques soins. Donc j'irai te voir à Croisset quand il fera beau. Tu me laisseras un peu courir les bois dans le jour, et, le soir, tu me raconteras tous tes plans.

Je n'ai pas lu Taine, ni rien au monde depuis la maladie de mon monde. J'ai besoin de savourer une imbécillité délicieuse et complète. Lolo t'embrasse. Polichinelle rit toujours agréablement au chevet de Gabrielle. Elles sont bien guéries et bien gentilles. Je passe toutes mes journées en tête-à-tête avec la grande et je ne m'en lasse pas, elle me fait improviser des contes qui durent éternellement car elles *(sic)* ne veut pas qu'ils soient *finis*, et il faut toujours trouver une suite le lendemain. Drôle de travail, je t'assure, et qui sort de toutes les règles littéraires connues.

Je t'embrasse, tout le monde ici en fait autant.

Favre a écrit à Lina, avec qui il est en correspondance pour ses convalescents, de jolies choses sur ton compte. Il est ingénieux et spirituel au possible et par écrit, il se résume mieux. En paroles, il se grise, moi je le ramène, et, sauf des visées fantastiques, je le force à s'expliquer. Je n'ai pas honte de lui dire que je ne comprends pas. Il y a un point certain, c'est qu'en médecine, il est merveilleux en restant dans le vrai. Il a retourné la maladie de Maurice comme un gant, avec une sûreté de vouloir et de lucidité admirables. Sans lui... ça allait bien mal et j'ai eu des heures désespérées. Aussi je suis lasse, lasse ! mais ça passera.

Tout passe, mon gros enfant, sauf l'amitié quand elle est une tendresse et un dévouement.

G. SAND.

À GEORGE SAND

[Paris,] mercredi [4 mai 1870].

Chère bon Maître,

J'ai bien des remerciements à vous faire.

1° Merci de votre offre[1]. Mais je n'ai pas besoin d'argent. Car j'ai trouvé chez mon neveu[2] trois mille francs à moi. Et dont j'ignorais l'existence. C'est comme ça que je suis !

2° Merci pour ce que vous avez fait, et

3° pour ce que vous ferez.

Quant à moi, je laisserai Lévy parfaitement tranquille. Je ne lui répondrai même pas. Ces histoires-là me causent un ennui intolérable, un atroce embêtement, à me faire crier. J'aime mieux moins bien vivre et ne pas m'occuper d'argent.

Seulement, je me considère comme étant très libre, désormais, vis-à-vis du Michel. — Auquel je n'en veux pas d'ailleurs.

J'ai été hier à l'Odéon. Chilly m'a dit que *L'Autre* remontait et qu'il espérait faire durer votre pièce jusqu'au bout de ce mois[3].

Ça m'embête d'apprendre que ce bon Maurice ne va pas bien. Donnez-moi de ses nouvelles. Je serai à Croisset vendredi soir. — À vous y attendre.

Mille tendresses du vieux troubadour.

GEORGE SAND À GUSTAVE FLAUBERT

Nohant, 20 mai [18]70.

Il y a bien longtemps que je suis sans nouvelles de mon vieux troubadour. Tu dois être à Croisset. S'il y fait aussi chaud qu'ici, tu dois souffrir. Nous avons 34 degrés à l'ombre, et la nuit 24. Maurice a eu une forte rechute de mal de gorge, sans membranes cette fois, et sans danger. Mais l'enflure était si forte que pendant trois jours il pouvait à peine avaler un peu d'eau et de vin. Le bouillon ne passait pas. Enfin cette chaleur insensée l'a guéri, elle nous va à tous ici, car Lina est partie ce matin, vaillante, pour Paris. Maurice jardine toute la journée. Les enfants sont gais et embellissent à vue d'œil. Moi je ne fiche rien, j'ai eu trop à faire pour soigner et veiller encore mon garçon, et, à présent que la petite mère est absente les fillettes m'absorbent. Je travaille tout de même en projets et rêvasseries. Ce sera autant de fait quand je pourrai barbouiller du papier.

Je suis toujours *sur mes pieds*, comme dit le docteur Favre. Pas encore de vieillesse ou plutôt la vieillesse normale, le calme... *de la vertu*, cette chose dont on se moque et que je dis par moquerie, mais qui correspond, par un mot emphatique et bête, à un état d'inoffensivité forcée, sans mérite par conséquent, mais agréable et bon à savourer. Il s'agit de le rendre utile à l'art quand on y croit, à la famille et à l'amitié quand on s'y dévoue. Je n'ose pas dire combien je suis naïve et primitive de ce côté-là. C'est la mode de s'en moquer, mais qu'on se moque, je ne veux pas changer.

Voilà mon examen de conscience *du printemps*, pour ne plus penser de tout l'été, qu'à ce qui ne sera pas moi. Voyons, toi. Ta santé d'abord ? Et cette tristesse, ce mécontentement que Paris t'a laissé, est-ce oublié ? N'y a-t-il plus de circonstances extérieures douloureuses ? Tu as été trop frappé, aussi ! Deux amis de premier ordre partis coup sur coup ! Il y a des époques de la vie où le sort nous est féroce. Tu es trop jeune pour te concentrer dans l'idée d'un *recouvrement* des affections dans un monde meilleur, ou dans ce monde-ci amélioré. Il faut donc, à ton âge (et au mien je m'y essaie encore), se rattacher d'autant plus à ce qui nous reste. Tu me l'écrivais quand j'ai perdu Rollinat[1], mon double en cette vie, l'ami véritable, dont le sentiment de la différence des sexes n'avait jamais entamé la pure affection, même quand nous étions jeunes. C'était mon Bouilhet et plus encore, car, à mon intimité de cœur, se joignait un respect religieux pour un véritable type de courage moral qui avait subi toutes les épreuves avec une *douceur* sublime. Je lui ai *dû* tout ce que j'ai de bon. Je tâche de le conserver pour l'amour de lui. N'est-ce pas un héritage que nos morts aimés nous laissent ? Le désespoir qui nous ferait nous abandonner nous-mêmes serait une trahison envers eux et une ingratitude. Dis-moi que tu es tranquille et adouci, que tu ne travailles pas trop et que tu travailles bien. Je ne suis pas sans quelque inquiétude de n'avoir pas de lettre de toi depuis longtemps. Je ne voulais pas t'en demander avant de pouvoir te dire que Maurice était bien guéri. Il t'embrasse et les enfants ne t'oublient pas. Moi je t'aime.

G. SAND.

J'ai écrit *de mon chef* à Lévy. J'attends une réponse dont je te ferai part.

À GEORGE SAND

[Croisset, 21 mai 1870.]

Non ! chère Maître ! je ne suis pas malade, mais j'ai été occupé par mon déménagement de Paris et par ma ré-installation à Croisset. — Puis, ma mère a été fortement indisposée[a]. Elle va bien maintenant. Puis, j'ai eu à débrouiller le reste des papiers de mon pauvre Bouilhet, dont j'ai commencé la notice[1]. J'ai écrit, cette semaine, près de six pages, ce qui pour moi est bien beau ; ce travail m'est très pénible de toute façon. Le difficile, c'est de savoir quoi ne pas dire. Je me soulagerai un peu, en dégoisant deux ou trois opinions dogmatiques sur l'art d'écrire[b]. Ce sera l'occasion d'exprimer ce que je pense : chose douce et dont je me suis toujours privé.

Vous me dites des choses bien belles et bien bonnes aussi, pour me redonner du courage. Je n'en ai guère, mais je fais comme si j'en avais, ce qui revient peut-être au même.

Je ne sens plus *le besoin* d'écrire, parce que j'écrivais spécialement pour un seul être qui n'est plus[2]. Voilà le vrai ! et cependant je continuerai à écrire. Mais le goût n'y est plus, l'entraînement est parti. — Il y a si peu de gens qui aiment ce que j'aime, qui s'inquiètent de ce qui me préoccupe ! Connaissez-vous dans ce Paris, qui est si grand, *une seule* maison où l'on parle de littérature ? Et quand elle se trouve abordée incidemment, c'est toujours par ses côtés subalternes et extérieurs, la question de succès, de moralité, d'utilité, d'à-propos, etc ! Il me semble que je deviens un fossile, un être sans rapport avec la création environnante.

Je ne demanderais pas mieux que de me rejeter sur une affection nouvelle. Mais comment ? Presque tous mes vieux amis sont mariés, *officiels*, pensent à leur petit commerce tout le long de l'année, à la chasse pendant les vacances, et au whist après leur dîner. Je n'en connais pas un seul qui soit capable de passer avec moi un après-midi à lire un poète. — Ils ont leurs affaires ; moi, je n'ai pas d'affaires. Notez que je suis dans la même position sociale où je me trouvais à 18 ans. Ma nièce, que j'aime comme ma fille, n'habite pas avec moi. — Et ma pauvre bonne femme de mère devient si vieille que toute conversation (en dehors de sa santé) est impossible avec elle. Tout cela fait une existence peu folichonne.

Quant aux Dames, « ma petite localité » n'en fournit pas, et puis, quand même !... Je n'ai jamais pu emboîter Vénus avec Apollon. C'est l'un ou l'autre, étant un homme d'excès, un monsieur tout entier à ce qu'il pratique.

Je me répète le mot de Goethe : « Par-delà les tombes, en avant[1] ! » et j'espère m'habituer à mon vide. Mais rien de plus.

Plus je vous connais, vous, plus je vous admire ; comme vous êtes forte !

Mais vous êtes trop bonne d'avoir écrit, derechef, à l'enfant d'Israël[2]. *Qu'il garde son or ! ! !* Ce gredin-là ne se doute pas de sa beauté. Il se croyait, peut-être, très généreux en me proposant de me prêter de l'argent sans intérêt, *mais à condition* que je me lierais par un nouveau traité. — Je ne lui en veux pas du tout, car il ne m'a pas blessé, il n'a pas trouvé le joint sensible.

À part un peu de Spinoza[3] et de Plutarque, je n'ai rien lu depuis mon retour, étant tout occupé par mon travail présent. C'est une besogne qui me mènera jusqu'à la fin de juillet. J'ai hâte d'en être quitte pour me relancer dans les extravagances du bon saint Antoine, mais j'ai peur de n'être pas assez *monté*.

C'est une belle histoire, n'est-ce pas, que celle de Mlle d'Hauterive[4] ? Ce suicide d'amoureux pour fuir la misère doit inspirer de belles phrases morales à Prudhomme. Moi, je le comprends. Ce n'est pas américain[5] ce qu'ils ont fait, mais comme c'est latin et antique ! Ils n'étaient pas forts, mais peut-être très délicats ?

Quand nous verrons-nous ?

Amitiés à Maurice. — (Qu'il soigne donc et guérisse définitivement son galoubet[6]), quatre bons baisers à vos fillettes, poignées de main à tous « les chers lubriques[7] » et à vous.

Votre vieux troubadour.

Nuit de samedi.

À SA NIÈCE CAROLINE

[Croisset, mai 1870 ?]

Mon Loulou,

Voici la chose. Je n'en ai pas parlé à ta grand-mère, parce que je suis sûr que ça la tourmenterait.

Nous aurions bien besoin de toi, ou d'Ernest[1], pour mettre la paix dans notre personnel ! Le jardinier et son épouse sont très insupportables à nos domestiques. La cuisinière veut s'en aller et Émile[2] « en a été malade pendant trois jours ».

Ta grand-mère ne peut pas obtenir de lait, etc. Bref, tu devrais ne pas retarder trop ta venue.

Si les dames Vasse[3] ne viennent que le 15 juillet et que tu les emmènes à Neuville, je ne les verrai pas du tout.

Monsieur va prendre un bain, c'est pourquoi sa lettre n'est pas longue.

Un bon *baccio*

de ton vieux.

À PHILIPPE LEPARFAIT

[Croisset, 7 juin ? 1870.]

Mon cher Philippe,

Vous rappelez-vous (toi et ta mère) quelle était la fin primitive de *Dolorès*, la façon dont le comte de Roxas revenait au dernier acte[4] ?

J'aurais besoin là-dessus de renseignements précis.

Caudron[5] a-t-il encore quelques papiers, ou quelques journaux ? Il me faudrait l'article, ou plutôt les injures, de Barbey d'Aurevilly[6].

Et la copie du volume[7], mon jeune homme ? Il me semble que tu calleuses ?

J'espère te voir très prochainement. Viens à 11 heures le jour qu'il te plaira.

À toi.

Mardi soir 7 juin.

À SA NIÈCE CAROLINE

[Croisset,] mercredi soir, 6 heures [8 juin 1870].

Mon Loulou,

Nous avons eu à 5 heures un désappointement, en ne recevant pas de lettre de toi.

« Notre pauvre fille » ne nous a pas écrit depuis samedi.

Ta grand-mère allait très bien, depuis dimanche surtout, le dîner de jeunes gens l'ayant divertie. — Mais aujourd'hui la privation de ta correspondance l'assombrit.

Je viens d'avoir la visite du général Valazé[1] en uniforme. — Tableau dans Croisset !

Rien de neuf, d'ailleurs. Ah ! j'oubliais ! D'Osmoy m'écrit qu'il viendra me voir dans 15 jours. Tiendra-t-il sa parole[2] ?

Si la Princesse[3] vient déjeuner et dîner un de ces jours à Croisset, *je compte sur toi*, absolument, pour faire les honneurs et — *briller* !

Adieu, pauvre chérie.

Un bon bec sur tes deux joues.

Ton

À MAXIME DU CAMP

[Croisset, 9 juin 1870.]

Je suis bien fâché d'apprendre la mort de cette pauvre Céline ! Fais-en mes compliments de condoléance au Mouton[4]. Tu sauras, mon cher vieux, que je suis dans un état déplorable. C'est même pour cela que je ne vous ai pas écrit depuis mon retour à Croisset. J'ai jugé inutile de vous embêter avec mes embêtements.

Le travail auquel je me livre, outre qu'il est fort difficile en soi, me donne de telles saouleurs que j'ai perpétuellement comme un sanglot dans la gorge[5]. Sans compter des maux de tête qui ne me quittent plus. J'ai peur de tourner à l'hypocondriaque. Garde ce renseignement pour toi, bien entendu. — Quand je sors de mon cabinet, c'est pour manger en tête-à-tête avec ma mère qui est sourde comme un pot et qui ne s'intéresse absolument qu'à sa santé. Voilà l'aimable existence que je mène.

Et vous autres ? Quand partez-vous pour Bade ? Que fais-tu maintenant ? Je ne bougerai pas d'ici de tout l'été.

Je t'embrasse.

Ton

Jeudi 9 juin.

À SA NIÈCE CAROLINE

Croisset, mercredi, 3 heures [15 juin 1870].

Si je m'ennuie de toi, mon pauvre loulou? Je crois bien! Oui, je m'en ennuie, et beaucoup, énormément, n'ayant, depuis ton départ, personne à qui parler! Je suis, d'ailleurs, *excédé* de Mme [de] La Chaussée et de son enfant[1]! Les heures des repas sont, pour moi, des moments de supplice. J'y ai des battements de cœur presque continuels, à ne pouvoir manger.

Elle n'est pas une minute sans caresser ou gronder sa petite fille, et elle vous coupe la parole, à tout moment, pour lui faire des risettes! Il est vrai que je ne deviens pas un monsieur facile. Mes pauvres nerfs ont été mis à de trop rudes épreuves et ce qu'il me faudrait pour les calmer est hors de ma portée.

Si je t'avais près de moi, ma chère Carolo, si je pouvais causer, chaque jour, pendant quelques heures avec ta gentille personne, comme ce serait bon! Quel dommage que Neuville[2] ne soit pas Croisset!

Aucune nouvelle, sauf la mort *de* la femme *de* chambre *de* Mme Husson, enlevée en trois jours par la variole. — Hier, visite de Censier[3]. Voilà tout. C'est peu.

Ta grand-mère va bien. Elle est partie à Rouen faire des courses, en fiacre.

Je suis au milieu de mon travail; j'en ai encore pour un mois. — Outre qu'il m'est pénible sous le côté du cœur, il est difficile en soi. J'ai peur de trop dire, ou pas assez[4].

Tu fais bien de te livrer au bon Plutarque. La fréquentation de ces bonshommes-là est tout ce qu'il y a de plus sain. Cela tonifie et élève. — Moi, je relis les *Conversations de Goethe et d'Eckermann*[5], le soir dans mon lit. — Et, comme comique (un comique très froid), toutes les professions de foi de MM. les candidats démocratiques au conseil d'arrondissement. La platitude de ces idiots vaniteux me charme.

Je voudrais bien voir ton étude de poissons, et encore plus l'artiste.

À bientôt, pauvre chérie. Malheureusement, notre entrevue ne sera pas longue!

Mes amitiés à Ernest[6].

Mes respects à Putzel[1].

Je t'embrasse bien fort.

Ton vieil oncle, qui continue à n'être pas gai.

À EDMOND LAPORTE

[Croisset,] mercredi soir [15 juin 1870].

Je vous engage à amener votre domestique. Le mien n'est pas habile dans le soin des chevaux, et j'ignore sous ce rapport les talents de mon jardinier.

Je vous attends de bonne heure, afin que nous puissions causer un peu de notre pauvre cher petit[2] qui n'est plus là.

Tout à vous.

À RAOUL-DUVAL

[Paris,] mercredi [22 juin 1870].

Mon cher Ami,

Voici deux manuscrits que je vous recommande. L'un est un roman paru dans *La Liberté*[3] et l'autre un conte de fées[4].

Si vous pouvez me faire publier ces deux œuvres par Hetzel vous me rendrez *un vrai service.* — L'auteur est la femme d'un médecin de Mantes, qu'on appelle Mme Régnier, et qui est jolie comme un cœur.

Je compte sur vous, et à vous.

À bientôt, n'est-ce pas ? Je serai à Croisset samedi prochain et n'en bougerai plus[5].

À EDMA ROGER DES GENETTES

Croisset, jeudi [23 juin 1870].

Chère Madame,

Je vous remercie bien des bonnes paroles que j'ai reçues ce matin. Je n'ai jamais vu d'enterrement plus lamentable que celui d'hier[1] ! Mais il eﬆ inutile de vous envoyer aucune *description*. Je vous avouerai, d'ailleurs, que je n'en ai pas la force. Des sept fondateurs[2] du dîner Magny, il n'en reﬆe plus que *trois* ! j'ai la tête pleine d'enterrements, je suis gorgé de cercueils, comme un vieux cimetière. — La vie solitaire que je mène n'eﬆ pas faite pour me diﬆraire, je n'ai plus personne avec qui parler.

Pour secouer mes Songeries funèbres je travaille le plus que je peux. J'ai fini la préface du volume de vers de mon pauvre B[ouilhet[3]]. Je vais me mettre à *La Tentation de saint Antoine*. — Tous les soirs avant mon dîner, je me livre à une natation violente et je bois de l'eau de goudron[4] comme une jeune personne délicate. Voilà absolument toute ma vie.

Vous seriez bien aimable de me donner de vos nouvelles, autrement qu'en des occasions funèbres. — Et votre santé ?

Quelle drôle d'idée que d'habiter Villenauxe[5] ! Vers quelle époque revenez-vous à Paris ?

Soyez assez bonne pour présenter mes amitiés à M. Roger[6], et me permettre, chère Madame, de vous baiser les deux mains, en vous assurant que je suis

Tout à vous.

À GEORGE SAND

[Croisset,] dimanche 26 juin [1870].

On oublie son troubadour qui vient encore d'enterrer un ami ! De sept que nous étions au début des dîners Magny, nous ne sommes plus que trois[7] ! Je suis gorgé de cercueils, comme un vieux cimetière ! J'en ai assez, franchement.

Et au milieu de tout cela, je continue à travailler ! J'ai fini hier, vaille que vaille, la notice de mon [pauvre] Bouilhet[8] ! — Je vais voir s'il n'y a pas moyen de recaler une comédie de lui, en prose[9]. Après quoi, je me mettrai à *Saint Antoine*.

Et vous, chère maître, que devenez-vous avec tous les vôtres ?

Ma nièce eﬆ dans les Pyrénées et je vis seul avec ma mère qui devient de plus en plus sourde. — De sorte que mon exiﬆence manque de folichonnerie, absolument. J'aurais besoin d'aller dormir pendant six mois sur une plage chaude ! Mais pour cela, il me manque le temps et l'argent. — Donc il faut pousser ses ratures, et piocher le plus possible.

J'irai à Paris au commencement d'août. — Puis j'y passerai tout le mois d'octobre pour les répétitions d'*Aïssé*[1]. Mes vacances se borneront à une huitaine de jours passés à Dieppe[2] vers la fin d'août. — Voilà mes projets.

C'était lamentable, l'enterrement de Jules de Goncourt ! Théo[3] y pleurait à seaux !

Quand nous verrons-nous, enfin !

Je vous embrasse bien fort.

À EDMOND DE GONCOURT

[Croisset,] dimanche soir [26 juin 1870].

Comme je vous plains, mon pauvre ami ! Votre lettre, ce matin, m'a navré ! Sauf la confidence personnelle que vous me faites (et que je garderai pour moi, soyez-en sûr), elle ne m'a rien appris de neuf, ou du moins je me doutais de tout ce que vous me dites[4]. Car je pense à vous tous les jours et plusieurs fois par jour. Le souvenir de mes amis disparus m'amène fatalement le vôtre. Le bilan est joli depuis un an ! Feydeau[5], votre frère, Bouilhet, Saint-Beuve et Duplan. Voilà les idées qui sont comme autant de tombeaux, au milieu desquels je me promène.

Mais je n'ose pas me plaindre devant vous. Car votre douleur doit dépasser toutes celles qu'on peut ressentir et imaginer.

Vous voulez que je vous parle de moi, mon cher Edmond ? Eh bien, je me livre à un travail qui me donne de grandes saouleurs, car j'écris la préface du volume de vers de B[ouilhet]. J'ai glissé, autant que possible, sur la partie biographique. Je m'étendrai plus sur l'examen des œuvres et encore davantage sur ses (ou nos) doctrines littéraires[6].

J'ai relu tout ce qu'il a écrit. J'ai feuilleté nos anciennes lettres. Je remue une série de souvenirs, dont quelques-uns ont trente-sept ans de date[7] ! C'est peu gai, comme vous voyez ! Ici, d'ailleurs, à Croisset, je suis poursuivi par son fantôme que je retrouve derrière chaque buisson du jardin, sur le divan de mon cabinet, et jusque dans mes vêtements, dans mes robes de chambre qu'il mettait.

J'espère y penser moins quand cet abominable travail sera fini, c'est-à-dire dans six semaines. Après quoi j'essaierai de reprendre *Saint Antoine*. Mais le cœur n'y est guère. Vous savez bien qu'on écrit toujours en vue de quelqu'un. Or, ce quelqu'un-là n'étant plus, le courage me manque.

Je vis donc seul, en tête-à-tête avec ma mère qui vieillit de jour en jour, qui s'affaiblit, qui se plaint ! Une conversation un peu sérieuse est devenue impossible avec elle ; et je n'ai personne à qui parler.

J'espère aller à Paris au mois d'août et alors vous voir. Mais où serez-vous ? Donnez-moi quelquefois de vos nouvelles, mon pauvre Edmond ! Personne plus que moi ne vous plaint.

Je vous embrasse très fortement.

GEORGE SAND À GUSTAVE FLAUBERT

Nohant, 27 juin [18]70.

Encore un chagrin pour toi, mon pauvre vieux. Moi j'en ai aussi un gros, je pleure Barbès[1], une de mes religions, un de ces êtres, qui réconcilient avec l'humanité. Toi, tu regrettes ce pauvre Jules et tu plains le malheureux Edmond. Tu es peut-être à Paris pour tâcher de le consoler. Je viens de lui écrire et je pense que tu es frappé encore une fois dans tes affections. Quelle époque ! Ils meurent tous, tout meurt et la terre meurt aussi, mangée par le soleil et le vent. Je ne sais où je prends le courage de vivre encore au milieu de ces ruines. Aimons-nous jusqu'au bout.

Tu m'écris bien peu, je suis inquiète de toi.

G. SAND.

À SA NIÈCE CAROLINE

[Croisset, 28 juin 1870.]

Ma chère Caro,

Comme tu m'as l'air de t'ennuyer à Luchon ! Tes lettres sont à la fois comiques et lamentables ! Ton *temps d'exil* ne va durer au-delà de la semaine prochaine. — Un peu de patience encore ! Tu ne nous dis pas si les eaux t'enlèvent tes nombreuses infirmités ? Ernest[2] a eu tort de suivre ton régime. Il peut se rendre malade.

J'ai fait, il y a huit jours, un triste voyage à Paris ! Quel enterrement ! J'en ai rarement vu de plus apitoyant ! Dans quel état était le pauvre Edmond de Goncourt ! Théo Gautier, qu'on accuse d'être un homme sans cœur, pleurait à seaux. Moi, de mon côté, je n'étais pas bien crâne. Cette cérémonie, jointe à la chaleur qu'il faisait, m'avait brisé, et j'ai été pendant plusieurs [jours] dans une fatigue incompréhensible. — Depuis hier, cependant, je vais mieux, grâce aux bains de Seine, je crois.

De sept que nous étions au début des dîners Magny, nous ne sommes plus que trois : moi, Théo et Edmond de Goncourt[1] ! Se sont en allés successivement depuis 18 mois : Gavarni, Bouilhet[2], Sainte-Beuve, Jules de Goncourt, et ce n'est pas tout ! Mais il est inutile de t'attrister avec mes chagrins. Je retourne au sheik[3].

Ta grand-mère *va très bien.* Elle m'a demandé des détails sur *Saint Antoine*, et les a écoutés avec plaisir. Tu vois qu'il y a une grande amélioration. Elle s'ennuie beaucoup de toi, et de Putzel[4], dont tu ne nous donnes aucune nouvelle.

J'attends demain soir d'Osmoy qui doit rester ici jusqu'à mardi. — Après-demain jeudi nous avons à dîner Raoul-Duval avec les Lapierre[5].

Ta tante Achille[6] a passé ici, seule, toute la journée de dimanche.

Mme Fontaine, la mère de Mme Fortin[7], est venue mourir à Croisset, dimanche soir. On l'a enterrée aujourd'hui. — Je me suis privé de l'inhumation, car je suis gorgé de ce genre de cérémonies. — J'ai été à Rouen faire des commissions pour ta grand-mère. — Voilà, pauvre chérie, toutes les nouvelles.

J'espère qu'à la fin de la semaine tu nous annonceras le jour de ton retour. Ce sera sans doute de dimanche prochain en huit ?

Adieu, chère Caro, embrasse ton mari pour moi et qu'il te le rende au centuple.

Ton vieux bonhomme d'oncle qui t'aime.

Croisset, mardi minuit.

Jeudi prochain, grand dîner chez Saint-André[8] ! ! ! ! ! !

À NOËL PARFAIT

[Croisset, 29 juin 1870.]

Mon cher Ami,

Un certain monsieur nommé Maxime Beauvilliers[9] [...]

GEORGE SAND À GUSTAVE FLAUBERT

Nohant, 29 juin [1870].

Nos lettres se croisent toujours et j'ai maintenant la superstition qu'en t'écrivant le soir, je recevrai une lettre de toi le lendemain matin. Nous pourrions nous dire :

Vous m'êtes, en dormant, un peu triste apparu[1].

Ce qui me préoccupe dans la mort de ce pauvre Jules, c'est le survivant. Je suis sûre que les morts sont bien, qu'ils se reposent peut-être avant de revivre, et que dans tous les cas, ils retombent dans le creuset pour en ressortir avec ce qu'ils ont eu de bon, et du progrès en plus. Barbès n'a fait que souffrir toute sa vie. Le voilà qui dort profondément, bientôt il se réveillera. Mais nous, pauvres bêtes de survivants, nous ne les voyons plus. Peu de temps avant sa mort Duveyrier[2] qui paraissait guéri me disait : « Lequel de nous partira le premier ? » Nous étions juste du même âge. Il se plaignait de ce que les premiers envolés ne pouvaient pas faire savoir à ceux qui restaient, s'ils étaient heureux et s'ils se souvenaient de leurs amis. Je disais « Qui sait ? » Alors, nous nous étions juré de nous apparaître l'un à l'autre, de tâcher du moins de nous parler, le premier mort au survivant. Il n'est pas venu, je l'attendais, il ne m'a rien dit. C'était un cœur des plus tendres et une sincère volonté. Il n'a pas pu ; cela n'est pas permis ; ou bien moi je n'ai ni entendu ni compris.

C'est, dis-je, ce pauvre Edmond qui m'inquiète. Cette vie à deux, finie, je ne comprends pas le lien rompu, à moins qu'il ne croie aussi qu'on ne meurt pas.

Je voudrais bien aller te voir. Apparemment, tu as *du frais* à Croisset puisque tu voudrais dormir *sur une plage chaude*. Viens ici, tu n'auras pas de plage, mais 36 degrés à l'ombre et une rivière froide comme glace, ce qui n'est pas à dédaigner. J'y vais tous les jours barboter après mes heures de travail — car il faut travailler, Buloz m'avance trop d'argent. Me voilà *faisant mon état* comme dit Aurore, et ne pouvant pas bouger avant l'automne. J'ai trop flâné après mes fatigues de garde-malade. Le petit Buloz[3] est venu ces jours-ci me relancer. Me voilà dans la pioche.

Puisque tu vas à Paris en août, il faut venir passer quelques jours avec nous. Tu y as ri quand même. Nous tâcherons de te distraire et de te secouer un peu. Tu verras les fillettes grandies et embellies. La petiote commence à parler. Aurore bavarde et argumente. Elle appelle Plauchut *vieux célibataire*. Et, à propos, avec toutes les tendresses de la famille, reçois les meilleures amitiés de ce bon et brave garçon.

Moi, je t'embrasse tendrement et te supplie de te bien porter.

G. SAND.

À SA NIÈCE CAROLINE

[Croisset,] nuit de vendredi, 1 heure [1er juillet 1870].

Ma chère Caro,

Je m'étonne de ton manque d'enthousiasme pyrénéen ! Tu as dû voir aujourd'hui le cirque de Gavarnie, et revenir par le port[a] de la Picade. C'est bien beau, autant que je m'en souviens[1]. Mais Madame est gâtée par l'habitude des grands voyages ! J'espère, cependant, que ta prochaine lettre témoignera d'un peu plus de joie. — Tu parles de tes « mauvaises dispositions ». Est-ce que tu es triste, mon pauvre loulou, ma chère fille ?

Moi, pour me remonter, j'ai repris des bains froids. — Et je m'en trouve bien. De plus, tous les soirs, après dîner, je fais un tour de promenade dans le grand potager, seul, et en ruminant une foule de souvenirs... peu folichons. Tu me cites, en manière d'exhortation, quatre vers de Chénier[2] ; mais Chénier, quand il les a faits, était plus jeune que moi et, d'ailleurs, il avait la cervelle remplie, naturellement, par des images[b] plus gracieuses que la mienne.

Ma vie a été bouleversée par la mort de Bouilhet. Je n'ai plus *personne* à qui parler ! C'est dur !

Ta grand-mère va bien. — Je lui fais faire, tous les jours, deux promenades dans le jardin.

En fait de nouvelles : Mme de La Chaussée[3] s'en va, enfin, lundi. (Je t'assure qu'elle est intolérable avec sa petite-fille.) La mère Heuzey[4] dîne demain avec nous, et dimanche, je vais dîner chez le terrible Raoul-Duval. Terrible est le mot, car il s'est battu en duel, lundi dernier, avec un nommé Riduet, rédacteur du *Progrès*[5]. — Après la première balle échangée, il a voulu qu'on rechargeât les pistolets. Mais son adversaire a déclaré en avoir assez. *De plus* : il a fait caler 1° le sieur Cordhomme et 2° le citoyen Gallois, rédacteur en chef du *Progrès*. Ce qui faisait trois duels qu'il avait à la fois sur les bras. Depuis qu'il s'est montré si crâne, ces messieurs le respectent[c] infiniment.

C'est dimanche prochain qu'auront lieu les élections. S'il est nommé, on se réjouira. S'il échoue, on se consolera[6].

Je ne vois plus autre chose à te dire, pauvre chérie. Il a fait, ces jours-ci, une chaleur à crever. L'Horloger[7], qui est venu hier, trouve que c'est très fâcheux pour les biens de la terre. Mais aujourd'hui le *fond de l'air* est froid. Quelle belle nuit ! La lune brille sur la rivière, et par ma fenêtre ouverte, j'entends le cri d'un grillon.

Croirais-tu qu'une sotte inquiétude, hier, m'a traversé l'esprit à propos de vous deux. Le *Journal de Rouen* disait, dans un entrefilet de deux lignes, qu'un petit bateau allant de Bordeaux à La Bastide avait sombré mardi dernier et que huit personnes étaient noyées. — Sans plus de détails. Ta grand-mère, heureusement, ne s'est pas arrêtée longtemps à cette idée.

Écris-nous souvent. Amitiés à Ernest[1].

Je t'embrasse bien fort.

Ton vieux bonhomme d'oncle qui t'aime.

À GEORGE SAND

[Croisset,] samedi soir, 2 juillet [1870].

Chère bon Maître,

La mort de Barbès m'a bien affligé, à cause de vous ! L'un et l'autre nous avons nos deuils. Quel défilé de morts depuis un an ! J'en suis abruti comme si on m'avait donné des coups de bâton sur la tête. — Ce qui me désole (car nous rapportons tout à nous), c'est l'effroyable solitude où je vis ! Je n'ai plus personne, je dis personne, avec qui causer.

Qui s'occupe aujourd'hui de faconde et de style[2] ?

À part vous et Tourgueneff, je ne connais pas un mortel avec qui m'épancher sur les choses qui me tiennent le plus au cœur. — Et vous habitez loin de moi, tous les deux !

Je continue à travailler, cependant, j'ai *résolu* de me mettre à mon *Saint Antoine*, demain ou après-demain. Mais pour commencer un ouvrage de longue haleine, il faut avoir une certaine allégresse qui me manque. J'espère cependant que ce travail extravagant va m'empoigner ? Oh ! comme je voudrais ne plus penser à mon pauvre *moi*, à ma misérable carcasse ! Elle va très bien la carcasse. — Je dors énormément. « Le coffre est bon », comme disent les bourgeois[3].

Les affaires de B[ouilhet] m'appelleront à Paris au mois d'août. Puis j'irai passer cinq ou six jours à Dieppe chez ma nièce. — Tout cela m'ennuie et me dérange beaucoup. Les petits voyages me sont odieux. Car j'ai autant de mal à me mettre au travail qu'à l'interrompre. — Et puis je serai forcé de passer à Paris tout le mois d'octobre pour les répétitions d'*Aïssé*[1]. — Après quoi je reviendrai ici, où je resterai tout l'hiver. Voilà du moins mes projets.

Ma mère va bien ! Ma nièce est à Luchon avec son mari. — J'ai, dans ces derniers temps, lu des choses théologiques assommantes, que j'ai entremêlées d'un peu de Plutarque et de Spinoza[2]. Je n'ai rien de plus à vous dire.

Le pauvre Edmond de Goncourt est en Champagne chez ses parents. Il m'a promis de venir ici à la fin de ce mois. — Je ne crois pas que l'espoir de revoir son frère dans un monde meilleur le console de l'avoir perdu dans celui-ci !

On se paye de mots dans cette question de l'immortalité, car la question est de savoir si le *moi* persiste. L'affirmative me paraît une outrecuidance de notre orgueil. — Une protestation de notre faiblesse contre l'ordre éternel. La mort n'a peut-être pas plus de secrets à nous révéler que la vie ?

Quelle année de malédiction ! Il me semble que je suis perdu dans le désert. — Et je vous assure, chère maître, que je suis brave, pourtant ! et que je fais des efforts prodigieux pour être stoïque. — Mais la pauvre cervelle est affaiblie, par moments. Je n'ai besoin que d'une chose (et celle-là, on ne se la donne pas), c'est d'avoir un enthousiasme quelconque !

Votre avant-dernière[3] était bien triste. Vous aussi, êtes héroïque, vous vous sentez las ! Que sera-ce donc de nous !

Je vous embrasse comme je vous aime, c'est-à-dire bien fort.

Je viens de relire les *Entretiens de Goethe et d'Eckermann*[4]. Voilà un homme, ce Goethe ! Mais il avait tout, celui-là, tout pour lui.

MADEMOISELLE LEROYER DE CHANTEPIE À GUSTAVE FLAUBERT

Angers, 2 juillet 1870.

Je vous adresse, cher Monsieur, un modeste volume que je vous prie d'accepter, quoiqu'il soit bien peu digne de vous être offert[5]. Si vous voulez le recommander, vous m'obligerez beaucoup. Il y a longtemps que je n'ai eu de vos nouvelles, êtes-vous heureux, c'est mon désir. Pour moi, je suis triste à la mort et si profondément découragée, que j'ai pris en aversion personnes et choses et jusqu'à moi-même. À quoi tout sert-il et même la vie ? Vous êtes peut-être aux eaux ; n'importe où vous soyez vous y êtes à coup sûr plus heureux que moi. La santé de madame votre mère se soutient-elle ? C'est un si grand bonheur d'avoir sa mère ; la mienne me manque à chaque heure du jour. Je crois que l'ennui, le spleen que j'éprouve, sont des signes de fin prochaine.

Adieu, cher Monsieur, pensez à moi quelquefois et croyez toujours à l'inaltérable affection avec laquelle je suis

M.-S. LEROYER DE CHANTEPIE.

GEORGE SAND À GUSTAVE FLAUBERT

[Nohant,] 3 juillet [18]70.

Voilà qu'on revient encore sur *Mlle d'Ortosa*[1] et qu'on écrit dans *La Liberté* que j'ai voulu *désigner* quelqu'un. Je n'ai voulu ni désigner ni peindre un sujet réel et vivant. Désigner serait *d'un goût* qui n'est pas le mien ; peindre d'après nature ne me serait pas possible puisque je ne connais personne qui ait posé devant moi. Je trouve qu'avec cette habitude d'interprétation on rabaisse la profession d'écrivain et on confirme le grand public dans sa manie de deviner et de reconnaître tous les personnages de la fiction. Voilà ce que je t'ai déjà écrit[2]. Je n'ai pas besoin de te dire que je ne connais point *Panoptès*[3]. Je ne sais même pas le nom que couvre ce pseudonyme, je n'ai pas besoin de te dire non plus que je ne l'ai pas autorisé à m'interpréter et à me chercher des *intentions*.

Il a plu enfin, mais pas assez. Nos arbres et nos herbes meurent toujours. Nous nous portons bien quand même et nous t'aimons.

G. SAND.

À SA NIÈCE CAROLINE

[Croisset,] lundi, 5 heures [4 juillet 1870].

Mais, mon pauvre loulou, j'ai *tout de suite* accédé à ton désir. — Ta grand-mère t'a écrit devant moi que j'étais tout disposé à t'aller chercher à Luchon, plutôt que de te laisser revenir seule.

Nous ne faisons autre chose que de parler de toi, et tu me dis aujourd'hui que nous n'avons pas l'air de nous inquiéter de ta chère personne !

Nous ne savons pas quand tu dois revenir, car tes lettres sont contradictoires. Ton avant-dernière annonçait un prolongement de séjour là-bas ; celle d'Ernest, votre retour vers le milieu de ce mois, et la tienne, d'aujourd'hui, nous laisse encore dans l'incertitude.

Qu'y a-t-il donc ? Je t'assure, ma chérie, que ton épître du 2 juillet était d'un ton *amer*[1].

Notre vie, à ta grand-mère et à moi, est bien monotone ! D'Osmoy me fait droguer depuis 8 jours. — Enfin, hier au soir, il m'a annoncé, par un télégramme, son arrivée pour ce soir[2]. Viendra-t-il ? J'en doute encore.

Dès qu'il sera parti, je me mettrai à écrire *Saint Antoine*. — Mais je ne suis pas en train. Le cœur n'y est pas. L'enthousiasme, ou tout au moins l'espèce de gaieté[a] qu'il faut me manque.

Potinez-vous bien avec les Maletra[3] ? Sans doute qu'ils déchirent les dames Brainne et Lapierre[4] ?

Fais mes amitiés à Ernest Chevalier[5]. Tâche de ne pas t'ennuyer trop. Et de croire, mon loulou, que je prends intérêt à tes infirmités. — Mais il faudrait d'abord que je les connusse. Peut-on supposer qu'une personne de si belle apparence, qu'une jeune femme « qui a un port de reine » (oh ! tu l'as) soit affectée de la moindre tare ? Il me tarde bien de te revoir pour te bécoter !

Es-tu bien sûre que les Eaux ne te fassent pas plus de mal que de bien ?

Si Ernest est obligé de te quitter avant la fin de ta cure et qu'il ne puisse aller te reprendre, je te répète, mon loulou, que je suis à tes ordres. — Seulement j'aimerais à être prévenu d'avance. — Mais j'espère que tu reviendras bientôt et en bel état.

Ton vieil oncle qui t'aime.

Ce mot d'oncle me fait penser à *Mardochée*, l'oncle d'Esther. Mais tu ressembles plutôt (dans ta lettre d'aujourd'hui) à l'altière *Vasthi*[6].

Cette comparaison m'est venue, parce que je suis en plein dans la Bible.

À EDMOND DE GONCOURT

Croisset, lundi soir [4 juillet 1870].

Mon cher Edmond,

Je ne peux pas dire que votre lettre m'ait fait plaisir[1]. Mais j'ai été bien aise d'avoir de vos nouvelles. Il m'ennuyait de ne pas entendre parler de vous, car j'y pense souvent et profondément, je vous assure. Quelle année ! Quelle abominable année ! Je ne compare pas mes chagrins ou mon chagrin au vôtre, mais moi aussi j'ai été vigoureusement calotté et j'en demeure étourdi pour longtemps.

J'ai beau me répéter le mot sublime de Goethe : « Par-delà les tombes, en avant[2] ! » ça ne me console pas du tout.

Venez donc ici. Nous causerons d'eux. Si rien ne vous retient là-bas, accourez tout de suite. Je vous attends, parce qu'à la fin de ce mois ou au commencement d'août je serai forcé d'aller à Paris puis à Dieppe. Remettre votre visite en septembre, ce serait trop tard. Il me tarde de vous embrasser, mon pauvre cher vieux. Vous retournerez ensuite à Bar-sur-Seine, si le cœur vous en dit.

Vous ne me jugez pas assez sot pour essayer de vous offrir des consolations ? Je vous engage, au contraire, à vous plonger dans votre désespoir de toutes vos forces. Il faut qu'il vous fatigue et qu'il arrive, à force d'obsession, par vous ennuyer. C'eſt après cette période-là, seulement, que les souvenirs douloureux ont leur charme, à ce qu'on prétend, du moins.

Lisez-vous quelque chose ? En avez-vous le courage ?

Ainsi c'eſt convenu ? Nous nous verrons bientôt, n'eſt-ce pas ?

Ma mère me charge de vous dire qu'elle se joint à moi pour vous inviter.

Sur les deux joues, mon cher Edmond, et tout à vous.

J'ignore votre adresse. Répondez-moi.

À SA NIÈCE CAROLINE

[Croisset,] vendredi soir, minuit, 8 [juillet 1870].

Ma chère Caro,

Nous avons été tantôt un peu « marrys » d'apprendre que nous [ne] te verrons pas avant la fin du mois ! Tu es donc malade, mon pauvre loulou ? Reste à Luchon, puisqu'il le faut, et reviens-nous plus robuste. Je ne quitterai pas ta bonne-maman avant ton retour. Ainsi ne te gêne pas.

Puisqu'Ernest[1] te tient compagnie et que tu n'as pas besoin de moi, je t'avouerai *maintenant* que ce voyage m'eût beaucoup dérangé, car, demain, sans faute (oui, demain soir, 9 juillet), je me mets définitivement à écrire *Saint Antoine* ! J'ai besoin de quelque chose d'extravagant pour remonter mon pauvre bourrichon.

J'ai cependant bien travaillé avec d'Osmoy qui est arrivé ici lundi et en est reparti tantôt, étant trop inquiet de sa femme qui, en effet, est malade. Nous avons réarrangé ensemble une comédie de mon pauvre Bouilhet[2]. C'est-à-dire que nous avons amélioré (je crois) la conduite de la pièce. C'est, pour moi, un travail de deux mois encore. J'espère m'y livrer pendant les répétitions d'*Aïssé* ? D'ailleurs, rien ne presse. *Saint Antoine*, avant tout !

Quelle chaleur ! On tombe sur les bottes ! L'eau de la Seine a 20 degrés.

En fait de nouvelles, nous avons eu, avant-hier, la visite de Mme Raoul-Duval[3], et aujourd'hui celle de ta tante Achille[4]. Voilà tout. C'est peu.

Ta grand-mère va bien. Mais elle s'ennuie de toi, énormément et moi aussi.

Je t'embrasse bien fort.

Ton vieil oncle.

Je suppose qu'Ernest a commandé à l'inéluctable Grimbert de payer le loyer de la rue de Clichy ? Prie-le de dire au même citoyen de payer celui de la rue Murillo[5].

Et embrasse-le de ma part. Il est bien gentil. Et il me semble qu'il aime fortement sa petite femme[a] pour laisser ainsi « les affaires[6] » !

À MADEMOISELLE LEROYER DE CHANTEPIE

Croisset, 8 juillet 1870.

Chère Demoiselle,

J'ai reçu votre lettre du 2 juillet et votre petit volume de chroniques[7]. Mais je vous demanderai la permission de ne vous en parler que dans ma prochaine lettre, parce que je n'ai pas eu le temps de le lire jusqu'à présent. Je suis en train d'arranger les affaires de mon pauvre Bouilhet, dont je publierai cet automne un livre de poésies et dont je ferai jouer une pièce en cinq actes[1].

Je ne suis pas plus gai que vous, car l'année a été, pour moi, atroce. J'ai enterré presque tous mes amis ou du moins les plus intimes. En voici la liste : Bouilhet, Sainte-Beuve, Jules de Goncourt, Duplan, le secrétaire de Cernuschi, et ce n'est pas tout[2] ! mon entourage intellectuel n'existe plus. Je me trouve *seul* comme en plein désert.

Pour ne pas me laisser aller à la tristesse, je me suis raidi tant que j'ai pu et je recommence à travailler. La vie n'est supportable qu'avec une ivresse quelconque. Il faut se répéter le mot de Goethe : « Par-delà les tombes, en avant[3] ! »

Je me suis remis à une vieille toquade dont je vous ai parlé, je crois. C'est une *Tentation de saint Antoine*. C'est-à-dire une exposition dramatique du monde alexandrin au IVe siècle. Rien n'est plus curieux que cette époque-là. Je crois que ce livre vous intéressera à cause du milieu qu'il représente. Mais je ne suis pas prêt de l'avoir fini. C'est une besogne qui me demandera bien deux ans. Je voudrais m'y perdre tout entier, pour ne plus songer à mes misères et à mes chagrins.

MADEMOISELLE LEROYER DE CHANTEPIE À GUSTAVE FLAUBERT

Angers, ce 10 juillet [18]70.

Je viens, cher Monsieur, de recevoir votre lettre. Je comprends et partage mieux que personne les sentiments douloureux que vous éprouvez. Il n'est point au monde de douleur comparable à celle causée par la perte d'un ami. Tous les autres chagrins ne sont rien, si l'on songe à ce désert intellectuel qui se fait autour de soi, lorsqu'on n'a plus personne qui comprenne et partage vos sentiments et vos pensées, et combien cela est rare, on ne le trouve pas deux fois. J'admire votre courage de pouvoir travailler ; pour moi, l'inquiétude et la douleur me rendent tout travail impossible. Il faut pouvoir penser et en même temps oublier pour pouvoir écrire. J'en reviens à mes *Chroniques*, et je viens vous prier de vouloir bien recommander mon volume, ou le faire recommander dans le plus grand nombre possible de journaux, cela doit vous être facile. Il est pénible de demander un service, je n'en ai pas l'habitude, mais à vous dont je connais l'excellent cœur, je ne crains pas de demander ce léger service. J'ai fait imprimer à Château-Gontier, pour obéir aux prières de mes compatriotes ; l'impression me coûte 500 francs pour 300 volumes, ce n'eſt pas l'argent que je regrette, mais il me serait pénible de voir mon livre aussi enterré, aussi ignoré que son auteur. Obligez-moi donc de le recommander et je suis sûre que si vous y aviez songé, vous auriez prévenu ma demande. Je me réjouis de lire votre nouvel ouvrage, si j'exiſte jusque-là. Si le travail eſt long, tant mieux, le plus grand plaisir que cause une œuvre, c'eſt d'y travailler, on voudrait l'achever et lorsque la dernière page eſt écrite on regrette d'avoir fini.

Adieu, cher Monsieur, je pense bien à vous, ne m'oubliez pas trop et croyez à l'inaltérable affection avec laquelle je suis

M.-S. LEROYER DE CHANTEPIE[1].

À SA NIÈCE CAROLINE

[Croisset,] nuit de jeudi, 2 heures [14 juillet 1870].

Chère Caro,

Tu es bien gentille de nous écrire aussi souvent, mais tu *devrais* nous dire le jour exact de ton retour[2]. Il ne doit pas être fort éloigné ? Ce sera, d'après mes calculs, du 25 au 28 ? Nous aurions une grande déception si tu le retardais ! Et je ne sais pas ce que je ferais de ta grand-mère. Elle va bien, cependant, et son moral eſt bon, quoiqu'elle s'ennuie de toi considérablement.

D'Osmoy a été content de ma Préface[3]. Je n'y veux plus penser. Je suis tout à *Saint Antoine* et j'espère à la fin de cette semaine en avoir écrit quatre pages.

En fait de nouvelles, je n'ai rien de curieux à te dire. Avant-hier soir, visite du citoyen Raoul-Duval[4], avec trois chevaux, quatre chiens et deux jeunes filles. Cela faisait un joli embarras dans le jardin, mais ta bonne-maman s'en eſt amusée. Pour reſter avec elle, j'ai refusé d'aller, aujourd'hui, dîner chez Lapierre[5]. — Dimanche prochain nous aurons le sieur Desprez[6] (d'Honfleur) et sa petite famille.

Je suis encore terrifié par la laideur de la mère Lebret[7]. — Je l'ai regardée hier au crépuscule, comme elle était assise sur le banc, devant le salon. Un jour verdâtre l'éclairait. Elle m'a paru épouvantable, et, en plus, d'une ſtupidité mirifique. — Mais ce matin, apparition et rognonnements de l'Horloger[8] ! Je ne m'en lasse pas.

J'ai rarement vu une aussi belle nuit que celle qu'il fait maintenant ! La lune brille à travers le tulipier ; les bateaux qui passent font des ombres noires sur la Seine endormie, les arbres se mirent dans son eau, un bruit d'avirons coupe le silence à temps égaux : c'est d'une douceur sans pareille ; il serait temps de se coucher, néanmoins.

Ah ! pauvre loulou, tu ne trouves pas les bourgeois qui t'entourent ruisselants de poésie ? Je crois bien ! Plus tu iras et plus tu seras convaincue qu'on ne peut causer qu'avec très peu de monde. Le nombre des imbéciles me paraît, à moi, augmenter de jour en jour. Presque tous les gens qu'on connaît sont intolérables de lourdeur et d'ignorance. On va et revient du mastoc au futile.

Fait politique : *Le Progrès de Rouen*[1] a cessé de paraître aujourd'hui, faute de fonds.

Tu remercieras Ernest[2] d'avoir pensé à mon loyer. C'était moins de 400 francs. Je ne sais pas la somme exacte, parce qu'il y avait 60 francs à déduire que me doit mon propriétaire. — Comment ? Le bon Grimbert[3] n'a plus votre confiance ?

Et cette santé, pauvre chat ? Tu ne vas pas, j'espère, commencer une troisième saison de bains.

Allons, adieu. Je t'embrasse bien fort.

Ton vieil oncle.

À FRÉDÉRIC BAUDRY

[Croisset,] vendredi soir [22 juillet 1870].

Mon cher Bonhomme,

Ce n'est pas pour vous parler de la guerre[4] que je vous écris, mais pour vous demander un renseignement archéologique.

Savez-vous quelle était, du temps de Constantin, *la forme des livres* ? Était-ce des volumes ou des rouleaux ? Il me semble qu'on a publié dernièrement un ouvrage sur les bibliothèques de l'Antiquité[5] ?

Mon saint Antoine lit les Saintes Écritures, mais dans quoi les lit-il ? Voilà la question.

Vous seriez bien gentil de m'instruire là-dessus le plus promptement qu'il vous sera possible.

Je suis *écœuré* par le spectacle de mes compatriotes. L'enthousiasme guerrier me navre. Pourquoi se bat-on ?

1° Parce que le Français est un coco envieux[1].

2° Parce que l'état naturel de l'homme est la sauvagerie : *Homo homini lupus*[2].

3° Parce qu'il y a dans la guerre un élément *mystique* (inanalysable) qui transporte les foules.

Le Congrès de la Paix[3], le progrès, l'humanité, la civilisation, tout cela me paraît avoir le dessous pour le quart d'heure.

En revenons-nous aux guerres de races ? J'en ai peur !

J'ai assez de moi, des autres, et de tout !

Adieu, mon bon vieux, ne m'oubliez pas.

Le v*os*tre.

Ne devez-vous pas venir à La Neuville[4] au mois de septembre ?

À GEORGE SAND

Croisset, vendredi soir [22 juillet 1870].

Que devenez-vous, chère Maître, vous et les vôtres ?

Moi, je suis écœuré, *navré* par la bêtise de mes compatriotes. L'irrémédiable barbarie de l'Humanité m'emplit d'une tristesse noire. Cet enthousiasme, qui n'a pour mobile aucune idée, me donne envie de crever pour ne plus le voir.

Le bon Français veut se battre : 1° parce qu'il est jaloux de la Prusse ; 2° parce que l'état naturel de l'homme est la sauvagerie[a] ; 3° parce que la guerre contient en soi un élément mystique, qui transporte les foules.

En sommes-nous revenus aux guerres de races ? J'en ai peur. L'effroyable boucherie qui se prépare n'a pas même un prétexte. — C'est l'envie de se battre, pour se battre.

Je pleure les ponts coupés, les tunnels défoncés, tout ce travail humain perdu, enfin une *négation* si radicale !

Le Congrès de la Paix[5] a tort, pour le moment. — La civilisation me paraît loin ? Hobbes avait raison : *Homo homini lupus*[6] *!*

Le bourgeois d'ici ne tient plus. Il trouve que la Prusse était trop insolente, il veut « se venger ». Vous avez vu qu'un monsieur a proposé à la Chambre le pillage du Duché de Bade[1] ! Ah ! que ne puis-je vivre chez les Bédouins !

J'ai commencé *Saint Antoine*. — Et ça marcherait peut-être assez bien si je ne pensais pas à la guerre. Et vous ?

Ma mère eſt à Dieppe chez Caroline, je suis seul, à Croisset, pour longtemps. — Il y fait une jolie petite chaleur. Mais je barbote dans la Seine comme un marsouin.

Et je vous embrasse très fort, chère bon Maître.

À JEANNE DE TOURBEY

[Croisset,] vendredi soir [22 juillet ? 1870].

Chère belle Amie,

Vous l'avez deviné ; je ne suis pas, pour le moment, d'une humeur très folâtre. J'ai par-dessus mes chagrins personnels l'inquiétude publique, ou plutôt j'éprouve un immense dégoût à voir l'irrémédiable sauvagerie de l'Humanité.

Comme c'eſt triſte, et comme c'eſt bête !

Je pense aux ruisseaux de larmes qui vont couler, à toutes ces ruines qu'on va faire !

À force de volonté, j'étais parvenu à me remettre au travail. — Mais la guerre me trouble. J'en suis ahuri. J'ai du mal à me recueillir. — Que ne puis-je aller vivre quelque part où l'on n'entende plus parler de quoi que ce soit.

J'ai appris ce matin par un journal anglais que Paradol *s'eſt tué*[2]. Eſt-ce vrai ?

Quelle abominable année, ma chère amie ! — L'hiver qui se prépare sera, probablement, bien gentil !

Je vous souhaite de broyer moins de noir que moi. — Mais vous ne me parlez pas de votre santé ? La mienne résiſte, malgré tout ! Je la retrempe dans les flots de la Seine, car tous les soirs, avant mon dîner, je barbote comme un marsouin. C'eſt ma seule diſtraction.

Puisque vous ne bougez pas de Paris, j'espère vous voir au mois d'août. D'ici là je vous baise les deux mains bien longuement. Et... (ma foi, oui !) bien tendrement, puisque je suis

Votre vieux

À ERNEST COMMANVILLE

[Croisset, 24 juillet 1870.]

Mon cher Neveu,

Voici ce qui m'arrive : le sieur Duplan, marchand de tapis[1], m'a écrit hier une lettre *pathétique* où il me supplie de lui envoyer de l'argent avant la fin de ce mois. — Et mes autres créanciers l'imitent ! Bref, je suis harcelé et embêté.

Donc vous seriez bien gentil de m'envoyer de quoi payer mes dettes, — pour en finir. Il me faudrait quinze cents francs, maintenant, et quinze cents autres, dans les premiers jours d'août. En tout, 3 mille francs.

Vous allez dire que votre brave oncle mange son saint-frusquin. C'est vrai ! Mais qu'y faire ? Cette année a été pour moi désastreuse de toutes les façons. Espérons que les autres seront plus douces et moins coûteuses.

J'ai reçu, ce matin, une lettre de ma mère. — On m'y parle de tout le monde, sauf de Putzel[2], embrassez-la de ma part ainsi que les autres.

Tout à vous, mon brave.

Sacré nom de Dieu ! qu'y fait chaud[3] !

Dimanche matin, 24 juillet.

GEORGE SAND À GUSTAVE FLAUBERT

Nohant, 26 juillet [1870].

Je trouve cette guerre infâme, cette *Marseillaise* autorisée un sacrilège[4]. Les hommes sont des brutes féroces et vaniteuses. Nous sommes dans *le deux fois moins* de Pascal. Quand viendra le *plus que jamais*[5] ?

Nous avons ici des 40 et 45 degrés de chaleur *à l'ombre*. On incendie les forêts : autre stupidité barbare. Les loups viennent se promener dans notre cour où nous les chassons la nuit, Maurice avec un revolver, moi avec une lanterne. Les arbres quittent leurs feuilles et peut-être la vie. L'eau à boire va nous manquer. Les récoltes sont à peu près nulles, mais nous avons la guerre, quelle chance ! L'agriculture périt, la famine menace, la misère couve en attendant qu'elle se change en Jacquerie. Mais nous battrons les Prussiens. Malbrough s'en va-t-en guerre !

Tu disais avec raison que pour travailler, il fallait une certaine allégresse. Où la trouver par ce temps maudit ? Heureusement nous n'avons personne de malade à la maison. Quand je vois Maurice et Lina agir, Aurore et Gabrielle jouer[1], je n'ose pas me plaindre de crainte de perdre tout.

Je t'aime, mon cher vieux, nous t'aimons tous.

Ton troubadour,

G. SAND.

À ERNEST COMMANVILLE

[Croisset, 27 juillet 1870.]

Mon cher Ernest,

Je dois à Duplan 1 800 francs. — Sa facture est à Paris.

Quoique je ne comprenne pas très bien ce que vous me dites, je lui écris de s'adresser à vous pour avoir de l'argent. — Est-ce là ce qu'il fallait faire ?

Ledit Duplan m'a l'air extrêmement pressé. — Et je crois qu'il aurait mieux aimé que je lui envoyasse, *illico*, 1 500 francs comme j'en avais l'intention ? mais je vous obéis.

Quand j'irai à Dieppe vers la fin de la semaine prochaine, je prendrai le reste.

Merci et tout à vous.

Mercredi matin.

À SA NIÈCE CAROLINE

[Croisset,] nuit de jeudi [28 juillet 1870].

Mon pauvre Loulou,

Je voulais t'écrire tantôt avant le dîner ; mais j'ai reçu à ce moment-là la visite de Bataille[2] et de son épouse, accompagnée de ses deux enfants. — Nous n'avons parlé que de la guerre, bien entendu. Je vois que tout le monde est inquiet, moi-même, bien que je sois peu patriote, je me sens le cœur tout serré. L'angoisse publique me gagne, et s'ajoutant à mes motifs personnels d'embêtement, ça ne laisse pas que de faire un joli petit total. Toi aussi, ma chère Caro, tu me parais un peu sombre ? Est-ce que ton mari a de sérieuses inquiétudes relativement à ses affaires ? Ou bien est-ce toi, seulement, qui te préoccupes outre mesure ? Je crois que, de toute façon, j'ai mangé (comme on dit) mon pain blanc le premier. L'avenir ne m'apparaît point sous des couleurs de rose. Si je te savais absolument heureuse, au moins ! ce serait une consolation, car tu es bien la personne de la terre que j'aime le mieux, ma chère Caro. — Comme je regrette ta gentille compagnie ! Songe donc que je n'en ai plus, maintenant, *aucune* ! Voilà que je vais m'attendrir comme une bête ! Causons d'autre chose !

De quoi ? Du bon *Saint Antoine* ? Eh bien, il va doucettement. J'espère en avoir écrit 14 ou 15 pages au milieu de la semaine prochaine. — Alors j'irai te faire une petite visite.

Tâche de secouer ta grand-mère. Il faut ne pas la plaindre, et l'empêcher de penser à elle-même, continuellement.

J'ai reçu une lettre lamentable de Mme Sand[1]. Il y a une telle misère dans son pays, qu'elle redoute une *jacquerie*. Les loups viennent la nuit jusque sous ses fenêtres, poussés par la soif. — Et elle leur fait la chasse avec son fils.

Il y a des tableaux plus gais, tels que la vue de l'Horloger[2], dont j'ai joui ce matin.

Je m'aperçois que cet imbécile-là occupe une place dans mon existence ; car il est certain que je suis joyeux quand je l'aperçois. Ô puissance de la Bêtise !

Je pense qu'Ernest[3] m'a envoyé quelque argent à Duplan, le marchand d'étoffes.

Embrasse ta grand-mère pour moi.

Deux bécots sur tes bonnes joues.

Ton vieil oncle.

À EDMA ROGER DES GENETTES

Croisset, dimanche [31 juillet 1870].

Chère Madame,

J'ai été, il y a huit jours, chez le Général[4], pour lui souhaiter victoire et bon retour ; mais il était déjà parti. Savez-vous, à ce propos, que des conscrits sont venus lui faire une ovation, dont il n'a pu *jouir*, car il était décampé ? Comme je vous plains ! Que vous devez être inquiète ! J'ai bien pensé à vous tous ces temps-ci. Voilà pourquoi je vous écris.

Je ne sais pas si je vais blesser votre patriotisme, mais je suis *navré* par le spectacle de mes compatriotes. L'irrémédiable barbarie de l'humanité m'emplit d'une tristesse noire. Je pleure les ponts coupés, les chemins de fer abîmés, tant de travail perdu ! sans compter les morts, qui vont être nombreux ! Je ne vois pas une *idée* dans cette guerre. On se bat pour le plaisir de se battre ; je n'y comprends rien. Le bourgeois (oui ! l'odieux bourgeois de Rouen, le cotonnier) est d'une férocité *impossible à décrire*. Il trouve que la Prusse l'a joué ! que Bismarck a été insolent envers lui ! Il ne se tient plus..., c'est à donner le vertige.

La guerre contient en soi un élément mystique inanalysable : c'est le seul côté par lequel les foules voient l'idéal.

Mon travail se ressent de cette commotion universelle. Au lieu de songer à *Saint Antoine*, je pense trop aux horreurs qui se préparent, et je suis ici complètement seul, ruminant mon passé comme un vieillard, ce qui n'est pas d'une folichonnerie extrême.

Êtes-vous plus gaie que moi ? Moins encore peut-être ? — Et votre santé ?

Mes bons souvenirs à votre mari.

Je vous baise les deux mains, chère Madame, et suis à vous.

À SA NIÈCE CAROLINE

Croisset, lundi, 5 heures du soir [1er août 1870].

Merci de tes conseils, ma chère Caro, mais, Dieu merci, je les crois inutiles. Il y a cependant dans ta lettre apportée par le frère de Daviron[1] deux ou trois expressions qui me mettent la puce à l'oreille ?

Comme ton mari doit être en courses continuellement, tu serais bien aimable de venir nous faire une visite, ne serait-elle que de quelques heures. La semaine ne se passera pas sans qu'on te voie, n'est-ce pas ?

Ta grand-mère va très bien.

Les habitants de Nogent[2] me paraissent en proie à une horrible venette ; et l'automate[3] est dévissé, complètement.

Nous avons eu ce matin à déjeuner le petit Baudry et Philippe[4].

Plus j'y songe, plus je trouve que j'ai besoin de te parler, pour convenir ensemble d'un tas de choses.

Ne te presse pas, car tu recevras de moi, mercredi matin, une lettre qui te donnera des nouvelles de *Paris*.

Adieu, pauvre loulou. Bon courage ! Je t'embrasse.

Ton vieil oncle qui se ronge de son inaction.

À SA NIÈCE CAROLINE

[Croisset,] mardi, 6 heures [2 août 1870].

Rien de neuf *chez moi*. — Nous venons d'apprendre la dépêche de Verdun. Mais nous n'osons encore y croire[1].

Ce qui me ronge, ma chère Caro, c'est mon inaction forcée. Si elle dure quelque temps encore, je crois que j'éclaterai.

J'ai eu, hier, un bel accès de fureur, causé par une plaisanterie du jeune Baudry[2]. — J'ai même hésité à aller à Rouen tout exprès pour lui flanquer des calottes. Je te conterai cela.

L'impassibilité de ta grand-mère est sublime. Je n'ai que mon voisin Fortin[3] qui me comprenne. Il vient me voir plusieurs fois par jour, car sa femme l'exaspère par son calme. — Nous irons ce soir à Rouen ensemble pour avoir les nouvelles.

Donne-nous des tiennes et surtout de celles des affaires d'Ernest[4].

Le père Cottard[5] a des hallucinations. Il croit que les Prussiens se livrent sur son épouse à des actes de la plus complète immoralité, et il veut étrangler cette même épouse qu'il prend pour les Prussiens.

Le docteur Morel[6] est venu le voir tout à l'heure.

Je trouve cette petite anecdote pleine de charme.

Mais si ça dure comme ça quelque temps, tout le monde perdra la boule !

Adieu, pauvre chérie, je t'embrasse bien fort.

Ton vieil oncle qui t'aime.

J'ai bien envie de te voir.

À GEORGE SAND

[Croisset, 3 août 1870.]

Comment ! chère Maître ? vous aussi, démoralisée, triste ? Que vont devenir les faibles, alors ?

Moi, j'ai le cœur serré, d'une façon qui m'étonne. — Et je roule dans une mélancolie sans fond, malgré le travail, malgré le bon *Saint Antoine* qui devait me distraire. Est-ce la suite de mes chagrins réitérés ? C'est possible. Mais la guerre y est pour beaucoup. Il me semble que nous entrons dans le *noir* ?

Voilà donc *l'homme naturel* ! Faites des théories maintenant ! Vantez le Progrès, les lumières, le bon sens des masses, et la douceur du peuple français. Je vous assure qu'ici, on se ferait assommer si on s'avisait de prêcher la Paix.

Quoi qu'il advienne, nous sommes reculés pour longtemps.

Les guerres de races vont peut-être recommencer ? On verra, avant un siècle, plusieurs millions d'hommes s'entretuer en une séance ? Tout l'Orient contre toute l'Europe, l'ancien monde contre le nouveau ! Pourquoi pas ? Les grands travaux collectifs comme l'isthme de Suez sont peut-être, sous une autre forme, des ébauches et des préparations de ces conflits monstrueux dont nous n'avons pas l'idée ?

Peut-être, aussi, que la Prusse va se recevoir une forte raclée, qui entrait dans les desseins de la Providence, pour rétablir l'équilibre européen ? Ce pays-là tendait à s'hypertrophier, comme la France l'a fait sous Louis XIV et Napoléon. Les autres organes s'en trouvent gênés. De là un trouble universel. — Des saignées formidables seraient-elles utiles ?

Ah ! lettrés que nous sommes ! L'humanité est loin de notre idéal ! Et notre immense erreur, notre erreur funeste, c'est de la croire pareille à nous, et de vouloir la traiter en conséquence.

Le respect, le fétichisme qu'on a pour le Suffrage universel, me révolte plus que l'infaillibilité du Pape (lequel vient de rater joliment son effet, par parenthèse. Pauvre vieux[1] !). Croyez-vous que si la France, au lieu d'être gouvernée, en somme, par la foule, était au pouvoir des *Mandarins*, nous en serions là ? Si, au lieu d'avoir voulu éclairer les basses classes, on se fût occupé d'instruire les hautes, vous n'auriez pas vu M. de Kératry proposer le pillage du duché de Baden[1], mesure que le public trouve *très juste*.

Étudiez-vous Prudhomme, par ces temps-ci ? Il est gigantesque ! Il admire *Le Rhin*[2] de Musset, et demande si Musset « a fait autre chose » ? Voilà Musset passé poète-national ! et dégotant Béranger ! Quelle immense bouffonnerie que... tout !

Mais une bouffonnerie peu gaie.

La misère s'annonce bien. Tout le monde est dans la gêne, à commencer par moi ! Mais nous étions, peut-être, trop habitués au confortable et à la tranquillité. Nous nous enfoncions dans la matière ? Il faut revenir à la grande tradition, ne plus tenir à la Vie, au Bonheur, à l'argent, ni à rien ; être ce qu'étaient nos grands-pères, des personnes légères, gazeuses.

Autrefois, on passait son existence à crever de faim. La même perspective pointe à l'horizon. — C'est abominable ce que vous me dites sur le pauvre Nohant ! La campagne, ici, a moins souffert que chez vous.

Je m'en vais après-demain à Dieppe, où ma mère est chez sa petite-fille[3]. Elle vieillit et s'affaiblit d'une façon effrayante. — De ce côté-là, aussi, l'avenir, pour moi n'est pas drôle.

Je serai lundi à Paris. Écrivez-moi donc rue Murillo, 4, où je resterai une huitaine, environ. Il faut que je sache ce que va devenir *Aïssé* et le volume de vers[4] de Bouilhet. — Ça me force à revoir cet excellent Michel Lévy[5] — et nous autres, quand nous reverrons-nous ?

Amitiés à tout le monde et à vous mes tendresses.

Croisset, mercredi 3 août.

GEORGE SAND À GUSTAVE FLAUBERT

Nohant, dimanche soir [7 août 1870].

Es-tu à Paris, au milieu de cette tourmente ? Quelle leçon reçoivent les peuples qui veulent des maîtres absolus ! France et Prusse s'égorgeant pour des questions qu'elles ne comprennent pas ! Nous voilà dans les grands désastres, et que de larmes au bout de tout cela, quand même nous serions vainqueurs ! On ne voit que de pauvres paysans pleurant leurs enfants qui partent. La mobile nous emmène ceux qui nous restaient, et comme on les traite pour commencer ! Quel désordre, quel désarroi dans cette administration militaire qui absorbait tout et devait tout avaler ! Cette horrible expérience va-t-elle enfin prouver au monde que la guerre doit être supprimée ou que la civilisation doit périr ?

Nous en sommes ici, ce soir, à savoir que nous sommes battus. Peut-être demain saurons-nous que nous avons battu, et de l'un comme de l'autre que restera-t-il de bon et d'utile ?

Il a enfin plu ici, avec un orage effroyable qui a tout brisé. Le paysan laboure et refait ses prairies, piochant toujours, triste ou gai. Il est bête, dit-on : non, il est enfant dans la prospérité, homme dans le désastre, plus homme que nous qui nous plaignons ; lui, ne dit rien et, pendant qu'on tue, il sème, réparant toujours d'un côté ce qu'on détruit de l'autre. Nous allons tâcher de faire comme lui et de chercher une source jaillissante à 50 ou 100 mètres sous terre. L'ingénieur est ici et Maurice lui enseigne la géologie du sol. Nous tâchons de fouiller les entrailles de la terre pour oublier ce qui se passe dessus. Mais on ne peut se distraire de cette consternation !

Écris-moi où tu es. Je t'envoie ceci au jour dit, rue Murillo. Nous t'aimons et nous t'embrassons tous.

G. SAND.

À SA NIÈCE CAROLINE

[Paris,] mardi, 3 heures [9 août 1870].

Pas de nouvelles de l'armée ! Je viens de la place de la Concorde. Tout est tranquille. Mais la venette des Parisiens n'a pas de nom ! J'en suis indigné.

Les bruits les plus contradictoires circulent. Ce qu'il y a de sûr, c'est que *tout le monde* perd la boule. Et que nous sommes dans un affreux gâchis.

J'ai été chez vous tout à l'heure. Je sais que vous êtes repartis hier, au soir.

En fait de conseils je n'en ai qu'un à vous donner : *de la Prudence !*

Tout à vous et à bientôt.

Dès que j'aurai une vraie nouvelle, vous la saurez.

GEORGE SAND À GUSTAVE FLAUBERT

[Nohant,] 15 août, soir [1870].

Je t'ai écrit à Paris selon ton indication, le 8. Tu n'y es donc pas ? C'est probable. Au milieu d'un tel désarroi publier Bouilhet, un poète, ce n'est pas le moment.

J'ai le cœur faible, moi, il y a toujours une femme dans la peau du vieux troubadour. Cette boucherie humaine met mon pauvre cœur en loques. Je tremble aussi pour tous mes enfants et amis qui vont peut-être se faire hacher. Et, au milieu de tout cela, pourtant mon âme se relève et a des élans de foi. Ces leçons féroces qu'il nous faut pour comprendre notre imbécillité doivent nous servir. Nous faisons peut-être notre dernier retour vers les errements du vieux monde. Il y a des principes nets et clairs pour tous aujourd'hui, qui doivent se dégager de cette tourmente. Rien n'est inutile dans l'ordre matériel de l'univers. L'ordre moral ne peut échapper à la loi. Le mal engendre le bien. Je te dis que nous sommes dans le *deux fois moins* de Pascal pour arriver au *plus que jamais*[1] ! C'est toute la mathématique que je comprends.

J'ai fini un roman au milieu de cette tourmente[2], me hâtant pour n'être pas brisée avant la fin. Je suis lasse comme si je m'étais battue avec nos pauvres soldats.

Je t'embrasse. Dis-moi où tu es, ce que tu penses.

Nous t'aimons tous.

G. SAND.

La belle Saint-Napoléon que voilà[3] !

À EDMA ROGER DES GENETTES

Croisset, mercredi [17 août 1870].

Avez-vous des nouvelles du Général[4] ?

J'ai su avant-hier qu'il s'était tiré des premiers engagements.

Comme je pense aux inquiétudes que vous devez avoir !

Il m'est impossible de rien faire, je n'ai pas même assez de calme d'esprit pour écrire une lettre.

Et songer que nous n'en sommes qu'au 1er acte ! car la paix faite (d'une façon ou d'une autre), nous allons entrer en Révolution. — Ce qui nous pend au bout du nez, à tous, c'est d'abord la misère, sans compter le reste ! Quel amas de malédictions sur la tête d'Isidore[1] !

Mes bons souvenirs à M. Roger[2].

Je vous baise les deux mains.

Tout à vous.

À GEORGE SAND

Croisset, mercredi [17 août 1870].

Je suis arrivé à Paris lundi et j'en suis reparti mercredi. — Je connais maintenant le fond du Parisien ! Et j'ai fait, dans mon cœur, des excuses aux plus féroces politiques de 93. Maintenant, je les comprends ! Quelle bêtise ! quelle lâcheté ! quelle ignorance ! quelle présomption ! Mes compatriotes me donnent envie de vomir. Ils sont à mettre dans le même sac qu'Isidore[3] !

Ce peuple *mérite peut-être* d'être châtié ? et j'ai peur qu'il le soit ?

Il m'est impossible de lire n'importe quoi, à plus forte raison d'écrire. Je passe mon temps comme tout le monde à attendre des nouvelles. — Ah ! si je n'avais pas ma mère, comme je serais déjà parti !

Ne sachant à quoi m'occuper je me suis engagé comme infirmier à l'Hôtel-Dieu de Rouen, où mon concours ne sera peut-être pas inutile. Car mon frère n'a plus d'élèves. Mon inaction m'étouffe à éclater.

Si l'on fait le siège de Paris, j'irai faire le coup de feu. — Mon fusil est tout prêt. — Mais d'ici là je reste à Croisset où *je dois* rester. Je vous dirai pourquoi.

J'ai vu dans la capitale des ignominies qui vous vieillissent un homme.

Et nous n'en sommes qu'au 1er acte. Car nous allons entrer dans *la Sociale*. Laquelle sera suivie d'une réaction vigoureuse et longue !

Voilà où nous a conduits le Suffrage universel, Dieu nouveau que je trouve aussi bête que l'ancien ! N'importe ! Vous croyez qu'il en sera démonté, le bon Suffrage universel ? pas du tout ! Après Isidore nous aurons Pignouf Ier !

Ce qui me désole dans cette guerre, c'est que les Prussiens ont raison ! à leur tour ! puis à celui des Russes ! Ah ! que je voudrais être crevé pour ne plus penser à tout cela !

Vous devez être à Nohant moins tourmentés que nous par la question pécuniaire. — *Tous* les ouvriers de la Seine-Inférieure vont demander l'aumône, dans quelques jours. Mon neveu Commanville se conduit crânement. Il fait travailler les siens, quand même. Mon frère a abandonné ses malades et ne s'occupe que des affaires publiques. Rouen arme et entretient, à ses frais, toute sa mobile[1]. — C'est une idée qui n'est encore venue à aucune municipalité.

La pauvre littérature est bien délaissée, chère maître. — *Saint Antoine* n'a que 14 pages ! impossible d'avancer[a].

Où est Maurice[2] ?

Donnez-moi souvent de vos nouvelles et embrassez pour moi vos chères petites.

Tout à vous.

À SA NIÈCE CAROLINE

[Croisset,] mercredi, 6 heures du soir [17 août 1870].

Rien de nouveau, d'aucun côté, mon pauvre loulou.

Pas de nouvelles de la guerre ! J'ai peur qu'elles ne soient mauvaises ?

Ta cousine Juliette[3] est venue ce matin déjeuner à Croisset. Elle a appris par Gustave Roquigny[4] qu'Ernest[5] a une commande du gouvernement. — Je suis bien content de cela. Il va pouvoir faire travailler ses ouvriers. — Et sous le rapport du crédit, c'est bon.

Tu serais bien gentille de venir passer, avec nous, la journée de dimanche ?

J'ai été hier soir au chemin de fer pour avoir des nouvelles. Là, j'ai vu Mme Maletra[6], qui venait au-devant de son inéluctable gendre. Le beau F. Delamarre[7] était avec elle, et faisait de petites plaisanteries.

Renard, le chef de gare, indigné contre son cousin Cordhomme[8], l'a menacé de « le foutre sous un train ».

« Et je suis capable de le faire, monsieur, tant j'ai les nerfs agacés ! »

Ah ! nous sommes, tous, dans un bel état !

Ta bonne-maman va bien. — Et s'ennuie de toi, énormément.

Adieu, pauvre chérie, je t'embrasse bien fort.

Gve Fl.

À ERNEST COMMANVILLE

[Croisset, 18 août 1870 ?]

Eh bien ! Nous sommes dans de beaux draps ! *L'Empire* n'est plus qu'une question de jours, mais il faut le défendre jusqu'au bout !

Etes-vous inquiets pour vos propres affaires ? Rassurez-moi par un mot. J'aurais le cœur plus libre si je vous savais sans angoisse.

Un mot seulement.

Je vous embrasse.

Jeudi matin, Croisset.

À CLAUDIUS POPELIN

[Croisset, 19 août 1870.]

Mon cher Ami,

Donnez-moi donc des nouvelles !

Soyez sans inquiétude sur votre caisse de livres[1] !

La certitude où l'on est à Rouen que Paris ne bouge pas a redonné de la confiance.

Mes pauvres parents de Champagne[2] nous ont écrit ce matin une lettre épouvantée. Ils se disposent à déménager comme en 1815. — Mais nous n'en sommes pas encore là, Dieu merci !

N.B. Quelle résolution a-t-*on* prise ?

La bêtise, l'inertie des autorités rouennaises ne laisse rien à désirer. Par l'initiative de mon frère et de Raoul-Duval, la ville va envoyer au ministère de la Guerre un bataillon de 500 hommes qu'elle entretiendra à ses frais[3].

L'*ouvrier* est comme l'*Autorité* : il dort, ô abrutissement !

Quelle leçon, mon bon !

Répondez-moi poste pour poste !

Tout à *vous*, quoi qu'il advienne.

Croisset, vendredi midi.

À MAXIME DU CAMP

[Croisset, 24 août 1870.]

Mon bon vieux Max,

Tu serais bien gentil (si tu n'es pas trop fatigué) de me donner de vos nouvelles et des nouvelles !

Tu n'as pas idée du Désert absolu qui m'environne ! mon inaction forcée me ronge comme un cancer et j'en souffre horriblement.

Un peu moins maintenant, cependant. — Car ma tristesse s'est tournée en désirs belliqueux. Oui, j'ai bêtement envie de me battre, et je te jure ma parole d'honneur que si je n'étais pas sûr de faire mourir ma mère immédiatement, j'irais rejoindre le bon d'Osmoy[1], qui doit être maintenant dans les environs de Châlons, à la tête d'une compagnie de tirailleurs.

L'idée de la paix m'exaspère.

Et toi ?

Il me semble qu'on est un peu remonté et qu'il y a maintenant de l'espoir ? Quoi qu'il advienne, un nouveau monde va commencer, une autre France ! Or, nous sommes trop vieux, mon bon, pour nous plier à des mœurs nouvelles.

Comme le Major[2] doit travailler !

Embrasse le Mouton[3] pour moi.

Ton

Mercredi soir, 24 août. Anniversaire de la Saint-Barthélemy, qui avait peut-être du bon ? Quand donc aurons-nous fini de le payer, ce bon-là ?

À SA NIÈCE CAROLINE

[Croisset, 26 août 1870.]

Mon pauvre Caro,

Sais-tu ce qui rendait ta grand-mère si triste ? Depuis 8 mois, elle croyait avoir *un cancer au sein* ! Et elle a été, avant-hier, consulter ton oncle Achille qui l'a examinée, et absolument rassurée. — Car elle n'a pas plus de cancer que moi ; aussi est-elle maintenant tout autre d'humeur et d'esprit.

Elle eſt même assez raisonnable pour être résignée d'avance à mon départ. Car si le siège de Paris a lieu (ce que je crois, maintenant), je suis très résolu à ficher mon camp avec le fusil sur le dos. — Cette idée-là me donne presque de la gaieté. Mieux vaut se battre que de se ronger d'ennui comme je fais.

Je travaille, mais si mal que je n'avance à rien.

J'ai mené avant-hier ta grand-mère chez Collignon[1]. Nous y retournons demain. Elle ne t'a pas écrit aujourd'hui parce qu'elle a eu la visite de Mme Lebret[2] (qui pourrait bien être un espion de la Prusse ?) et de la petite mère Fortin[3], laquelle viendra habiter avec ta bonne-maman si son mari part avec moi, — et si je pars, il partira.

Comme c'eſt drôle de n'avoir pas de nouvelles *du théâtre de la guerre* depuis huit jours ! On ne sait pas même où eſt ce théâtre ?

On a amené ce soir à Rouen 400 blessés.

Ce qui me fait croire au siège prochain de Paris, c'eſt que l'ennemi se refoule (ou eſt refoulé) vers la Brie ; que la Nièvre et le Loiret sont en état de siège, et qu'on s'eſt mis à refortifier Paris, dès le lendemain de nos revers. — Mais avant le siège, il y aura, sous les murs de cette bonne Lutèce, une bataille décisive. Souhaitons qu'elle ait lieu plus loin.

Aucune révélation des Nogentais[4].

Adieu, chère Caro ! Bon courage ! Moi, j'en ai, maintenant, plus que la semaine dernière.

Je t'embrasse très fort.

Ton vieil oncle.

Vendredi soir, minuit.

À JEANNE DE TOURBEY ?

Croisset, vendredi soir, 26 août [1870].

[...] Je n'ai rien à vous dire, si ce n'eſt que je suis rongé, dévoré d'inquiétudes comme tout le monde. [...] Je crois, moi, au siège de Paris. J'irai vous défendre avec les miens. Et le Prince ?... Ah ! c'eſt joli, joli, joli tout à fait[5]. L'idée de faire la paix me révolte ! Et vous ? [...]

À CLAUDIUS POPELIN

[Croisset, 27 août 1870.]

Avertissement : mes pauvres parents de Champagne sont arrivés ce soir à Croisset. L'ennemi n'étant plus qu'à [dix ?] lieues de chez eux[1]. Ma maison regorge de monde.

Ça n'y fait rien. En cas de besoin, j'aurai du logement.

Tout à vous.

Donnez-moi des nouvelles fréquemment.

Croyez-vous au siège de Paris ?

En tout cas, mes dispositions sont faites. Je suis tout prêt à partir.

Samedi soir.

Comme j'ai envie de me battre !

À EDMOND DE GONCOURT

[Croisset,] nuit de lundi [29 août 1870].

Mon cher Edmond,

Si je ne vous ai pas écrit depuis longtemps, c'eſt que je vous croyais d'abord en Champagne, puis je ne sais où, depuis la guerre.

Quel renfoncement, hein ? Mais nous allons nous relever, il me semble ?

Je ne fais rien du tout. J'attends des nouvelles et je me ronge, je me dévore d'impatience. Ce qui m'exaspère, c'eſt la ſtupidité des autorités locales !

Mes pauvres parents de Nogent[2] nous sont arrivés ici, et mon toit abrite maintenant seize personnes.

Je me suis engagé comme infirmier à l'Hôtel-Dieu de Rouen, en attendant que j'aille défendre Lutèce, si on en fait le siège (ce que je ne crois pas). J'ai une envie, un *prurit* de me battre. Eſt-ce le sang de mes aïeux, les Natchez[3], qui reparaît ? Non !... c'eſt l'em... de l'exiſtence qui éclate. Ah ! bienheureux ceux que nous pleurons, mon pauvre ami !

Dès que tout sera fini, il *faudra* que vous veniez chez moi. Il me semble que nous avons bien des choses à nous dire. Et puis, je suis si seul ! Et vous, donc !

Si vous le pouvez, écrivez-moi et donnez-moi des nouvelles, de vous et du reste.

Je vous embrasse bien fort.

À CLAUDIUS POPELIN

[Croisset,] lundi soir, 11 heures [29 août 1870].

Mon cher Ami,

Voici la seconde fois que je réclame de vous des nouvelles. Je vous *supplie* de m'en donner et de me dire vos projets. *J'ai besoin* de les connaître.

S'il est dans vos intentions que je vous sois utile à quelque chose, venez ici vous entendre avec moi. En partant de Paris à 8 heures du matin vous pourriez me donner 2 heures et être revenu chez vous à 4 h 20 mn.

Tout à vous.

À SA NIÈCE CAROLINE

Croisset, mercredi, 5 heures [31 août 1870].

Ma chère Caro,

Puisque tu as été hier à Ouville[1], tu aurais dû faire sentir la supériorité de tes procédés, et vuider poliment ton sac. — Car je ne vois pas pourquoi les sots feraient toujours souffrir les gens d'esprit, pourquoi les braves obéiraient aux lâches, etc. ; c'est ce qui se passe et ce qui m'indigne.

Les Bonenfant m'ont l'air fort heureux d'être loin « du théâtre de la guerre ». Leurs petites filles ne sont pas agaçantes, mais ce pauvre Bonenfant me soulève le cœur avec ses crachements continuels ! Croirais-tu que, de mon lit, je l'entends dans le jardin. C'est là ce qui me réveille, le matin, avec les disputes d'Hyacinthe[2] et de ta grand-mère.

Je t'assure, mon Carolo, que je n'en peux plus ! Si une vie pareille devait se prolonger, je deviendrais fou ou idiot. J'ai des crampes d'estomac avec un mal de tête permanent. Songe que je n'ai personne, *absolument personne*, avec qui même causer ! Ta grand-mère continue à gémir sur la faiblesse de ses jambes et sur sa surdité. C'est désolant !

Parlons de la guerre, pour nous égayer. Fortin a vu ce matin un jeune homme de Stenay échappé des mains des Prussiens et qui lui *a affirmé* que Mac-Mahon et Bazaine étaient dans d'excellentes positions, il y a cinq jours. Mac-Mahon avait couché chez le père de ce jeune homme-là, deux jours avant qu'il fût fait prisonnier par eux.

Il paraît que Bazaine a noyé dans la Moselle (ou plutôt dans une tranchée où il a amené les eaux de la Moselle) 25 mille Prussiens. — Et il en a fait bien d'autres !

Le siège de Paris n'est guère probable. On va défendre les stations entre Rouen et Paris. — Et on s'occupe aussi de défendre Rouen ! ! !

La garde nationale de Croisset (chose bien importante) se réunit, enfin, dimanche prochain.

J'ai (indirectement) des nouvelles du Prince Napoléon : il s'est très bien *enfui*[1] ! Nous avions de jolis cocos pour nous gouverner. Avouons-le !

La Princesse[2] restera à Paris, jusqu'au bout.

Je n'ai plus rien en garde. On est venu, hier, reprendre tout[3].

Je ne savais pas que ta grand-mère avait invité Mlle Carbonnel[4] à venir ici. Il ne m'aurait plus manqué que ça !

Et toi, pauvre chérie, as-tu un peu de courage ? Et ton mari ? Si tu as quelque chose de sérieux à me communiquer, écris-moi-le sur une feuille volante[5].

Où est le temps où je te donnais des leçons, quand mon pauvre Bouilhet venait tous les samedis !

Allons, adieu. Tâche de venir la semaine prochaine. Je t'embrasse tendrement.

Ton vieil oncle,
Gve Fl.

À CLAUDIUS POPELIN

[Croisset, 31 août 1870.]

Prévenez-moi par un mot 24 heures à l'avance, j'irai vous trouver à la gare, quand vous passerez par Rouen.

Un prisonnier échappé des mains des Prussiens a donné ce matin, à un de mes amis d'ici, *d'excellentes* nouvelles. MacMahon et Bazaine sont sûrs de leur affaire. Ce dernier a fait des merveilles depuis quinze jours.

Amitiés à votre hôte[1]

et tout à vous.

Mercredi 31.

À ALFRED BAUDRY

[Croisset, 3 septembre 1870?]

Mon Bonhomme,

Demain, toute ma smala[2] part à 11 heures pour se promener à Caumont. Moi, je reste *bien entendu.* C'est vous dire que si vous voulez venir *tout de même*, vous serez le bien reçu.

Mais ma mère me charge de vous inviter à déjeuner pour lundi. Donc à lundi???

À vous.

Samedi, 4 heures.

À LA PRINCESSE MATHILDE

[Croisset, 7 septembre 1870.]

Princesse,

Je pense à vous, continuellement. Les inquiétudes que je vous sais s'ajoutent aux miennes. — Et l'oisiveté où je languis, m'est intolérable!

P[opelin] m'écrit[3] ce matin que vous reprenez espoir. — Tout le monde est comme vous. Il me semble que le vent va tourner, on a plus de confiance.

Vous devez être excédée par tout ce qu'on dit autour de vous! — Et pour cela aussi, je vous plains profondément.

Ma vie se passe à attendre des nouvelles.

Ce qui me rassure, c'est que personne ne songe à la paix. Si les Prussiens arrivent jusqu'à Paris, ce sera formidable. Toute la France s'y portera. Qu'elle soit anéantie plutôt qu'humiliée! Mais nous les vaincrons, et nous leur ferons repasser le Rhin, tambour battant. Les bourgeois les plus pacifiques, tels que moi, sont parfaitement résolus à se faire tuer plutôt que de céder.

Qui aurait dit cela, il y a six mois !

Quoi qu'il advienne, un autre monde va commencer. — Et je me sens trop vieux pour me plier à des mœurs nouvelles.

Maintenant que je suis revenu de la première surprise, j'ai la tête plus calme. J'ai même recommencé à travailler. Car autrement je serais devenu fou de rage.

Écrivez-moi quand vous n'aurez rien de mieux à faire. — Je vous baise les deux mains et plus que jamais, je suis tout à vous, Princesse, tout à vous.

Mercredi soir.

À CLAUDIUS POPELIN

[Croisset, 7 septembre 1870.]

On me dit qu'il faut se méfier de tout, de la poste, comme du reste. — Donc, cher ami, faites passer la lettre ci-incluse à la P[rincesse[1]].

Et l'histoire de Mme Pourtalès[2] ? Est-ce vrai ?

Que devient Théo[3] dans tout ça ?

Moi, je vais mieux. — Mon vieux sang de Peau-Rouge[4] fait que j'ai une envie démesurée de me battre. — Oui ! « une soif de carnage » *(sic)* et si je n'étais pas sûr de faire mourir ma mère immédiatement, j'irais manger du Prussien, et je ne suis plus triste !

Merci de votre lettre de ce matin, cher ami. Écrivez-moi souvent, si vous le pouvez.

Je vous la serre fortement.

Mercredi soir.

À GEORGE SAND

[Croisset,] mercredi [7 septembre 1870].

Je ne suis plus triste. — J'ai repris, hier, mon *Saint Antoine*. Tant pis, il faut s'y faire ! Il faut s'habituer à ce qui est l'état naturel de l'homme[a], c'est-à-dire au mal.

Les Grecs du temps de Périclès faisaient de l'art sans savoir s'ils auraient de quoi manger le lendemain. — Soyons Grecs !

Je vous avouerai, cependant, chère maître, que je me sens plutôt sauvage. Le sang de mes aïeux, les Natchez ou les Hurons[1], bouillonne dans mes veines de lettré, et j'ai, sérieusement, bêtement, animalement *envie de me battre.*

Expliquez-moi ça ! L'idée de faire la paix, maintenant, m'exaspère. — Et j'aimerais mieux qu'on incendiât Paris (comme Moscou) que d'y voir entrer les Prussiens. Mais nous n'en sommes pas là. Je crois que le vent tourne ?

Connaissez-vous l'histoire de Mme Pourtalès[2] ? C'est joli, hein ? La France paie cher son immoralité.

J'ai lu quelques lettres de soldats, qui sont des *modèles.* On n'avale pas un pays où l'on écrit des choses pareilles. La France est un[e] Rosse qui a du fond et qui se révélera.

Quoi qu'il advienne, un autre monde va commencer. Or je me sens bien vieux pour me plier à des mœurs nouvelles.

Mon neveu Commanville fait pour l'armée *mille* caisses à biscuit, par jour, sans compter des baraques. Vous voyez qu'on ne s'endort pas chez nous. — Paris regorge de forces et de vivres. De ce côté-là tout est sûr.

Ah ! comme vous me manquez ! comme j'ai envie de vous voir !

Je vous embrasse tous.

Votre vieux troubadour,
Gve.

Nous sommes décidés ici à marcher *tous* sur Paris, si les compatriotes d'Hegel en font le siège. Tâchez de monter le bourrichon à vos Berrichons. Criez-leur : « Venez à moi, chers lubriques[3] ! » pour empêcher l'ennemi « de boire et de manger dans un pays qui lui est étranger ».

La guerre (je l'espère) aura porté un grand coup aux « Autorités ». L'individu, nié, écrasé par le monde moderne, va-t-il reprendre de l'importance ? Souhaitons-le.

À GEORGE SAND

[Croisset,] samedi [10 septembre 1870].

Chère Maître,

Nous voilà « au fond de l'abîme ». Une paix honteuse ne sera peut-être pas acceptée ! Les Prussiens veulent détruire

Paris. C'est leur rêve. Notre seul espoir raisonnable est[a] dans *la Chimie*[1]. Qui sait « on a peut-être trouvé des moyens de défense, nouveaux » ?

Je ne crois pas que le siège de Paris soit très prochain[2]. — Mais pour forcer Paris à céder, on va : 1° l'effrayer par l'apparition des canons, et 2° ravager les provinces environnantes ?

À Rouen, nous nous attendons à la visite de ces messieurs. — Et comme je suis (depuis dimanche) lieutenant de ma compagnie, j'exerce mes hommes et je vais à Rouen prendre des leçons d'art militaire[3].

Ce qu'il y a de déplorable, c'est que les avis sont partagés, les uns étant pour la défense à outrance et les autres pour la paix à tout prix.

Je meurs de chagrin.

Quelle maison que la mienne ! 14 personnes qui gémissent et vous énervent[4]. Je maudis les femmes ! c'est par elles que nous périssons !

Je m'attends à ce que Paris va avoir le sort de Varsovie.

Et vous m'affligez, vous, avec votre enthousiasme pour la République ! Au moment où nous sommes vaincus par le Positivisme le plus net, comment pouvez-vous croire encore à des Fantômes ! Quoi qu'il advienne, les gens qui sont maintenant au Pouvoir seront sacrifiés. — Et la République suivra leur sort. Notez que je la défends, cette pauvre République. Mais je n'y crois pas.

J'ai vu hier Dumas[5], à Dieppe, où j'ai été, tout exprès, pour m'entendre avec lui, afin de repousser une calomnie idiote sur la Princesse[6], qu'on accusait d'avoir volé 51 millions, en *or*.

Si elle est sortie de France, les mains nettes, il n'en est pas de même de monsieur son frère[7], qui, dès le début de la guerre, a fait abattre et vendre à son profit les arbres du château de Meudon ! N'est-ce pas gigantesque !

Badinguet[8] est (devenu ?) imbécile. — Idiot. Il répète machinalement : « Pas d'armes, pas de vivres ! » Le prince impérial se meurt[9].

Ces derniers détails me sont donnés (indirectement) par Mme Trochu[10].

Voilà tout, ce que j'ai à vous dire maintenant. J'aurais bien d'autres choses, mais je n'ai pas la tête libre. Ce sont comme des cataractes, des fleuves, des océans de tristesse qui déferlent sur moi. Il n'est pas possible de souffrir davantage. — Par moments, j'ai peur de devenir fou. La figure de ma mère, quand je tourne les yeux sur elle, m'ôte toute énergie. Et je n'ose pas vous dire les souhaits que je forme, par moments.

Voilà où nous a amenés la Rage de ne pas vouloir *voir la vérité*, l'amour du factice et de la blague !

Nous allons devenir une Pologne, puis une Espagne. — Puis ce sera le tour de la Prusse qui sera mangée par la Russie.

Quant à moi, je me regarde comme un homme *fini*. — Ma cervelle ne se rétablira pas. — On ne peut plus écrire, quand on ne s'estime plus. — Je ne demande qu'une chose, c'est à crever, pour être tranquille.

Adieu, chère maître. Et surtout ne me consolez pas !

Je vous embrasse, avec ce qui reste de tendresse. — Je me sens le cœur desséché, je deviens bête et méchant.

À vous encore.

G.

À SA NIÈCE CAROLINE

[Croisset, 12 septembre 1870.]

Ma chère Caro,

Ton oncle Achille Fl[aubert] est venu nous voir cet après-midi avec toute sa famille. Il trouve que tu fais bien de ne pas vouloir te charger de l'argenterie. — Il a reçu deux lettres de Paris où on lui dit que Paris est très décidé à se battre. Cela est certain. La ville contient maintenant 600 mille hommes, dont 500 mille bien armés. Il y a quantité d'inventions formidables. Seront-elles effectives ? Espérons-le. Moi, je ne compte pas sur la paix.

Tu as vu dans *Le Nouvelliste* de ce matin l'entrefilet qui me concerne. Je ne sais pas encore si c'est une plaisanterie de Lapierre, ou du *Gaulois*[1].

Ta grand-mère va bien ; les Bonenfant sont toujours dans le même état.

Ta lettre de ce matin à Mme Laurent[2] dénote un grand découragement, pauvre loulou. Je t'avais trouvée si raisonnable, l'autre jour, que tu m'avais remonté. Ne te laisse pas abattre, quand ce ne serait que pour Ernest[3].

D'Osmoy, vendredi dernier, était à Lagny et marchait avec des spahis *sur* les Prussiens. Le reverrai-je[1] ?

Le père Dieusy, le beau-père de ton ami Delamarre[2], *ne pouvant plus parler, de peur*, est parti pour la Belgique avec son gendre.

Notre voisin Hubain[3] a barricadé sa grille avec des planches.

Ce que j'éprouve, c'est de l'écœurement. Comme les journées sont longues à s'écouler !

Adieu, pauvre fille. Je t'embrasse bien fort.

Ton vieil oncle.

Lundi, 6 heures.

À EDMA ROGER DES GENETTES

[Croisset, 14 septembre 1870.]

Chère Madame,

Je me suis présenté deux fois à l'hôtel de France où loge Mme votre belle-sœur (pour avoir des nouvelles du général[4]), sans pouvoir la rencontrer.

Nous nous attendons d'un moment à l'autre à la visite des Prussiens qui vont venir se *refaire* chez nous pendant le siège de Paris. Je passe mon temps à exercer mes hommes, à prendre moi-même des leçons d'art militaire, et à remonter le troupeau de femmes[5] dont je suis accablé ! (Votre sexe enchanteur est bien embêtant, quelquefois, je vous le jure !)

Puis je tâche de dormir, étant en proie à une oisiveté dévorante.

L'attente, l'attente continuelle, voilà le pire. Nous sommes assaillis par des bandes de pauvres ! Que sera-ce la semaine prochaine ?

À la grâce de Dieu ! Je suis prêt et résigné à tout !

Mes amitiés à M. Roger. Ne m'écrivez pas, les lettres peuvent se trouver interceptées.

Au revoir, bon courage et

Tout à vous.

Croisset, mercredi 14.

À SA NIÈCE CAROLINE

[Croisset,] jeudi, 4 heures [15 septembre 1870].

Ma pauvre Caro,

Tu es bien gentille de nous écrire si souvent ! Continue.

Sous ta résignation apparente tu me sembles avoir une grande inquiétude ?... Épanche-toi avec ton pauvre vieux, ma chère fille.

Je suis devenu plus calme. Je reste enfermé toute la journée et seul je m'abandonne à tout mon chagrin. J'ai essayé plusieurs fois de travailler, impossible ! — Le pire, c'est l'heure des repas.

Demain matin nous aurons à déjeuner Bataille[1]. — Qui m'a l'air très philosophe.

Ernest[2] travaille-t-il encore ? Je croyais presque que tu serais partie pour l'Angleterre hier[3] ?

Si au moins nous étions ensemble ! La vue de ta bonne mine me ferait du bien !

Paris est décidé à la résistance quand même. — Et les Prussiens vont refluer sur la province. Cela me paraît immanquable. C'est une question de temps. Rouen est décidé à céder tout de suite. Mais le département se défendra. — Comment ?

Adieu, pauvre chérie. Bon courage.

Je t'embrasse bien fort.

Ton vieux.

Je vais m'équiper pour l'exercice[4].

L'entrefilet du *Nouvelliste* était tiré du *Gaulois*. Je ne sais pas qui m'a fait cette plaisanterie, qu'on a prise au sérieux et dont j'ai reçu des compliments[5].

À SA NIÈCE CAROLINE

[Croisset,] jeudi soir, 11 heures [22 septembre 1870].

Mon pauvre Caro,

Ça va un peu mieux aujourd'hui. Il nous est venu des nouvelles tellement bonnes qu'elles vous desserrent la poitrine, bien qu'on ne veuille pas y croire (je ne te les envoie pas, pour ne pas te faire une fausse joie), tant nous avons été trompés souvent ! Ce qu'il y a de *sûr*, c'est que partout on fond des canons, on s'arme et on marche sur Paris. Il est passé à Rouen, depuis deux jours, 53 mille hommes de troupes (tous les prisonniers de Sedan s'échappent). On forme des armées. — Dans quinze jours il y aura peut-être un *million* d'hommes autour de Paris ? Les gardes nationaux de Rouen partent samedi prochain.

Comme on sait qu'il ne faut attendre aucune pitié des Prussiens, et qu'ils *ne veulent pas* faire la paix, les gens les plus timides sont résignés, maintenant, à se battre à outrance. Enfin, il me semble que tout n'est pas perdu ?

Je t'assure que moi, j'ai cru, plusieurs fois, devenir fou. Ce qui me ronge, c'est l'oisiveté, et les doléances ! et les bavardages ! Mais pour le moment, je suis remonté.

Ta grand-mère va bien.

Nous avons eu, aujourd'hui, la visite de Mme Brainne et de Mme Lapierre[1]. Dimanche dernier, celle de Raoul-Duval avec Mme Perrot (la mère de Janvier), Mme Lepic (sa fille[2]), et la femme d'un colonel, Mme de Gantès[3]. Celle-là était dans un joli état ! Elle a parcouru le champ de bataille de Sedan, pour découvrir son mari, parmi les cadavres ; elle ne l'a pas trouvé ! Je crois qu'elle *mangerait* Badinguet et de Failly[4] avec délices.

Lundi, j'ai été déjeuner à Hautot, chez le philosophe Bataille [5] ! Quel heureux tempérament d'homme !

Voilà toutes les nouvelles, ma pauvre chérie.

Et toi, que deviens-tu ? ta seconde lettre (celle d'aujourd'hui) est moins triste que la première. — Mais, quand Juliet sera retournée à Lyndon[6], j'ai peur que tu ne t'ennuies beaucoup à Londres. — Dont le climat, d'ailleurs, n'est pas sain. J'y ai toujours été malade. C'est une ville qui me fait peur. — Et puis, je doute que la nourriture te soit bonne : *pas de pot-au-feu* ! ni mille petites choses auxquelles nous sommes habitués. Les bonnes dames chez lesquelles tu manges n'ont pas ton ordinaire, mon bibi. — Enfin, je tremble que tu ne tombes malade à Londres. Je crois que tu ferais mieux, dans quelques jours, d'aller habiter Brighton ; tu louerais un petit appartement et Marguerite[7] te ferait la cuisine. Il est peu probable que les Prussiens viennent à Dieppe ? On ne croit même pas qu'ils viennent à Rouen : c'est trop loin de Paris. N'importe ! reste en Angleterre jusqu'à nouvel ordre.

Pas de nouvelles de d'Osmoy.

Feydeau, qui est à Boulogne-sur-Mer, m'a écrit aujourd'hui pour me dire qu'il « crevait de faim » et me demander de l'argent[1]. Je vais lui en envoyer.

Nous sommes assaillis de pauvres ! Ils commencent à faire des menaces. Les patrouilles de *ma* milice commenceront la semaine prochaine, et je ne me sens pas disposé à l'indulgence.

Ce qu'il y a d'affreux dans cette guerre, c'est qu'elle vous rend *méchant*. J'ai, maintenant, le cœur sec comme un caillou. — Et quoi qu'il advienne, on restera stupide. Nous sommes condamnés à parler des Prussiens jusqu'à la fin de notre vie ! On ne reçoit pas sur la cervelle de pareils coups impunément ! L'intelligence en demeure ébranlée.

Je me regarde, pour ma part, comme un homme fini, vidé. Je ne suis qu'une enveloppe, une ombre d'homme. — La société qui va sortir de nos ruines sera militaire et républicaine, c'est-à-dire antipathique à tous mes instincts. « Toute gentillesse », comme eût dit Montaigne[2], y sera impossible. — C'est cette conviction-là (bien plus que la guerre) qui fait le fond de ma tristesse. — Il n'y aura plus de place pour les Muses.

Mais je suis ingrat envers le Ciel, puisque j'aurai encore ma chère Caro, que je bécote bien fort.

Ton vieil oncle.

Embrasse Juliet pour moi. Et fais mes amitiés à toute sa famille.

À ERNEST FEYDEAU

[Croisset,] jeudi soir, 11 heures [22 septembre 1870].

Mon cher Bonhomme,

Tu recevras par le même courrier cent francs que je t'envoie dans une lettre chargée. Il m'en reste *cent*, sur lesquels je prélèverai demain 50 francs pour m'acheter un revolver. Après quoi, à la grâce de Dieu !

Avant d'avoir la visite des Prussiens, nous avons celle des pauvres, par bandes de 10 à 30 hommes, qui se renouvellent toute la journée.

Ton ami n'eſt pas disposé à la douceur. Après avoir failli devenir fou, je suis devenu enragé, et quoi qu'il advienne je demeurerai idiot. On ne reçoit pas impunément de pareilles averses sur la cervelle. N'importe, ça va mieux. Je suis présentement remonté. Tout n'eſt pas fini et la fortune eſt changeante. Paris sera peut-être brûlé, mais les Prussiens y seront écharpés et en grand nombre.

Nous avons ce soir des nouvelles tellement bonnes que je ne veux pas y croire. Ce qu'il y a de *sûr*, c'eſt que l'armée de la Loire n'eſt pas une blague. Il a passé à Rouen, depuis deux jours, 50000 hommes. La garde nationale de Rouen part samedi prochain pour X... (Vernon).

Je suis submergé par une mélancolie noire. Quel avenir ! quelle immense bêtise ! quelle dérision ! ô le Progrès ! Et on nous accusait d'être pessimiſtes !

L'hiver sera bien gentil dans « ma localité ».

Sens-tu la beauté de Badinguet[1] ? Je le trouve unique.

Je suis lieutenant, j'ai une milice et j'exerce mes hommes. Tout cela me fait vomir de dégoût, quand je ne pleure pas de rage.

Le pire, c'eſt que nous méritons notre sort et que les Prussiens ont raison, ou du moins ont eu raison.

Adieu, tâche d'avoir du courage. Quant à de l'argent, il me sera impossible de t'envoyer même 20 francs d'ici à longtemps. Ah ! ma maison eſt dans un joli état, car je ne t'ai pas dit que j'abrite tous mes parents de Champagne[2] : 14 personnes à nourrir pour le quart d'heure, et depuis quelques jours quelques milliers de pauvres secouent la grille de mon jardin. N'importe ! il faut être philosophe et « blaguer tout de même ! ». *Candide* eſt un beau livre.

Mes bons souvenirs à Mme Feydeau, bien que je *maudisse* et exècre de toutes les forces de mon âme son sexe enchanteur. Ah ! sans les femmes[3] !

À SA NIÈCE CAROLINE

[Croisset,] mardi soir [27 septembre 1870].

Mon pauvre Loulou,

Je suis *remonté*, car je suis résigné à tout ; je dis à *tout*. Depuis dimanche, où nous avons appris les conditions que la Prusse voudrait nous imposer, rien que pour un armiſtice[4], il s'eſt fait un revirement dans l'esprit de tout le monde. C'est maintenant un duel à mort. Il faut, suivant la vieille formule, « vaincre ou mourir ». Les hommes les plus capons sont devenus braves. La garde nationale de Rouen envoie, demain, son 1er bataillon à Vernon. Dans 15 jours toute la France sera soulevée. J'ai vu aujourd'hui à Rouen des mobiles des Pyrénées ! Les paysans de Gournay marchent sur l'ennemi. — De l'ensemble des nouvelles, il résulte que nous avons eu l'avantage dans toutes les escarmouches qui ont eu lieu aux environs de Paris. — Malgré la panique des zouaves du général Ducrot[1]. — Mais j'oublie que ton mari t'envoie tous les jours *Le Nouvelliste*.

Je commence, aujourd'hui, mes patrouilles de nuit. — J'ai fait tantôt à « mes hommes » une allocution paternelle, où je leur ai annoncé que je passerais mon épée dans la bedaine du premier qui reculerait, en les engageant à me flanquer à moi-même des coups de fusil s'ils me voyaient fuir. Ton vieux baudruchard d'oncle est *monté* au ton épique ! Quelle drôle de chose que les cervelles, et surtout que la mienne ! Croirais-tu que maintenant, je me sens presque gai ! J'ai recommencé, hier, à travailler, et j'ai retrouvé l'appétit !

Tout s'use, l'angoisse elle-même.

Ton oncle Achille Fl[aubert][2] me dépasse, car il veut quitter ses malades et prendre un fusil.

Édouard Peley[3], qui tremblait, il y a huit jours, a maintenant son sac tout préparé et ne demande qu'à marcher ; chacun sent *qu'il le faut*. Le temps des plaintes est passé ! À la grâce de Dieu ! Bonsoir !

Peut-être suis-je fou ? Mais, à présent, j'ai de l'espoir. — Si l'armée de la Loire, ou celle de Lyon peut couper des chemins de fer les Prussiens, nous sommes sauvés. — Il y a dans Paris six cent mille hommes armés de chassepots, et onze mille artilleurs de la marine. — Sans compter d'effroyables engins et une rage de cannibale qui anime tout le monde.

Mais causons de toi, ma pauvre Caro ! Comme je m'ennuie de ne pas te voir ! Juliet[4] m'écrit aujourd'hui que tu te fais à la vie de Londres. Est-ce réellement vrai ? Je t'engage à passer de longues séances au British et à la National Gallery, ainsi qu'à Kensington. As-tu été à Kew et à Kensington[5] ? N'est-ce pas que les promenades sur la Tamise sont charmantes ? L'endroit que j'aime le mieux de Londres, c'est la pelouse de Greenwich. Tu ne m'as pas donné des nouvelles de Putzel[6] ? A-t-elle eu bien du succès ?

Que dis-tu de Julie[1], qui croit (bien qu'on lui dise) qu'on peut toujours et malgré tout aller à Paris par « la route d'en haut ! » ?

Ta grand-mère va bien, mais continue à garder rancune à la mère Lebret[2], sans qu'on sache pourquoi.

Les pauvres nous ont laissés, aujourd'hui, plus tranquilles que mardi dernier.

Ce qui m'exaspère, c'est le beau temps. Le soleil a l'air de se moquer de nous !

Comme tu dois faire des réflexions philosophiques à Londres, mon pauvre Caro ! Il nous serait impossible de t'y rejoindre. — Car « les hommes valides » ne peuvent plus sortir de France ! On a arrêté l'émigration.

Adieu, ma chère Caro, ma pauvre fille. Je t'embrasse avec toutes les tendresses de mon cœur.

Ton vieux bonhomme d'oncle.

Gve Fl.

À MAXIME DU CAMP

[Croisset,] jeudi soir, 29 septembre [1870].
(En réponse à ta lettre du 19[3] reçue ce matin.)

Mon cher Vieux,

Procédons par ordre. D'abord, je t'embrasse, toi et le Mouton[4]. Après quoi, causons.

Depuis dimanche dernier, il y a un revirement général. Nous savons que c'est *un* duel à mort. Tout espoir de paix est perdu ; les gens les plus capons devenus braves, en voici une preuve[a]. Le 1er bataillon de la garde nationale de Rouen est parti, hier ! Le second part demain. Le conseil municipal a voté un million pour acheter des chassepots et des canons, etc. Les paysans sont furieux. Je te réponds que, d'ici à 15 jours la France *entière* sera soulevée. (Un paysan des environs de Mantes a étranglé et déchiré avc ses dents un Prussien.) Bref, l'enthousiasme est maintenant réel. — Quant à Paris, il peut tenir et il tiendra. « La plus franche cordialité » y règne, quoi qu'en disent les feuilles anglaises. Il n'y aura pas de guerre civile. Les bourgeois sont devenus sincèrement républicains :

1° par venette et 2° par nécessité. — On n'a pas le temps de se disputer. Je crois *la « Sociale »* ajournée[1] ? Nos renseignements nous arrivent par ballons et par pigeons. Les quelques lettres de particuliers parvenues à Rouen s'accordent à affirmer que depuis 10 jours nous avons eu l'avantage dans tous les engagements livrés aux environs de Paris. Celui du 23 a été sérieux. Le *Times*, actuellement, ment impudemment.

L'armée de la Loire et celle de Lyon ne sont pas des mythes. Depuis 12 jours, il a passé à Rouen 75 mille hommes. Quant à des canons, on en fait énormément à Bourges et dans le centre de la France. Si l'on peut dégager Bazaine et couper les communications avec l'Allemagne, nous sommes sauvés ! Nos ressources militaires sont bien peu de chose en rase campagne, mais nos tirailleurs embêtent singulièrement MM. les Prussiens, qui trouvent que nous leur faisons « une guerre infâme » (mot des Prussiens à Mantes). Ce qui nous manque surtout, ce sont les généraux et les officiers ! N'importe ! On espère encore. Quant à moi, après avoir « côtoyé » (ou « frisé ») la Folie et le suicide *(sic)*, je suis complètement remonté. J'ai acheté un sac de soldat. — Et je ne crois pas que j'aurai peur. — Je suis prêt à tout. — Mon frère veut lâcher ses malades et prendre un fusil.

Je t'assure que ça commence à devenir beau ! Ce soir il nous est arrivé à Croisset 400 mobiles venant des Pyrénées. — J'en ai deux chez moi, sans compter deux autres à Paris. — Ma mère en a deux à Rouen, Caroline 7 à Paris et 2 à Dieppe, etc. Je passe mon temps à faire faire l'exercice et à patrouiller la nuit, et depuis dimanche dernier, je retravaille ! Je ne suis plus triste.

Au milieu de tout cela il y a (ou plutôt il y a eu) des scènes d'un grotesque exquis. L'humanité se voit à cru dans ces moments.

Ce qui me désole, c'est l'immense bêtise dont nous serons accablés, ensuite ! Toute gentillesse, comme eût dit Montaigne[2], est perdue pour longtemps. Un monde nouveau va commencer. On élèvera les enfants dans la haine du Prussien. Le militarisme et le positivisme le plus abject, voilà notre lot, désormais — à moins que, la poudre ne purifiant l'air, nous ne sortions de là, au contraire, plus forts et plus sages.

Je crois que nous serons vengés, prochainement, par un bouleversement général ? Quand la Prusse aura les ports de la Hollande, la Courlande et Trieste, l'Angleterre, la Russie et l'Autriche pourront se repentir. — Guillaume a eu tort de ne pas faire la paix après Sedan ; notre honte eût été ineffaçable. Nous allons commencer à devenir intéressants.

Quant à notre succès immédiat, qui sait ? L'armée prussienne est une merveilleuse machine de précision, mais toutes les machines se détraquent par l'imprévu. Un fétu peut casser un ressort. Notre ennemi a pour lui la science. Mais le sentiment, l'inspiration, le désespoir sont des éléments dont il faut tenir compte. La victoire doit rester au Droit, et maintenant nous sommes dans le Droit.

Oui, mon vieux, tu as raison ! Nous payons le long mensonge où nous avons vécu, car tout était faux : fausse armée, fausse politique, fausse littérature, faux crédit et même fausses putains. — Dire la vérité, c'était être immoral ! Persigny[1] m'a reproché tout l'hiver dernier de « manquer d'idéal » ! Et il était peut-être de bonne foi.

Que dis-tu de Badinguet[2] qui prépare un manifeste, et de Fleury[3] qui vend les meubles de l'ambassade à Saint-Petersbourg. Nous allons en découvrir de belles ! — Ce sera une jolie histoire à écrire.

Ah ! comme je suis humilié d'être devenu un Sauvage ! car j'ai le cœur sec comme un caillou !

Sur ce, je vais me ré-affubler de mon costume et aller faire une petite promenade dans les bois de Canteleu. — Penses-tu à la quantité de pauvres que nous devons avoir ? Toutes les fabriques sont fermées et les ouvriers sans ouvrage ni pain. Ce sera joli cet hiver ! — Malgré tout cela (je suis peut-être fou), *quelque chose me dit* que nous en sortirons.

Ton vieux.

Bonne chance dans tes démarches.

Mes respects au Général[4]. Ah ! s'il pouvait venir nous donner un petit coup de main[5] ! Amitiés aux autres et à toi toutes mes tendresses.

À ERNEST COMMANVILLE

[Croisset,] mardi soir [4 octobre 1870].

Mon cher Ernest,

Tous les Nogentais et ma mère sont depuis cet après-midi dans votre logement de Rouen[6]. — C'est moi qui ai poussé à cette mesure. Je vous dirai pourquoi.

Vous seriez bien gentil de venir coucher à Croisset samedi soir.

Ma mère a reçu une note de Baron (le maçon) montant à plus de 900 francs. — Elle ne lui en donnera que la moitié, soit 400 francs. D'autre part, je suis sans un sol. Apportez-nous donc quelques monacos, puisqu'il vous en reste.

Nous avons reçu tantôt une lettre de Caro[1]. Elle va bien. — Mais ne me paraît pas d'une gaieté folâtre.

Vous savez que les Prussiens sont, d'un côté à Gournay, et de l'autre à Mantes (= 20 mille hommes et 25 pièces d'artillerie).

Je m'attends à les voir à Rouen peut-être avant la fin de la semaine !

Je nous crois *perdus.* — Paris tiendra jusqu'après les élections[2]. Alors nous aurons la paix ?

Je vous embrasse.

À SA NIÈCE CAROLINE

[Croisset,] mercredi soir [5 octobre 1870].

Ma chère Caro,

Je n'ai pas de bonnes nouvelles à te donner. Les Prussiens sont d'un côté à Vernon et de l'autre à Gournay. Rouen *ne résistera pas* ! (Je ne connais rien de plus ignoble que la Normandie !) Aussi est-il probable que les Prussiens ne s'y livreront pas à de grands excès ?

La République me paraît dépasser l'Empire, en bêtise ! On parle toujours des armées du Centre et on ne les voit pas. — On promène les soldats d'une province à l'autre ; voilà tout. Les gens de cœur qui s'en mêlent rentrent chez eux, désespérés. — Nous sommes non seulement malheureux, mais ridicules.

Quant à Paris, il résistera quelque temps encore. Mais on dit que la viande ne va pas tarder à manquer. Alors il faudra bien se rendre. Les élections pour la Constituante auront lieu le 16[3]. Il est impossible que la paix soit faite auparavant, et avant que tout soit réglé. Il nous faut donc attendre encore un mois. — Dans un mois tout sera fini. C'est-à-dire le premier acte du drame sera fini. Le second sera la guerre civile.

Il y a eu du revif après la circulaire de Favre[1]. Mais la reddition de Strasbourg (auquel on n'a pas envoyé un homme ni un fusil) nous a replongés dans l'abattement.

C'eſt le cœur qui nous manque. Pas autre chose. — Car si tout le monde s'entendait, nous pourrions encore avoir le dessus ! Pour nous sauver, je ne vois plus maintenant qu'un miracle. — Mais le temps des miracles eſt passé.

Tu me parais bien raisonnable et bien ſtoïque, ma pauvre chère fille. L'es-tu vraiment, autant que tu le dis ? Quant à moi, je me sens *brisé*, car je vois nettement l'abîme. — Quoi qu'il advienne, le monde auquel j'appartenais a vécu. Les Latins sont finis ! Maintenant c'eſt au tour des Saxons, qui seront dévorés par les Slaves. Ainsi de suite.

Nous aurons pour consolation, avant cinq ou six ans, de voir l'Europe en feu. Elle sera à nos genoux, nous priant de nous unir avec elle, contre la Prusse. — La première puissance qui va se repentir de son égoïsme, c'eſt l'Angleterre. — Son influence en Orient eſt perdue, Alexandre[2] ne fera qu'une bouchée de Conſtantinople. — Et cela, prochainement.

Depuis hier, tous les Nogentais et ta grand-mère sont chez toi, à Rouen, pensant être plus en sûreté qu'à Croisset. Car ils y seront plus entourés. Mais ta grand-mère se propose de revenir très prochainement à Croisset et de les laisser se débarbouiller à Rouen comme ils l'entendront. — Son départ, *au fond*, n'a pas d'autre but. Il lui eſt impossible de subvenir plus longtemps à cette dépense. — Songe que nous sommes onze personnes, plus deux enfants ! Tu n'as pas l'idée des embarras qu'ils nous causent[3]. — Quel triſte sheik[4] que Bonenfant ! Il eſt incapable de porter un paquet ! Je me sens mieux, aujourd'hui, de ne plus l'entendre tousser, cracher et se moucher. Il me réveillait le matin, à travers les murs. Ses bruits m'arriv[ai]ent du fond du jardin dans mon cabinet.

C'eſt moi qui ai poussé au départ. — Car j'avais peur aussi qu'Émile[5] ne tombât malade, à force de servir tant de monde.

J'ai écrit à ton mari de venir samedi soir dîner et coucher à Croisset, afin que nous puissions causer, un peu tranquillement.

Tu ne m'as pas l'air enchantée de la famille Farmer[6] ? Elle eſt trop bourgeoise. — Quel dommage que Juliet[7] ne soit pas reſtée à Londres ! Fais bien mes amitiés à Mme Herbert et à ses filles. — Connais-tu Adélaïde (celle qui est bossue et qui a les plus charmants yeux du monde[1]) ?

Mais je crois qu'Ernest te rappellera bientôt ? Il est peu probable que les Prussiens aillent à Dieppe. Quand ils auront rançonné Rouen et Le Havre (ce qui ne sera pas long), ils s'en retourneront à Paris.

Voilà tout, mon pauvre loulou. Quel plaisir j'aurai à te revoir ! Je n'étais pas gai le jour que je t'ai dit adieu à Neuville !

Ta bonne-maman est assez raisonnable. La Supériorité qu'elle se sent sur ses hôtes lui donne du nerf.

Adieu, ma chère Caro, ma pauvre fille. Je t'embrasse avec toutes les tendresses de mon cœur.

Ton vieil oncle.

À GEORGE SAND

[Croisset,] mardi 11 octobre [1870].

Chère Maître,

Vivez-vous encore ? Où êtes-vous, vous, Maurice et les autres ?

Je ne sais pas comment je ne suis pas mort, tant je souffre *atrocement* depuis 6 semaines !

Ma mère s'est réfugiée à Rouen avec ses Nogentais[2]. Ma nièce est à Londres. Mon frère[3] s'occupe des affaires de la ville, et moi, je suis seul ici à me ronger d'impatience et de chagrin ! Je vous assure que j'ai voulu *faire le bien*. Impossible !

Quelle misère ! J'ai eu aujourd'hui à ma porte 271 pauvres, et on leur a donné à tous ! Que sera-ce cet hiver ?

Les Prussiens sont maintenant à douze lieues de Rouen ! Et nous n'avons pas d'ordre, pas de commandement, pas de discipline, rien, rien ! On nous berne toujours avec l'armée de la Loire ! Où est-elle ? En savez-vous quelque chose ? Que fait-on dans le centre de la France ?

Paris finira par être affamé ; et on ne lui porte aucun secours !

Les bêtises de la République dépassent celles de l'Empire. Se joue-t-il en dessous quelque abominable comédie ? Pourquoi tant d'inaction ?

Ah ! comme je suis triste ! *Je sens* que le monde latin agonise. Tout ce qui fut nous s'en va !

J'ai pour distraction les patrouilles et les exercices de la garde nationale !!!

Adieu, chère bon maître. Je n'ai pas le cœur de vous en écrire plus long. Envoyez-moi de vos nouvelles : ce sera une charité.

Je vous embrasse.

À SA NIÈCE CAROLINE

[Croisset,] jeudi soir, 13 [octobre 1870].

Ma chère fille, ma pauvre Caro,

Les Prussiens ne sont pas encore à Rouen, mais ils sont à Gournay et à Gisors, et peut-être aujourd'hui aux Andelys ? Il est probable qu'ils vont entrer dans Amiens. Alors la poste d'Angleterre ira par Dieppe.

Ils annoncent tellement l'intention de venir à Rouen que c'est peut-être une feinte, et qu'ils vont se porter tout de suite vers la Basse-Normandie ? Il y a beaucoup des nôtres à Fleury. Mais j'ai peur que cette lettre ne tombe entre leurs mains et je ne t'en dis pas plus.

Mon pauvre domestique est parti aujourd'hui dans son pays pour la révision[1]. Si on me l'empoigne, ce sera pour moi un surcroît d'ennui.

Nos parents[2] s'en retournent demain vers leur patrie. Ta grand-mère en était excédée et franchement ils n'étaient pas drôles. Je crois que de leur côté ils en avaient assez. Leur voyage va leur demander au moins trois jours. J'espère qu'il ne leur arrivera rien, car le centre de la France est libre. — Ta grand-mère revient demain dans son gîte, pour tout à fait[3].

Depuis l'arrivée de Gambetta à Tours, il me semble qu'il y a un peu plus d'ordre et de commandement ? Que dis-tu de son voyage en ballon, au milieu des balles ? C'est coquet.

Bourbaki[4] a dû passer à Rouen aujourd'hui. On dit que Palikao[5] nous revient. Il est capable de nous donner un bon coup d'épaule.

Quel pitoyable citoyen que le philosophe B[audry][6] ! Il est revenu à Rouen, où je l'ai vu aujourd'hui. Tu ne le reconnaîtrais pas, tant il a maigri. Il crève de peur ; c'est évident ! et il n'est pas le seul.

Quant à moi, depuis le commencement de la semaine, je travaille, et pas trop mal ! *On se fait à tout.* — Et puis, je crois que j'ai parcouru le cercle. — Car j'ai failli ou devenir fou, ou mourir de chagrin et de rage.

La pluie qui n'arrête pas me comble de joie et me détend les nerfs.

Je crois que nos ennemis commettent une faute grossière, en incendiant les villages. Le paysan, qui eſt plat comme une punaise par amour de son bien, se transforme en bête féroce dès qu'il a perdu sa vache. Les cruautés inutiles amènent des représailles sourdes. Les francs-tireurs leur tuent beaucoup de monde. — Ah ! si nous avions : 1° de l'artillerie et 2° un vrai chef !

C'eſt bien heureux pour toi d'avoir rencontré Frankline[1]. Je t'engage à quitter ton logement afin d'en prendre un, où il y ait une chambre à feu. Prends garde de devenir malade, ma pauvre Caro. Tu n'es pas trop robuſte et le climat de Londres eſt bien mauvais. — Si tu te sentais souffrante, il faudrait revenir quand même. Il me semble que si tu étais avec nous, ici, j'aurais la moitié moins de tourment. — Comme j'ai envie de t'embrasser ! Comme il y a longtemps que je n'ai vu ta bonne gentille mine !

Et je ne reverrai plus l'Horloger[2] ! Il s'eſt réfugié dans son pays, en Basse-Normandie, où il va vivre de ses rentes ! Nous n'entendrons plus son rognonnement bi-mensuel. Va-t-il pouvoir causer du temps tout à son aise !

Nous n'avons eu mardi dernier que 300 pauvres environ. Que sera-ce cet hiver ? Quelle abominable cataſtrophe ! et pourquoi ? dans quel but ? au profit de qui ? Quel sot et méchant animal que l'homme ! et comme c'eſt triſte de vivre à des époques pareilles ! Nous passons par des situations que nous eſtimions impossibles, par les angoisses qu'on avait au IVe siècle, quand les Barbares descendaient en Italie.

Il n'y a jamais eu, dans l'hiſtoire de France, rien de plus tragique et de plus grand. — Le siège de Paris ! Ce mot-là seul donne le vertige, et comme ça fera rêver les générations futures ! N'importe, en dépit de tout, j'ai encore de l'espoir. Voilà le mauvais temps. C'eſt un rude auxiliaire. Et puis, qui sait ? la Fortune eſt changeante.

Bon courage, mon pauvre Caro ! Je te baise sur les deux joues.

Ton vieux bonhomme.

G.

Tendresses à Putzel[3].

Le ton insolent du *Times* me révolte plus que les Prussiens.

GEORGE SAND À GUSTAVE FLAUBERT

[La Châtre, 14 octobre 1870.]

Nous sommes vivants, à La Châtre. Nohant est ravagé par une variole compliquée, affreuse. Nous avons dû emmener nos petites dans la Creuse chez des amis qui sont venus nous chercher, et nous y avons passé trois semaines cherchant en vain un gîte possible pour une famille durant un trimestre. On nous a appelés dans le Midi et offert l'hospitalité mais nous n'avons pas voulu quitter le pays où, d'un jour à l'autre, on peut se rendre utile, bien qu'on ne sache guère encore par quel bout s'y prendre. Nous sommes donc revenus chez les amis les plus proches de notre foyer abandonné, et nous attendons les événements.

Dire tout ce qu'il y a de périlleux et de troublé dans l'établissement de la République dans nos provinces serait bien inutile. Il n'y a pas d'illusions à se faire : on joue le tout pour le tout, et la fin sera peut-être *l'orléanisme*. Mais nous sommes tellement poussés dans l'imprévu qu'il me semble puéril d'avoir des prévisions. L'affaire est d'échapper au plus prochain désastre. Ne disons pas que c'est impossible, ne le croyons pas. Ne désespérons pas de la France, elle subit une expiation de sa démence, elle renaîtra, quoi qu'il arrive. Nous serons peut-être emportés, nous autres. Mourir d'une fluxion de poitrine ou d'une balle, c'est toujours mourir. Mourons sans maudire notre race !

Nous t'aimons toujours et tous, nous t'embrassons.

G. SAND.

À MICHEL LÉVY

[Croisset,] 15 octobre [1870].

N'est-ce pas aujourd'hui 15 octobre que doit paraître *Salammbô*[1] ? J'ai laissé chez vous l'adresse où il faut m'envoyer à *Rouen* trois ou quatre exemplaires. [...]

Il serait temps de s'occuper des *Poésies* de Bouilhet, mon bon ! [Lévy avait] promis de les faire paraître immédiatement après le Jour de l'An[2].

En attendant une réponse favorable, je serre la main de Votre Excellence.

À ERNEST FEYDEAU

Croisset, lundi 17, soir [octobre 1870].

Mon cher Vieux,

Que veux-tu que je te dise ? Je vis encore puisqu'on ne meurt pas de chagrin ! Sans comparer mon malheur au tien, je crois que je suis bien à plaindre, à cause de ma « sensibilité » comme on eût dit jadis.

Nous attendons les Prussiens. Nous attendons ! Les jours se passent ainsi ; on se ronge le cœur.

Quelquefois l'espoir me reprend, puis je retombe.

Le présent est abominable. Et l'avenir farouche.

Sera-t-on bête d'ici à longtemps ! Je n'ai que la force de t'embrasser.

Tout à toi.

AU DOCTEUR JULES CLOQUET

[Croisset,] lundi soir, 17 [octobre 1870].

Cher bon Ami,

J'ai recours à votre *charité* pour me rendre un service.

Mon pauvre ami Feydeau habite maintenant la même ville que vous[1], rue Neuve-Chaussée, 7. Il s'est réfugié là, avec sa femme et ses deux enfants. Sa paralysie augmente ; et, faute de communications avec Paris, il se trouve dans « la plus grande détresse ». Je vous serais *personnellement* obligé si vous pouviez aller le voir (comme de vous-même, par hasard) et le secourir de vos conseils et de votre bourse que je suppose mieux garnie que la sienne.

Nous autres, ici, nous vivons dans l'angoisse. — Nous attendons les Prussiens. Je ne sais pas comment je ne meurs pas de chagrin, tant j'en ai ! Quel abominable moment ! quelle misère ! et quel avenir !

Si vous pouvez vous procurer *Le Nouvelliste de Rouen*, il vous donnera des détails sur notre malheureuse province.

Ma mère supporte tout cela mieux que je ne l'aurais cru. Caroline est toujours en Angleterre. — Et Achille à son conseil municipal[2].

Que fait-on dans le nord de la France ? Y a-t-il une armée ? Se dispose-t-on enfin, à aller vers Paris ? etc. ? Vous seriez bien bon de m'écrire. — Mais peut-être que la poste va se trouver interrompue.

Mille respects à Mme Cloquet.

Je vous embrasse de tout cœur en vous remerciant d'avance.

À LA PRINCESSE MATHILDE

[Croisset,] dimanche [23 octobre 1870].

Avez-vous reçu une lettre de moi qui a dû vous parvenir par voie d'Angleterre[1] ? Je sais par une que j'ai reçue, ce matin, de M. Dubois de l'Estang[2], que, jusqu'à présent, je peux vous écrire directement.

Que voulez-vous que je vous dise ? Je suis comme vous, *je meurs de chagrin* et vous n'êtes pas une des moindres causes de ce chagrin. Quelle tristesse ! quelle misère ! quelles malédictions ! Tout dépend du tempérament et de la sensibilité des gens. Bien d'autres sont plus à plaindre que moi. Mais pas un, j'en suis sûr, ne souffre autant. J'ai le sentiment de la Fin d'un monde. Quoi qu'il advienne, tout ce que j'aimais est perdu. Nous allons tomber, quand la guerre sera finie, dans un ordre de choses exécrable pour les gens de goût. Je suis encore plus écœuré par la bêtise de cette guerre qu'indigné par ses horreurs ; et elles sont nombreuses, cependant, et fortes !

Ici, nous attendons de jour en jour la visite des Prussiens. Quand sera-ce ? Quelle angoisse ! Je suis seul, avec ma mère qui vieillit d'heure en heure au milieu d'une population *stupide*, et assailli par des bandes de pauvres. Nous en avons jusqu'à 400 (je dis 400) par jour. Ils font des menaces ; on est obligé de fermer les volets en plein jour. C'est joli ! La milice que je commande est tellement indisciplinée que j'ai donné ma démission ce matin[3]. Mais toutes les communes, Dieu merci, ne sont pas comme la mienne ! En somme on nous a tué peu de monde, jusqu'à présent. Que Bazaine[4] se dégage et que Bourbaki le rejoigne, en même temps que l'armée de la Loire marchera sur Paris, et tout n'est pas perdu, car les Parisiens feront une sortie collective qui sera terrible, je n'en doute pas. Nous avons assez d'hommes et nous aurons bientôt une artillerie suffisante ; mais ce qui nous manque, ce sont des chefs, c'est un commandement. Oh ! un homme ! un homme ! un seul ! une bonne cervelle pour nous sauver ! Quant à la province, je la regarde comme perdue. Les Prussiens peuvent s'étendre indéfiniment, mais tant que Paris n'est pas pris, la France vit encore.

Pauvre France, elle qui depuis cent ans s'est battue pour l'Amérique, pour la Grèce, pour la Turquie, pour l'Espagne, pour l'Italie, pour la Belgique, pour tous, et que tous regardent mourir, froidement.

Comme on nous hait ! et comme ils nous envient ces cannibales-là ! Savez-vous qu'ils prennent plaisir à détruire les œuvres d'art, les objets de luxe, quand ils en rencontrent. Leur rêve est d'anéantir Paris, parce que Paris est beau.

Je pense sans cesse à la rue de Courcelles[1] ! Et les dimanches au soir, surtout, je me sens déchiré comme si on me sciait en deux !

Pauvre chère et belle maison, où nous n'irons plus ! Quand reverrai-je celle qui t'emplissait d'une grâce si indicible ? Comme j'avais le cœur content quand je montais ton escalier et que j'allais baiser sa main !

Moi qui voulais vous donner du courage, voilà que je pleure comme une bête ! Je suis devenu très vieux. Pardonnez-moi !

On ne se relève plus d'une calamité comme celle-là. De pareils coups vous ruinent l'intelligence irrémédiablement ! Les malheurs qui m'ont assailli depuis dix-huit mois (c'est-à-dire la perte de mes amis les plus chers[2]) m'ont affaibli le moral et je résiste moins que je n'aurais cru. Je suis, comme ma pauvre patrie, humilié dans mon orgueil.

À quoi passez-vous vos journées ? Les miennes sont interminables ! Il m'est impossible de m'occuper à quoi que ce soit. Je voudrais bien avoir sur vous le plus de détails possible. Dites à un de vos compagnons de m'en donner. Adieu. Quand nous reverrons-nous ? Dès que je le pourrai, j'irai vous faire une visite, n'en doutez pas. Pensez à moi quelquefois, et croyez que plus que jamais je suis tout à vous.

Que Giraud[3] ou Popelin[4] écrive l'adresse de votre lettre.

À SA NIÈCE CAROLINE

[Croisset,] lundi, 1 heure, 24 octobre [1870].

Mon pauvre Caro,

Ton mari t'écrira sans doute qu'il me trouve au plus bas degré de la démoralisation, car il ne vient ici que les dimanches, et le dimanche est pour moi un jour atroce ! Je me rappelle les visites de Bouilhet et les soirées de la rue de Courcelles[1]. Alors je roule dans des océans de mélancolie. — Et puis le tête-à-tête continuel avec ta grand-mère n'est pas gai ! et quelquefois je n'en peux plus. Puis je me remonte, et je retombe. Ainsi de suite. Et les jours s'écoulent, Dieu merci !

Les Prussiens ne sont pas encore à Rouen. Ils y viendront certainement, mais je doute qu'ils viennent à Croisset. — Voilà bientôt trois semaines qu'ils se tiennent sur les limites du département. Pourquoi n'avancent-ils pas ?

Si Bourbaki rejoint Bazaine, et qu'ils arrivent tous les deux sous les murs de Paris en même temps qu'une armée s'y présentera, alors les Parisiens feront une sortie collective et tout peut changer en deux jours. — Paris tiendra encore longtemps ! La défense y est formidable, et l'esprit de la population excellent. Ah ! si la Province lui ressemblait, à ce pauvre Paris !

J'ai donné hier ma démission de lieutenant, ainsi que le sous-lieutenant et le capitaine, afin de forcer le maire à établir un conseil de discipline, car nous n'avons aucune autorité sur notre pitoyable milice[2] ! Si je n'ai pas de réponse d'ici à la fin de la semaine, je me regarderai comme complètement libre, et alors je verrai ce que j'aurai à faire.

Quelle pluie ! quel temps ! quelle tristesse ! Mon chagrin ne vient pas tant de la guerre que de ses suites. Nous allons entrer dans une époque de ténèbres. On ne pensera plus qu'à l'art militaire. On sera très pauvre, très pratique et très borné. Les élégances de toute sorte y seront impossibles ! Il faudra se confiner chez soi et ne plus rien voir.

Beaucoup de personnes « ne prennent pas ça » comme moi, et je suis un des plus affectés. Pourquoi ?

La grande bataille que j'attendais, la semaine dernière, sur les bords de la Loire, n'a pas eu lieu. C'est un bien pour nous.

Les Prussiens semblent, maintenant, remonter vers le nord, revenir sur Paris ? D'autre part, ils menacent Amiens ; mais Bourbaki va venir de Lille. En finirons-nous avec ce système de petites défenses locales ! Mais nos armées ne sont pas prêtes. — En attendant, Paris résiste et les use. Je ne vois pas ce que les Prussiens y font de bon pour eux. Ils n'ont guère avancé depuis cinq semaines.

Ce matin, les journaux parlent d'une intervention diplomatique. Il paraîtrait (mais je n'y crois guère) que l'Angleterre prendrait l'initiative ? Le voyage de Thiers en Russie a-t-il servi à quelque chose ?

Moi, je ne compte que sur Paris, et sur Bazaine[1]. Et même Paris pris, il n'est pas sûr que les Prussiens en sortent. La bataille dans les rues peut être formidable.

J'admire ton énergie de pouvoir apprendre l'allemand. Tu fais bien de t'occuper. — Moi, je ne le peux plus. J'ai l'oreille tendue aux roulements de tambours. — Le soir, je vais mieux, mais l'après-midi je m'ennuie démesurément. C'est mon oisiveté forcée qui me ronge. Pour se livrer à des travaux d'imagination, il faut avoir l'imagination libre. C'est la première condition. J'ai reçu ce matin du pauvre Feydeau une seconde lettre[2]. Il est toujours à Boulogne et dans un pitoyable état. Il m'apprend que le père Dumas[3] est tombé en enfance.

Nous avons caché à ta grand-mère la blessure de M. de La Chaussée[4].

Olympe avec sa famille est arrivée à Nogent[5] sans encombre, au bout de cinq jours de voyage.

En mettant les choses au pire, la guerre ne peut pas durer plus de six semaines encore. Quel poids de moins on aura sur la poitrine quand la paix sera faite ! Et comme je t'embrasserai avec plaisir, ma pauvre Caro ! Adieu, je t'envoie toutes mes tendresses.

Ton vieux bonhomme d'oncle

Gve.

N.B. Quand tu auras quelque chose de particulier à me dire, ne manque pas de le mettre sur une feuille séparée[6].

Le temps doit être bien froid à Londres. Arrange-toi pour avoir une chambre avec une cheminée !

À SA NIÈCE CAROLINE

[Croisset,] vendredi soir, 10 heures [28 octobre 1870].

Mais, mon pauvre Caro, si je ne t'ai pas écrit cette semaine, ne t'en prends qu'à toi. Avant de partir de Lyndon[1], tu m'as dit que tu m'enverrais ta nouvelle adresse à Londres. Je ne l'ai pas encore (nous n'avons pu, ta grand-mère et moi, lire celle qu'elle a reçue de toi avant-hier) ; aussi je t'envoie cette lettre, à tout hasard, chez Mme Herbert[2].

Rien de neuf ! Nous *les* attendons[3] toujours ! Et chaque jour redouble notre angoisse. Cette longue incertitude nous enlève toute énergie. Ce qui me paraît certain, c'est que Rouen ne sera attaqué qu'après une affaire importante sur la Loire. Elle doit se combiner avec la sortie de Trochu. Le sort de la Normandie (et celui de la France) dépend de cette double action. Si elle n'est pas décisive, la guerre peut durer encore longtemps, car Paris a assez de vivres pour résister jusqu'à la fin de janvier et peut-être au-delà ? Mais quand le moment sera venu de faire la paix, avec qui la Prusse pourra-t-elle traiter, puisque nous n'avons pas de gouvernement ? Il faudra en nommer un, ce qui prolongera le séjour de nos ennemis dans notre lamentable pays.

Comme j'ai envie de le quitter définitivement ! Je voudrais vivre dans une région où l'on ne fût pas obligé d'entendre le tambour, de voter, de se battre, bien loin de toutes ces horreurs, qui sont encore plus bêtes qu'atroces. Par-dessus le chagrin qui m'accable, j'ai un ennui sans nom, un dégoût de tout, inexprimable.

Je regrette bien de n'avoir pas envoyé ta grand-mère avec toi, comme j'en avais l'intention, et de n'être pas parti à Paris ! Là, au moins, je me serais occupé. J'aurais fait quelque chose. Et je ne serais pas dans l'état où je suis.

À quoi puis-je employer mon temps ? Je n'ai pour compagnie que celle de ta grand-mère, qui n'est pas gaie et qui s'affaiblit de jour en jour ! Pourquoi es-tu partie, mon pauvre Caro ! Ta gentille société nous soutiendrait. Ce que je dis là est bien égoïste, car tu es mieux à Londres qu'à Dieppe, mais nous nous ennuyons de toi, tous les trois, bien profondément, je t'assure.

Une fois par semaine, je dîne chez les Lapierre[4] qui sont des gens fort aimables et d'un bon moral. — Je lis du W[alter] Scott (quant à écrire, il n'y faut pas songer). Tu vois que je fais ce que je peux. Je me raisonne. Je me fais des sermons. Mais je retombe vite, aussi découragé qu'auparavant. — Ma vie n'est pas drôle depuis 18 mois ! Pense à tous ceux [que] j'ai perdus ! (Je n'ai plus que toi, et cette pauvre Juliet[1] ! Et vous n'êtes là, ni l'une ni l'autre !)

Je suis moins sombre à Rouen qu'à Croisset, parce que j'y ai des souvenirs moins tendres. Et puis, je vais et viens. Je me promène sur le port ! Je vais même au café ! Quelle dégradation !

Ne juge pas des autres par moi ! Personne assurément n'est gai. Mais beaucoup de gens supportent notre malheur avec philosophie. Il y a des phrases toutes faites au service de la foule et qui la consolent de tout.

Ce qui me navre, c'est : 1° l'éternelle férocité des hommes, et 2° la conviction que nous entrons dans un monde hideux, d'où les Latins seront exclus. Toute élégance, même matérielle, est finie pour longtemps. Un mandarin, comme moi, n'a plus sa place dans le monde.

Et quand même nous finirions par avoir le dessus, la chose n'en serait pas moins telle que je le dis. — Si j'avais vingt ans de moins, je ne penserais, peut-être, pas tout cela. — Et si j'en avais vingt de plus, je me résignerais plus facilement.

J'ai eu des nouvelles de d'Osmoy[2]. Il allait bien, il y a huit jours. Il en est de même de Philippe[3].

Je souhaite à Frankline tous les succès possibles. — J'ai rencontré, avant-hier, son père[4] qui est plein d'espérance sur le résultat final. Heureux homme !

Adieu, ma chère enfant. Mon vieux cœur éprouvé se soulève de tendresse en pensant à toi, et j'y pense presque continuellement. Je n'ai pas besoin de te le dire, n'est-ce pas ? Quand te reverrai-je ?

Je t'embrasse bien fort. Ton vieil oncle.

Tu ne me parles pas de Flavie[5]. Comment va-t-elle ?

Et M. de La Chaussée[6] ?

Et Ferdinand[7] ?

À CLAUDIUS POPELIN

[Croisset,] vendredi soir [28 octobre 1870].

Merci pour votre bonne lettre, mon cher Popelin[1]. Je vous rends tout de suite votre embrassade. Tout ce que vous me dites de *personnel* m'a bien attendri. — Mais pourquoi voulez-vous me consoler ! *Je n'en reviendrai pas !* Le coup est trop rude et trop profond. Par l'effet du milieu où je vis, qui est intolérable, et que je ne puis déserter sous peine de forfaire à l'honneur et aux devoirs les plus saints, je suis arrivé à un découragement sans fond !

Savez-vous que je suis obligé de faire des efforts d'esprit, pour vous tracer ces lignes !

Les autres ne sont pas comme moi. Quelques-uns même supportent notre malheur assez gaillardement. Il y a des phrases toutes faites et qui consolent la foule de tout : « La France se relèvera ! À quoi bon désespérer, c'est un châtiment salutaire », etc. Oh ! éternelle blague !

Ce qui me navre, c'est : 1° la stupide férocité des hommes. Je suis rassasié d'horreurs. Les journaux belges ne vous les apprennent pas, sans doute. Je vous en épargne le détail, à quoi bon vous les dire ?

2° Je suis convaincu que nous entrons dans un monde hideux, où les gens comme nous n'auront plus leur raison d'être. On sera utilitaire et militaire, économe, petit, pauvre, abject. La vie est en soi quelque chose de si triste, qu'elle n'est pas supportable sans de grands allégements. — Que sera-ce donc quand elle va être froide et dénudée ! — Le Paris que nous avons aimé n'existera plus.

Mon rêve est de m'en aller vivre ailleurs qu'en France, dans un pays où l'on ne soit pas obligé d'être citoyen, d'entendre le tambour, de voter, de faire partie d'une commission ou d'un jury. Pouah ! Pouah !

Je ne désespère pas de l'humanité. — Mais je crois que notre race est finie. C'en est assez pour être triste.

Si j'avais vingt ans de moins, je reprendrais courage. Et si j'avais vingt ans de plus, je me résignerais.

En fait de résignation, je vous prédis ceci : la France va devenir *très* catholique. Le malheur rend les faibles dévots.

— Et tout le monde, maintenant, est faible. La guerre de Prusse est la fin, la clôture de la Révolution française.

Quant aux faits immédiats, nous attendons, de minute en minute, des nouvelles de l'armée de la Loire. Elle doit combiner son action avec une sortie de Trochu ? Cela sera décisif. — Et après ? Je ne vois plus qu'un grand trou noir. —

Ici, à Rouen, nous vivons depuis six semaines sur le « qui-vive ». On se réveille la nuit, croyant entendre le canon. Vous n'imaginez pas comme cette angoisse prolongée vous énerve. S'ils viennent chez nous (ce qui me paraît immanquable, d'ici à quinze jours au plus tard, à moins d'une victoire des nôtres sur la Loire), nous serons infailliblement bombardés. — Et probablement pillés.

Ah ! mon cher Popelin, comme la rue de Courcelles[1] est loin ! Quel rêve ! Quel souvenir enchanté ! Cette maison-là m'apparaît maintenant comme le Paradis terrestre. Que je vous envie, vous ! et les autres qui sont près d'elle[2].

Votre fils[3] est-il avec vous !

Que devient Théo[4] ? Je suis sûr qu'il a de l'avenir la même opinion que moi.

Le pauvre Feydeau m'a écrit, de Boulogne, deux lettres lamentables. Il y crève de misère.

Dites-*lui*[5] tout ce que vous pourrez imaginer pour lui faire plaisir. Ajoutez mon dévouement au vôtre.

Amitiés au bon Giraud[6] et à Mme de Galbois[7]. Adieu. Je vous embrasse encore une fois. Tout à vous.

[Signature illisible[8].]

À SA NIÈCE CAROLINE

[Croisset,] samedi soir, 11 heures [29 octobre 1870].

Je ne peux pas croire encore à la reddition de Metz ! La dépêche de Guillaume est en contradiction avec une autre dépêche prussienne de la veille[9] ? Comment se fait-il que cette catastrophe ne soit pas encore officielle, en France !

Cependant, comme il ne nous arrive que des malheurs, l'événement doit être sûr ?

Les troupes ennemies qui étaient devant Metz vont se porter sur Paris, sur la Loire, ou sur Rouen, par le Nord.

La Seine-Inférieure, jusqu'à présent, est bien défendue. Mais elle ne résistera pas au nombre. Ce sera là comme ailleurs, comme partout !

La reddition de Metz va démoraliser toute la province, j'en ai peur. Mais enrager Paris. De là, dissension. Nous sommes dans un bel état ! Mais il ne peut pas durer longtemps. Le dénouement, quel qu'il soit, doit approcher ? J'imagine que Paris va faire des sorties ? Avant que les Prussiens n'y entrent, que de sang, quelles horreurs !

Ah ! mon pauvre Caro, comme je suis triste ! et las de la vie ! Te figures-tu ce que sont mes journées passées en tête-à-tête avec ta grand-mère ? Si cela dure encore quelque temps, j'en mourrai, je n'en peux plus. — J'ai tout fait pour me donner du courage ! mais je suis à bout ! On se garantit contre une averse et non contre une pluie fine. J'ai l'une et l'autre à la fois. À quoi occuper son esprit, mon Dieu !

Ton mari[1] est arrivé ce soir. Je le trouve bien raisonnable. — Et bien aimable de venir ainsi tous les samedis.

Ta grand-mère change d'avis tous les jours. Elle veut maintenant retourner à Rouen. Elle a eu envie de prendre Pilon[2] pour garder la ferme. Mais ce soir, elle trouve que ça lui coûterait trop cher, etc.

Nous avons eu, hier, à déjeuner, les Lapierre[3]. Ils étaient pleins de confiance ! On en avait encore cette semaine !

Et ces pauvre Nogentais[4] qui ont été bombardés ! Quelle peur ils ont dû avoir ! Nous n'avons pas reçu de leurs nouvelles.

Si nous avions un vrai succès sur la Loire, un seul, et si Trochu faisait trois ou quatre sorties furieuses, les choses changeraient peut-être, mais je n'ose plus espérer.

Adieu, ma pauvre fille, quand nous reverrons-nous ? Comme je m'ennuie de toi ! Adieu ! je t'embrasse bien tendrement.

Ton vieil oncle,
Gve.

À JEANNE DE TOURBEY

[Croisset,] samedi, 11 heures du soir [29 octobre 1870].

Ma chère Amie,

Je vis encore, puisqu'on ne meurt pas de chagrin ! — Par-dessus les douleurs de la patrie j'ai celles du foyer. — Songez que je vis *seul*, avec ma mère qui a 77 ans, et que ces événements achèvent, au milieu d'une population stupide et assaillis par les pauvres. — Nous en avons jusqu'à *400* par jour !

Tout dépend de la sensibilité des gens. Or je ne crois pas qu'il y ait en France un homme qui souffre plus que moi. Comment ne suis-je pas encore devenu fou !

La reddition de Metz (qui n'est pas encore officielle) est pour moi une chose inexplicable ? Bazaine nous a-t-il trahis ? Dans quel but ? Cette catastrophe va démoraliser la province. Mais Paris tiendra bon. — Avant que les Prussiens n'y entrent, il y aura des boucheries formidables.

Quelle guerre ! Jamais on n'a vu de pareilles horreurs. C'est une dévastation *systématique*. Leur rêve est de nous anéantir. Il me semble que j'assiste à la fin du monde.

Je n'ai aucune nouvelle d'aucun de nos amis.

La Seine-Inférieure jusqu'à présent est bien défendue. Mais si les Prussiens s'y présentent en grand nombre, ce sera comme partout ailleurs.

Ah ! si nous avions un vrai succès sur la Loire, si Trochu faisait[a] des sorties formidables, les choses changeraient. Mais changeront-elles ?

Pauvre Paris ! pauvre France ! jamais on ne les a tant aimés, n'est-ce pas !

Comment vivez-vous à Londres ? Qui voyez-vous ? Je voudrais bien vous tenir compagnie. Écrivez-moi.

Je vous baise les deux mains bien fort.

Votre vieil ami, peu gai !

À ERNEST COMMANVILLE

[Croisset,] mardi, 5 h 1/2 [8 novembre 1870].

Deschamps[1] verra ce soir Foucher, l'agent voyer[2], et je retournerai demain matin chez Deschamps.

Quant à l'Hôtel-Dieu, on a été poli (je vous donnerai les détails samedi). Mais en attendant ma mère reste sur le Port. — Elle n'ira à l'Hôpital qu'à la dernière extrémité[3].

Elle compte sur vous samedi et elle irait coucher à Croisset jusqu'à lundi. — Aucune nouvelle des Prussiens ?

Ce soir nous dînons chez les Lapierre[4].

Je vous embrasse.

À ERNEST COMMANVILLE

[Croisset, 9 novembre 1870.]

Mon cher Ami,

Le conseil municipal de Bapeaume[1] n'a rien fait aujourd'hui relativement à la route.

C'est samedi prochain que l'affaire sera sur le tapis.

Rien de neuf, mais à Évreux bons renseignements sur l'armée de la Loire.

Ainsi ce n'est pas encore cette semaine que nous aurons leur visite, mais peut-être la semaine prochaine ?

Nous vous attendons samedi.

Il serait trop triste de passer seul le dimanche.

À vous.

Mercredi, 5 heures du soir.

À SA NIÈCE CAROLINE

Croisset, jeudi, 3 heures [10 novembre 1870].

Mon pauvre Caro,

Nous sommes toujours dans le même état. Dimanche soir on nous annonçait 80 mille Prussiens se dirigeant sur Rouen à marches forcées. — Aujourd'hui on dit que c'est impossible, parce qu'ils doivent prendre auparavant les places fortes entre Metz et Amiens. Ainsi, nous ne les aurions pas encore tout de suite, pas avant 8 ou 15 jours ? D'autre part on dit (toujours les on-dit) que les puissances neutres, l'Angleterre en tête, veulent à toute force s'interposer, mais la Prusse est plus forte qu'elles et peut les envoyer promener. Le moyen de croire qu'ils cèdent, étant vainqueurs ! Pourquoi s'en iraient-ils, puisqu'ils ont le dessus. Ils prendront Paris par la famine. Mais combien de temps Paris peut-il lutter ? Quelle angoisse ! c'est une agonie continuelle !

Les consolations m'irritent. Le mot *espoir* me semble une ironie. Je suis très malade, moralement. Ma tristesse dépasse tout ce qu'on peut imaginer, et elle m'inquiète plus que tout le reste.

Ta grand-mère eſt chez toi, à Rouen[1]. J'y ai couché avant-hier. — J'irai demain déjeuner. Elle reviendra ici samedi, et retournera à Rouen lundi. Ces changements de lieu la diſtraient un peu ! Si les Prussiens viennent à Rouen, elle ira loger à l'hôtel de France, ou même à l'Hôtel-Dieu[2], mais cela à la dernière extrémité et pendant trois ou quatre jours. — Je ne veux pas qu'elle reſte à Croisset, si nous y avons des garnisaires. Quant à moi (le cas échéant), je suis décidé à m'enfuir n'importe où, plutôt que de les héberger. Ce serait au-dessus de mes forces.

Peut-être la paix sera-t-elle faite avant cela ?

Voilà ton mari devenu soldat. Mais comme il eſt du 3e ban, il n'eſt pas près de partir[3] !

Il t'aura dit sans doute qu'on voulait couper les trois cours de Croisset pour faire une route de Croisset à Canteleu. J'en ai été fort tourmenté d'abord. — Mais le projet eſt impraticable à cause de la dépense qu'il entraînerait. Néanmoins, je n'ai pas le cœur complètement allégé de ce côté.

Voilà la neige qui tombe ! le ciel eſt gris, et je suis là, tout seul, au coin de mon feu, à rouler dans ma triſtesse ! Adieu, ma pauvre Caroline, ma chère enfant !

Je t'embrasse tendrement.

Ton vieil oncle bien avachi.

À LA PRINCESSE MATHILDE

[Croisset,] dimanche 13 [novembre 1870].

Chaque jour, je remets au lendemain à vous écrire, espérant que j'aurai quelque chose de décisif à vous annoncer. Mais rien ! nous nous enfonçons petit à petit, comme un vaisseau qui sombre, sans pouvoir même prévoir au juſte le moment de notre disparition finale. — Dimanche dernier, nous nous attendions ici à *80* mille Prussiens. On ne nous en promet plus que 20 mille, et ils n'arrivent pas ! Pourquoi ? L'affaire d'Orléans les a peut-être détournés pour quelques jours ? et ils vont se porter sur Paris.

La province me paraît, enfin, se remuer et l'armée de la Loire n'eſt pas un mythe ! Mais que fait tout cela ! Moi, je ne veux plus espérer !

La pire de toutes les perspectives est d'avoir des garnisaires. Si vous saviez comme ils se conduisent ! quelles atrocités ils commettent ! J'ai pris l'humanité non pas en haine, mais en horreur. La vue d'un visage humain me fait mal !

Je me sens plus vieux que si j'avais 80 ans ! Je suis désespéré. Et le mot est faible.

Il m'est impossible de faire quoi que ce soit. Je passe mon temps à ruminer le passé. Quant à l'avenir, ce sont des ténèbres épouvantables.

Quoi qu'il advienne, tout ce que nous avons aimé est fini ! Nous pourrons devenir vertueux, mais nous serons bien bêtes ! Dans quel monde de *pignoufs* on va entrer !

Le pauvre Paris est héroïque ! mais combien de temps peut-il tenir ? Un mois, six semaines peut-être, et puis, ensuite !...

La misère redouble. Ah ! de tous les côtés c'est complet.

Vous devez en savoir plus long que nous ; on est mieux instruit à l'étranger qu'en France. Est-ce que l'Europe va nous laisser brûler jusqu'à la dernière cabane et fusiller jusqu'au dernier paysan ! sans nous apporter le moindre secours !

Comme je pense à vous ! comme je pense à vous ! Je *supplie* P.[1] de m'écrire une très longue lettre où il me donnera le plus de détails possible sur votre installation et sur votre personne. — À quoi employez-vous les interminables heures ? Je vous prie aussi de m'écrire un peu moins vite. Votre dernier billet était absolument indéchiffrable[2]. Il est vrai que je n'ai pas la tête forte, et physiquement aussi, je deviens très faible. Je me sens écrasé par la bêtise et la férocité de l'Humanité.

Adieu, songez à moi quelquefois. J'aspire au jour où je pourrai aller vous voir ! Ce sera le premier emploi de ma liberté. Je suis

tout à vous.

Gve

À GEORGE SAND

[Croisset,] dimanche soir, 27 [novembre 1870].

Je vis encore, chère Maître. Mais je n'en vaux guère mieux, tant je suis triste ! Si je ne vous ai pas écrit plus tôt, c'est que j'attendais de vos nouvelles. Je ne savais pas où vous étiez.

Voilà six semaines que nous attendons, de jour en jour, la visite de MM. les Prussiens. — On tend l'oreille, croyant entendre au loin le bruit du canon. Ils entourent la Seine-Inférieure dans un rayon de 15 à 20 lieues. Ils sont même plus près, puisqu'ils occupent le Vexin, qu'ils ont complètement dévasté. Quelles horreurs ! C'est à rougir d'être homme.

Si nous avons un succès sur la Loire, leur apparition sera retardée. Mais l'aurons-nous ? Quand il me vient de l'espoir, je tâche de le repousser, et cependant, au fond de moi-même, en dépit de tout, je ne peux me défendre d'en garder un peu, un tout petit peu !

Je ne crois pas qu'il y ait en France un homme plus triste que moi ! (Tout dépend de la sensibilité des gens.) Je meurs de chagrin. Voilà le vrai. Et les consolations m'irritent. — Ce qui me navre, c'est : 1° la férocité des hommes ; 2° la conviction que nous allons entrer dans une ère stupide. On sera utilitaire, militaire, américain et catholique. Très catholique ! vous verrez ! La guerre de Prusse termine la Révolution française, et la détruit.

Mais si nous étions vainqueurs ? me direz-vous. Cette hypothèse-là est contraire à tous les précédents de l'histoire. Où avez-vous vu le Midi battre le Nord, et les catholiques dominer les protestants ? La race latine agonise. La France va suivre l'Espagne et l'Italie. — Et le Pignouflisme commence !

Quel effondrement ! quelle chute ! quelle misère ! quelles abominations ! Peut-on croire au progrès et à la civilisation, devant tout ce qui se passe ? À quoi donc sert la Science, puisque ce peuple, plein de savants, commet des abominations dignes des Huns ! et pires que les leurs, car elles sont systématiques, froides, voulues, et n'ont pour excuse ni la passion ni la Faim.

Pourquoi nous exècrent-ils si fort ? Ne vous sentez-vous pas écrasée par la haine de 40 millions d'hommes ? Cet immense gouffre infernal me donne le vertige.

Les phrases toutes faites ne manquent pas : « La France se relèvera ! Il ne faut pas désespérer ! C'est un châtiment salutaire, nous étions vraiment trop immoraux ! », etc. Oh ! éternelle blague ! Non ! on ne se relève pas d'un coup pareil ! Moi, je me sens atteint jusqu'à la moelle.

Si j'avais vingt ans de moins, je ne penserais peut-être pas tout cela, et si j'en avais vingt de plus je me résignerais.

Pauvre Paris ! je le trouve héroïque. Mais, si nous le retrouvons, ce ne sera plus notre Paris ! Tous les amis que j'y avais sont morts ou disparus. Je n'ai plus de centre. La littérature me semble une chose vaine et inutile. Serais-je jamais en état d'en refaire ?

Il m'eſt impossible de m'occuper à quoi que ce soit ! Je passe mes jours dans une oisiveté sombre et dévorante. Ma nièce Caroline eſt à Londres. Ma mère vieillit d'heure en heure ! Je vais, avec elle, coucher à Rouen depuis le lundi jusqu'au jeudi, pour éviter la solitude de la campagne. — Puis nous revenons ici !

Oh ! si je pouvais m'enfuir dans un pays où l'on ne voie plus d'uniformes, où l'on n'entende pas le tambour, où l'on ne parle pas de massacre, où l'on ne soit pas obligé d'être citoyen ! Mais la terre n'eſt plus habitable pour les pauvres mandarins !

Adieu, chère bon maître. Pensez à moi et écrivez-moi. Il me semble que je serais plus fort si vous étiez près de moi. Embrassez pour moi tous les vôtres, et à vous cent mille tendresses de votre vieux troubadour.

Gve.

À SA NIÈCE CAROLINE

Rouen, dimanche 18 [décembre 1870].

Ma chère Caro,

Comme tu dois être inquiète de nous ! Rassure-toi, nous vivons tous, après avoir passé par des émotions terribles et reſtant plongés dans des ennuis inimaginables. Dieu merci, pour toi, tu ne les as pas eus. — J'ai cru par moments en devenir fou. — Quelle nuit que celle qui a précédé notre départ de Croisset ! Ta grand-mère a couché à l'Hôtel-Dieu[1] pendant toute une semaine. Moi-même, j'y ai passé une nuit. Présentement nous sommes sur le Port[2], où nous avons deux soldats à loger. À Croisset il y en [a] sept, plus trois officiers et six chevaux. — Jusqu'à présent nous n'avons pas à nous plaindre de ces messieurs. — Mais quelle humiliation ! ma pauvre Caro ! quelle ruine ! quelle triſtesse ! quelle misère ! Tu ne t'attends pas à ce que je te fasse une narration. Elle serait trop longue et d'ailleurs je n'en serais pas capable. Depuis 15 jours il nous est impossible de recevoir de n'importe où une lettre, un journal et de communiquer avec les environs. Tu dois en savoir grâce aux journaux anglais plus long que nous. Il nous a été impossible de faire parvenir une lettre à ton mari (et il n'a pu nous écrire ?). Espérons que, quand les Prussiens se seront établis en Normandie complètement, ils nous permettront de circuler. Le consul d'Angleterre de Rouen m'a dit que le paquebot de New-Haven ne marchait plus. — Dès qu'il marchera, dès qu'on pourra aller de Dieppe à Rouen, reviens vers nous, ma chère Caro. Ta grand-mère vieillit tellement ! Elle a tant envie, ou plutôt tant besoin de toi. Quels mois que ceux que j'ai passés avec elle depuis ton départ ! — Mes douleurs ont été si atroces que je ne les souhaite à personne ; pas même à ceux qui les causent ! — Le temps qui n'est pas employé à faire des courses pour servir MM. les Prussiens (hier, j'ai marché pendant trois heures pour leur avoir du foin et de la paille) on le passe à s'enquérir l'un de l'autre, ou à pleurer dans son coin. — Je ne suis pas né d'hier et j'ai fait dans ma vie des pertes considérables. Eh bien, tout cela n'était rien auprès de ce que j'endure maintenant. Je dis rien, rien. Comment y résister ? Voilà ce qui m'étonne.

Et nous ne savons pas quand nous en sortirons. Le pauvre Paris tient toujours ! Mais enfin, il succombera, et d'ici là, la France sera complètement saccagée, perdue. — Et puis, après, qu'adviendra-t-il ? Quel avenir ! Il ne manquera pas de sophistes pour nous démontrer que nous n'en serons que mieux et que « le malheur purifie ». Non ! le malheur rend égoïste et méchant, et bête.

Cela était inévitable. C'est une loi historique. Mais quelle dérision que les mots « humanité, progrès, civilisation » ! Oh ! pauvre chère enfant, si tu savais ce que c'est que d'entendre traîner leur sabre sur les trottoirs, et de recevoir en plein visage le hennissement de leurs chevaux ! Quelle honte ! quelle honte !

Ma pauvre cervelle est tellement endolorie que je fais de grands efforts pour t'écrire. Comment cette lettre t'arrivera-t-elle ? Je n'en sais rien. On m'a fait espérer ce soir que je pourrais te l'envoyer par une voie détournée. — Ton oncle Achille Fl[aubert] a eu (et a encore) de grands ennuis au conseil municipal, qui a délibéré au milieu des coups de fusil tirés par les ouvriers. Moi, j'ai des envies de vomir presque permanentes. Ta grand-mère ne sort plus du tout, et pour marcher dans sa chambre elle est obligée de s'appuyer contre les meubles et les murs. — Quand tu pourras revenir sans danger, reviens. Je crois que ton *devoir* t'appelle maintenant près d'elle. Ton pauvre mari était bien triste de ta longue absence. — Ce doit être encore pire depuis 15 jours ! On dit que les Prussiens ont été deux fois à Dieppe, mais qu'ils n'y sont pas restés (la première fois, c'était pour avoir du tabac. — Les gens qui en ont le cachent et il devient de plus en plus rare). Mais nous ne savons rien de positif sur quoi que ce soit. Car nous sommes séquestrés comme dans une ville assiégée. L'incertitude s'ajoute à toutes les autres angoisses.

Quand je songe au passé, il m'apparaît comme un rêve ! Oh ! le boulevard du Temple, quel paradis ! Sais-tu qu'à Croisset ils occupent *toutes* les chambres ? Nous ne saurions pas comment y loger, si nous voulions y retourner ! — Il est 11 heures du soir, le vent souffle, la pluie fouette les vitres[a], je t'écris dans ton ancienne chambre à coucher et j'entends ronfler les deux soldats qui sont dans ton cabinet de toilette. — Je roule et m'enfonce dans le chagrin comme une barque qui sombre dans la mer. — Je ne croyais pas que mon cœur pût contenir tant de souffrances[b] sans en mourir. — Donne de mes nouvelles à J[uliet] Herb[ert][1]. — Et envoie-nous des tiennes, dès que tu le pourras, bien entendu.

Je t'embrasse de toutes mes forces. — Quand te reverrai-je ? Ton vieil oncle qui n'en peut plus.

G.

La famille Grout[2] va bien.

À ERNEST COMMANVILLE

[Rouen, 20 décembre 1870.]

Je vous remercie de nous avoir donné de vos nouvelles, mon cher Ernest.

Nous allons bien tous après avoir passé par des émotions terribles.

Nous avons à Croisset des garnisaires qui ne sont pas méchants, mais nombreux.

Dès que le chemin de fer de Dieppe sera rétabli, tâchez de revenir.

Faites parvenir de nos nouvelles à Caro[1].

Je vous embrasse.

Tout à vous.

G.

Mardi midi.

À ERNEST COMMANVILLE

[Rouen,] jeudi 12 janvier [1871].

Mon cher Ami,

J'ai reçu de vous le 3 la lettre de Caro en date du 31 décembre. Depuis nous en avons reçu deux autres antérieures en date. — Quant aux vôtres, nous n'en avons reçu qu'une, la semaine dernière.

Nous avons toujours à Croisset 10 Prussiens dont 3 officiers (ils occupent toutes les chambres et brûlent pour 10 francs de bois par jour). — En plus : quatre chevaux.

Ici nous en avons encore eu, samedi, deux (pour la troisième fois), mais ils n'ont fait que passer la nuit.

S'ils restent[a] à Dieppe, vous ne pourrez pas venir à Rouen ?

La poste va être interrompue sans doute entre Calais et Dieppe ?

Envoyez-nous des nouvelles de Caro et de vous, le plus souvent qu'il vous sera possible.

Faites donc revenir Caro* ! à moins qu'il n'y ait du danger. Et je ne vois pas où il y en aurait. — Sa grand-mère a absolument besoin d'elle ! Elle se meurt de chagrin et vieillit d'heure en heure. — J'ai une autre crainte : si la guerre éclate dans quelque temps entre les États-Unis et l'Angleterre, comment revenir ?

Je ne sais pas comment je vis encore. — Car mon existence est intolérable ! Le froid recommence. Rien ne nous manque !

Je vous embrasse.

À vous.

Gve.

* C'est peut-être bien difficile maintenant, tant que le blocus existera, car la route de Calais à Dieppe ne doit pas être commode[2] ?

À SA NIÈCE CAROLINE

[Rouen,] lundi soir, 16 [janvier 1871].

Mon pauvre Loulou,

L'arrivée de ton mari, avant-hier soir, nous a fait grand plaisir. Quel homme ! Je ne peux pas te dire l'admiration qu'il m'inspire, tant je le trouve fort et courageux. Il est tout l'inverse de moi, car personne, plus que ton oncle, n'est désespéré. Mon état moral, dont rien ne peut me tirer, commence à m'inquiéter sérieusement. Je me considère comme un homme perdu (et je ne me trompe pas). Chaque jour je sens s'affaiblir mon intelligence et se dessécher mon cœur. — Oui, je deviens méchant, à force d'abrutissement. C'est comme si toutes les bottes prussiennes m'avaient piétiné sur la cervelle. Je ne suis plus que l'enveloppe de ce que j'ai été jadis. Que veux-tu que je dise de plus ? J'afflige ta pauvre grand-mère, qui de son côté me fait bien souffrir ! Ah ! nous faisons un joli duo !

Ton mari nous a proposé de nous emmener à Dieppe. — Mais : 1° ta grand-mère n'y aurait aucune compagnie (et ici elle reçoit des visites tous les jours) ; 2° elle serait inquiète de ton oncle Achille ; 3° le voyage se ferait dans des conditions bien inconfortables. — De plus, je ne veux pas m'absenter trop loin de mon pauvre domestique[1] qui reste seul à Croisset, à se débattre au milieu des Prussiens. En quel état retrouverai-je mon pauvre cabinet, mes livres, mes notes, mes manuscrits ? Je n'ai pu mettre à l'abri que mes papiers relatifs à *Saint Antoine*. Émile a pourtant la clef de mon cabinet, mais ils la demandent et y entrent souvent pour prendre des livres qui traînent dans leurs chambres.

Nous touchons au commencement de la fin ! Au reste, tu sais mieux les nouvelles que nous. Elles sont déplorables. Le pauvre Paris ne pourra pas résister longtemps à l'effroyable bombardement qu'il subit ! Et puis après ? Comment faire la paix ? Avec qui ? Le dénouement me paraît fort obscur. Quelle dérision du droit, de la justice, de l'humanité, de toute morale ! Quel recul ! Il me semble que la fin du monde arrive. Les gens qui me parlent d'espoir, d'avenir, et de Providence m'irritent profondément. Pauvre France, qui se sera payée de mots jusqu'au bout !

Adieu, ma chère Caro ! Quand te reverrai-je ? Je t'embrasse bien tendrement.

Ton vieil oncle épuisé,
Gve.

À ERNEST COMMANVILLE

[Rouen,] dimanche matin, 10 heures [22 janvier 1871].

Mon cher Ami,

Nous n'avons reçu aucune nouvelle de vous depuis votre départ. — Et cependant vous avez dû nous écrire ? Votre lettre s'est donc perdue ? Cela augmente l'inquiétude de ma pauvre mère. Elle s'imagine que Caro[1] est gravement malade et qu'on lui cache quelque chose, d'autant plus que Mme Achille[2] lui a dit qu'il y avait beaucoup de petite vérole à Londres ! Il ne manquait plus que ça pour m'achever.

Quelle fâcheuse idée que celle de cette fuite en Angleterre !

Raoul-Duval[3] et Lapierre[4] en sont revenus sans encombre par Boulogne et le chemin de fer de Saint-Valery-sur-Somme. Caro pourrait faire de même. Je vous répète que cette absence prolongée tue sa grand-mère. Voilà tout. Rien que ça.

Nous continuons à ne rien savoir. Mais les nouvelles m'ont l'air mauvaises. Moi, je me suis mis à lire un peu et je m'habitue au désespoir. Quand je serai tout à fait abruti (ce qui va bientôt être), je serai calme.

Tancez vertement la poste.

Je vous embrasse.

Gve.

À SA NIÈCE CAROLINE

[Rouen,] lundi [23 janvier 1871].

Chère Carolo,

J'ai reçu hier soir ta lettre du 15 par M. Berthelot[5]. Nous t'écrivons au moins une fois la semaine, mais le service entre Dieppe et Rouen est si mal fait que la moitié des lettres s'égare, j'en suis sûr ! Ainsi, nous n'avons encore reçu aucune nouvelle de ton mari qui nous a quittés mardi dernier. Il avait une lettre de moi pour toi, qui en contenait une pour Juliet[1].

Tu me reproches de ne pas te donner de détails. Mais ils sont si navrants que je te les épargne. Et puis, nous sommes si las, si tristes, ta grand-mère et moi, que nous n'avons pas la force de faire de longues épîtres.

Je me lève très tard, deux ou trois fois la semaine je sors pendant deux heures pour aller à l'Hôtel-Dieu[2], chez Baudry[3] ou chez les dames Lapierre[4]. Je lis au hasard et sans suite des livres qu'on me prête. Je dîne au coin du feu, dans la chambre de ta grand-mère. — Enfin l'heure de se coucher vient, mais je ne dors pas toujours ! Ta grand-mère n'est pas isolée. On vient lui faire des visites. Mais comme elle est triste ! Tu la retrouveras bien changée ! Elle ne peut plus marcher dans sa chambre qu'en se tenant aux meubles. Ton absence prolongée la tue. Elle croit qu'elle ne te reverra pas. Et elle t'appelle, la nuit, en pleurant. — Mme Achille[5] a trouvé bon de lui dire qu'il y avait beaucoup de petite vérole à Londres. Et elle te voit défigurée. Rassure-la à ce sujet.

Je crois que les Prussiens ne vont pas tarder à prendre Le Havre. Alors la Normandie sera peut-être libre et tu pourras revenir. Lapierre et R[aoul-]Duval[6] sont, la semaine dernière, revenus très facilement de Londres à Rouen. — Un chemin de fer existe de Boulogne à Saint-Valery-sur-Somme. — Là, une diligence fait le service jusqu'à Dieppe. Ton mari pourrait bien aller te chercher jusqu'à Saint-Valery (15 lieues ; pas plus) ou même jusqu'à Boulogne. — Je crois que ses craintes sont exagérées sur les dangers que tu peux courir (et il ne m'a pas l'air de se soucier que tu reviennes ?). Mais ici tout le monde pense le contraire. En tout cas, c'est une malheureuse idée que tu as eue de t'en aller[7] ! Mais je m'applaudis bien de n'avoir pas emmené ta grand-mère à Trouville. — Elle y serait morte de froid, d'isolement et d'inquiétude, car le bruit a couru que ton oncle Achille était tué, lorsque les voyous de Rouen ont tiré des coups de fusil contre le conseil municipal. — Nous attendons maintenant les troupes de Mecklembourg qui remplaceront celles de Manteuffel[8]. Les hommes qui occupent Croisset vont être remplacés par d'autres, qui seront peut-être pires. Car ils n'ont commis jusqu'à présent aucun dégât et ils ont respecté mon pauvre cabinet. — Mais Croisset a perdu, pour moi, tout son charme. — Et pour rien au monde je n'y remettrais, maintenant, les pieds. Si tu savais ce que c'est que de voir des casques prussiens sur son lit ! Quelle rage ! Quelle désolation ! Cette affreuse guerre n'en finit pas ! Finira-t-elle quand Paris se sera rendu ? Mais comment Paris peut-il se rendre ? Avec qui la Prusse voudra-t-elle traiter ? De quelle façon établir un gouvernement ? Quand je considère l'avenir, si prochain qu'il soit, je ne vois qu'un grand trou noir et le vertige me prend.

Je ne doute pas, pauvre Caro, que tu ne ressentes toutes nos douleurs. Mais il faut être là pour les subir en entier. Pendant deux mois les Prussiens ont été dans le Vexin. C'était bien près de nous et je voyais souvent quelques-unes de leurs victimes. Eh bien, je *n'avais pas l'idée* de ce que c'est que l'invasion ! Ajoute à cela que depuis deux mois nous avons eu presque constamment de la neige, avec un froid de 10 à 12 degrés. Les glaçons de la Seine sont à peine fondus.

La vieille Julie[1] est revenue à Rouen. Elle est presque complètement aveugle. Ah ! j'ai une belle compagnie, ma pauvre Caro ! Au moins si je pouvais occuper mon esprit à quelque chose ! Mais c'est impossible ! Le malheur vous abrutit. J'ai appris que Dumas[2] est dans le même état que moi et qu'il a du mal à écrire une lettre. Je ne sais pas comment j'ai fait pour t'en écrire une si longue. Tâche de nous envoyer des tiennes le plus souvent possible. — Quand nous reverrons-nous !

Le seul espoir lointain que je garde est celui de quitter la France définitivement. Car elle sera désormais inhabitable pour les gens de goût. Dans quelles laideurs morales et matérielles on va tomber !

Adieu, pauvre chérie. Mille baisers sur tes bonnes joues.

Ton vieil oncle,
Gve.

À SA NIÈCE CAROLINE

Rouen, samedi 28 [janvier 1871].

Nous recevons bien rarement de tes nouvelles, mon pauvre Caro ! Ta dernière lettre était celle du 15. Il me semble que tu pourrais nous envoyer une lettre par Dieppe, sous le couvert de ton mari. Il nous dit qu'il reçoit régulièrement les tiennes !

Ta pauvre grand-mère est de plus en plus mal, moralement parlant. Il y a des jours où elle ne parle plus du tout (tant elle souffre de la tête, dit-elle). Elle se plaint de [ce] qu'on ne vient pas la voir. — Et quand elle a des visites, elle ne dit mot ! Si la guerre dure encore longtemps (ce qui se peut) et que ton absence se prolonge, qu'en adviendra-t-il ! Ah ! quelle fatale idée tu as eue de t'en aller ! Nous n'aurions pas (elle et moi) souffert le quart de ce que nous souffrons, si tu fusses restée. Je te répète toujours la même chose, parce que je n'ai que cela à te dire.

Ton oncle Achille Fl[aubert] va devenir malade par le chagrin et les tracas que lui cause le conseil municipal ! L'arrivée des troupes du prince de Mecklembourg a été pour nous comme une seconde invasion. Leurs exigences sont insensées. Et ils font des menaces. Je crois, cependant, qu'ils s'adouciront et qu'on s'en tirera encore. J'ai été ce matin à Croisset, ce qui est dur ! 200 nouveaux soldats y sont arrivés hier. — Mais M. Poutrel[1] m'a affirmé que (d'ici à quelque temps, du moins) ils resteraient à Dieppedalle[2]. Aurons-nous cette chance-là ? Mon pauvre Émile[3] n'en peut plus ! Sais-tu qu'ils ont brûlé en 45 jours pour 420 francs de bois. — Tu peux juger du reste !

Avant-hier, nous en avons eu deux à loger ici[4]. Mais ils ne sont pas restés. — Nous ne recevons plus aucun journal, et nous ne savons rien. On dit les nouvelles de Paris déplorables. — Mais avant que le pauvre Paris ne se rende, il se passera des choses formidables. — Et quand il se sera rendu, tout ne sera pas fini. — Je n'ai plus maintenant qu'une envie, c'est de mourir pour en finir avec un supplice pareil.

Le froid a repris. La neige ne fond pas. J'entends traîner des sabres sur le trottoir, et je viens de faire des comptes avec la cuisinière ! Car c'est moi qui m'occupe du ménage ! jusqu'à desservir la table, tous les soirs. Je vis dans le chagrin et dans l'abjection ! Quel intérieur ! Quelles journées !

Adieu, pauvre loulou. Quand nous reverrons-nous ? Nous reverrons-nous ?

Ton vieil oncle,

G.

À ERNEST COMMANVILLE

[Rouen,] samedi 28 [janvier 1871].

Mon cher Ernest,

Puisque vous recevez régulièrement des nouvelles de Caro, dites-lui donc de nous envoyer les siennes plus souvent. Elle pourrait bien mettre une lettre pour nous dans celle qu'elle vous envoie. — Depuis le 5 janvier, nous n'en avons eu qu'une, à la date du 15 courant. — Et vous-même, mon beau-neveu, vous pourriez nous écrire plus souvent.

Nous avons les troupes de Mecklembourg[1]. Ç'a été, pour nous, comme une seconde invasion. Ces messieurs ne sont pas commodes et ont fait des menaces. À l'heure qu'il est, le maire et ses adjoints sont chez le prince. Qu'en résultera-t-il ? À Croisset, 200 nouveaux sont survenus. Les anciens en partent demain. Nous croyons (jusqu'à présent) que nous allons avoir un peu de répit, car M. Poutrel[2] m'a affirmé ce matin qu'il était parvenu à caser dans Dieppedalle[3] les bons Mecklembourgeois.

J'arrive de Croisset, et j'en suis encore écœuré !

Les ordres les plus sévères sont donnés contre les porteurs de journaux, et cependant, ils ne contiennent, dit-on, que des nouvelles qui nous sont défavorables. Ces messieurs ont fait une descente chez Lapierre[4], où ils n'ont rien trouvé de criminel, bien entendu.

Ma mère est de plus en plus triste et faible ! enfin !... Achille[5] est tourmenté par son conseil municipal, d'une façon à en devenir malade. Je crois cependant que Rouen, encore une fois, se tirera d'affaire, mais sans doute qu'il lui en coûtera gros.

Le froid a repris. La neige nous entoure. La ville regorge de soldats ! Comme on serait bien mieux crevé que vivant !

Adieu. Je vous embrasse.

Gve.

Ceci est la 3e lettre que je vous écris depuis votre départ. Ma mère vous en a écrit une. Nous en avons reçu de vous une à la date du 25. — Mais elle était du 24.

À SA NIÈCE CAROLINE

[Rouen,] 1er février [1871].

Chère Caro,

Ton mari m'a écrit hier qu'il t'engageait à revenir dès que le paquebot de Newhaven[6] sera rétabli. — Le blocus est donc levé ? ce que je ne crois pas. Il ajoute qu'il croit te revoir dans une huitaine. J'ai peur que la huitaine se passe sans ton retour. Ce sera une grande déception pour ta grand-mère qui eſt à bout de force et de patience. La route de Saint-Valery eſt toujours là, mais eſt-elle sûre ?

La capitulation de Paris[1], à laquelle on devait s'attendre pourtant, nous a plongés dans un état indescriptible. C'eſt à se pendre de rage ! Je suis fâché que Paris n'ait pas brûlé jusqu'à la dernière maison, pour qu'il n'y ait plus qu'une grande place noire. La France eſt si bas, si déshonorée, si avilie, que je voudrais sa disparition complète. Mais j'espère que la guerre civile va nous tuer beaucoup de monde. Puissé-je être compris dans le nombre ! Comme préparation à la chose, on va nommer des députés. Quelle amère ironie ! Bien entendu que je m'abſtiendrai de voter. Je ne porte plus ma croix d'honneur. — Car le mot honneur n'eſt plus français. — Et je me considère si bien comme n'en étant plus un, que je vais demander à Tourgueneff (dès que je pourrai lui écrire) ce qu'il faut faire pour devenir russe.

Ton oncle Achille Fl[aubert] voulait se jeter par-dessus les ponts, et Raoul-Duval[2] a eu comme un accès de folie furieuse. — Tu as eu beau lire les journaux et t'imaginer ce que pouvait être l'invasion, *tu n'en as pas l'idée*. Les âmes fières sont blessées à mort et, comme Rachel, « ne veulent pas être consolées[3] ».

Depuis dimanche matin nous n'avons plus de Prussiens à Croisset (mais il en revient beaucoup à Rouen). Dès que tout sera un peu nettoyé, j'irai revoir cette pauvre maison, que je n'aime plus. — Et où je tremble de rentrer. — Car je ne peux pas jeter à l'eau toutes les choses dont ces messieurs se sont servis ! Si elle m'appartenait, il eſt certain que je la démolirais.

Oh ! quelle haine ! quelle haine ! Elle m'étouffe ! Moi qui étais né si tendre, j'ai du fiel jusqu'à la gorge.

Adieu. Je t'embrasse.

Ton vieil oncle,
Gve.

Ton mari nous invite à venir chez lui à Neuville[4]. Le voyage ne sera pas commode pour ta grand-mère. — Mais elle le fera, malgré tout[5].

À ERNEST COMMANVILLE

[Rouen,] 1er février [1871].

J'ai reçu hier votre lettre. — Mais j'ai peur que vous ne fassiez à ma mère une fausse joie ? Car si le blocus continue, le paquebot de Newhaven[1] ne viendra pas à Dieppe. — Et pourquoi le blocus cesserait-il ? Est-ce que la route de Saint-Valery n'est pas sûre ?

M. Chouillon[2] est parti chercher sa, ou ses filles. Peut-être Caro reviendra-t-elle avec lui ?

Depuis dimanche nous n'avons plus de Prussiens à Croisset, ils sont à Dieppedalle[3]. Ceux des campagnes refluent dans Rouen. Vont-ils y rester ?

On dit qu'on se bat dans Paris. C'est le commencement du 5e acte. Je regrette que les Prussiens n'aient pas détruit complètement la capitale. J'aimerais mieux qu'il n'y eût plus qu'une grande place noire. À quoi bon vivre, maintenant !

Je me suis retiré le ruban rouge, et ceux qui continuent à le porter me semblent de fiers impudents. Car les mots honneur et français sont incompatibles.

Quand donc serai-je crevé !

Mais je vous emmerde.

Adieu.

Gve.

Le voyage de Rouen à Dieppe ne sera pas commode pour ma mère. — Mais elle le fera malgré tout. — Ne nous annoncez le retour de Caro que lorsque vous en serez bien sûr.

Je conduirai ma mère à Neuville. Mais je n'y resterai pas longtemps, afin de ne pas vous fatiguer par mon intolérable compagnie. Je me suis si à charge à moi-même que je dois assommer les autres ! Mon frère depuis trois jours est pire que moi.

On va maintenant de Rouen à Paris.

À EDMOND DE GONCOURT

[Rouen, 1er février 1871.]

Êtes-vous tué ?

Comme j'ai pensé à vous, depuis quatre mois !

Il m'est impossible de bouger de Rouen, à cause de ma mère. Dès que ma nièce sera revenue d'Angleterre je ferai le voyage de Paris.

Envoyez-moi de vos nouvelles et de celles de nos amis, de Théo[1] particulièrement.

À vous, je vous embrasse.

Quai du Havre, 9[2].

À EDMA ROGER DES GENETTES

[Rouen,] quai du Havre, 9.
Mercredi, 1er [février 1871].

Vivez-vous encore ?

Moi, je suis mourant de chagrin.

Mais je n'ai pas le droit de vous parler de mes souffrances, car les vôtres ont dû dépasser tout[3] ! J'ai à peine la force de vous demander de vos nouvelles. Amitiés à M. Roger.

Il m'est impossible de bouger de Rouen.

À ERNEST COMMANVILLE

[Rouen,] vendredi (3 heures), 3 février [1871].

Mon cher Ernest,

Je sais (par M. Brière[4]) que Dieppe est plein de Prussiens[5].

Vous devez en avoir chez vous ?

D'après votre lettre du 30, Caro doit maintenant être revenue (puisque vous lui aviez dit de prendre le premier paquebot de Newhaven, qui marche depuis plusieurs jours). Mais peut-être lui avez-vous donné contrordre ? Enfin qu'y a-t-il et que décidez-vous ?

Nous sommes prêts à partir. — Et ma mère est arrivée au paroxysme de l'impatience. J'ai peine à la retenir. Si elle pouvait s'en aller toute seule, elle ferait le voyage à pied !

Si les Prussiens sont chez vous, voulez-vous que j'aille chercher Caro, que je vous ramènerais le surlendemain. Car je pense que vous ne voudrez pas bouger de Dieppe tant qu'ils y seront.

Nous pouvons bien, ma mère et moi, nous installer dans un hôtel pour quelques jours, si Neuville[1] est plein de Prussiens.

J'ai eu hier une belle venette. On m'avait dit que les troupes françaises ne voulaient pas s'en aller de Dieppe, et qu'on s'y battait.

Les deux fils Pouchet[2] sont arrivés de Paris, en bonne santé.

Lapierre a failli aller en prison et en est quitte pour 2 mille francs[3].

Répondez-moi poste pour poste, mais j'espère que d'ici à dimanche j'aurai de vous une lettre pour nous dire : « Arrivez. »

Pourvu que vous n'ayez pas écrit à Caro de rester là-bas jusqu'à la paix définitive !

À vous.

Gve.

Croisset est (maintenant) dégagé.

GEORGE SAND À GUSTAVE FLAUBERT

Nohant, 4 février [18]71.

Tu ne reçois donc pas mes lettres ? Écris-moi, je t'en prie, un seul mot : *Je me porte bien.* Nous sommes si inquiets !

À Paris ils vont tous bien.

Nous t'embrassons.

G. SAND.

À RAOUL-DUVAL

[Rouen ?] samedi soir, minuit [7 février 1871].

Mon cher Ami,

Voici ce que je voulais vous dire :

Je vous considère tellement et je vous crois un avenir politique tellement beau que je regarde comme une bonne fortune pour vous votre démission de candidat[1].

La prochaine Chambre sera, quoi qu'elle fasse, *maudite.* Si elle vote la résistance on lui reprochera son entêtement ; si elle se déclare pour la paix on l'accusera de lâcheté. Reste un troisième terme : le plébiscite. Mais le plébiscite ne sera pas adopté. — On ne peut rien faire d'efficace *maintenant.*

Les conservateurs de Rouen, en vous méconnaissant, se discréditent eux-mêmes, puisque vous avez été leur représentant actif. Sans s'en douter, ils donnent raison à leurs adversaires.

Vous avez le beau rôle. Gardez-le.

Tout cela nous prouve que bourgeois et socialistes sont à fourrer dans le même sac. La France succombe sous son immense bêtise. Je crois cette maladie irrémédiable et j'en meurs de chagrin.

Quant à vous, cher ami,

1° Pourquoi n'avez-vous pas le *chic de Rouen* ?

2° Pourquoi êtes-vous riche ?

3° Pourquoi êtes-vous intelligent ?

4° Pourquoi êtes-vous brave ?

5° Pourquoi avez-vous des culottes de tricot ?

6° Pourquoi n'êtes-vous pas un pignouf ?

Tant pis ! c'est bien fait !

Mille félicitations derechef et tout à vous.

Je me demande présentement qui est-ce qui succédera au Comte de Paris ?

Notez que l'Empire ne nous a rien appris, puisque la France rêve encore un Sauveur.

Ceux qui ne veulent pas de Sauveur croient à la puissance d'une abstraction, à la magie mystique d'un mot. C'est là ce qui a fait la présente république, idolâtrée d'un côté, et néant de l'autre. Voilà notre bilan, le tout ayant, pour *substratum*, le péché capital appelé l'*Envie*, lequel est la base de la démocratie. — Ah ! si la France s'en guérissait !...

À GEORGE SAND

Neuville près Dieppe.
Mercredi 15 février [1871].

Chère Maître,

Je reçois votre lettre du 4, à l'instant. Je n'en ai pas reçu d'autres. — Celle-ci vous parviendra-t-elle ? j'en doute ?

Je vis encore. — Mais je n'en vaux pas mieux. — Cependant je n'ai aucun malheur personnel à déplorer.

Mille tendresses pour vous et les vôtres.

Le vieux troubadour.

Je vous écrirai, dès qu'on pourra s'écrire, et espérons que nous nous retrouverons bientôt à Paris, quoique le pauvre Paris !...

À LÉONIE BRAINNE

Chez M. Commanville, Neuville, Dieppe.
Samedi soir, 18 [février 1871].

Je n'ai rien à vous dire, si ce n'est que je *m'ennuie de vous*[1] et qu'un petit bout de votre écriture me ferait grand plaisir.

Vous savez sans doute que nous avons été, ici, fortement menacés du pillage. Ces messieurs (tous charmants) ont saccagé la maison de quatre conseillers municipaux ! Il a fallu encore une fois ré-inhumer les choses auxquelles on tenait !

Nous avons su, ce matin, qu'on nous faisait grâce de la contribution de guerre ! — Et la poste arrêtée hier remarche, jusqu'au moment où on la ré-arrêtera.

Décidément, Rouen me paraît une forte ville ! La clémence de Guillaume est-elle due à la députation dont R[aoul]-Duval faisait partie[1] ? Allons-nous avoir bientôt *la tranquillité* ! Pourra-t-on revivre ?

La vue de ma petite nièce[2] m'a fait du bien, et j'ai recommencé (ou plutôt, j'ai tâché de recommencer) à travailler. Mais la caboche est encore bien faible.

Ma mère et moi nous parlons souvent de nos bons amis de la rue de la Ferme[3]. — Que serions-nous devenus sans eux, pendant cet abominable hiver ! J'espère les revoir, dès que la paix sera faite.

En attendant ce plaisir-là, je baise, Madame, les deux côtés de votre jolie mine, si vous voulez bien le permettre, et suis sincèrement et sans blague aucune

Tout à vous.

Gve.

Déposez-moi aux pieds de Mme Lapierre[4].

P.-S. Demandez donc à son mari si c'est réellement à 4 heures ou à 4 h 1/2 qu'on a battu le rappel ?

À LA PRINCESSE MATHILDE

[Neuville, près Dieppe,] samedi soir [18 février 1871].

Je ne vous ai pas écrit parce que nous avons été du 5 décembre au 1er février complètement bloqués, comme dans une ville assiégée. Il était difficile de voyager dans un rayon de cinq lieues. On a été pendant un mois sans pouvoir correspondre de Rouen à Dieppe !

Vous dire ce que j'ai souffert est impossible ; tous les chagrins que j'ai eus dans ma vie, en les accumulant les uns sur les autres, n'égalent pas celui-là. Je passais mes nuits à râler dans mon lit comme un agonisant ; j'ai cru par moments mourir et je l'ai fortement souhaité, je vous le jure. Je ne sais pas comment je ne suis pas devenu fou ! *Je n'en reviendrai pas !* à moins de perdre la mémoire de ces abominables jours.

J'ai été chassé de Croisset par les Prussiens qui, pendant quarante-cinq jours, ont occupé *tous* les appartements. Ils étaient dix, dont trois officiers, sans compter six chevaux. À Rouen, où nous nous étions réfugiés ma mère et moi, nous en avons eu quatre ! Le conseil municipal, dont mon frère[5] fait partie, a délibéré sous les balles de l'aimable peuple. — On a même cru, dans la ville, pendant une heure, que mon frère était tué.

Ici à Dieppe (où j'ai amené ma mère depuis que sa petite-fille est revenue d'Angleterre) nous avons été cette semaine menacés du pillage, et ces messieurs ont saccagé les maisons de quatre conseillers municipaux. Il a fallu, de nouveau, enfermer dans la terre les objets précieux ! Pendant ce temps-là, nous étions menacés à Croisset d'un sort pareil. Mais tout ce qui se passe depuis l'armistice n'est rien. Le pire a été les premiers temps de l'occupation. Tout ce que vous avez lu n'en donne *aucune idée*. — Je fais des efforts pour n'y plus penser. Cela m'est impossible.

J'ai eu une lettre d'Edmond de Goncourt[1] qui me donne des nouvelles de Théo[2] (tous deux vont bien).

Dumas[3], que je vois souvent, m'a donné des vôtres, dès que je suis arrivé ici, c'est-à-dire il y a dix jours. Son conseil est bon. N'essayez pas de revenir à Paris, maintenant. Ce serait imprudent.

Nous nous réjouissons tous les deux à l'idée d'aller bientôt vous faire une petite visite. Comme vous revoir me détendra le cœur !

J'imagine que la paix sera signée d'ici à cinq ou six jours ? Voilà le père Thiers, président de la République[4], maintenant ! La gardera-t-il, ou la livrera-t-il aux Orléans ? Ah ! que mon époque m'ennuie !

Il me semble que cette guerre dure depuis cinquante ans ! que toute ma vie jusqu'à elle n'a été qu'un songe, et qu'on aura toujours les Prussiens sur le dos.

J'ai voulu me remettre au travail, mais j'ai encore la tête trop faible. Ma meilleure occupation, c'est de rêver au passé, où votre figure fait, pour moi, une grande lumière douce.

Patience, et courage ! Peut-être que dans quelques mois nous causerons de tout cela rue de C[ourcelles][5].

À vous fortement et tendrement.

G.

GEORGE SAND À GUSTAVE FLAUBERT

Nohant, 22 février [1871].

J'ai reçu ta lettre du 15 ce matin ; quelle épine cruelle elle m'ôte du cœur ! On devient fou d'inquiétude à présent, quand on ne reçoit pas de réponse. Espérons que bientôt nous pourrons causer et nous raconter « l'absence ».

J'ai eu aussi la chance de ne perdre aucun des mes amis jeunes et vieux. Voilà tout ce qu'on peut se dire de bon. Je ne regrette pas cette république-ci ; elle a été la plus ratée de toutes, la plus malheureuse à Paris, la plus inepte en province. D'ailleurs je l'aurais aimée que je ne regretterais rien, pourvu que cette odieuse guerre finisse !

Nous t'aimons et nous t'embrassons tendrement.

Je ne me hâterai pas d'aller à Paris, il est pestilentiel pour quelque temps encore.

À toi.

À LÉONIE BRAINNE

Neuville près Dieppe, chez M. Commanville.
Lundi soir, 27 février [1871].

Votre lettre si charmante[1] mériterait une réponse... soignée ! — Mais je suis si *énervé* que j'ai à peine la force de vous écrire ! Le télégramme parvenu ce matin à Dieppe est incompréhensible. Nous ne savons pas si l'armistice est prolongé jusqu'au 2 ou jusqu'au 12[2] !

En attendant, ces MM. démolissent le parapet de la jetée, pour y établir des canons.

J'ai peur qu'on ne se flanque à Bordeaux de fortes calottes[3] et qu'on n'y détruise l'ouvrage de Thiers ?

Le voyage de Paris ne me paraît pas encore si facile ! puisqu'il faut pour l'effectuer : 1° un permis prussien et 2° se priver de ses bagages. — Donc, ma belle amie (et chère Madame), il nous faut attendre encore quelque temps.

J'ai lu le plaidoyer de Duval[4]. — *C'est un morceau !* et Rouen est vengé.

Je tâche de travailler un peu. — Impossible et je ne suis pas plus gai que cet hiver !

Remerciez bien Lapierre[5] de sa bonne lettre.

Dites-moi, tout de suite, ce que vous devenez.

Je vous baise les deux mains, très longuement, et suis entièrement

Votre Gve.

Vous savez (ou ne savez pas) que je *r'ai* six Prussiens à Croisset !

Et à la rue de la Ferme[1], y en a-t-il ?

« L'ami Fl. » présente à Mme Lapierre ses respects avec les tendresses de la casquette de loutre !

Dès que mon logis sera libre et que nous aurons une solution quelconque, je reviendrai.

À LÉONIE BRAINNE

[Dieppe, 4 mars 1871.]

Je ne trouve pas ça gentil d'oublier « l'ami Fl. », il vous a écrit, au commencement de cette semaine. Vous n'avez donc pas reçu sa lettre ? Etes-vous malade ou partie vers Paris ? — Sans lui !

Pour quitter la tournure indirecte qui est trop noble, je vous dirai que je serais maintenant à Rouen, si je ne restais à Dieppe jusqu'à jeudi ou vendredi pour garder ma nièce et ma mère, car nous avons encore des Prussiens ici, et mon neveu est en voyage. Dès qu'il sera revenu, vous me verrez accourir, pour vous dire de vive voix

Que je suis tout à vous.

Gve.

Samedi 4 mars 71.

À LA PRINCESSE MATHILDE

[Dieppe,] samedi 4 mars [1871].

Eh bien ? c'est fini ! La honte est bue ! mais pas digérée. Comme j'ai pensé à vous mercredi[2] ! et comme j'ai souffert ! Toute la journée j'ai vu les faisceaux des Prussiens briller au soleil dans l'avenue des Champs-Élysées. Et j'entendais leur musique, leur odieuse musique, sonner sous l'Arc de Triomphe[3] ! L'homme qui dort aux Invalides devait s'en retourner, de rage, dans son tombeau !

Dans quel monde nous allons entrer ! Dumas[4], que j'ai vu hier (et qui doit être avec vous maintenant), m'a dit que Paris était inhabitable !

Il faut, pourtant, que j'y aille, afin d'avoir des habits, car je suis presque en guenilles. Puis, j'irai vous voir. Mais les chemins de fer me paraissent peu commodes, et je reviendrai ici, probablement, pour prendre la voie de mer.

Je m'étonne de tout ce qu'on peut souffrir sans mourir. Personne n'est plus ravagé que moi par cette catastrophe. Je suis comme Rachel : « Je ne veux pas être consolé[1]. » Je tâcherai de m'habituer au *Désespoir-Fixe*.

Et voilà le soleil qui brille comme en plein été ! Quelle ironie ! et comme la nature se moque de nous !

Quand Giraud sera revenu près de vous, dites-lui bien que je le plains avec tout ce qui me reste de larmes[2] !

À bientôt, n'est-ce pas ? Et plus que jamais et toujours, croyez, je vous prie, à l'affection profonde de votre

Gve.

À CLAUDIUS POPELIN

[Dieppe, 4 mars 1871.]

Mon cher Popelin,

Vos lettres me sont enfin parvenues[3] ! J'ai vu hier Dumas[4], qui m'a donné de vos nouvelles. Il m'a appris la mort du fils de Giraud[5]. Pauvre homme ! quel *coup* !

Il y a huit ou dix jours, je lui avais adressé une lettre pour la Princesse. L'a-t-elle reçue ?

Voudrez-vous lui transmettre le billet ci-inclus[6] ?

J'espère vous embrasser dans quelques jours.

Tout à vous.

Samedi 4 mars.

À FRÉDÉRIC FOVARD

[Dieppe,] vendredi 10 mars [1871].

Donne-moi donc de tes nouvelles ! et de celles de Maxime[7] ? Où est-il ?

Je suis encore en vie ! mais j'ai cru *mourir de chagrin* ! Quelle année !

Tu me verras peut-être à Paris dans une quinzaine ?
Réponds-moi à Croisset.
Tout à toi.

Vendredi 10 mars.

À EDMA ROGER DES GENETTES

[Dieppe,] vendredi 10 mars [1871].

Eh bien, la honte eſt bue ! Mais non digérée, n'eſt-ce pas[1] ? [...]

À ALEXANDRE DUMAS FILS

[Dieppe,] vendredi soir, 11 heures [10 mars 1871].

Mon cher Ami,

Encore un accroc !

J'apprends à l'inſtant que j'ai 40 Prussiens (vous lisez bien, c'eſt quarante). Ils y séjourneront jusqu'à dimanche soir. Or, comme j'ai besoin d'aller dans ce lieu empeſté (et d'y reſter quatre ou cinq heures) avant de me mettre en route, je ne partirai de Dieppe que lundi !

Donc, faites le voyage de Bruxelles[2] sans moi, car je n'ose plus vous prier de m'attendre. Je vous ferais droguer jusqu'à mercredi, puisque je ne serais prêt à partir de Rouen que ce jour-là.

Tout à vous et mille excuses.

À MARIE RÉGNIER

Dieppe, 11 mars 1871.

Chère Madame,

Votre lettre datée de Rennes, 17 février, m'eſt arrivée ici, après beaucoup de détours et de retards[3]. Voilà pourquoi je ne vous ai pas répondu plus vite. Et puis, j'étais tellement accablé (je le suis encore) que je n'avais pas la force de prendre une plume. Je ne crois pas que personne ait été, plus que moi, désespéré par cette guerre. Comment n'en suis-je pas mort de rage et de chagrin !

J'étais comme Rachel, je ne « voulais pas être consolé[1] » et je passais mes nuits assis dans mon lit, à râler comme un moribond. J'en veux à mon époque de m'avoir donné les sentiments d'une brute du XIIe siècle. Quelle barbarie ! quelle reculade ! Je n'étais guère *progressiste* et humanitaire cependant ! N'importe, j'avais des illusions ! Et je ne croyais pas voir arriver la *Fin du monde*. Car c'est cela ! nous assistons à la fin du monde latin. Adieu tout ce que nous aimons ! Paganisme, christianisme, muflisme. Telles sont les trois grandes évolutions de l'humanité. Il est désagréable de se trouver dans la dernière. Ah ! nous allons en voir de propres ! *Le fiel m'étouffe.* Voilà le résumé.

Quant à mes pénates dont vous vous informez et qui me sont devenus odieux, ils ont été souillés pendant quarante-cinq jours par dix Prussiens, sans compter quatre chevaux, plus par six autres pendant six jours, et actuellement il n'y en a chez moi rien que quarante. Oui, quatre fois dix ! Vous avez bien lu !

Je m'étais réfugié à Rouen, dans un appartement à ma nièce, où j'en ai six, etc.

Mais tout cela n'est rien comparativement à ce que vous avez souffert. Je sais que ces messieurs se sont amusés avec vos robes. On n'est pas plus drôle. Pauvre Mantes !

Ce n'est pas parce que Paris est devenu « un foyer pestilentiel » que je n'y vais pas, car de cela je me fiche profondément. Mais le chemin de fer ne prend pas encore les bagages et je ne puis retourner dans ma mansarde rien qu'avec un simple sac de nuit. Répondez-moi à Croisset ; on me fera parvenir votre lettre. J'adresse celle-ci à Mantes, où vous devez être revenue.

À GEORGE SAND

Dieppe, 11 mars [1871].

Chère Maître,

Quand se reverra-t-on ? Paris ne m'a pas l'air drôle ? Ah ! dans quel monde nous allons entrer ! Paganisme, Christianisme, Muflisme : voilà les trois grandes évolutions de l'humanité. Il eſt triſte de se trouver au début de la troisième.

Je ne vous dirai pas tout ce que j'ai souffert depuis le mois de septembre ! Comment n'en suis-je pas crevé ? voilà ce qui m'étonne. Personne n'a été plus *désespéré* que moi. Pourquoi cela ? J'ai eu de mauvais moments dans ma vie, j'ai subi de grandes pertes, j'ai beaucoup pleuré, j'ai ravalé beaucoup d'angoisses. Eh bien, toutes ces douleurs accumulées ne sont rien, je dis rien [du] tout, en comparaison de celle-là. — Et je n'en reviens pas ! Je ne me console pas ! Je n'ai aucune espérance.

Je ne me croyais pas progressiſte et humanitaire, cependant. N'importe, j'avais des illusions ! Quelle barbarie ! Quelle reculade ! J'en veux à mes contemporains de m'avoir donné les sentiments d'une brute du XIIe siècle ! *Le fiel m'étouffe !* Ces officiers qui cassent des glaces en gants blancs, qui savent le sanscrit et qui se ruent sur le champagne, qui vous volent votre montre et vous envoient ensuite leur carte de visite, cette guerre pour de l'argent, ces civilisés sauvages me font plus horreur que les cannibales. — Et tout le monde va les imiter, va être soldat ! La Russie en a maintenant 4 millions. Toute l'Europe portera l'uniforme[a]. Si nous prenons notre revanche, elle sera ultra-féroce, et notez qu'on ne va penser qu'à cela, à se venger de l'Allemagne ! Le gouvernement, quel qu'il soit, ne pourra se maintenir qu'en spéculant sur cette passion. Le meurtre en grand va être le but de tous nos efforts, l'idéal de la France !

Je caresse le rêve suivant : aller vivre au soleil, dans un pays tranquille.

Attendons-nous à des hypocrisies nouvelles : déclamations sur la vertu, diatribes sur la corruption, auſtérité d'habits, etc. Cuiſtrerie complète !

J'ai actuellement à Croisset *quarante* Prussiens. Dès que mon pauvre logis (que j'ai en horreur maintenant) sera vidé et nettoyé, j'y retournerai ; puis j'irai sans doute à Paris, malgré son insalubrité. Mais de cela je me fiche profondément !

Amitiés aux vôtres, et tout à vous.

Votre vieux troubadour

Gve.

peu gai !

À JEANNE DE TOURBEY

Dieppe, 12 mars [1871].

Flaubert explique qu'il n'a pas écrit depuis un long moment parce qu'à l'arrivée des Prussiens chez lui il a brûlé beaucoup de papiers parmi lesquels l'adresse de Jeanne de Tourbey à Londres, où elle s'était réfugiée. Elle éprouve un deuil cruel par la mort d'Ernest Baroche[1], Flaubert y prend part. « J'ai bien pensé à vous et à la perte affreuse que vous avez faite ! L'idée de votre douleur s'ajoutait à mon chagrin qui a été excessif. Je m'étonne de ce qu'on peut endurer sans mourir ! » Pour lui, il s'est réfugié à Rouen, puis à Dieppe : « Mon pauvre Croisset a encore 40 Prussiens. » Aussi « le fiel m'étouffe ». Il verra son amie dans une quinzaine de jours, et lui dit ainsi adieu : « Je vous embrasse bien tendrement et suis (comme vous m'appeliez dans des temps plus gais)

Votre vieux fidèle. »

À SA MÈRE

[Rouen,] mercredi, 3 heures [15 mars 1871].

Chère bonne Vieille,

J'ai trouvé Rouen encore fort agité par les suites des drapeaux noirs[2]. — Mais aujourd'hui ça se calme.

Un télégramme de Dumas[3] que je reçois à l'instant me prie de l'attendre jusqu'à vendredi matin. (Donc je vais m'embêter demain toute la journée !) Je lui ai répondu que je partirai vendredi matin, coûte que coûte, car des retards indéfinis M'EXASPÈRENT.

Achille allait partir pour Bolbec, quand je suis arrivé chez lui, ce matin. — J'ai déjeuné avec sa femme et sa fille. Ils vont tous bien. Mais M. ton fils aîné « est fort désagréable », et ne me cède en rien comme rébarbatif, à ce que m'ont dit *ses dames*.

J'ai été à Croisset où j'ai fait tout ce que j'avais à faire. Il est maintenant *inhabitable* ainsi que Rouen !

Je dîne ce soir chez le père Pouchet[4].

Georges[1] m'a appris une bien triste nouvelle : Mme Husson est folle[2] !

Embrasse bien fort Caro pour moi, suis ses conseils. Sois obéissante. Je lui écrirai probablement demain.

Deux bons baisers sur ta vieille mine mélancolique.

Ton fils le sheik[3].

Amitiés à Ernest[4] et à Putzel[5].

À ALFRED MAURY ?

Croisset près Rouen [16 mars 1871].

Mon cher Ami,

Votre lettre m'a fait bien du plaisir. De ce côté-là c'est une inquiétude de moins.

Je ne sais pas comment je ne suis pas mort de rage et de chagrin, cet hiver ! Les Parisiens qui ont beaucoup souffert ne se doutent pas de ce que c'est que l'invasion. Avoir ces cocos-là *chez soi* dépasse toute douleur.

Nous nous raconterons (prochainement je l'espère) nos impressions prussiennes et vous verrez que je n'ai pas été épargné.

Ma santé physique est rétablie, mais le moral reste profondément attaqué, et je ne crois pas qu'il revienne.

Oui ! j'avais des illusions ! je ne croyais pas à tant de sottise et de férocité. J'en veux à mon époque de m'avoir donné les sentiments d'une brute du XIIe siècle ! Quelle reculade !

Dans quelque temps l'Europe entière portera l'uniforme ! Tout le monde sera soldat ! Que veut dire le mot : *Progrès* ?

Nous allons entrer dans un ordre de choses hideux, où toute délicatesse d'esprit sera impossible. Paganisme, christianisme, *muflisme*, voilà les trois grandes évolutions de l'humanité. Nous touchons à la dernière.

Ici, à Rouen, nous n'en avons pas fini. On s'y flanque des coups de sabre et des coups de couteau très proprement. L'histoire des drapeaux noirs[6] (que vous savez, sans doute, par les journaux) a exaspéré les Prussiens, et le bon Rouennais tourne à l'Espagnol. Depuis hier, cependant, on se calme.

Je sais que Baudry[1] va bien. Vous me verrez probablement dans une quinzaine de jours[2].

D'ici là, je vous serre les deux mains bien fort et suis tout à vous.

À SA NIÈCE CAROLINE

[Croisset,] jeudi, 4 heures du soir [16 mars 1871].

Ma chère Caro,

Au lieu de partir ce matin, je ne pars que ce soir, Dumas[3] n'étant arrivé qu'à midi. Et au lieu de nous en aller par Amiens, nous allons coucher à Paris, d'où nous repartirons à 9 heures du matin demain. La ligne de Rouen à Amiens est occupée par les Prussiens, encombrée de leurs troupes et nous n'arriverions à Bruxelles qu'après-demain soir, peut-être ?

Ils se conduisent *abominablement* à Rouen et je ne vous engage pas à y faire un long séjour, ni surtout à vous promener le soir dans les rues.

Émile[4] a reçu ce matin ta lettre. Écrivez-moi à Bruxelles, à l'hôtel Bellevue, ou chez M. Giraud[5], rue d'Arlon, 15 (pour remettre à M. G.). Je suis[a] impatient de savoir comment vous aurez fait votre voyage, et comment se sera passé votre séjour à Rouen, surtout à cause de notre pauvre vieille.

Dumas m'a dit que les Prussiens quittaient Dieppe demain, définitivement. Il est fâcheux que tu ne puisses pas y rester un peu plus longtemps.

Adieu, pauvre chère Caro.

Embrasse ta grand-mère pour moi.

Deux bons baisers sur ta gentille mine.

Ton vieux sheik[6].

En vous écrivant samedi matin de Bruxelles, vous ne pouvez pas avoir la lettre à Rouen avant lundi. Tâche de faire comprendre ça à notre vieille.

À FRÉDÉRIC FOVARD

Croisset [16 ? mars 1871].

Tu ne peux pas me donner des nouvelles de nos amis, par hasard ?

J'ai envoyé dimanche dernier un petit mot à Maxime pour avoir des nouvelles de lui et de Mme Husson.

Jusqu'à présent pas de réponse ! Où sont-ils ?

J'ai peur qu'il ne leur soit arrivé quelque désagrément.

Je t'embrasse.

Ton

Croisset, vendredi[1] soir.

GEORGE SAND À GUSTAVE FLAUBERT

Nohant, 17 mars [1871].
J'ai reçu hier ta lettre du 11.

Nous avons tous souffert par l'esprit plus qu'en aucun autre temps de notre vie et nous souffrirons toujours de cette blessure. Il est évident que l'instinct sauvage tend à prendre le dessus. Mais j'en crains un pire, c'est l'instinct égoïste et lâche ; c'est l'ignoble corruption des faux patriotes, des ultra-républicains qui crient à la vengeance et qui se cachent ; bon prétexte pour les bourgeois qui veulent une *forte* réaction. Je crains que nous ne soyons même pas vindicatifs, tant ces fanfaronnades doublées de poltronnerie nous dégoûteront et nous pousseront à vivre au jour le jour comme sous la Restauration, subissant tout et ne demandant qu'à nous reposer. Il se fera plus tard un réveil. Je n'y serai plus, et toi, tu seras vieux ! Aller vivre au soleil dans un pays tranquille ? Où ? Quel pays va être tranquille dans cette lutte de la barbarie contre la civilisation, lutte qui va devenir universelle ? Le soleil lui-même n'est-il pas un mythe ? Ou il se cache ou il vous calcine, et c'est ainsi de tout sur cette malheureuse planète, aimons-la quand même et habituons-nous à y souffrir.

J'ai écrit jour par jour mes impressions et mes réflexions durant la crise. La *Revue des Deux Mondes* publie ce journal[2]. Si tu le lis, tu verras que partout la vie a été déchirée à fond, même dans les pays où la guerre n'a pas pénétré. Tu verras aussi que je n'ai pas gobé, quoique très gobeuse, la blague des partis. Mais je ne sais pas si tu es de mon avis, que la liberté pleine et entière, nous sauverait de ces désastres et nous remettrait dans la voie du progrès possible. Les abus de liberté ne me font pas peur par eux-mêmes mais ceux qu'ils effraient penchent toujours vers les abus de pouvoir. À l'heure qu'il est, M. Thiers semble le comprendre : mais pourra-t-il et saura-t-il garder le principe par lequel il est devenu arbitre de ce grand problème ?

Quoi qu'il arrive, aimons-nous, et ne me laisse ignorer rien de ce qui te concerne. J'ai le cœur gonflé et un souvenir de toi le dégonfle un peu d'une perpétuelle inquiétude. J'ai peur que ces immondes hôtes n'aient dévasté Croisset, car ils continuent malgré la paix, à se rendre partout odieux et dégoûtants. Ah ! que je voudrais avoir cinq milliards pour les chasser ! je ne demanderais pas à les ravoir.

Viens donc chez nous, on y est tranquille. *Matériellement* on l'a toujours été. On s'efforce de reprendre le travail. On se résigne, que faire de mieux ? Tu y es aimé, on y vit toujours en s'aimant. Nous tenons nos Lambert[1] que nous garderons le plus longtemps possible. Tous nos enfants sont revenus de la guerre sains et saufs. Tu vivrais là en paix et pouvant travailler, car il le faut, qu'on soit en train ou non ! La saison va être charmante. Paris se calmera pendant ce temps-là. Tu cherches un coin paisible. Il est sous ta main, avec des cœurs qui sont à toi !

Je t'embrasse mille fois pour moi et toute ma nichée. Les petites sont superbes, le petit des Lambert charmant.

G. S.

À SA MÈRE

Samedi [18 mars 1871].
[Bruxelles,] rue d'Arlon, 15. Chez M. Giraud[2].

Chère Vieille,

Nous sommes arrivés, ici, hier au soir, non sans peine, et très fatigués de nous être trimballés. — Mais aujourd'hui nous sommes délassés.

Écris-moi à l'adresse ci-dessus. Je suis bien impatient de savoir comment tu as supporté ton voyage, et de savoir ce qui se passe à Rouen. Combien de jours y restez-vous ?

À tout hasard je vous écrirai encore demain ou après-demain à Rouen. Il est probable que je partirai d'ici dès que j'aurai reçu ta réponse. Ménage-toi bien, chère vieille, et [tâche] surtout d'être raisonnable.

Embrasse Caro pour moi.

Deux bons baisers sur ta chère vieille mine. Ton vieux fils

Gve.

À SA NIÈCE CAROLINE

M. G. Fl., rue d'Arlon, 15, Bruxelles,
dimanche, 2 heures [19 mars 1871].

Ma chère Caro,

Nous apprenons ce matin qu'on se bat à Paris[1]. Est-ce bien vrai ?

J'ai peur que vous ne vous trouviez pris dans la bagarre ?

J'ai envoyé à Rouen hier un télégramme vous annonçant mon arrivée, et le soir je vous ai écrit.

Comme je compte partir d'ici pour Londres mardi matin, ou mardi soir, envoie-moi par le télégraphe un mot pour me dire ce que vous devenez. La dépêche doit aller par l'Angleterre.

Je me porte très bien et t'embrasse très fort.

Ton vieux,
Gve.

À SA NIÈCE CAROLINE

[Bruxelles,] dimanche, 3 heures [19 mars 1871].

Êtes-vous à Paris ? et êtes-vous tranquilles ! Je ne suis pas sans inquiétude, à cause de l'émeute et de notre pauvre vieille mère.

Je voudrais que vous fussiez restés à Dieppe. Car Rouen ne m'avait pas l'air non plus bien tranquille.

Écrivez-moi par le télégraphe pour me dire ce que vous devenez. Il faut que la dépêche passe par l'Angleterre.

Je pars pour Londres mardi. Donc, répondez-moi tout de suite :

rue d'Arlon, 15, Bruxelles.

Je vais très bien et vous embrasse tous.

À SA NIÈCE CAROLINE

Bruxelles, lundi 20 [mars 1871].
Chez M. Giraud, rue d'Arlon, 15.

J'espère que vous n'avez pas fait la bêtise d'aller à Paris, d'où il nous arrive des nouvelles déplorables.

Je ne sais pas ce qui se passe à Rouen. Comment vous en tirez-vous ? Tu n'as donc pas reçu un télégramme que je vous ai envoyé avant-hier, par la voie d'Angleterre ? Je vous ai écrit plusieurs lettres. — J'envoie un télégramme à Lapierre[1] pour avoir de vos nouvelles.

Comme je pense que je reviendrai plus facilement à Rouen, par Newhaven que par Paris, je partirai pour Londres mercredi, à moins que d'ici là je n'aie de vous un mot qui me rappelle. Comment se porte notre pauvre vieille ?

Je t'embrasse bien fort.

Ton vieux,
Gve.

À SA NIÈCE CAROLINE

Bruxelles, mardi soir, 4 heures [21 mars 1871].

Chère Caro,

Où êtes-vous ? à Dieppe, à Rouen, ou à Paris ? J'espère que ton mari n'aura pas fait l'imprudence de vous mener à Paris ? J'ai télégraphié deux fois à Rouen (par la voie d'Angleterre qu'on m'a dit être la plus sûre) et n'ai reçu encore aucune nouvelle. Je vous ai écrit tous les jours, et dans tous les endroits où vous pouviez être. — Rien !

Je regrette beaucoup d'être parti ! Aujourd'hui on ne peut pas rentrer dans Paris, et à la frontière française l'autorité républicaine vous cherche des chicanes. Donc je m'embarque demain à Ostende pour Londres, d'où je compte revenir par Newhaven[2].

Les Prussiens sont-ils rentrés dans Dieppe et à Croisset ? Que faire ? et où aller, une fois revenu en France ?

Comment va notre pauvre vieille ?

J'ai reçu hier sa lettre de vendredi, mais à ce moment vous ne saviez rien de Paris.

Tout n'est donc pas fini ! On sera éternellement inquiet et embêté ?

Et les affaires d'Ernest[1] ? Comment s'arrangent-elles avec l'émeute ?

Si je n'avais promis, positivement, à Juliet d'aller la voir[2], je reviendrais immédiatement à Dieppe, sans m'arrêter à Londres. — Tant j'ai envie de savoir ce que vous devenez.

Nous revoilà dans les mêmes tracas que cet hiver.

Adieu, pauvre chérie. Je t'embrasse bien fort ainsi que maman.

Ton vieux sheik[3],
Gve.

Écris-moi chez Juliet[4].

À SA NIÈCE CAROLINE

[Londres,] jeudi, 4 heures [23 mars 1871].

Ma chère Caro,

Je suis arrivé ce matin à Londres, non sans difficulté, et là j'y ai appris par ta lettre de mardi adressée à Juliet[5] que vous vous étiez décidées[6] sagement à retourner à Dieppe.

Tu m'y reverras *lundi*, mon intention étant de revenir par Newhaven.

Tâche donc de me répondre *tout de suite* : Hatchett's Hotel, Dover Street, London W[7].

Je voudrais savoir s'il y a des Prussiens à Croisset ? Car où aller maintenant ? Je crois cependant que l'agitation de Paris touche à sa fin ? Peut-être pourrons-nous y aller dans quelque temps.

Je t'envoie deux bons bécots.

Embrasse mère pour moi.

Ton vieux sheik[8] d'oncle.

Juliette[9] t'embrasse.

Je vous ai envoyé force lettres et télégrammes. J'ai reçu une lettre de maman et une de toi !

À SA NIÈCE CAROLINE

Londres, samedi soir [25 mars 1871].

Ma chère Caro,

J'ai reçu, tout à l'heure, ta lettre de jeudi qui me rassure beaucoup. Comme je suis content que vous soyez revenus à Dieppe !

Je comptais partir demain soir et être près de vous lundi. Mais le paquebot de Newhaven ne part pas le dimanche. Donc mon séjour ici eﬆ retardé de 24 heures et je ne compte pas arriver à Dieppe avant mardi matin. Il eﬆ inutile que tu m'envoies Anselme[1], si Mercier promet d'avoir une de ses voitures sur le quai quand je débarquerai.

Il me semble que Paris reﬆe dans le même état ? Aujourd'hui on n'a reçu à l'ambassade de France (où je vais tous les jours) aucun journal de Paris. Mais nous savons par un voyageur parti hier soir à 5 heures des Champs-Élysées, que tout était calme. Je n'y comprends goutte[2] !

J'avais pensé à m'en aller par Calais, Boulogne, Amiens et Clères. — Mais je n'arriverais à Dieppe que lundi soir au plus tôt. Et peut-être serais-je arrêté en route par un convoi de Prussiens ? Le plus sûr, je crois, eﬆ de prendre le chemin le plus court.

Comme il me tarde d'être inﬆallé quelque part et travaillant !

Adieu, pauvre chérie, ou plutôt à bientôt.

Embrasse ta grand-mère pour moi et tâche de la faire patienter jusqu'à mardi matin.

Mes félicitations à ton époux de ce qu'il a échappé aux balles de « nos frères[3] ».

Je t'embrasse bien fort.

Ton vieux sheik[4].

Juliet[5] t'envoie mille tendresses. Tout le monde chez elle m'a parlé de Putzel[6], avec admiration et amour !

À MADAME JULES CLOQUET

[Neuville, 30 mars 1871.]

Vous êtes adorablement bonne, chère madame Cloquet, et je vous remercie bien de tout ce que vous faites pour ma bonne femme[1].

Ma mère eſt revenue d'Ouville[2], et je vais demain m'en retourner à Croisset, qui cependant n'eſt pas encore agréable à habiter.

Caroline eſt au milieu de son inſtallation dieppoise. Voilà toutes les nouvelles de la famille.

Je compte toujours mener ma mère à Paris dans les premiers jours du mois prochain. Mais vous n'y serez plus ?

Achille[3] me charge de rappeler à M. Cloquet sa promesse d'oiseaux.

Et moi je charge Mme la baronne d'embrasser M. le baron.

Je suis tout à vous, chère Madame, et vous baise les deux mains.

Jeudi.

À EDMA ROGER DES GENETTES

Neuville [près Dieppe], 30 mars 1871.

Il y a quinze jours je comptais être maintenant à Paris, mais « nos frères[4] » en ont disposé autrement.

Je suis parti de Dieppe pour Bruxelles, croyant ne pas revoir les casques à pointe, car je devais retrouver ma famille dans la nouvelle Athènes, qui me semble descendre au-dessous du Dahomey ; mais j'ai su à Bruxelles que Paris était inhabitable. Ma mère et ma nièce sont revenues de Rouen à Dieppe ; j'y suis depuis avant-hier et samedi prochain je serai à Croisset, où je me résigne à rentrer. Vous seriez donc bien aimable, chère Madame, de m'y adresser un petit mot pour me dire ce que vous devenez. La tâche du général[5] eſt lourde. Sera-t-il obéi ? Là eſt tout le problème pour le moment. Car l'Internationale ne fait que commencer et elle réussira, pas comme elle l'espère ni comme le redoutent les bourgeois ; mais l'avenir (et quel avenir !) est de ce côté. À moins qu'une forte réaction cléricale et monarchique ne triomphe. Ce qui est également possible.

Ces misérables-là déplacent la haine ! On ne pense plus aux Prussiens. Encore un peu, et on va les aimer ! Aucune honte ne nous manquera.

Comme je suis las, comme je voudrais m'en aller vivre dans un endroit où je n'entendrais plus parler de rien !

Adieu, chère Madame, je n'ose vous dire à bientôt.

À LA PRINCESSE MATHILDE

Dieppe, vendredi 31 mars [1871].

Demain enfin, je me résigne à rentrer dans mon pauvre logis[1] où je vais tâcher de travailler pour oublier la France. — J'y attendrai que Paris soit tranquille !

J'ai appris ce matin que ces MM. de l'Hôtel de Ville[2] s'étaient emparés de la Poste. Aussi ne suis-je pas bien sûr que cette lettre vous parvienne ? Ils me paraissent si bêtes que leur règne ne sera pas long !

Mon retour a été pénible. J'ai eu de Newhaven à Dieppe un temps abominable ; j'en suis encore fatigué.

J'ai passé près de vous quatre jours[3] bien bons, les seuls bons que j'aie eus depuis huit mois ! Je vous ai trouvée plus vaillante et mieux portante que je ne l'espérais. Conservez-vous pour nous. Un temps viendra où nous nous retrouverons peut-être tous ensemble dans le cher endroit que nous regrettons ?

Si rien n'est changé pour vous d'ici au milieu de l'été, je vous re-ferai une visite, qui cette fois sera plus longue. Où aller pour être bien, si ce n'est près de vous ?

J'ai reçu les lettres renvoyées ici. Mes souvenirs à vos compagnons, et croyez, je vous prie, à l'inaltérable affection de votre tout dévoué.

α[4]

À GEORGE SAND

Neuville près Dieppe, vendredi 31 mars [1871].
En réponse *à la vôtre* du 17 mars.

Chère Maître,

Demain, enfin, je me résigne à rentrer dans Croisset. C'est dur ! mais il le faut ! Je vais tâcher de reprendre mon pauvre *Saint Antoine* et d'oublier la France !

Ma mère reste ici chez sa petite-fille, jusqu'à ce qu'on sache où aller, sans crainte de Prussiens ni d'émeute.

Il y a quelques jours, je suis parti d'ici avec Dumas[1] pour Bruxelles, d'où je comptais revenir directement à Paris. — Mais « la nouvelle Athènes » me semble dépasser le Dahomey en férocité et en bêtise !

Est-ce *la fin de la Blague* ? En aura-t-on fini avec la métaphysique creuse et les idées reçues ? Car tout le mal vient de notre gigantesque ignorance. Ce qui devrait être étudié est cru sans discussion. Au lieu de regarder, on affirme !

Il faut que la Révolution française cesse d'être un dogme et qu'elle rentre dans la Science, comme le reste des choses humaines. Si on eût été plus savant, on n'aurait pas cru qu'une formule mystique est capable de faire des armées, et qu'il suffit du mot République pour vaincre un million d'hommes bien disciplinés. On aurait laissé Badinguet[2] sur le trône, *exprès* pour faire la paix, quitte à le mettre au bagne ensuite. Si on eût été plus savant, on aurait su ce qu'avaient été les volontaires de 92, et la retraite de Brunswick gagnée à prix d'argent par Danton et Westermann[3]. Mais non ! toujours les rengaines ! toujours la blague ! Voilà maintenant la Commune de Paris qui en revient au pur Moyen Âge ! C'est carré ! La question des loyers, particulièrement, est splendide[4]. Le gouvernement se mêle maintenant de Droit naturel et intervient dans les contrats entre particuliers. Elle affirme qu'on ne doit pas ce qu'on doit, et qu'un service ne se paie pas par un autre service. — C'est énorme d'ineptie et d'injustice.

Beaucoup de conservateurs qui, par amour de l'ordre, voulaient conserver la République, vont regretter Badinguet ! Et appellent dans leur cœur les Prussiens. — Les gens de l'Hôtel de Ville *ont déplacé la Haine*. C'est de cela que je leur en veux. Il me semble qu'on n'a jamais été plus bas.

Nous sommes ballottés entre la société de Saint-Vincent-de-Paul et l'Internationale[1]. Mais cette dernière fait trop de bêtises pour avoir la vie longue. J'admets qu'elle batte les troupes de Versailles et renverse le gouvernement, les Prussiens entreront dans Paris et « l'ordre régnera à Varsovie[2] ». Si, au contraire, elle est vaincue, la réaction sera furieuse, et toute liberté étranglée.

Que dire des Socialistes qui imitent les procédés de Badinguet et de Guillaume[3] : réquisitions, suppressions de journaux, exécutions capitales sans jugement, etc. ? Ah ! quelle immorale bête que la foule ! Et qu'il est humiliant d'être homme !

Je vous embrasse bien fort.

Votre vieux troubadour,
Gve.

À SA MÈRE

Croisset, samedi soir, 5 heures [1er avril 1871].

Chère Vieille,

Tu dois, à l'heure qu'il est, avoir reçu un télégramme de moi.

Ta future femme de chambre, au moment de s'embarquer en chemin de fer, a été prise d'une forte indisposition. Son mari est venu la chercher et l'a emmenée dans son pays, à Pont-Audemer. Elle avait promis d'écrire à Mme Née pour donner de ses nouvelles, ce qu'elle n'a pas encore fait. Mme Née m'a demandé s'il fallait en attendre ou si elle devait te chercher une autre suivante, question à laquelle je n'ai su que répondre. J'ai dit que tu lui écrirais ta décision.

Rien de neuf à l'Hôtel-Dieu[4]. J'ai trouvé Rouen très inquiet des événements de Paris.

Il y a des Prussiens à Canteleu, à Bapaume et à Dieppedalle. — On ne croit pas qu'il en revienne à Croisset, mais ce n'est pas sûr.

Ma chambre et mon cabinet sont très propres. Je suis tout étonné de m'y revoir.

Fortin[5] vient de me faire une visite. Je me suis acheté un chapeau. Voilà les nouvelles.

Porte-toi bien, pauvre chère vieille, et tâche d'être de bonne humeur. Embrasse Caro pour moi, ainsi qu'Ernest et l'enfant, l'inéluctable Putzel[1].

Deux bons baisers sur ta bonne vieille mine mélancolique.

Ton vieux fils, le sheik[2].

À SA NIÈCE CAROLINE

Croisset, mercredi, 2 heures [5 avril 1871].

Ma chère Caro,

Contrairement à mon attente, je me trouve *très bien* à Croisset. Et je ne pense pas plus aux Prussiens que s'ils n'y étaient pas venus ! Il m'a semblé très doux de me retrouver au milieu de mon vieux cabinet et de revoir toutes mes petites affaires ! Mes matelas ont été rebattus, et je dors comme un loir. — Dès samedi soir, je me suis remis au travail ; et si rien ne me dérange, j'aurai fini mes *Hérésies*[3] à la fin de ce mois. — Enfin, pauvre chérie, il ne me manque rien, que la présence de ceux, ou plutôt de celles que j'aime, petit groupe où[a] vous occupez le premier rang, ma belle dame.

J'avais la boule complètement perdue, quand nous nous sommes retrouvés au commencement de février[4]. — Mais, grâce à toi, à ta gentille société et à ton bon intérieur, je me suis remis peu à peu, et maintenant j'attends le jour où tu reviendras ici (pour un mois, j'espère). Le jardin va devenir très beau. Les bourgeons poussent. Il y a des primevères partout. — Quel calme ! J'en suis tout étourdi.

J'ai passé la journée de dimanche dans un abrutissement singulier, plein de douceurs. Je revoyais le temps où mon pauvre Bouilhet[5] entrait, le dimanche matin[b], avec son cahier de vers sous le bras, quand le père Parain[6] circulait par la maison, en portant le journal sur sa hanche, et que toi, pauvre loulou, tu courais au milieu[c] du gazon couverte d'un tablier blanc. — Je deviens trop sheik ! je m'enfonce à plaisir dans le passé, comme un vieux ! Parlons donc du présent.

Ton mari doit être *soulagé* ? On vient d'administrer à « nos frères[7] » une raclée sérieuse ! Je serais bien surpris que la Commune prolongeât son existence au-delà de la semaine prochaine ?

L'assassinat de Pasquier[8] m'a ému. Je le connaissais beaucoup : c'était un ami intime de Florimont[9], un camarade de ton oncle Achille, un élève du père Cloquet, et un cousin germain de Mme Lepic[1].

Ta grand-mère a-t-elle enfin une femme de chambre ? La sœur d'Émile[2] (celle qui eſt à Déville) en connaît une, qu'elle recommande. Elle a servi chez un sieur Lelièvre pharmacien ! Puisque Lelièvre eſt pharmacien, pourquoi n'y aurait-il pas des pharmaciens parmi les lièvres[3] ?

Duval le pêcheur m'a apporté, ce matin, cent francs, en donnant congé de sa maison pour la Saint-Michel prochain, ou prochaine ?

Quoi encore ? Il passe beaucoup de bateaux sur la rivière. — On dit que les Prussiens quitteront le département le 14 de ce mois. — Mais j'attends qu'ils soient partis pour tout à fait, avant d'entreprendre aucune réparation dans le logis.

Ton mari m'avait l'air bien tourmenté par ses affaires, quand je suis parti ? Par contrecoup, elles m'inquiètent. Je serais bien content de savoir que ses soucis diminuent. Il me semble que maintenant la fin du trouble général n'eſt pas éloignée ?

Comment va ta grand-mère ? Le dentiſte de Dieppe eſt-il parvenu à la soulager ? Embrasse-la bien fort pour moi.

Mes tendresses à Putzel[4] ! Il m'en ennuie, ainsi que de ses parents.

À toi.

Adieu, pauvre Caro ; tu ne diras pas que cette fois je me borne à écrire un simple billet.

Deux bécots de nourrice sur tes bonnes joues qui donnent envie de les manger.

À toi, ton vieil oncle en baudruche.

À SA MÈRE

Croisset, jeudi, 5 heures [6 avril 1871].

Chère Vieille,

Émile[5] revient de Déville, à l'inſtant même. Il a vu la femme de chambre que lui avait recommandée sa sœur.

Elle a, m'a-t-il [dit], une figure agréable et une bonne tenue. La mère Filhâtre la connaît beaucoup. Sa famille eſt de Bapaume et on en dit du bien.

Mais avant de partir pour Dieppe, il faut qu'elle donne ses

huit jours à ses maîtres. Réponds-moi donc immédiatement *par le télégraphe* s'il faut la retenir. Car elle viendra demain se présenter chez moi.

Il n'a pas été question de gages. Car je ne sais combien tu veux donner. Émile croit qu'elle te conviendra.

Pour plus de sûreté, écris-moi en même temps une lettre.

Il faut donc que tu patientes encore une huitaine de jours.

J'ai été hier à Rouen. Achille était à Elbeuf et Mme Achille[1] sortie pour faire des visites. Mais j'ai rencontré Juliette[2] dans la rue. — J'irai dîner à l'Hôtel-Dieu la semaine prochaine.

J'ai dîné chez les dames Lepic et Perrot[3], très agréablement, après avoir vu le philosophe Baudry[4].

On croit que l'insurrection de Paris touche à sa fin. — Les affaires ont l'air de reprendre à Rouen, car le port est plein de bateaux.

En cas que les socialistes ne veuillent, quand les Prussiens seront partis, faire un mouvement pour imiter Paris, la Mairie prépare en sous-main une défense formidable. — Du reste les bons Prussiens ne s'en vont pas, du tout ! Il se pourrait même qu'ils revinssent à Croisset ? — Quand tout cela sera-t-il fini, mon Dieu !

En attendant, je travaille comme un homme, bien que mon voyage d'hier, à Rouen, m'ait dérangé. — Je l'ai fait en compagnie de Mme Écorcheville[5] qui m'a paru excessivement bête.

Voilà tout.

Embrasse bien Caro pour moi et qu'elle te le rende.

Ton vieux fils.

À SA NIÈCE CAROLINE

[Croisset,] dimanche de Pasques, 6 heures du soir [9 avril 1871].

Mon Loulou,

Ta grand-mère m'écrit, *tous les jours*, pour me répéter qu'elle va revenir à Rouen[6].

Que dois-je croire ? et que dois-je faire ? Elle pourrait, à la rigueur, coucher dans sa chambre de Croisset, bien qu'il vaudrait mieux y faire remettre dès maintenant un papier neuf, si l'on était sûr que les Prussiens ne revinssent point.

Quant à aller sur le Port[1], cette perspective me sourit peu, puisque maintenant je suis réinstallé dans mon cabinet et que je recommence, Dieu merci, à travailler. — Ta grand-mère ne resterait pas à Rouen pendant que je serais à Croisset ! Quelle pauvre bonne femme pour n'être jamais en repos ! Elle me dit dans ses lettres qu'elle « a peur de vous déranger ». Si tu crois que ses dents lui font trop de mal[a], je pourrais bien aller chez Collignon voir s'il voudrait faire le voyage de Dieppe ? Ou bien tu pourrais (encore une fois !) l'amener à Rouen ?

La future femme de chambre m'a *formellement* promis qu'elle serait libre de demain en huit. Ainsi, tranquillise-la.

Depuis mon retour ici, je n'ai eu qu'une visite, c'est tout à l'heure, celle de la famille Lapierre[2] au grand complet. Lapierre (qui est revenu de Paris hier soir) croit que d'ici à deux jours on en aura fini avec les Communaux. On doit, aujourd'hui, tourner Montmartre et peut-être entrer dans Paris ?

Il a assisté au combat de dimanche, et a vu, à Versailles, d'Osmoy[3] qui se porte comme un charme. Ledit d'Osmoy est du nombre des députés qui se mêlent aux soldats, sur le champ de bataille, pour les encourager. Du reste, les bons tourlourous sont enragés contre nos frères[4] et ne leur font aucun quartier.

Adieu, pauvre chérie. Es-tu de meilleure humeur ? Ta dernière lettre était faite pour me remplir de fatuité !...

Deux bons baisers sur ta fraîche mine.

Ton vieux,
Gve[5].

Décide avec Ernest ce que je dois faire maintenant à Croisset. Je crois que c'est rien[6] ?

À SA MÈRE

[Croisset,] samedi soir [15 avril 1871].

Chère Vieille,

Un ami de Mme Lebret[7] (M. d'Hotel ou d'Autel) est venu hier me demander si tu voulais lui louer ta petite maison, *pour six mois*. Comme 150 francs me paraît une somme ridicule, j'ai répondu que tu ne la louerais que pour un an, et, qu'au reste, j'allais t'écrire. Réponds-moi ce qu'il faut dire.

Le père Lequesne[1] te propose une vache. Je ne sais pas le prix. À qui faut-il s'adresser pour avoir un bon avis ?

Ta femme de chambre viendra ici lundi matin, ou dimanche soir pour avoir ton adresse. En tout cas, elle sera à Dieppe lundi.

J'ai dîné hier chez Mme Lapierre[2]. J'aurai probablement demain la visite des dames Perrot[3]. — Guy de Maupassant[4] est venu hier pendant que j'étais à Rouen. J'avais eu le matin à déjeuner le philosophe Baudry[5]. — Et nous avions beaucoup philosophé ensemble.

La visite de notre chère Caro m'a fait bien plaisir. — Mais elle a été trop courte.

Je continue à travailler comme un ange.

On rebat les matelas de deux lits et Senard[6] a fini ses réparations.

Voilà toutes les nouvelles.

Tâche de n'être pas trop mélancolique, écoute les bonnes exhortations de ta petite-fille, et les semonces de ton petit-fils.

Je t'embrasse bien fort.

Ton vieux fils.

J'ai vu récemment l'Horloger[7] ! Il ne m'a pas parlé « du temps » ! mais des troubles de Paris. Il est pour l'ordre. Oh ! tout à fait pour l'ordre.

À SA NIÈCE CAROLINE

[Croisset,] mardi soir, 6 heures [18 avril 1871].

Trois jours sans lettres ! Il me semble que la correspondance entre Neuville et Croisset se ralentit. Car je n'ai pas eu de vos nouvelles depuis samedi matin.

Je m'attendais à avoir, ce matin, un mot de notre vieille, me disant ce qu'elle pense de sa nouvelle femme de chambre, c'est-à-dire comment elle l'a trouvée.

J'ai eu dimanche la visite de IX personnes à la fois ! Raoul-Duval[8] et ses trois enfants ; Mme Perrot[9] avec sa fille et sa petite-fille ; Mme Brainne[10] avec son gamin et le sieur Desbois[11] du Mont-de-Piété. — Les enfants ont couru dans les cours et fait des bouquets[a] d'herbes sauvages. *Ma* maison eſt si peu bien montée que j'ai été obligé pour leur collation d'emprunter un pot de confitures au jardinier. Toute la société, néanmoins, a eu l'air très satisfait de sa petite promenade.

La mère Lebret[1] a vendu son mobilier, et m'a apporté 225 francs.

On a *saisi* mon brave ami Bataille[2]. Les poursuites sont dirigées par un mosieu de Paris, auquel il ne doit que 60 mille francs ! Son boulanger et son boucher vont imiter le Parisien.

C'eſt bien gentil, mon pauvre loulou, les encouragements que tu me donnes sur *Saint Antoine*. Je commence à croire, en effet, que ça pourra être bon ? Quel dommage que nous ne soyons pas toujours ensemble ! J'aime tant ta compagnie, sans compter ta bonne mine que je bécotte.

Ton vieux

Comment va ta grand-mère ? eſt-elle un peu plus raisonnable ? pourquoi ne m'écrit-elle pas ?

L'issue de l'insurrection parisienne eſt retardée, parce qu'on emploie des *moyens politiques* pour éviter l'effusion du sang. Les Prussiens n'y entreront pas (dans Paris) : c'eſt un épouvantail de Thiers.

À SA MÈRE

[Croisset, 19 avril 1871.]

Chère Vieille,

Je t'attends vendredi par le train qui arrive à midi et demi. Nous irons tout de suite chez Collignon[3].

On arrange ta chambre de Croisset. Mais il eſt bien difficile de la désinfecter. Je crois néanmoins que tu y seras mieux qu'à Rouen ! Mais comme tu vas t'ennuyer de « ta fameuse fille[4] » !

Maintenant que nous allons re-vivre ensemble, vas-tu être gentille ?

Je t'embrasse.

Ton vieux fils.

Mercredi, 7 heures du soir.

À FÉLIX-ARCHIMÈDE POUCHET

[Croisset, 24 avril 1871.]

Mon cher Ami,

Je vous présente mon neveu M. *Commanville*, qui aurait besoin de renseignements scientifiques sur le bois de chêne[1].

Pouvez-vous lui indiquer ce qu'il faudrait lire ?

Merci d'avance

et tout à vous.

Je compte vous faire très prochainement une visite.

---

24 avril, Croisset.

À GEORGE SAND

Croisset, lundi soir, 2 heures [24 avril 1871].

Chère Maître,

Pourquoi pas de lettres ? Vous n'avez donc pas reçu les miennes envoyées de Dieppe ? Êtes-vous malade ? Vivez-vous encore ? Qu'est-ce que ça veut dire ? J'espère bien que vous (ni aucun des vôtres) n'êtes à Paris ? « capitale des arts, foyer de la civilisation, centre des belles manières et de l'urbanité » !

Savez-vous le pire de tout cela ? *C'est qu'on s'y habitue.* Oui ! on s'y fait. On s'accoutume à se passer de Paris, à ne plus s'en soucier, et presque à croire qu'il n'existe plus.

Pour moi, je ne suis pas comme les bourgeois ; je trouve que : *après* l'invasion, il n'y a plus de malheurs. La guerre de Prusse m'a fait l'effet d'un grand bouleversement de la nature, d'un de ces cataclysmes comme il en arrive tous les six mille ans ; tandis que l'insurrection de Paris[a] est, à mes yeux, une chose très claire, et presque toute simple.

Quels rétrogrades ! quels sauvages ! comme ils ressemblent aux gens de la Ligue ! et aux maillotins[2] ! Pauvre France, qui ne se dégagera jamais du Moyen Âge ! qui se traîne encore sur l'idée gothique de la Commune, qui n'est autre que le municipe romain !

J'ai peur que la destruction de la Colonne Vendôme[1] n'éparpille la graine d'un Troisième Empire !

Ah ! j'en ai gros sur le cœur, je vous le jure !

Et la petite réaction que nous allons avoir après cela ! Comme les bons ecclésiastiques vont re-fleurir !

Je me suis remis à *Saint Antoine*, et je travaille, violemment.

Écrivez-moi donc !

Je vous embrasse bien fort.

Gve Fl.

À LA PRINCESSE MATHILDE

[Croisset, 24 avril 1871.]

Pourquoi n'ai-je pas de nouvelles de vous ? Vous n'avez donc pas reçu *deux* lettres de moi depuis que nous nous sommes vus ? Ont-elles été perdues ? Cela est bien possible, par l'aimable temps qui court.

J'espère mercredi prochain entendre parler de vous, par Mme Dubois de l'Estang[2] dont j'ai reçu ce matin un petit mot pour m'avertir de son passage à Rouen, en revenant de Bruxelles. — Mais je m'ennuie trop de ne pas voir votre abominable et chère écriture !

L'état de Paris est toujours bien gentil, bien gentil ! Quelle reculade ! Quelle sauvagerie ! Le plus triste peut-être, c'est *qu'on s'y habitue* ! Oui, cela est cynique à dire, mais c'est vrai ! On finit par en prendre son parti, et par s'accoutumer à se passer de Paris, et presque à croire qu'il n'existe plus.

Quant à moi, la guerre de Prusse m'a fait verser tant de larmes et m'a rendu si désespéré que je suis maintenant fort blasé sur les émotions patriotiques. Il n'y a pas de malheur *après* l'invasion. Et je plains (ou j'envie) ceux qui sont plus furieux contre les soldats de Cluseret[3] qu'ils ne l'ont été contre les traîneurs de sabre du bon Guillaume[4]. Le plus grand crime de ces misérables-là (je parle des gens de la Commune), c'est d'avoir déplacé la haine. La France ne songe plus aux Prussiens ! Elle n'a même plus l'idée d'une revanche future ! Nous en sommes là !

Notre état mental est du domaine de la médecine. Tout le monde a une maladie du cerveau. À force de blaguer on est devenu très bête — bête et lâche. Pauvre, pauvre pays !

Pour n'y plus songer, j'ai repris mon travail avec fureur. Il m'a semblé doux de me retrouver chez moi, au milieu de mes livres, et je continue, comme autrefois, à tourner des phrases. Cela est aussi innocent et aussi utile que de tourner des ronds de serviette[1].

Où est le temps où je vous lisais mes élucubrations dans votre atelier ! Mon cœur se fond quand je me rappelle ces jours-là !...

Vous savez bien que je compte, au mois d'août, vous faire une visite plus longue. Ce sera mes vacances.

Je vous envoie l'assurance de sentiments — dont vous ne doutez pas — et suis toujours

tout à vous.
Gve.

Croisset près Rouen, lundi soir, 24.

À EDMA ROGER DES GENETTES

Croisset, jeudi [27 avril ? 1871].

Je ne vous ai pas écrit parce que je vous croyais enfermée dans Paris, où vous n'étiez pas une de mes moindres inquiétudes ; et je ne savais comment vous faire parvenir ma lettre.

C'est joli, ça va bien ! N'importe ! *j'y vois clair*, et je ne suis plus dans l'horrible état où j'ai râlé pendant six mois. Comment n'en suis-je pas devenu fou ? Contrairement à l'avis général, je ne trouve rien de pire que l'invasion prussienne. L'anéantissement complet de Paris par la Commune me ferait moins de peine que l'incendie d'un seul village par ces messieurs, qui « sont charmants », etc., etc. Ah ! les docteurs ès lettres se livrant à un pareil métier et obéissant à une pareille discipline, voilà qui est *nouveau* et impardonnable ! C'est pour cela qu'il ne faut pas tant comparer les horreurs de cette invasion à celles qu'ont pu commettre les soldats de Napoléon Ier. À propos de ce vieux, je crains que la destruction de sa colonne[2] éparpille dans l'air la graine d'un troisième empire, qui plus tard s'épanouira. Un fils de Plonplon[3] fera dans une vingtaine d'années la restauration de la branche cadette.

Quant au socialisme, il a raté une occasion unique et le voilà mort pour longtemps. Le mysticisme l'a perdu. Car tout ce qui se fait à Paris est renouvelé du Moyen Âge. La Commune, c'est la Ligue ! Pour échapper à tout cela, je me plonge en désespéré dans *Saint Antoine* et je travaille avec suite et vigueur. Si rien ne m'entrave, j'aurai fini ce livre avant un an.

Comment n'être pas malade ? Ce que vous me dites de votre santé ne m'étonne pas. Pauvres nerfs ! pauvres nerfs ! Mais souffrez-vous beaucoup ? Si vous le pouvez, écrivez-moi de longues lettres. Quant à aller à Bourbonne, essayez-en.

Allons, adieu. Quand nous reverrons-nous ? J'irai à Paris-Dahomey dès qu'on pourra y entrer.

GEORGE SAND À GUSTAVE FLAUBERT

Nohant, 28 avril [1871].

Non certes, je ne t'oublie pas, je suis triste, triste, c'est-à-dire que je m'étourdis, que je regarde le printemps, que je m'occupe et que je cause comme si de rien n'était ; mais je n'ai pas pu être seule un instant depuis cette laide aventure, sans tomber dans une désespérance amère ; je fais de grands efforts pour me défendre, je ne veux pas être découragée, je ne veux pas renier le passé et redouter l'avenir ! Mais c'est ma volonté, c'est mon raisonnement qui luttent contre une impression profonde, insurmontable quant à présent. Voilà pourquoi je ne voulais pas t'écrire avant de me sentir mieux, non pas que j'aie honte d'avoir des crises d'abattement, mais parce que je ne voudrais pas augmenter ta tristesse déjà si profonde en y ajoutant le poids de la mienne.

Pour moi l'ignoble expérience que Paris essaie ou subit ne prouve rien contre les lois de l'éternelle progression des hommes et des choses, et si j'ai quelques principes acquis dans l'esprit, bons ou mauvais, ils n'en sont ni ébranlés ni modifiés. Il y a longtemps que j'ai accepté la patience comme on accepte le temps qu'il fait, la durée de l'hiver, la vieillesse, l'insuccès sous toutes ses formes. Mais je crois que les gens de parti (sincères) doivent changer leurs formules ou s'apercevoir peut-être du vide de toute formule *a priori*.

Ce n'est pas là ce qui me rend triste. Quand un arbre est mort, il faut en planter deux autres. Mon chagrin vient d'une pure faiblesse de cœur que je ne sais pas vaincre. Je ne peux pas m'endormir sur la souffrance et même sur l'ignominie des autres. Je plains ceux qui font le mal ; tout en reconnaissant qu'ils ne sont pas intéressants du tout, leur moral me navre. On plaint un oisillon tombé du nid, comment ne pas plaindre une masse de consciences tombées dans la boue ? On souffrait moins pendant le siège par les Prussiens. On aimait Paris malheureux malgré lui. On le plaint d'autant plus aujourd'hui qu'on ne peut plus l'aimer. Ceux qui n'aiment jamais se paient de le haïr mortellement. Que répondre ? il ne faut peut-être rien répondre ! Le mépris de la France est peut-être le châtiment nécessaire de l'insigne lâcheté avec laquelle les Parisiens ont subi l'émeute et ses aventuriers. C'est une suite de l'acceptation des aventuriers de l'Empire. Autres félons, même couardise.

Mais je ne voulais pas te parler de cela, tu en *rugis* bien assez ! Il faudrait s'en distraire, car en y pensant trop, on se détache de ses propres membres, et on se laisse amputer avec trop de stoïcisme.

Tu ne me dis pas comment tu as retrouvé ton charmant nid de Croisset. Les Prussiens l'ont occupé ; l'ont-ils brisé, sali, volé ? Tes livres, tes bibelots, as-tu retrouvé tout cela ? Ont-ils respecté ton nom, ton atelier de travail ? Si tu *repeux* y travailler, la paix se fera dans ton esprit. Moi j'attends que le mien guérisse et je sais qu'il faut aider à ma propre guérison par une certaine foi souvent ébranlée, mais dont je me fais un devoir.

Dis-moi si le tulipier n'a pas gelé cet hiver et si les pivoines sont belles. Je fais souvent en esprit le voyage, je revois ton jardin et ses alentours. Comme cela est loin, que de choses depuis ! On ne sait plus si on n'a pas cent ans.

Mes petites[1] seules me ramènent à la notion du temps, elles grandissent, elles sont drôles et tendres, c'est par elles et les deux êtres qui me les ont données que je me sens encore de ce monde, c'est par toi aussi, cher ami, dont je sens le cœur toujours bon et vivant. Que je voudrais te voir ! Mais on n'a plus le moyen d'aller et venir.

Nous t'embrassons tous et nous t'aimons.

G. SAND.

À ERNEST FEYDEAU

Croisset, 30 avril [1871].

Vis-tu encore ? Où es-tu ?

J'ai maintenant la conviction que plusieurs lettres écrites par moi et écrites à moi ont été perdues ou saisies. D'ailleurs, je ne peux expliquer autrement cet énorme trou dans notre correspondance.

Me voilà revenu à Croisset, depuis quinze jours, et j'y retravaille pour ne plus songer aux charogneries contemporaines. Ah ! cher vieux, comme j'ai envie de te revoir et de causer avec toi ! Mais où nous revoir ? Paris m'a l'air d'être en train de

« suivre Babylone ». En tout cas le Paris que nous aimions est fini ! ! ! Au Paganisme a succédé le Christianisme. Nous entrons maintenant dans le *Muflisme.*

Donne-moi de tes nouvelles, de toi et des tiens. Je t'embrasse ou plutôt je vous embrasse.

À GEORGE SAND

Croisset, 30 avril [1871].

Chère Maître,

Je réponds, tout de suite, à vos questions sur ce qui me concerne personnellement. — Non ! les Prussiens n'ont pas saccagé mon logis. Ils ont *chipé* quelques petits objets sans importance, un nécessaire de toilette, un carton, des pipes, mais, en somme, ils n'ont pas *fait de mal.* Quant à mon cabinet, il a été respecté. J'avais enterré une grande boîte pleine de lettres, et mis à l'abri mes volumineuses notes sur *Saint Antoine.* J'ai retrouvé tout cela intact.

Le pire de l'invasion, *pour moi*, c'est qu'elle a vieilli de dix ans ma pauvre bonne femme de mère ! Quel changement ! Elle ne peut plus marcher seule et elle est d'une faiblesse navrante. Comme c'est triste de voir les êtres qu'on chérit se dégrader, peu à peu !

Et la mort de Mme Viardot, que j'ai apprise ce matin ! Je viens d'écrire à ce bon Tourgueneff[1]. Il doit être accablé !

Pour ne plus songer aux misères publiques et aux miennes, je me suis replongé avec furie dans *Saint Antoine*, et si rien ne me dérange, et que je continue de ce train-là, je l'aurai fini l'hiver prochain. J'ai joliment envie de vous lire les 60 pages qui sont faites. — Quand on pourra re-circuler sur les chemins de fer, venez donc me voir un peu. Il y a longtemps que votre vieux troubadour vous attend ! Votre lettre de ce matin m'a attendri. Quel fier bonhomme vous faites, et quel immense cœur vous avez !

Je ne suis pas comme beaucoup de gens, que j'entends se désoler sur la guerre de Paris. Je la trouve, moi, plus tolérable que l'invasion, car, après l'invasion il n'y a plus de désespoir possible, et voilà ce qui prouve, une fois de plus, notre avilissement. « Ah ! Dieu merci, les Prussiens sont là ! » est le cri universel des bourgeois. Je mets dans le même sac Messieurs les ouvriers, et qu'on foute le tout ensemble dans la rivière !

Ça en prend le chemin, d'ailleurs, et puis le calme renaîtra. Nous allons devenir un grand pays plat et industriel comme la Belgique. La disparition de Paris (comme centre du gouvernement) rendra la France incolore et lourde. Elle n'aura plus de cœur, plus de centre, et, je crois, plus d'esprit ?

Quant à la Commune, qui est en train de râler, c'est la dernière manifestation du Moyen Âge. La dernière ? Espérons-le !

Je hais la démocratie (telle du moins qu'on l'entend en France), parce qu'elle s'appuie sur[a] « la morale de l'évangile », qui est l'immoralité même, quoi qu'on dise, c'est-à-dire l'exaltation de la grâce au détriment de la justice, la négation du Droit, en un mot l'anti-sociabilité.

La Commune réhabilite les assassins, tout comme Jésus pardonnait aux larrons, et on pille les hôtels des riches, parce qu'on a appris à maudire Lazare[1], qui était, non pas un mauvais riche, mais simplement *un riche.* « La République est au-dessus de toute discussion » équivaut à cette croyance : « Le Pape est infaillible. » Toujours des formules ! toujours des Dieux !

L'avant-dernier Dieu, qui était le suffrage universel, vient de faire à ses adeptes une farce terrible en nommant « les assassins de Versailles[2] ». À quoi faut-il donc croire ? À rien ! c'est le commencement de la sagesse. Il serait temps de se défaire « des Principes » et d'entrer dans la Science, dans l'Examen. La seule chose raisonnable (j'en reviens toujours là), c'est un gouvernement de mandarins, pourvu que les mandarins sachent quelque chose, et même qu'ils sachent beaucoup de choses. Le peuple est un éternel mineur, et il sera toujours (dans la hiérarchie des éléments sociaux) au dernier rang, puisqu'il est le nombre, la masse, l'illimité. Peu importe que beaucoup de paysans sachent lire et n'écoutent plus leur curé, mais il importe infiniment que beaucoup d'hommes, comme Renan ou Littré, puissent vivre, et *soient écoutés.* Notre salut n'est, maintenant, que dans une *aristocratie légitime*, j'entends par là une majorité qui se composera d'autres choses que de chiffres.

Si l'on eût été plus éclairé, s'il y avait eu à Paris plus de gens connaissant l'histoire, nous n'aurions subi ni Gambetta, ni la Prusse, ni la Commune. Comment faisaient les catholiques pour conjurer un grand péril ? Ils se signaient, en se recommandant à Dieu et aux saints. Nous autres, qui sommes avancés, nous allions crier : « Vive la République ! » en évoquant le souvenir de 92 ; et on *ne doutait pas* de la réussite, notez-le. Le Prussien n'existait plus. On s'embrassait de joie. Et on se retenait pour ne pas courir vers les défilés de l'Argonne, où il n'y a plus de défilés. — N'importe, c'est de tradition. J'ai un ami à Rouen qui a proposé à un club la fabrication de *piques*, pour lutter contre des chassepots !

Ah ! qu'il eût été plus pratique de garder Badinguet[1], afin de l'envoyer au bagne une fois la paix faite ! L'Autriche ne s'est pas mise en révolution après Sadowa, ni l'Italie après Novare, ni la Russie après Sébastopol[2] ! Mais les bons Français s'empressent de démolir leur maison, dès que le feu[a] prend à la cheminée.

Enfin, il faut que je vous communique une idée... atroce : *j'ai peur* que la destruction de la colonne Vendôme ne nous sème la graine d'un 3e empire ? Qui sait, si dans vingt ans ou dans quarante ans, un fils de Plonplon[3] ne sera pas notre maître ?

Pour le quart d'heure, Paris est complètement épileptique. C'est le résultat de la congestion que lui a donnée le siège. La France, du reste, vivait, depuis quelques années, dans un état mental extraordinaire. Le succès de *La Lanterne*[4] et Troppmann[5] en ont été des symptômes bien évidents.

Cette folie est la suite d'une trop grande bêtise. — Et cette bêtise vient d'un excès de blague, car, à force de mentir, on était devenu idiot. On avait perdu toute notion du bien et du mal, du beau et du laid. Rappelez-vous la critique de ces dernières années. Quelle différence faisait-elle entre le sublime et le ridicule ? Quel irrespect ! quelle ignorance ! quel gâchis ! « Bouilli ou rôti, même chose[6] ! » et en même temps quelle servilité envers *l'opinion du jour*, le plat à la mode !

Tout était faux : faux réalisme, fausse armée, faux crédit, et même fausses catins. On les appelait « marquises », de même que les grandes dames se traitaient familièrement de « cochonnettes[7] ». Les filles qui restaient dans la tradition de Sophie Arnould[8], comme mon amie Lagier[9], faisaient horreur. Vous n'avez pas vu les respects de Saint-Victor[10] pour la Païva[11]. — Et cette fausseté (qui est peut-être une suite du romantisme, prédominance de la Passion sur la forme et de l'inspiration sur la règle) s'appliquait surtout dans la manière de juger. On vantait une actrice, mais comme bonne mère de famille. On demandait à l'art d'être moral, à la philosophie d'être claire, au vice d'être décent et à la Science « de se ranger à la portée du peuple ».

Mais voilà une lettre bien longue. Quand je me mets à engueuler mes contemporains, je n'en finis plus.

Je vous embrasse bien fort.

Votre vieux

À SA NIÈCE CAROLINE

[Croisset,] dimanche soir [30 avril 1871].

Mon pauvre Chéri,

Ta grand-mère me semble aller mieux. Elle est moins triste depuis deux jours. La consultation que ton oncle Achille lui a donnée jeudi a, je crois, rassuré son moral ?

Aujourd'hui nous avons eu *toute la journée* Julie, Juliette et Ernest[1] (avec qui j'ai fait une partie de bouchon !) ; puis j'ai été *à pied* (! ! !) à Bapeaume, pour déposer mon bulletin de vote, sur lequel j'avais effacé le nom du Pseudo. Si ce coco-là réunissait encore beaucoup de voix, il pourrait devenir notre maire, ce qui serait embêtant.

J'ai choisi, pour la cheminée de la chambre à deux lits, des petits pavés blancs. — Et hier, le philosophe Baudry[2] est venu déjeuner. Voilà toutes les nouvelles.

Le citoyen Crépet (ex-préfet[3]) voulait louer la maison de Mme Lebret[4] pour y passer deux ou trois mois. Mais je crois qu'il a, déjà, changé d'idée ?

Le communal, communiste et commun Cordhomme[5] est *au secret*. Sa femme fait des démarches pour qu'on le relâche, en promettant qu'il émigrera en Amérique. Avant-hier on a, également, incarcéré d'autres patriotes.

Quant à moi, je suis soûl de l'insurrection parisienne ! Je n'ai plus le courage de lire le journal. Ces continuelles horreurs me dégoûtent plus encore qu'elles ne m'attristent, et je me plonge de toutes mes forces dans le bon *Saint Antoine*. J'ai commencé ce soir la description d'un petit cimetière chrétien où les fidèles viennent pleurer les martyrs[6]. Ce sera *estrange*.

Pauvre Caro ! Quel dommage que nous ne vivions pas ensemble ! J'aime tant causer avec toi ! Maintenant, d'ailleurs, je n'ai plus personne pour recevoir mes épanchements.

J'ai appris, ce matin, par les feuilles, la mort de Mme Viardot[1]. Je plains beaucoup Tourgueneff et vais lui écrire immédiatement.

À propos d'écrire, ta dernière lettre à ta grand-mère était bien gentille. Premier prix de style épistolaire : Caro !

Comme ton époux a dû être éreinté de son voyage ! Je suis content de savoir qu'il a réussi dans ce qu'il voulait près du sylphe Winter[2].

Embrasse-le de ma part, ainsi que Putzel[3], bien entendu.

Deux bons baisers sur tes bonnes joues.

Ton vieux ganachon.

À IVAN TOURGUENEFF

Croisset près Rouen, 1er mai 1871.

J'apprends le malheur qui vous frappe, mon cher ami, et ma première pensée a été pour vous[4]. Je vous aime trop pour essayer de vous écrire des phrases banales. Mais je suis bien triste et vous embrasse.

Quelle année ! Quelle année ! Où êtes-vous ? Qu'allez-vous devenir ? Où vivrez-vous maintenant ? Quels sont vos projets ? Donnez-moi de vos nouvelles si vous en avez la force et si ce papier vous arrive. Car vous savez que je vous aime et suis tout à vous.

À LA PRINCESSE MATHILDE

[Croisset,] mercredi soir [3 mai 1871].

Je n'ai reçu que deux lettres, depuis que nous nous sommes vus. L'une, il y a huit jours, à la date du 22 avril, et l'autre, dimanche dernier, datée du 28. Je suis maintenant *sûr*, qu'on en a intercepté de part et d'autre, à moins qu'elles n'aient été tout simplement perdues par la poste ? Même histoire est arrivée à Mme Dubois de l'Estang[5], à ce que m'a dit sa mère, car elle, je ne l'ai pas vue. J'ai fait, à Rouen, un voyage inutile.

Puisque le gouvernement (ou la Commune, je n'en sais rien) a fourré son nez dans mes épîtres, je ne vois pas pourquoi je me gênerais. Donc je vais reprendre mes habitudes et vous appeler, comme autrefois, par votre vrai nom. — Car, pour moi, vous êtes toujours une Altesse, et mieux que cela : « notre

Princesse », comme disait Sainte-Beuve. C'est une appellation qui, parmi ceux que je connais, n'appartient qu'à vous. Elle est unique, comme le sentiment que je vous porte.

Je vous *sens* très triste, et je voudrais vous être bon à quelque chose. Le souvenir des heures que je passais près de vous, à Saint-Gratien et dans la rue de Courcelles, me tient au cœur d'une façon forte et charmante. Je revois tous ces endroits où vous alliez, veniez, en répandant, autour de vous, comme de la lumière et de la bonté. Dans ce moment-ci, j'ai une envie folle de vous baiser les mains.

Ah ! je comprends bien tout ce que vous me dites ! et je crois que personne ne le comprend mieux. — Moi aussi, pendant huit mois, j'ai étouffé de honte, de rage et de chagrin. J'ai passé des nuits, à pleurer comme un enfant. Je n'ai pas été très loin de me tuer. J'ai senti la folie qui me prenait, et j'ai eu les premiers symptômes, les premières atteintes d'un cancer. — Mais à force d'avoir fait bouillir mon fiel, je crois qu'il s'est pétrifié. Et je vous avoue que maintenant je suis devenu, pour les malheurs publics*, à peu près insensible. Le calus s'est fait par-dessus la plaie. Bonsoir ! Après l'invasion de la Prusse, j'ai tiré le drap mortuaire sur la face de la France. Qu'elle roule désormais dans[a] la boue et le sang, peu importe, elle est finie. Quoi qu'il advienne, le gouvernement ne siégera plus à Paris. Dès lors Paris ne sera plus la Capitale et le Paris que nous aimions deviendra de l'histoire.

Nous n'y retrouverons jamais tout ce qui rendait la vie si douce. Je dis *nous*, car vous y reviendrez (on vous y fera revenir, dès qu'il y aura un gouvernement assis, régulier). Mais peut-être regretterez-vous votre temps d'exil, tant [vous] y trouverez de ruines et de changements !

Puisque vous me demandez des détails sur la vie que je mène, en voici : je suis tout seul à Croisset avec ma mère qui ne peut plus marcher, et qui s'affaiblit effroyablement ! J'ai, pour distraction *unique*, de voir, de temps à autre, passer sous mes fenêtres MM. les Prussiens faisant une promenade militaire, et comme occupation mon *Saint Antoine*, auquel je travaille sans désemparer. Cette œuvre extravagante m'empêche de songer aux horreurs de Paris. Quand nous trouvons le monde trop mauvais, il faut se réfugier dans un autre. Le vieux mot « la consolation des lettres » n'est pas un poncif !

* Quant aux malheurs particuliers, aux malheurs de ceux que j'aime, c'est le contraire ! Ma sensibilité est *exaspérée* et l'idée de votre chagrin me désole.

À propos de lettres, que dites-vous de ce malheureux Troubat[1], qui est devenu le secrétaire, devinez de qui ? de Félix Pyat[2] ! Après l'avoir été de Sainte-Beuve ! quelle distance ! Comme c'est drôle, ces natures qui ont toujours besoin de s'accrocher à une autre, ces gens qui ne peuvent vivre qu'à l'état de Séide !

Mme Sand m'a écrit une lettre désespérée[3]. Elle s'aperçoit que sa vieille idole était creuse, et sa foi républicaine me paraît complètement éteinte ! C'est un malheur qui ne m'arrivera pas.

Allons ! Adieu, bon courage ! Le sort a des retours ! Quand vous ne saurez que faire, écrivez-moi. Je pense à vous presque constamment, et suis plus que jamais, Princesse, votre fidèle

Gve.

IVAN TOURGUENEFF À GUSTAVE FLAUBERT

Londres, 16, Beaumont Street,
Marylebone, 6 mai 1871.

Heureusement, mon cher ami, heureusement la nouvelle est complètement fausse ! Mme V[iardot] que je vois tous les jours n'est pas plus morte qu'elle n'a 54 ans[4]. Si la nouvelle avait été vraie, je crois bien que je n'aurais pas pu vous répondre... Maintenant je puis vous dire que votre lettre m'a bien profondément touché. — C'est une bien bonne chose de sentir qu'on a un ami véritable, et je vous remercie de m'avoir procuré ce sentiment-là.

Je suis ici depuis trois semaines — j'ai passé la fin de l'hiver et le commencement du printemps en Russie. Je reste ici jusqu'au 1er août, et puis je vais à Bade en traversant la France. — Je m'arrêterai à Paris, s'il y a encore un Paris dans ce temps-là, et j'espère bien vous voir. — Peut-être viendriez-vous à Bade, où nous vivrons, pendant peu de temps, cachés comme des taupes dans leurs trous, et vous pourriez vous y cacher avec nous. — Mais auparavant donnez-moi de vos nouvelles. Avez-vous jamais reçu une lettre, que je vous ai écrite au commencement de l'année ? Qu'avez-vous fait pendant tout cet affreux orage ? Êtes-vous resté tout le temps à Croisset ? Avez-vous pu, malgré toute votre force d'isolation et de concentration — avez-vous pu ne pas être secoué, comme ces brins de paille, qui tournaient d'une façon si tristement effarée et inutile dans les portes ouvertes des granges ? Avez-vous travaillé, ou bien vous a-t-il suffi de traîner la vie — vide et lourde — d'un moment à l'autre ? Je ne suis pas Français, et pourtant je n'ai presque pas fait autre chose. — Ah nous avons de rudes moments à passer, nous autres, *spectateurs nés*. Que fait *Antoine*[1] ? Il s'est incrusté dans mon esprit.

Je suis en Angleterre, non pour le plaisir d'y être, mais parce que mes amis, à peu près ruinés par cette guerre, y sont venus pour tâcher de gagner quelque argent. Les Anglais ont du bon pourtant, mais ils mènent tous, même les plus intelligents, une vie bien dure. Il faut s'y faire, comme à leur climat. Et puis, où aller ?

Que fait Mme Flaubert ? Rappelez-moi à son bon souvenir. Avez-vous quelques nouvelles de Du Camp ? Il a disparu dans la tourmente, comme tant d'autres.

Écrivez-moi deux mots. — Encore une fois merci d'avoir cette affection pour moi. — Je vous embrasse de toute la force de la mienne.

Votre ami.

P.-S. Inutile de vous dire que je n'ai votre lettre qu'aujourd'hui même.

À SA NIÈCE CAROLINE

[Croisset,] mercredi 10 [mai 1871].

Pauvre cher Loulou,

J'espère que tu tiendras l'engagement que tu nous donnes dans ta lettre d'hier ! Et que, de dimanche en huit, tu viendras nous voir avec Ernest[2].

Je crois qu'il serait plus sage, pour établir les peintres dans la maison, d'attendre que nous n'y soyons plus ? L'insurrection de Paris aura un terme ! Alors, j'irai revoir cette malheureuse ville. Pendant ce temps-là ta grand-mère pourrait bien aller chez toi. Ce sera le moment de faire venir les peintres.

Les nouvelles de ce matin sont bonnes. Je n'ose tout à fait m'en réjouir : nous avons été si souvent trompés ! Mais il me semble, pourtant, que nous touchons à la fin ?

En fait de nouvelles, le citoyen Eugène Crépet[3] a loué pour six mois la maison de la mère Lebret. Jeudi, j'ai eu à déjeuner le philosophe Baudry[4], que j'avais fait venir exprès, afin qu'il m'expliquât un point de philosophie indienne que je croyais ne pas comprendre. Je le comprenais très bien. — Mais j'allais faire une balourdise de botanique énorme, car je me disposais à mettre dans l'Inde des végétaux qui appartiennent à l'Amérique ! Hier j'ai eu la visite de trois anges : Mme Lapierre, Mme Brainne et Mme Pasca[1] (du Gymnase). Néanmoins, j'ai refusé d'aller dîner à Rouen, chez elles, samedi prochain. Ce sera assez d'y déjeuner chez Baudry.

Je ferai une visite, peu gaie, à Mme Perrot, la mère de Janvier[2]. Voilà tout ce que j'ai à t'apprendre, mon pauvre loulou.

Ta grand-mère ne va pas mal. Je la trouve mieux qu'il y a un mois ? Croisset est charmant. Je suis content de Duval, le jardinier. — Tu sais que c'est moi qui tiens les comptes de la maison ! J'espère éblouir ton mari par ma « Balance du Commerce » !

Prie-le de demander à M. Delamarre, quand il le verra, des nouvelles de Mme Duret[3].

Adieu, ma chère Caro, je t'embrasse bien fort.

Ton vieux.

Tu avais raison : Mme Viardot n'est pas morte. Tourgueneff m'a répondu une lettre fort gentille. Peux-tu me lire la seconde ligne de son adresse et me la recopier lisiblement[4] ?

Ma pauvre Princesse m'a l'air de plus en plus désespérée. Elle a l'intention de quitter Bruxelles, d'ici à quelques semaines, et d'aller vivre en Italie.

À ERNEST FEYDEAU

Croisset, 10 mai [1871].

Cher Vieux,

Tu n'as donc pas reçu une lettre adressée par moi à Boulogne il y a quelque temps ? La tienne, en date du 1er mai[5], m'a fait bien plaisir puisqu'elle me prouve que tu vis encore.

J'allais m'en retourner à Paris quand a éclos comme une fleur la charmante insurrection qui l'ombrage[6]. N... de D... ! quelle année !

Je suis ici depuis un mois, et j'ai commencé à travailler. Je refais *La Tentation de saint Antoine.*

Dès que Paris-Dahomey sera habitable, ou plutôt accessible, j'irai t'embrasser.

Ton vieux.

À MADAME JULES CLOQUET

Croisset, mardi, 4 heures [16 ? mai 1871].

Comme vous êtes bonne, chère madame Cloquet, de vous être occupée de mon protégé[1] si vite, et si bien ! Je vous en remercie très sincèrement, étant d'ailleurs moins surpris que touché.

Puisque voilà la Paix, *nos* affaires[2] doivent prendre une bonne tournure. Je vous assure que j'ai autant envie que vous de les voir réussir ! Je voudrais faire quelque chose qui vous fût agréable à vous et à « notre cher Jules », comme vous dites. Donnez-moi de temps à autre de ses nouvelles. Vers la fin du mois d'août je ferai un petit voyage à Paris et j'espère réchauffer et *avancer* les choses.

Y serez-vous à cette époque ?

Ma mère me charge de mille amitiés pour vous deux.

Je vous baise les mains, chère madame, et suis

votre très affectionné.

Excusez-moi de ne pas vous envoyer ce petit mot à la maison de campagne où vous êtes présentement. Mais j'ai peur de lire l'adresse imparfaitement.

À ÉLISA SCHLÉSINGER

Croisset, lundi soir, 22 mai 1871.

Vous n'avez donc pas reçu une lettre de moi, il y a un mois, dès que j'ai su la mort de Maurice[3] ?

Comme la vôtre m'a fait plaisir hier, vieille amie, toujours chère, oui, toujours ! Pardonnez à mon égoïsme, j'avais espéré un moment que vous reviendriez vivre en France avec votre fils (sans songer à vos petits-enfants), et j'espérais que la fin de ma vie se passerait non loin de vous. Quant à vous voir en Allemagne, c'est un pays où, volontairement, je ne mettrai jamais les pieds. J'ai assez vu d'Allemands cette année pour souhaiter n'en revoir aucun et je n'admets pas qu'un Français qui se respecte daigne se trouver pendant même une minute avec aucun de ces messieurs, si charmants qu'ils puissent être.

Ils ont nos pendules, notre argent et nos terres : qu'ils les gardent et qu'on n'en entende plus parler ! Je voulais vous écrire des tendresses, et voilà l'amertume qui déborde ! Ah ! c'est que j'ai souffert depuis dix mois, horriblement — souffert à devenir fou et à me tuer ! Je me suis remis au travail cependant ; je tâche de me griser avec de l'encre, comme d'autres se grisent avec de l'eau-de-vie, afin d'oublier les malheurs publics et mes tristesses particulières. La plus grande, c'est la compagnie de ma pauvre maman. Comme elle vieillit ! comme elle s'affaiblit ! Dieu vous préserve d'assister à la dégradation de ceux que vous aimez !

Est-ce que c'est vrai ? Viendriez-vous en France au mois de septembre[1] ? Il faudra m'avertir d'avance pour que je ne manque pas votre visite. Vous rappelez-vous la dernière[2] ? Donc, au mois de septembre, n'est-ce pas ? D'ici là, je vous baise les deux mains bien longuement.

À vous toujours.

À LA PRINCESSE MATHILDE

Croisset, lundi soir, 21 [22 mai 1871].

Vous savez maintenant ce que signifiait mon télégramme. — Et vous devez comprendre quelle a été mon inquiétude. C'est encore une amabilité des bons journaux. — Je me doutais bien que la nouvelle était fausse[3], et cependant une certaine angoisse m'oppressait. — La vue de votre chère écriture m'a enlevé un poids de dessus le cœur.

Eh bien, Princesse, vos sinistres prédictions se trouvent démenties. La Commune de Paris, loin de s'étendre à toute la France, en est à ses dernières convulsions, et dans une huitaine de jours, sans doute, on pourra rentrer dans cette ville maudite et adorée. — Je n'ai pas envie de la revoir, et d'ici à longtemps probablement, les séjours que j'y ferai seront courts. — J'ai bien envie de rendre mon petit logis[4] à son propriétaire. Le voisinage de la rue de Courcelles me sera si pénible ! Mais d'ici au mois de janvier, qui sait ce qui arrivera ?

Je continue à travailler au milieu de la tristesse affreuse où me plonge, sans relâche, la compagnie de ma mère. Dieu vous préserve de voir la dégradation physique et morale de ceux qui vous sont chers ! Ah ! quelles amertumes j'ai avalées depuis deux ans !

Je me propose comme une grande joie d'aller vous faire une forte visite au mois de juillet ou au mois d'août. — Renoncez, pour le moment, à votre voyage d'Italie. La Fortune est changeante. Attendez. Je ne veux vous donner aucun espoir. Mais je voudrais vous retirer la Désespérance.

Savez-vous ce qui m'effraie pour l'avenir prochain de la France ? *C'est la réaction* qui va se faire. Peu importe le nom dont elle se couvrira, elle sera anti-libérale. La peur de la Sociale va nous jeter dans un régime conservateur d'une bêtise renforcée. N'importe ! L'arrestation de Rochefort[1] m'a causé un moment de gaieté. Ce n'est pas lui que je voudrais voir puni, ou plutôt je voudrais voir étouffés dans la boue, avec sa sotte personne, tous les crétins qui se pâmaient devant *son style* ! Quand je songe à la gigantesque stupidité de ma patrie, je me demande si elle a été suffisamment châtiée ?

J'ai rencontré par hasard le duc d'Albufera[2] et Boittelle[3]. — Je n'ai depuis longtemps *aucune* nouvelle de Mme Sand[4]. Me garde-t-elle rancune à propos de mes lettres « désillusionnantes » ! Je crois que non, cependant ? Je la calomnie.

Comme Thiers vient de nous rendre un très grand service, avant un mois, il sera l'homme le plus exécré de son pays. C'est dans l'ordre. Il se pourrait aussi qu'on prorogeât ses pouvoirs pour deux ans ? et dans ce cas-là, les amis se remueraient pour vous prouver que tous ne sont pas oublieux.

Donnez-moi de vos lignes fréquemment.

Je vous baise les deux mains et suis, Princesse, votre fidèle et dévoué.

Gve.

AU DOCTEUR JULES CLOQUET

Croisset, mercredi [24 mai 1871].

Mon bon Ami,

Il nous ennuyait de n'avoir pas eu de vos nouvelles depuis le mois de septembre, et votre lettre datée de Saint-Germain (18)[5] nous a fait grand plaisir.

L'abominable état de Paris me semble toucher à sa fin, et

vous allez sans doute rentrer chez vous. J'espère vous y voir bientôt.

Que vous dirai-je, cher ami ? J'ai manqué *mourir de chagrin* cet hiver. Personne, je crois, n'a été plus affligé que moi, et pendant deux mois, j'ai même cru avoir un cancer d'estomac, car j'avais des vomissements presque tous les jours.

Caroline était en Angleterre. J'avais emmené ma mère à Rouen, notre pauvre Croisset étant bourré de Prussiens de la cave au grenier. Achille[1] se débattait au conseil municipal. Ah ! c'était joli !

Enfin, à l'armistice, Caroline est revenue de Londres. Alors j'ai conduit ma mère à Dieppe d'où je suis parti en mars pour aller voir ma pauvre Princesse à Bruxelles, et je devais revenir à Paris quand le second siège a commencé. Voilà en résumé le récit de ma triste existence depuis bientôt dix mois !

Je me suis remis à travailler, et je tâche de me griser avec de l'encre comme d'autres se grisent avec de l'eau-de-vie, afin d'oublier les malheurs publics et mes tristesses particulières. — Ma pauvre mère est devenue si vieille ! elle est si faible, que sa compagnie est, pour moi, un sujet de chagrin permanent ! J'ai perdu depuis deux ans tous mes amis les plus intimes et je ne deviens pas gai. Il fallait que j'eusse un fond solide pour résister à des chocs si nombreux !

Ce matin, les nouvelles de Paris m'ont ôté un poids de dessus le cœur. Allons-nous enfin avoir un peu de tranquillité ? Va-t-on pouvoir vivre ?

À bientôt, je l'espère ! Nous vous embrassons tous, et moi surtout, cher vieil ami. — Car je suis vôtre.

Vous ne me parlez pas de la santé de Mme Cloquet ?

À CHARLES LAPIERRE

Confidentielle.

Croisset, 27 mai [1871].

Mon cher Lapierre,

C'est à vous *seul* que j'écris. Donc, je vais, sans gêne aucune, vous déclarer tout ce que j'ai sur le cœur.

Votre feuille me paraît être « sur une pente » et même elle la descend si vite que votre numéro de ce matin m'a scandalisé.

Le paragraphe sur Hugo dépasse toute mesure. « La France a cru pouvoir le compter parmi ses plus puissants génies. » ; *a cru* eﬆ sublime ! Cela signifie : « Autrefois nous n'avions pas de goût, mais les révolutions nous ont éclairés en matière d'art et définitivement ce n'eﬆ qu'un *pitre-poète* ! et qui a eu le talent de se faire des rentes. » Vous en voulez donc à l'argent, maintenant ? Vous n'êtes donc plus rural ? À qui se fier ? « Avec des phrases sonores et des antithèses énormes » : faites-en de pareilles, mes bons ! Je vous trouve drôles, dans la rue Saint-Étienne-des-Tonneliers[1] !

Mais Proudhon avait déjà dit qu'il faut plus de génie pour être batelier des bords du Rhône que pour faire *Les Orientales*[2] et Auguﬆine Brohan, pendant tout l'hiver de 1853, a prouvé, dans *Le Figaro*, que le susdit Hugo n'avait jamais eu le moindre talent[3]. N'imitez pas ce paillasse et cette catin. — Dans l'intérêt de l'ordre public et du rétablissement de la morale, la première tentative à faire serait de parler de ce qu'on sait. Choisissons nos armes. Ne donnons pas raison à nos ennemis ; et quand vous voudrez attaquer la personnalité d'un grand poète, ne l'attaquez pas comme poète ; autrement tous ceux qui se connaissent en poésie se détacheront de vous.

Les deux articles[a] du docteur Morel[4] m'avaient déjà navré comme ignorance, car il attribue à Saint-Simon et à Buchez précisément le contraire de ce qu'ils ont écrit.

Même objection pour *Cernuschi* et les sociétés coopératives, ledit Cernuschi ayant fait *contre* les sociétés coopératives un livre[5] qui lui a valu l'amitié de Thiers et de Rouher *(sic)*, etc., etc.

La politique peut devenir une science positive ? (La guerre l'eﬆ bien devenue !) Mais ceux qui s'en mêlent prennent un chemin tout opposé à celui de la Science. Jamais de doute ! Jamais d'examen ! Toujours l'invective ! Toujours la passion !

Quel résultat espérez-vous obtenir en frappant non sur vos ennemis, mais *à côté* ? Observez donc les nuances ! Dans les nuances seules eﬆ la vérité.

Et puis ne voyez-vous pas que vous flattez dans le Bourgeois ce qui vous horripile chez le démocrate ? je veux dire le petit péché capital appelé *Envie*.

L'Envie va démolir Thiers. Dans quinze jours ce sera un Rouge ! Il aura le sort de Lamartine et de Cavaignac ! D'avance, j'entends ces phrases : « Laissez-moi avec votre Thiers ! C'eﬆ un des leurs, tout de même ! Il a écrit un livre sur la Révolution ! C'est lui qui a fait les fortifications qui sont cause... ! »

Au lieu de la canaille des villes, vous aurez celle des campagnes ! Débarrassés de la Commune, vous jouirez de la Paroisse !...

Et le *Comité-Taillet* ne vous sauvera pas ! — malgré le style de son président, car l'oraison funèbre du père Chassan[1] est un morceau, avouons-le ! Là, au moins, pas de sonorité, pas de métaphores ! — Ça ne rapporte aucune espèce de rentes ! —

En un mot, mon cher Lapierre, je suis épouvanté[a] par la Réaction qui s'avance ! Sans vous en apercevoir, vous lui tendez, de loin, la main. Avec les meilleures intentions du monde, vous allez, peut-être, contribuer à des *choses* mauvaises ?

Toute notion de justice étant dissoute, on se réjouit déjà à l'idée de voir guillotiner Rochefort[2] ; pour moi, je m'en console. Mais à ceux qui l'ont applaudi, à ceux qui l'ont fait, que direz-vous ? Vu la bêtise de la France, il mérite peut-être un acquittement solennel ?

Oui ! — car le premier qui m'a vanté *La Lanterne*, c'est un magistrat (le sieur Censier[3]), et celui qui me l'a fait lire, c'est un ecclésiastique (le curé d'Ouville). Le président Benoist-Champy en faisait des lectures chez lui à ses soirées, etc., etc. Et tout l'entourage impérial, sans compter l'empereur lui-même[b], se pâmait devant ses ordures avec tant d'enthousiasme que le malheureux Octave Feuillet n'osait dire son avis, de peur de passer pour un courtisan et un jaloux. Ainsi du reste !

Voilà trop de littérature, pardon ! Mais, comme vieux romantique, j'ai été ce matin exaspéré par votre journal. La sottise du père Hugo me fait bien assez de peine sans qu'on l'insulte dans son génie. Quand nos maîtres s'avilissent, il faut faire comme les enfants de Noé, voiler leur turpitude. — Gardons au moins le respect de ce qui fut grand ! N'ajoutons pas à nos ruines !

Adieu, ou plutôt à bientôt. Le fiel m'étouffe et le chagrin me ronge.

Je vous serre la main très fort.

À LÉONIE BRAINNE

[Croisset,] lundi soir, minuit [fin de mai ? 1871].

Votre souvenir m'accompagne, me charme, et *me persécute.*

Qu'ai-je trouvé dans la chambre de ma nièce où je suis forcé de coucher pour fuir l'odeur de la peinture ? *Le Roi des montagnes*[1] qui vous eſt dédié.

Je songe à samedi dernier ! J'étais plus sérieux que vous ne croyez !

À vous, à vous.

Gve.

À ERNEST RENAN

[Paris,] mardi soir [6 juin 1871].

Mon cher Maître,

Quel jour de cette semaine allez-vous à la Bibliothèque[2] ? Je voudrais y voir un manuscrit indiqué par Langlès dans une notice. Ce manuscrit turc eſt intitulé *Orient du bonheur et source de la Souveraineté dans la Science des talismans* par Izdy Mohammed, en 990 de l'hégire[3]. Ce manuscrit contient des vignettes représentant les sept planètes, le phare d'Alexandrie, etc.

On n'a pu me le communiquer hier.

Dites-moi, je vous prie, le jour et l'heure où je puis me présenter. Ce me sera une occasion de vous souhaiter une fois de plus bon voyage, et de vous serrer les mains très affectueusement.

À SA NIÈCE CAROLINE

[Paris,] jeudi matin, 9 heures [8 juin 1871].

Mon Loulou,

Je m'étonne beaucoup de n'avoir aucune nouvelle de vous. La faute en eſt à la poſte, sans doute.

Hier, dans l'après-midi, je suis passé chez ton mari[4]. Il était sorti. — Je ne sais pas si nous nous rencontrerons, car nous sommes en courses l'un et l'autre du matin au soir.

Je n'ai pu encore découvrir ni Chilly[1] ni de Goncourt, et je m'en irai probablement sans avoir pu mettre la main dessus.

Aujourd'hui je vais passer toute la journée à Versailles. Bien que la Bibliothèque impériale[2] ne soit pas ouverte, j'y travaillerai demain de 11 heures à 4 heures. — On fait des recherches pour moi et je trouverai tout prêts les livres dont j'ai besoin.

À cause de Chilly, je resterai à Paris jusqu'à dimanche. — Donc, attendez-moi dimanche pour dîner. Tu pourras partir lundi.

Quel froid ! Quelle pluie ! L'air de Paris n'est nullement malsain. — Mais tu y verras de belles ruines. — C'est sinistre et merveilleux.

Je suis loin d'avoir tout vu, et je ne verrai pas tout. — Il faudrait flâner et prendre des notes pendant 15 jours.

Que dis-tu de mon ami Maury[3] qui a maintenu le drapeau tricolore sur les Archives. — Malgré la Commune !

Adieu, pauvre chérie. Quel dommage que tu ne restes pas à Croisset quand j'y serai !

Embrasse notre pauvre vieille pour moi.

Ton vieil oncle qui t'aime beaucoup.

9 h 1/4. Je reçois ton volumineux paquet. Merci.

Si tu n'as pas absolument besoin d'être à Paris samedi soir, je te prie d'attendre jusqu'à lundi. — Tu verras mes raisons.

La difficulté de se procurer des voitures fait perdre bien du temps. — Et la pluie ne discontinue pas[4].

À EDMOND DE GONCOURT

[Paris, 8 juin 1871.]

Mon cher Edmond,

J'ai bien envie de vous voir, mais j'ai peur si je vais à Auteuil de ne pas vous y rencontrer. Et tous mes moments sont comptés. *Où serez-vous samedi prochain à partir de 4 heures ?*

Je m'en retourne à Croisset dimanche matin.

Si vous n'avez aucun rendez-vous samedi soir, vous seriez bien aimable de venir chez moi vers 4 heures. Nous dînerons ensemble et nous passerions la soirée[1].

Je vous embrasse.

4, rue Murillo. Parc Monceau.
Jeudi matin.

À AGÉNOR BARDOUX

[Paris,] vendredi matin [9 juin 1871].

Mon cher Vieux,

Voici ton billet. Tu peux en avoir besoin. Et je te le restitue.

Le spectacle d'hier[2] m'a écœuré ! Quels êtres ! quels piètres monstres ! Mais quelle bonacité que celle des tourlourous qui les jugent. Tes confrères, MM. les défenseurs, sont ineffables de sottise et de cynisme !

Vous[3] avez manqué hier un rendez-vous chez Lepinette.

Quand nous reverrons-nous maintenant ?

Je compte sur vous deux à Croisset au mois d'octobre, et, d'ici là, je vous embrasse.

À MARIE RÉGNIER

Croisset, dimanche 11 [juin 1871].

Chère Madame,

En revenant de Paris aujourd'hui, je trouve chez moi votre lettre du 5[4]. Elle est gentille et aimable au-delà de toute expression. Comment y répondre convenablement ?

Je suis *accablé*, moins par les ruines de Paris que par la gigantesque bêtise de ses habitants. C'est à désespérer de l'espèce humaine. À part notre ami d'Osmoy[5] et Maury[6] (le directeur des Archives), j'ai trouvé tout le monde fou, fou à lier.

Je vais tâcher de me remettre à mon *Saint Antoine*, afin d'oublier mes contemporains. Quant à publier ce livre, dont le sous-titre pourrait être « le comble de l'insanité », je n'y songe nullement, Dieu merci... Il faut, plus que jamais, songer à faire de l'Art pour soi, pour soi seul. Fermons notre porte et ne voyons personne.

J'ai cependant bien envie de vous voir et, au mois de juillet, quand je retournerai à Paris, je compte m'arrêter à Mantes, bien qu'il m'en coûtera beaucoup[1]. J'aimerais mieux vous faire ma visite partout ailleurs.

Je vous baise les deux mains.

À GEORGE SAND

Croisset, dimanche soir, 10 juin [11 juin 1871].

Chère Maître,

Jamais je n'ai eu plus envie, plus besoin de vous voir que maintenant !

J'arrive de Paris, et je ne sais à qui parler. J'étouffe. — Je suis accablé ou plutôt écœuré.

L'odeur des cadavres me dégoûte moins que les miasmes d'égoïsme s'exhalant par toutes les bouches. La vue des ruines n'est rien auprès de l'immense bêtise parisienne ! À de très rares exceptions près, *tout le monde* m'a paru fou à lier.

Une moitié de la population a envie d'étrangler l'autre, qui lui porte le même intérêt. Cela se lit clairement dans les yeux des passants.

Et les Prussiens n'existent plus ! On les excuse *et on les admire* !!! Les gens « raisonnables » veulent se faire naturaliser allemands.

Je vous assure que c'est à désespérer de l'espèce humaine.

J'irai à Versailles, jeudi. *La Droite* fait peur par ses excès. Le vote sur les Orléans[2] est une concession qu'on lui a faite, pour ne pas l'irriter et avoir le temps de se préparer contre elle.

Saviez-vous que Troubat avait fait des articles poussant au meurtre des otages[3] ? On ne l'a pas arrêté néanmoins. — Et il m'a avoué qu'il avait été « imprudent » ; le mot est joli.

J'excepte de la folie générale Renan, qui m'a paru, au contraire, très philosophe, le bon Soulié[4], qui m'a chargé de vous dire mille choses tendres. La princesse Mathilde m'a plusieurs [fois] demandé de vos nouvelles. Elle perd la boule. Elle veut revenir à Saint-Gratien *quand même*.

J'ai recueilli une foule de détails horribles et inédits, dont je vous fais grâce.

Mon petit voyage à Paris m'a extrêmement troublé. — Et je vais avoir du mal à me remettre à la pioche.

Que dites-vous de mon ami *Maury*[1], qui a maintenu le drapeau tricolore sur les Archives tout le temps de la Commune ! Je crois peu de gens capables d'une pareille crânerie.

Les impérialistes sont la pire canaille du monde. De cela, je suis sûr. — Et j'en ai les preuves. C'est fantastique.

Quand l'histoire débrouillera l'incendie de Paris, elle y trouvera bien des éléments, parmi lesquels il y a, sans aucun doute : 1° la Prusse, et 2° les gens de Badinguet[2]. On n'a plus *aucune* preuve écrite contre l'Empire. — Et Haussmann[3] va se présenter hardiment aux élections de Paris.

Avez-vous lu, parmi les documents trouvés aux Tuileries en septembre dernier, un plan de roman par Isidore[4] ? Quel scénario !

Adieu, donnez-moi donc de vos nouvelles !

Ma pauvre maman est un peu moins faible depuis quelques jours.

Je vous embrasse bien fort, ainsi que les vôtres.

Votre vieux troubadour.

Je vous ai écrit une très longue lettre il y a environ un mois[5].

À JEANNE DE TOURBEY

Croisset, dimanche soir [11 juin 1871].

Flaubert a revu Paris au lendemain de la Commune. Il n'a pu y rester que cinq jours, sa nièce devant quitter Croisset : « Je n'ai pas voulu laisser seule ma pauvre vieille mère qui a vieilli de cent ans depuis six mois ! »

Flaubert exprime une fois de plus ici son éloignement pour la légèreté d'esprit des Parisiens : « Les ruines de Paris m'ont moins effrayé que l'incurable démence de ses habitants... Ce qui m'a le plus blessé, en ma qualité de rural, c'est qu'on a complètement oublié la Prusse. »

Il va se remettre au travail « pour tâcher d'oublier ses contemporains » ; il retournera à Paris dans le courant de juillet.

IVAN TOURGUENEFF À GUSTAVE FLAUBERT

Londres, 16, Beaumont Street,
Marylebone, ce 13 juin 1871.

Mon cher Ami,

Si je ne vous ai pas répondu plus tôt, c'est que je n'en avais pas le courage. Ces événements de Paris m'ont stupéfié. Je me suis tu comme on se tait en chemin de fer, quand on entre dans un tunnel : le tapage infernal vous remplit et vous ébranle la tête. — Maintenant qu'il a cessé à peu près, je viens vous dire que *bien certainement* je viendrai vous voir et entendre *Antoine*[1] au mois d'août. — Ce sera entre le *15* et le *20*. — J'ai reçu une invitation pour chasser le grouse[2] en Écosse au commencement du mois d'août ; mais le 15 je serai libre et en rentrant à Bade je m'arrêterai à Paris, ou à Rouen, je veux dire au Croisset *[sic]*, si vous y êtes. — Je suis fort content d'apprendre que vous en êtes à la moitié de votre livre ; vous ne risquez jamais rien en vous hâtant un peu : au contraire. — J'écouterai : les oreilles, les yeux, le cerveau tout grands ouverts. Je suis presque sûr que cela sera très beau.

Je ne vous appelle plus en Allemagne : je comprends votre répugnance d'y mettre les pieds. — Je ne veux pas vous dire non plus tout ce qui me traverse l'esprit à propos de la France : il faudrait pouvoir résumer tout cela en quelques mots, et c'est ce qui m'est impossible ; quand nous nous verrons, nous déciderons cette question très lentement et longuement ; le résultat ne sera pas gai, bien sûr. Je ne sais si c'est la Russie qui est chargée de vous venger, comme vous dites[3] ; pour le moment l'Allemagne est bien forte, et elle le sera probablement aussi longtemps que nous vivrons...

Donnez-moi des nouvelles de Du Camp si vous en avez. — On m'a dit que Mme Husson était devenue folle, puis, qu'elle était morte : est-ce vrai[4] ?

Je me souviens que mon maître de natation (un Prussien aussi, celui-là) me criait toujours : « La bouche hors de l'eau, *schwere Noth*[5] ! Aussi longtemps qu'on a la bouche hors de l'eau, on est un homme ! »

Vous êtes resté un homme tout ce temps-ci, parce que vous avez pu travailler : maintenant, ce sera plus facile.

Remerciez Mme Flaubert et votre nièce de leur bon souvenir. — Quant à vous, je vous embrasse, et au revoir au mois d'août !

À SA NIÈCE CAROLINE

[Croisset,] mercredi soir [14 juin 1871].

Je ne m'amuse pas extraordinairement, ma chère Caro. — Et même, pour dire la vérité, je m'embête considérablement. Mon voyage à Paris m'a *dévissé*, et le travail ne va pas. Je n'ai pas de cœur à l'ouvrage. *L'état mental* de Paris, bien plus que ses ruines, m'a rempli d'une mélancolie noire.

J'ai eu, cependant, aujourd'hui, la compagnie de la mère Lebret[1] qui a déjeuné et dîné avec nous ! dîné à 6 heures juste, si bien que j'ai faim maintenant ! — Ah ! la vie n'est pas tous les jours drôle !

Je te prie de me faire deux commissions :

1° Vois, sur le boulevard Montmartre, 18, si le sieur Suireau, lampiste, existe encore, et demande-lui si je peux lui envoyer mes deux carcels éreintés par MM. les Prussiens, nos sauveurs.

2° Fais-moi le plaisir de te transporter chez Benjamin Duprat, libraire, rue du Cloître-Saint-Benoît, 7, près le Collège de France, et demande-lui *Le Lotus de la Bonne Loi*, traduit, je crois, par Foucaux[2]. Ce doit être un in-4° ? Si c'était trop cher, c'est-à-dire si ça dépassait 20 francs, je m'en priverais. Sinon, achète-le, et envoie-le moi par le chemin de fer. Je crois que le plus sûr est de l'adresser à Pilon ?

Je ne peux pas me débrouiller avec mes dieux de l'Inde[3] ! J'aurais besoin, pour mon travail, d'être à Paris, afin de consulter un tas de livres, et de causer avec des savants spéciaux ! Monsieur est agacé !

Dis-moi ce que tu as fait relativement aux comptes de ta grand-mère : 1° As-tu additionné toutes les notes à payer ? En as-tu payé quelques-unes ? Je ne sais pas ce que je dois faire. 2° Quels sont les gages de ses deux bonnes ?

Ta grand-mère a été hier à Rouen, ce qui l'a un peu fatiguée. Cependant, elle ne va pas mal, et me semble moins triste qu'il y a quinze jours.

Sais-tu qu'Édouard Lebarbier[4] ne peut pas rendre compte de l'argent des souscriptions patriotiques. Il a été obligé de vendre ses meubles, et il va probablement avoir un procès.

On a enterré ce matin Mme Heuzey, la femme du conseiller[1]. J'aurais peut-être dû aller à son enterrement ? Mais je suis gorgé d'enterrements ! Donc, j'ai gardé le logis.

Raoul-Duval[2] est venu déjeuner à Croisset lundi. Je l'ai trouvé très calme et très raisonnable, chose rare. Hier, j'ai eu la visite de Georges Pouchet[3] qui n'a nullement été arrêté, comme on l'avait dit. — Demain nous aurons à dîner ta délicieuse tante Achille. Voilà, ma chérie, toutes les nouvelles.

Je pense à toi, et je te regrette.

Ton vieux
oncle qui
t'embrasse.

Les prévisions de ton mari étaient justes quant au sieur Dumas[4] : « Il vise à la députation ! ! ! »

L'idée seule de mes contemporains me fatigue !

GEORGE SAND À GUSTAVE FLAUBERT

[Nohant, 14 juin 1871.]

Tu as envie et besoin de me voir et tu ne viens pas ! Ce n'est pas bien, car moi aussi, et nous tous ici, nous soupirons après toi. Nous nous sommes quittés si gais, il y a 18 mois, et tant de choses atroces ont passé entre nous ! Se revoir, quand on y a survécu, serait la consolation *due*. Moi, je ne peux pas bouger, je n'ai pas le sou, et il faut que je travaille comme un nègre. Et puis, je n'ai pas vu un seul Prussien, et je voudrais garder mes yeux vierges de cette souillure. Ah ! mon ami, quelles années nous passons là ! C'est à n'en pas revenir, car l'espérance s'en va avec le reste.

Quel sera le contrecoup de cette infâme Commune ? Isidore, ou Henri V[5], ou le règne des incendiaires ramené par l'anarchie ? Moi qui ai tant de patience avec mon espèce et qui ai si longtemps vu en beau, je ne vois plus que ténèbres. Je jugeais les autres par moi-même. J'avais gagné beaucoup sur mon propre caractère, j'avais éteint les ébullitions inutiles et dangereuses, j'avais semé sur mes volcans de l'herbe et des fleurs qui venaient bien, et je me figurais que tout le monde peut s'éclairer, se corriger ou se contenir, que les années passées sur moi et sur mes semblables ne pouvaient pas être perdues pour la raison et l'expérience. Et voilà que je m'éveille d'un rêve pour trouver une génération partagée entre le crétinisme et le *delirium tremens*. Tout est possible à présent !

C'est pourtant mal de désespérer. Je ferai un grand effort, et peut-être me retrouverai-je équitable et patiente. Mais, à présent, je ne peux pas. Je suis aussi troublée que toi, et je n'ose ni parler, ni penser, ni écrire, tant je crains d'aviver les plaies béantes de toutes les âmes.

J'ai bien reçu ton autre lettre[1], et j'attendais le courage d'y répondre ; je ne voudrais faire que du bien à ceux que j'aime, à toi surtout qui sens si vivement. Je ne vaux rien en ce moment. J'ai une indignation qui me dévore et un dégoût qui m'assassine.

Je t'aime, voilà tout ce que je sais. Mes enfants t'en disent autant. Embrasse pour moi ta bonne petite mère.

G. SAND.

À EDMA ROGER DES GENETTES

Croisset, 17 juin [1871].

J'ai été bien marri, chère Madame, de ne pas vous rencontrer chez vous la semaine dernière. J'avais cru que vous et M. Roger viendriez voir les ruines. Elles sont jolies, c'eſt coquet ! Mais il y a quelque chose de bien plus lamentable : c'eſt l'esprit des Parisiens. Tout le monde m'a semblé fou ; je n'exagère nullement. Il faut nous résigner à vivre entre le crétinisme et la démence furieuse. Charmant horizon ! On va recommencer à faire les mêmes sottises, à retourner dans le même cercle, à débagouler les mêmes inepties.

J'étais à Versailles le jour de l'abrogation des lois d'exil[2] et j'ai vu beaucoup de monde. Le plus infâme des partis eſt celui de Badinguet[3] ; de cela j'en suis sûr. Il me semble que le père Thiers se purifie. Celui-là, au moins, ne parle pas de principes, ne blague pas. Mais dans quinze jours ce sera un « rouge », comme Cavaignac[4]. À propos de militaires, j'ai été bien content de l'éloge que Changarnier a fait de monsieur votre frère[5]. Quand vous lui écrirez, voudrez-vous me rappeler à son souvenir ? J'ai une grande envie de lui serrer la main.

Que dites-vous de mon ami Maury[6], qui tout le temps de la Commune a maintenu le drapeau tricolore sur les Archives ? Ce qui ne l'empêchait pas de continuer ses petits Mémoires « sur les Étrusques[7] ». Il y a ainsi quelques philosophes. Je ne suis pas du nombre.

Croiriez-vous que beaucoup de « gens raisonnables » excusent les Prussiens, admirent les Prussiens, veulent se faire Prussiens, sans voir que l'incendie de Paris eſt le cinquième aċte de la tragédie et que toutes ces horreurs sont imitées de la

Prusse et fort probablement suscitées par elle ? Du reste, un fait si considérable comporte en soi bien des éléments. Il y a de tout dans cette grande horreur. Il y a de l'envie, de l'hystérie, de l'iconoclaste et du Bismarck.

Depuis que j'en ai repu mes yeux j'ai bien du mal à travailler. Donnez-moi de vos nouvelles, initiez-moi un peu à vos projets. Mais peut-on faire des projets ?

La Muse[1] a passé trois jours dans la cave de Sainte-Beuve ! Il me semble que cette ligne-là va vous faire rêver.

À SA NIÈCE CAROLINE

Croisset, samedi, 3 heures [17 juin 1871].

Mon pauvre Loulou,

Je suis *attendri* par le mal que tu t'es donné pour moi ! Le récit de ton excursion dans le logis de Mlle Duprat m'a fait rire. Comme *Le Lotus de la Bonne Loi* est trop cher, je m'en prive[2] ! Mais j'écris à Renan (rue Vaneau, 29) de me le prêter[3]. Envoie-le chercher chez son concierge mardi prochain. — Emballe-le proprement, de manière qu'il ne soit pas gâté, et expédie-le à Pilon. C'est, je crois, le plus sage.

J'expédierai à Suireau mes deux carcels. Ne t'en inquiète plus. Merci encore pour cette seconde commission.

J'ai fait faire tantôt à ta grand-mère un tour de terrasse. Elle est décidément mieux qu'il y a quinze jours.

Je t'attends toujours vers le commencement de juillet. — Amitiés à Ernest. Je t'embrasse bien fort.

Ton vieux Gve.

À ERNEST RENAN

Croisset près Rouen, samedi 17 juin [1871].

Mon cher Ami,

J'ai refusé inconsidérément votre *Lotus de la Bonne Loi*, croyant que le *Lalitavistara*[4] me suffirait. Il n'en est rien.

Donc, je vous prie de me le prêter. Pouvez-vous le descendre (dûment enveloppé) dans la loge de votre concierge, où ma nièce l'enverra prendre *mardi* prochain.

Je suis fort à sec quant aux renseignements sur les Dieux de la Perse et sur les Dieux de l'Inde. Connaissez-vous ou plutôt avez-vous quelque chose de précis (et de plastique) qui puisse me servir ?

J'espère au mois de juillet vous voir un peu plus longuement.

Merci d'avance, et tout à vous.

À IVAN TOURGUENEFF

Croisset près Rouen, samedi 17 juin [1871].

C'est convenu, mon cher ami. Fort impatiemment, je vous attends ici, du 15 au 20 août. L'époque me convient. Du reste, toutes les époques me conviennent, pourvu que je vous voie.

Vous devez me trouver bien inepte avec ma haine contre la Prusse[1] ? Je lui en veux surtout de cela : de m'avoir donné les sentiments d'une brute du XIIe siècle. Mais qu'y faire ? Croyez-vous qu'à une autre époque des lettrés, des *docteurs*, se soient conduits comme des sauvages ?

J'ai passé, dans Paris, toute la semaine dernière. Il y a quelque chose de plus lamentable que ses ruines, c'est l'état *mental* de ses habitants. On navigue entre le crétinisme et la folie furieuse. Je n'exagère nullement.

Ah ! que je voudrais ne plus songer à la France, ni à mes contemporains, ni à l'humanité ! Tout cela me soulève le cœur de dégoût. Je suis triste jusque dans les moelles ; et depuis que j'ai revu Paris, j'ai grand mal à travailler.

Adieu, ou mieux à bientôt. En attendant ce plaisir-là, je vous embrasse.

Oui, Mme Husson[2] est folle ! (monomanie du suicide). Je ne l'ai pas vue, mais j'ai vu Du Camp, qui m'a paru, lui aussi, avoir « le coco fêlé ». Gardez pour vous cette confidence, bien entendu.

Il y a dix-huit mois, la démence de la France m'est apparue clairement par deux symptômes : 1° le succès de *La Lanterne* ; 2° le succès de Troppmann[3].

Il y a de l'hystérie dans l'incendie de Paris. Sans compter les autres éléments que je crois connaître.

À FRÉDÉRIC BAUDRY

[Croisset,] nuit de samedi [24 juin 1871].

Ô Bodhisattva ! Ô fils de famille[1] ! Ô Bouddha accompli !

Comme une vieille cigogne, j'ai l'esprit triste et abattu, comme un vieil éléphant tombé dans un bourbier, je suis sans force.

Ma méditation est si véhémente que des sueurs sortent et coulent de mes aisselles.

J'aurais besoin, ô fils de famille, de la quatrième des plantes médicinales qui procure le bien-être dans quelque situation que l'on soit[2].

J'ai lu le *Lalitavistara*[3], ô Bodhisattva, j'ai lu *Le Lotus de la Bonne Loi*, ô fils de famille !

Mais je passerais d'innombrables aubaines de myriades de Kotis de Kalpas[4].

Sans comprendre, sacré nom de Dieu, en quoi consiste Bouddha.

Je cherche sur moi si je n'ai pas les trente-deux qualités de l'imbécile[5].

Bref j'enverrai à la fin de la semaine prochaine chercher chez vous le Barthélemy-Saint-Hilaire.

Merci de la légende du cerf[6], mais ce qui me manque surtout, c'est la théologie du bouddhisme, la doctrine même de Bouddha.

Vous me verrez probablement vers la fin de juillet ou le commencement d'août.

Si vous rencontrez Renan, remerciez-le bien pour moi de son bouquin.

Il me semble que la politique s'apaise. Ah ! si l'on pouvait s'habituer à vivre sans « principes », sans dogmes, quel progrès !

Voici deux lignes du *Lotus de la Loi* qui me rendent fou ! Il s'agit d'une maison hantée par les démons « saisissant des chiens par les pieds, ils les renversent à terre sur le dos, et leur serrant le gosier en grondant, ils se plaisent à les suffoquer[7] » ! Quelle image ! comme ça se voit ! Est-ce que ça ne vous donne envie d'en faire autant ?

Adieu, vieux Richi. Ô la loi ! à l'Assemblée. Ton disciple.

À SA NIÈCE CAROLINE

[Croisset,] nuit de samedi [24 juin 1871].

Rien de neuf, ma chère Caro ! Ta bonne-maman ne va pas mal, n'est pas trop triste. — Moi, je suis toujours dans le bouddhisme et je te remercie à ce propos, d'avoir été chercher *Le Lotus de la Bonne Loi* chez l'infâme Renan, auteur de l'incendie de Paris, selon Mme Stroehlin *(sic*[1]*)*.

Il est probable que dans quelques jours, vers la fin de la semaine, je te prierai d'aller me chercher un autre livre chez le père Baudry[2], qui est en train de déménager. Son nouveau logis est rue *Bonaparte, 76*. Mais le livre en question ne sera trouvable qu'à la fin de la semaine. Ainsi, ne te dérange pas encore.

Quand tu passeras devant *Suireau*, demande-lui si mes lampes sont prêtes, et donne-lui mon adresse, afin qu'il me les envoie par le chemin de fer.

Dis à Ernest[3] que nous n'avons plus d'argent. Maman écrira demain à M. Desprès, car nous sommes fort à sec. — Mais j'ai peur qu'il ne tarde dans l'envoi des monacos, si toutefois il en a à nous envoyer.

Ta grand-mère a écrit hier à Flavie[4], pour l'inviter ainsi que Mme Vasse à venir ici, dès qu'elles quitteront Saint-Servan. Insiste pour qu'elles acceptent. Je serais bien aise d'avoir, pendant quelque temps, leur aimable compagnie. Tu sais que j'aime beaucoup Flavie. Je la trouve une « belle âme[5] ».

Incline-toi devant ma perspicacité ! N'avais-je pas dit que Crépet[6] viendrait te faire des visites — intéressées ? — Quel être ! quelle pauvre cervelle ! En voilà un qui ne suit pas la ligne droite. Qu'est-ce que Mme Villemard ? Ce serait bien comique si tu le mariais !

Les colleurs auront fini, lundi, de coller les papiers que tu as choisis. Et qui sont gentils. (Pouvait-il en être autrement ?)

Ma lettre manque complètement de transitions. — Et ne sent pas l'auteur. Donc, sans chercher aucune tournure finale, ma belle dame et chère Caro, je t'embrasse sur tes deux bonnes joues.

Ton vieux ganachon.

J'ai écrit deux lettres à mes députés de Versailles[1] pour savoir quand est-ce qu'ils viendront me faire une visite ? Pas de réponse !

La non-visite de Mme Laurent[2] ne m'étonne nullement. La psychologie de la chose est bien simple. Elle se résume par ce petit mot, qui occupe une certaine place dans les relations particulières et qui est pour les trois quarts dans les Révolutions politiques :

l'Envie !

Si tu avais un logement de 1 200 francs, elle viendrait chez toi avec grand plaisir ! *C'est comme ça.*

« Vous êtes dur, dit Candide.

— C'est que j'ai vécu ! », dit Martin[3].

À ERNEST FEYDEAU

Croisset, jeudi [29 juin 1871].

Cher Vieux,

Où suis-je ? À Croisset. Ce que je fais ? J'écris mon *Saint Antoine* et, présentement, ayant besoin de connaître à fond les dieux de l'Inde, je lis *Le Lotus de la Bonne Loi*[4].

Il y a quinze jours, j'ai passé une semaine à Paris et j'y ai « visité les ruines » ; mais les ruines ne sont rien auprès de la fantastique bêtise des Parisiens. Elle est si inconcevable qu'on est tenté d'admirer la Commune. Non, la démence, la stupidité, *le gâtisme*, l'abjection mentale du peuple *le plus spirituel de l'univers* dépasse tous les rêves.

Ce qui m'a le plus épaté, en ma qualité de rural, c'est que, pour les bons Parisiens, la Prusse n'existe pas. Ils excusent messieurs les Prussiens, admirent les Prussiens, veulent devenir Prussiens. On a beau leur dire : « Mais nous autres provinciaux, nous avons subi tout cela. Ce qui vous révolte tant est une suite de l'invasion et une imitation de la guerre allemande : mort des otages, vols et incendies ; voilà huit mois que nous en jouissions. » Non, ça n'y fait rien. Rochefort est plus important que Bismarck, et la perte du Palais de la Légion d'honneur plus considérable que celle de deux provinces.

Jamais, mon cher vieux, je n'ai eu des hommes un si colossal dégoût. Je voudrais noyer l'humanité sous mon vomissement.

Je n'ai vu à Paris que *deux* hommes ayant gardé leur raison : deux, pas plus : 1° Renan et 2° Maury, qui a maintenu le drapeau tricolore sur les Archives pendant tout le temps de la Commune[1]. Je ne parle pas de d'Osmoy[2], qui tourne au héros. Non content d'avoir été capitaine de francs-tireurs, il a, depuis qu'il est député, pris du service dans l'armée active et s'est conduit de telle façon que Thiers a demandé à faire sa connaissance. D'après un rapport du ministre de la Guerre, il haranguait les soldats dans la tranchée et faisait le coup de feu avec eux.

Je n'ai pas pu voir Théo[3]. On m'a dit qu'il était très vieilli, mais que son moral était bon. Le sieur Saint-Victor[4] est entré au *Moniteur* de Dalloz.

Alexandre Dumas[5] émaille les journaux de ses réflexions philosophiques.

La situation me paraît très bien résumée par un des membres de l'ambassade chinoise présente à Versailles : « Vous vous étonnez de tout ça. Mais je vous trouve drôles ! C'est l'ordre ! C'est la règle ! Ce qui vous étonne est justement ce qui se passe chez nous. » Voilà comment le monde est fait. *Le contraire est l'exception.*

Je n'ai aucune haine contre les communeux, pour la raison que je ne hais pas les chiens enragés. Mais ce qui me reste sur le cœur, c'est l'invasion des docteurs ès lettres, cassant des glaces à coups de pistolet et volant des pendules ; voilà du neuf dans l'histoire ! J'ai gardé contre ces messieurs une rancune si profonde que *jamais* tu ne me verras dans la compagnie d'*un Allemand quel qu'il soit*, et je t'en veux un peu d'être maintenant dans leur infâme pays. Pourquoi cela ? Quand reviens-tu ?

Les armées de Napoléon Ier ont commis des horreurs, sans doute. Mais ce qui les composait, c'était la partie inférieure du peuple français, tandis que, dans l'armée de Guillaume, c'est *tout* le peuple allemand qui est le coupable.

Adieu, pauvre cher vieux. Je t'embrasse très fort ainsi que les tiens.

À CLAUDIUS POPELIN

[Croisset, 29 ? juin 1871.]

Vous m'aviez promis de m'écrire, mon cher ami, et j'attends toujours votre lettre.

J'en ai reçu une de la P[rince]sse[1] m'annonçant son retour à Saint-Gratien et où elle disait qu'elle me donnerait très prochainement de plus amples nouvelles. Je les « espère ».

Comment lui écrire ? sous quelle adresse ?

Tout à vous, mon cher vieux.

Croisset, jeudi.

Comment la chose s'est-elle passée ? Quelles conditions lui a-t-on fait ? Quels sont ses projets, etc ! etc.

À ALBERT GLATIGNY

Croisset, 30 juin [1871].

Mon cher Ami,

D'Osmoy a pour domicile Évreux, Versailles, et divers endroits dans Paris. La meilleure chance pour que votre volume lui parvienne est de l'adresser à Évreux, ou à la Chambre des députés.

Je ne vous ai pas remercié de vos rimes non folles mais exquises, et qui m'ont extrêmement amusé[2] ! Vous aimez l'art, vous ! et vous lui restez fidèle. C'est pour cela que je vous aime

Et suis

Votre

À LA BARONNE LEPIC

[Croisset, juillet 1871 ?]

[...] Vous aller voir, chère et belle dame ? sans doute, mais quand ? à quelle heure ? Je n'aurais qu'à ne pas vous trouver, ce serait un désespoir. « Le matin », dites-vous. Mais le déplacement de mon énorme individu aux environs de l'aurore est une tâche herculéenne au-dessus de mes forces. Comment pouvez-vous me faire la proposition de « travailler » à Rabodanges ! J'y aurais des motifs d'agitation antipathiques au silence du Cabinet.

Conclusion : vous seriez bien aimable de me venir faire une petite visite. — Car moi, *on me trouve* ! [...]

À SA NIÈCE CAROLINE

[Croisset,] dimanche, 6 heures et demie [2 juillet 1871].

Mon Loulou,

Ta grand-mère a été désappointée, ce matin, de n'avoir pas de lettres de toi. Je ne sais pas ce que j'en ferai demain si nous n'en recevons pas. Elle s'imaginait que tu étais très malade, « morte », j'ai entendu, à travers ma cloison, le dialogue avec Julie[1] !

Après quoi, elle s'est imaginée que tu devais venir aujourd'hui à Rouen pour la location de ta maison. — Et elle a envoyé Émile[2] à Rouen, tout exprès.

Les gens qui se sont présentés pour ce loyer n'en veulent plus — ou n'offrent que 1 200 francs ? (Il y a division d'opinion entre le mari et la femme), l'histoire n'est pas claire. Ta concierge, la mère Sauvé prétend que les loyers baissent beaucoup. Je ne comprends pas pourquoi elle n'écrit pas directement à Ernest[3]. — Ou pourquoi ceux qui ont envie de son logement ne lui écrivent pas.

Nous avons eu tout à l'heure une lettre de Flavie[4] qui nous dit qu'elle viendra, mais sans nous préciser d'époque.

Et toi, chérie, quand te revoit-on ? Tu ne m'as pas l'air d'aller très bien ? Les rhumatismes et les migraines s'apaiseraient peut-être dans le pauvre vieux Croisset ?

N'oublie pas d'envoyer chercher le livre chez Baudry, et de m'expédier (si tu dois tarder à revenir) ledit bouquin[5].

J'ai été aujourd'hui voter à Bapeaume et « je tombe sur les bottes » naturellement, d'autant plus que je suis très fatigué depuis quelques jours. J'ai la poitrine oppressée. — Ça vient d'être depuis trop longtemps courbé sur ma table. — Et puis aussi, d'être obligé de parler hors de ma voix à ta grand-mère pendant l'heure des repas.

Demain j'irai dîner à l'Hôtel-Dieu, où je dois faire la connaissance du maire de Rouen ! ! ! Mon ami R[aoul]-Duval pourrait très bien ne pas être élu ? Il a fait une profession de foi, peu noble, selon moi.

Tu as dû recevoir deux billets pour la Chambre. Mes deux députés commencent à m'embêter avec leurs retards infinis !...

Adieu, ma pauvre chérie. Je t'embrasse bien fort.

VIEUX.

À SA NIÈCE CAROLINE

[Croisset, 4 juillet 1871.]

Les arrangements me conviennent, mon Loulou ! Ainsi, nous t'attendons le 15 au plus tard. — Je compte m'absenter de Croisset du 20 juillet au 15 août, car à cette époque j'attends Tourgueneff qui doit venir du 15 au 20 août.

(Dans tout cela je ne vois pas que je puisse me trouver avec cette bonne Flavie. Arrange-toi donc pour qu'elle vienne à Croisset vers la fin d'août. Quant à venir tout de suite, je crois que cela lui eśt impossible, puisqu'elle se rendra à Verneuil très prochainement.)

Donc vers la fin de la semaine prochaine au plus tard, on pourra bécoter sa pauvre nièce, ce qui fera bien plaisir à son vieux ganachon.

Mardi 4 juillet.

Ta lettre de dimanche a eu vingt-quatre heures de retard par suite *de* l'ivrognerie *du* faćteur *de* Croisset.

MADAME FLAUBERT À SA PETITE-FILLE CAROLINE

Croisset, le 4 juillet [1871].

Je vais donc bientôt revoir ma chère fille. J'en ai bien envie et même besoin, et, comme je veux être le mieux possible pour ton arrivée, je me suis mise à un nouveau régime très fortifiant. Je désire avoir une petite presse à viande, on [n'] en trouve point à Rouen ; aies la complaisance de m'en apporter une comme celle qui m'a servi pour t'élever, et qui m'a si bien réussi à faire de toi une grande et belle femme. Je ne demande qu'un peu de force pour me soutenir sur mes jambes.

Si tu veux encore de moi quand tu m'auras vue, mon enfant, je serai bien heureuse. N'oublie pas ma petite presse. Adieu, mes amitiés à Ernest.

Un souvenir à la charmante Sarah.

Ta vieille.
Cne FLAUBERT.

À EDMOND DE GONCOURT

[Croisset,] mardi 4 j[uillet 1871].

Mon cher ami,

Votre parapluie, ou plutôt votre parapluie emprunté, a été déposé par moi chez mon concierge, qui m'a promis d'en avoir grand soin. Pourquoi n'avez-vous pas été le chercher ?

Je n'écris pas à la P[rince]sse parce que je ne sais pas quelle adresse il faut mettre sur ma lettre.

J'espère vous voir, au commencement d'août, mais il faudra, mon cher vieux, que vous veniez passer quelque temps dans ma cabane, cet automne. — Promesse que vous deviez tenir l'an dernier.

Vous seriez bien gentil de me donner de vos nouvelles un peu longuement.

Je vous embrasse.

Votre

À SA NIÈCE CAROLINE

[Croisset,] nuit de mercredi [5 juillet 1871].

J'enverrai demain Émile à Rouen chercher *L'Histoire du bouddhisme* de Saint-Hilaire[1], car d'après ta lettre de ce matin, le livre doit être maintenant chez Pilon ?

Qu'as-tu donc, pauvre Caro ? qu'est-ce qu'une « chétive santé » comme ça ! Migraines, rhumatismes, purgations, c'est complet ! A-t-elle, au moins, servi à quelque chose, cette bouteille de Pullna[2] ? Il me semble que l'air de Paris ne te vaut rien ?

Ta grand-mère (qui ne va pas mal, d'ailleurs ; elle est moins triste), voudrait savoir le jour exact de ton retour. Je lui répète que ce sera vers le milieu ou la fin de la semaine. Je ne me trompe pas, n'est-ce-pas, pauvre Loulou ?

Ce matin, nous avons eu à déjeuner M. et Mme Lapierre. Je l'ai fortement blâmé sur les tendances de son journal. Quant à ma fameuse lettre, il n'en a pas été question. Et nous nous sommes séparés plus amis que jamais. C'est un bon enfant, mais « bien léger, bien léger ».

Que dis-tu du sieur d'Osmoy, que j'attends de semaine en semaine, et à qui j'ai adressé depuis un mois *5* lettres, sans en obtenir de réponse. Il me semble avoir corrompu son compagnon Bardoux. Car ledit Bardoux devient aussi inexact et étourdi que d'Osmoy. — C'est lui, Bardoux, qui m'a écrit, il y a quelques jours : « j'enverrai des billets à ta nièce » ?

Les acteurs de l'Odéon veulent diriger ce théâtre eux-mêmes ; et à cet effet, ils m'ont demandé une lettre de protection auprès de d'Osmoy, qui est maintenant Président de la commission des théâtres ! Bonne chose pour *Aïssé*, et peut-être pour le reste !

Ce soir, à 5 heures, vue du profil de Censier[1] se dirigeant vers la maison de M. Émile Barbet[2], pour aller, j'imagine, y emplir son petit bedon.

Je suis sûr qu'on a dit du mal de nous pendant le repas, les Barbet ne devant pas nous trouver des voisins aimables ? J'entends le dialogue — que tu devines, d'ailleurs, aussi bien que moi.

J'en ai, enfin, fini avec le Buddha ! Je lirai néanmoins le livre du père Baudry, par scrupule et pour vuider la question autant que possible. Actuellement, j'en suis aux religions de la Babylonie. Et saint Antoine regarde les étoiles, du haut de la tour de Bélus. — Après quoi, il descendra dans les jardins, où l'on pratiquait des choses *unmentionable*[3] ! Peinture des dites choses. L'auteur appuie sur les détails.

Je m'aperçois chaque jour que les divins Prussiens m'ont dérobé différents objets. Je ne retrouve pas trois ouvrages à gravures, assez importants. Ces bons messieurs font une tête abominable devant les 38 millions que la ville a trouvés pour l'emprunt, elle qui n'avait pas eu, cet hiver, 500 000 francs à leur donner. — Rouen est fort.

Et moi, je suis bien bavard ! C'est que je cause avec toi, chère fille, que j'aime et que j'embrasse.

Ton vieux

À SA NIÈCE CAROLINE

[Croisset,] nuit de lundi [10 juillet 1871].

Mon Loulou,

Je suis tout joyeux de songer que, jeudi, je pourrai bécoter ta bonne mine. — Mais ce ne sera pas pour longtemps, puisque tu dois re-partir de Croisset pour Dieppe ! dès samedi.

Ce sera peut-être ce jour-là que j'aurai enfin la visite de mes deux députés[1] ? J'ai chargé R[aoul]-Duval de me donner de leurs nouvelles, et même de les ramener.

Je voudrais bien qu'Ernest[2], avant de rejoindre sa « délicieuse villa », s'arrêtât un peu dans la nôtre, pour parler au jardinier et pour *apurer* mes comptes !

Mme Bonenfant[3] nous a écrit qu'elle lui avait envoyé de l'argent de Courtavent, et de l'argent de la ferme de l'Isle[4]. Je voudrais bien que ta grand-mère, avant de partir pour Dieppe, payât environ 800 fr[ancs] (c'est ce qui lui reste de dettes) ; et quant à moi (qui n'ai reçu depuis le mois de janvier que 1 500 fr[ancs] de ta grand-mère), j'aurais besoin, dans une dizaine de jours, de 3 mille francs, car je voudrais aussi payer mes dettes, lors de mon prochain voyage à Paris. Préviens donc ton époux.

C'est sans doute pour t'imiter que j'ai eu mal aux dents, cette semaine. J'attends mon excursion dans la capitale pour faire une visite à M. Dalin. — Colignon m'a l'air d'avoir perdu la boule ? Ce dentiste devient une mâchoire.

J'en ai fini, Dieu merci, avec les dieux de l'Inde ! Mais ceux de la Perse ne sont pas commodes ! Et à ce propos, je passerai peut-être une partie du mois d'août à la Bibliothèque impériale, uniquement pour creuser iceux. Telle sera ma villégiature ! Je compte m'en donner une autre[a], en allant chez « ma fameuse nièce ». Mais comment arranger cela avec Tourgueneff qui doit venir à Croisset du 15 au 20 août, et les dames Vasse qui doivent y venir… quand ?

Nous causerons de tout cela jeudi.

En attendant, un bon baiser de ton Vieux.

À LA PRINCESSE MATHILDE

Croisset, jeudi 13 [juillet 1871].

Dans le petit mot que vous m'avez envoyé, en arrivant à Saint-Gratien[1], vous me faisiez espérer une épître. Je l'attends toujours, Princesse.

Popelin[2] m'a donné deux fois de vos nouvelles, mais j'aimerais mieux en avoir de vous-même. J'irai en chercher, dès que ma nièce aura emmené ma mère à Dieppe, c'est-à-dire dès que je serai libre.

N'oubliez pas de me dire sous quel nom, il faut vous écrire. — Sous le vôtre tout bonnement, n'est-ce pas ? Pardonnez-moi, pour cette fois, mon excès de prudence.

Le plaisir de vous retrouver chez vous doit adoucir l'*amertume des Prussiens* ? Car vous en avez, sans doute ? Nous autres, nous n'en sommes pas délivrés. C'est un bonheur qu'on nous annonce toujours comme très prochain, et qui est remis de semaine en semaine, de jour en jour. J'en suis arrivé à l'*exaspération.* Tout ! Tout ! (même la Commune) plutôt que les casques à pointe ! Je n'ai jamais rien haï comme ces gens-là ! car rien ne m'a fait plus souffrir !

Il me semble qu'il y a maintenant calme plat sur l'océan politique ? La tempête ne peut toujours durer ! Et vous, à présent, vous êtes une simple citoyenne ? Mais pour nous, vous resterez toujours notre Princesse, notre chère Princesse, dont je baise les deux mains dévotement.

Son fidèle.

À EDMA ROGER DES GENETTES

[Croisset,] jeudi 13 juillet [1871].

Une fracture du péroné ! pauvre chère Madame ! Ce n'est pas grave. — Mais c'est *embêtant* et j'ai été tout attristé en lisant votre petite lettre si stoïque.

Vous êtes bien aimable de me dire que les miennes vous amènent un peu de distraction. — Que ne puis-je vous envoyer des volumes ! Mais avec quoi les remplirais-je ? Ma vie eſt d'une monotonie!... et d'une triſtesse!... Je me prive des épithètes lugubres.

Mon *unique* diſtraction eſt, deux fois par jour, de donner le bras à ma mère pour la traîner dans le jardin. Après quoi je remonte près de saint Antoine.

Il vous salue très humblement (puisque vous vous informez de lui) et ne demanderait pas mieux que de vous être présenté, quoique incomplet. — Ce brave homme, après avoir eu la boule dérangée par le spectacle des hérésies, vient d'écouter le Buddha et assiſte maintenant aux proſtitutions de Babylone. — Je lui en prépare de plus fortes! Si rien de fâcheux ne me survient, j'espère avoir terminé, avant un an, cette vieille toquade.

« L'horizon politique » me semble, momentanément, calme? Ah! si l'on pouvait s'habituer à *ce qui eſt*, c'eſt-à-dire à vivre sans principe, sans blague, sans formule! Voilà, je crois, la première fois en hiſtoire que pareille chose se présente. Eſt-ce le commencement du positivisme en politique? Espérons-le.

Jouissez-vous toujours des Prussiens? Nous autres, nous n'en sommes pas délivrés[1]! Comme je hais ces êtres-là!

Il me tarde de voir votre (notre) général[2]: 1° pour le voir et 2° pour causer d'un tas de choses qu'il doit savoir mieux que personne. — Mais j'ai encore bien plus envie de voir sa sœur, et de lui baiser les mains, en l'assurant que je suis son

tout dévoué

Mes bonnes amitiés à M. Roger.

Eſt-ce que votre exil eſt éternel? Quand reviendrez-vous dans le cher et abominable Paris?

À SA NIÈCE CAROLINE

[Croisset,] lundi soir 17 [juillet 1871], 6 heures.

Mon Loulou,

J'ai été désagréablement surpris hier de ne pas trouver Erneſt[3] dans le train de Dieppe, et encore plus étonné tout à l'heure de ne pas le trouver chez lui. Son portier vient même de lui renvoyer une dépêche.

Qu'y a-t-il donc à Dieppe? Tu serais bien gentille de m'envoyer par le télégraphe un mot pour me rassurer.

Comment ta grand-mère endure-t-elle cette affreuse chaleur ? Embrasse-la bien pour moi.

Ton vieux

qui se fond et n'a pas
la force d'en écrire plus long.
J'archi-tombe sur les Bottes !

GEORGE SAND À GUSTAVE FLAUBERT

Nohant, 23 juillet [1871].

Non, je ne suis pas malade, mon chéri vieux troubadour, en dépit du chagrin qui est le pain quotidien de la France. J'ai une santé de fer et une vieillesse exceptionnelle, bizarre même, puisque mes forces augmentent à l'âge où elles devraient diminuer. Le jour où j'ai résolument enterré la jeunesse, j'ai rajeuni de vingt ans. Tu me diras que l'écorce n'en subit pas moins l'outrage du temps. Ça ne me fait rien, le cœur de l'arbre est fort bon et la sève fonctionne comme dans les vieux pommiers de mon jardin qui fructifient d'autant mieux qu'ils sont plus racornis. Je te remercie d'avoir été ému de la maladie dont les journaux m'ont gratifiée. Maurice t'en remercie aussi et t'embrasse. Il entremêle toujours ses études scientifiques, littéraires et agricoles, de belles apparitions de marionnettes. Il pense à toi chaque fois et dit qu'il voudrait t'avoir pour constater ses progrès, car il en fait toujours.

Où en sommes-nous, selon toi ? À Rouen vous n'avez plus de Prussiens sur le dos, c'est quelque chose, et on dirait que la république bourgeoise veut s'asseoir. Elle sera bête, tu l'as prédit, et je n'en doute pas. Mais après le règne inévitable des épiciers, il faudra bien que la vie s'étende et reparte de tous côtés. Les ordures de la Commune nous montrent des dangers qui n'étaient pas assez prévus et qui commandent une vie politique nouvelle à tout le monde : faire ses affaires soi-même et forcer le joli prolétaire créé par l'Empire à savoir ce qui est possible et ce qui ne l'est pas. L'éducation n'apprend pas l'honnêteté et le désintéressement, du jour au lendemain. Le vote est l'éducation immédiate. Ils ont nommé des Raoul Rigault[1] et compagnie. Ils savent maintenant ce qu'en vaut l'aune. Qu'ils continuent et ils mourront de faim. Il n'y a pas autre chose à leur faire comprendre à bref délai.

Travailles-tu ? *Saint Antoine* marche-t-il ? Dis-moi ce que tu fais à Paris, ce que tu vois, ce que tu penses. Moi je n'ai pas le courage d'y aller. Viens donc me voir avant de retourner à Croisset. Je m'ennuie de ne pas te voir. C'est une espèce de mort.

G. SAND.

À GEORGE SAND

[Paris,] 25 juillet [1871].

C'est encore un des bienfaits de la Presse ! je m'en doutais ! n'importe ! ces misérables du *Figaro* m'ont fait grand-peur. Il est indestructible, ce journal ! On a renversé l'Empire, conquis la France et brûlé Paris. Mais Magnard, La Fargue et Villemessant fleurissent de plus belle[1]. Que la bêtise soit éternelle, je le comprends. Mais que les mêmes brutes persistent à travers tout, voilà ce qui m'étonne.

Je trouve, cependant, Paris un peu moins affolé qu'au mois de juin. — À la surface du moins ? On commence à haïr la Prusse d'une façon *naturelle*, c'est-à-dire qu'on rentre dans la tradition française. On ne fait plus de phrases à la louange de ces civilisateurs. Quant à la Commune, on s'attend à la voir renaître *plus tard* et les « gens d'ordre » ne font absolument rien pour en empêcher le retour. À des maux nouveaux on applique de vieux remèdes qui n'ont jamais guéri (ou prévenu) le moindre mal. Le rétablissement du cautionnement me paraît gigantesque d'ineptie. Un de mes amis a fait là-contre un bon discours. C'est le filleul de votre ami Michel de Bourges, *Bardoux*, maire de Clermont-Ferrand.

Je crois comme vous que la République bourgeoise peut s'établir. Son manque d'élévation est peut-être une garantie de solidité ? C'est la première fois que nous vivons sous un gouvernement qui n'a pas de principes. L'ère du Positivisme en politique va peut-être commencer ?

L'immense dégoût que me donnent mes contemporains me rejette sur le passé. — Et je travaille mon bon *Saint Antoine*, de toutes mes forces. — Je suis venu à Paris uniquement pour lui. Car il m'est impossible de me procurer à Rouen les livres dont j'ai besoin actuellement, je suis perdu dans les religions de la Perse. Je tâche de me faire une idée nette du Dieu *Hom*, ce qui n'est pas facile. J'ai passé tout le mois de juin à étudier le bouddhisme, sur lequel j'avais déjà beaucoup de notes. Mais j'ai voulu épuiser la matière, autant que possible. Aussi ai-je fait un petit Buddha, que je crois aimable. — Comme j'ai envie de vous lire ce bouquin-là (le mien) ! Je ne vais pas à Nohant, parce que *je n'ose* plus maintenant m'éloigner de ma mère. Sa compagnie m'afflige et m'énerve, ma nièce Caroline se relaye avec moi pour soutenir ce cher et pénible fardeau. Dans une quinzaine je serai revenu à Croisset.

Du 15 au 20 août, j'y attends le bon Tourgueneff[1]. — Vous seriez bien gentille de lui succéder, chère maître ? Je dis succéder. Car nous n'avons qu'une chambre de propre, depuis le séjour des Prussiens. Voyons ! un bon mouvement ! venez au mois de septembre.

Avez-vous des nouvelles de l'Odéon ? Il m'est impossible d'obtenir du sieur De Chilly une réponse quelconque. J'ai été chez lui, plusieurs fois, et je lui ai écrit trois lettres ; pas un mot ! Ces gaillards-là vous ont des façons de grand seigneur qui sont charmantes ! Je ne sais pas s'il est encore directeur, ou si la direction est donnée à la société Berton-Laurent-Bernard[2] ? Berton m'a écrit pour le (et les) recommander à d'Osmoy, député et président de la Commission dramatique. — Mais depuis lors, je n'entends parler de rien.

P. S. Vous n'avez pas reçu de télégramme de moi parce que je m'y suis pris trop tard, le soir, et que le lendemain matin la nouvelle de votre maladie était démentie.

J'ai oublié de vous dire que la princesse Mathilde m'avait *plusieurs fois* demandé de vos nouvelles. Je l'ai vue vendredi, et elle s'est beaucoup informée de vous.

Adieu, chère Maître. Je vous embrasse très fort.

Votre vieux troubadour

À SA NIÈCE CAROLINE

[Paris,] mercredi soir [26 juillet ? 1871].

Chère Caro,

J'ai encore fait aujourd'hui une longue station chez M. Delestre, qui m'a brûlé et mastiqué deux dents, mais je crois que ce n'est pas fini, car, en ce moment même, je souffre comme un diable.

Je me suis occupé des affaires de Deslandes[3], et R[aoul]-Duval, grâce à moi, va contribuer probablement à le faire nommer directeur du Vaudeville. — Ce qui pourra servir aux amis.

Je ne t'ai pas dit que la Commission pour le monument de B[ouilhet] avait adopté mon idée de fontaine. — M. Nétien[4] l'adopte, et il est probable qu'on choisira la place qui se trouve au bas de la rue Verte, en face le pharmacien.

Le Figaro m'a fait une belle peur en annonçant que la mère Sand était *très* malade. Il n'en est rien. Elle n'a pas du tout été malade. C'est encore une gentillesse des journaux.

Je vais enfin voir ce soir l'illustre d'Osmoy[1]. Ce soir ou demain. — En tout cas, je verrai Bardoux[2], qui m'a donné rendez-vous à 9 h 1/2 en face Tortoni.

Il paraît qu'on ne découvre rien de grave contre Janvier[3]. Et il est probable qu'on ne le mettra pas en jugement. J'en suis content pour sa pauvre mère.

Voilà toutes les nouvelles, mon pauvre bibi. Il pleut à torrents ! Et il fait froid. J'ai reçu ce matin une lettre de ta bonne-maman, embrasse-la bien pour moi.

Amitiés à Ernest[4].

Et à toi, pauvre loulou, deux bécots de ton

VIEUX.

À RAOUL-DUVAL

[Paris,] lundi, 3 heures [31 juillet 1871 ?].

Mon cher Ami,

Venez me prendre demain matin, *avant neuf heures*, pour que nous allions ensemble chez Raymond Deslandes. Mme Lepic a dû vous dire pourquoi. Il s'agit de recommander Deslandes auprès de M. Say[5], afin que la pièce de Mme Perrot[6] soit jouée.

J'ai, quant à moi, plusieurs autres choses à vous dire.

1° Redemandez à Hetzel un manuscrit que je vous ai confié il y a 14 mois[7].

2° Puisque je ne puis obtenir aucune réponse ni révélation de d'Osmoy, soyez assez bon pour dire à son acolyte *Bardoux*[8] que j'ai absolument besoin de le voir, et que j'implore de lui un rendez-vous.

3° La Commission pour le monument de Bouilhet a adopté mon projet. — Vous qui êtes un des membres de cette commission, vous devriez bien demander à M. Nétien[9] comment je dois m'y prendre pour lui faire officiellement ma proposition qui est celle-ci : j'offre à la ville de Rouen de lui élever une fontaine dans une de ses rues les plus populaires. Nous pouvons dépenser 12 mille francs. — Avec cette somme-là on peut faire quelque chose de bien, — d'autant plus que le sculpteur par nous choisi ne réclamera pas d'honoraires.

4° N'y aurait-il pas moyen, par *Lizot*[1], d'obtenir le marbre pour le buste ?

Mais nous recauserons de tout cela. Le plus pressé, c'est l'affaire du Vaudeville.

Si vous ne pouviez venir me prendre demain matin, donnez-moi rendez-vous pour le soir, dans un caboulot quelconque du boulevard. Nous trouverons Deslandes à son cercle entre 10 heures et minuit. — Mais demain matin vaudrait mieux.

Tout à vous, cher ami.

À MARIE RÉGNIER

[Croisset, fin juillet 1871 ?]

[Lettre inédite au sujet d'un manuscrit déposé chez Hetzel par Raoul-Duval.]

[…] ledit manuscrit a pour titre *Brillante et solide*… L'œuvre (un conte de fée) est selon moi une chose remarquable et qui mérite la publication plus que bien d'autres […]

Je baise la main qui m'a écrit hier une lettre ravissante, puis, comme je suis gourmand, je prends l'autre ; je baiserais bien aussi les deux pieds et le reste, si on me permettait : « Tel est le caractère de celui, chère Madame, qui ose se dire tout à vous […] »

À AGÉNOR BARDOUX

[Paris,] mardi 1er août [1871].

Mon cher vieux,

Je t'attends pour dîner *lundi prochain* rue Murillo, 4, avec le sieur d'Osmoy, à 7 h 1/2.

J'ai écrit, ce matin, un mot à d'Osmoy. — Relativement aux affaires de l'Odéon, qui me paraissent griêves.

Que va devenir *Aïssé*, si Berton quitte l'Odéon[2] ?

À SA NIÈCE CAROLINE

[Paris,] mardi 1er août [1871].

Ma chère Caro,

J'ai reçu, hier au soir, une lettre de toi si gentille qu'elle m'a attendri « presque presque » jusqu'aux larmes, si bien qu'il m'ennuie de toi et que j'ai fort envie de te revoir pour te bécoter.

Ton mari sortait de chez moi lorsque j'y suis rentré. — Tu me dis qu'il part de Paris aujourd'hui ou demain. Je n'ai donc chance de le revoir que la semaine prochaine ?

Aujourd'hui je vais à l'Arsenal voir le père Baudry[1] et aux Archives chez Maury, toujours pour *Saint Antoine*, lequel attend ta visite, dans le mois de septembre, comme il eſt convenu.

J'ai reçu, ce matin, la visite de l'acteur Berton. Les affaires de l'Odéon sont fort embrouillées. Et je ne sais ce qui adviendra d'*Aïssé*. Ce qu'il y a de sûr, c'eſt que je ne veux pas la faire jouer par des acteurs médiocres.

J'ai écrit à Émile[2] de revenir dimanche, car lundi prochain j'aurai probablement à dîner d'Osmoy et Bardoux. — Je passerai la fin de la semaine chez la Princesse. — Ensuite je retournerai, peut-être, aux Bibliothèques ? En tout cas, il faut que je sois revenu à Croisset avant le 20, à cause de Tourgueneff.

Amitiés à tes compagnes. Embrasse bien pour moi notre pauvre vieille.

Deux bons baisers sur ta gentille mine.

Ton vieux.

À IVAN TOURGUENEFF

[Paris,] rue Murillo, 4, parc Monceau.
1er août [1871].

Mon cher Ami,

Je vous rappelle votre promesse, c'eſt-à-dire que je *compte* sur vous à Croisset du 15 au 20 de ce mois. Vous seriez bien aimable de me faire savoir *quel jour* je dois vous attendre. D'ici là, je vous embrasse très fortement. Votre

---

Que de choses j'ai à vous dire, mon cher ami ! Comme je serai content de vous voir ! Comme j'ai envie de vous lire la première moitié de *Saint Antoine* !

Arrangez-vous d'avance pour rester chez moi plusieurs jours.

AU MAIRE DE ROUEN

Paris, rue Murillo, 4, parc Monceau,
ou Croisset près Rouen.
2 août 1871.

Monsieur le Maire,

Lors de la mort de Louis Bouilhet, une souscription fut ouverte pour lui élever un monument.

La Commission nommée à cet effet, et dont je suis le Président, a pensé qu'un tombeau n'était pas la meilleure façon d'honorer la mémoire de notre ami.

Elle vient donc, monsieur le Maire, proposer à la ville de Rouen de bâtir une petite fontaine, ornée du buste de Louis Bouilhet, dans une des rues ou sur une des places de Rouen. Nous pouvons disposer d'une somme d'environ douze mille francs.

Il va sans dire, monsieur le Maire, que le dessin du monument serait soumis à votre approbation.

Je n'ai pas besoin d'insister sur la convenance de notre idée, étant sûr d'avance que vous en serez le défenseur.

Je vous prie, monsieur le Maire, d'agréer l'hommage de mon profond respect.

Nous ne pouvons faire faire le plan et le devis, avant de connaître l'emplacement que vous déciderez.

À AGÉNOR BARDOUX

[Paris,] jeudi [3 ? août 1871], rue Murillo, 4.

Mon cher Ami,

J'avais, hier matin, prié R. Duval de te faire savoir que je ne pouvais dîner avec toi. — Et j'ai été, sous la pluie, passer devant Tortoni, à cette fin de t'y rencontrer.

Jusqu'au 8 août, il m'eſt *impossible* de te donner un rendez-vous dans la journée. Mais le matin jusqu'à midi et le soir à partir de 10 heures ou 9 1/2 je suis libre.

À la fin de la semaine prochaine, nous pourrons dîner ensemble tranquillement. J'ai *cent mille* choses à te dire, à toi et à d'Osmoy.

Vous apprendrez avec plaisir que le Maire de Rouen a agréé ma proposition relative au monument de B[ouilhet]. Nous aurons, dans un quartier populeux, une jolie fontaine avec son buſte, et qui portera son nom.

J'ai pour demain un rendez-vous avec Chilly, relativement à *Aïssé.*

À bientôt, donc, mes chers bons.

Je vous embrasse

À LA PRINCESSE MATHILDE

[Paris,] jeudi soir [3 août 1871].

Me voilà non loin de vous, Princesse. — Et pas encore près de vous, cependant, car je suis empêtré dans des affaires théâtrales fort compliquées. — D'autant plus que j'ai peu de temps à moi. *Il faut* que je m'en retourne bientôt à Croisset.

Je me propose d'aller vous voir dimanche. — Si je n'ai pas trop de rendez-vous samedi soir, je pousserais même l'audace jusqu'à vous demander l'hospitalité pour 24 heures ; cela me ferait une bonne soirée.

Seriez-vous assez bonne pour m'envoyer l'adresse de M. Benedetti, dont je viens de recevoir le volume[1] ?

Je vous baise les deux mains très longuement en me mettant à vos pieds, ce qui eſt une jolie place

et suis, Princesse,

Votre.

À SA NIÈCE CAROLINE

[Paris,] vendredi matin, 9 h[eures, 4 août 1871].

Mon Loulou,

Comment vas-tu ? Comment va notre pauvre vieille[1] ? Quand arrivent chez toi les dames Vasse ? etc.

Aujourd'hui je vais retourner chez M. Deleſtre pour la 3e, et dernière fois, j'espère ! — C'eſt jusqu'à présent les seules visites que j'aie faites, car tout mon temps a été pris par les notes pour *Saint Antoine*. Cet après-midi, enfin, je vais aller à Saint-Gratien[2]. Je ne me suis pas encore occupé de l'Odéon, et il eſt même impossible de savoir qui eſt directeur de ce théâtre[3].

Mes soirées se passent très solitairement, et j'ajoute tristement. Car je songe à la manière différente dont je les passais autrefois, quand j'avais près de moi mon pauvre petit Duplan ! Donc, je lis au bord de ma fenêtre, tout en regardant le parc Monceau, qui eſt charmant. Puis je me couche de très bonne heure. Hier j'étais non dans mon lit, mais *sur* mon lit dès 9 heures et demie.

Erneſt[4] a dîné avant-hier chez moi. Il m'avait paru, la veille, s'ennuyer tellement que je n'ai pas résiſté à l'envie de l'inviter. Il pourra te dire qu'il ne m'a pas surpris au milieu d'« une partie de plaisir ». — Style Bonenfant[5] !

Vous rappelez-vous un de vos premiers domeſtiques nommé *Armand* ? Il m'a rencontré hier et m'a demandé des nouvelles de M. et Mme Commanville. Voilà tout.

Comme je vais beaucoup à pied, je rencontre ainsi un tas de monde. La chaleur depuis deux jours eſt plus supportable et je sue un peu moins. — Mais quel débordement lundi et mardi !

Adieu, pauvre chérie. Embrasse bien notre vieille pour moi. Force-la à s'occuper un peu et, quand elle m'écrit, à m'écrire un peu plus longuement.

Deux bons bécots sur ta bonne mine.

À propos de ta mine, voici un mot qui a été dit sur elle, samedi dernier, par Mme Lapierre[6], au milieu de son dîner. On parlait des « jeunes dames » de Rouen, et quand ton tour eſt venu : « Celle-là eſt d'un genre différent. Charmante, etc., etc. »

Mme Lapierre : « Oh ! Mme Commanville, *c'eſt un type !* »

(Sous-entendu : d'élégance, de diſtinction, d'inſtruction, etc., etc., etc.)

Ton vieux ganachon.

À IVAN TOURGUENEFF

Paris, rue Murillo, 4, parc Monceau
[entre le 5 et le 10 août 1871].

Mon cher Ami,

Je vous demande pardon de vous réitérer ma question, mais j'aurais besoin de savoir dès maintenant le moment où j'aurai le plaisir ou plutôt le bonheur de vous posséder dans ma cabane, parce que j'ai ici, à Paris, pas mal d'affaires à régler et que je ne veux *pas vous manquer*: ce serait une trop grande déception.

Selon votre promesse, je vous attends à Croisset du 15 au 20 courant. Je voudrais que vous y fussiez déjà.

À bientôt donc, cher ami, et tout à vous.

Plutôt vers le 20 que vers le 15, n'est-ce pas[1] ?

À AGÉNOR BARDOUX

[Paris, 6 août 1871.]

C'est une chose incroyable que jamais de la vie on ne puisse obtenir de vos seigneuries la moindre réponse !

Venez-vous, oui ou non, dîner chez moi, demain lundi ? Il me [serait] agréable de le savoir, afin de vous faire à dîner.

Ton

Dimanche matin, 10 heures
rue Murillo, 4.

À ERNEST FEYDEAU

Paris, 8 août [1871].

Mon cher Vieux,

Je suis bien en retard avec toi ! Mais j'ai eu beaucoup d'affaires et de courses. — Je cède enfin à mes remords et je t'écris. Voilà.

Que te dire ? La Bêtise française continue son petit bonhomme de chemin, les bons bourgeois ne vont plus voter et semblent par leur conduite vouloir faire revenir le gouvernement paternel de la Commune. — Quant à une conspiration militaire, les uns affirment qu'elle est imminente, les autres en nient la possibilité. Pour moi, je n'y crois pas. On est, pour le moment, las de l'action. — Mais j'ai peur que dans 3 ou 4 ans un parti patriote ne pousse la France à une vengeance trop prompte. Alors MM. les Allemands nous prendront la Bourgogne et feront un petit royaume d'Austrasie ?

Quant à la Littérature, mon bon, Magnard et Gustave Lafargue[1] fleurissent derechef. — Et on monte une féerie de M. Clairville[2] ? On a renversé la colonne et brûlé Paris, mais Villemessant est indestructible et la Sottise éternelle.

Moi, mon bon vieux, comme si de rien n'était, je prends des notes pour mon *Saint Antoine.* — Que je suis bien décidé à ne pas publier quand il sera fini. — Ce qui fait que je travaille en toute liberté d'esprit.

Jeudi prochain, pour me distraire, j'irai à Versailles voir travailler le conseil de guerre[3]. — Ensuite, je passerai trois ou quatre jours à Saint-Gratien ; puis, je regagnerai ma cabane.

On va probablement retirer la subvention de l'Odéon, si bien que je ne sais pas quand *Aïssé* sera jouée, ni où elle sera jouée ?

Et toi, pauvre cher vieux, comment vas-tu ? À quoi t'occupes-tu ? Ton traitement t'a-t-il fait du bien ?

Donne-moi de tes nouvelles, et dis-moi comment va ta femme, et tes mioches.

Je t'embrasse très fortement.

Ton vieux

rue de Murillo, 4.

À SA NIÈCE CAROLINE

[Paris,] mercredi soir 9 [août 1871].

Mon Loulou,

Je tombe sur les bottes ! 1° à cause de la chaleur et 2° à cause du mal de dents. Voilà six ou sept fois, au moins, que je vais chez M. Delestre qui m'engage toujours à conserver ma dent. Mais je suis bien résolu à me la faire enlever vendredi, car je souffre trop. Je me livrerais à cette distraction demain, si je n'avais un billet d'entrée pour le conseil de guerre. J'irai donc demain à Versailles, afin de voir quelques-unes des figures de la Commune. — Puis, vendredi, j'irai dîner et coucher chez la Princesse, où j'emporterai des livres qu'on m'a prêtés à la Bibliothèque.

Je compte être revenu à Croisset au milieu ou à la fin de la semaine prochaine, probablement jeudi. Mais entre nous (ou plutôt pas entre nous, ma chère Caro), je trouve que ta grand-mère me talonne singulièrement pour revenir ! Il me semble qu'*à mon âge*, j'ai bien le droit de faire, une fois par an, ce qui me plaît ? La dernière fois que je suis venu ici, au mois de juin, je n'ai pas fait tout ce que je voulais faire, grâce à cette belle habitude que j'ai prise *de fixer d'avance mon retour*, comme si c'était bien important !

Ta grand-mère est chez toi, avec les dames Vasse, au bord de la mer[1]. Trois conditions pour être bien. Tu peux lui dire que je ne la plains nullement. Et la gronder très fort, après quoi tu l'embrasseras encore plus fort.

Comme Tourgueneff ne me répond pas, j'ai prié Juliet[2] de passer chez lui, pour savoir à quoi m'en tenir. — Je ne pense pas avoir de réponse avant samedi. Quoi qu'il en soit, mon séjour à Paris ne se prolongera pas au-delà du 20, *au plus tard.* C'est le terme de rigueur.

Le bon Bardoux, avec qui je déjeunerai demain aux Réservoirs, s'est beaucoup informé de « Madame Carôline ».

Les affaires de l'Odéon ne sont pas claires du tout. Mais ce serait trop long à t'expliquer. Il est fort probable que j'enverrai promener le sieur De Chilly[3] ?

Adieu, pauvre loulou. Dis toutes sortes de choses aimables à tes compagnes. L'idée de passer bientôt quelques jours avec elles me réjouit infiniment.

Deux bons bécots sur ta chère et gentille mine.

Ton vieux

À THÉOPHILE GAUTIER

Saint-Gratien, samedi [12 août 1871].

Mon vieux Théo,

Au lieu de venir ici mardi, tâche d'y être lundi, parce que je suis *obligé* d'en partir mardi soir.

Tu serais même bien beau d'apparaître dès demain dimanche. Nous allons donc nous voir enfin !

Je t'embrasse.

À SA NIÈCE CAROLINE

Saint-Gratien, dimanche 2 heures [13 août 1871].

Mon Loulou,

Tourgueneff ne me répondait pas parce qu'il est encore à Édimbourg. Il sera mardi prochain à Londres, et je crois qu'il arrivera à Croisset samedi ? En tout cas, je partirai de Paris pour ledit Croisset jeudi soir ou vendredi matin.

J'aurais trop peu de temps à rester chez toi, pour que j'aille jusqu'à Dieppe. Cela n'en vaut pas la peine, n'est-il pas vrai ? Tes bonnes amies[1] peuvent ramener ta grand-mère ?

Quelle chaleur, mon bibi ! quelle chaleur ! Je viens de quitter la société pour roupiller dans le silence du cabinet. Et pour lire un peu du bouquin que j'ai emprunté à la Bibliothèque.

Mardi soir, je reviendrai à Paris où j'ai encore beaucoup à faire. Putzel restera sans rival. Je ne remporterai pas le petit chien en question. J'ai vu que, si j'insistais, je me ferais détester par deux jeunes filles qui sont ici, et surtout par la femme de chambre de la Princesse.

J'espère demain voir mon pauvre Théo[2], que je n'ai pas vu depuis 18 mois.

Tout en tombant sur les bottes, j'embrasse ma chère Caro.

Son vieux en baudruche.

Ta grand-mère n'a pas besoin de revenir avant moi à Croisset, c'est-à-dire avant vendredi.

Je compte bien que les dames Vasse me donneront une quinzaine de jours ? Tourgueneff ne restera à Croisset, selon sa coutume, que fort peu de temps ?

À IVAN TOURGUENEFF

Paris, 4, rue Murillo, parc Monceau.
Dimanche 13 [août 1871].

Mon cher Ami,

Je sais que vous devez revenir à Londres le 15[1].

Répondez-moi tout de suite, je vous prie, pour me dire quel jour je dois vous attendre à Croisset. Ne dérangez nullement vos projets, mais ne venez pas sans m'avertir.

Si je n'entends pas parler de vous, je vous attendrai dans ma cabane *samedi prochain* 18. Cela vous convient-il ? En tout cas, je partirai de Paris vendredi matin. S'il vous plaît de venir dès jeudi, prévenez-moi : je hâterais mon retour. Et arrangez-vous pour rester à Croisset quelques jours. J'ai grande soif de vous voir ; et attendant ce moment-là, je vous embrasse.

Je suppose que vous revenez par Dieppe.

IVAN TOURGUENEFF À GUSTAVE FLAUBERT

Allean House, Pitlochry (Scotland).
Ce 14 août 1871.

Mon cher ami, vos deux billets[2] m'ont rattrapé ici au fond de l'Écosse, où je fais la chasse du « grouse[3] » chez un ami. — Je pars d'ici après-demain *16* ; le 17 je repars de Londres et j'arrive le *18* à Paris. — Je voudrais bien que vous fussiez à Paris ce jour-là et que je n'eusse pas à aller à Croisset, car mon temps est horriblement court. — À Paris, je serai à l'hôtel Byron, 20, rue Laffitte. — Faites en sorte que je trouve un mot de vous à mon arrivée. — Pour plus de sûreté je vais copier cette lettre et j'enverrai la copie à Croisset.

Je vous embrasse et à bientôt ! — Préparez votre *Antoine*.

Tout à vous
IV. TOURGUENEFF.

À IVAN TOURGUENEFF

Paris, mercredi matin 16 [août 1871].

Enfin, j'ai de vos nouvelles ! — Mais si vous ne vous étiez pas tant amusé à la chasse, le pauvre *Saint Antoine* et son auteur auraient un peu plus de temps.

Il faut à toute force que je m'en aille aujourd'hui même de Paris. Voilà pourquoi vous êtes obligé de venir à Croisset, où je vous attends *samedi.* Il y a plusieurs trains express. Mais j'espère bien que, malgré vos occupations, vous n'allez pas faire comme la dernière fois, c'est-à-dire ne rester qu'un seul après-midi !

Envoyez-moi un mot par le télégraphe, pour me dire l'heure où enfin je vous verrai. Tout à vous.

IVAN TOURGUENEFF À GUSTAVE FLAUBERT

[Télégramme, vendredi 18 août 1871.]

OBLIGÉ DE PARTIR DEMAIN POUR BADE. VIENS M'ÉTABLIR DÈS OCTOBRE À PARIS. VERRONS SOUVENT ALORS.

À VALÉRIE LAPIERRE

[Croisset, 18 août 1871.]

Chère Madame,

Voulez-vous nous faire le plaisir, à ma mère et à moi, de venir dîner à Croisset *mercredi* prochain, avec Mme Brainne, et votre légitime, bien entendu. — Vous aurez pour commensal notre ami Raoul-Duval.

Nous comptons sur vous.

Mille remerciements d'avance, et je baise vos deux mains aussi longtemps que vous le permettez.

Croisset, vendredi soir.

R.S.V.P.

À IVAN TOURGUENEFF

Croisset, lundi soir [21 août 1871].

Non, mon cher ami, je ne vous en veux pas. — Mais j'ai éprouvé un désappointement. Car je comptais sur vous. — Et je vous pardonne à condition que vous me donnerez, au mois d'octobre, *plusieurs* jours.

L'idée que je vous verrai cet hiver tout à mon aise, me ravit comme la perspective d'un oasis. La comparaison est exacte, si vous connaissiez ma solitude !

Avec qui causer maintenant ? Qui donc, dans notre lamentable pays, « s'occupe encore de Littérature » ? Un seul homme, peut-être ? Moi ! débris d'un monde disparu, vieux fossile du romantisme ! Vous me raviverez, vous me ferez du bien.

Ma mère vous remercie de votre bon souvenir. Ma nièce se rappelle au vôtre. Je vous embrasse très fort.

À SA NIÈCE CAROLINE

[Croisset,] mardi, 4 heures [22 août 1871].

Chère Caro,

Voici une lettre de M. Barbet[1], à laquelle je n'ai donné aucune réponse ; mais j'ai soutenu que Commanville devait en envoyer une, aujourd'hui.

N. B. — J'avais oublié de vous dire que Fortin[2] ne demande pas mieux que de prendre ladite maison.

Il me paraît donc que la présence d'Ernest à Croisset est nécessaire, pour en finir avec cette question-là. — Nous l'attendons avec toi samedi prochain !

Ne manque pas de venir samedi ou dimanche, ma bonne Caro. — Autrement ta grand-mère serait bien désappointée ! — et moi aussi, un petit peu. Il y aura lundi prochain un mois qu'on ne s'est vu.

Je n'aurai rien à te lire, quoique j'aie travaillé prodigieusement. — Tout mon temps a été pris par la préparation de mon Olympe[3], ce qui n'était pas une mince besogne. Enfin, c'est arrêté, et demain je me mets aux phrases.

Aucune nouvelle de mes amis qui devaient venir me voir, — qu'ils s'aillent promener, je n'y pense plus, bonsoir !

Aujourd'hui, tu le sais sans doute, nous avons un dîner du grand monde, — se bornant à trois dames et à *un* monsieur, car Lapierre ne viendra pas. C'est ta grand-mère qui l'a voulu. Si je l'écoutais, nous aurions tous les jours quelqu'un à festoyer. La compagnie de la mère Lebret l'a cependant assommée dimanche dernier.

M'apporteras-tu tes œuvres picturales ? j'ai envie de les voir. Et de t'embrasser très fort.

Ton vieil oncle qui t'aime.

Répondez donc à M. Barbet, si ce n'est fait, afin qu'il me laisse tranquille.

À LA PRINCESSE MATHILDE

Croisset, mardi soir [22 août 1871].

Me voilà revenu dans ma solitude, Princesse ! Et me rappelant comme les meilleures heures de l'année, celles que j'ai passées chez vous, l'autre semaine. — Pauvre cher Saint-Gratien, on l'a donc retrouvé, lui, et celle qui le rend si aimable et si bon !

Est-il, au moins, délivré des Prussiens, désinfecté de nos vainqueurs ? Voilà l'important ! Quel soulagement le jour où vous verrez disparaître le dernier casque !

Tourgueneff, qui m'a fait revenir ici en toute hâte, m'a envoyé le lendemain de mon arrivée un télégramme m'annonçant qu'il était rappelé à Bade tout de suite. — Et qu'il me brûlait la politesse, mais qu'au mois d'octobre il viendrait s'établir à Paris, définitivement. Vous voyez, Princesse, que si beaucoup de gens le fuient (ce Paris maudit et adoré) quelques-uns le recherchent.

Qu'avez-vous résolu à ce sujet ? Vous seriez, peut-être, un peu seule, cet hiver à la campagne.

J'ai retrouvé ma mère prodigieusement affaiblie. C'est une inquiétude permanente qui me ronge. J'ai du mal à me remettre à la besogne. Ah ! j'ai bien fait d'être gai chez vous ! Je suis si triste, maintenant ! Ma seule distraction consiste à me plonger dans les eaux troubles du fleuve qui coule sous mes fenêtres. — Et je me force pour penser à *Saint Antoine*.

Mais je n'ai besoin d'aucun effort pour songer à cette Princesse, à qui je baise les deux mains bien dévotement, car je suis

son tout dévoué.

N. B. — Je vous ferai observer que je n'ai pas dit *un* mot de politique, conduite originale, et méritoire.

À CLAUDIUS POPELIN ?

Croisset, mardi soir [22 août 1871].

Mon cher ami,

D'abord excusez-moi pour ma réponse tardive, votre lettre du 18[1] n'est arrivée ici que lundi matin et je n'y suis revenu que hier.

Puis, pardonnez-moi. Mais il m'est impossible présentement de vous obliger. Car je suis gueux comme un rat, ayant subi, pendant deux mois, douze officiers prussiens, leurs ordonnances et leurs chevaux — sans compter le reste !

Il y a des gens plus à plaindre que moi, mais je ne crois pas que personne ait [subi[2]] l'invasion d'une façon aussi amère et profonde. — Comment suis-je encore en vie ? Je n'en sais rien ! Bref, je suis arrivé au désespoir calme, constitutionnel et je ne veux pas qu'on m'en dérange, de peur qu'il ne redevienne aigu, furieux.

J'ai passé trois ou quatre jours chez la Princesse à Saint-Gratien. — Mais la présence des Prussiens qui infestent Catinat[3] a légèrement empoisonné mon plaisir.

Les collections d'Edmond de Goncourt dont vous vous informez sont sauvées. Quant à Théo[4], il m'a été impossible de mettre la main sur lui. — Chéron m'a dit que notre ami Troubat[5] était complètement aliéné, et qu'il faisait un livre où notre ami Sainte-Beuve serait représenté comme un Démosoc du plus beau rouge.

Avant de finir ce court billet et de vous serrer la main, je voudrais, mon cher ami, que vous fussiez bien persuadé de mon bon vouloir, stérile, hélas ! Et qu'aucune mauvaise pensée ne vous vienne contre celui qui est

tout à vous.

À LA BARONNE LEPIC

Croisset, mercredi soir [23 août 1871 ?].

Mais, chère Madame, j'ai moi-même donné par écrit à M. Hetzel toutes les indications qu'il demande.

Ce manuscrit lui a été remis, vers le mois de mai 1870 par Raoul-Duval.

Ledit manuscrit a pour titre *Brillante et solide*, est sur du papier écolier ordinaire, et signé de ce nom : Daniel Darcey. L'œuvre (un conte de fées) est selon moi une chose remarquable et qui mérite la publication plus que bien d'autres[1].

J'ai fait, avant-hier, une visite à votre courageuse maman[2], qui m'a paru en très bon état, physique et moral.

Oui, Deslandes jouera sa pièce. — Et tout ira bien.

Je baise la main qui m'a écrit une lettre ravissante. Puis, comme je suis gourmand, je prends l'autre. Je baiserais bien aussi les deux pieds et tout le reste, si on me permettait. « Tel est le caractère » de celui, chère Madame, qui ose se dire

tout à vous.

À RAOUL-DUVAL

[Paris, août-septembre 1871.]

Mon cher Ami,

Pensez, je vous prie, de penser au *ms* que je vous ai confié l'année dernière[3].

Tâchez qu'*Hetzel* vous le rende puisqu'il ne veut pas l'imprimer.

Son auteur me le redemande à grands cris.

Tout à vous.

À SA NIÈCE CAROLINE

[Croisset,] mercredi, 6 h 1/2 [6 septembre 1871].

Mon Loulou,

Ta grand-mère va très bien depuis ton départ lundi, et hier elle a fait avec moi un bon tour de jardin, et bien qu'elle te regrette beaucoup et parle de toi sans cesse, elle est moins triste que pendant ta présence. La raison en est qu'elle se désole moins de sa surdité pendant les repas ? tout est là !

Aujourd'hui cependant elle s'est purgée et comme il fait horriblement chaud, elle s'est trouvée trop faible pour t'écrire.

J'ai été aujourd'hui à Rouen déjeuner chez Mme Perrot et faire une visite au général Valazé[1]. — Devine quel est le personnage qui est entré dans son cabinet pendant notre dialogue ? l'Horloger ! le général ne comprenait pas ce qu'il venait faire et il n'a pas compris davantage mon hilarité.

J'attends une lettre de toi me narrant le dîner d'Ouville.

Je vais ce soir me mettre à faire gueuler Isis[2] dans les ténèbres. Toutes mes notes sont relevées et mes mouvements préparés. — Adieu, mon bon petit critique, mon auditeur enthousiaste ou mieux ma chère fille.

Ton vieil oncle qui t'embrasse bien fort.

À LA PRINCESSE MATHILDE

[Croisset,] mercredi soir 6 septembre [1871] !

Cette date me fait souvenir qu'il y a, aujourd'hui un an, j'étais fort inquiet de vous. Je cherchais de vos nouvelles partout ! J'ai été le lendemain à Dieppe voir Dumas[3] ! Quelle année ! Elle est finie, Dieu merci ! N'en parlons plus.

La rivière continue à couler, les jours se passent. Et le cataclysme prochain, dont les trembleurs nous menacent, me paraît se reculer ? Ils ont une jolie manière de consolider les choses, en criant toujours qu'elles vont tomber. Pour prouver que la maison n'est pas solide, ils donnent de grands coups de pioche contre les murs. Le parti conservateur est le plus inepte de tous, n'ayant pas même l'instinct des brutes qui gardent et défendent, par tous leurs moyens, leur tanière et leurs vivres.

J'ai été réjoui, ce matin, par l'histoire de Mlle Papavoine, une pétroleuse, qui a subi au milieu des barricades les hommages de 18 citoyens[a], en un seul jour ! Cela est roide, et dépasse de beaucoup la fin de la pauvre *Éducation sentimentale,* où les héros se bornent à offrir des fleurs, passage déclaré cynique[1] !

Avez-vous lu un article de Mme Sand (publié dans *Le Temps*[2]), sur les ouvriers. C'est bien fait, et brave, c'est-à-dire honnête. Elle arrive tout doucement à voir ce qu'il y a de plus difficile à voir : la Vérité. Pour la première fois de sa vie, elle appelle la canaille par son nom.

J'ai fait tantôt une visite à la pauvre Mme Perrot (la mère de Janvier[3]). Elle passe toutes ses journées dans la prison de son fils. Voilà trois mois qu'il est coffré. — Et son affaire n'est pas encore instruite, si bien que fût-il, plus tard, déclaré innocent, il aura subi *plus de prison* que le sieur Courbet[4] !

L'anniversaire du 4 septembre s'est passé, ici, de la façon la plus inoffensive. La République ne se fait pas sentir. Donc gardons-la !

J'allais oublier de vous remercier pour votre dernière lettre. Elle était gentille et bonne, au-delà de toute expression. — Et j'ai été bien touché par vos plaintes, chère Princesse que vous êtes. Le monde peut être sauvé par un seul juste, dit l'Écriture. Eh bien, moi je dis : tant qu'il restera un petit coin comme le vôtre, tout n'est pas perdu. Gardons notre cœur et notre esprit. Veillons sur la flamme, pour que le Feu sacré brûle toujours. — Plus que jamais, je sens le besoin de vivre dans un monde à part, au haut d'une tour d'ivoire, bien au-dessus de la fange où barbote le commun des hommes. — J'écris maintenant les plaintes d'*Isis* et je pense à vous ; ce n'est pas déchoir, il me semble ?

Qu'avez-vous décidé pour cet hiver ?

Et cette petite visite à Croisset ? On n'y renonce pas, j'imagine ? Si vous tardez trop, j'irai vous rappeler votre promesse le mois prochain.

Je vous baise les deux mains, Princesse, et suis toujours, sous tous les régimes politiques, votre vieux fidèle.

À GEORGE SAND

Croisset, mercredi soir 6 septembre [1871].

Eh bien, chère maître, il me semble qu'on oublie son troubadour ? Vous êtes donc bien accablée de besogne ! Comme il y a longtemps que je n'ai vu vos bonnes grosses lignes ! comme il y a longtemps que nous n'avons causé ensemble ! Quel dommage que nous vivions si loin l'un de l'autre ! J'ai un grand besoin de vous !

Je n'ose plus quitter ma pauvre mère ! Quand je suis obligé de m'absenter, Caroline vient me remplacer. Sans cela j'irais à Nohant. Y resterez-vous indéfiniment ? Faut-il attendre jusqu'au milieu de l'hiver pour s'embrasser ?

Je voudrais bien vous lire *Saint Antoine*, qui en est à sa première moitié. — Puis m'épandre et *rugir* à vos côtés.

Quelqu'un qui sait que je vous aime et qui vous admire, m'a apporté un numéro du *Gaulois*, où se trouvaient des fragments d'un article de vous, sur les ouvriers, publié dans *Le Temps*. Comme *c'est ça* ! comme c'est juste et bien dit[1]. Triste ! triste ! Pauvre France ! Et on m'a accusé d'être sceptique ! Que dites-vous de Mlle Papavoine, une pétroleuse, qui a subi au milieu d'une barricade les assauts de 18 citoyens[2] ! Cela enfonce la fin de *L'Éducation sentimentale*, où on se borne à offrir des fleurs ! Est-on bête, nom de Dieu ! est-on bête !

Mais ce qui dépasse tout maintenant, c'est le parti conservateur, qui ne va même plus voter ! et qui ne cesse de trembler ! Vous n'imaginez pas la venette des Parisiens. « Dans six mois, monsieur, la Commune sera établie partout » est la réponse ou plutôt le gémissement universel.

Je ne crois pas à un cataclysme prochain, parce que rien de ce qui est prévu n'arrive. L'Internationale finira peut-être par triompher, mais pas comme elle l'espère, pas comme on le redoute. — Ah ! comme je suis las de l'ignoble ouvrier, de l'inepte bourgeois, du stupide paysan et de l'odieux ecclésiastique !

C'est pourquoi je me perds, tant que je peux, dans l'Antiquité. Actuellement je fais parler tous ses dieux, à l'état d'agonie. Le sous-titre de mon bouquin pourra être « le comble de l'insanité ». Et la typographie se recule dans mon esprit, de plus en plus. Pourquoi publier ? qui donc s'inquiète de l'art maintenant ? Je fais de la Littérature pour moi, comme un bourgeois tourne des ronds de serviette, dans son grenier. Vous me direz qu'il vaudrait mieux être utile ! Mais comment l'être ? comment se faire écouter ?

Tourgueneff m'a écrit qu'à partir du mois d'octobre, il venait se fixer à Paris pour tout l'hiver. Ce sera quelqu'un à qui parler ! car je ne peux plus parler de quoi que ce soit avec qui que ce soit.

Je me suis occupé aujourd'hui de la tombe de mon pauvre Bouilhet. Aussi, ce soir, ai-je un redoublement d'amertume. À propos d'amis, nous en avons qui vivent, et qui sont drôles !

La princesse Mathilde ne cesse de me demander de vos nouvelles.

Les affaires de l'Odéon me paraissent embrouillées. Si on leur supprime la subvention, ces messieurs (Duquesnel et Chilly) gardent le théâtre, tout de même ! Mais quelle troupe auront-ils ? Quant à la société Berton-Laurent[1], quel sera son capital ? et sa salle ? Bref, que faire d'*Aïssé* ?

Adieu, chère bon maître ! Je vous embrasse bien fort.

Votre vieux

Bécots aux fillettes, amitiés aux autres.

À ÉLISA SCHLÉSINGER

Croisset, mercredi soir, 6 septembre 1871.

Pourquoi ne vous verrai-je pas ? Qui donc vous empêche de passer par Rouen et de me faire une petite visite, chez moi, à Croisset ?

La guerre a donné à ma mère cent ans de plus. Je n'ose pas la quitter. Et quand je suis obligé de m'absenter, ma nièce (celle qui habite Dieppe[2]) vient me remplacer. Comme j'ai passé à Paris tout le mois d'août, je suis maintenant contraint de rester ici. Voilà pourquoi, chère et vieille amie, éternelle tendresse, je ne vais pas vous rejoindre sur cette plage de Trouville où je vous ai connue et qui, pour moi, porte toujours l'empreinte de vos pas.

Comme j'ai pensé à vous pendant tout cet hiver ! Avez-vous dû souffrir, au milieu d'une famille allemande ! dans un pays ennemi ! Comme votre grand cœur a dû saigner[3] !

Venez donc, nous avons tant de choses à nous dire, de ces

choses qui ne se disent pas, ou qui se disent trop mal, avec la plume.

Qui vous empêche ? N'êtes-vous pas libre ? Ma mère vous recevrait avec grand plaisir en souvenir du bon vieux temps. Nous pouvons vous offrir un lit, tout au moins à dîner. Ne me refusez pas cela.

Adieu. Je vous embrasse bien fort et suis toujours tout à vous.

GEORGE SAND À GUSTAVE FLAUBERT

Nohant, 6 septembre [18]71.

Où es-tu, mon cher vieux troubadour ? Je ne t'écris pas, je suis toute troublée dans le fond de l'âme. Ça passera j'espère, mais je suis malade du mal de ma nation et de ma race. Je ne peux pas m'isoler dans ma raison et dans mon *irréprochabilité* personnelles. Je sens les grandes attaches relâchées et comme rompues. Il me semble que nous nous en allons tous je ne sais où. As-tu plus de courage que moi ? Donne-m'en !

Je t'envoie les minois de nos fillettes. Elles se souviennent de toi et disent qu'il faut t'envoyer leurs portraits. Hélas, ce sont des filles, on les élève avec amour comme des plantes précieuses. Quels hommes rencontreront-elles pour les protéger et continuer notre œuvre ? Il me semble qu'il n'y aura plus dans vingt ans que des cafards et des voyous !

Donne-moi de tes nouvelles. Parle-moi de ta pauvre maman, de ta famille, de Croisset. Aime-nous toujours comme nous t'aimons.

G. SAND.

GEORGE SAND À GUSTAVE FLAUBERT

Nohant, 8 septembre [1871].

Comme de coutume nos lettres se sont croisées ; tu dois recevoir aujourd'hui les portraits de mes fillettes, pas jolies en ce moment de leur croissance, mais si bien pourvues de beaux yeux qu'elles ne pourront jamais être laides.

Tu vois que je suis écœurée comme toi et indignée, hélas, sans pouvoir haïr ni le genre humain ni notre pauvre cher pays. Mais on sent trop l'impuissance où l'on est de lui remonter le cœur et l'esprit. On travaille quand même, ne fût-ce que pour faire, comme tu dis, des ronds de serviette, et, tout en servant le public, quant à moi, j'y pense le moins possible. *Le Temps* m'a rendu le service de me faire fouiller dans ma corbeille aux épluchures[1]. J'y trouve les prophéties que la conscience de chacun de nous lui a inspirées, et ces petits retours sur le passé devraient nous donner courage ; mais il n'en est point ainsi. Les leçons de l'expérience ne servent que quand il est trop tard.

Je crois que, sans subvention, l'Odéon ne sera pas en état de bien monter une pièce littéraire comme celle d'*Aïssé*, et qu'il ne faut pas la compromettre avec des massacres. Il faut attendre et voir venir. Quant à la société Berton, je n'ai pas de ses nouvelles, elle court la province et ceux qui la composent ne seront pas repris par Chilly qui est furieux contre eux. L'Odéon a laissé partir Reynard, un artiste de premier ordre, que Montigny[2] a eu l'esprit d'engager. Il ne reste vraiment à l'Odéon personne que je sache. Pourquoi ne songes-tu pas au Théâtre-Français ?

Où est la princesse Mathilde ? À Enghien ou à Paris ? ou en Angleterre ? Je t'envoie un mot que tu mettras dans la première lettre que tu auras à lui écrire.

Je ne peux pas aller te voir, cher vieux, et pourtant j'aurais bien mérité un peu de ces heureuses vacances. Mais je ne peux pas quitter le *home* pour toutes sortes de raisons trop longues à dire, et de nul intérêt, mais inflexibles. Je ne sais même pas si j'irai à Paris cet hiver. Me voilà si vieille ! Je me figure que je ne peux qu'ennuyer les autres et qu'on ne peut me tolérer que chez moi. Il faudra absolument, puisque tu comptes y aller cet hiver, que tu viennes me voir ici avec Tourgueneff. Prépare-le à cet enlèvement.

Je t'embrasse comme je t'aime et mon monde aussi.

G. SAND.

À GEORGE SAND

Croisset, 8 septembre [1871].

Ah ! comme elles sont gentilles ! quels amours ! quelles bonnes petites têtes sérieuses et douces ! Ma mère en a été toute attendrie, et moi aussi ! Cela s'appelle « une attention délicate », chère maître. Et je vous en remercie bien. J'envie Maurice ! son existence n'est pas aride comme la mienne.

Nos deux lettres se sont croisées, encore une fois. Cela prouve sans doute que nous sentons les mêmes choses, en même temps et au même degré ?

Pourquoi êtes-vous si triste ? L'humanité n'offre rien de nouveau. Son irrémédiable misère m'a empli d'amertume, dès ma jeunesse. Aussi, maintenant, n'ai-je aucune désillusion. Je crois que la foule, le nombre, le troupeau sera toujours haïssable. Il n'y a d'important qu'un petit groupe d'esprits, toujours les mêmes, et qui se repassent le flambeau. Tant qu'on ne s'inclinera pas devant *les Mandarins*, tant que l'Académie des sciences ne sera pas le remplaçant du pape, la Politique tout entière, et la Société jusque dans ses racines, ne sera qu'un ramassis de blagues écœurantes. Nous pataugeons dans l'arrière-faix de la Révolution, qui a été un avortement, une chose ratée, un four « quoi qu'on dise », et cela parce qu'elle procédait du Moyen Âge et du christianisme, religion anti-sociale. L'idée d'égalité (qui est toute la démocratie moderne) est une idée essentiellement chrétienne, et qui s'oppose à celle de Justice. Regardez comme *la Grâce*, maintenant, prédomine[1]. Le Sentiment est tout, le droit rien ! On ne s'indigne même plus contre les assassins. — Et les gens qui ont incendié Paris sont moins punis que le calomniateur de M. Favre[2].

Pour que la France se relève il faut qu'elle passe de l'inspiration à la Science. — Qu'elle abandonne toute métaphysique, qu'elle entre dans la Critique, c'est-à-dire dans l'examen des choses.

Je suis persuadé que nous semblerons à la postérité extrêmement bêtes. Les mots *République* et *Monarchie* la feront rire, comme nous rions, nous autres, du réalisme et du nominalisme, car je défie qu'on me montre une différence essentielle entre ces deux termes. Une république moderne et une monarchie constitutionnelle sont identiques. — N'importe ! on se chamaille là-dessus, on crie, on se bat !

Quant au bon Peuple, l'instruction « gratuite et obligatoire » l'achèvera. — Quand tout le monde pourra lire *Le Petit Journal* et *Le Figaro*, on ne lira pas autre chose. — Puisque le bourgeois, le monsieur riche, ne lit rien de plus. — La Presse est une école d'abrutissement, parce qu'elle dispense de penser. Dites cela, vous serez brave, et si vous le persuadez vous aurez rendu un fier service.

Le premier remède serait d'en finir avec le suffrage universel, la honte de l'esprit humain. Tel qu'il est constitué, un seul élément prévaut au détriment de tous les autres ; le Nombre domine l'esprit, l'instruction, la race, et même l'argent, qui vaut mieux que le Nombre.

Mais une Société Catholique (qui a toujours besoin d'un bon dieu, d'un Sauveur) n'est peut-être pas capable de se défendre ? Le parti conservateur n'a pas même l'instinct de la Brute (car la brute, au moins, sait combattre pour sa tanière et ses vivres). Il sera dévoré par les internationaux = les Jésuites de l'avenir.

Mais ceux du passé, qui n'avaient non plus ni Patrie ni Justice, n'ont pas réussi. Et l'internationale sombrera, parce qu'elle est dans le Faux ; pas d'idées, rien que des convoitises !

Ah ! cher bon maître, si vous pouviez haïr ! C'est là ce qui vous a manqué : la Haine. Malgré vos grands yeux de sphinx, vous avez vu le monde à travers une couleur d'or. Elle venait du soleil de votre cœur ; mais tant de ténèbres ont surgi, que vous voilà maintenant ne reconnaissant plus les choses. Allons donc ! criez ! tonnez ! prenez votre grande lyre, et pincez la corde d'airain. Des monstres s'enfuiront. Arrosez-nous avec les gouttes du sang de Thémis blessée.

Pourquoi sentez-vous « les grandes attaches rompues » ? Qu'y a-t-il de rompu ? Vos attaches sont indestructibles. Votre sympathie ne peut aller qu'à l'Éternel.

Notre ignorance de l'histoire nous fait calomnier notre temps. On a toujours été *comme ça*. Quelques années de calme nous ont trompés. Voilà tout. Moi aussi, je croyais à l'adoucissement des mœurs. Il faut rayer cette erreur et ne pas s'estimer plus qu'on ne s'estimait du temps de Périclès ou de Shakespeare, époques atroces, où on [a] fait de belles choses.

Dites-moi que vous relevez la tête. — Et pensez quelquefois à votre vieux troubadour qui vous chérit.

À SA NIÈCE CAROLINE

[Croisset,] vendredi soir, 6 h[eures, 8 septembre 1871].

Voici le papier que me demande mon beau neveu. Tu l'embrasseras de ma part, en lui disant que je continue, de plus belle, à n'y comprendre goutte. — Et puis quelle rédaction ! quel langage ! Moi, signer des choses pareilles, horreur[1] !

Tu me combles de compliments sur *Saint Antoine*, pauvre Caro ! Et je t'avouerai qu'ils me font plaisir, parce que je fais cas de ta jugeotte, de ta bonne petite boule, ferme et haute.

J'aurai fini, dimanche ou lundi, les plaintes d'Isis. — Et, huit jours après, j'espère commencer l'Olympe ? Mais je ne serai pas débarrassé des Dieux avant la fin d'octobre. — Alors je pousserai un joli *ouf*. Car c'est un lourd fardeau. « Quelle responsabilité ! » comme dirait Berthelot.

Fais-moi le plaisir de m'envoyer le plus promptement possible le plan du monument[2]. Je voudrais le montrer dimanche à Desbois[1]. Depuis le matin la pluie tombe à verse et Monsieur va se priver de son bain.

La mère Sand m'a envoyé hier les deux photographies de ses deux petites-filles, qui sont des amours.

Ta grand-mère, décidément, va mieux. C'est-à-dire est moins triste. Hier, je l'ai fait monter jusqu'au Mercure. Je crois que l'histoire de sa robe lui a fait faire des retours intérieurs, et qu'elle veut tâcher de se rendre plus agréable ?

Mille félicitations, mon Caro, de ton, de votre enthousiasme artistique. — Je voudrais être avec vous pour faire la 3e Muse. — Mes bons souvenirs à ta compagne.

Ton vieil oncle en baudruche qui te bécotte.

À RAOUL-DUVAL

Croisset, 13 septembre, 7 heures.
[12 septembre 1871.]

Mon cher Ami,

Encore une ! sous-entendu : demande de croix d'honneur.

Celle-là, du reste, ne vous compromet pas ! Je crois qu'elle est méritée — *et puis* vous me ferez plaisir. Car, la note ci-jointe[2] m'est transmise par une personne que j'aime, et à laquelle je voudrais rendre service.

Voyez donc si vous pouvez arracher un petit bout de ruban.

Je croyais que vous veniez tous les samedis soir à Rouen ? et je vous avais invité, samedi dernier, à venir dîner chez moi dimanche.

Je n'écris pas à votre collègue d'Osmoy[3] parce que *c'est un être intolérable*, dont il n'y a moyen de rien tirer.

Transmettez-lui mes injures.

Vos vacances sont prochaines. — Et j'espère que bientôt nous taillerons une bavette soignée.

D'ici là, mon cher vieux, je vous serre la main très fortement.

Vôtre

À AGÉNOR BARDOUX

[Croisset, 14 septembre 1871 ?]

Mon cher Ami,

J'attends, de jour en jour, une lettre de vos deux Seigneuries m'annonçant votre arrivée dans ma cabane. Quand sera-ce ?

Le terrible d'Osmoy[1] n'a pas répondu à ma dernière épître. — De même qu'il n'a pas envoyé de billets pour la Chambre à ma nièce, rue de Clichy, 55. — Je lui pardonne ces deux crimes à condition que tu me l'amèneras *illico.* Pourquoi pas ?

Je t'embrasse. À toi.

Croisset, près Rouen jeudi.

GEORGE SAND À GUSTAVE FLAUBERT

Nohant, 16 septembre [18]71.

Cher Vieux,

Je te répondais avant-hier et ma lettre a pris de telles proportions que je l'ai envoyée comme feuilleton au *Temps* pour la prochaine quinzaine, car j'ai promis de leur donner deux feuilletons par mois. Cette lettre *à un ami*[2] ne te désigne pas même par une initiale, car je ne veux pas plaider contre toi en public. Je t'y dis mes raisons de *souffrir* et de *vouloir* encore. Je te l'enverrai et ce sera encore causer avec toi. Tu verras que mon chagrin fait partie de moi et qu'il ne dépend pas de moi de croire que le progrès est un rêve. Sans cet espoir, personne n'est bon à rien. Les *mandarins* n'ont pas besoin de savoir, et l'instruction même de quelques-uns n'a plus de raison d'être, sans un espoir d'influence sur les masses ; les philosophes n'ont qu'à se taire et ces grands esprits auxquels le besoin de ton âme se rattache, Shakespeare, Molière, Voltaire, etc., n'ont que faire d'exister et de se manifester. Laisse-moi souffrir, va, ça vaut mieux que de voir *l'injustice avec un visage serein*, comme dit Shakespeare[3]. Quand j'aurai épuisé ma coupe d'amertume je me relèverai. Je suis une femme, j'ai des tendresses, des pitiés et des colères. Je ne serai jamais ni un sage ni un savant.

J'ai reçu un aimable petit mot de la princesse Mathilde. Elle est donc refixée à Paris ? A-t-elle de quoi vivre, du fait de M. Demidoff, son défunt et, je crois, indigne époux ? En somme c'est brave et bon de sa part de revenir près de ses amis, au risque de nouveaux bouleversements.

Je suis contente que ces petites mines d'enfants t'aient fait plaisir. Tu es si bon, j'en étais sûre. Je t'embrasse bien fort. Tu as beau être mandarin, je ne te trouve pas chinois du tout, et je t'aime à plein cœur.

G. SAND.

Je travaille comme un forçat.

À SA NIÈCE CAROLINE

[Croisset,] dimanche 5 h[eures, 17 septembre 1871].

Ma chère Caro,

Nous avons eu de tes nouvelles, tout à l'heure, par Frankline qui a déjeuné avec nous. — Et que j'ai trouvée considérablement « forcie ». Je te remercie de ta bonne lettre d'hier, et surtout du dessin, qui a dû te donner bien du mal. Aussi est-il très bien ! Il a eu l'admiration de Desbois et de Philippe[1] qui sont venus exprès pour le voir. Dès que je saurai M. Nétien[2] revenu à Rouen (il l'est peut-être), j'irai le lui porter et m'entendre avec lui.

N. B. — Ce n'est pas 500 fr[ancs] que je prie Ernest de nous envoyer, mais *mille* au moins, car hier on est venu m'apporter la note des impositions qui se montent à 432 fr[ancs]. Ainsi, quand j'aurai payé le boucher et M. Poutrel, il ne nous restera pas grand-chose. Je suis honteux vis-à-vis de ce dernier, qui attend son argent depuis la fin de juillet, et que j'ai été obligé d'aller voir hier au soir pour cela ! Tu n'imagines pas comme le ménage m'assomme. — Les questions d'argent m'exaspèrent de plus en plus ! C'est une faiblesse. Mais c'est comme ça !

Je travaille maintenant énormément, si bien que j'ai un mal de tête continu, à force de lire. — Hier, au moment où j'allais *piquer un chien* sur mon divan, sont arrivés les papiers d'impositions ! J'ai cru que j'en suffoquerais de colère !

Aucune nouvelle de la Princesse !

Avant-hier j'ai conduit ta grand-mère à Hautôt par la forêt. Cette promenade lui a fait beaucoup de bien. — Et, en somme, je ne suis pas mécontent d'elle. Mais j'ai trouvé mon ami Bataille[3] fort bête, et son épouse stupide ! Ils enragent de voir que la République se maintient ! Il était temps que je partisse, car j'aurais éclaté !

Bref, Monsieur a le *bourrichon monté.* — Et n'entend pas qu'on le dérange de son Olympe ! Il me faudra encore 15 bons jours de préparation avant de commencer les phrases. Je crois que tes louanges, mon pauvre loulou, m'ont encouragé.

La compagne que tu vas avoir ne remplacera pas l'autre. Frankline doit être d'une société charmante. — Mais physiquement, elle tourne trop à la virago, ne trouves-tu pas ?

J'irai probablement cette semaine à La Neuville voir le père Baudry[1]. — Bien que ça me dérange. — Mais j'ai besoin de causer avec ce savant.

T'ai-je dit que d'Osmoy m'avait annoncé sa visite pour le commencement d'octobre ? C'est à ce moment-là, aussi, que j'attends Tourgueneff. — Je voudrais bien que mon Olympe fût arrêté avant leur (ou sa ?) visite.

Adieu, pauvre chère fille, je t'embrasse bien fort.

ton vieil oncle qui t'aime

À LA BARONNE LEPIC

[Croisset,] dimanche soir, 7 h[eures, septembre 1871].

Vous seriez bien aimable de venir demain après votre dîner me faire une petite visite, vous et votre maman[2], qui doit avoir besoin d'un peu d'air pur ?

Quant à aller chez vous, demain, cela m'est impossible. — Ma nièce s'en va le matin, et je n'ose maintenant laisser ma mère seule !

Je baise vos quatre mains et suis, chère madame, vôtre.

Allons, un bon mouvement !

À LA PRINCESSE MATHILDE

Croisset, dimanche [septembre 1871 ?].

Quand « je le voudrai », Princesse ? Mais je le veux toujours ! Venez donc quand il vous conviendra. — Bientôt, cette semaine, tout de suite !

Seulement, prévenez-moi un peu à l'avance. — Je ne puis

vous offrir de chambres, n'en possédant maintenant (grâce aux Prussiens) qu'une seule qui soit présentable. — Mais je compte bien sur vous pour déjeuner et dîner chez votre ami, et recommencer plusieurs fois cet exercice. — Je vous ferai voir les environs. Nous irons à Jumièges ; cela vous amusera, vous et vos compagnons. Un rhumatisme que j'ai dans le bras droit dénature ma calligraphie et m'empêche de vous en écrire plus long.

Je vous baise les deux mains, Princesse, et suis vôtre.

À RAOUL-DUVAL

[Croisset, septembre 1871.]

Mon cher Ami,

Pensez, je vous prie, au manuscrit[1] que je vous ai confié l'année dernière.

Tâchez qu'*Hetzel* vous le rende, puisqu'il ne veut pas l'imprimer.

Son auteur me le redemande à grands cris.

Tout à vous.

À EDMA ROGER DES GENETTES

Croisset, vendredi 6 [octobre 1871].

Il faut que je m'en aille à Paris, la semaine prochaine, pour les affaires de mon pauvre Bouilhet, afin d'en finir avec *Aïssé*, et je passerai au boulevard Beaumarchais, voir si par hasard… Mais non ! je ne trouverai personne ! Pourquoi cela ? Êtes-vous condamnée à Villenauxe à perpétuité ? « Paris n'eſt-il pas assez à plaindre, belle dame ? », comme dirait M. Prud'homme !

Il me semble que vous êtes bien seule là-bas et que vous devez vous y ennuyer mortellement. Le général[2] m'a dit que vous gardiez votre « excellent moral ». Eſt-ce vrai ? Il eſt charmant, votre brave frère ! Il eſt venu me faire une longue visite, où il a beaucoup, et très bien parlé. Je crois que la sympathie eſt réciproque.

Comme je vous plains ! J'ai peur que vous ne suiviez un très mauvais régime. Pardonnez-moi cette outrecuidance, mais j'ai, à mes dépens, acquis beaucoup d'expérience en fait de névroses. Tous les traitements qu'on leur applique ne font qu'exaspérer le mal. — Je n'ai pas encore rencontré, en ces matières, *un* médecin intelligent. — Non ! pas un ! C'est consolant ! Il faut s'observer soi-même scientifiquement et expérimenter ce qui convient.

Ma vie n'est pas douloureuse comme la vôtre, mais n'est pas, non plus, précisément folichonne. Ma seule distraction consiste à promener, ou plutôt à traîner ma mère dans le jardin. La guerre l'a vieillie de cent ans en dix mois. — C'est bien triste d'assister à la décadence de ceux qu'on aime, de voir leurs forces s'en aller, leur intelligence disparaître.

Pour oublier tout, je me suis jeté en furieux dans *Saint Antoine*, et je suis arrivé à jouir d'une *exaltation effrayante.* Voilà un mois que mes plus longues nuits ne dépassent pas cinq heures ! Jamais je n'ai eu « le bourrichon » plus monté. — C'est la réaction de l'aplatissement où m'avait réduit la Défense nationale. — Et à ce propos, je trouve qu'on est fort injuste envers la présente assemblée. Ce qui se passe est ce qui me convient. Voilà la première fois qu'on voit un gouvernement sans métaphysique, sans programme, sans drapeau, sans principes, c'est-à-dire sans blague ! Le Provisoire est précisément ce qui me rassure. Tant de crimes ont été commis par l'idéal en politique qu'il faut s'en tenir pour longtemps à « la gérance des biens » !

J'ai échangé avec Mme Sand des épîtres politiques. Les siennes paraissent dans *Le Temps.* Le congrès de Lausanne[1] vous réjouit-il ? Auriez-vous souhaité ouïr André Léo[2] ? Ah ! pauvre, pauvre humanité !

Je resterai à Paris une douzaine de jours probablement, puis je reviendrai ici jusqu'au mois de janvier, afin d'accélérer mon bouquin, que je voudrais bien vous lire.

Je voudrais bien aussi vous baiser les deux mains, chère Madame.

Je vous rappelle que je suis

tout à vous.

À GEORGE SAND

[Croisset,] samedi [7 octobre 1871].

Chère Maître,

J'ai reçu votre feuilleton hier, et j'y répondrais longuement si je n'étais au milieu des préparatifs de mon départ pour Paris. Je vais tâcher d'en finir avec *Aïssé.*

Le milieu de votre article[1] m'a fait *verser un pleur.* — Sans me convertir, bien entendu ! J'ai été ému, voilà tout ! mais non persuadé !

Je cherche chez vous un mot que je ne trouve nulle part : *Justice.* Et tout notre mal vient d'oublier absolument cette première notion de la morale. — Et qui selon moi comporte toute la morale.

La grâce, l'humanitarisme, le sentiment, l'idéal, nous ont joué d'assez vilains tours pour qu'on essaye du *Droit* et de la *Science.* Si la France ne passe pas, d'ici à peu de temps, à l'état critique, je la crois irrévocablement perdue. L'instruction gratuite et obligatoire n'y fera rien — qu'augmenter le nombre des imbéciles. Renan a dit cela supérieurement dans la préface de ses *Questions contemporaines*[2]. Ce qu'il nous faut avant tout, c'est une *aristocratie naturelle*, c'est-à-dire légitime. On ne peut rien faire sans tête. — Et le suffrage universel tel qu'il existe est plus stupide que le droit divin. Vous en verrez de belles si on le laisse vivre ! La masse, le nombre est *toujours* idiot. Je n'ai pas beaucoup de convictions. Mais j'ai celle-là, fortement. Cependant il faut respecter la masse si inepte qu'elle soit, parce qu'elle contient des germes d'une fécondité incalculable. — Donnez-lui la liberté mais non le pouvoir.

Je ne crois pas plus que vous aux distinctions de classes. — Les castes sont de l'archéologie. — Mais je crois que les Pauvres haïssent les Riches, et que les riches ont peur des pauvres. Cela sera éternellement. — Prêcher l'amour aux uns comme aux autres est inutile. Le plus pressé est d'instruire les Riches, qui en somme sont les plus forts. Éclairez le bourgeois d'abord ! Car il ne sait rien, absolument rien. Tout le rêve de la démocratie est d'élever le prolétaire au niveau de bêtise du bourgeois. — Le rêve est en partie accompli ! Il lit les mêmes journaux et a les mêmes passions.

Les trois degrés de l'instruction ont donné leurs preuves

depuis un an. 1° l'instruction supérieure a fait vaincre la Prusse ; 2° l'instruction secondaire, bourgeoise, a produit les hommes du 4 septembre ; 3° l'instruction primaire nous a donné la Commune. Son ministre de l'Instruction primaire[1] était le grand Vallès, qui se vantait de mépriser Homère[2].

Dans trois ans *tous* les Français peuvent savoir lire. Croyez-vous que nous en serons plus avancés ? Imaginez au contraire que, dans chaque commune, il y ait *un* bourgeois, un seul, ayant lu Bastiat[3], et que ce bourgeois-là soit *respecté*, les choses changeraient !

J'apprends aujourd'hui que la masse des Parisiens regrette Badinguet ! Un plébiscite se prononcerait pour lui, je n'en doute pas. Tant le suffrage universel est une belle chose !

Cependant, je ne suis pas découragé comme vous et le gouvernement actuel me plaît, parce qu'il n'a aucun principe, aucune métaphysique, aucune blague.

Je m'exprime très mal. — Vous méritiez pourtant une autre réponse. Mais je suis fort pressé, ce qui ne m'empêche pas de vous embrasser très fortement.

Votre vieux troubadour

Gve FLAUBERT.

Pas si troubadour, pourtant ! Car la silhouette de l'ami, qu'on entrevoit dans votre article[4], est celle d'un coco peu aimable et d'un joli HHégoïste !

GEORGE SAND À GUSTAVE FLAUBERT

Nohant, 10 octobre [1871].

Je réponds à ton *post-scriptum.* Si j'avais répondu à *Flaubert* je n'aurais pas… *répondu,* sachant bien que le cœur n'est pas toujours d'accord chez toi avec l'esprit, désaccord où nous sommes tous, du reste, forcés de tomber à chaque instant. J'ai répondu à un fragment de lettre d'un ami quelconque, que personne ne connaît et que personne ne peut reconnaître, puisque je m'adresse à une portion de ton raisonnement qui n'est pas toi entier.

Tu es troubadour quand même, et si j'avais à t'écrire *en public* le personnage serait ce qu'il doit être. Mais nos vraies discussions doivent rester entre nous comme des caresses entre amants, et plus douces, puisque l'amitié a ses mystères aussi, sans les orages de la personnalité.

Cette lettre-ci que tu m'écris en courant, est pleine de vérités bien dites, contre lesquelles je ne proteste pas. Mais il faudrait trouver le lien et l'accord entre tes vérités de raison et mes vérités de sentiment. La France n'est, hélas, ni avec toi, ni avec moi. Elle est avec l'aveuglement, l'ignorance et la bêtise. Oh, cela, je ne le nie pas, c'est de cela justement que je me désole.

Est-ce que c'est un temps pour faire jouer *Aïssé* ? C'est, m'as-tu dit, une chose distinguée, délicate, comme tout ce qu'*il*[1] faisait et on me dit que le public des théâtres est plus *épais* qu'il n'a jamais été. Tu ferais bien de *voir* jouer deux ou trois pièces quelconques pour apprécier l'état de littérature du Parisien. La province donnera moins que par le passé. Les petites fortunes sont trop entamées pour se permettre les voyages fréquents à Paris. Si Paris offrait, comme dans ma jeunesse, un noyau intelligent et influent, une bonne pièce n'aurait peut-être pas 100 représentations, mais une mauvaise n'en aurait pas 300. Mais ce noyau est devenu imperceptible et son influence est noyée. Qui donc remplira les théâtres ? Le boutiquier de Paris sans guide et sans bonne critique ? Enfin, tu n'es pas le maître dans la question d'*Aïssé*. Il y a un héritier qui s'impatiente probablement[2].

On m'écrit que Chilly est très gravement malade, et que Pierre Berton est réengagé.

Tu dois être très occupé, je ne veux pas t'écrire longuement. Je t'embrasse tendrement. Mes enfants t'aiment et se rappellent à toi.

G. SAND.

À PHILIPPE LEPARFAIT

[Paris,] mardi soir [10 octobre 1871].

Mon cher Enfant.

Voici le résultat de mes courses, lesquelles se montent à un joli total.

L'Odéon (j'ai vu Duquesnel) se propose de jouer *Aïssé* après la pièce[3] de Charles-Edmond, qui viendra après celle de Cadol[4] dont la première a lieu demain. — En mettant les choses au pire, cela remet la première d'*Aïssé* en janvier.

Duquesnel nous propose *Berton fils* pour Aydé (soutenant qu'il vaut mieux que Lafontaine, lequel est engagé à l'Odéon pour le mois de février), Sarah pour Aïssé, le fils Prévot pour d'Argental, Pujol pour Pont de Veyle (j'estropie le nom mais je connais l'homme, qui est excellent ; il a joué dans *Les Idées de Mme Aubray*[5] le rôle du gandin), Ramelli pour Mme Ferriol, Page pour Mme Du Tencin, Page ou Colombier. Reste à trouver un bon pour Brécourt et un pour le commandeur (le père Beauvallet se meurt). J'ai demandé Richard, celui qui fait

L'Hospital dans la *Conjuration*[1]. Ils ont engagé Christian, des Variétés, et me paraissent pleins de bonne volonté ?

Je n'ai pris aucun engagement nouveau, disant à Duquesnel que j'allais t'écrire et qu'il ne me verrait qu'après que j'aurais reçu ta lettre.

Le sieur Chilly[2] a des hémorroïdes. Constant m'a dit : M. le Directeur « a ses affaires ». Ça achève la ressemblance.

J'ai été trois fois aux Français et chez Perrin sans mettre la main sur ledit Perrin. Mais Deslandes[3] m'a dit que les Français avaient leur hiver bourré de pièces. Ainsi, quand même nous lâcherions l'Odéon, nous ne serions pas joués cet hiver aux Français. Mon avis est d'accepter l'Odéon. — Néanmoins je verrai demain Perrin, coûte que coûte, et te manderai ce qu'il m'aura dit. Tu peux donc réfléchir jusqu'à jeudi soir. — Je ne dois pas revenir à l'Odéon avant vendredi.

J'ai vu aussi Mme Plessy, et Ramelli, sans compter Berton père, que j'ai surpris dans son lit, ce matin. Il est irrévocablement fâché avec ces messieurs.

Tu vois, mon jeune homme, que je ne m'endors pas sur le fricot.

Expédie-moi le *manuscrit*[4] promptement. Perrin, sans doute, voudra le lire. Et qui sait ?

C'est en partie à d'Osmoy[5] que l'Odéon doit sa subvention. Duquesnel l'a dit à Ramelli. — Ainsi cela nous donne une espèce de droit là-bas, à être mieux traité.

Sais-tu qu'un enfant de d'Osmoy est *très* malade ? Il m'a écrit ça hier, à Croisset, en ajoutant qu'il faisait venir Axenfeld[6] à Évreux.

J'ai été chez Axenfeld pour savoir ce qui en était. Mais je ne l'ai pas trouvé.

Je t'embrasse.

Ton vieux fidèle.

P.-S. 8 heures. Perrin m'envoie un larbin m'apportant une lettre qui me donne rendez-vous pour jeudi à 4 heures. Cet excès de politesse me paraît de bon augure.

Donc dépêche-toi de m'expédier le *manuscrit.*

À HENRY HARRISSE

[Paris, vers le 10 octobre 1871.]

Feydeau va mieux. Je l'ai vu hier au soir. Il s'est couvert le dos de ventouses et se trouve soulagé. Voilà !

À bientôt, n'est-ce pas ?

et tout à vous.

À SA NIÈCE CAROLINE

[Paris,] mercredi, 10 heures [11 octobre 1871].

Mon Loulou,

J'ai reçu ce matin une assez bonne lettre de ta grand-mère, qui sera près de toi, quand tu recevras celle-ci. Donc embrasse-la de ma part, en lui recommandant d'être bien sage.

Les affaires d'*Aïssé* sont en bonne voie mais je me donne bien du mal ! je n'ai eu hier, que huit heures de voitures ! Si j'entrais dans les explications, je n'en finirais plus.

Je me suis couché à 10 heures, tant je tombais sur les bottes !

Il m'est impossible de savoir quel jour je reviendrai. Ce ne sera pas, je crois, au-delà de mardi ?

Ce soir, je dîne chez le père Cloquet.

Adieu, pauvre chérie. Réponds-moi un peu longuement et donne-moi des nouvelles de notre vieille.

Ton chanoine de Séville qui t'aime à peu près autant que sa cathédrale.

GVE.

Monsieur a retrouvé le sommeil ! Du reste, tu n'imagines pas le calme de mon logis. Croisset est un endroit fort bruyant, en comparaison d'icelui.

À PHILIPPE LEPARFAIT

[Paris,] jeudi matin [12 octobre 1871].

J'ai vu hier au soir Claye[1]. Il ne comprend pas que Lévy ne l'ait point averti de *notre* billet. Envoie-moi donc la copie dudit billet autant que tu peux te le rappeler. Claye l'attend.

Je serai revenu à Croisset dans une huitaine.

À toi.

À EUGÈNE DELATTRE

[Paris,] jeudi, 3 heures [12 octobre 1871].

Mon cher Ami,

Peux-tu me donner un rendez-vous dans la journée jusqu'à 4 heures ?

Je suis sur le point de m'en retourner et *j'ai absolument besoin de te voir* pour les affaires de Bouilhet.

Il s'agit de choses de ton métier[2].

Si tu ne pouvais m'assigner une heure pour demain, veux-tu pour samedi, jusqu'à 4 heures également ? ou enfin dimanche de 2 à 4 chez moi ?

Tâche (ce qui serait plus simple) de venir demain déjeuner chez moi rue Murillo, 4, parc Monceau.

Prompte réponse, je te prie ! et tout à toi.

À SA MÈRE

[Paris,] jeudi soir, 6 h[eures, 12 octobre 1871].

Chère Vieille,

J'ai reçu ce matin une lettre de Caro qui me dit que tu as traversé la gare de Rouen « avec des jambes de quinze ans » et que tu as très bien supporté le voyage. — J'espère qu'il en sera de même du retour ? Mais j'ai peur que tu ne t'enrhumes à Ouville. Il fait un froid de chien, et tout à l'heure j'ai été gelé à la bibliothèque. — Car dans l'intervalle que me laissent les courses d'*Aïssé*, je pense un peu à mes petites affaires.

J'ai dîné hier chez Mme Cloquet qui a été charmante. — Et ce matin j'ai déjeuné chez Feydeau qui s'est beaucoup informé de toi et de Caro. Il va mieux, car il marche tout seul, avec une canne[1]. J'ai vu la nouvelle épouse de Crépet[2], elle est fort grande, assez jolie, et a l'air très bon enfant. Mais tout le temps de ma visite, je songeais à l'autre, à la première, et j'étais indigné.

Il m'est impossible de te dire, chère vieille, le jour de mon retour. — Je sais que Caro doit rester près de toi jusqu'à jeudi, ce qui me donne un peu plus de temps. — Je suis combattu entre l'envie de retourner près de toi et celle de bien faire les affaires de mon pauvre Bouilhet.

Mes nombreuses courses m'ont rendu le sommeil. — Car le soir, je suis exténué physiquement.

Adieu, pauvre chère vieille.

Je t'embrasse bien fort.

Ton vieux scheik et fils.

À SA NIÈCE CAROLINE

[Paris,] jeudi soir [12 octobre 1871].

Pauvre chère Caro,

Tu m'as bien amusé et bien attendri ce matin avec ton plan de roman ! *J'exige* que tu le montres à Vieux ! Comprends-tu combien cela me charme de t'avoir pour disciple ? Moi qui n'ai plus d'amis littéraires.

Je tombe sur les bottes ! Néanmoins, je crois que j'arriverai à mes fins. Il est inutile que je t'ennuie avec le détail de mes courses, ou plutôt que je me fatigue à te les écrire. Bref, je ne désespère pas de faire jouer cet hiver *Aïssé* aux Français. Mais il faut de l'astuce.

J'ai dîné hier chez les Cloquet. Madame a été extra-charmante. Et ce matin j'ai déjeuné chez le bon Feydeau, qui s'est beaucoup informé de toi et qui désire te voir. Il va un peu mieux, car il marche avec une canne.

Comme les intrigues dramatiques avaient un moment de relâche cet après-midi, j'ai passé trois heures à la Bibliothèque impériale, d'où je suis sorti gelé. — Il fait très froid, et j'ai peur que notre pauvre vieille ne s'enrhume à Ouville.

Il m'eſt impossible de savoir quand je la rejoindrai ; ce ne sera pas toujours avant mardi. — Car j'ai, pour ce jour-là, rendez-vous avec Perrin[1].

J'ai vu la femme de Crépet. Elle lui ressemble en beau, c'eſt-à-dire qu'elle eſt grande avec un nez pointu ; en somme, jolie et l'air aimable. Mais tout le temps de ma visite, je songeais à l'autre, à la première, et j'étais indigné.

Croirais-tu que la mère Sand a eu peur de m'avoir offensé dans son feuilleton[2], et qu'elle m'a presque envoyé des excuses ? Cette naïveté-là me paraît tout à la fois très bête et très délicate.

Continue, mon pauvre loulou, à ruminer de la littérature. Cela te rapproche de ton vieux chanoine de Séville qui te chérit.

Ton oncle bedolard.

Embrasse Erneſt pour moi et Putzel.

À PHILIPPE LEPARFAIT

[Paris,] jeudi soir 6 heures [12 octobre 1871].

Mon cher Philippe,

Tu dois recevoir, au moment où je t'écris, un télégramme de moi pour hâter la copie du *manuscrit.* Il me la faut tout de suite, mon bon. Envoie promener les vins, prends un copiſte, passe la nuit, et expédie-moi la chose à grande vitesse !

Je viens de voir Perrin qui a été *charmant.*

Le présent hiver des Français n'eſt pas si bourré de pièces qu'on le disait ! Perrin a grande envie d'une pièce en vers et, s'il eſt empoigné, je suis sûr qu'*Aïssé* sera jouée cet hiver aux Français. Il a compris parfaitement ma position et m'a promis le secret.

Donc je n'irai pas samedi à l'Odéon. J'écrirai à Duquesnel « que je suis forcé de manquer au rendez-vous parce que je n'ai pas reçu de réponse de Philippe ».

Perrin m'a promis de lire *Aïssé* deux fois et de me donner une réponse définitive lundi ou mardi ; tu vois qu'il eſt chaud.

S'il accepte *Aïssé,* je te dirai ce qu'il faudra faire pour nous dégager de l'Odéon. Il faudra, sans doute, que tu viennes toi-même à Paris.

La pièce de Cadol[1] est un four, à ce que m'a dit le commis de Lévy. Raison de plus pour se hâter.

Donc ne perds pas une minute, envoie-moi le *manuscrit* par la poste (c'est plus rapide que par le chemin de fer). Je l'attends au plus tard samedi matin. Je croyais même le recevoir aujourd'hui ! Encore une fois envoie bouler les barriques.

Axenfeld n'a pas été appelé à Évreux : donc l'enfant de d'Osmoy va mieux ?

Je t'embrasse.

Ton.

De l'énergie, foutre ! ! !

À GEORGE SAND

[Paris, 12 octobre 1871] jeudi soir.

Jamais de la vie, chère bon maître, vous n'avez donné une pareille preuve de votre inconcevable *candeur* ! Comment ? sérieusement, vous croyez m'avoir offensé ! La première page de votre lettre ressemble presque à des excuses ! ça m'a bien fait rire ! Vous pouvez, d'ailleurs, tout me dire, vous ! tout ! vos coups me seront caresses. —

Vous prêtez vos qualités aux autres, en les jugeant *a priori* pleins de beaux sentiments. Cela est une allusion à une de vos dernières lettres, où vous trouviez très beau, très brave et très bon le retour de la princesse Mathilde à Saint-Gratien. Je le trouve bien, *mais pour moi*, parce que je l'aime et que sa société m'est agréable. Quant à elle, j'estime qu'elle aurait dû rester quelque temps en exil. Cela eût été plus crâne, et d'un cœur plus fier. Je lui ai écrit ma façon de penser, là-dessus. — Puis voyant qu'elle se crevait d'envie de revenir en France, je me suis tu, et même je me suis mis à son service, car c'est un de mes amis intimes qui a fait les démarches à ce nécessaires. — Elle est revenue parce que c'est un enfant gâté qui ne sait pas résister à ses passions. Voilà toute la psychologie de la chose. Et je lui ai fait une jolie concession (qu'elle n'a pas sue) en allant chez elle à Saint-Gratien, au milieu des Prussiens ! Il y avait deux factionnaires à la porte. Quoique je n'aie pas du sang d'empereur dans les veines, la rougeur m'est montée au front, en passant devant les guérites. — Je me suis bien privé de ma maison, pendant que les Prussiens étaient chez moi. Je trouve qu'elle aurait pu en faire autant. — Gardez cela pour vous, bien entendu, et n'en parlons plus !

Donc re-causons ! Je rabâche, en insistant de nouveau sur *la Justice* ! Voyez comme on est arrivé à la nier partout. Est-ce que la Critique moderne n'a pas abandonné l'art pour l'histoire ? La valeur intrinsèque d'un livre n'est rien dans l'école Sainte-Beuve-Taine. On y prend tout en considération sauf le talent. De là, dans les petits journaux, l'abus de la personnalité, les biographies, les diatribes. Conclusion : irrespect du public.

Au théâtre, même histoire. On ne s'inquiète pas de la pièce, mais de l'idée à prêcher. Notre ami Dumas rêve la gloire de Lacordaire. Ou plutôt de Ravignan[1] ! Empêcher de retrousser les cotillons est devenu, chez lui, une idée fixe. — Faut-il que nous soyons encore peu avancés, puisque *toute* la morale consiste pour les femmes à se priver d'adultère et pour les hommes à s'abstenir du vol ! Bref, la première injustice est pratiquée par la Littérature, qui n'a souci de l'Esthétique laquelle n'est qu'une justice supérieure. — Les Romantiques auront de beaux comptes à rendre avec leur sentimentalité immorale, leur néo-christianisme, pire que le vieux ; rappelez-vous une pièce du père Hugo, dans *La Légende des siècles*, où un sultan est *sauvé* parce qu'il a eu pitié… d'un cochon[2]. C'est toujours l'histoire du bon Larron ! béni, parce qu'il s'est repenti. Se repentir est bien ; mais ne pas faire le mal vaut mieux. L'école des réhabilitations nous a amenés à ne voir aucune différence entre un coquin et un honnête homme. Je me suis, une fois, emporté, devant témoins, contre Sainte-Beuve, en le priant d'avoir autant d'indulgence pour Balzac qu'il en avait pour Jules Lecomte[3]. Il m'a répondu en me traitant de « ganache ». Voilà où mène *la largeur.*

On a tellement perdu tout sentiment *de la proportion* que le conseil de guerre (de Versailles) traite plus durement Pipe-en-Bois que M. Courbet. Maroteau est condamné à mort comme Rossel[4] ! C'est du vertige ! Ces MM., du reste, m'intéressent, fort peu. Je trouve qu'on aurait dû condamner aux galères toute la Commune, et forcer ces sanglants imbéciles à déblayer les ruines de Paris, la chaîne au cou, en simples forçats. Mais cela aurait blessé *l'humanité* ; on est tendre pour les chiens enragés. Et point pour ceux qu'ils ont mordus.

Cela ne changera pas, tant que le suffrage universel sera ce qu'il est. Tout homme (selon moi), si infime qu'il soit, a droit à *une* voix, la sienne. Mais n'est pas l'égal de son voisin, lequel peut le valoir cent fois. Dans une entreprise industrielle (société anonyme), chaque actionnaire vote en raison de son apport. Il en devrait être ainsi dans le gouvernement d'une nation. Je vaux bien *20* électeurs de Croisset ! L'argent, l'esprit, et la race même doivent être comptés, bref, *toutes* les forces. Or, jusqu'à présent je n'en vois qu'une : le nombre ! Ah ! chère maître, vous qui avez tant d'autorité, vous devriez bien attacher le grelot ! On lit beaucoup vos articles du *Temps* qui ont un grand succès ! Et qui sait ? Vous rendriez peut-être à la France un immense service ?

Aïssé m'occupe énormément. Ou plutôt m'agace. Je n'ai pas vu Chilly, qui a des hémorroïdes (détail intéressant) et j'ai donc à faire à Duquesnel ! On me retire positivement le vieux Berton et on me propose son fils. Il est fort gentil, quoique bossu, mais il n'a rien du type conçu par l'auteur. Les *Français* ne demanderaient peut-être pas mieux que de prendre *Aïssé* ? Je suis fort perplexe. — Et il va falloir que je me décide ! Quant à attendre qu'un vent littéraire se lève, comme il ne se lèvera pas, moi vivant, il vaut mieux risquer la chose, tout de suite.

Ces affaires théâtrales me dérangent beaucoup. Car j'étais bien en train ! Depuis un mois j'étais même « dans une exaltation qui frisait la démence ».

J'ai rencontré l'inéluctable Harrisse[1], homme qui connaît tout le monde, et qui se connaît à tout : théâtre, romans, finances, politique, etc. ! quelle race que celle de « l'homme éclairé » ! ! !

J'ai vu la Plessy, charmante, et toujours belle[2]. Elle m'a chargé de vous envoyer mille amitiés.

Moi je vous envoie cent mille tendresses.

Votre vieux

À PHILIPPE LEPARFAIT

[Paris,] samedi 4 heures [14 octobre 1871].

Je viens de porter la copie à Perrin[3]. — Qui doit me donner une réponse lundi ou mardi. Tu la connaîtras rapidement.

S'il accepte *Aïssé,* nous verrons ce qu'il faudra faire.

J'ai écrit à d'Osmoy. Pas de réponse ! suivant sa coutume !

Avant de prendre un parti définitif, tu feras bien *d'aller le chercher à Évreux et de me l'amener.*

Il doit avoir maintenant beaucoup d'autorité, car tout le monde dit qu'il « va être ministre » (textuel).

Je pars pour Saint-Gratien[1] où je resterai jusqu'à demain soir, ou après-demain matin au plus tard.

À toi.

La situation est si grave que je n'ose en prendre sur moi seul toute la responsabilité.

Pierre Berton est bien insuffisant ! comme physique surtout ! *D'aucuns* me conseillent de prendre plutôt Mélingue ! Pour Pont-de-Veyle, le nom de l'acteur est Porel[2].

À SA NIÈCE CAROLINE

[Paris,] lundi, 6 heures du soir [16 octobre 1871].

Mon Loulou,

J'espère être revenu à Croisset mercredi soir, mais je n'en suis pas sûr. Donc que ta grand-mère se résigne d'avance à ne me voir peut-être que jeudi ?

Je suis plongé dans les plus noires intrigues[3]. Voilà, je crois, la première fois que je mens si effrontément ! *Il le faut* bien. — Je t'expliquerai tout cela.

J'ai passé un jour et deux nuits à Saint-Gratien[4], fort agréables. Aujourd'hui j'ai été à l'Odéon, aux Français ; je retourne ce soir à l'Odéon pour voir les acteurs. Et demain j'ai un rendez-vous aux Français à 9 heures du soir. — Le pauvre *Saint Antoine* est oublié et je n'en peux plus de fatigue ! ce qui ne m'empêche pas de bécoter bien fort ma pauvre nièce.

Son vieux chanoine.

GVE.

Embrasse mère pour moi.

À PHILIPPE LEPARFAIT

[Paris,] lundi 16, 6 heures du soir [octobre 1871].

Ci-joint la liste des rôles, telle qu'elle a été convenue tout à l'heure entre Duquesnel et moi (je garde l'original).

Après quoi j'ai vu Perrin, qui n'a pas eu le temps de lire *Aïssé* mais qui m'a donné sa parole d'honneur que demain, à 9 heures du soir, il me donnerait une réponse définitive.

Ma conduite est celle d'un misérable ; je joue un double jeu ! Il faut bien que [ce] soit pour *sa* gloire et pour *ton* intérêt ! Car il m'en coûte de mentir aussi effrontément.

Si Perrin accepte, tu viendras avec d'Osmoy à l'Odéon t'expliquer, puis je reparaîtrai aux Français. — S'il refuse, les choses suivront leur train. Dans quelques jours Duquesnel doit m'appeler pour la lecture, et peu de temps après pour les répétitions. D'après son calcul *Aïssé* passerait en décembre. Il m'a l'air plein de feu. Les rôles seront donnés à la copie cette semaine.

Ce soir je retourne à l'Odéon pour voir quelques acteurs que D[uquesnel] veut me montrer.

D'Osmoy m'a écrit que son petit Louis allait mieux. Mais qu'il ne voulait pas encore le quitter.

Je serai probablement revenu à Croisset mercredi soir.

Je te ferai savoir mon retour, afin que tu viennes causer avec ton Vieux.

LE CHEVALIER	*Pierre Berton.*
D'ARGENTAL	*Porel.*
PONT-DE-VEYLE	*H. Richard.*
BRÉCOURT	*Talien* ou *Castellano.*
COMMANDEUR	*Richard Mazure* (celui de *La Conjuration*) ou *Roger Aîné.*
LE RÉGENT	?
BONISSENT	*Christian* (des Variétés) ou *Martin* ou *Prévost.*
AÏSSÉ	*Sarah Bernhardt.*
MME [DE] TENCIN	*Page* ou *Colombier.*
MME FERRIOL	*Ramelli.*

À CHARLES D'OSMOY

[Paris, vers le 18 octobre 1871.]

[...] Perrin n'a pas voulu d'*Aïssé* ! Il trouve la pièce dangereuse pour les *Français*... Bref, elle sera jouée à l'Odéon après la pièce de Charles-Edmond, dans le mois de décembre, probablement. Je dois revenir dans une quinzaine pour la lecture au foyer, peu de temps après on la mettra en répétition.

[Pour la distribution des rôles, il est] bien embarrassé et plus que jamais j'aurais besoin de toi, car tu comprends que j'encaisse une lourde responsabilité, mon bon. Perrin a appelé mon attention sur deux ou trois endroits, où ton avis me serait nécessaire. Il faudrait que nous passions deux ou trois jours seuls à causer tranquillement... J'apporterai à Perrin *Le Sexe faible* pour savoir ce qu'on peut en faire.

Je suis sûr qu'ils vont vouloir faire des économies sur la mise en scène, ton autorité serait prépondérante. Tout le monde dit que tu vas devenir ministre des Beaux-Arts. Beaucoup même le croient[1] [...]

À PHILIPPE LEPARFAIT

[Croisset, vers le 20 octobre 1871.]

Viens le plus tôt que tu pourras. — Nous avons à causer. Perrin n'a pas pris *Aïssé*[2].

À toi

G.

J'ai beaucoup de choses importantes à te dire.

À LÉONIE BRAINNE

Croisset, lundi 23 [octobre 1871].

Vous serez à Rouen *samedi* prochain, n'est-ce pas ?

Voulez-vous venir *déjeuner* à Croisset avec les vôtres ? Vous ferez grand plaisir à ma mère et à moi aussi !

Je pense à vous, et je m'ennuie de vous, voilà !

Et je vous baise les deux mains, bien longuement, adorable que vous êtes.

À vos pieds.

GVE.

À FÉLIX DUQUESNEL

Croisset près Rouen, 25 octobre [1871].

Mon cher Ami,

Je n'ai pas perdu mon temps depuis que je suis revenu dans ma cabane.

J'ai fait faire une re-copie d'*Aïssé* et j'ai relu la pièce attentivement.

Voici donc quelques idées que je soumets à vos méditations, ou plutôt une seule idée, mais elle est grave. Le rôle de Brécourt est odieux, et le maquerellage des deux femmes grossier ? Puisqu'il est impossible d'y rien changer (car ce défaut tient à la conception même de la pièce) et que, d'autre part, nous avons des coupures à faire, — c'est sur cette partie-là que les suppressions doivent porter.

J'ai trouvé moyen de retrancher *plus* de cent vers dans le second acte sans nuire à sa couleur ni à son action. Dans les trois autres j'en marque une soixantaine qu'on peut également enlever. Donc ne vous occupez pas maintenant des coupures à faire.

Le rôle de Mme du[1] Tencin est *dangereux* et difficile. Réfléchissez-y bien, avant d'engager une actrice à cet effet. Donc (à part les deux premiers rôles et Ramelli), ne décidez, je vous prie, rien avant de m'avoir vu. J'attends votre lettre qui me dira de venir à la lecture générale.

Si cette lecture pouvait être très rapprochée des répétitions, cela m'épargnerait un voyage, et je resterais à Paris définitivement. (J'ai trouvé pour la mise en scène deux ou trois petites choses qui sortent du poncif-XVIIIe siècle et qui sont d'une exactitude scrupuleuse.)

Donnez-moi dans votre réponse des nouvelles de Chilly et croyez bien, cher Ami, que je suis tout à vous.

À LA PRINCESSE MATHILDE

[Croisset,] 25 octobre [1871].

Princesse,

Je ne vous ai pas écrit plus tôt parce que, les nouvelles d'*Aïssé* étant mauvaises, j'ai jugé inutile de m'empresser de vous les apprendre.

Perrin ne veut pas « se risquer » à jouer cette pièce. Il est certain que le 1er rôle est maintenant celui d'un Pétroleur (qui a l'air de pousser[1] à l'incendie du Palais-Royal). Voilà un des bienfaits de plus des Révolutions. Il a de plus appelé mon attention sur deux ou trois endroits qui m'inquiètent. Mais les corrections sont malheureusement impossibles. — Ainsi, la pièce passera à l'Odéon cet hiver[2], après celle de Charles-Edmond. J'attends l'appel du directeur pour me rendre aux répétitions.

Je passerai un hiver fort agité et fort ennuyeux. — Mais qu'il sera doux, en comparaison de l'autre !

Pour avoir de bons moments faudra-t-il aller jusqu'à Saint-Gratien ? où résiderez-vous ?

J'ai lu avec plaisir le volume de M. Benedetti[3]. Et je viens de lui écrire. Ma lettre est adressée rue de Penthièvre ; j'ignore son numéro. J'espère qu'elle lui parviendra.

Depuis mon retour ici j'ai travaillé d'une façon exagérée. Aussi suis-je un peu las ! Mais toute fatigue s'en va, toute mélancolie se dissipe quand je pense à vous, Princesse, car vous savez qu'il vous aime

Votre vieux fidèle.

GEORGE SAND À GUSTAVE FLAUBERT

Nohant, 25 octobre [1871].

Tes lettres tombent sur moi comme une pluie qui mouille, et fait pousser tout de suite ce qui est en germe dans le terrain. Elles me donnent l'envie de répondre à tes raisons, parce que tes raisons sont fortes et poussent à la réplique. Je ne prétends pas que mes répliques soient fortes aussi, elles sont sincères, elles sortent de mes racines à moi, comme les plantes susdites. C'est pourquoi je viens d'écrire un feuilleton sur le sujet que tu soulèves, en m'adressant cette fois *à une amie* laquelle m'écrit aussi dans ton sens, mais moins bien que toi, ça va sans dire, et un peu à un point de vue d'aristocratie intellectuelle, auquel elle n'a pas *tous les droits voulus*[1].

Mes racines, on n'extirpe pas cela en soi et je m'étonne que tu m'invites à en faire sortir des tulipes, quand elles ne peuvent te répondre que par des pommes de terre. Dès les premiers jours de mon éclosion intellectuelle, quand, m'instruisant toute seule auprès du lit de ma grand-mère paralytique, ou à travers champs aux heures où je la confiais à *Deschartres*, je me posais sur la société les questions les plus élémentaires. Je n'étais pas plus avancée à 17 ans qu'un enfant de 6 ans, pas même, grâce à Deschartres (le précepteur de mon père), qui était contradiction des pieds à la tête, grande instruction et absence de bon sens ; grâce au couvent où l'on m'avait fourrée Dieu sait pourquoi, puisqu'on ne croyait à rien ; grâce aussi à un entourage de pure Restauration où ma grand-mère, philosophe, mais mourante, s'éteignit sans plus résister au courant monarchique. Alors je lisais Chateaubriand et Rousseau ; je passais de l'Évangile au *Contrat social* ; je lisais l'histoire de la Révolution faite par des dévots, l'histoire de France faite par des philosophes ; et un beau jour j'accordai tout cela comme une lumière faite de deux lampes, et j'ai eu des *principes.* Ne ris pas, des principes d'enfant très candide, qui me sont restés à travers tout, à travers *Lélia* et l'époque romantique, à travers l'amour et le doute, les enthousiasmes et les désenchantements. Aimer, se sacrifier, ne se reprendre que quand le sacrifice est nuisible à ceux qui en sont l'objet, et se sacrifier encore, dans l'espoir de servir une cause vraie, l'amour. Je ne parle pas ici de la passion personnelle, mais de l'amour de la race, du sentiment étendu de l'amour de soi, de l'horreur du *moi tout seul.* Et cet idéal de *justice* dont tu parles, je ne l'ai jamais vu séparé de l'amour, puisque la première loi pour qu'une société naturelle subsiste, c'est que l'on se serve mutuellement comme chez les fourmis et les abeilles. Ce concours de tous au même but, on est convenu de l'appeler instinct chez les bêtes, et peu importe. Mais chez l'homme l'instinct est amour ; qui se soustrait à l'amour, se soustrait à la vérité, à la justice.

J'ai traversé des révolutions et j'ai vu de près les principaux acteurs[2] ; j'ai vu le fond de leur âme, je devrais dire tout bonnement le fond de leur sac : *pas de principes*, aussi pas de véritable intelligence, pas de force, pas de durée. Rien que des *moyens* et un but personnel. Un seul avait des principes, pas tous bons, mais devant la sincérité desquels il comptait pour rien sa personnalité : Barbès. Chez les artistes et les lettrés, je n'ai trouvé aucun fond. Tu es le seul avec qui j'aie pu échanger des idées autres que celles du métier. Je ne sais si tu étais chez Magny un jour où je leur ai dit qu'ils étaient tous des *Messieurs*. Ils disaient qu'il ne fallait pas écrire pour les ignorants ; ils me conspuaient parce que je ne voulais écrire que pour ceux-là, vu qu'eux seuls ont besoin de quelque chose. Les maîtres sont pourvus, riches et satisfaits. Les imbéciles manquent de tout ; je les plains. Aimer et plaindre ne se séparent pas. Et voilà le mécanisme peu compliqué de ma pensée.

J'ai la passion du bien, et point du tout de sentimentalisme de parti pris. Je crache de tout mon cœur sur celui qui prétend avoir mes principes et qui fait le contraire de ce qu'il dit. Je ne plains pas l'incendiaire et l'assassin qui tombent sous le coup de la loi. Je plains profondément la classe qu'une vie brutale, déchue, sans essor et sans aide, réduit à produire de pareils monstres. Je plains l'humanité, je la voudrais bonne, parce que je ne veux pas m'abstraire d'elle ; parce qu'elle est moi ; parce que le mal qu'elle se fait me frappe au cœur ; parce que sa honte me fait rougir ; parce que ses crimes me tordent le ventre ; parce que je ne peux comprendre le paradis au ciel ni sur la terre pour moi tout seul *[sic]*. Tu dois me comprendre, toi qui es bonté de la tête aux pieds.

Es-tu toujours à Paris ? Il a fait des jours si beaux que j'ai été tenté *[sic]* d'aller t'y embrasser. Mais je n'ose pas dépenser de l'argent, si peu que ce soit, quand il y a tant de misère. Je suis avare parce que je me sais prodigue quand j'oublie ; et j'oublie toujours. Et puis j'ai tant à faire !… Je ne sais rien, et je n'apprends pas, parce que je suis toujours forcée de rapprendre. J'ai pourtant bien besoin de te retrouver un peu. C'est une partie de moi qui me manque.

Mon Aurore m'occupe beaucoup[1]. Elle comprend trop vite et il faudrait la mener au triple galop. Comprendre la passionne, savoir la rebute. Elle est paresseuse comme était monsieur son père. Il en a si bien rappelé que je ne m'impatiente pas. Elle se promet de t'écrire bientôt une lettre. Tu vois qu'elle ne t'oublie pas. Le polichinelle de la *Titite* a perdu la tête, à force littéralement d'être embrassé et caressé. On l'aime encore autant sans tête ; quel exemple de fidélité au malheur ! Son ventre est devenu un coffre où on met des joujoux.

Maurice est plongé dans des études archéologiques, Lina toujours adorable, et tout va bien, sauf que les bonnes ne sont pas propres. Que de chemin ont encore à faire les êtres qui ne se peignent pas !

Je t'embrasse. Dis-moi où tu en es avec *Aïssé*, l'Odéon, et tout ce tracas dont tu es chargé. Je t'aime, c'est la conclusion à tous mes discours.

G. SAND.

À EDMOND LAPORTE

Croisset, jeudi matin [26 octobre 1871].

Mon cher Ami,

Dites-moi tout de suite que vous viendrez dîner *dimanche prochain* chez moi. Je vous offrirai deux jolies personnes comme convives[1], de plus Lapierre et le bon R. Duval.

Si vous avez peur de vous en retourner trop tard à cause de l'eau, je peux vous donner à coucher.

À vous.

À SA NIÈCE CAROLINE

[Croisset,] nuit de jeudi [26 octobre 1871].

Non, mon loulou, je ne sais pas encore quand j'irai à Paris pour la lecture d'*Aïssé* aux acteurs. — J'attends une lettre de Duquesnel[2]. Ce sera, sans doute, au milieu de la semaine prochaine ?

J'ai passé ma journée de dimanche à faire des coupures, surtout dans le 2e acte. Travail embêtant et dont je ne suis pas mécontent. — À mes moments perdus je fais de petites recherches dans les livres de Goncourt[3], pour la mise en scène.

Le brave *Saint Antoine* n'est pas, pour cela, négligé. J'ai fini l'Olympe grec, et préparé le reste des dieux, encore 7 à 8 pages ! Aurai-je le temps de les écrire avant de gagner « la capitale » ?

Je ne me souviens pas très bien de *Jacques*[4], car je ne l'ai certainement pas lu depuis *une trentaine* d'années. Mon pauvre Alfred[5] l'admirait beaucoup. — Je me rappelle que Jacques casse ses pipes par amour pour sa femme ; une petite fille, Sylvia, qui court tout en sueur sur une falaise ; une femme en peignoir rose, qui regarde une vue du Dauphiné… voilà tout[6]. Donc je ne peux pas apprécier la critique de mon élève. — De ma chère Caro, avec qui j'aime tant à causer littérature.

Ta grand-mère ne va pas mal. Hier, son ratelier l'avait fortement agacée. Elle en souffre toujours. Il faudra quitter Collignon. — Ce matin elle a été déjeuner à l'Hôtel-Dieu. — Puis les Achille, avec le jeune Ernest, sont venus dîner. Juliette, bien entendu, est à Ouville « avec ses ouvriers[7] » !

Je suis de l'avis des Arabes : les riches, en Europe, ont une drôle de manière de s'amuser !

Nous nous sommes résignés à donner au bon Bataille[1] le déjeuner promis depuis longtemps. Ce sera pour samedi prochain.

Hier, j'ai eu la visite de Caudron[2] et celle de l'indomptable Allais[3]. Il m'a promis un échantillon de café.

Telles sont les nouvelles.

J'oubliais un événement extraordinaire. — Tantôt, après mon déjeuner, comme j'étais seul, *j'ai fait un tour jusque dans le potager !!!* Le temps était splendide ! Je suis resté en contemplation devant la nature. — Et j'ai été pris d'un tel attendrissement pour le petit veau qui était couché près de sa mère, sur les feuilles sèches éclairées par le soleil, que j'ai baisé, au front, le susdit veau !

Tâche de guérir ton rhume, pauvre Caro, et aime toujours ton vieux chanoine de Séville qui t'embrasse bien fort.

À EUGÈNE BATAILLE

[27 octobre 1871 ?]

Trois fois oui ! certainement.

Donc, c'est convenu, nous t'attendons dimanche prochain à 11 heures.

Ce qui serait bien bon, ce serait d'avoir aussi Mme Bataille ? Elle trouvera peut-être cette invitation un peu leste ? Mais bah ! à la campagne ! ce qu'il y a de sûr, c'est qu'elle est très cordiale et que Mme Bataille nous ferait grand plaisir si elle voulait bien t'accompagner.

Ne t'inquiète pas du bateau, nous avons de la place pour ton char et tes coursiers.

Tout à toi

Croisset, vendredi 6 heures.

À ALFRED BAUDRY

[Croisset,] lundi 30 [octobre 1871 ?], 4 heures.

Mon petit père,

Nous comptons sur vous pour venir dîner ici *jeudi* prochain avec M. et Mme Lapierre[1], Mme Brainne[2] et Laporte (de Couronne) = l'ami de Duplan[3].

Donc, à bientôt, mon bon,

Votre

À HENRY HARRISSE

[Paris, octobre-novembre 1871.]

Feydeau, 24 rue de Valois-du-Roule.

Ah ! oui, c'est gentil, la gent de lettres ! bien gentil[4] !

À vous

À PHILIPPE LEPARFAIT

[Paris,] mardi, 8 heures du soir [octobre-novembre 1871].

Les embêtements recommencent de plus belle, je suis si exaspéré et fatigué que je ne peux te les écrire. Je viens d'expédier à d'Osmoy un télégramme pour le prier de revenir demain, car l'après-midi de demain (mercredi) sera grave. Je me suis chamaillé pendant une heure avec Chilly[5].

Bref, envoie-moi tout de suite un télégramme contenant ces mots :

NON ! MAINTENANT TENEZ FERME POUR RAMELLI[6], IL L'AVAIT ÉCRIT POUR ELLE.

PHILIPPE.

Et tâche que ça m'arrive avant midi.

Je t'embrasse.

Réponds-moi à ma lettre de ce matin.

À SA NIÈCE CAROLINE

[Croisset,] nuit de mercredi, 3 heures [1er novembre 1871].

Je crois que je n'ai jamais travaillé comme à présent ! Je ne dors plus, ou presque plus. Ton vieux chanoine de Séville a le bourrichon démesurément monté. C'eſt ce qui fait que j'attends avec patience le moment de m'en aller à Paris.

Les petits dieux de Rome me donnent néanmoins un mal d'enfer. — J'ai montré tant de dieux que je suis à bout de tournures nouvelles[1].

Tu as eu tort de prendre au sérieux l'idée de ta grand-mère relative à un logement dans un hôtel de Rouen. — Sa santé eſt bonne, elle marche mieux. Mais son humeur continue à être des plus variables. — Comme elle souffrait toujours de son ratelier, j'ai appelé Gally, qui lui a arraché une dent, et qui va lui faire, en partie du moins, un second uſtensile — celui de Collignon, quand on l'examine attentivement, eſt pitoyable, malgré son apparence.

Samedi nous avons eu à déjeuner le bon Bataille avec les dames Lapierre[2], chez lesquelles j'ai dîné lundi. — Monsieur ton oncle n'a pas *dé-parlé* de tout le repas !

Aujourd'hui visite de la mère Heuzey[3], et du jeune Desbois[4] (pour le monument de Bouilhet). Voilà toutes les nouvelles, pauvre loulou.

Et toi, que deviens-tu ? Tu n'as pas trop l'air de t'amuser ? Eſt-ce que les affaires d'Erneſt[5] t'inquiéteraient plus que tu ne le dis ? Il me semble que tu étais moins « morose » à Dieppe qu'à Paris. — Quel dommage, pauvre Caro, que nous ne vivions pas ensemble ! Cela serait doux pour l'un comme pour l'autre !

N.B. — J'allais oublier le Positif ! Prie ton époux de nous envoyer de l'argent. Je n'ai plus que *40* francs pour *tenir* la maison ! C'eſt peu.

Deux forts baisers sur tes bonnes joues.

Ton vieux.

Duquesnel ne m'ayant pas encore écrit, je ne sais rien de ce qui se passe à l'Odéon[6]. — Il ne m'appellera qu'après la première de Charles-Edmond. Mais comme je ne lis aucun journal de théâtre, j'ignore si *Les Créanciers du bonheur* durent encore ?

Bref, il m'eſt impossible de te dire l'époque de notre arrivée.

À SA NIÈCE CAROLINE

[Croisset,] lundi soir, 11 heures [6 novembre 1871].

Ouf ! je viens de finir *mes dieux* ! Encore trois pages, et j'aurai terminé la Ve partie du bon *Saint Antoine*, qui en aura huit en tout !

C'eſt peut-être très beau, mais ça pourrait bien être profondément ſtupide ? Je ne sais plus qu'en penser ? Je crois que j'aurais besoin de donner un peu de repos à ma malheureuse cervelle ! Les répétitions d'*Aïssé* la diſtrairont, en me tapant sur les nerfs. Ce sera un changement.

Nous avons eu hier à dîner les Achille[1] qui avaient passé leur après-midi chez l'élégant Saint-André, à la chasse ! Voilà un double plaisir que je comprends peu. — Demain, nous aurons à dîner, et peut-être à coucher, Mme Maurice Schlésinger[2]. Voilà toutes les nouvelles, pauvre loulou.

J'oubliais de te dire que j'ai reçu de Dieppe 500 francs. — Quelle signature que celle de Daviron ! Quel paraphe ! Eſt-ce assez splendide !

Comme je ne reçois aucune lettre de Duquesnel, je vais lui écrire ce soir même pour savoir ce que deviennent les affaires théâtrales[3]. Ta grand-mère s'impatiente de *n'être pas fixée* sur le moment de son départ. Au reſte, elle va bien. Je crois que Gally (chez lequel elle eſt retournée tantôt) eſt parvenu à la faire moins souffrir.

Tu ne me parles pas de la Peinture, ni de la Musique ? ni de tes lectures. Il me semble qu'il y a très longtemps que je ne t'ai vue, chère Caro, extrêmement longtemps ! Pourquoi cela ?

Es-tu contente de ton Hongrois[4] ?

Quand tu auras quelque chose de particulier à me dire, mets-le sur une feuille séparée, car je suis obligé de lire tes lettres à ta grand-mère. Du reſte, c'eſt réciproque.

Adieu, pauvre chérie. Embrasse ton mari de ma part.

Deux bons bécots sur tes bonnes joues.

Ton vieil oncle

À MARIE RÉGNIER

[Croisset, 6 novembre 1871 ?]

Chère Madame,

« La vague idée » de Duval eſt une idée fausse. Il ne m'a pas, du tout, rendu le manuscrit[1]. Et je suis *sûr* de n'avoir pas ce maudit papier chez moi.

Je m'incline humblement devant vous, et de très loin… pour être convenable, en vous assurant que « je n'en pense pas moins » et que je suis, chère Madame, tout à vous.

Croisset, lundi soir.

À PHILIPPE LEPARFAIT

[Croisset,] jeudi soir [9 novembre 1871].

Mon cher Philippe,

Je te trouve « un drôle de jeune homme » ! Tu n'es pas venu me voir depuis longtemps et nous avons encore quelques petites choses à régler ensemble.

J'ai écrit depuis 15 jours, au sieur Duquesnel *deux fois*. Pas de réponse ! Je ne sais rien de ce qui se passe à l'Odéon ! Ça me chiffonne[2] !

Mon intention eſt (si je n'ai pas de lettre lundi) d'écrire à Ed. de Goncourt pour le prier d'aller lui-même trouver ces Messieurs et de me donner des nouvelles. Mais tout cela nous recule encore d'une huitaine !

Je crois que tu ferais bien, la semaine prochaine, de délaisser les alcools[3] pour 24 heures et d'aller voir par toi-même ce qui en eſt. En tout cas, je t'attends dimanche à 11 heures, ou demain, ou après-demain, quand tu voudras. Il me semble qu'on s'endort.

Ton

À SA NIÈCE CAROLINE

[Croisset,] dimanche 1 heure [12 novembre 1871].

J'ai bien des choses à te dire, mon pauvre loulou : 1° Ta grand-mère a une femme de chambre ! Donc ne t'occupe pas de lui en chercher. 2° Nous serons à Paris à la fin de cette semaine, peut-être même jeudi. J'ai reçu ce matin une lettre de Duquesnel qui me dit de venir[1]. Les répétitions commenceront dans dix jours. Et la direction veut régler les décors et la mise en scène, tout de suite. Comme j'étais ennuyé de n'entendre point parler de ces Mosieurs, j'ai expédié Philippe[2] qui doit être à Paris maintenant ? C'est à son retour, demain soir ou après-demain matin, que je saurai positivement le jour de mon départ.

N.B. — 3° : Je n'ai rien reçu encore de Daviron. — Il ne me reste que 300 francs, ce qui est insuffisant. — Car il nous faut de l'argent pour le voyage, pour quelques petites notes, et pour en laisser aux deux Bonnes.

Vinet m'a envoyé un mémoire de onze cents francs pour vin fourni, en partie, à messieurs les Prussiens ! Il attendra jusqu'à Noël.

Préviens, aussi, ton mari que je lui demanderai de l'argent pour mon propre compte !

Assez causé de ces choses-là, qui m'assomment de plus en plus !

Tu sauras donc, mon Caro, que ce matin, à 5 h[eures], j'ai terminé (enfin !) la Ve partie de *Saint Antoine* sur laquelle je suis depuis le commencement de juin. Terminé n'est pas très exact, car il me faut bien encore deux ou trois jours pour finir et modifier quelques phrases. N'importe, c'est un fameux poids de moins sur la poitrine.

Malgré le plaisir, ou plutôt le bonheur, que j'aurai de te voir souvent cet hiver, j'aimerais mieux rester ici, dans « le silence du cabinet », à gueuler mes phrases emphatiques, que de m'en aller à Paris me bouleverser les nerfs, et dépenser mes pauvres monacos, peu nombreux.

Ton oncle devient sheick, il n'aime pas le dérangement.

Adieu, pauvre chère Caro, à bientôt. Je te bécotte sur tes deux bonnes joues.

Ton vieux chanoine de Séville.

À PHILIPPE LEPARFAIT

[Croisset,] lundi, 5 heures [13 novembre 1871].

Hier matin, pendant que je te croyais à Évreux, j'ai reçu une lettre de Duquesnel qui me dit de venir « maintenant » pour régler les costumes, les décors et les coupures, puis de revenir dans une dizaine de jours pour le commencement des répétitions. Dans cette lettre, il me dit qu'il m'attend lundi (aujourd'hui) ou mardi.

Je lui ai répondu qu'il aurait ta visite en même temps que ma lettre, et il ne va pas savoir ce que tout cela signifie.

Bref, je fais mes paquets dès ce soir et je pars définitivement pour Paris, *dès que je t'aurai vu.* Donc, accours me dire adieu et convenir de nos résolutions.

À toi,

Ton Gve.

À SA NIÈCE CAROLINE

[Croisset,] mardi, 1 heure [14 novembre 1871].

Mon Loulou,

Il est inutile que je t'explique tous les *mic-mac* de l'Odéon, je n'en finirais plus. Bref, tu me verras demain soir (mercredi), car j'irai dîner chez toi.

Je pars seul, demain matin (ou peut-être même ce soir). Émile reste avec ta grand-mère qui sera chez toi *jeudi* soir. Arrange-toi donc pour que tout soit prêt, car elle a grand-peur de te déranger. D'autre part, elle ne *peut plus tenir* à Croisset.

Nous n'avons reçu aucun argent de Daviron, et j'emporte, pour mon voyage, le fond de la caisse, 60 francs.

Prie donc Ernest de télégraphier à Dieppe pour que ta grand-mère ait de l'argent. — Elle a différentes notes à payer, avant de partir.

Je t'embrasse, mon bon loulou.

Donc, à demain,

ton vieux oncle qui t'aime.

À RAOUL-DUVAL

[Croisset,] mardi 14 [novembre 1871].

Mon cher Ami,

Je ne trouve pas ça gentil !

Que devenez-vous ? Je croyais vous voir quelquefois cet automne ! Encore une illusion de plus ! ou plutôt une désillusion.

Je pars ce soir pour Paris, où je resterai jusqu'au printemps. Mon hiver ne sera pas drôle ! avec les répétitions d'*Aïssé* et le reste !

J'aurais voulu causer avec vous du « monument Bouilhet ». Cette affaire-là doit passer prochainement au Conseil municipal. *Je compte sur vous* pour la soutenir et m'en donner des nouvelles.

Voulez-vous présenter mes regrets à Mme Perrot et à Mme Lepic[1] ? Je voulais aller leur faire une visite. Mais mon départ a été précipité.

À bientôt, n'est-ce pas ? et tout à vous.

À GEORGE SAND

[Croisset,] 14 novembre [1871].

Ouf ! je viens de finir *mes Dieux* ! c'est-à-dire la partie mythologique de mon *Saint Antoine*, sur laquelle je suis depuis le commencement de juin ! Comme j'ai envie de vous lire ça, chère maître du bon Dieu !

Pourquoi avez-vous résisté à votre bon mouvement ? pourquoi n'êtes-vous pas venue cet automne ? Il ne faut pas rester si longtemps sans voir Paris. Moi, j'y serai après-demain. Et je ne m'y amuserai pas, de tout l'hiver, avec *Aïssé*, un volume de vers à imprimer (je voudrais bien vous montrer la préface), que sais-je encore ? une foule de choses peu drôles !

Je n'ai pas reçu le second feuilleton annoncé[2] ?

Votre vieux troubadour a la tête cuite. Mes plus longues nuits, depuis trois mois, n'ont pas été au-delà de 5 heures ! J'ai pioché d'une manière frénétique. Aussi je crois avoir amené mon bouquin à un joli degré d'insanité ? L'idée des bêtises qu'il fera dire au bourgeois me soutient. Ou plutôt je n'ai pas besoin d'être soutenu, un pareil milieu me plaisant naturellement.

Il eſt de plus en plus ſtupide, ce bon bourgeois ! il ne va même pas voter ! Les bêtes brutes le dépassent dans le sentiment de la conservation personnelle ! Pauvre France ! pauvre *nous* !

Savez-vous ce que je lis, pour me diſtraire, maintenant ? *Bichat* et *Cabanis*, qui m'amusent énormément[1]. On savait faire des livres dans ce temps-là ! Ah ! que nos docteurs d'aujourd'hui sont loin de ces hommes !

Nous ne souffrons que d'une chose : *la Bêtise.* — Mais elle eſt formidable et universelle.

Quand on parle de l'abrutissement de la plèbe, on dit une chose injuſte, incomplète. Je me suis aſtreint à lire *toutes* les professions de foi des candidats au Conseil général de la Seine-Inférieure[2]. Il y en avait bien une soixantaine, toutes émanées ou plutôt vessées par la fine fleur de la bourgeoisie, par des gens riches, bien posés, etc. etc. Eh bien, je défie qu'on soit plus ignoblement âne en Cafrerie. Conclusion : il faut éclairer les classes éclairées. Commencez par la tête, c'eſt ce qui eſt le plus malade ; le reſte suivra.

Vous n'êtes pas comme moi, vous ! vous êtes pleine de mansuétude. — Moi, il y a des jours où la colère m'étouffe ! Je voudrais noyer mes contemporains dans les Latrines. Ou tout au moins, faire pleuvoir sur leurs sales crêtes des torrents d'injures, des cataractes d'invectives. Pourquoi cela ? je me le demande à moi-même.

Quelle espèce d'archéologie occupe Maurice ? Embrassez bien vos fillettes pour moi.

Votre vieux

À ÉMILE ZOLA

Paris, 15 novembre [1871].

Mon cher confrère,

En arrivant ici, je trouve votre volume[3] sur ma table. Depuis combien de temps y eſt-il ? Je l'ignore.

Je vais le commencer ce soir, et dès que je l'aurai lu, j'irai vous voir.

À bientôt donc, et tout à vous.

À EDMOND DE GONCOURT

[Paris, 16 novembre 1871.]

Me voilà arrivé, mon cher vieux — et les embêtements (d'*Aïssé*) commencent.

Vous seriez bien gentil de venir dimanche prochain soir.

Votre

Jeudi Matin

IVAN TOURGUENEFF À GUSTAVE FLAUBERT

Baden-Baden, villa Viardot.
Ce 18 nov[embre] 1871.

Mon cher Ami,

Après toutes sortes de misères et de délais, causés par une rechute de goutte et des affaires, qui valent presque la goutte, je pars demain pour Paris, j'y arrive lundi — si rien ne m'arrive à moi — et je vous vois mardi, car je suppose que vous y serez, et je vous envoie cette lettre rue Murillo. — Ainsi à tantôt, à demain après cette lettre. Je vous embrasse.

Votre
Iv. TOURGUENEFF.

À EUGÈNE DELATTRE

[Paris, vers le 20 novembre 1871.]

Mon cher Ami,

Tu ne réfléchis pas à ceci :

Un auteur dramatique (qui veut être joué et gagner de l'argent) ne doit pas indisposer par avance tout un public. Ex. : About[1].

Le Comité n'est pas près de finir. Quand *Aïssé* sera jouée, nous verrons.

Médite très sérieusement les inconvénients pécuniaires qui pourraient résulter de ta fantaisie[1].

Viens me voir un dimanche dans l'après-midi, ou le jour qu'il te plaira, avant dix heures.

Tout à toi.

Rue Murillo, 4, parc Monceau.

À SA NIÈCE CAROLINE

Paris, mercredi, 6 heures [22 ? novembre 1871].

Mon Loulou,

J'irai demain chez toi vers cinq heures, et puisque tu ne veux pas de moi, j'irai dîner chez Mme Husson[2] ou je reviendrai dans ma mansarde.

Ainsi dis à ta grand-mère qu'elle aura ma visite demain, avant son dîner.

Il faudra que nous prenions ensemble un rendez-vous pour un après-midi de la semaine prochaine, afin que nous allions tous les deux au Cabinet des Estampes, où j'aurai probablement un petit service à te demander.

Je t'embrasse bien fort.

Ton vieil oncle.

À EDMOND DE GONCOURT

[Paris, 22 novembre 1871.]

Mon cher Ami,

Je vous suppose revenu définitivement à Paris ? Vous seriez bien aimable de me donner un rendez-vous un de ces matins, avant 11 heures (ou de venir chez moi). Car j'aurais besoin de vous pour m'aboucher avec un graveur[3], à cette fin de faire faire le portrait de Bouilhet.

À partir de samedi, je passerai *tous* mes après-midi à l'Odéon.

À bientôt, n'est-ce pas ? et tout à vous.

mercredi soir.

Je serai demain chez moi de 5 à 7 heures.

À PHILIPPE LEPARFAIT

[Paris,] mercredi soir, 11 heures [22 novembre 1871].

Les décors sont réglés. Le décorateur m'attendait avec un carton de dessins... Sous ce rapport-là je n'ai pas d'inquiétude. *Mais* le côté acteur et actrice m'embête. Ils ne veulent pas me donner Ramelli après me l'avoir promise (mais ils céderont). Nous nous sommes déjà un peu chamaillés. Je suis resté 3 heures à l'Odéon[1].

Bref, il me paraît *indispensable* que tu m'amènes d'Osmoy à la fin de la semaine prochaine. *La Baronne* de Charles-Edmond[2] passe mercredi. La distribution définitive des rôles n'aura lieu qu'après la 2e ou 3e représentation de cette pièce.

Écris donc à Mme d'Osmoy que tu as absolument besoin de voir son mari d'ici à huit jours.

Chilly est fort malade. Duquesnel « n'a jamais entendu parler de Mme ou Mlle d'Holbach[3] ? » ; je te charge de le dire au *Nouvelliste*, pour son instruction.

À toi, ton

Duquesnel a approuvé *toutes* mes corrections, sauf huit vers du commencement du 2e acte qu'il veut laisser (scène du coiffeur). Tant mieux !

Demain matin, rendez-vous avec Lévy pour le volume de vers[4].

À PHILIPPE LEPARFAIT

[Paris,] vendredi, 3 heures [24 novembre 1871].

Rien de nouveau pour la pièce, bien entendu. J'ai passé hier tout mon après-midi *aux Estampes* et j'y retourne demain.

Nous allons imprimer tout de suite le volume de vers. Je crois qu'il vaut mieux l'imprimer à *ton* compte qu'à celui de Lévy. Tu n'auras rien à débourser, car les frais seront facilement couverts, et si peu que tu gagnes, tu gagneras, tandis que Lévy, s'il l'imprimait pour lui, ne te donnerait rien, ou presque rien.

Pour que le volume paraisse en même temps qu'*Aïssé*, il faut s'y mettre dès maintenant.

Je viens de le relire et de numéroter les pages.

Ci-joint une note importante. Peut-être le cahier est-il dans mon grenier ? Mais la clef du coffre est enfermée. Julie[1] ne pourrait te la donner.

L'Amour noir n'a-t-il pas paru dans une Revue ? Ta réponse est attendue par moi avec impatience, car il faut que je donne le *manuscrit* au milieu de la semaine prochaine au plus tard.

Autre question : *quel titre* ?

« Poésies posthumes » ne peut être que le sous-titre. Je me creuse la tête et ne trouve rien.

J'ai relu ma Préface[2], dont je suis fort peu satisfait ! Elle me semble froide, gauche, mal faite. — Enfin elle me déplaît. Je vais la retravailler uniquement sous le rapport de la correction. Quant à en faire une autre, je n'ai pas le temps. — Et puis je ne vois pas le moyen de faire mieux, bien que je la juge piètre.

Je t'embrasse.

Ton Vieux.

Et amène-moi, ou envoie-moi le sieur d'Osmoy, vers le milieu ou la fin de la semaine prochaine.

GEORGE SAND À GUSTAVE FLAUBERT

Nohant, [24] novembre [1871].

Je sais par Plauchut que tu ne veux pas te laisser enlever pour notre *réveillon*. Tu as trop à faire, dis-tu. C'est tant pis pour nous qui aurions eu tant de joie de te voir.

Tu étais à la pièce de Charles-Edmond qui a réussi, tu te portes bien, tu as de l'occupation devant toi, tu détestes toujours les bourgeois bêtes ; et, dans tout cela, *Saint Antoine* est-il fini et le lirons-nous bientôt ?

Je te charge d'une commission facile à faire, voici : j'ai eu à secourir une respectable et intéressante personne[3], à laquelle les Prussiens n'ont laissé pour lit et pour siège qu'un vieux banc de jardin. Je lui ai envoyé 300 f, il lui en fallait 600. Je me suis adressée aux bons cœurs. On m'a envoyé ce qu'il fallait, sauf la princesse Mathilde à qui j'avais demandé 100 f et qui m'avait répondu le 19 de ce mois : « Comment faut-il vous envoyer cela ? » Le même jour j'ai répondu : tout simplement par la poste. Or, je n'ai rien reçu. Je n'insiste pas, mais je crains que l'argent n'ait été volé ou perdu, et je te demande d'éclaircir l'affaire le plus tôt possible.

Sur ce je t'embrasse, et Lolo

t'embrasse aussi

Aurore[1]

et toute la famille, qui t'aime.

G. SAND.

IVAN TOURGUENEFF À GUSTAVE FLAUBERT

[Paris, 25 novembre 1871].

Mon cher Ami,

Je suis ici depuis *lundi* mais j'ai été *repris le jour même* de mon arrivée par un accès de goutte (j'espère que c'est le dernier), et je sors aujourd'hui pour la première fois, mais je ne puis pas encore monter votre escalier. — *Je viendrai demain à 1 heure*, et je finirai par arriver jusque chez vous. — J'ai pensé vous écrire pour vous dire de venir, mais je suis dans une maison (celle des Viardot[2]) qui est encore un vrai chaos, et puis j'étais furieux d'être dans mon lit. — Ainsi, à demain, je serai bien content de vous voir.

Je demeure rue de Douai, 48, mais ne venez pas, je viendrai.

Votre Iv. TOURGUENEFF.

IVAN TOURGUENEFF À GUSTAVE FLAUBERT

[Paris,] *dimanche* [26 novembre 1871]
48, rue de Douai.
10 heures du matin.

Mon cher Ami,

Je croyais pouvoir passer chez vous aujourd'hui, mais je vois que cela m'est impossible, je serai demain chez vous à *1 heure précise.*

Ce n'est pas que la vie soit plus difficile, mais il devient de plus en plus difficile d'*entreprendre* quoi que ce soit. La vie vous pousse par-dessus la tête, comme de l'herbe.

À demain.

Votre vieux fidèle
Iv. TOURGUENEFF.

IVAN TOURGUENEFF À GUSTAVE FLAUBERT

[Paris,] lundi, 9 heures du matin
[27 novembre 1871].

Mon cher Ami,

Quand je vous écrivais qu'il est difficile d'entreprendre quoi que ce soit, je ne pensais pas dire si vrai. — Dans la nuit qui vient de s'écouler, la cheville de mon pied malade a gonflé tout à coup, et maintenant je ne puis ni mettre une botte, ni poser le pied par terre. — Voilà donc *Antoine* ajourné. C'est vraiment avoir du guignon, à moins que vous ne vouliez venir vous-même avec le manuscrit, ou bien attendons une couple de jours, ces sortes de rechutes ne durent guère plus de 48 heures.

Me voilà donc bien penaud et je vous serre la main avec désappointement.

Votre vieux
IV. TOURGUENEFF.

À SA NIÈCE CAROLINE

[Paris,] lundi, 4 h 1/2 [27 novembre 1871].

Mon pauvre Caro,

Il m'est impossible d'aller vous voir aujourd'hui ; j'attends d'Osmoy qui doit arriver à 5 heures (d'après son télégramme d'hier). J'ai du côté de l'Odéon des embêtements graves.

Que ferai-je demain ? Je n'en sais rien. Je tâcherai d'aller embrasser notre chère vieille, quand même.

Si tu avais quelque chose de particulier à me mander, envoie-moi un commissionnaire.

Il est probable que je serai chez vous à l'heure du déjeuner (ou pour déjeuner ?). Mais j'aime mieux ne pas donner de rendez-vous.

Demain, j'attends Tourgueneff qui doit être arrivé ce matin à Paris.

Ma *Préface*, que j'ai retouchée, a fait *fondre en larmes* E. de Goncourt : il la trouve magnifique. — Je l'ai encore retravaillée jusqu'à 3 heures du matin. Embrasse Vieille pour moi.

Ton chanoine
Gve.

À EDMOND DE GONCOURT

[Paris,] mardi matin [28 novembre 1871].

J'ignore, mon cher vieux, où est la P[rince]sse ? Je viens d'écrire à Popelin[1] pour le savoir.

Tâchez donc de venir dimanche. En attendant ce plaisir-là (celui de vous voir), je vous embrasse.

À RAOUL-DUVAL

[Paris,] rue Murillo, 4 [28 novembre 1871].

Cher Ami,

Qu'avez-vous fait relativement au monument Bouilhet ? Je n'en entends pas parler.

J'espérais que l'affaire serait décidée avant l'ouverture de la Chambre !

Dès que vous serez à Paris, faites-le-moi savoir.

D'Osmoy, que j'ai vu mercredi dernier, *aurait besoin* de parler à Mme Perrot, ou à Mme Lepic[2]. Nous avons même été ensemble chez Mme Lepic, que nous n'avons pas trouvée.

Tout à vous, cher vieux.

Mardi matin.

IVAN TOURGUENEFF À GUSTAVE FLAUBERT

[Paris, 28 novembre 1871.]

Mon cher Ami,

Voici ce qui m'arrive. — Un oncle à moi, M. Nicolas Tourgueneff, homme excellent et respectable, est mort dernièrement à Paris, et je viens de recevoir de Pétersbourg une dépêche télégraphique où l'on me demande d'écrire une notice nécrologique, et il faut que cette notice soit expédiée dès demain soir. J'ai accepté, et me voilà attaché à cette besogne. — Il faudra donc que le bon *Antoine* veuille bien attendre jusqu'à après-demain, car demain je dois aller porter mon article à la famille T[ourgueneff] qui demeure à Bougival pour des renseignements, etc., etc. Ainsi, à jeudi !

Votre billet d'avant-hier n'a pas été remis par votre domestique. Il s'est probablement trompé de maison. Le n° 48 de la rue de Douai est au coin de la place Vintimille.

Mille amitiés.

IV. TOURGUENEFF

Mardi, 11 h 1/2.

À PHILIPPE LEPARFAIT

[Paris,] mercredi, 6 heures [29 novembre 1871].

Succès complet !

Ramelli est engagée. — Peut-être même aurai-je Dumaine pour le Commandeur ? et la lecture aux acteurs est définitivement fixée à *vendredi*, après-demain midi et demi.

Mais j'ai eu du mal ! et une belle peur ! ayant contre moi toute la bande Hugo[1] entre autres.

Franchement j'ai passé de mauvais quarts d'heure depuis 15 jours !

N.B. — Expédie-moi tout de suite le *manuscrit* original d'*Aïssé*, afin que je puisse corriger plusieurs vers faux.

J'ai terminé tous les arrangements avec Claye pour le vol[ume]. Ledit Claye m'a l'air plein de bonne volonté. Nous aurons un respectable bouquin.

Et n'oublie pas les vers de *L'Amour noir*.

Si *Aïssé* a du succès, mon cher bonhomme, tu me devras, sans me vanter, une belle chandelle.

Je t'embrasse.

Ton GVE.

À CLAUDIUS POPELIN

[Paris, 29 novembre 1871.]

Mon cher Ami,

Je vous suppose revenu définitivement à Paris ? Vous seriez bien aimable de me donner un rendez-vous un de ces matins, avant 11 h. (ou de venir chez moi) car j'aurai besoin de vous pour m'aboucher avec un graveur à cette fin de faire le portrait de Bouilhet[2].

À partir de samedi je passerai *tous* mes après-midi à l'Odéon. À bientôt, n'est-ce pas et

tout à vous

mercredi soir
Je serai demain chez moi de 5 à 7 h.

À RAOUL-DUVAL

[Paris,] mercredi soir, minuit [29 novembre 1871].

Cher Ami,

Voici la chose.

D'Osmoy, il y a huit jours, avait peur d'être appelé à Rouen, par le juge d'instruction, dans le courant de cette semaine (hier ou aujourd'hui). On devait l'interroger sur je ne sais plus quelle souscription ? et il voulait auparavant se rafraîchir la mémoire près de Mme Perrot.

Mais, puisqu'on ne l'a pas appelé, tranquillisez-vous. Il sait d'ailleurs où demeure à Rouen Mme Perrot, et il irait la voir préalablement.

Merci pour ce que vous avez fait au Conseil municipal, mon cher vieux[1].

Je n'ose vous promettre de dîner avec vous lundi ? parce que je suis dans un tourbillon dramatique. Mais à partir de lundi matin ou de mardi nous pourrons nous voir.

D'ici là je vous embrasse.

Votre

Je lis *Aïssé* aux acteurs vendredi prochain et les répétitions commenceront dès samedi. La pièce pourra être jouée dans les premiers jours de janvier.

Je viens de passer 15 jours d'intrigues théâtrales atroces. Mais j'ai eu le dessus.

À MARIE RÉGNIER

Paris, mercredi soir [29 novembre 1871].

Hier soir, me trouvant par hasard « du loisir », j'ai lu tout d'une haleine votre effrayant et puissant roman[2].

J'ai deux ou trois petites chicanes à vous faire, chère Madame. Mais à partir du premier dialogue entre le comte et sa femme, ça marche comme sur des roulettes, et c'eſt bien, très bien. Je ne doute pas qu'en temps ordinaire ce livre n'obtienne un grand succès. Mais à présent, sur quoi compter ?

C'eſt Schérer qui dirige *Le Temps.* Mais ce monsieur m'eſt désagréable. Donc j'ai écrit au bon Taine de venir chez moi dimanche prochain et je le chargerai de la commission. Elle sera faite par lui, avec plus d'autorité que par moi. Si nous échouons de ce côté-là, nous nous tournerons vers un autre.

À HIPPOLYTE TAINE

[Paris,] 4, rue Murillo,
mercredi soir [29 novembre 1871].

Mon cher Ami,

Je serais bien heureux d'avoir votre visite dimanche prochain, — d'autant plus que j'ai un petit service à vous demander.

Je dis dimanche prochain, parce que, à partir de lundi, *tous* mes après-midi seront pris par les répétitions d'*Aïssé.*

À bientôt n'eſt-ce pas ? et tout à vous.

À EDMOND DE GONCOURT

[Paris, 30 novembre 1871.]

Si votre rhume eſt passé dimanche, venez donc me voir un peu ? — À partir de lundi tous mes après-midi seront pris par *Aïssé* !

La P[rince]sse doit revenir à Paris (rue de Berry, 18) demain.

Votre vieux

Mercredi soir

À SUZANNE LAGIER

[Paris, 30 novembre 1871.]

Ma chère Amie,

Nous devons lire demain *Mlle Aïssé*[1] à midi et demi.

Conditions : sur le pied de 500 francs par mois à partir de la lecture aux acteurs jusqu'à la dernière représentation. — Et au prorata. Si vous acceptez, l'affaire est faite.

À MARIE RÉGNIER

[Paris,] jeudi soir, 7 heures [30 novembre 1871].

Chère Madame,

J'ai eu dans ces derniers temps à m'occuper :

1° Du tombeau de Bouilhet ;

2° De son monument ;

3° De son volume en vers, qui est sous presse depuis hier ;

4° Je cherche un graveur pour faire son portrait ;

5° Tous mes moments depuis quinze jours sont pris par *Aïssé* que je lis *demain* aux acteurs. Les répétitions commenceront samedi prochain ; et la pièce pourra être jouée vers le 1er janvier.

Je suis parti de Croisset si brusquement que mon domestique et mes bagages sont arrivés trois jours après moi. Le détail des intrigues qu'il m'a fallu vaincre demanderait un volume.

J'ai fait engager des acteurs. J'ai travaillé moi-même les costumes au cabinet des Estampes ; bref, je n'ai pas un moment de répit depuis quinze jours, et cette petite vie exaspérante et occupée va durer du même train pendant deux bons mois encore.

Quel monde ! Je ne m'étonne pas que mon pauvre Bouilhet en soit mort. De plus j'ai re-écrit la *Préface* de son volume, qui me déplaisait.

Je vous prie donc, en grâce, de me donner un peu de liberté pour le moment, car avec la meilleure volonté du monde il m'est impossible de faire à la fois les affaires de tous. Je vais au plus pressé, d'abord.

D'ailleurs, vous avez tort de vouloir publier *maintenant.* À quoi cela vous servira-t-il ? Où sont les lecteurs ?

Je ne vous cache pas que je trouve vos aimables reproches, touchant le voyage de Mantes, injustes. Comment ne comprenez-vous pas qu'il me sera très pénible d'aller à Mantes[1] ? Toutes les fois que je passe devant le buffet, je détourne la tête. Je tiendrai néanmoins ma promesse. Mais il me sera plus facile d'aller de Paris à Mantes que de m'y arrêter en passant. Ne me gardez donc pas rancune ; plaignez-moi plutôt.

À LA PRINCESSE MATHILDE

[Paris,] vendredi soir [1er décembre 1871].

Chère Princesse,

J'attendais toujours un mot de vous, m'annonçant votre arrivée à Paris. — Je me suis même présenté rue de Berry au n° 22 (au lieu du 18), et je n'ai, bien entendu, trouvé personne.

J'avais écrit à Popelin pour avoir de vos nouvelles. — Il ne m'a pas répondu.

Enfin j'aurais été en chercher moi-même si, depuis quinze jours, les intrigues dramatiques ne m'avaient complètement absorbé. J'ai eu du mal, je vous assure ! Enfin j'ai réussi. — Car aujourd'hui même j'ai lu *Aïssé* aux acteurs. — Demain nous collationnons les rôles, et lundi les répétitions commencent.

Si je ne suis pas obligé d'être à Paris, lundi matin, de bonne heure, j'ai bien envie de lâcher dimanche « la brillante société qui afflue dans Mes salons » (ce qui se borne souvent à une ou deux personnes), pour aller chez vous à Saint-Gratien passer toute la soirée ? Mais je ne [puis] rien me promettre encore, puisque mon programme de la semaine ne sera fixé que demain dans l'après-midi.

Je m'ennuie de vous encore plus qu'à Croisset ! Parce que nous sommes plus près. Et parce que je vous sais tourmentée.

À bientôt donc et, en attendant, un long baiser sur chacune de vos deux mains.

Long est peut-être inconvenant ? Mais vous savez, Princesse, que je le suis quelquefois — au bas de mes lettres.

À GEORGE SAND

[Paris,] vendredi soir 1er décembre [1871].

Chère Maître,

Votre lettre que je retrouve me donne des remords. Car je n'ai pas encore fait votre commission auprès de la Princesse.

J'ai été pendant plusieurs jours sans savoir où était la Princesse. Elle devait venir se caser à Paris, et me prévenir de son arrivée. Aujourd'hui enfin j'apprends qu'elle reste à Saint-Gratien, où j'irai probablement dimanche soir. — En tout cas votre commission sera faite, la semaine prochaine.

Il faut m'excuser. — Car je n'ai pas eu depuis 15 jours dix minutes de liberté. Il m'a fallu *repousser* la reprise de *Ruy Blas* qui allait passer par-dessus *Aïssé* (la besogne était rude !). Enfin, les répétitions commencent lundi prochain. — J'ai lu aujourd'hui la pièce aux acteurs. Et demain on collationne les rôles. Je crois que ça ira bien. Je fais imprimer le volume de vers de Bouilhet, dont j'ai re-écrit la Préface. Bref, je suis exténué ! et triste ! triste à en crever ! Quand il faut que je me livre à l'action, je me jette dedans tête baissée. Mais le cœur m'en saute de dégoût. Voilà le vrai.

Je n'ai encore vu personne de nos amis, sauf Tourgueneff, que j'ai trouvé plus charmant que jamais.

Embrassez bien Aurore pour son gentil mot. — Et qu'elle vous le rende de ma part.

Votre vieux

À ÉMILE ZOLA

[Paris,] vendredi soir [1er décembre 1871].

Je viens de finir votre atroce et beau livre[1] ! J'en suis encore étourdi. C'est fort ! Très fort !

Je n'en blâme que la préface. Selon moi, elle gâte votre œuvre qui est si impartiale et si haute. Vous y dites votre secret, ce qui est trop candide, et vous exprimez votre opinion, chose que, dans ma poétique (à moi), un romancier n'a pas le droit de faire.

Voilà *toutes* mes restrictions.

Mais vous avez un fier talent et vous êtes un brave homme !

Dites-moi, par un petit mot, quand je puis aller vous voir, pour causer longuement de votre bouquin.

Je vous serre la main très cordialement, et suis vôtre.

Rue Murillo, 4.

À PHILIPPE LEPARFAIT

[Paris,] vendredi soir, 11 heures [1er décembre 1871].

La lecture aux acteurs a eu lieu, tantôt, au milieu *du plus vif enthousiasme.* Pleurs, applaudissements, etc. Demain nous collationnons les rôles. Et lundi les répétitions commencent. — Ainsi c'est une affaire terminée, sauf le rôle du *Commandeur* que tous veulent avoir. On est en pourparlers avec Dumaine. À défaut de Dumaine[1] (ou peut-être même de Geffroy[2] ?) ce sera le vieux Laute.

Le bon Fréville (Blacas) a le rôle de D'Orbigny.

J'ai choisi le papier, grosse affaire pour le volume, et Claye m'a donné son devis. En faisant tirer à 2 mille, tu peux gagner ; tu gagneras (déduction faite des frais, et de l'horrible commission de Lévy) *six mille* francs.

Je t'enverrai le détail du compte si tu y tiens. — Je le garde, d'ailleurs, pour te le montrer.

J'aurais dû commencer ma lettre par te foutre des sottises. — Car tu es « un drôle de jeune homme », et je trouve que tu pourrais mettre dans tes affaires un peu de l'activité que j'y emploie.

Je t'ai prié de m'envoyer 1° les vers de l'*Amour noir*[3], 2° la photographie de B[ouilhet] (je cherche maintenant un graveur pour faire une belle eau-forte), 3° le *manuscrit* original d'*Aïssé* ; et je ne vois rien venir. Tout cela est, pourtant, fort pressé !

Tâche de t'occuper un peu moins de l'espèce de navet qui te sert de pine et fais-moi l'honneur de me répondre.

Je t'embrasse.

Ton.

À PHILIPPE LEPARFAIT

[Paris,] samedi soir, 8 heures [2 décembre 1871].

M'envoyer dare-dare et *presto*, *prestissimo*, le portrait d'Aïssé de M. Clogenson[1].

Dépêche-toi de faire faire la boîte et de m'expédier cela par la grande vitesse.

N. B. — La couturière attend après.

Les répétitions ont commencé aujourd'hui. Il y en aura demain, bien que ce soit dimanche (fait inouï dans les fastes de l'Odéon !).

Je m'en vais à tous leur mettre au cul un feu dont ils ne se doutent pas.

J'aurai les épreuves de la Préface mercredi ou jeudi et j'ai trouvé une couverture chic.

J'attends toujours la photographie et les vers de *L'Amour noir*.

Allons, vivement !

À toi.

Ton.

À EDMOND DE GONCOURT

[Paris,] samedi soir [2 décembre 1871].

Mon cher Ami,

Je sais enfin où est la Princesse ! Elle m'écrit de Saint-Gratien pour me dire qu'elle ne viendra habiter Paris qu'au milieu de la semaine.

La soirée de demain est le seul moment que j'aurai à moi, d'ici à plusieurs jours. Voici donc ce que je vous propose. Venez chez moi de bonne heure — vers 2 heures ? Nous partirions ensemble à 4.

Il faut que je voie Giraud[2] pour les costumes d'*Aïssé* ?

J'ai lu hier la pièce aux acteurs, la collation des rôles a eu lieu aujourd'hui, et demain les répétitions commencent.

Je vous attends[3].

À vous.

À PHILIPPE LEPARFAIT

[Paris,] lundi matin, 11 heures [4 décembre 1871].

Puisque *L'Amour noir* a été publié dans la nouvelle *Revue de Paris*, va à la bibliothèque de Rouen. Tu y trouveras *toute* la *Revue de Paris* et tu me copieras les vers en question, c'est le moyen le plus court.

La clef de la petite malle est dans mon armoire aux pipes, au milieu d'autres petites clefs qui sont dans une boîte en carton. — Mais *L'Amour noir* n'est pas dans la petite malle. Peut-être le cahier relié de B[ouilhet] est-il simplement sur un des rayons de ma bibliothèque-étagère, celle qui est près de mon fauteuil ?

Si, à la Bibliothèque, tu ne trouvais pas ladite pièce, tâche de me dire à peu près l'époque où elle a paru, pour me faciliter les recherches.

2° Dans *Aïssé*, 2e acte. Envoie-moi, d'après le manuscrit original, les deux vers ayant cette rime :

robe du matin
roquentin

parce que, dans ta copie, il y a un vers faux.

J'ai donné le manuscrit du vol[ume] de vers à imprimer, samedi dernier. Il aura pour titre : *Dernières chansons* et, en sous-titre, *Poésies posthumes*. Nous n'avons trouvé rien de mieux.

3° Je crois qu'il serait bon de mettre, en tête, un portrait (comme celui de Baudelaire). Donc envoie-moi la grande photographie, afin qu'on en fasse graver une réduction.

Le vol[ume] coûtera 5 francs et tu toucheras dessus 3 francs.

Maintenant, je suis content de la Préface, que j'ai beaucoup retravaillée.

Depuis 10 jours j'ai eu de telles venettes à propos d'*Aïssé* que j'ai appelé d'Osmoy, lequel est venu. Bref c'est demain que nous réglons les dernières dispositions.

La Baronne n'aura pas plus de 60 représentations, si elle va même jusque-là ?

Adieu, vieux enflé.

Je t'embrasse et ta mère aussi.

À GEORGE SAND

[Paris, 5 décembre 1871.]

La Princesse vous a envoyé, immédiatement, 100 fr dans une lettre cachetée de cinq cachets, avec l'indication de la somme sur l'adresse[1].

Mais (point important qui a été éclairci entre nous, dimanche) elle avait oublié de faire *charger* la lettre. — Les 100 fr sont probablement volés ?

Je vous embrasse.

Votre vieux

mardi matin.

À RAOUL-DUVAL

[Paris, 5 décembre 1871.]

Mon cher Ami,

Pierre Allais m'écrit de Rouen en date du 2 décembre que la commission du Conseil municipal a *rejeté* ma demande[2].

Qu'eſt-ce que cela veut dire ?

Que faut-il faire ?

Il me tarde bien de vous voir !

Je ne sors pas de chez moi avant 11 heures du matin.

Tâchez donc, en allant à Versailles[3], de monter jusque dans ma mansarde, ou de me donner un rendez-vous à courte échéance.

Tout à vous.

Mardi soir.

À PHILIPPE LEPARFAIT

[Paris,] mercredi matin [6 ? décembre 1871].

Sois calme !

Oui, ils ont un traité pour la reprise de *Ruy Blas* le 25 janvier.

Après des dialogues inextricables, voici ce qui a été convenu il y a quinze jours entre Chilly et moi (il n'y a plus à y revenir).

On jouera Aïssé quand même. Puis, le 2 janvier on lanternera le père Hugo avec les décors pendant 15 jours ; puis j'irai, *moi*, faire une démarche près de lui pour obtenir encore 15 jours ou un mois.

Depuis lors, comme la Direction croit de plus en plus à *Aïssé*, elle est maintenant en pourparlers pour louer la salle des *Italiens*, où l'on continuerait *Aïssé* pendant qu'on jouerait *Ruy Blas*.

Rassure-toi. — On ne peut pas d'ailleurs arrêter une pièce tant qu'elle n'est pas descendue à un certain chiffre. Nous avons pour nous la Société des auteurs dramatiques, où Chilly, à propos de la reprise de *Ruy Blas*, a été secoué par Al. Dumas (au mois d'octobre dernier).

Enfin, fous-moi la paix. Je fais tout pour le mieux.

Loin de pousser à la 1re, je voudrais qu'elle n'eût lieu qu'après le Jour de l'An !

J'ai manqué d'étrangler *(sic)* le souffleur de l'Odéon dimanche, et hier j'ai cru m'évanouir de fatigue à la répétition.

J'en pourrais crever. Mais ça ira ! Ma moyenne de lettres est par jour d'une dizaine.

J'ai passé hier 1 h ½ aux décors ; ce sera chic !

Je t'embrasse.

Ton G.

C'est à nous — (et à l'Odéon) que le père H(ugo) pourrait peut-être faire un procès. Mais *il n'osera.* De peur qu'on ne le traite de corsaire, il redoute extrêmement la petite presse, qui lui est fort hostile.

Et puis merde ! Il fallait qu'*Aïssé* fût jouée *maintenant*, et non au mois d'avril ou de septembre, comme on me l'avait proposé. Il [Victor Hugo] a déjà répondu à Chilly qu'il ferait tout pour nous être agréable, tant à cause de moi et de B[ouilhet] qu'il considérait beaucoup (a suivi une tartine élogieuse sur nous deux).

En Résumé :

Je te prie de me laisser tranquille. Je prends tes intérêts à cœur, sois-en sûr !

Tu me feras des reproches plus tard si ça va mal. Fie-toi à moi.

Si B[ouilhet] avait soigné ses pièces, comme je soigne la sienne ! ! !

---

3 lustres dans la salle de bal ! et des rideaux de velours rouge à torsades d'or.

À PHILIPPE LEPARFAIT

[Paris, 7 décembre 1871.]

Je ne peux pas faire les recherches pour les 4 vers de *L'Amour noir* qui manquent. — Ça me demanderait une journée, et j'en suis à compter les minutes.

Je dirige les répétitions et je m'occupe des costumes.

Je te répète que *L'Amour noir* est dans le dernier cahier de B[ouilhet]. Ce cahier-là est chez toi, ou à Croisset, posé en travers sur les livres, dans l'étagère qui est près de mon grand fauteuil. Je ne crois pas qu'il soit dans la petite malle ? dont la clef se trouve dans mon armoire aux pipes.

J'attends toujours le portrait du père Clogenson, et la photographie[1].

À toi.

G.

GEORGE SAND À GUSTAVE FLAUBERT

Nohant, 7 décembre [1871].

L'argent a été volé. Je ne l'ai pas reçu, et il n'y a pas à le réclamer, car l'envoyeur serait passible d'un procès. Remercie tout de même la princesse pour moi et pour la pauvre Mlle de Flaugergues que du reste le ministre augmente de 200 fr[ancs]. Sa pension est de 800.

Te voilà dans les répétitions. Je te plains, et pourtant je me figure qu'en travaillant pour un ami, on y met plus de cœur, plus de foi et partant plus de patience. La patience, tout est là, et cela s'acquiert.

Je t'aime et je t'embrasse, que j'aurais voulu t'avoir à Noël ! Tu ne peux pas, tant pis pour nous. Nous te porterons un toast et plusieurs *speeches.*

G. SAND.

À PHILIPPE LEPARFAIT

[Paris, 8 décembre 1871.]

Ne t'inquiète pas de *L'Amour noir*[1]. J'ai trouvé un exemplaire de la *Revue de Paris.*

R.-Duval est à Rouen pour l'affaire du monument, qui me paraît en péril. Je viens de t'envoyer un télégramme pour que R.-Duval me rapporte le portrait d'*Aïssé.*

Hier, malgré la neige, tous les acteurs répétaient sur la scène. — À partir de demain je ne les quitte plus[2].

Je vais de ce pas chez Giraud pour les dessins de costume. À toi.

ton G.

vendredi, 1 heure.

À JEAN CLOGENSON

Paris [9 décembre 1871],
rue Murillo 4, parc Monceau.

Cher et vénérable ami,

Avez-vous vu Raoul-Duval, et lui avez-vous remis le portrait d'Aïssé, que vous m'aviez promis de me prêter pour les représentations de la pièce de notre pauvre Bouilhet ? Si la chose n'est faite, seriez-vous assez bon pour confier cette peinture à Philippe[3] qui me l'expédiera.

Elle nous serait fort utile pour le costume. Si vous m'enVoyiez en même temps une petite note indiquant la provenance du tableau, on pourrait exposer ce portrait au foyer pendant quelques représentations. Ce serait une bonne réclame. — De cela, du reste, il en sera comme vous voudrez.

Tenez-vous en bonne santé et en joie, et croyez, cher et excellent ami, à toute l'affection de votre.

À LECONTE DE LISLE

[Paris,] samedi soir [9 décembre 1871].

Mon cher Vieux,

J'ai reçu hier ton bon cadeau[1] et j'irai t'en remercier un de ces jours, avant midi ou vers cinq heures, car les répétitions d'*Aïssé* et l'impression de *Dernières chansons* me prennent toute ma journée.

Quand je serai un peu moins ahuri, nous nous arrangerons pour passer une longue soirée ensemble. Il me semble que nous avons bien des choses à nous dire.

À bientôt donc et tout à toi.

À PHILIPPE LEPARFAIT

[Paris,] samedi soir [9 décembre 1871].

Raoul-Duval eſt venu hier à Rouen.

Je t'ai envoyé un télégramme pour te prévenir de la chose. L'as-tu vu ? Rapporte-t-il le portrait d'*Aïssé* ? Problème !

En tout cas, j'écris au père Clogenson pour le prier de te le prêter, afin que tu me l'expédies. La chose presse !

J'ai reçu les deux photographies et les conventions sont faites avec Léopold Flameng. Il me donnera la gravure[2] avant le 20 courant, ce qui eſt prodigieux d'aƈtivité. J'ai reçu ce soir (et je viens de corriger) la 1re épreuve de la Préface.

On répète la pièce[3] vigoureusement et je ne quitte plus l'Odéon (demain eſt mon dernier jour de congé).

J'ai avancé aujourd'hui la mise en scène de l'aƈte II (difficile). Le IVe eſt très simple. Giraud s'occupe des coſtumes. Ça ira.

Je t'embrasse.

Ton.

J'ai retrouvé une vieille *Revue de Paris* où se trouve *L'Amour noir.*

À EDMA ROGER DES GENETTES

Paris, rue Murillo, 4, samedi soir [9 décembre 1871].

Vous avez donc pris la résolution que je redoutais : abandonner Paris ! Comme c'est triste ! Comme tout est triste !

Cette lettre funèbre m'a été envoyée de Croisset. — Car je suis ici depuis quinze jours ! Et voici le résumé de mes petites occupations : 1° Je dirige les répétitions d'*Aïssé* ; comme Chilly est fort malade et Duquesnel très incapable, il faut que je me mêle des décors, des costumes, de la mise en scène, bref de tout. 2° Je fais imprimer le volume de vers de Bouilhet et je suis au milieu des imprimeurs et des graveurs. Je tiens à faire paraître ce livre en même temps que la pièce. — Et je galope au milieu d'un froid de 17 degrés du parc Monceau au boulevard Montparnasse et à l'Odéon. Les acteurs répètent tous les jours, le dimanche compris, et je ne les quitte plus ; 3° Vous savez que nous voulons faire à Rouen un petit monument à Bouilhet. De ce côté-là, encore, j'ai des embarras graves. Il me semble que je manie son cadavre tout le long de la journée ! Jamais plus large dégoût de la vie ne m'a submergé. — Tant que je suis dans l'action, je m'y livre avec furie, et sans la moindre sensibilité. Mais j'ai des heures « dans le silence du Cabinet » qui ne sont pas drôles.

Saint Antoine est complètement mis de côté ! À peine si je peux, de temps à autre, accrocher ou plutôt décrocher une heure pour relever une note. J'ai beaucoup travaillé tout cet été. — Et il ne me reste plus que 50 à 60 pages à écrire. Si rien d'extraordinaire n'arrive, je peux avoir tout fini au mois de juillet prochain. Pas avant, car mon hiver va être, pour moi, complètement perdu.

J'en ai lu un peu à mon vieux Tourgueneff, qui m'a eu l'air enchanté. Je dis un peu. — Car les embarras dramatiques sont survenus. Et il nous a été impossible de nous rejoindre pour reprendre la lecture.

L'horizon politique est, quoi qu'on dise, au calme. Des bouleversements ? Allons donc ! Nous n'avons pas *l'énergie nécessaire*.

Je vous engage à lire le dernier livre de Renan[1] ; il est très bien, c'est-à-dire dans mes idées.

Avez-vous lu les lettres de Mme Sand dans *Le Temps*[2] ? L'ami auquel elles sont adressées, c'eſt moi, car nous avons eu, cet été, une correspondance politique. Ce que je lui disais se trouve en partie dans le livre de Renan.

Je viens, ce soir, de corriger la première épreuve de *Dernières chansons.* Quelques-unes des pièces qui s'y trouvent m'ont reporté aux soirées de la Muse[1] ! Mardi prochain, savez-vous ? 12 décembre, votre ami aura cinquante ans ! Cette simple énonciation dispense de tout commentaire.

Il me semble qu'on vous a soignée (ou que vous vous êtes soignée) déplorablement ? Quels ânes que ces bons médecins ! Mais eſt-ce bien sérieux, irrévocable, définitif ? Ne reviendrez-vous plus à Paris ? Quand nous reverrons-nous ?

Dès que je serai un peu moins ahuri, je vous écrirai plus longuement. — Mais vous, vous ne devez pas avoir grand-chose à faire, barbouillez donc du papier à mon intention.

Que faut-il vous souhaiter ? de la patience, n'eſt-ce pas ?

Je vous baise les deux mains, chère Madame et suis vôtre.

À JEAN CLOGENSON

[Paris, 10 décembre 1871.]

Je viens de recevoir intaƈte *Mlle Aïssé*[2], et je vous la rendrai dans le même état, soyez-en bien convaincu.

Encore une fois mille remerciements, cher et vénérable ami, et croyez-moi bien

tout à vous

Dimanche soir, 10.

À PHILIPPE LEPARFAIT

[Paris,] vendredi soir, 4 heures [15 décembre 1871].

Mon cher Philippe,

J'avais prié Allais de m'envoyer le rapport de Decorde et Baudry[3] : 1° des vers… ? 2° le discours de Nion[4] sur B[ouilhet]. Je n'ai rien de tout cela et j'en aurais *besoin* car (myſtère) je veux cingler, jusqu'au sang, les fesses du Conseil municipal.

J'attends.

Chilly a été aujourd'hui *épaté* (il n'y a rien changé du tout) de la manière dont j'ai mis en scène le 1er acte ; le 4e sera aussi bien. Nous avons débrouillé le 2e ; dans 3 ou 4 jours il sera bien. Le 3e m'inquiète toujours (à cause des seigneurs ! ! ! et du Régent !).

La première est fixée au 28[1]. Donc, arrange-toi pour être libre vers le 25.

J'ai donné le bon à tirer des 4 premières feuilles du volume qui sera très beau. M. Claye est un charmant bonhomme qui s'est piqué d'honneur.

Je donne, avec Régnier des Français, des leçons particulières à Colombier (Tencin[2]) et je n'ai pas un petit mal !

J'avais ce matin chez moi à 10 heures Pierre Berton pour lui glisser ses vérités particulières. Ramelli, selon moi, déformera tout et Chilly m'a presque fait des excuses tantôt.

En résumé, j'ai bon espoir. Nous répétons tous les jours et tous les artistes m'ont l'air pleins de bonne volonté !

L'eau-forte du portrait[3] sera prête mercredi. Mais, comme délassement et volupté, je demande à faire crever de chagrin le conseil municipal.

Je t'embrasse, et embrasse bien fort pour moi ta chère maman.

Ton.

À PHILIPPE LEPARFAIT

[Paris,] dimanche matin, 9 heures [17 décembre 1871].

Duprez, par son ami *Cusson*, peut m'avoir le rapport de Decorde[4].

J'y tiens beaucoup, et à l'avoir promptement. On l'a promis à Allais pour le 26, mais si *Aïssé* est jouée le 28, ce qui est très probable, comment veux-tu que je fasse mon article en 48 heures, au milieu des dernières répétitions ? Par n'importe quelle *corruption il me le faut maintenant.*

Mme Achille[5] m'écrit ce matin que la décision du conseil municipal fait très mauvais effet dans la ville et que les anciens élèves du Lycée, qui vont se réunir bientôt, se proposent de faire une demande au conseil municipal.

Va trouver Desbois de ma part et prie-le de provoquer et *de hâter* cette mesure. Il faut que tout à la fois leur tombe sur la crête : 1° le retentissement de la Première ; 2° le volume ; 3° mon article ; 4° la demande des élèves.

Je me dépêche de m'habiller pour aller faire une modification au costume de Berton. À midi et demi on répète.

À toi.

M'envoyer le compte rendu de la séance qui doit paraître demain ou après-demain dans *les* journaux de Rouen.

À PHILIPPE LEPARFAIT

[Paris,] lundi soir [18 décembre 1871].

Sacré nom de Dieu ! Êtes-vous assez lambins en province !

1° Va trouver Baudry[1] et pousse-le pour m'envoyer ce que je lui ai demandé ;

2° Que Caudron m'envoie parmi les noms des souscripteurs les noms des personnes illustres, marquantes comme : Alexandre Dumas fils, M. Du Camp, princesse Mathilde, Reyer, etc.

C'est Commanville qui vient de m'apporter *Le Nouvelliste* ! Aucun de vous, à Rouen, n'a eu l'idée de me l'envoyer de suite !

Apprête-toi à partir pour Paris vers dimanche prochain. Je te dirai le jour de la Première[2] à la fin de cette semaine.

À toi.

J'ai besoin des poésies de l'avocat Decorde ; il en a débité à l'Académie, il me les FAUT et *le rapport* dudit Decorde[3].

À M. DESBOIS

[Paris,] lundi, 11 heures du soir [18 décembre 1871].

Cher Ami,

Quelle est la participation prise par le Conseil Municipal de Rouen à l'érection de la statue de Pierre Corneille ?

Elle a été élevée par souscription, mais pour combien le Conseil Municipal a-t-il souscrit ? S'il a souscrit.

Envoyez-moi quelques détails là-dessus, *j'en ai besoin*[1].

Je n'ai que le temps de vous serrer la main.

Tout à vous

À EDMOND DE GONCOURT

[Paris,] rue Murillo, 4,
nuit de mercredi [20 ? décembre 1871].

Croiriez-vous que tout le monde (Giraud, Popelin, la direction de l'Odéon et les acteurs d'icelui) me soutient que, sous la Régence, on ne portait pas de poudre ! J'ai beau vous citer, vous, l'autorité la plus compétente, en pareille matière, ça n'y fait rien ! Envoyez-moi donc tout de suite des preuves[2] sans réplique.

Il me semble que dans les tableaux de Lancret[3], il y a de la poudre ?

Je suis extra-ahuri. — Et je n'en peux plus ! ! !

Je vous embrasse.

Vôtre

Ils veulent faire passer *Aïssé* le 28 décembre !

À SA NIÈCE CAROLINE

[Paris,] jeudi, 7 heures 3/4 [21 ? décembre 1871].

Mon Loulou,

Demain, il faut que je sois sorti de chez moi avant 10 h, parce que je dois être à 11 h à l'Odéon. — Et qu'auparavant j'irai dans le quartier Montparnasse pour la gravure du portrait[4], *et surtout* pour prendre chez Troubat une aquarelle que la Princesse désire r'avoir[5].

Émile rapportera ce portrait chez elle, vers 11 h. Si elle a une lettre pour moi, il te la portera, tout de suite.

Envoie-moi (avant demain soir) un mot pour me dire s'il y a du nouveau ?

Si j'en ai du côté de la Princesse, demain avant 10 heures, je vous le ferai savoir.

Apprenez-moi si les billets[6] de d'Osmoy sont placés. — Il

eſt d'autant plus à louer là-dedans, qu'il a déjà été pincé pour une complaisance semblable.

Je fais recommencer un décor ! Je suis sorti de l'Odéon à 5 h et de l'imprimerie à 6.

Ce soir, encore 6 lettres à écrire !

Mon mameluk galope en ce moment à l'imprimerie rue Saint-Benoît !

Je me propose de dîner chez vous samedi.

ton vieux chanoine
(en morceaux).

Recompliments sur *ta* visite !

Je regrette que ton époux et ta grand-mère n'aient pu te voir !

Comme saint Joseph, « extrêmement convenable sous tous les rapports » !

À RAOUL-DUVAL

[Paris,] nuit de jeudi, 1 heure [21 décembre 1871].

Eh bien, cher ami, ai-je été un faux prophète ?

Quand un ami fait une bonne aċtion ou une belle œuvre, il me semble qu'il me rend un service. Je vous remercie donc pour votre discours d'hier[1]. — Car il eſt à la fois l'une et l'autre.

Vous leur avez jeté à la face un crachat qui leur reſtera sur le museau, — c'eſt brave et juſte, et spirituel. Tout y eſt. Comme je suis content ! de vous !

Je vous embrasse.

J'aurais bien des choses à vous dire. Mais je n'ose vous fixer un rendez-vous tant je suis occupé !

À tout hasard si vous êtes libre, venez un matin vers 10 heures ou plutôt 9 heures et demie.

Aïssé passe à la fin de la semaine prochaine.

N. B. — Quelles places voulez-vous ?

Sarah-Bernhardt (Aïssé) vous « admire beaucoup comme orateur » *(sic)*. Je lui ai promis, si elle eſt sage, — c'eſt-à-dire si elle joue bien, — que vous l'embrasseriez le soir de la Première.

MAÎTRE FRAIGNAUD À LA PRINCESSE MATHILDE

[22 décembre 1871.]

Princesse,

Je sors de chez M. Commanville, il m'a paru *pris de très court* et ne pouvait attendre au-delà de la fin de l'année les fonds que je n'ai point en ce moment, mais que j'avais cherché à lui procurer d'après votre chaleureuse recommandation.

Du reste, de sa conversation, il est clairement résulté pour moi qu'il y avait une *combinaison organisée* entre lui et M. Flaubert, dont on attendait de Votre Altesse la prompte réalisation.

Voici ce que serait selon moi cette combinaison :

Vous prêteriez une somme de 50 000 francs à M. Flaubert, qui serait votre obligé, sur une simple reconnaissance.

De son côté, M. Commanville souscrirait une obligation au profit de M. Flaubert avec hypothèque sur sa propriété de Dieppe, ce serait là la garantie.

M. Commanville m'a demandé s'il avait [été] question devant moi du chiffre du prêt, et lorsque je lui ai parlé de la somme de 50 000 francs il m'a *paru surpris*, ceci est une *simple observation* que je soumets à Votre Altesse sans en apprécier l'importance.

J'ai fait observer à M. Commanville que Votre Altesse n'avait en ce moment aucune valeur en France, que, par conséquent, malgré toute la bonne volonté que vous pourriez avoir vis-à-vis de M. Flaubert, il faudrait le *temps nécessaire* pour faire venir de Londres ou d'Allemagne les valeurs nécessaires, ce qui demanderait au moins un délai d'une *quinzaine de jours* !!! Et que, lorsqu'il s'agit de les déposer à la Banque pour en faire de l'argent, il serait absolument indispensable que le dépôt fût *nominatif*, ce à quoi les circonstances autant au moins que mon conseil mettent un *obstacle insurmontable* pour la personne de Votre Altesse.

De tout cela il ne peut résulter pour votre notaire un autre avis que la combinaison proposée est de tous points *irréalisable.*

Je termine cette petite lettre en renouvelant à Votre Altesse l'assurance de mon dévouement le plus absolu.

FRAIGNAUD.

Vendredi.

À M. DESBOIS

[Paris, 25 décembre 1871.]
Rue Murillo, 4, parc Monceau.

Vous viendrez, n'est-ce pas, à la Première d'*Aïssé*, je vous garde un orchestre.

Dites-moi s'il est vrai que la société du Lycée de Rouen fait une protestation contre la décision du Conseil Municipal, relativement au monument Bouilhet.

Ils sont jolis, nos édiles !

Envoyez-moi *tout de suite*, JE VOUS EN PRIE, les renseignements suivants :

1 — Pour quelle somme le Conseil Municipal a-t-il contribué pour la Bâtisse de Napoléon Ier ?

2 — À celle de Boieldieu[1] ?

3 — Quelles sont, dans Rouen, aux maisons où sont nés les grands hommes de Rouen, les plaques commémoratives ?

À vous

lundi matin

À RAOUL-DUVAL

[Paris, 25 décembre 1871.]
Havre de Paris 738 28-25/12/11h 50 M[atin]

EDGAR RAOUL-DUVAL CHEZ FOERSTER HAVRE

AUCUNE NOUVELLE DE DURUFLÉ[2] PENDANT QUE VOUS ÊTES AU HAVRE NE POURRIEZ-VOUS TROUVER CINQUANTE[3] ? AVONS LE RESTE

FLAUBERT.
RUE MURILLO 4.

À RAOUL-DUVAL

[Paris,] lundi [25 décembre 1871].

Mon cher Ami,

1° Pourriez-vous recueillir vos souvenirs de voyage en France et me dire quelques-unes des *statues bêtes contemporaines*, c'est-à-dire élevées à des imbéciles ou à des médiocres dans les différentes villes de France.

2° Je viens de vous envoyer un télégramme au Havre parce que j'avais pensé, tout simplement et avec un cynisme au-delà de toute expression, que votre beau-père qui est très riche pourrait peut-être vous prêter ou vous faire avoir 50 mille francs ?

Pas de nouvelles de Duruflé et, bien que la bourrasque soit passée, nous sommes encore un peu à court.

Voyez si par d'autres moyens vous pouvez arriver à nous rendre ou faire rendre ce service ?

Merci, quoi qu'il advienne, et tout à vous.

Venez donc me voir un de ces matins.

À ERNEST COMMANVILLE

[Paris,] nuit de mercredi, 1 heure [27 décembre 1871].

Peut-être que :

Rothschild va nous secourir ? Voici la chose :

La Princesse m'a écrit une lettre charmante, — et désolée, où elle m'explique qu'elle ne peut nous venir en aide.

Ce que je craignais n'a pas eu lieu : nous sommes plus amis que jamais ; et avant le dîner j'ai eu un dialogue très franc avec elle.

Elle m'a proposé d'abord d'emprunter sur Saint-Gratien, qui est vierge d'hypothèques. Sur mon refus elle m'a dit :

« J'irai trouver Rothschild. Je vous trouverai ça.

— Mais s'il refuse ?

— Nous verrons ailleurs ! comptez sur moi. »

Là-dessus les invités sont arrivés. Après le dîner, reprise de la conversation dans un coin. Bref, j'irai chez elle samedi matin, pour savoir le résultat de sa démarche. Maintenant, la glace est rompue et je puis la pousser, soit vers Rouher[1] dont il a été question ou quelque autre.

Je ne sortirai pas de chez moi avant midi moins le quart.

Donc en quittant Raoul-Duval, passez chez votre oncle.

Maintenant je vais me mettre aux épreuves. Je me suis couché cette nuit à 3 heures et j'étais sur pattes à 8.

Répondez-moi un mot pour savoir : 1° s'il faut que je vous attende, 2° le résultat en gros du voyage de Dieppe.

Mon avis est d'attendre à samedi avant de répondre définitivement à Mme Pr.[2].

À M. DESBOIS

[Paris, 27 décembre 1871.]

C'est encore à vous, homme exact et obligeant, que je m'adresse.

1° On me dit qu'il y a à Rouen une *rue Labrosse* près l'Hospice général, est-il vrai ? Il ne faut pas que je dise des bêtises[3].

2° J'ai demandé cette nuit à Lapierre des renseignements que j'attends.

Après quoi, il recevra mes pages.

Aïssé a manqué formellement d'être supprimée comme pièce incendiaire. Je viens d'avoir de Versailles des détails authentiques, mais je n'ai pas le temps de vous les transmettre. D'ailleurs je suis trop éreinté.

À vous sincèrement

Mercredi soir

À MADAME JULES CLOQUET[1]

[Paris, 28 décembre 1871.]

Il me sera *impossible* d'aller chez vous le 3, chère Madame, parce que ce jour-là sera celui de la *Répétition générale* d'*Aïssé* !

J'ai de plus les dernières épreuves à corriger d'un volume[2], — je suis *exténué* de fatigue,

et fort à plaindre !

À vos pieds.

Jeudi matin.

À ERNEST FEYDEAU

[Paris, 28 décembre 1871.]

Merci, mon cher vieux.

Je n'ai que le temps de t'embrasser !

La Première aura lieu, je crois, jeudi.

Je veux faire paraître en même temps *Dernières chansons* et une Brochure adressée au Conseil municipal de Rouen.

Je crève de fatigue ! ! !

Ton

Jeudi matin.

À ERNEST COMMANVILLE

Odéon, jeudi, 1 heure [Paris, 28 décembre 1871].

De mieux en mieux !

Rothschild lui a donné rendez-vous pour demain matin.

Si l'affaire rate avec R., elle a, m'a-t-elle dit, *deux* autres moyens (hier elle n'en avait qu'un).

Je lui ai tout expliqué. Elle comprend très bien.

Dernier mot de la conversation :

La Princesse (haussant les épaules) :

« Soyez donc tranquille, nous trouverons ça. »

Je lui ai bien dit qu'il faut que tout soit fini avant le 20.

Je sors demain de chez moi, à midi au plus tard, peut-être à 11 heures.

À SA NIÈCE CAROLINE

Vendredi soir, 9 heures [Paris, 29 décembre 1871].

Exige de la famille Vasse[1] (au risque de la contrarier et même de la fâcher) une consultation de médecins compétents.

Moi, j'appellerais Piauger, Piorry et Louis.

Du reste tu ferais mieux de demander là-dessus l'avis du père Cloquet? et de te dépêcher.

Mon expérience t'engage à n'être pas timide dans cette affaire-là.

J'avais re-écrit un petit mot à la P[rince]sse (à 11 h[eures] du matin, du fond d'un fiacre), en lui expédiant son aquarelle donnée à Sainte-Beuve.

De ce côté-là, ça va bien.

J'ai fait re-faire un décor. Et *Aïssé* s'annonce splendidement.

Insiste pour cette pauvre Flavie, qui t'aime tant et si bien!

Je sortirai demain à 11 h 1/4.

Ton vieux G.

J'irai dîner chez vous si je ne suis pas trop fatigué, car *je ne tiens plus debout*. J'ai passé *toute* la nuit dernière sans fermer l'œil, tant à cause des protêts, que de mon décor.

À EDMOND DE GONCOURT?

[Paris, 30 décembre 1871 ?]

Cher ami,

Je regrette bien de ne pas vous avoir trouvé hier. Pouvez-vous venir demain dimanche, chez moi, dans l'après-midi.

Tout à vous.

Samedi 1 heure.

À AGÉNOR BARDOUX

[Paris, samedi 30 décembre 1871.]

Mon cher Vieux,

Il faudrait dès maintenant, par toi ou tes amis, circonvenir autant que possible *tous* les journaux où il y aura des comptes rendus d'*Aïssé*, et que cette phrase ou une équivalente fût insérée à la fin de l'article louangeur sur *Aïssé* :

1° « Comment se fait-il que le Conseil municipal de Rouen ait refusé d'accepter gratis une fontaine », etc.

2° Puis cette remarque : « Quand jouera-t-on la féerie : *Le Château des cœurs*[1] ? »

Entends-toi pour cela avec nos amis R. Duval, Cordier[2], Lanfrey[3], etc.

La Première aura lieu jeudi ou samedi. Je n'ose te fixer de rendez-vous. — Mais tu peux venir quand tu voudras le soir, ou de très grand matin, au risque de ne pas me trouver ? Je suis brisé, et ahuri. N'importe ! ça ira.

Je t'embrasse.

Ton

Samedi soir.

AU PROFESSEUR JULES CLOQUET

[Paris,] samedi soir [30 décembre 1871].

Cher et excellent ami,

Ma mère a bien envie que je la mène chez vous, car elle désire beaucoup vous voir.

Mais elle a une grande difficulté à monter les escaliers. D'autre part, je n'ai malheureusement pas le temps, la semaine prochaine, de l'accompagner.

Vous seriez bien aimable d'aller la voir un de ces matins ?

N. B. Je n'ai pas besoin, n'eſt-ce pas ? de vous recommander vis-à-vis d'elle (surtout) le silence le plus absolu sur la démarche que j'ai faite près de vous[4].

Présentez toutes mes excuses à Mme Cloquet, je vous prie. — Et acceptez pour vous une bonne embrassade de votre tout dévoué.

À EDMOND DE GONCOURT

[Paris, 30 décembre 1871.]

Ne venez pas demain. Je répète toute la journée !

De plus : j'imprime *Dernières chansons* et j'écris *une lettre* contre le C[onseil] Municipal de Rouen.

Vous voyez si je suis occupé.

La Première aura lieu le 4 ou le 6.

Je compte sur vous,

et d'ici là je vous embrasse.

votre

À LA PRINCESSE MATHILDE

[Paris, 30 décembre 1871.]

Eh bien, Princesse, M. Fraignaud[1] vous a-t-il répondu ?

Peut-il *promettre positivement* de pouvoir rendre avant le 1er février le service en question ?

Si oui, Commanville s'aboucherait avec lui, sinon la démarche ne peut être qu'inutile et pénible.

La Ire d'*Aïssé* aura lieu jeudi prochain ou samedi.

Je n'en peux plus ! Mais j'ai encore assez de forces pour vous baiser les deux mains et être tout à vous.

À RAOUL-DUVAL

Nuit de samedi [Paris, 30 décembre 1871].

Mon cher Ami,

Il faudrait que, dans les journaux qui sont à votre disposition et qui rendent compte des théâtres, il y eût, à la fin de l'article sur *Aïssé,* une double remarque : 1° un blâme, un étonnement, une marque de scandale à propos du vote du Conseil municipal de Rouen ; 2° puis cette observation : « Pourquoi ne joue-t-on pas sa Féerie : *Le Château des cœurs* ? »

Je regarde cela comme très important, et je compte sur vous.

Il eſt bon que nous leur tapions sur la crête.

La Première aura lieu jeudi ou samedi.

Tout à vous.

À AGLAÉ SABATIER

[Paris, 31 décembre 1871.]

Ma chère Présidente,

Par une erreur incompréhensible, vous n'avez pas reçu hier les billets que je vous deſtinais pour la Première d'*Aïssé.*

Voulez-vous ceux-ci ?

Sinon, renvoyez-les-moi tout de suite.

À vous

Rue Murillo, 4. Dimanche, 4 heures.

À THÉOPHILE GAUTIER

[Paris, 1871-1872.]
Dimanche

Mon cher vieux Théo,

Voici une lettre à laquelle je ne puis répondre pertinemment. Fais-moi le plaisir de m'éclairer. Dis-moi *oui* ou *non.*

À toi
Ton.

Mon cher maître,

Vous verrez aujourd'hui Théophile Gautier ? Vous pourriez me rendre un vrai service. Voici ce dont il s'agit : Victor Hugo est venu hier nous inviter à dîner, pour demain lundi. Naturellement nous avons grande envie d'aller dîner chez Victor Hugo, mais Gautier, précisément, est attendu ce jour-là ! À aucun prix et sous n'importe quel prétexte, je ne voudrais désobliger un homme que j'admire, et si ma présence chez Hugo pouvait le fâcher en rien, je me hâterais de rester chez moi[1]. — Voulez-vous consulter Gautier sur ce point ? Vous seriez cent fois bon. — Merci de tout mon cœur.

Votre
CATULLE MENDÈS.

À SA NIÈCE CAROLINE

[Paris,] mardi soir, 6 heures [2 janvier 1872].

J'ai vu ce matin la Princesse.

Elle ne peut pas prêter 50 mille francs, mais elle pense, *elle croit* que M. Fraignaud les aura (ou tout au moins 30) d'ici au 1er février, peut-être même avant, enfin que Fraignaud fera l'affaire par lui-même.

Elle m'a engagé à dire à Commanville d'aller le trouver, et m'a proposé ensuite d'envoyer Fraignaud chez Commanville. Proposition que j'ai refusé, me basant sur le peu d'amabilité dudit Fraignaud.

Il est convenu entre nous qu'elle va écrire à Fraignaud pour savoir *s'il peut donner sa parole que* d'ici au 1er février il prêtera 50 ou 30 mille. En cas seul d'affirmation, Commanville s'aboucherait avec lui.

Et Flavie[2] ?

Ton vieux.

Elle m'a paru furieuse contre Rothschild[3] ? Rien de Raoul-Duval[4].

J'aurai la réponse de Fraignaud jeudi[5].

9 heures et demie ? C'est bien.

Renvoie-moi *Aïssé* le plus tôt possible.

À NOËL PARFAIT

[Paris,] mercredi matin [3 janvier 1872].

C'est demain dans l'après-midi qu'a lieu la répétition générale d'*Aïssé* […]

À MICHEL LÉVY

[*Télégramme. Cachet postal* : 3 janvier 1872.]

MICHEL LÉVY, 3, RUE AUBER, PARIS.

LA RÉPÉTITION GÉNÉRALE A LIEU VENDREDI MIDI ET DEMIE PRÉVENIR DENIS, FAIRE ANNONCER.

FLAUBERT.

À SA NIÈCE CAROLINE

[Paris,] jeudi, 10 heures [4 janvier 1872].

Tu peux garder le manuscrit jusqu'à demain matin.

Je n'ai pas encore la réponse de Fraignaud[1]. — Si je ne l'ai pas ce soir, j'irai ou plutôt je re-écrirai encore à la Princesse. — Ça ne me gêne en rien. Le pis est le temps que ça me demande.

Je ne sais pas quand j'aurai celui d'aller vous voir. — L'imprimerie me prend beaucoup de temps maintenant, et nous répétons les 4 actes avec les décors.

Et Flavie ? Tu m'avais donné de l'espoir avant-hier soir.

Les répétitions commencent à midi, et durent jusqu'à 5 heures.

Je t'embrasse.

Ton

Quand j'ai *une heure* chez moi, je travaille à la brochure[2].

GEORGE SAND À GUSTAVE FLAUBERT

Nohant, 4 janvier [18]72.

Je veux t'embrasser au commencement de l'année et te dire que j'aime mon vieux troubadour à présent et toujours. Mais je ne veux pas que tu me répondes, tu es dans le coup de feu du théâtre et tu n'as pas le temps et le calme pour écrire. Ici, on t'a appelé au coup de minuit de Noël, on a crié par trois fois ton nom, l'as-tu entendu un peu ?

Nous allons tous bien. Nos fillettes poussent, on parle de toi souvent. Mes enfants t'embrassent aussi. Que notre affection te porte bonheur !

G. SAND.

À MADAME DUBOIS DE L'ESTANG[1].

[Paris,] vendredi matin [5 janvier 1872].

Je suis désolé : l'administration me fait *une farce* ! Toutes les loges de location sont prises, bien que j'aie donné ma liste il y a plus de quinze jours[2].

Je vous conseille d'envoyer demain vers 4 heures un domestique intelligent aux abords de l'Odéon, il trouvera peut-être une loge à acheter aux marchands de la rue.

P.-S. — Je vais faire encore une tentative ! Envoyez chez moi quelqu'un, ce soir, à 9 heures. *Peut-être* aurai-je quelque chose ?

Mille excuses.

À EDMOND DE GONCOURT

[Paris, 5 janvier 1872.]

Venez chercher votre orchestre chez mon concierge demain de *quatre à six heures*[3] ?

Vendredi matin.

À LA PRINCESSE MATHILDE

[Paris,] samedi soir, 11 heures [6 janvier 1872 ?].

Princesse,

Vous ne m'avez jamais donné une plus grande preuve de la franchise de votre affection qu'en m'envoyant la lettre (peu aimable pour moi) de votre notaire.

Je ne l'ai ouverte que ce soir à 8 heures en arrivant chez ma nièce.

M. Fraignaud a très mal compris la question, ou plutôt la situation, et je crois que son zèle pour vous l'a un peu égaré ? Je vous demande encore *mille pardons,* mais voici la vérité exacte.

Commanville avait pensé que votre notaire se présentait à lui comme un homme de confiance de Votre Altesse et qu'il n'avait pas à user de finasserie !

Sur la demande de l'époque à laquelle il désirait toucher la somme, Commanville a franchement répondu « pour la fin du mois ». Mais votre notaire a grandement tort de supposer que son existence commerciale puisse dépendre de ce versement.

Sans manquer nullement à la politesse et au savoir-vivre, il l'a traité tout le temps comme un homme *aux abois,* auquel on vient faire une aumône. — Le mot est peut-être excessif, mais il a été plus que froid.

Il n'y avait pas de combinaison organisée entre moi et mon neveu !

M. Fraignaud lui a demandé quelle garantie il comptait offrir à Votre Altesse. Mon neveu a répondu « aucune » *supposant* que Votre Altesse désire éviter de se faire connaître dans un acte. — Car une garantie directe l'y obligerait.

Commanville a ajouté que son intention était de me donner une hypothèque sur mon bien[1], afin de me garantir contre toute éventualité. M. Fraignaud vous a donc écrit à tort « Voici quelle serait, *selon moi,* cette combinaison ». Il n'a pas eu de la peine à la supposer, puisqu'elle lui a été suggérée par Commanville, lui-même !

Lorsque M. Fraignaud lui a parlé du chiffre de 50 000 Francs, il n'a manifesté aucun étonnement, puisque plusieurs jours auparavant il m'avait dit que ce chiffre lui suffirait.

Interrogé sur l'époque à laquelle il pourrait rembourser, il a répondu « en avril ». « Mais » a repris M. Fraignaud « ne vaudrait-il pas mieux que vous preniez plus de temps ? C'est bien court pour un acte aussi coûteux que celui que vous projetez de faire » ? Commanville a répondu qu'en avril il *était sûr* de pouvoir remettre l'argent et que les frais de l'acte étaient son affaire ?

N. B. J'arrive à la seconde partie de la lettre de M. Fraignaud. Il trouve des obstacles à une chose très simple : il ne faut pas un délai bien long pour faire venir des titres de Londres ou d'Allemagne — d'ailleurs Commanville attendrait bien le temps nécessaire. Les titres au porteur, pourvu qu'ils regardent les valeurs françaises, sont les plus faciles à mettre en dépôt à la Banque, attendu que leur dépôt à la banque par vous-même n'est pas nécessaire. Ils sont la possession du Porteur qui pourrait être M. Fraignaud, moi, Commanville, même un de vos domestiques, enfin toute personne en qui vous auriez confiance.

En résumé, Princesse, mon neveu a tenu à donner à M. Fraignaud des explications honnêtes et loyales. Il [a] toujours vu dans le service que vous vous proposiez de lui rendre une chose de confiance et d'honneur, *et non pas une affaire.*

Ai-je besoin d'ajouter que je suis honteux de vous donner tant de tracas ! et que je resterai toujours, quelle que soit votre décision définitive, votre très reconnaissant et plus que jamais affectionné.

Je me suis permis de souligner dans la lettre de M. Fraignaud *les expressions* qui m'ont coloré les pommettes.

À MICHEL LÉVY

[Paris,] dimanche matin [7 janvier 1872].

Mon cher Michel,

Quel jour voulez-vous que nous allions ensemble chez Claye ? [...]

À MICHEL LÉVY

[Paris,] dimanche, 4 heures [7 janvier 1872].

Mon cher Michel,

Dalloz m'a renvoyé le Ms. d'*Aïssé* [...].

À CHARLES-EDMOND CHOJECKI

[Paris,] lundi après-midi [8 janvier 1872].

Mon cher Vieux,

Je sais bien que vous en êtes plus indigné que moi. *Sarcey*[1], bien qu'il ait saisi toutes les occasions de me traîner dans la fange, moi et Bouilhet, n'a pas encore trouvé le moyen de me mettre en colère. Mais je crois vous donner un bon conseil en vous engageant à prier Schérer (que je regarde comme un très galant homme, bien qu'il ait été assez dur pour moi, lors de *L'Éducation sentimentale*), à prier Schérer, dis-je, de *surveiller* ledit Monsieur.

Il déconsidère son papier car il ment, impudemment et sciemment. « Cela dit, passons », style Hugo.

Je vous donnerai, à vous Charles-Edmond, la conclusion de ma préface[2], tout le paragraphe IV est le seul endroit personnel de ce petit morceau, — et, selon moi, le meilleur ou le moins mauvais ; il contient l'exposé des opinions esthétiques de B[ouilhet], — avec une prosopopée de votre

Gve FLAUBERT.

Ça vous va-t-il ?

Il faudra qu'un de ces jours, nous causions longuement ensemble les deux coudes sur ma table à manger.

Ce sera dans une douzaine de jours quand je serai un peu (et enfin !) libre !

À AGÉNOR BARDOUX

[Paris, 9 janvier 1872.]

Pourquoi t'es-tu échappé samedi soir et pourquoi ne t'ai-je pas revu ? Tâche de m'avoir, par tes collègues[1], les deux indications suivantes : 1° Quelles sont dans les différentes villes de France les statues érigées, *de nos jours*, à des hommes de 2de et de 15e catégorie ? — 2° Quels sont les vrais grands hommes qui en manquent ? À peu près tous, n'est-ce pas ?

J'ai besoin de savoir cela très promptement.

Quand te verrai-je ?

Je t'embrasse.
Ton

Nuit de mardi.

À ALEXANDRE DUMAS FILS

[Paris,] mercredi soir [10 ? janvier 1872].
Rue Murillo, 4, parc Monceau.

Mon cher Ami,

Que devient votre lettre qui devait paraître dans un journal du Havre ? Pouvez-vous me l'envoyer ? J'en aurais besoin ! — *pour m'en autoriser.* La mienne sera, sans doute, publiée dans *Le Nouvelliste* vers le milieu de la semaine prochaine[2].

Dès que je serai un peu moins ahuri, un de ces matins, j'irai vous voir.

D'ici là, et comme toujours,

Tout à vous.

À LA PRINCESSE MATHILDE

[Paris, vers le 10 janvier 1872.]

Princesse,

Je viens, une dernière fois, vous importuner avec cette affaire aussi embêtante pour vous que pour moi, ce qui n'est pas peu dire !

Je n'ai pas très bien compris votre lettre d'hier au soir ?

1 — Rothschild demande 15 jours pour faire venir vos titres. — Et au bout de ces 15 jours, qu'arrivera-t-il ?

2 — M. Fraignaud est-il sûr de pouvoir au 1er février vous prêter 50 mille francs ?

3 — ces deux prêteurs écartés, reste un 3e moyen dont vous m'aviez parlé ?

Vous nous avez offert votre service avec tant de spontanéité et de cœur que nous avions un peu compté dessus, et nous n'avons pas cherché d'un autre côté[1] !

Il nous faudrait donc savoir si d'ici au 1er février nous pouvons compter sur 50 mille francs. Avec cette *assurance*, nous serions tranquilles. Car mon neveu a, maintenant, de quoi parer aux éventualités de ce mois.

J'ai encore une prière à vous faire, c'est de me répondre le plus promptement que vous pouvez et très catégoriquement, et que je vous demande pardon en vous assurant que je suis, vous le savez,

Tout à vous.

À EDMOND DE GONCOURT

[Paris, 13 janvier 1872.]

Si vous n'avez rien de mieux à faire, venez demain me faire une longuissime visite.

J'étais chez moi dimanche dernier, mais je dormais si profondément que je n'ai pas entendu votre coup de sonnette.

Voulez-vous participer à mon pot-au-feu. — Après quoi, nous irons chez la P[rince]sse ? En tout cas, venez ! J'en ai à vous dégoiser.

votre

Samedi matin.

À EDMOND DE GONCOURT

[Paris, 13 janvier 1872 ?]

Cher Ami,

À votre dernier dîner de Brébant, il a été tenu un propos grave sur une affaire qui m'intéresse : « Mme Colet serait sur le point de publier mes lettres[1] ! » D'où vient ce trait-là ? qu'est-ce que ça veut dire ? Je ne sais rien [de] plus. Et je voudrais avoir des détails.

J'ai peur que la neige vous empêche de venir demain. Voilà pourquoi je vous écris. Si je ne dois pas vous voir, un petit mot, hein ?

Adolphe et Pellé, 3, bd Haussmann, nous feront pour 20 francs un festin honorable ! Ils m'ont demandé à être prévenus 24 heures d'avance.

Je pense les avertir demain soir, n'est-ce pas ? C'est bien pour lundi ?

Tout à vous
Votre

Samedi 4 heures.

À LÉONIE BRAINNE

[Paris,] samedi soir [13 janvier 1872].

Ma chère et belle Amie,

Je commence à respirer, et j'espère bien à la fin de la semaine ne plus m'occuper des autres, mais de moi ! c'est-à-dire que l'on se verra — enfin !

J'ai encore à finir l'impression de *Dernières chansons* et d'*Aïssé* et à envoyer rue Saint-Étienne-des-Cordeliers[2] ma *lettre au Conseil municipal de Rouen* ! — petit morceau qui me fera chérir de nos infects compatriotes.

Autre histoire : Pierre Berton m'a demandé pour Mlle Delaporte le rôle d'Aïssé ? ne vous l'ai-je pas promis pour Mme Pasca[3] ?

Ni l'une ni l'autre ne sont précisément faites pour le jouer.

— Réfléchissez ! que faut-il que je fasse ? Je me laisserai conduire par vous, ce qui peut fournir le sujet d'un joli tableau allégorique : « L'âge mûr conduit par la Beauté »

que j'embrasse
Gve.

À RAOUL-DUVAL

[Paris,] dimanche [14 janvier 1872].

Mon cher Ami,

1° Quels sont les *intérêts locaux* que la Municipalité de Rouen laisse en souffrance, tels que : docks, chemins de fer, ponts, etc. Vous devez savoir cela mieux que personne. J'aurais besoin de ce renseignement immédiatement.

2° Mme Lepic[1] a dû vous demander pour moi, si vous ne connaissez pas quelles sont en France : 1. les statues élevées, dans ces derniers temps, à des célébrités de XVe ordre ; 2. quels sont, à votre connaissance, les grands hommes qui en manquent.

Montaigne et Montesquieu en ont-ils une à Bordeaux ? Chateaubriand à Saint-Malo ?

Aïssé, *Dernières chansons* et ma *Lettre au Conseil municipal de Rouen* paraîtront à la fin de la semaine. *Le Temps* m'a demandé ma lettre, mais il me faut pour cela la permission de Lapierre[2].

Tout à vous.

Venez donc un de ces matins, avant d'aller à la Chambre.

À EDMOND DE GONCOURT

[Paris, 14 janvier 1872 ?]

Mon cher ami,

Oui, cher ami. Demain à 7 heures chez Adolphe, on s'empiffrera et on gueulera littérature.

Tout à vous

Dimanche, 6 heures du soir.

À MICHEL LÉVY

[Paris,] dimanche soir [14 janvier 1872].

J'ai bien des choses à vous dire [...]

À PHILIPPE LEPARFAIT

[Paris,] lundi [15 ? janvier 1872].

Tu as très bien fait de t'opposer au couronnement du buste sur la scène. Ce genre de cérémonie est bête.

Henri de Bornier a publié un bon article dans *Le Nord*, d'aujourd'hui lundi[1].

Pas de réponse pour *Le Cœur à droite*. Je me suis re-occupé aujourd'hui du *Château des cœurs*[2].

Quand tu viendras ici, n'oublie pas de remporter le portrait du père Clogenson.

Aucune nouvelle de d'Osmoy ! Cela tourne à la démence pure et simple. Il n'a pas paru, depuis un mois, à la Chambre !

Je te reconduirai jusqu'à Mantes, quand tu t'en retourneras à Rouen.

Donne-moi quelques détails sur la manière dont *Aïssé* est jouée.

Embrasse ta mère pour moi.

Ton.

À MICHEL LÉVY

[Paris, mi-janvier 1872.]

Pourquoi pas en in-8° [... ; il s'agit d'*Aïssé*]

À MICHEL LÉVY

[Paris,] mercredi, 4 heures [17 janvier 1872].

Mon cher Michel,

Lapierre doit aujourd'hui imprimer ma *Lettre au Conseil Municipal* de Rouen [...]

À LÉONIE BRAINNE

[Paris, 17 janvier 1872.]

Puisque ça vous [fait] plaisir, très chère et de plus en plus belle amie, *Aïssé* appartient à Mme Pasca. Tant pis pour Mlle Delaporte !

J'ai envoyé hier au soir à Lapierre ma *Lettre au Conseil municipal de Rouen. Le Figaro* et *Le Temps* demandent, d'avance, à la reproduire.

Les *Dernières chansons* paraîtront vendredi ou samedi. Et *Aïssé* lundi, sans doute ?

Alors, tout sera, enfin, fini ! — et vous recevrez de longues et nombreuses visites de

GVE.
qui vous aime.

Mercredi soir.

À PAUL DALLOZ

[Paris,] Odéon, mercredi soir [17 ? janvier 1872].
Rue Murillo, 4.

Mon cher Ami,

1° Vous avez dû recevoir ce soir un télégramme de moi pour vous dire que je ne puis vous donner le manuscrit avant après-demain matin[1].

2° Voici la petite note dont vous m'avez promis de tenir compte. Rédigez-la comme vous l'entendrez.

3° Je vous prie de faire dire dans le feuilleton sur *Aïssé* quelque chose d'aimable sur les acteurs et particulièrement sur Sarah Bernhardt.

Et de rappeler que Bouilhet et moi nous avons fait une grande Féerie intitulée *Le Château des cœurs*, œuvre refusée à tous les théâtres qui pouvaient la jouer.

Mille remerciements d'avance.

Et tout à vous

À vendredi matin !

À MICHEL LÉVY

[Paris,] jeudi 6 heures [18 janvier 1872].

Je n'ai pu m'occuper des affiches des *Dernières chansons* [...]

À LOUISE PRADIER

[Paris,] jeudi 11 heures du soir [18 janvier 1872].

J'ai mis moi-même à la poste, hier, une loge de 6 places pour samedi à ton adresse. Il y avait aussi sous la même enveloppe quelques entrées (à ce qu'il me semble[1]).

Si le billet est perdu, fais-le-moi savoir. Je t'en redonnerai un la semaine prochaine.

En tout cas, voici encore des entrées, tu n'auras que la date à écrire.

Ton

J'ignore l'adresse de John[2]. Voici un mot pour lui.

Mille tendresses de

Samedi.

IVAN TOURGUENEFF À GUSTAVE FLAUBERT

Paris, 48, rue de Douai.
Vendredi, 19 janvier 1872.

Ma goutte m'a lâché de nouveau, mon cher ami — je suis désolé de tous ces contretemps bêtes, et de vous avoir donné tout ce mal inutile, mais sac à papier ! il faut pourtant que cela se fasse.

Quel jour voulez-vous :

mardi,
mercredi
ou
samedi

de la semaine suivante ? Et si je ne suis pas mort (comme le prétend le *Times*), je me ferai porter chez vous plutôt que…

Enfin ! j'attends la réponse.

Votre
Iv. TOURGUENEFF.

À PAUL DALLOZ

[Paris,] vendredi, 10 heures [19? janvier 1872].
Rue Murillo, 4.

Mon cher Ami,

Voici le *manuscrit* d'*Aïssé*. Je vous prie d'en AVOIR SOIN parce qu'il doit me servir pour l'impression du volume, où je rétablirai tous les passages supprimés à la représentation.

Lévy trouve que la publication dans *Le Moniteur* lui fera quelque tort. Comme c'est pour moi une affaire d'argent (car je tiens à en procurer le plus possible à l'héritier de Bouilhet, qui est digne de la plus grande considération), je vous demande carrément, pour la publication d'*Aïssé* dans *Le Moniteur*, la somme de *deux mille francs*, ce qui remet chaque vers à un [peu] moins de 20 sols.

Je compte sur une réponse favorable et suis tout à vous.

P.-S. — Je voulais aller vous voir ce matin, mais je suis accablé de besogne !

À EDMOND DE GONCOURT

[Paris, 19 janvier 1872.]

Mon cher vieux,

Ne manquez pas de venir dimanche chercher votre exemplaire de *Dernières chansons*[1].

Venez de bonne heure. Je ne dîne pas chez moi. — Et suis obligé de sortir vers 5 heures.

À vous

GVE.

Vendredi soir.

À PHILIPPE LEPARFAIT

[Paris,] samedi matin [20 ? janvier 1872].

Mon cher Philippe,

Voici où en sont les choses.

Ruy Blas ne passera pas avant samedi prochain, peut-être jeudi ; on jouera *Aïssé* demain et lundi, et peut-être encore deux ou trois fois, si *Ruy Blas* n'est pas prêt.

Je me suis traîné hier à l'Odéon, très souffrant encore de mon angine. On applaudissait plus que jamais et les acteurs ne lâchaient nullement la pièce, mais ils avaient fort peu de monde. La Presse nous a porté, dès le premier jour, un coup mortel.

Je m'occupe d'avoir des articles pour *Dernières chansons* et mes lettres et mes courses recommencent. Je crois que j'en aurai dans *tous* les grands journaux.

La *Lettre au Conseil municipal*[2] a fait beaucoup de bruit pendant trois jours. J'ignore ce qui se passe à Rouen, le sieur Caudron n'ayant pas répondu à mes épîtres. Lapierre a dû le chercher, l'appeler pour lui faire faire une lettre dans *Le Figaro*.

Il m'a été impossible de *mettre en branle* le député Bardoux[3], que j'avais chargé de m'obtenir au ministère de l'Intérieur une autorisation pour vendre ma brochure dans la salle de l'Odéon. Quant à d'Osmoy il m'a fait dire à deux reprises « qu'il m'écrirait un de ces jours ».

Aïssé paraît demain. Les petites places continuent à donner. *Ruy Blas* ne peut pas être joué avant le 12 ou le 15. — À cause des décors.

Pierre Allais se plaint ; on s'étonne de n'avoir pas *Dernières chansons* ?

Je t'embrasse.

Ton

GVE.

À MICHEL LÉVY

[Paris, vers le 20 janvier 1872.]

Je n'ai pas d'autres épreuves [...]

À MICHEL LÉVY

[Paris, vers le 20 janvier 1872.]

Pour M. Lévy. Quand paraît *Dernières chansons* ? [...]

À MICHEL LÉVY

[Paris, vers le 20 janvier 1872.]

Pour la correction. Je crois que Marivaux[1] s'écrit avec un *e* ?

À GEORGE SAND

[Paris,] dimanche après-midi 21 [janvier 1872].

Enfin ! j'ai un moment de tranquillité et je puis vous écrire. Mais j'ai tant de choses à vous dégoiser que je ne m'y reconnais plus.

1° votre petite lettre du 4 janvier qui m'est arrivée le matin même de la 1re d'*Aïssé*, m'a touché *jusqu'aux larmes*, chère maître bien aimé. Il n'y a que vous pour avoir de ces délicatesses.

La Première a été splendide. — Et puis, c'est tout. Le lendemain, salle à peu près vide. La Presse s'est montrée, en général, stupide et ignoble. On m'a accusé d'avoir voulu faire une réclame *en intercalant* une tirade incendiaire ! Je passe pour un Rouge ! *(sic*[1] *!)*. Vous voyez où on en est !

La Direction de l'Odéon n'a *rien* fait pour la pièce ! au contraire ! Le jour de la Première c'est moi qui ai apporté de mes mains les accessoires du Ier acte ! Et à la 3e représentation, je conduisais les figurants.

Pendant tout le temps des répétitions, ils ont fait annoncer dans les journaux la reprise de *Ruy Blas* ; etc. etc. Ils m'ont forcé à étrangler *La Baronne*[2] tout comme *Ruy Blas* étranglera *Aïssé*. Bref, l'héritier de Bouilhet gagnera fort peu d'argent. L'honneur est sauf, c'est tout.

J'ai imprimé *Dernières chansons*. Vous recevrez ce volume en même temps qu'*Aïssé* et qu'une *Lettre* de moi, *au Conseil municipal de Rouen*. Cette petite élucubration a paru tellement violente au *Nouvelliste de Rouen* qu'il n'a pas osé l'imprimer. Mais elle paraîtra, mercredi, dans *Le Temps*. Puis à Rouen, en brochure[3].

Quelle sotte vie j'ai menée depuis deux mois et demi ! Comment n'en suis-je pas crevé ! Mes plus longues nuits n'ont pas dépassé cinq heures ! Que de courses ! que de lettres ! Et quelles colères, rentrées, malheureusement ! Enfin depuis trois jours, je dors tout mon saoul, et j'en suis abruti.

J'ai assisté avec Dumas à la Première du *Roi Carotte*[4]. On n'imagine pas une infection pareille ! C'est plus bête et plus vide que la plus mauvaise des féeries de Clairville. Le public a été absolument de mon avis. Pour faire une œuvre pareille, il faut être un vrai coquin.

Ce bon Offenbach a eu un re-four à l'Opéra-Comique avec *Fantasio*[5]. Arriverait-on à haïr la Blague ? ce serait un joli progrès dans la voie du Bien !

Tourgueneff est à Paris depuis le commencement de décembre. Chaque semaine nous prenons un rendez-vous pour lire *Saint Antoine* et dîner ensemble. Mais il survient toujours des empêchements, et nous ne nous voyons pas. — Je suis plus que jamais harassé par l'existence, et dégoûté de tout. Ce qui n'empêche pas que jamais je ne me suis senti plus robuste. Expliquez-moi ça !

J'ai eu de vos nouvelles par Charles-Edmond. Comment ! est-ce que vous ne viendrez pas d'ici au mois d'avril ? Quand se verra-t-on ? Ah ! comme j'ai eu *besoin* de vous, tous ces temps-ci, chère maître ! Comme vous m'avez manqué ! Il n'y a qu'à vous que j'aurais pu dire un tas de choses !

Je vous embrasse bien fort, en vous envoyant toutes mes tendresses.

Gve.

À PHILIPPE LEPARFAIT

[Paris,] dimanche soir [21 janvier 1872].

Mon joli Coco,

C'est à moi de te retourner ton aimable mot : « êtes-vous mort ? » As-tu reçu le ballot de Lévy ? Il a dû t'arriver mercredi. Et les exemplaires, sont-ils expédiés[1] ?

Lapierre revient à Rouen mardi soir. D'ici là nous réglerons ensemble les personnes à qui il convient de donner des exemplaires de la *Lettre*[2]. J'en ai fait, à Paris, aujourd'hui, une large distribution.

Beaucoup de journaux l'ont reproduite. — Decorde est connu[3].

Pour Guérard, à qui j'ai envoyé un exemplaire du volume et ma brochure, il n'a pas daigné me faire savoir s'il les avait reçus.

Les amis de Bouilhet sont admirables de dévouement et exquis comme bonnes manières. J'en excepte Rohaut.

Autre histoire. Il y a un semblant de revif pour *La Féerie*[4]. Lévy me conseille d'attendre la reconstruction très prochaine de la Porte Saint-Martin. D'autre part j'ai de forts appuis du côté de Boulet[5].

Je ne compte sur rien, mais il ne faut pas s'endormir !... Ah ! si j'avais quelqu'un pour m'aider !!!...

Lapierre doit venir à Paris dans une quinzaine de jours ; donne-lui le manuscrit que tu détiens[6].

Si tu viens avant lui, apporte-le.

Embrasse ta mère pour moi.

Ton.

À MICHEL LÉVY

[Paris,] lundi [22 janvier 1872].

Mon cher Michel,

On m'a promis des articles pour *Dernières chansons* [...]

À GEORGE SAND

[Paris,] mardi soir [23 janvier 1872].

Vous recevrez très prochainement *Dernières chansons*, *Aïssé* et ma *Lettre au Conseil municipal de Rouen*, qui doit paraître demain dans *Le Temps*, avant de paraître en brochure.

J'ai oublié de vous prévenir de ceci, chère maître : c'est que j'ai usé de votre nom. Je vous ai *compromise*, en vous citant parmi les illustres qui ont souscrit pour le monument de Bouilhet. J'ai trouvé que *ça faisait bien* dans la phrase. Un effet de style étant chose sacrée, ne me démentez pas !

Aujourd'hui je me suis remis à mes lectures métaphysiques pour *Saint Antoine*. Samedi prochain j'en lis 130 pages, tout ce qui est fait, à Tourgueneff. Que n'êtes-vous là !

Je vous embrasse.

Votre vieux

À MICHEL LÉVY

[Paris,] mardi midi [24 janvier 1872].

Mon cher Michel,

Voici la liste des envois de *Dernières chansons* [...]

À AGÉNOR BARDOUX

[Paris, 25 janvier ? 1872.]

Cher vieux,

Je compte toujours sur toi samedi à 11 heures.

Mais ce n'est pas pour cela que je t'écris. Si *par hasard* le sieur d'Osmoy était à son poste, c'est-à-dire à Versailles, dis-lui que Mme Lepic *le prie* de se trouver samedi prochain, après-demain à 1 heure chez le duc d'Albufera[1], place Vendôme 15 ou 17. Cela est *très* important pour Janvier[2] et pour d'Osmoy lui-même.

Penses-tu à Feydeau[3] ?

À dimanche !

Ton

Jeudi soir.

GEORGE SAND À GUSTAVE FLAUBERT

[Nohant,] 25 janvier [18]72.

Tu as très bien fait de m'inscrire, et même je veux *contribuer*. Porte-moi pour la somme que tu voudras et dis-le-moi pour que je te la fasse remettre.

J'ai lu ta préface (dans *Le Temps*) dont la fin est très belle et touchante. Mais je vois que ce pauvre ami était comme toi *indécoléreux*[4], et, à l'âge que tu as maintenant, j'aimerais te voir moins irrité, moins occupé de la bêtise des autres. Pour moi c'est du temps perdu comme de se récrier sur l'ennui de la pluie et des mouches. Le public à qui l'on dit tant qu'il est bête, se fâche et n'en devient que plus bête, car fâché ou irrité, on devient sublime si on est intelligent, idiot si on est bête.

Après ça peut-être que cette indignation chronique est un besoin de ton organisation. Moi elle me tuerait. J'ai un immense besoin d'être calme pour réfléchir et chercher. En ce moment je fais de l'*utile* au risque de tes anathèmes. Je cherche à rendre clairs les débuts de l'enfant dans la vie cultivée, persuadée que la première étude imprime son mouvement sur toutes les autres et que la pédagogie nous enseigne toujours midi à 14 heures. Bref, je m'applique à un *abécédaire*[5]. Ne me dévore pas !

J'ai un *seul regret* de Paris : c'est de ne pas être en tiers avec Tourgueneff quand tu liras ton *Saint Antoine*. Pour tout le reste, Paris ne m'appelle point. Mon cœur y a des affections que je ne veux pas froisser en me trouvant en désaccord avec les idées. Il est impossible qu'on ne se lasse pas de cet esprit de parti ou de secte qui fait qu'on n'est plus français, ni homme, ni soi-même. On n'a pas de pays, on est d'une Église ; on fait ce qu'on l'on *[sic]* blâme, pour ne pas manquer à la discipline de l'école. Moi je ne peux pas me disputer avec ceux que j'aime et je ne sais [pas] mentir. J'aime mieux me taire. On me trouverait froide ou stupide ; autant rester chez soi.

Tu ne me parles pas de ta mère ; est-elle à Paris avec sa petite-fille ? J'espère que ton silence veut dire qu'elles vont bien. Ici tout passe l'hiver à merveille. Les enfants sont excellents et ne donnent que de la joie. Après le funèbre hiver de 70-71, on ne doit se plaindre de rien.

Peut-on vivre paisible, diras-tu, quand le genre humain est si absurde ? Je me soumets, en me disant que je suis peut-être aussi absurde que lui et qu'il est temps d'arriver à me corriger.

Je t'embrasse pour moi et pour tous les miens.

G. SAND.

À CHARLES-EDMOND CHOJECKI

[Paris, 26 janvier 1872.]

Ma petite vieille,

Pouvez-vous m'envoyer deux billets d'introduction pour les séances du Sénat. C'est pour ma nièce qui aime les momies (étant mon élève).

Je vous ferai observer, ma biche, que vous êtes un cochon : 1° parce que je ne vous vois jamais, 2° parce que je vous ai demandé plusieurs fois *sur quelles bases* s'était reconstitué le dîner Magny[1] ! Je n'ai pas été aux deux agapes où j'étais convoqué par la raison que la 1re fois j'étais pris et la seconde fois je n'étais pas à Paris. Voilà, mon bon.

À vous

Rue Murillo, 4, parc Monceau,
vendredi 28 *[sic* pour 26*]*

À ALFRED BAUDRY

[Croisset,] vendredi soir [26 janvier 1872].

Mon cher vieux,

Je suis bien aise de voir que ma *Lettre*[1] vous ait plu.

Quand elle a été imprimée, un regret m'a pris. Mais si j'avais gardé le silence, j'aurais eu un remords et on m'eût traité de jean-foutre — avec raison ? Elle est un peu brutale, et manque de délicatesse. Mais j'ai voulu me faire comprendre de tout le monde. Avant tout, il fallait être clair.

Je comptais vous voir dimanche prochain (j'allais vous écrire pour ce), et vous donner votre exemplaire de *Dernières chansons*. Pourquoi ne venez-vous pas ?

Malgré mes nombreuses et irritantes occupations, j'ai bien pensé à vous, depuis que je sais votre pauvre maman malade. Plus qu'aucun autre, je vous plains, vous, et surtout votre frère. Elle n'est pas vieille (comme la mienne), et elle est d'un tempérament robuste. Ne vous désespérez pas.

J'ignore ce qu'Achille[2] en pense.

Quand vous aurai-je dans ma salle à manger ?

Tout à vous.

GEORGE SAND À GUSTAVE FLAUBERT

[Nohant, 26 janvier 1872.]
Vendredi.

J'ai écrit par mégarde
sur un cahier.

Je n'étais pas au courant de toute cette affaire de Rouen et je comprends à présent ta colère[3]. Mais tu es trop colère, c'est-à-dire trop bon, et trop bon pour eux. Avec un homme *amer* et vindicatif, ces butors seraient moins rancuneux et moins hardis. Vous les avez toujours brutalisés, Bouilhet et toi, à présent ils se vengent sur le mort et sur le vivant. Ah oui, c'est bien cela et pas autre chose.

Je te prêchais hier le calme du dédain. Je vois que ce n'est pas le moment. Mais tu n'es pas méchant, les hommes forts ne sont pas cruels ; avec une mauvaise canaille à leurs trousses, ils n'auraient pas osé ce qu'ils osent, ces bons messieurs de Rouen !

Je reçois les *Chansons*, demain je lirai ta préface tout au long.

Je t'embrasse.

À HENRI DE BORNIER

[Paris, 28 janvier 1872.]

Mon cher poète,

Vous êtes bien aimable, et bien bon.

J'écris à LÉVY de vous envoyer ce qu'il vous faut pour faire votre article.

Voulez-vous venir, ou plutôt pouvez-vous venir chez moi *mardi prochain* dans l'après-midi ?

Sinon, j'irai vous voir à l'Arsenal[1], vers la fin de semaine.

Mille remerciements d'avance et tout à vous.

Dimanche matin.

À MICHEL LÉVY

[Paris, 28 janvier 1872.]

Mon cher Michel,

Voici une lettre [... de Henri de Bornier]

À EDMA ROGER DES GENETTES

[Paris,] dimanche soir [28 janvier 1872].

Je suis content que la *Préface* vous ait plu. Demain vous recevrez un autre *morceau* de moi, dans un genre différent. J'ai peut-être eu tort de l'écrire ? Mais le silence eût été de la lâcheté. — Et puis tant pis ! J'ai expectoré ma bile. Ça me soulage[2].

Depuis deux mois et demi, j'ai mené une vie *atroce*. — Mes plus longues nuits du 25 novembre au 8 janvier ont été de 5 heures. — Car personne ne m'a aidé et ma besogne a été rude.

J'ai imprimé *Dernières chansons* et *Aïssé*. J'ai écrit une *Lettre au Conseil municipal de Rouen*, et j'ai monté seul, absolument seul, *Aïssé* ! À la 3e représentation, c'est encore moi qui conduisais les figurants ! Et, le jour de la Première, j'ai porté de mes mains les accessoires du Ier acte. C'est vous dire quelle jolie administration c'est que l'Odéon. Il m'a fallu (pour qu'elle ne fût pas tout à fait honteuse) donner des répétitions particulières à Mlle Colombier ! J'ai manqué *tuer* le souffleur, etc., etc. Ah ! c'était joli ! et pendant huit jours j'ai pataugé dans la neige, du parc Monceau à l'Odéon, car les voitures ne marchaient pas. J'étais quelquefois si fatigué que, rentré chez moi, je me mettais à pleurer comme un enfant. Quand j'avais corrigé mes épreuves, à minuit, je commençais ma *vaste* correspondance. Comment n'en suis-je pas crevé ? Voilà ce qui m'étonne.

Enfin, me voilà quitte, et avant-hier j'ai recommencé mes lectures à la Bibliothèque. Si nul embarras ne me survient, j'espère avoir fini *Saint Antoine* cet été.

D'après le petit aperçu de mes occupations, vous voyez, chère Madame, que je n'ai guère eu le temps de vous écrire. Quant à vous oublier, est-ce possible !

Aïssé paraît demain. Vous la recevrez très prochainement.

Comme votre lettre est triste, et bonne !

Je vous baise les deux mains et suis,

votre très affectionné
Gve.

À GEORGE SAND

[Paris,] dimanche soir [28 janvier 1872].

Non ! chère maître ! ce n'est pas vrai. Bouilhet n'a jamais blessé les bourgeois de Rouen. Personne n'était plus doux envers eux, je dis même plus couard, pour exprimer toute la vérité. Quant à moi je m'en suis écarté. Voilà tout mon crime.

Je trouve par hasard aujourd'hui même dans les *Mémoires du géant* de Nadar, un paragraphe sur moi et les Rouennais, qui est de la plus extrême exactitude. Puisque vous possédez ce livre-là, voyez vers la p. 100[1] ?

Si j'avais gardé le silence, on m'aurait accusé d'être un lâche. J'ai protesté naïvement, c'est-à-dire brutalement. Et j'ai bien fait. Le résultat a été celui-ci : maintenant on me craint à Rouen, et je passe pour *un homme sérieux* parce que j'ai cité des chiffres *(sic)* !

Je crois qu'on ne doit jamais commencer l'attaque. Mais quand on riposte, il faut tâcher de tuer net son ennemi. Tel est mon système. La franchise fait partie de la Loyauté. Pourquoi serait-elle moins entière dans le blâme que dans l'éloge ?

Nous périssons par l'indulgence, par la clémence, par *la Vacherie*, et (j'en reviens à mon éternel refrain) par le manque de *Justice* !

Je n'ai d'ailleurs insulté personne. Je m'en suis tenu à des généralités. Quant à M. Decorde, mes intentions sont de bonne guerre. — Mais assez parlé de tous ces imbéciles !

J'ai passé hier une bonne journée avec Tourgueneff, à qui j'ai lu les 115 pages de *Saint Antoine* qui sont écrites. — Après quoi, je lui ai lu à peu près la moitié de *Dernières chansons*. Quel auditeur ! et quel critique ! Il m'a ébloui par la profondeur et la netteté de son jugement. Ah ! si tous ceux qui se mêlent de juger les livres avaient pu l'entendre, quelle leçon ! Rien ne lui échappe. Au bout d'une pièce de cent vers, il se rappelle une épithète faible ! Il m'a donné pour *Saint Antoine* deux ou trois conseils de détail exquis.

J'ai recommencé avant-hier mes lectures, et quand j'aurai expédié tous les exemplaires de ma *Lettre*, je reprendrai mon train-train ordinaire.

Charles-Edmond m'a dit que le roman de vous qu'il doit publier dans *Le Temps*, est une merveille. Cela se peut bien[1].

Ma mère se porte bien. Mais son caractère devient *intolérable* ! Ma pauvre nièce ne sait plus qu'en faire, ni comment s'y prendre !

Embrassez les vôtres pour moi, et à vous, chère bon maître, trop bon, *ex imo*.

Vous me jugez donc bien bête, puisque vous croyez que je vais vous blâmer à propos de votre *abécédaire*. J'ai l'esprit assez philosophique pour ne pas savoir qu'une pareille chose est une œuvre très sérieuse.

La *méthode* est tout ce qu'il y a de plus haut dans la critique puisqu'elle donne le moyen de créer.

GEORGE SAND À GUSTAVE FLAUBERT

Nohant, 28 janvier [18]72.

Ta préface est splendide et le livre[2] est divin ! Tiens, j'ai fait un vers sans le savoir. Dieu me le pardonne !

Oui, tu as raison : Il n'était pas de second ordre, celui-là, et *les ordres* ne se décrètent pas, surtout dans un temps où la critique défait tout et ne fait rien. Tout ton cœur eſt dans ce simple et discret récit de sa vie. Je vois bien, à présent, pourquoi il eſt mort si jeune, il eſt mort d'avoir trop vécu dans l'esprit. Je t'en prie, ne t'absorbe pas tant dans la littérature et l'érudition. Change de place, agite-toi, aie des maîtresses, ou des femmes, comme tu voudras, et pendant ces phases, ne travaille pas, car il ne faut pas brûler la chandelle par les deux bouts, mais il faut changer le bout qu'on allume.

À mon vieux âge, je me précipite encore dans des torrents de *farniente* ; les amusements les plus enfantins, les plus bêtes, me suffisent, à moi, et je reviens plus lucide de mes accès d'imbécillité.

C'eſt une grande perte pour l'art que cette mort prématurée. Dans dix ans, il n'y aura plus un seul poète. Ta préface eſt belle et bonne. Il y a des pages qui sont des modèles et il eſt bien vrai que le bourgeois lira ça en n'y trouvant rien de remarquable. Ah ! si on n'avait pas le petit sanctuaire, la pagodine intérieure, où, sans rien dire à personne, on se réfugie pour contempler et rêver le beau et le vrai, il faudrait dire : à quoi bon ?

Je t'embrasse bien fort.

Ton vieux troubadour.

À AGÉNOR BARDOUX

[Paris,] lundi [29 ? janvier 1872].

Je te trouve simplement sublime !

Je hurle contre toi parce que je ne te vois pas !… et tu me demandes : « Quand veux-tu que je vienne te voir ! » Mais, toujours, mon joli coco ! Toujours ! quand il te plaira.

Si l'autorisation tarde pour la brochure, elle sera inutile.

Je n'ai pu m'en occuper moi-même, parce que, depuis 8 jours, une angine violente me retient au logis.

Tâche d'avoir des articles pour *Dernières chansons* ; j'en aurai dans *Les Débats, Le Moniteur, Le Conſtitutionnel, Le Bien public, La Cloche, Le XIXe Siècle*. Occupe-toi des autres journaux.

Quand te verrai-je, nom de Dieu ! toi et d'Osmoy ?

ton Gve.

À EDMOND DE GONCOURT

[Paris,] lundi soir [29 janvier 1872 ?].

Non ! — *ne venez pas demain.*

Je vous verrai mercredi chez la P[rince]sse.

Je ne sais pas ce que vous voulez dire avec « la Presse de Rouen ». N'ayant entendu parler de rien.

À vous, cher vieux.

À PHILIPPE LEPARFAIT

[Paris,] lundi soir [29 janvier 1872].

Non ! je n'ai pas envoyé d'exemplaires sur papier de Hollande à Achille[1] et à Deschamps, mais tu avais les exemplaires ordinaires pour l'un et pour l'autre.

Cet envoi extraordinaire n'étant pas bien pressé, je m'en suis abstenu.

J'ai reçu le *manuscrit* du *Château des cœurs* en bon état.

Il y a eu, cette semaine, un très bon article de *Coppée* dans *Le Moniteur*. Banville et Mme Sand m'en ont promis un. Je n'ai pu me procurer *celui* de *La Rounat*. J'en aurai encore d'autres.

Tâche de te procurer *Les Débats* de lundi dernier (il y a huit jours), pour voir la fin de l'article de Janin où il traite les conseillers municipaux « d'insectes ».

R. Deslandes s'est chargé du *Cœur à droite* pour le théâtre de Cluny.

R. Félin[2] prétend que la Porte-Saint-Martin peut ouvrir cet hiver ! Alors ?…

Impossible de savoir *où gîte* d'Osmoy !

Bardoux[3] prétend qu'il ne sera pas renommé député, vu son inexactitude.

J'ai vu cette semaine quatre députés et aucun n'a pu me donner de lui la moindre nouvelle !

Il y a dans sa chambre, à Versailles, un tas de lettres non décachetées montant à la hauteur d'un mètre, environ ! Voilà tout ce que je sais.

Quand j'aurai absolument besoin de lui et que je serai riche, je mettrai la police à ses trousses pour le découvrir. Mais quant à lui écrire ou lui donner rendez-vous, zut !

Sur ce, mon bon, je t'embrasse.

Ton.

Ne devais-tu pas venir à Paris vers la fin de ce mois, toi ou Caudron ?

Dis-moi comment *Aïssé* a été pris par les Rouennais ; détails sur la représentation. Je n'ai plus mal à la gorge, mais la voix est encore bien endommagée.

À MICHEL LÉVY

[Paris, 30 janvier 1872.]

Mon cher ami,

Dès que vous aurez des *Aïssé* [...]

À CHARLES CHAUTARD

[Paris,] 1er février [1872].
Rue Murillo, 4, parc Monceau.

Monsieur,

Votre lettre m'a fait grand plaisir, et je vous en remercie cordialement.

Je déposerai mon offrande chez le libraire Frank, ou chez mon ami Blanchemain[1].

C'est un grand honneur pour moi que de faire partie de votre société de patronage[2].

Je suis donc, de toutes les façons, Monsieur, votre obligé.

Et je vous prie de recevoir l'assurance de mes sentiments les plus distingués.

À MICHEL LÉVY

[Paris, début février 1872.]

J'attends 30 exemplaires d'*Aïssé* [...].

À ERNEST FEYDEAU

[Paris, 7 février 1872.]

Infect impérialiste

Je ne vais pas te voir

1° parce que j'ai *une grippe abominable*

et

2° parce que tes opinions politiques me dégoûtent.

Dès que je serai rétabli, j'irai chez toi pour T'ASSASSINER!

Tremble!!!

Vive Marat!

SON OMBRE.

Mercredi soir.

À ALFRED BAUDRY

[Croisset, 8 février 1872.]

Mon petit père,

1° Comment va Mme Baudry[1]?

2° Venez donc prendre à Croisset un exemplaire de *Dernières chansons* sur papier de Hollande et une gravure avant la lettre — deux raretés auxquelles vous avez droit.

J'ai besoin d'aller dimanche chez M. Deschamps. Voulez-vous m'accompagner dans l'après-midi? et venir déjeuner dimanche.

R.S.V.P.

tout à vous

Jeudi matin.

À LÉONIE BRAINNE

[Paris,] vendredi soir, 8 heures [9 février 1872].

« Le cher petit » ne va pas bien du tout. — Il a une *angine* assez violente, et l'intérieur de la gorge dans un état horriblement malpropre.

J'ai beaucoup de mal à parler. — J'ai des glandes autour du cou, je suis ignoble. *Je ne veux pas qu'on me voie !*

Je jouis de tous ces avantages depuis mardi matin, et j'espérais en être quitte demain. — Mais non ! hélas !

Je vous donnerai de mes nouvelles dimanche soir.

Vous ne partez pas pour Rouen avant mercredi, n'est-ce pas ?

Mille tendresses.

G.

À MICHEL LÉVY

[Paris,] vendredi soir [9 février 1872].

Mon cher ami,

Voilà quatre fois que je vous demande les exemplaires d'*Aïssé* […].

À IVAN TOURGUENEFF

[Paris,] samedi matin [10 février 1872 ?].

Mon cher grand Tourgueneff,

Tenez-vous prêt, pour *vendredi* prochain, à dîner chez une belle dame de mes amies[1], où vous vous trouverez avec des gens qui vous admirent : Théophile Gautier, Renan, de Goncourt, etc.

Je compte toujours sur une petite visite de vous, demain vers 4 heures.

Tout à vous.

À RAOUL-DUVAL

[Paris, 11 février 1872.]

Pour l'affaire de *Feydeau*, il ne faut pas s'adresser à Simon[1], mais à Mosieu *Thiers* en personne. Car de lui seul la chose dépend.

Qui peut donc lui demander ce service ?

J'ai à votre disposition un des 25 exemplaires sur papier de Hollande de *Dernières chansons* et une épreuve avant la lettre du portrait de Bouilhet. — Car vous méritez tous les honneurs.

Moi, je ne sais pas si j'ai mérité une angine. Mais j'en ai une corsée !

Je m'ennuie de vous. Pourquoi ne vous vois-je plus, mon cher vieux ?

Votre.

Dimanche matin.

À MICHEL LÉVY

[Paris, 11 février 1872.]

Mon cher Ami,

Je vous présente un écrivain brésilien, M. *Arthur de Oliveira*, qui a déjà traduit la moitié de *Madame Bovary* et qui demande votre autorisation pour en publier une traduction portugaise au Brésil.

Je lui ai donné la mienne et je compte sur la vôtre[2].

Tout à vous.

Dimanche, 11 février [18]72.

À SA NIÈCE CAROLINE

[Paris, 12 février 1872.]

Je crois qu'*Aïssé* sera jouée aujourd'hui pour la dernière fois ? peut-être la jouera-t-on encore mercredi ou jeudi ?

En tout cas voici les places. Si tu les avais envoyé chercher, tu les aurais eues plus tôt.

Fais acheter *Les Débats* de ce matin lundi et lis la fin de l'article de Janin ; tu verras comment il traite les conseillers municipaux de Rouen.

Je vais écrire à ta tante Achille[1] car, hier, je n'ai pas eu le temps. (T.S.V.P.)

À bientôt, ton vieux qui t'embrasse.

SHEIK.

Lundi.

Mme Lepic ira à Versailles pour M. de La Chaussée[2], je lui écris de se hâter.

[Au dos de la lettre on lit :]

Ma lettre à ta tante est faite. Je lui déclare que je m'oppose formellement à son idée d'avoir à Croisset une *religieuse*, ou dame quelconque, qui serait la maîtresse de la maison.

Si cela doit être, je notifie que je fous mon camp, pour aller vivre quelque part où je serai *chez moi.*

Ce serait charmant ! ta tante viendrait tous les jours à Croisset potiner avec cette dame ! farfouiller dans les armoires et surveiller la dépense ! — ah ! non, par exemple ! non !

Ils diront à l'Hôtel-Dieu tout ce qu'ils voudront. — Mais *cela ne sera pas.*

IVAN TOURGUENEFF À GUSTAVE FLAUBERT

Paris, 48, rue de Douai.
Lundi [12 février 1872].

Mon cher ami,

Je m'aperçois que votre invitation est pour vendredi. — Mme Viardot a des soirées musicales le vendredi, où je ne puis manquer.

Je veux seulement vous dire qu'il faut que je sois à la maison un 1/4 heure avant 10 heures. J'espère que cela ne dérangera rien.
Mille amitiés.

Votre vieux
Iv. TOURGUENEFF.

À IVAN TOURGUENEFF

[Paris,] mercredi matin [14 février 1872].

Mon cher Grand,

Ci-inclus un billet de la princesse Mathilde, me demandant : 1° si je crois que vous vous souvenez d'elle, et 2° si vous voudriez venir chez elle dîner.

À ces deux questions, j'ai répondu audacieusement que : oui. — De plus, j'ai donné votre adresse requise.

Quant à vendredi, rien de changé. Vous vous en irez un peu plus tôt, voilà tout.

J'irai vous prendre à six heures.

Tout à vous.

À LÉONIE BRAINNE

[Paris, 15 février 1872.]

Votre lettre est bien *bonne*, ma chère et belle amie. Pour y répondre congrûment il faudrait se recueillir mieux que dans « le silence du cabinet », dans le silence du cœur ! Mais pour cela, le temps me manque, car je ne veux pas retarder ma réponse. Or, je suis ce matin harcelé d'occupations.

Je vais tout à l'heure déjeuner chez Mme Lepic, ce soir je dîne avec le bon Cordier[1], — et j'ai une foule de courses à faire aujourd'hui.

Mon angine est passée, mais j'ai des rhumatismes dans le dos qui me font souffrir assez violemment. Je n'en continue pas moins à faire à la Bibliothèque ex-impériale des séances de 4 et 5 heures, ce qui n'est pas gai, au milieu du bruit, et avec une cravate !

On se reverra donc la semaine prochaine, dans cinq ou six

jours. Le 20 ! c'est mardi ! Je compte vous voir mercredi. — Un petit mot d'ici là, n'est-ce pas ?

Amitiés à toute la famille et à vous.

Gve.

Jeudi matin.

À SA NIÈCE CAROLINE

[Paris,] jeudi, 10 heures [15 février 1872].

Mon Caro,

J'irai demain vous faire une visite vers 5 [h] 1/2, avant d'aller prendre Tourgueneff pour dîner ensemble chez Mme de Tourbey.

Je suis *éreinté*. J'ai des rhumatismes dans le dos et mes longues séances quotidiennes à la Bibliothèque ne sont pas bonnes.

Mme Lepic a dû écrire hier à *Hartung*, le chef du personnel[1], pour M. de La Chaussée.

Je vais aujourd'hui *faire des courses* pour des articles ! Les autres, les éternels autres, commencent à m'embêter fortement ! Croirais-tu qu'on me prie de faire des démarches relatives à l'adoption d'un nouvel engin de guerre ! c'est trop fort !

Dis à Ernest[2] qu'il te laisse demain de l'argent pour moi. — Ça m'ennuie bien d'être toujours à lui demander de l'argent ! Mais pourtant je ne vois que lui qui puisse m'en donner puisqu'il détient tout, ou à peu près tout ce que je possède.

J'ai maintenant besoin de 500 francs, et au 1er mars de mille.

Pense-t-il qu'il faudrait faire repeindre à Croisset ? et payer une note de mille francs due à Vinet[3].

Ta tante Achille n'aura peut-être pas été contente de ma lettre. Ma foi, tant pis ! On m'ennuie trop.

Adieu, pauvre Loulou.
Je te bécotte.
À demain.
Ton vieux.

G.

À THÉOPHILE GAUTIER

[Paris,] jeudi matin [15 février 1872].

Cher vieux Maître,

J'ai oublié hier de te dire cette phrase : « Tu serais bien gentil de faire un article sur *Dernières chansons.* » Je n'avais peut-être pas besoin de le dire ?

Voilà ! Sur ce, je t'embrasse.

À GEORGE SAND

[Paris, 15 février 1872.]

Chère bon Maître,

Pouvez-vous faire pour *Le Temps* un article sur *Dernières chansons* ? cela m'obligerait beaucoup. Voilà[1] !

J'ai été malade toute la semaine dernière. J'avais la gorge dans un état hideux. Mais j'ai beaucoup dormi, et je re-suis à flot. J'ai recommencé mes lectures pour *Saint Antoine.*

Je vous embrasse comme je vous aime, c'est-à-dire très fort.

Il me semble que *Dernières chansons* peut prêter à un bel article. — À une oraison funèbre de la Poésie. Elle ne périra pas. Mais l'éclipse sera longue ! et nous entrons dans ses ténèbres.

Voyez si le cœur vous en dit. — Et répondez-moi par un petit mot.

À MICHEL LÉVY

[Paris, 15 ? février 1872.]

Mon cher Michel,

Voici une lettre que je vous prie de prendre en considération. Bornier est un poète [...]

À THÉOPHILE GAUTIER

[Paris,] jeudi soir [15 février 1872].

Sacré nom de Dieu ! Je m'aperçois, cher maître, que je ne t'ai pas invité pour demain vendredi.

C'est ce que j'aurais fait si j'avais pu aller lundi chez Magny, mais j'étais malade, de la gorge.

Donc viens demain, je t'en supplie. Tu te trouveras avec des amis. Ne rends pas vaine la course de mon portier et présente-toi chez moi demain à 6 heures et demie.

Ton.

À ERNEST FEYDEAU

[Paris, vers le 15 février 1872 ?]

Mon cher vieux,

Mon ami Bardoux a parlé pour toi à *M. Thiers,* qu'il a trouvé très bien disposé.

Il s'agit d'obtenir de Simon un décret, ce qui est beaucoup plus difficile. Bardoux doit faire une démarche avec Cordier pour obtenir ce décret[1].

Ne crois pas que je t'oublie. Tu es pour moi un *remords*, parce que je ne *puis* pas trouver le temps d'aller te voir à 5 heures ; mais très prochainement tu me verras.

GEORGE SAND À GUSTAVE FLAUBERT

Nohant, 17 février [18]72.

Mon troubadour,

Je pense à ce que tu m'as demandé et je le ferai ; mais cette semaine, il faut que je me repose. J'ai trop fait la folle au carnaval avec mes petites-filles et mes petits-neveux.

Je t'embrasse pour moi et toute ma couvée.

G. SAND.

À AGÉNOR BARDOUX

[Paris,] lundi soir [19 ? février 1872].

Cher vieux,

N'oublie pas

1° Feydeau

2° Rohaut[1],

et 3° que je t'attends *dimanche matin à 11 heures pour déjeuner.* Il se pourrait que samedi soir je sois pris ? Donc, ne viens pas dîner chez moi samedi soir.

4° : informe-toi de droite et de gauche pour découvrir des amis intimes du Directeur général des Ponts et Chaussées.

C'est relativement au buste de B[ouilhet]. Je t'expliquerai la chose.

À dimanche, n'est-ce pas ?

Un mot de réponse,

et tout à toi.

À LÉONIE BRAINNE

[Paris,] lundi soir, 7 heures et quart [19 février 1872].

Je ne fais que recevoir à l'instant même votre lettre de dimanche. Pourquoi ce retard ? ma chère belle amie ? Mon carrosse, mon « char numéroté », comme disait C. Delavigne, m'attend pour me conduire à la Première de *Ruy Blas*[2]. Donc, j'ai bien peu de temps à moi pour vous dire… tout ce que [vous] savez. — Et puis que : il ne faut pas compter sur moi mercredi parce[que] j'ai, dans l'après-midi, 4 rendez-vous. — La faute en est à Lapierre qui m'a dit que vous ne seriez pas revenue avant jeudi ou vendredi !

Mais, *mercredi*, je passerai *chez vous entre 5 et 6 heures.*

D'ici là, comme toujours,

Tout à vous.

Gve.

À CHARLES-EDMOND CHOJECKI

[Paris,] mardi soir [20 février 1872].

Mon cher vieux,

Madame Sand m'a écrit hier qu'elle ferait cette semaine un article sur *Dernières chansons*.

Donc, *c'eſt chose bien convenue*, ne vous en occupez plus. Je voulais vous demander un service. Pouvez-vous placer dans votre journal un brave garçon qui s'appelle dans les petits journaux *Jules Dementhe* et de son vrai nom *Jules Rohaut* ? Je vous le recommande comme un homme très intelligent, probe et pouvant tout faire, depuis les échos jusqu'à la satire en vers ; il eſt très au courant de la trituration des feuilles.

En lui donnant actuellement de quoi vivre vous m'obligeriez.

Tout à vous, mon bon.

P.-S. — Ma recommandation n'eſt pas banale[1] !

À AGÉNOR BARDOUX

[Paris,] mercredi 21 [février 1872 ?].

Mon cher ami,

Je viens te rappeler ta promesse : il y a maintenant au miniſtère de l'Agriculture une demande de croix d'honneur pour M. *Jules Godefroy*[2], agriculteur. La demande eſt faite par le Préfet de Seine-et-Oise et par M. Lefebvre-Pontalis, député.

Si tu passais au Miniſtère, ou que tu écrivisses un mot pour donner le coup de pouce à l'affaire, tu m'obligerais.

Je suis actuellement *très* souffrant. Et je n'ose sortir.

Mais un de ces jours tu me verras, et nous tâcherons de dîner ensemble, avant mon départ, qui aura lieu dans une quinzaine.

Ton

IVAN TOURGUENEFF À GUSTAVE FLAUBERT

[Paris, 22 février 1872 ?]

Mon vieux Flaubert, j'ai oublié hier de vous prévenir de ne pas dire à ou devant Viardot que j'ai dîné chez la Princesse[1], il a une grande haine pour l'Empire — (je vous dirai pourquoi un jour[2]) et il serait affligé de savoir que je fréquente ses *ennemis.* Mme Viardot sait — elle — où j'ai été. — On vous attend ce soir. — Il n'y aura personne que moi.

Au revoir.

Votre fidèle
Iv. T.

Jeudi.

À GEORGE SAND

[Paris, 26 février 1872.]
Lundi soir.

Comme il y a longtemps que je ne vous ai écrit, chère maître ! J'ai tant de choses à vous dire que je ne sais par où commencer ! Mais comme c'est bête de vivre ainsi séparés, quand on s'aime !

Avez-vous dit à Paris un éternel adieu ? ne vous y verrai-je plus ? Viendrez-vous cet été, à Croisset, entendre *Saint Antoine* ?

Moi, je ne puis aller à Nohant parce que mon temps, vu l'étroitesse de ma bourse, est calculé ; or j'ai encore pour un bon mois de lectures et de recherches à Paris. Après quoi, je débarrasse ma pauvre nièce de la société de sa grand-mère, qui est devenue insociable, intolérable ; quelle décadence ! et comme c'est triste de sentir l'impiété s'élever dans notre cœur ! (Nous sommes à la recherche d'une dame de compagnie ! ce n'est pas facile à trouver !) Donc, vers Pâques je serai revenu à Croisset et je me remettrai à la copie. Je commence à avoir envie d'écrire.

Présentement je lis le soir la *Critique de la raison pure* de Kant, traduite par Barni[3], et je repasse mon *Spinoza.* Dans la journée je m'amuse à feuilleter des belluaires[4] du Moyen Âge, à chercher dans les « Auteurs » tout ce qu'il y a de plus baroque comme animaux. Je suis au milieu des monstres fantastiques. Quand j'aurai, à peu près, épuisé la matière, j'irai au *Museum* rêvasser devant les monstres réels. — Et puis les recherches pour le bon *Saint Antoine* seront finies !

Vous m'avez, dans votre avant-dernière lettre, témoigné des inquiétudes sur ma santé. Rassurez-vous ! jamais je n'ai été plus convaincu qu'elle était robuste. — La vie que j'ai menée cet hiver était faite pour tuer trois rhinocéros. Ce qui n'empêche pas que je me porte fort bien. Il faut que le fourreau soit solide ! car la lame est bien aiguisée. Mais tout se convertit en tristesse ! L'action, quelle qu'elle soit, me dégoûte de l'existence ! J'ai mis à profit vos conseils : je me suis *distrait*. Mais ça m'amuse médiocrement. Décidément il n'y a que la sacro-sainte littérature qui m'intéresse.

Ma préface aux *Dernières chansons* a suscité chez Mme Colet une fureur pindarique. J'ai reçu d'elle une lettre anonyme, en vers, où elle me représente comme un charlatan qui bat la grosse caisse sur la tombe de son ami, un pied-plat qui fait des turpitudes devant la critique, après avoir « adulé César[1] » ! Triste exemple des passions, comme dirait Prudhomme.

À propos de César, je ne puis croire, quoi qu'on die, à son retour prochain ! Malgré mon pessimisme nous n'en sommes pas là ! Cependant si l'on consultait le dieu appelé Suffrage universel, qui sait ?... Ah ! nous sommes bas, bien bas !

J'ai vu *Ruy Blas*, pitoyablement joué, sauf par Sarah. Mélingue est un égoutier somnambule, et les autres sont aussi ennuyeux[2]. Le père Hugo s'étant plaint amicalement de n'avoir pas reçu ma visite, j'ai cru devoir lui en faire une. — Et je l'ai trouvé... charmant ! Je répète le mot. Pas du tout grand homme, pas du tout pontife ! Cette découverte, qui m'a fort surpris, m'a fait grand bien. — Car j'ai la bosse de la vénération. Et j'aime à aimer ce que j'admire. — Cela est une allusion personnelle à vous, chère bon maître.

J'ai fait la connaissance de Mme Viardot, que je trouve une nature curieuse. C'est Tourgueneff qui m'a mené chez elle. Je comprends son goût (à lui), et son goût, à elle.

Que faites-vous, maintenant ? qu'écrivez-vous ? Quand paraîtra votre article dans *Le Temps* ?

Embrassez très fort vos petites-filles pour moi, et à vous mes meilleures, mes plus hautes tendresses.

Votre

GEORGE SAND À GUSTAVE FLAUBERT

[Nohant, 28-29 février 1872.]
Mercredi à jeudi, 3 h du matin.

Ah ! mon cher vieux, que j'ai passé douze tristes jours ! Maurice a été très malade. Toujours ces affreuses angynes *[sic]* qui d'abord ne paraissent rien et qui se compliquent d'abcès et tendent à devenir coineuses *[sic]*. Il n'a pas été en danger, mais toujours en *danger de danger*, et des souffrances cruelles, extinction de voix, impossibilité d'avaler, toutes les angoisses attachées aux violents maux de gorge que tu connais bien, puisque tu sors d'en prendre. Chez lui ce mal tend toujours au pire et la muqueuse a été si souvent le siège du même mal qu'elle manque d'énergie pour réagir. Avec cela peu ou point de fièvre, presque toujours debout, et l'abattement moral d'un homme habitué à une action continuelle du corps et de l'esprit, à qui l'esprit et le corps défendent d'agir. Nous l'avons si bien soigné que le voilà, je crois, hors d'affaire, bien que ce matin, j'aie eu encore des craintes et demandé le docteur Favre, notre sauveur *ordinaire*.

Dans la journée je lui ai parlé, pour le distraire, de tes recherches sur les monstres ; il s'est fait apporter ses cartons pour y chercher ce qu'il pouvait avoir à ton service ; mais il n'a trouvé que de pures fantaisies de son cru. Je les ai trouvées, moi, si originales et si drôles, que je l'ai encouragé à te les envoyer. Elles ne te serviront de rien, si ce n'est à pouffer de rire, dans tes heures de récréation.

J'espère que nous allons revivre sans rechutes nouvelles. Il est l'âme et la vie de la maison. Quand il s'abat, nous sommes mortes, mère, femme et filles. Aurore dit qu'elle voudrait être bien malade à la place de son père. Nous nous aimons passionnément nous cinq, et la *sacro-sainte littérature*, comme tu l'appelles, n'est que secondaire pour moi dans la vie. J'ai toujours aimé quelqu'un plus qu'elle, et ma famille plus que ce quelqu'un.

Pourquoi donc ta pauvre petite mère est-elle ainsi irritable et désespérée, au beau milieu d'une vieillesse que j'ai vue si verte encore et si gracieuse ? Est-ce la surdité subite ? Y avait-il manque absolu de philosophie et de patience avant les infirmités ? J'en souffre avec toi, parce que je comprends ce que tu en souffres.

Une autre vieillesse qui se fait pire, puisqu'elle se fait méchante, c'est celle de Mme Colet. Je croyais que toute sa haine était contre moi, et cela me semblait un coin de folie, car jamais je n'ai rien fait, rien dit contre elle, même après ce pot de chambre de bouquin où elle a excrété toute sa fureur *sans cause*[1]. Qu'a-t-elle contre toi, à présent que la passion est à l'état de légende ? *Strange, strange !* Et à propos de Bouilhet ? elle le haïssait donc, lui aussi, ce pauvre poète ? c'est une folle.

Tu penses bien que je n'ai pu écrire une panse d'*a*, depuis ces douze jours. Je vais, j'espère, me remettre à la besogne, dès que j'aurai fini mon roman, qui est resté une patte en l'air aux dernières pages. Il va commencer à paraître et il n'est pas fini d'écrire. Je veille pourtant toutes les nuits jusqu'au jour ; mais je n'ai pas eu l'esprit assez tranquille pour me distraire de mon malade.

Bonsoir, cher bon ami de mon cœur. Mon Dieu, ne travaille et ne veille pas trop, puisque toi aussi tu as des maux de gorge. C'est un mal cruel, et perfide. Nous t'aimons et nous t'embrassons tous. Aurore est charmante, elle apprend tout ce qu'on veut, on ne sait comment, sans avoir l'air de s'en apercevoir elle-même.

Quelle femme veux-tu pour tenir compagnie à ta mère ? Je connais peut-être ce qu'il te faut. Doit-elle causer et faire la lecture ? il me semble que la surdité s'y oppose. Ne s'agit-il que de soins matériels et d'assiduité continue ? Quelles sont les conditions exigées et quelle rétribution ?

Explique-moi comment, pourquoi le père Hugo n'a pas reçu une seule visite après *Ruy Blas* ? Est-ce que Gautier, Saint-Victor, ses fidèles, le négligent ? s'est-on brouillé sur la politique ?

À THÉOPHILE GAUTIER

[Paris,] dimanche soir [février-mars 1872].

Il m'est *impossible* d'aller dîner chez toi mercredi. Mais, si j'ai compris les explications de mon Mameluk, tu viendras jeudi ? Est-ce convenu ?

En cas de silence, je t'attends ; ne me réponds pas et viens.

À bientôt, vieux maître.

À THÉOPHILE GAUTIER

[Paris, février-mars 1872.]

Vieux Maître,

Voici une petite note[1] que je te prie de considérer.

Si tu peux dire quelque bien des peinturlureurs[2] en question, tu obligeras des amis à moi.

Je t'embrasse.

Jeudi matin.

À SA NIÈCE CAROLINE

[Paris, 1er mars 1872.]

Pauvre Loulou !

Combien je suis peiné de te voir toujours souffrante !

Mme Sand me propose une dame de compagnie en me demandant quels sont les appointements ?

Écris-moi là-dessus, que je lui réponde. *Lundi* j'irai au jardin des Plantes, G. Pouchet[1] étant revenu. — Puis, le soir, je dînerai chez toi.

Je t'embrasse.

ton vieux Chanoine

J'ai prêté le volume d'Achard. Voici celui de Zola[2].

À GEORGE SAND

[Paris,] dimanche soir [3 mars 1872].

Chère Maître,

J'ai reçu les dessins fantastiques. — Qui m'ont diverti. Peut-être y a-t-il un symbole profond caché dans le dessin de Maurice ? mais je ne l'ai pas découvert… rêverie ! Il y a deux très jolis monstres : 1° un fœtus en forme de ballon et à quatre pattes ; 2° une tête de mort emmanchée à un ver intestinal[3].

Maurice n'est pas si malade que vous le dites, puisqu'il s'amuse ainsi ? Je comprends néanmoins que ces éternels maux de gorge vous tourmentent ! Ne sont-ils pas le résultat d'un mauvais régime ? Je blâme la cigarette. Pourquoi ne pas fumer dans de longues pipes en bois ? C'est ce qui irrite le moins.

Nous n'avons pas encore découvert une dame de compagnie. Cela me paraît difficile. Il nous faudrait une personne pouvant faire la lecture, et qui fût très douce. On la chargerait aussi de tenir un peu le ménage. Mais sa principale occupation serait de causer. Ma pauvre mère en est arrivée à ne pouvoir supporter la solitude pendant une minute ! Cette dame n'aurait pas grands soins corporels à lui donner, puisque ma mère garderait sa femme de chambre. Les appointements seraient, d'abord, de 800 fr., puis, de mille, si on en était content. Il nous faudrait quelqu'un d'aimable, avant tout. — Et de parfaitement probe. Les principes religieux ne sont pas réclamés ! Le reste est laissé à votre perspicacité, chère maître ! Voilà tout.

Je suis inquiet de Théo[1]. Je trouve qu'il vieillit étrangement. Il *doit* être très malade, d'une maladie de cœur, sans doute ? Encore un qui s'apprête à me quitter !...

Non ! la Littérature n'est pas ce que j'aime le plus au monde. Je me suis mal expliqué (dans ma dernière lettre). Je vous parlais de distractions, et de rien de plus. — Je ne suis pas si cuistre que de préférer des phrases à des Êtres. — Plus je vais, plus ma sensibilité s'exaspère. Mais *le dessus* est solide et la machine continue. — Et puis, après la guerre de Prusse, il n'y a plus de grand embêtement possible.

Présentement, j'attends avec impatience la solution du procès Janvier. Je connais beaucoup la mère de ce drôle qu'elle a la faiblesse d'idolâtrer. Cette pauvre femme, qui depuis huit mois tient compagnie à son fils dans sa prison, m'attendrit jusque dans les moelles. Je crois l'ex-préfet Janvier innocent de *ce dont* on l'accuse. Mais tellement criminel sous d'autres rapports que ma justice est incertaine. S'il est acquitté, ce sera un triomphe pour l'exécrable parti bonapartiste. Si on le condamne, j'aurai beaucoup de chagrin à cause de sa mère. Voilà comme tout est pour le mieux dans le meilleur des mondes possibles[2]. Ô Calme du grand Goethe, personne ne t'admire plus que moi, car personne ne te possède moins !

Et la *Critique de la raison pure* du nommé Kant traduite par Barni est une lecture plus lourde que *La Vie parisienne* de Marcelin[3] ! N'importe ! j'arriverai à la comprendre !

J'ai, à peu près, fini l'esquisse de la dernière partie de *Saint Antoine*. J'ai hâte de me mettre à l'écrire. Voilà trop longtemps que je n'ai écrit ! Il m'ennuie du style !

Et de vous, encore plus, chère bon maître ! Donnez-moi, tout de suite, des nouvelles de Maurice. Et dites-moi si vous pensez que la dame de votre connaissance puisse nous convenir ?

Et là-dessus, je vous embrasse tous à pleins bras.

Votre vieux troubadour

toujours agité, toujours *HHHindigné* comme saint Polycarpe.

À SA NIÈCE CAROLINE

[Paris,] mardi soir [5 mars 1872].

Ton état m'a affligé hier, mon pauvre Caro ! n'oublie pas de m'écrire ce qu'on aura décidé à l'Hôtel-Dieu[1]. — Je souhaite dans l'intérêt de ta santé que ta grand-mère s'en aille le plus promptement possible.

Demain je ferai, moi aussi, des *visites* ! — retardées jusqu'à ce jour.

Jeudi je dîne chez le père Hugo qui eſt de plus en plus aimable, et vendredi je passe mon après-midi à l'Arsenal. — Samedi dîner du grand monde chez toi. — J'aurais bien voulu causer avec toi tranquillement, avant le départ de notre pauvre bonne femme !

Veux-tu venir déjeuner chez moi jeudi matin ? Réponds-moi un petit mot à ce sujet.

Dis à Erneſt que j'attends mon mois de mars, 1000 francs ; je n'aurai pas besoin de plus jusqu'à mon départ pour Croisset, qui aura lieu à Pâques au plus tard.

Ce que tu m'as dit hier sur *ton* Croisset[2] m'afflige. Pourquoi ne veux-tu plus y venir ! ce n'eſt pas gentil pour

VIEUX
qui t'aime.

À AGÉNOR BARDOUX

[Paris, 7 mars 1872.]

Cher vieux,

Je compte toujours sur toi samedi à 11 heures.

Mais ce n'eſt pas pour cela que je t'écris. Si *par hasard* le sieur d'Osmoy était à son poſte, c'eſt-à-dire à Versailles[3], dis-lui que Mme Lepic *le prie* de se trouver samedi prochain, après-demain, à 1 heure chez le duc d'Albufera, place Vendôme, 15 ou 17. Cela eſt *très* important pour Janvier et pour d'Osmoy lui-même[4].

Penses-tu à Feydeau ?

À dimanche !

Ton

Jeudi soir.

À AGÉNOR BARDOUX

[Paris, 8 ? mars 1872.]

Mon cher ami,

Je n'écris pas à d'Osmoy parce que je suis sûr qu'il ne me ferait pas l'honneur de me répondre. — Cependant avant de quitter Paris (ce qui aura lieu dans une quinzaine) je voudrais savoir où déposer son exemplaire de *Dernières chansons* ?

2° informe-toi de ceci : qui eﬆ le Direćteur général des Ponts et Chaussées, et par quel moyen le séduire ? C'eﬆ pour la fontaine — Bouilhet. Ainsi la chose eﬆ grave.

3° repense au malheureux Feydeau.

4° viens donc me voir un dimanche (dimanche prochain, si tu veux), et rapporte-moi le volume de Leconte de Lisle[1].

À toi

Vendredi matin.

À CHARLES-EDMOND CHOJECKI

[Paris,] samedi 9 mars [1872].

Mon cher vieux,

[Il le prie de venir déjeuner avec lui] chez les époux Godefroy[2] [...] ça m'ennuie d'y aller seul [...]. Mme Régnier[3] s'eﬆ présentée au *Temps*, où on ne lui a donné pour son roman aucune réponse positive. [...]

À SA NIÈCE CAROLINE

Paris, lundi matin [11 mars 1872].

Mon Caro,

Mme Sand ne me répond pas relativement à la dame de compagnie. — Donc, j'en ai reparlé hier chez la P[rince]sse. Tu recevras demain, à 11 h[eures], la visite d'une dame recommandée par Mme de Galbois[4], qui la connaît si bien qu'elle eﬆ la marraine de sa fille. C'eﬆ une veuve.

La P[rince]sse avait une autre personne à recommander, mais celle-là est sur le point de se marier.

Mon intention est toujours de m'en aller vers la fin de la semaine prochaine. — D'ici là j'ai bien des choses à faire ! J'irai probablement te faire une visite *mercredi* matin. Vous déjeunez trop tard pour que je déjeune avec vous.

À propos de repas, ton dîner de samedi avait le caractère d'une chose réussie : jolie nourriture, bons vins, amphitryons charmants. — Et, en fait de femmes, de vrais anges ! Le père Giraud[1] était dans « un enthousiasme impossible à décrire » ; son frère me l'a dit, et je m'en suis, d'ailleurs, aperçu !

Tu ne m'avais pas assez vanté Mme de Cirdey, que je trouve « un morceau » appétissant ! et l'air bon enfant.

Si on ne se met pas tout de suite à peindre la petite salle à manger, le corridor, et la chambre de ta grand-mère, nous serons fort incommodés quand nous allons revenir à Croisset. — Et cette opération me semble indispensable. — Ne pas oublier aussi de faire laver la cuisine.

Et l'Hôtel-Dieu ? As-tu une lettre ?

Adieu, pauvre chérie ! il faudra, avant mon départ, faire encore un déjeuner chez

VIEUX qui te bécotte.

À GEORGE SAND

[Paris,] lundi [11 mars 1872].

Chère Maître,

Est-ce que Maurice[2] est plus mal ? votre silence m'inquiète, d'autant plus que vous avez l'habitude de répondre tout de suite quand on vous demande des services.

Où est la dame de compagnie dont vous m'avez parlé ?

Je remmène ma mère à Croisset dans une quinzaine de jours, et d'ici là, je voudrais lui avoir trouvé quelqu'un. — Ce qui est bien difficile.

Mille tendresses de votre vieux

V. Hugo m'a prié de vous dire un tas de choses ; il m'a parlé de vous en termes exquis (c'est un vieux malin qui connaît son monde).

À ALPHONSE DAUDET

[Paris, 12 mars 1872.]

C'est purement et simplement *un chef-d'œuvre* ! Je lâche le mot et je le maintiens.

J'ai commencé *Tartarin*[1] dimanche à minuit : il était achevé à 2 h 1/2 ! Tout, absolument tout, m'a diverti. Plusieurs fois j'ai ri tout haut aux éclats. L'invention du chameau est une merveille. Il est bien développé et « couronne l'édifice ».

Tartarin sur le minaret, engueulant l'Orient, est sublime !

Enfin votre petit livre me semble avoir la plus grande valeur. Tel est mon avis.

Je compte m'en retourner vers ma maison des champs dans une douzaine de jours. D'ici là, tous mes moments sont pris. Je voudrais bien vous voir cependant. Mais comment faire ? Dimanche dans l'après-midi je serai chez moi. Et vous ? quand vous trouver ?

Où trouver aussi votre frère, que je n'ai pas encore remercié de son livre ?

À bientôt, n'est-ce pas, et à vous.

Mardi matin.

Les chasseurs de casquettes ! Barbassou, les nègres mangeant le sparadrap, le prince, etc. ! Très beau, très beau !

GEORGE SAND À GUSTAVE FLAUBERT

[Nohant, 13] mars [18]72.

Non, cher ami, Maurice est à peu près guéri, mais j'ai été fatiguée, écrasée de travail *d'urgence* : finir mon roman et corriger une masse d'épreuves du commencement. Et puis des lettres arriérées, des affaires, pas le temps de respirer ! Voilà pourquoi je n'ai pas pu faire l'article sur Bouilhet, et comme *Nanon* est commencée, comme on en publie 5 numéros par semaine dans *Le Temps*, je ne vois pas où je publierai cet article prochainement. À la *Revue des Deux Mondes*, ils ne veulent pas que je fasse de la critique. Quiconque n'est pas ou n'a pas été de leur cénacle n'a pas de talent et on ne m'accorde pas le droit de dire le contraire. Il y a bien une revue nouvelle qui m'est ouverte à deux battants et qui est faite par de bien braves gens. Mais elle est plus répandue à l'étranger qu'en France et tu trouveras peut-être que l'article n'y serait pas assez remarqué. C'est la *Revue universelle*, dirigée par Amédée Marteau. Parle de cela avec Ch.-Edmond. Demande-lui, si malgré *Nanon* en cours de publication, il me trouverait une petite place dans le corps du journal.

Quant à la demoiselle de compagnie, tu penses bien que je m'en suis occupée. Celle que j'avais en vue ne convient pas, elle ne pourrait faire la lecture, et je ne suis pas assez sûre des autres pour les proposer. Je croyais que ta pauvre maman était trop sourde pour entendre lire et pour causer, et qu'il lui eût suffi d'avoir une personne douce et charmante pour la soigner et se tenir près d'elle. Voilà, mon cher vieux, ce n'est pas ma faute.

Je t'embrasse de tout mon cœur. Pour le moment, il n'y a que cela qui fonctionne. Mon cerveau est très abruti.

G. SAND.

À GEORGE SAND

[Paris,] jeudi matin [14 mars 1872].

C'est *Charles-Edmond*, lui-même, qui m'a dit de vous demander un article sur *Dernières chansons* et personne autre que vous ne le fera au *Temps*. Scherer[1] s'était proposé. Je l'ai remercié. Donc reposez-vous d'abord, prenez tout votre temps, et quand il vous plaira soyez sûre que l'article sera inséré.

Ledit Charles-Edmond est maintenant à Antibes chez Dennery[2] « pour un travail long et urgent ». Cré coquin ! ça fait rêver !

Je serai revenu à Croisset dans une quinzaine au plus tard. Nous ne réussissons pas à trouver une dame de compagnie pour ma pauvre maman !

Je suis bien content de savoir que Maurice aille mieux. Embrassez-le de ma part ainsi que les autres, et tout à vous, chère bon maître.

Votre vieux

Tâchez de vous procurer *Tartarin de Tarascon* par Alph. Daudet. Ça vous fera rire. C'est très gentil. Il y a là-dedans une veine comique réelle.

À EDMOND DE GONCOURT

[Paris, 19 mars 1872.]

Tourgueneff m'a invité à dîner pour vendredi.

Comme je tiens à dîner chez vous ce jour-là (il ne m'en reste pas d'autre) je m'y permettrais d'y amener ledit Moscovite.

Il a une opinion de vous assez bonne pour avoir accepté *mon* invitation.

Si cela vous contrariait — un mot S.V.P.

Nous arriverons de bonne heure, vers 5 heures ? Est-ce trop tôt ?

Tout à vous.

Mardi 2 heures.

À PHILIPPE LEPARFAIT

[Paris,] mardi soir [19 mars 1872].

Mon cher Philippe,

Je te préviens de *ceci* : Guérard ne m'a pas encore rendu les cahiers[1], ce que je trouve un peu sans gêne. Du Camp (qui est fort occupé et qui est plus mon ami que Guérard) me les a rendus au bout de deux jours. Fais-moi le plaisir de lui écrire pour le prier de me les renvoyer.

Je serai à Croisset au commencement de la seconde semaine de mai vers le 10, ou le 9. J'attends ta visite.

Dès le 1er mai j'irai à l'Odéon pour avoir ce qui t'est dû[2]. Je m'occupe de faire rentrer l'argent des souscriptions[3] déclarées à Paris. J'ai lâché Du Camp sur Maurice Richard, et demain je vais moi-même chez M. de La Ferrière[4].

Le bon Caudron[5] n'a pas daigné m'accuser réception de la somme déposée par moi chez son correspondant. Les amis sont gentils, gentils tout plein !

J'ai vu dimanche d'Osmoy qui est venu au bal chez la princesse Mathilde, et qui est reparti dès le lendemain. Il me paraît absorbé, perdu par la politique !

Embrasse pour moi ta chère maman.

Ton

À PHILIPPE LEPARFAIT

[Paris, 20 mars 1872.]

J'ai empoché hier, à l'Odéon, 400 francs pour toi.

Guérard m'a renvoyé les cahiers. Je serai à Croisset vendredi soir ; j'arriverais à Rouen par l'express du soir.

Ma première course à Rouen, qui aura lieu lundi ou mardi, sera pour porter de l'argent à Caudron.

Je t'embrasse.

Mercredi.

À JULES CLAYE

[Brouillon de la lettre suivante]

[Paris, 21 mars 1872.]

Cher monsieur Claye,

J'ai reçu avant-hier une lettre de M. votre caissier m'annonçant que Michel Lévy avait refusé de payer votre facture, ce qui m'a jeté dans un grand étonnement, car il avait été convenu entre nous deux, Michel Lévy et moi, qu'il avancerait tous les frais et se rembourserait au fur et à mesure sur le prix des volumes[1]. Pour cette avance de fonds, et autres frais, il devait prendre quarante pour cent.

Je me suis transporté hier chez lui, et il m'a *nié* effrontément ces mêmes conditions. Il s'est plaint de n'avoir pas vu une seule épreuve ! de ce que je ne l'avais pas « consulté » de l'encombrement *(sic)* que lui donnent 1 800 volumes à placer, bref, je l'ai trouvé si impudent, et plein pour la littérature d'un mépris si haineux, que la rupture est complète et définitive. Je n'oublie ni un bienfait ni une injure. Or ledit enfant d'Israël m'a blessé trop profondément pour que jamais je lui pardonne.

Maintenant, cher monsieur Claye, que faut-il faire des exemplaires qui sont en magasin chez vous ? Quel autre éditeur voudra s'en charger ? Dans ce cas-là ne doit-on pas changer le nom sur la couverture ?

Quant à l'argent que je vous dois, je vous prierai d'attendre un peu car l'héritier de B. n'est pas riche. Quel délai lui donnez-vous ?

Donc j'implore de vous deux choses — un conseil, — et un peu de complaisance. Sûr d'avance de l'un et de l'autre, je vous serre les deux mains et suis,

À JULES CLAYE, IMPRIMEUR

Paris, jeudi 21 mars [1872].
Rue Murillo, 4. Parc Monceau.

Cher monsieur Claye,

J'ai reçu avant-hier une lettre de votre caissier m'annonçant que M. Lévy *refusait* de payer votre facture. Cependant il avait été convenu entre nous deux, M. Lévy et moi, qu'il avancerait tous les frais et se rembourserait au fur et à mesure sur le prix des volumes. Pour votre avance de fonds et autres frais, il devait prendre quarante pour cent.

Hier je me suis transporté chez lui et il m'a *nié* effrontément cette convention.

Il s'est plaint de n'avoir pas vu une seule épreuve, de ce que je ne l'avais pas « consulté » de l'encombrement *(sic)* et de l'embarras que lui occasionnaient deux mille volumes ! etc. Bref, je l'ai trouvé tellement impudent et plein pour la littérature d'un mépris si haineux que la rupture est complète. Je ne veux plus en aucune façon avoir à faire avec M. Lévy, — et il m'a blessé trop profondément pour que jamais je lui pardonne. Maintenant que faut-il faire des exemplaires qui sont en magasin chez vous ? avec qui m'entendre ? Quel autre éditeur voudra s'en charger ? Dans ce cas-là, ne doit-on pas changer le nom sur la couverture ?

Quant à l'argent que je vous dois, je vous prierai d'attendre un peu, car l'héritier de Bouilhet n'est pas riche. Quel délai lui donnez-vous ?

La malchance qui a fait mourir de chagrin mon pauvre ami le poursuit jusqu'après sa mort.

Donc, j'implore de vous, cher monsieur Claye, deux choses : un bon conseil, et un peu de complaisance.

Sûr d'avance de l'un et de l'autre, je vous serre les mains et suis tout à vous.

Il faut que je sois rentré à *Croisset près Rouen* lundi soir. Veuillez donc, si votre réponse tarde un peu, m'envoyer votre lettre à cette dernière adresse.

À LÉONIE BRAINNE

[Paris,] vendredi, 10 heures [22 mars 1872].

Certainement, ma chère belle amie ! à demain 6 heures ! chez moi.

J'ai eu depuis trois jours des affaires de librairie très graves, et qui m'ont pris tout mon temps. Voilà pourquoi je n'ai pas été vous faire de visite.

J'ai le cœur tout barbouillé par l'idée de mon départ, d'autant plus que le voyage et le retour là-bas ne seront pas gais.

Mille tendresses de G.

À PHILIPPE LEPARFAIT

[Paris, 24 mars 1872.]

Mon cher Philippe,

J'arriverai demain à Rouen par l'omnibus qui part de Paris à midi.

Et j'ai beaucoup de choses embêtantes à te narrer. Je me suis fâché *à mort* avec le sieur Lévy. La colère que j'ai eue contre lui mercredi matin m'a rendu malade. — Tout cela eſt long à t'expliquer. Tâche de venir mardi à Croisset, ou demain, à 4 heures et demie, à la gare.

Je n'ai pas (malgré ma fureur) fait jusqu'à présent aucune bêtise.

Lévy m'a nié *en face* une parole donnée, celle d'avancer les frais d'impression.

À demain, ou après-demain.

Ton

Dimanche, 2 heures.

À JULES TROUBAT

[Paris,] lundi matin [25 mars 1872].

Mon cher ami,

Si vous avez quelque chose à me dire, écrivez-moi à Croisset près *Rouen.*

Je pars dégoûté plus que jamais, non pas de la littérature, mais de ce qu'on appelle la vie littéraire. — Et bien résolu au plus strict mutisme, pour longtemps, pour très longtemps ! Je ne vous cache pas que j'ai le cœur gonflé d'amertume.

Quant à votre patron, toute la question entre nous est celle-ci. Veut-il, oui ou non, avancer les *frais* dus à Claye (comme il me l'avait formellement promis[1]) ?

Ce qui n'empêche pas que je vais m'occuper à Rouen, où je serai ce soir, de faire payer ledit Claye, car je ne compte absolument sur rien de bon.

Tout à vous, cher ami.

À SA NIÈCE CAROLINE

Croisset, mardi, 11 heures [26 mars 1872].

Mon Loulou,

Ta grand-mère a très bien supporté le voyage et, malgré l'abominable état où est plongé Croisset, son humeur est bonne.

Je n'en dirai pas autant de la mienne. Mon irascibilité touche à la démence.

Je vais m'habiller pour aller à Rouen payer des notes, choisir des papiers, et faire une visite à l'Hôtel-Dieu. J'ai couché dans ta chambre. On ne sait pas comment se retourner dans la maison, qui pue violemment, et nous n'avons ni femme de ménage ni cuisinière.

Ton Vieux peu gai.

À SA NIÈCE CAROLINE

[Croisset,] jeudi, 2 heures [28 mars 1872].

Ce que j'avais prévu se réalise : l'été ne sera pas gai ! Ta grand-mère, qui avait très bien supporté le voyage et qui avant-hier était de bonne humeur, est retombée plus bas que jamais depuis hier au soir. — Elle vient de se donner une espèce d'indigestion et m'a fait grand-peur. C'est la suite de la manie qu'elle a de manger sans cesse, pour se fortifier, croit-elle. Il faut maintenant avancer d'une demi-heure chaque repas. On ne sait plus que faire.

Ton oncle Achille est venu la voir ce matin, et ne l'a pas trouvée mal, pourtant. Mme Achille et Juliette sont venues avant-hier et présentement sont dans le salon. Toute la famille a été charmante, s'est *beaucoup* informée de vous, et même de Puzzle[1], par deux fois. Explique-moi ce problème !

La maison est dans un tel état de délabrement et de saleté, et les histoires de ménage si compliquées, que depuis mon arrivée je n'ai pu rien faire. — Mon après-midi de mardi a été pris par des courses à Rouen. Aujourd'hui j'ai été chez M. Poutrel, etc. ! Comme la vie est lourde par moments ! J'en suis gorgé à vomir !

La dame de compagnie n'aura pas de chambre libre avant la fin de la semaine prochaine. Donc vers le 8 elle peut venir.

Faut-il remettre du papier dans sa chambre ? c'est-à-dire dans la tienne ? Il est bien sale et déchiré. Le tapis ne pourra pas servir, car il est usé jusqu'à la corde. Et quant au sol de l'appartement, qui est du plâtre, il faudrait le faire repeindre — ce qui est impossible maintenant. Dois-je choisir un tapis bon marché ou pas de tapis du tout ? La peinture est inutile, un bon lavage suffirait.

Toutes ces occupations-là, et surtout le tête-à-tête lamentable de ta grand-mère, me casse[nt] bras et jambes. Je sens que je ne pourrais pas écrire, car j'ai peine à comprendre ce que je lis. — Mon rêve est d'aller vivre dans un couvent en Italie, pour ne plus me mêler de rien !

J'ai été vaillant cet hiver, jusqu'à ma brouille avec Lévy. Mais depuis lors, je me sens épuisé jusque dans les moelles. — J'attends Philippe[2], à qui je vais conter des choses désagréables. — Dimanche, j'ai rendez-vous avec Deschamps pour l'affaire de la fontaine[1] ! Quand donc me foutra-t-on la paix ! Quand n'aurai-je plus à m'occuper des éternels autres ! Je passe tour à tour du rugissement à l'accablement.

Et toi, pauvre chérie, comment vas-tu ?

Pense à Vieux et écris-lui souvent.

Je t'embrasse.

ton ganachon.

Ci-inclus quelques lignes que ta grand-mère a voulu t'écrire hier.

MADAME FLAUBERT À SA PETITE-FILLE CAROLINE

[Croisset, 27 mars 1872.]

Ma bonne petite-fille,

Gustave a dû te dire que [j'ai] fait un bon voyage, mais ce qu'il n'a pu te dire est toute la reconnaissance que j'ai gardée de tes bons soins.

Adieu, chers enfants, je vous embrasse de tout mon cœur.

Votre vieille mère

C[ne] FLAUBERT.

À ERNEST FEYDEAU

[Croisset, 31 mars 1872.]

Mon cher vieux,

J'ai été obligé de revenir ici bien vite, et je n'ai pu aller te dire adieu.

Je t'ai dit, je crois, que J. Simon[2] m'avait témoigné les meilleures dispositions à ton endroit. Tu as dû recevoir de lui, une nouvelle somme, dernièrement ?

Je ne vois pas, présentement, à quoi ni comment je puis t'être utile ?

Je t'embrasse.

Dimanche soir, jour de Pâques.

J'ai eu avec Michel Lévy une barouffe[3] épouvantable à l'occasion de *Dernières chansons* et une telle colère que j'en ai été malade pendant plusieurs jours ! Quel Monsieur !

À GEORGE SAND

Croisset, dimanche de Pasques [31 mars 1872].

Me voilà revenu ici, chère bon maître, et peu gai. Ma mère m'inquiète. Sa décadence augmente de jour en jour, et presque d'heure en heure. Elle a voulu revenir chez elle, bien que les peintres n'aient pas fini leur ouvrage, et nous sommes très mal logés ! À la fin de la semaine prochaine, elle aura une dame de compagnie, qui m'allégera dans mes sottes occupations de ménage !

J'ai eu, il y a dix jours, une violente contestation avec le sieur Michel Lévy, qui est un joli, bien joli coco ! il m'a nié en face une parole donnée. Cela m'a fait l'impression d'un soufflet en plein visage, et je suis devenu tout pâle, puis tout rouge. Et alors votre troubadour… a été beau ! Jamais *la Maison Lévy* ne s'était vue à pareille danse.

C'était à l'occasion de *Dernières chansons.* Savez-vous ce qu'*Aïssé* et *Dernières chansons* auront produit à l'héritier de Bouilhet, au pauvre petit Philippe qui a sacrifié *30* mille francs pour sauver du feu les manuscrits de Bouilhet[1] ? Tout compte fait il aura *à payer* environ 400 fr ! Je vous épargne le détail de la chose, mais c'est ainsi. Et voilà comme la vertu est toujours récompensée. Si elle était récompensée, elle ne serait pas la vertu !

N'importe ! cette dernière histoire avec Lévy m'a énervé comme une trop forte saignée. Il est humiliant de voir qu'on ne réussit pas ! Et quand on a donné pour rien tout son cœur, son esprit, ses nerfs, ses muscles et son temps, on retombe à plat écrasé.

Mon pauvre Bouilhet a bien fait de mourir, le temps n'est pas doux.

Pour moi, je suis bien décidé à ne pas faire gémir les presses d'ici à de longues années, uniquement pour ne pas avoir « d'affaires », pour éviter tout rapport avec les imprimeurs, les éditeurs et les journaux, et surtout pour qu'on ne me parle pas d'argent !

Mon incapacité sous ce rapport se développe dans des proportions effrayantes. Pourquoi la vue d'*un compte* me met-elle en fureur ? cela touche à la démence. Je parle très sérieusement. Notez que j'ai tout raté, cet hiver. *Aïssé* n'a pas fait d'argent. *Dernières chansons* a failli me faire avoir un procès avec Lévy. L'histoire de la fontaine n'est pas finie. — Je suis las, profondément las, de tout.

Pourvu que je ne rate pas aussi *Saint Antoine* ! Je vais m'y remettre dans une huitaine quand j'en aurai fini avec Kant et avec Hegel ! Ces deux grands hommes contribuent à m'abrutir. Et quand je sors de leur compagnie je tombe avec voracité sur mon vieux et trois fois grand Spinoza ! Quel génie ! quelle œuvre que l'*Éthique* !

J'ai lu aussi un peu d'astronomie, toujours pour *Saint Antoine*. Mais je ne me sens pas en train. Comment le serais-je avec l'inquiétude permanente que me donne ma pauvre maman !

J'ai fait la connaissance de votre vieille amie Mme Viardot, que je trouve fort agréable.

Adieu, chère bon maître. Mille amitiés aux vôtres, et à vous toutes mes tendresses.

Votre

À JULES TROUBAT

Croisset, 31 mars 1872.

Mon cher ami,

Je vous remercie de tout le mal que vous vous donnez à cause de moi ! — Cela dit, passons *aux affaires*.

J'ai communiqué votre lettre à l'héritier de Bouilhet, M. Philippe Leparfait, qui, tout bien pesé, trouve que j'ai eu tort dans mes violences avec Michel Lévy. Tel n'est pas mon avis, mais je vous dois l'exacte vérité.

Il accepte l'offre de M. Lévy et s'engage à lui rembourser, le 1er avril 1873 au plus tard, la somme due à M. Claye, déduction faite du produit des volumes qui pourront être vendus d'ici à l'époque susmentionnée.

Envoyez-moi l'engagement qu'il faut que Philippe signe.

Si M. Lévy trouve insuffisante la signature de Philippe, il va sans dire que, moi, j'en réponds.

Mille remerciements, et tout à vous.

P.-S. Il est bien entendu que l'offre première de M. Lévy — offre qu'il maintient et que M. Philippe accepte — consiste en ceci : M. Lévy avance les frais d'impression à M. Claye, avance que M. Philippe lui remboursera le 1er avril 1873, et dont on déduira alors le prix des volumes vendus. M. Lévy justifiera nécessairement le nombre des volumes invendus lui restant en dépôt, et M. Lévy gardera pour son bénéfice une remise de 40 pour 100 sur le produit brut des exemplaires vendus ; et dans ces 40 % seront compris tous les frais de toute nature auxquels la vente aura pu donner lieu.

Quant au mémoire de Claye, je le conserve encore quelques jours et je vous présenterai à son sujet quelques observations dont M. Lévy pourra profiter pour le règlement de ce compte.

À LÉONIE BRAINNE

[Croisset,] dimanche soir [31 mars 1872].

J'outrepasse vos ordres, ma chère Léo[1], car je ne m'ennuie pas « un peu », mais beaucoup. — Je m'ennuie de vous, — et par l'idée surtout que je vais être longtemps sans vous voir ! Et puis tout, ici, m'attriste et m'agace ! Ma mère m'inquiète de plus en plus ! Mais vous avez assez de vos chagrins personnels sans que j'afflige ce cher bon cœur avec les miens.

Que vous dirai-je donc ? que vous m'avez écrit un amour de lettre. Je l'ai relue trois fois, comme si j'étais un jouvencel ! Pourquoi ne le suis-je plus ? pourquoi ne le suis-je plus ! pourquoi vous ai-je rencontrée trop tard ! Le cœur reste intact, mais j'ai la sensibilité exaspérée par-ci, émoussée par-là, comme un vieux couteau trop aiguisé, qui a des hoches et qui s'ébrèche facilement. Il me semble que je ne suis pas digne de tout ce que vous me donnez, et la comparaison que je fais de nous deux m'humilie. « Tenir un peu de place dans ma vie », dites-vous, non ! elle n'est pas petite. Tout ce qui me touche me pénètre. Voilà pourquoi je suis constamment agité. — J'ai puisé sur vos lèvres, ma chère belle, quelque chose qui me restera au fond du cœur, quoi qu'il advienne.

Comme il me serait facile de vous écrire des tendresses ! de vous *faire des phrases*. Mais j'épargne votre bon goût. Vous trouveriez peut-être que « ce n'est pas vrai »...

J'ai vu aujourd'hui l'autre géranium[2], — toujours charmante, — et le beau-frère aussi, et le jeune Baudry[3] qui m'a paru *très échauffé* à votre endroit.

Faites des amitiés pour moi à votre amie Alice[1].

Je sais que votre fils revient à Rouen bientôt ? Et vous ?

Il me semble que l'autre samedi, c'était il y a un an !... Je rêve à vos visites de cet hiver comme à une chose très ancienne et très douce, et je vais me remettre à lire du Hegel en tâchant de ne plus songer à cette chère belle figure que je voudrais couvrir de baisers.

Gve.

(De plus en plus *intempestif.*)

À PHILIPPE LEPARFAIT

[Croisset,] mercredi 4 h[eures, mars-avril 1872 ?].

Mon cher ami,

Au reçu de la présente, fais-moi le plaisir de te transporter chez *Mulot* et de lui dire que je l'attends, vendredi, comme il me le promet.

Je lui écrirais si je connaissais son adresse. — Qu'il amène avec lui Dupré ou Galli (s'il le juge convenable).

Il faut en finir ! Et primo faire rentrer l'argent[2].

M. Philippe me tient rigueur. Je ne le vois plus. Néanmoins je l'embrasse.

Son Gve.

À LÉONIE BRAINNE

[Croisset,] nuit de samedi, 1 heure [6 avril 1872].

Ma chère Amie,

Ma mère vient de mourir !

Je vous embrasse.

Votre

AU PROFESSEUR JULES CLOQUET

[Croisset, 6 avril 1872.]

Cher bon Ami,

Nous venons de perdre notre mère. Elle eſt morte après une agonie de 33 heures !

Que vous dirai-je de plus ? Nous sommes désolés ! Achille, Caroline et moi, nous vous embrassons bien tendrement.

Votre

Nuit de samedi 6.

À MAXIME DU CAMP

[Croisset, 6 avril 1872.]

Mon pauvre cher vieux,

Ma mère vient de mourir !

Depuis lundi dernier je n'ai pas fermé l'œil ! Je suis brisé.

Et je t'embrasse, mon cher Maxime, mon vieux compagnon !

Ton

Comme j'ai pensé à toi, et à tout le passé, cette semaine !

Préviens, je te prie, Mme Maurice[1].

Quand j'aurai un peu de loisir, je lui écrirai.

Nuit de samedi 6.
Croisset.

À EDMOND DE GONCOURT

[Croisset, 6 avril 1872.]

Mon cher Ami,

Ma mère vient de mourir !

Je ne veux pas que vous veniez à son enterrement ! Cela renouvellerait votre douleur[2], j'ai assez de la mienne.

Je vous embrasse.

Votre

Samedi minuit 1/2.

À GEORGE SAND

[Croisset,] nuit de samedi, 1 heure [6 avril 1872].

Chère bon maître,

Ma mère *vient de mourir* !

Je vous embrasse.

À LAURE DE MAUPASSANT

[Croisset,] 7 avril 1872.

Ma chère Laure,

Ma *mère est morte*, hier matin !

Nous l'enterrons demain.

Je suis brisé de fatigue et de douleur.

Je t'embrasse tendrement.

GEORGE SAND À GUSTAVE FLAUBERT

Nohant, 9 avril [1872].

Je suis avec toi, toute la journée et le soir, et à tout instant, mon pauvre cher ami. Je pense à tout ce qui se passe de navrant autour de toi. Je voudrais être près de toi. La contrariété d'être clouée ici me rend plus souffrante. Je voudrais un mot où tu me dirais que tu as le courage qu'il faut avoir. La fin de cette digne et chère existence a été douloureuse et longue, car, du jour où elle est devenue infirme, elle est tombée, et vous ne pouviez plus la distraire et la consoler. Voilà, hélas, l'incessante et cruelle préoccupation finie, comme finissent les choses de ce monde, le déchirement après la lutte ! Quelle amère conquête du repos ! Et cette inquiétude va te manquer, je le sais. Je connais ce genre de consternation qui suit le combat contre la mort. Enfin, mon pauvre enfant, je ne puis que t'ouvrir un cœur maternel qui ne te remplacera rien, mais qui souffre avec le tien et bien vivement à chacun de tes désastres.

G. SAND.

À EDMOND DE GONCOURT

[Croisset, 12 avril 1872.]

Je ne puis vous dire rien encore sur mon avenir, mon cher ami. — Tant que mes affaires ne seront pas arrangées (ce qui sera long), je ne sais où je vivrai. Car il faut savoir d'abord comment je vivrai ?

D'ici à longtemps, je ne ferai pas de longues stations à Paris. Au mois de mai cependant, j'y resterai peut-être pendant une semaine.

Je viens de passer une dure semaine, mon cher vieux ! La semaine de l'*inventaire* ! C'est sinistre. Il m'a semblé que ma mère se remourait et que nous la volions.

Ce que vous me dites du pauvre Théo[1] m'afflige profondément ! Encore un ! Ah ! comme je voudrais reprendre goût au travail ! Mais j'ai la tête bien vide et tous les membres endoloris ! Il n'est pas facile d'être philosophe.

Je vous embrasse à plein cœur, mon cher vieux.

Croisset. Vendredi.

GEORGE SAND À GUSTAVE FLAUBERT

Nohant, 14 avril 1872.

Ma belle-fille a été passer quelques jours près de nos amis, à Nîmes, pour couper court à une grosse *coqueluche* de Gabrielle, la séparer d'Aurore, crainte de contagion, et se refaire elle-même, car elle est souffrante depuis quelque temps ; moi, je suis guérie. Cette petite maladie et ce départ tout de suite résolu et effectué m'ont un peu bouleversée. J'avais à m'occuper d'Aurore pour qu'elle se résignât aussi, et je n'ai pas eu une minute pour te *récrire.* Je me demande aussi si tu n'aimes pas mieux qu'on te laisse à toi-même dans ces premiers jours. Pourtant je trompe le besoin que j'aurais d'être près de toi en ce triste moment, en te disant et te redisant, mon pauvre cher ami, combien je t'aime.

Peut-être aussi ta famille t'a t-elle emmené à Rouen ou à Dieppe pour ne pas te laisser rentrer tout de suite dans cette triste maison. J'ignore tes projets, au cas que ceux que tu faisais de t'absorber dans le travail soient changés. Si tu as quelque velléité de voyager et que le nerf de la guerre te manque, j'ai à ta disposition quelques sous que je viens de gagner et je les mets à ta disposition. Ne te gêne pas plus avec moi que je ne le ferais avec toi, cher enfant. On doit me payer mon roman dans cinq ou six jours, au *Temps*, il n'y aurait qu'un mot à m'écrire et je te le ferais toucher à Paris.

Un mot quand tu pourras ; je t'embrasse ainsi que Maurice, bien tendrement.

SARAH BERNHARDT À GUSTAVE FLAUBERT

[vers le 15 avril 1872.]

Je vous embrasse à plein cœur, ami et je suis triste avec vous.

SARAH BERNHARDT,
4, rue de Rouen.

À ERNEST FEYDEAU

[Croisset, 15 avril 1872.]

Je suis trop écrasé et trop abruti pour t'écrire comme il conviendrait, mon cher bonhomme. Je veux seulement vous remercier, toi et Mme Feydeau, pour vos bonnes paroles.

J'ai abominablement souffert depuis quinze jours.

Je ne sais pas ce que je vais devenir et il m'est impossible de faire aucun projet, tant que nos affaires ne seront pas terminées. Ma mère a légué Croisset à Caroline et provisoirement je vais y vivre[1].

Quand je serai un peu remis de mes chagrins et de tous mes tracas, je t'écrirai plus longuement. D'ici là je t'embrasse.

MADEMOISELLE LEROYER DE CHANTEPIE À GUSTAVE FLAUBERT

[Angers,] ce 15 avril 1872.

J'ai reçu, il y a deux jours, cher Monsieur, la triste nouvelle de votre malheur. Je vous aurais écrit de suite, si je n'eusse été trop souffrante pour le faire. J'ai été bien touchée de la preuve de souvenir et d'amitié que vous m'avez donnée. Vous avez bien prévu que je comprendrais votre douleur et que je la partagerais. Depuis 3 ans que je ne recevais plus de vos nouvelles j'ai mille fois pensé à vous et j'y pense encore bien davantage à présent que je sais ce que vous souffrez. J'ai souvent désiré vous écrire, mais les événements qui avaient bouleversé la France me faisaient supposer, que vous aviez changé d'habitation. Oui, cher Monsieur, je connais cette douleur qui nous arrache une partie de nous-mêmes. Je l'ai éprouvée et les années n'ont fait qu'ajouter à mes regrets ; à chaque heure ma mère me manque, elle était ce que j'ai le plus aimé sur la terre et, plus malheureuse encore que vous, je restais seule sans appui, sans famille ; elle était tout pour moi, je la soignai 15 ans, il me semblait que c'était tout à la fois ma mère et mon enfant. Cher Monsieur, combien je voudrais pouvoir vous offrir un peu de consolation, dans quelle solitude vous laisse la perte d'une pareille affection ! Je ne veux pas comparer mes motifs de tristesse aux vôtres, mais je passe des jours bien pénibles ; pendant les mois de janvier et février, je n'ai pas quitté mon lit, ni mon fauteuil, un ongle incarné suivi d'inflammation m'a fait cruellement souffrir.

J'ai perdu mon médecin qui depuis 20 ans était mon conseil et mon ami. Je n'ai nulle confiance aux autres qui, je crois, m'ont fait plus de mal que de bien. J'avais souffert courageusement et la première fois que j'ai pu monter un escalier, c'était pour aller entendre les dernières paroles de mon pauvre cousin enlevé en 12 jours par une fluxion de poitrine ; il était ruiné et il habitait chez moi depuis 15 ans. Quoique nos idées différassent, c'était un souvenir d'enfance, j'avais pour lui de l'amitié, je l'avais assisté 3 fois en prison et je l'en avais souvent préservé ; enfin toutes les lugubres cérémonies qui précèdent et suivent la mort ont passé sous mes yeux et l'impression que j'en ai reçue ne peut s'effacer. Mon cousin laisse une fille naturelle qui habitait chez moi depuis le premier siège de Paris où elle était dans un magasin. Elle a 21 ans, elle est jolie, mais élevée dans un couvent elle ne sait rien ; j'ai eu à consoler la pauvre enfant, elle est sans moyens d'existence, née pendant le mariage de mon cousin qui ne laisse que des dettes ; il me l'a recommandée en mourant, et je lui fais donner des leçons afin de la placer dans le commerce. J'ai un sujet d'inquiétude incessant, c'est une femme qui m'a élevée qui est chez moi depuis 50 ans et que nous tremblons à chaque instant de perdre, sa fille et moi ; notre malade a 80 ans et malgré tous nos soins, nous ne pouvons la guérir. Me voilà donc placée entre une mort récente et la crainte d'un nouveau malheur. Je n'ai pas besoin, cher Monsieur, de vous dire combien ma déplorable santé est encore aggravée par toutes ces peines et angoisses.

Adieu, je pense bien à vous, cher Monsieur, et à présent que je vous ai retrouvé, je vous écrirai sans exiger de réponse.

Adieu, croyez à ma vive et profonde sympathie.

M. S. LEROYER DE CHANTEPIE.

Je vous enverrai un petit volume imprimé avant la guerre.

À FRÉDÉRIC FOVARD

[Croisset,] mardi, le 16 avril 1872.

Merci de ta lettre, mon cher ami. Je suis encore trop brisé pour y répondre comme il conviendrait. Ma vie est complètement bouleversée. Il va falloir m'en refaire une autre. Cela est dur à cinquante ans !

Tant que nos affaires ne seront pas liquidées, tant que je ne saurai pas au juste quelle sera ma position matérielle, il m'est impossible de faire aucun projet.

Comment et où vivrai-je ? Voilà ce que j'ignore. Ma mère a légué Croisset à Caroline, et provisoirement je vais y vivre. Peut-être y resterai-je tout à fait ? C'est là, sans doute, que je serai le plus tranquille !

Maxime[1] m'a écrit que Mme Husson était guérie. Vont-ils revenir à Paris ?

Si je rencontrais dans les affaires de notre succession quelque embarras, je te prierais de venir à mon secours. Car je compte sur toi[2].

Il est probable que j'irai à Paris dans le courant de mai.

D'ici là, je t'embrasse.

Ton vieux.

À JEANNE DE LOYNES

[Croisset,] mardi [16 avril 1872].

Merci de votre lettre, ma chère amie, vous êtes aussi bonne que jolie et intelligente ; je le sais depuis longtemps, et c'est pour tout cela que je vous aime.

Depuis hier seulement je recommence à dormir et je m'en tirerai. Mais c'est rude !

Remerciez M. Ernest Daudet[3] de son bon souvenir.

J'espère vous voir, dans le courant de mai.

Écrivez-moi, et pensez à votre vieux fidèle

Qui est bien triste, et qui vous chérit.

À EDMA ROGER DES GENETTES

[Croisset,] mardi 16 [avril 1872].

Merci de votre bonne lettre ! Je suis encore trop brisé pour y répondre convenablement, mais donnez-moi de vos nouvelles, cela me fera du bien.

Provisoirement, jusqu'à ce que toutes nos affaires soient terminées, je reste à Croisset, que ma mère a légué à Mme Commanville. Ensuite où irai-je ? que ferai-je ? cependant, depuis avant-hier, je recommence à dormir.

J'ai bien envie de vous voir ! Au mois de mai, j'irai à Paris pendant quelques jours.

Mes amitiés à M. Roger, et tout à vous, chère Madame.

À GEORGE SAND

[Croisset,] mardi 16 [avril 1872].

Chère bon maître,

J'aurais dû répondre tout de suite à votre première lettre, si tendre ! mais j'étais trop brisé. La force physique me manquait. — Aujourd'hui enfin je recommence à entendre les oiseaux chanter et à voir les feuilles verdir. Le soleil ne m'irrite plus ! ce qui est un bon signe. Si je pouvais reprendre goût au travail, je serais sauvé.

Votre seconde lettre (celle d'hier) m'a attendri jusqu'aux larmes ! Êtes-vous bon ! quel excellent être vous faites ! Je n'ai [pas] besoin d'argent, présentement ! merci. Mais si j'en avais besoin, c'est bien à vous que j'en demanderais.

Ma mère a laissé Croisset à Caroline à condition que j'y garderais mon appartement. — Donc jusqu'à la liquidation complète de la succession je reste ici. Avant de me décider sur l'avenir, il faut que je sache ce que j'aurai pour vivre. Après quoi nous verrons. Aurai-je la force de vivre, absolument tout seul dans la solitude ? J'en doute. Je deviens vieux. Caro ne peut maintenant habiter ici. — Elle a déjà deux logis. Et la maison de Croisset est dispendieuse.

Je crois que j'abandonnerai le logement de Paris, rien ne

m'appelle plus à Paris. Tous mes amis sont morts. — Et le dernier, le pauvre Théo, n'en a pas pour longtemps ? j'en ai peur !

Ah ! c'est dur de refaire peau neuve à cinquante ans !

Je me suis aperçu, depuis 15 jours, que ma pauvre bonne femme de maman était l'être que j'ai le plus aimé. C'est comme si on m'avait arraché une partie des entrailles.

Mais comme j'ai besoin de vous voir ! comme j'en ai besoin ! *Dès* que je serai débarrassé de mes affaires, j'irai vous voir. Si vous veniez à Paris, mandez-le-moi, j'irais bien vite vous embrasser.

Mme Viardot, Tourgueneff et moi, nous avions fait le projet d'aller vous voir, à Nohant, au mois de juillet. Se réalisera-t-il, ce petit rêve-là ?

Je vous embrasse bien fort.

Votre vieux troubadour

Toutes mes tendresses à Maurice, que j'envie plus que jamais, puisqu'il vous *a*. Et des baisers à Mlle Aurore, malgré (ou à cause) de sa coqueluche.

À LOUIS BONENFANT[1]

[Croisset,] mardi soir 17 [16 avril 1872].

Mon cher ami,

Je suis encore trop *écrasé* pour répondre à ta bonne lettre comme il conviendrait.

Il me semble que je n'ai plus de cervelle dans le crâne et plus de moelle dans les os. — Quelle quinzaine !

Ma vie est complètement bouleversée ! et je ne puis même former aucun projet d'avenir tant que je ne saurai pas quelle sera ma position pécuniaire. — Provisoirement je reste à Croisset, qui appartient à Caroline, mais qu'elle n'habitera pas, maintenant du moins.

La pauvre Olympe a dû être très affligée par la mort de sa tante ! Et j'ai pensé à elle profondément pendant tous ces jours-ci, où les fantômes du passé m'entouraient.

Embrasse-la bien fort pour moi, et compte toujours, quoi qu'il advienne, sur l'affection de ton vieux cousin et ami.

L'inventaire de Croisset sera fini jeudi. Caro s'en retournera à Paris samedi, et je vais rester seul dans cette grande maison. — Seul avec le souvenir de tous ceux qui sont partis, mon père, ma sœur, le pauvre père Parain, Bouilhet, ma mère.

À IVAN TOURGUENEFF

Croisset, mardi 17 [16 avril 1872].

Mon cher ami,

Je suis encore trop brisé pour vous écrire longuement.

Je veux simplement vous dire merci pour votre bonne lettre[1].

Quand partez-vous de Paris ? Quand y revenez-vous ?

Je ne sais encore rien de *mes affaires*, & je ne puis former aucun projet d'avenir. Provisoirement je reste à Croisset, qui appartient maintenant à ma nièce (celle que vous connaissez[2]).

Remerciez M. Viardot de l'envoi de son volume[3]. Dès que j'aurai la tête libre, je le lirai.

Faites un bon voyage & revenez vite. Je compte vous voir au mois de juillet, comme il était convenu.

Je vous embrasse très fort.

Votre

À LÉONIE BRAINNE

[Croisset,] dimanche soir [21 avril 1872].

Ma chère Léo,

Oui, je songe à vous ! venez donc ! j'ai besoin de voir vos bons et beaux yeux — avec le reste !

Je suis encore trop écrasé et trop *écœuré* pour vous écrire des détails sur moi-même. Mais voici en deux mots la situation.

Croisset appartient à Caroline, qui d'ici à longtemps ne l'habitera pas, car elle a déjà deux logements. — Et j'y resterai, tant que la succession ne sera pas complètement liquidée. — Car avant de savoir où je vivrai, il faut savoir comment je vivrai. — Je crois que la *Sagesse* me commandera d'habiter Paris le moins possible. Oui, j'ai peur de cela ! Tantôt cependant, nous avons trouvé une combinaison — économique — assez raisonnable.

Comment vais-je pouvoir supporter la solitude absolue ?

Ah ! quel déchirement d'entrailles, depuis trois semaines, ma chère Léo ! Comme j'ai pleuré !

Les deux jours qu'a duré l'*inventaire* ont été atroces. Il me semblait que la pauvre vieille bonne femme re-mourait et que je la volais ! Je n'ai à me plaindre de personne cependant. Mais j'ai la sensibilité exaspérée. Je suis, naturellement, un écorché, et des heurts pareils me font plus souffrir que les autres.

Vendredi, samedi au plus tard, *je compte* sur votre visite. Aimez-vous mieux que j'aille, d'abord, à Rouen ? écrivez-moi un mot, et vous m'y verrez, à peine débarquée !

Je vous envoie toutes mes tendresses et vous serre à pleins bras sur mon cœur.

Le cher Petit qui n'eſt pas gai.

À SA NIÈCE CAROLINE

[Croisset,] jeudi, 4 h[eures, 25 avril 1872].

Mon cher Loulou,

J'ai eu le cœur bien gros en te voyant partir ! Et je me suis senti encore moins gai, le soir, quand je me suis mis à table !… Mais *il faut être philosophe.*

Mes visites se sont bornées à une. — Celle de Mme Crépet[1]. J'attends ton retour pour faire les autres.

Puisque l'idée de la tapisserie eſt adoptée, tu devrais t'en occuper, maintenant. Vas-tu écrire pour cela à ta tante[2] ? ou veux-tu que je lui dise de choisir un dessin ?

Les peintres sont depuis ce matin dans ta chambre. Voilà toutes les nouvelles.

Je me suis remis à travailler. À force d'entêtement, j'arriverai à reprendre goût au pauvre *Saint Antoine.* Fais comme moi, pauvre chérie, occupe ta cervelle. — Remets-toi à la peinture.

Il faut jusques au bout respecter sa nature[3].

Ce que je dis là eſt hygiénique et moral.

Comme il me semble qu'il y a déjà longtemps que tu es absente, mon pauvre Caro ! Au reſte, j'ai un peu perdu la notion du temps !

Émile est parti à Rouen faire des commissions. La grêle vient de tomber, le soleil re-brille. Je me suis couché très tard. Je crois que je vais piquer un chien ?

As-tu lu dans les feuilles l'assassinat de la C[om]tesse Dubourg ? Quelle atroce aventure ! Fais toutes mes amitiés à cette bonne Flavie et à Ernest[1].

Je t'embrasse avec toutes les tendresses de mon vieux cœur endolori.

Adieu. À bientôt, n'est-ce-pas ?

Ton Gve.

Que dis-tu du jeune Philippe[2] qui n'est pas venu me voir, une fois !

GEORGE SAND À GUSTAVE FLAUBERT

Nohant, 28 avril [1872].

J'ai ma pauvre Aurore affreusement coqueluchée jour et nuit dans les bras. J'ai un travail forcé qu'il faut finir et que je finis quand même. Si je n'ai pas encore fait l'article sur Bouilhet, sois bien sûre *[sic]* que c'est *impossible.* Je le ferai en même temps que celui sur *L'Année terrible*[3]

J'irai à Paris du 20 au 25 mai, au plus tard. Peut-être plus tôt, si Maurice emmène plus tôt Aurore à Nismes, où sont Lina et la petiote. Je t'écrirai, tu viendras me voir à Paris où j'irai te voir. J'ai soif aussi de t'embrasser, de te consoler — non, mais de te dire comme tes peines sont miennes. Jusque-là, un mot, pour me dire si tes affaires s'arrangent et si tu prends le dessus.

Ton vieux

G. SAND.

À SA NIÈCE CAROLINE

[Croisset,] lundi soir [29 avril 1872].

Chère Caro,

Je regrette la lettre de quatre pages que tu as déchirée, parce que c'était une longue lettre, et puis qu'elle n'était peut-être pas aussi « stupide » que tu le prétends. Je ne veux pas t'embêter avec mes demandes d'épîtres, sachant par moi-même combien il eſt assommant d'écrire des lettres quand on n'en a pas envie. Mais tu me feras pourtant bien plaisir de barbouiller à mon adresse beaucoup de papier, lorsque le cœur t'en dira.

Moi, j'ai lu, et préparé du *Saint Antoine*. Demain, définitivement, je me mets aux phrases.

Maintenant je suis calme, ce qui eſt beaucoup.

Jeudi, j'ai eu la visite de Mme Heuzey et de Mme Crépet[1]. Ces bonnes dames voulaient m'emmener dîner à Rouen. Il n'était que 3 h de l'après-midi : or la perspeĉtive de leur compagnie jusqu'à 10 heures du soir m'a un peu effrayé. Et je suis reſté dans ma solitude. N'importe ! les repas ne sont pas drôles !

Hier j'ai eu la visite de R. Duval, et de Laporte (du Grand-Couronne) qui m'a appris la mort de la fille de mon pauvre Duplan[2] ! Encore une mort !… Le soir, j'ai été dîner chez Lapierre. J'aurai la visite de ses dames[3] au milieu de la semaine.

Le peintre aura fini demain sa besogne et le colleur de papier viendra jeudi. Émile a tantôt rapporté de Rouen tes deux coupes en marbre.

T'occupes-tu d'une tapisserie pour Fortin[4] ? Je n'ai, bien entendu, aucune nouvelle de l'Hôtel-Dieu.

Je serai bien content de voir ce brave Erneſt[5]. Dis-lui, s'il passe devant ma maison, qu'il prenne chez le concierge les cartes qui peuvent y être.

Adieu, pauvre fille. Bon courage !…

Je t'embrasse bien tendrement.

Ton vieux.

Tu n'imagines pas comme *ton* Croisset eſt calme, et beau ! Il y a une douceur infinie dans tout, et comme un grand apaisement qui sort du silence. Le souvenir de « ma pauvre vieille » ne me quitte pas. Il flotte autour de moi comme une vapeur et m'enveloppe.

La mère Heuzey, qui eſt une très bonne femme, m'a dit qu'elle t'avait trouvée, la veille, bien fatiguée, et que tu ferais bien de te soigner. — C'eſt aussi mon opinion. — Ne me donne pas d'inquiétudes, pauvre loulou ! C'eſt assez d'avoir des regrets.

Amitiés à Flavie.

À LA PRINCESSE MATHILDE

[Croisset,] lundi soir [29 avril 1872].

Je suis enfin un peu plus calme, je peux m'occuper à quelque chose. C'eſt pourquoi je vous écris, Princesse. N'eſt-il pas naturel qu'au milieu de mon chagrin je me tourne vers vous, dont je n'ai reçu que de bonnes paroles et des marques d'affection ?

Mes affaires, chose assommante, me laisseront un peu tranquille vers le 20 du mois prochain. J'en profiterai pour aller vous faire une petite visite.

Mais où êtes-vous ? À Saint-Gratien ou à Paris ?

Pouvez-vous me donner des nouvelles de mon pauvre Théo[1] qui m'inquiète beaucoup ? J'avais prié ses deux filles de m'écrire. Elles n'en ont rien fait, ni l'une ni l'autre (j'ignore l'adresse de son fils). Goncourt m'a écrit qu'il empirait. Encore un ami qui va s'en aller ! La mort s'acharne sur tout ce que j'aime.

Allons, il *faut être philosophe*, et je ne veux pas vous ennuyer. D'ailleurs, après l'invasion prussienne, il n'y a plus de malheur possible. Ç'a été là le fond de l'abîme, le dernier degré de la rage et du désespoir. Comment n'en suis-je pas crevé ? C'eſt ce qui m'étonne, quand j'y songe. — Mais nous sommes nés pour souffrir, puisque la vie se passe à cela.

Il y a aujourd'hui trois semaines, il me semblait qu'on m'arrachait les entrailles ; et maintenant, je reprends les mêmes occupations, le même petit train-train…

Tout passe, parce que tout lasse !

Tâchez de vous tenir, sinon en joie, du moins en sérénité. — Et permettez-moi, Princesse, de vous baiser les mains en vous assurant que je suis

Votre vieux fidèle et dévoué.

Amitiés, je vous prie, au bon Giraud et à Popelin[2].

À GEORGE SAND

[Croisset,] lundi soir [29 avril 1872].

Quelle bonne nouvelle, chère maître ! Dans un mois, et même avant un mois, je vous verrai, *enfin* ! Arrangez-vous pour n'être pas trop pressée à Paris ! afin que nous ayons le temps de causer. — Ce qui serait bien gentil, ce serait de revenir ici, avec moi, passer quelques jours. — Nous serions plus tranquilles que là-bas. « Ma pauvre vieille » vous aimait beaucoup. Il me serait doux de vous voir chez elle, quand il y a encore peu de temps qu'elle en est partie.

Je me suis remis à travailler. Car l'existence n'est tolérable que si on oublie sa misérable personne !

Je serai longtemps avant de savoir ce que j'aurai pour vivre. — Car toute la fortune qui nous revient est en biens-fonds. Et pour faire le partage, il va falloir vendre tout.

Quoi qu'il advienne, je garderai mon appartement de Croisset. Ce sera mon refuge. — Et peut-être même mon unique habitation. Paris ne m'attire plus guère. Dans quelque temps je n'y aurai plus d'amis ! Sauf Ed. de Goncourt et Tourgueneff tous les confrères m'horripilent par leur *épicerie constitutive* ou leurs prétentions grotesques. L'être humain (y compris l'éternel féminin) m'amuse de moins en moins.

Savez-vous que mon pauvre Théo[1] est *très* malade ! Il se meurt d'ennui et de misère ! Personne ne parle plus sa langue ! Nous sommes ainsi, quelques fossiles qui subsistent, égarés dans un monde nouveau.

Vous ai-je conté l'impudence du sieur M. Lévy qui m'a nié, en face, une parole donnée. J'avais peu d'illusions sur ce juif. N'importe ! L'indignation où il m'a mis me reste sur le cœur, bien que depuis lors il soit tombé dessus des poids plus lourds. — Comment se fait-il même que je pense à lui ? cela prouve que j'ai la cervelle bien vide.

Embrassez pour moi Mlle Aurore, malgré sa coqueluche. Et qu'elle vous *le* rende. À vous, chère bon maître, mes meilleures, mes plus hautes tendresses.

Gve.

À FÉLIX-ARCHIMÈDE POUCHET

Croisset, vendredi [avril-mai ? 1872].

Il n'est pas possible d'être plus aimable que vous, mon cher maître. Vous me comblez. J'ai maintenant tout ce qu'il me faut. Et au-delà.

J'accepte de grand cœur votre future invitation, et m'en réjouis.

Mille remerciements encore une fois.

Et tout à vous.

À SA NIÈCE CAROLINE

Croisset, nuit de dimanche [5 mai 1872].

Ma chère Caro,

Le seul événement, la seule distraction de ma semaine, a été la visite de ton mari.

Ah ! je suis ingrat envers les Dieux ! car hier, j'ai eu celle de Mme Achille et de Juliette qui sont venues m'inviter pour le 16 prochain (de jeudi en huit) à la première communion du jeune Roquigny[1]. Tu as dû recevoir aussi une invitation ? On a été fort aimable. On s'est même informé de toi (de ta santé). Chose rare !

Ça ne m'a pas rendu plus gai ! Les repas en tête-à-tête avec moi-même, devant cette table vide, sont durs. — Enfin, ce soir, pour la première fois, j'ai eu un dessert sans larmes. — Je me ferai peut-être à cette vie solitaire et farouche. Je ne vois pas, d'ailleurs, que j'aie *le moyen* d'en mener une autre ?

Je me force à travailler, tant que je peux. Mais ma pauvre cervelle est rétive. Je fais très peu de besogne, et de la médiocre.

En fait de nouvelles, Léon Rivoire[2] est mort, à Alger. Ses sœurs étaient déjà sur le paquebot, dans le port de Marseille, quand un télégramme leur a appris que tout était fini. — Elles doivent revenir à Rouen au milieu de cette semaine.

La Princesse m'a écrit que Théo était fort malade ! Encore une mort ! encore un chagrin ! Quand donc sortirai-je du noir ?

Je ne sais pas où ton mari a découvert un assommant barbouilleur comme Saunier, peintre en bâtiments ! Croirais-tu qu'il n'a pas encore fini ta chambre ? Reste à faire le marbre de la cheminée. — J'espère pourtant que tout sera re-organisé complètement vers mercredi ou jeudi.

Quand viens-tu dans *ta* propriété. Je suis curieux de savoir la décision du tribunal mardi, relativement à votre loyer de Paris.

À propos d'affaires, Claye, l'imprimeur, m'a écrit ce matin pour que je le débarrasse des exemplaires des *Dernières chansons* qui lui restent. Ma brouille avec Lévy s'accentue. — Et que dis-tu du jeune Philippe[1], qui n'est pas venu me faire *une* visite depuis un mois ! Voilà les hommes, ma belle dame !

Il me tarde bien de bécoter ta chère mine, de voir ma pauvre nièce.

Ne manque pas d'aller consulter M. Blot et de faire ce qu'il te dira.

As-tu repris la peinture ? Lis-tu quelque chose ?

Imite dans son courage

Ton vieux.

À EDMOND LAPORTE

[Croisset,] jeudi 9 [mai 1872].

Mon cher Ami,

Voulez-vous dimanche prochain venir déjeuner chez votre

GVE FLAUBERT.

Vous savez que je peux loger votre char et votre coursier.

Je vous attendrai jusqu'à 11 heures et demie.

Je compte sur vous. Sinon un petit mot.

À SA NIÈCE CAROLINE

[Croisset,] nuit de vendredi [10 mai 1872].

Mon pauvre Caro,

MM. les peintres auront enfin terminé les deux chambres demain ! Et je crois que mardi (jour où je t'attends) tout sera prêt.

Ma vie, comme incident, n'a eu que la visite de 3 belles dames, aujourd'hui : les dames Lapierre avec Mme Pasca[1]. Celle-ci reviendra dimanche pour que je lui donne les poésies bonnes à réciter en Russie. Dimanche j'aurai à déjeuner Laporte (l'ami de Duplan[2]). Voilà toutes les nouvelles.

Je continue à ne pas m'amuser follement. — Cependant, comme j'ai pris avant le dîner un très long bain, je suis plus calme. — Ce soir.

Il eſt donc décidé que le guignon s'attache à nous ! Je suis bien contrarié de la fâcheuse issue de votre procès. Ton mari avait bon espoir, pourtant !

Je dois aller à Paris du 20 au 25 pour les affaires de Bouilhet[3]. J'ai un rendez-vous avec Claye, l'imprimeur ; mais si tu dois reſter à Croisset au-delà du 25, je remettrai mon rendez-vous, voulant me priver le moins possible de « ma pauvre fille »

que j'aime tendrement.
ton vieux

Tu ferais peut-être bien d'acheter à Paris des rideaux de vitrage pour les deux chambres ? Ils doivent être à Paris meilleur marché qu'à Rouen.

Je suppose que tu apportes l'étoffe de Perse pour les grands rideaux de ta chambre, et qu'Erneſt m'apportera quelque argent. Je n'ai plus que 50 francs.

Encore un *bacio* !

À LA PRINCESSE MATHILDE

[Croisset,] mercredi 15 mai [1872].

Nos lettres se croisent toujours ! Avez-vous remarqué cela, Princesse ? Eſt-ce assez drôle ? Et comme c'eſt flatteur pour moi !

Je vous annonçais ma visite pour le 20 de ce mois. Mais les éternelles *affaires* me retiendront ici jusqu'au commencement de juin. — Et mon petit voyage eſt reculé de quinze jours. — J'ai été tenté, après la mort de ma mère, de faire mon paquet et de m'en aller bien loin, n'importe où. Mais une fois sorti de cette pauvre maison, je n'aurais pas eu le courage d'y rentrer ! et j'ai agi sagement en tâchant de prendre, tout de suite, l'habitude de l'isolement absolu.

Je suis raisonnable. Je me force à faire quelque chose et à travailler pour m'étourdir. Mais le cœur n'eſt pas à la besogne. — Et la rêverie reprend le dessus. Je me perds dans les souvenirs comme un vieillard.

N'eſt-ce pas aujourd'hui qu'Eſtelle se marie[1] ? Pauvre, pauvre Théo ! Aucun de ses enfants ne m'a donné de ses nouvelles. J'ai peur que cet événement-là (le mariage d'Eſtelle) ne lui soit funeſte ?

Cela a dû vous sembler bon de vous retrouver dans le cher Saint-Gratien ? Mais quel temps ! quel froid ! À quoi vous occupez-vous ? Faites-vous quelque grand ouvrage de peinture ? Tâchez de ne pas vous ennuyer et pensez un peu à un pauvre diable qui vous aime, Princesse, à votre vieux fidèle.

À EDMA ROGER DES GENETTES

Croisset, 15 mai [1872].

Vous avez raison, je pense à vous très souvent, plus que jamais et profondément. Pourquoi ?... Je suis comme un vieillard. Le passé m'envahit. Je roule dans les souvenirs et je m'y perds. — Mon isolement eſt absolu et, quand je n'ai pas beaucoup de chagrin, j'ai beaucoup d'ennuis. Cela me change. Après les larmes, les bâillements. Cela compose un petit assortiment de diſtractions, fort coquet.

Je fais ce que je peux pour sortir de là ; je me force au travail et je me rudoie. Mais le cœur n'eſt pas à la littérature. Le bon *Saint Antoine* (que j'ai repris et qui sera fini vers le mois d'août) m'embête comme la vie elle-même, ce qui n'eſt pas peu dire. J'aurais besoin pour le finir de l'enthousiasme que j'avais l'été dernier. — Mais, depuis lors, il m'eſt survenu de telles secousses que je suis démonté ! Mon pauvre bourrichon eſt à bas !

Comme j'ai envie de vous lire ce livre-là, pourtant. Car il eſt fait pour vous, j'entends pour le petit nombre, pour la petite horde qui s'éclaircit !

En quoi le séjour de Paris eſt-il contraire à votre traitement ? Ne seriez-vous pas tout aussi bien à Paris que dans le lointain Villenauxe ? Eſt-ce que tout déplacement vous eſt absolument impossible ? Si cela était, j'irais vous voir, je ferais ce grand sacrifice de faire une chose qui me serait agréable.

Mes affaires (les assommantes affaires d'argent) ne sont pas terminées et ne peuvent l'être avant longtemps. Ce qu'il y a de sûr, c'est que Croisset sera toujours mon refuge. Je n'ai plus grand chose qui m'attire à Paris. — Et l'avenir se résume pour moi en une main de papier blanc, qu'il faut couvrir de noir, uniquement pour ne pas crever d'ennui, et comme « on a un tour dans son grenier quand on habite la campagne ! ».

Oui, j'ai lu *L'Année terrible*[1]. Il y a du très beau. Mais je n'éprouve pas le besoin de la relire. — La *densité* manque. N'importe ! quelle mâchoire il vous a encore, ce vieux lion-là. — Il sait haïr, ce qui est une vertu, laquelle manque à mon amie George Sand. — Mais quel dommage qu'il n'ait pas un discernement plus fin de la vérité ! Vous ai-je dit que je l'avais vu cet hiver, plusieurs fois, et que j'ai même dîné chez lui. — Je l'ai trouvé un bonhomme simplement exquis. — Et pas du tout comme on se le figure, bien entendu.

À quoi pouvez-vous passer votre temps ? Écrivez-moi ! Il me semble que vous n'avez rien de mieux à faire ?

Mille tendresses de votre

GVE.

À GEORGE SAND

[Croisset, 15 mai 1872.]

Chère Maître,

Il me sera impossible, à cause de mes affaires, les éternelles affaires d'argent ! d'être à Paris avant le 3 ou le 4 juin. Pouvez-vous remettre votre voyage ? Mais si vous restiez à Paris un peu plus de 15 jours, nous pourrions nous y rencontrer. *Il faudra* se voir avant l'automne, soit que j'aille à Nohant, ou que vous veniez ici. Au mois d'août, je l'espère, *Saint Antoine* sera fini. J'ai bien envie de vous le lire. — J'y re-travaille. Mais le cœur n'y est pas. Ça m'embête à crever.

Je vous embrasse très fort.

Votre vieux

GVE.

Croisset, 15 mai [1872] mercredi.

À JEANNE DE LOYNES

[Croisset,] mercredi soir 15 mai [1872].

[...] J'ai rêvé de vous ! et le rêve était même extrêmement agréable, délicieux au-delà de toute expression [...] *[Flaubert dit qu'il a été favorisé en rêve]* d'une foule de jolies choses qu'il ignore. [...] Votre ami n'est pas gai, il est même fort triste [...] Le passé m'envahit, je suis perdu dans les souvenirs comme un vieillard et quand je n'ai pas beaucoup de chagrin j'ai beaucoup d'ennuis. *[Il fait allusion à]* ses affaires, les assommantes affaires d'argent [...].

GEORGE SAND À GUSTAVE FLAUBERT

Nohant, 18 mai [1872].

Cher ami de mon cœur,

Ton empêchement ne dérange rien, au contraire. J'ai la grippe et l'anéantissement qui s'ensuit. Je ne pourrai aller à Paris que dans une huitaine et j'y serai encore dans les premiers jours de juin.

Mes petites sont toutes deux au bercail. J'ai bien soigné et guéri l'aînée qui est forte. L'autre est très fatiguée et le voyage n'a pas empêché la coqueluche. Moi, j'ai travaillé beaucoup, tout en soignant ma mignonne, et aussitôt ma tâche finie, aussitôt que j'ai vu mon cher monde réuni et sur pied, je suis tombée à plat. Ce ne sera rien, mais je n'ai pas la force d'écrire.

Je t'embrasse et je compte te voir bientôt.

G. SAND.

À CHARLES CHAUTARD

Croisset, près Rouen, 19 mai [1872].

Monsieur,

Je suis flatté de l'honneur que vous me faites en m'invitant à l'inauguration de la statue de Ronsard ! et je l'accepte. J'irai parmi vous, ne serait-ce que pour voir une ville où l'on respecte encore la Littérature !

En attendant ce plaisir-là, je vous prie d'agréer l'assurance de mes meilleurs sentiments.

À THÉOPHILE GAUTIER

[Croisset,] 19 mai 1872.

Cher vieux Maître,

Je ne t'ai pas écrit, je ne t'ai pas envoyé de cartes, à propos du mariage d'Estelle[1]. Mais jamais je n'ai pensé à toi comme depuis huit jours. Il me semble que tu vas t'ennuyer affreusement. Et je t'embrasse.

J'espère te voir dans une quinzaine de jours. Tâche d'être plus gai que moi.

À JULES TROUBAT

Croisset, 19 [mai 1872].

[...] Je vous remercie de m'avoir envoyé votre lettre à la Muse[2] ! Ce qui vous arrive avec elle ne m'étonne pas. On doit, un jour ou l'autre, se fâcher contre elle, — ou bien elle se fâche contre vous. C'est une personne insociable.

Une bonne poignée de main, et à bientôt.

Tout à vous.

À PHILIPPE LEPARFAIT

[Croisset,] jeudi 4 heures [20 mai 1872].

Certainement ! mon bon ! Il est très possible de me voir. — Je m'étonne même que tu n'aies pas trouvé cette possibilité-là depuis un mois.

Il *faut* même que je te voie. — À cause de Claye[3].

Mme Commanville revient ici après-demain (mercredi), et restera à Croisset jusqu'au 1er juin. Je n'irai pas à Paris avant cette époque.

Viens donc *mercredi matin* par le bateau de 11 heures.

Je t'embrasse.

Ton

Jeudi, 4 h.

À ÉLISA SCHLÉSINGER

Croisset, nuit de mardi, 28 mai 1872.

Comment ! vous ! vous ! Un soupçon sur votre vieil ami ? Comment pouvez-vous supposer qu'il vous oublie, dans un moment surtout où il a le cœur si remué ?

Si je ne vous ai pas écrit, c'est que *je n'en ai pas eu la force.* Voilà mon excuse. J'aurais dû répondre à votre première lettre[1], c'est vrai, mais j'étais si fatigué !...

Tâchez de rester à Paris jusqu'au 20 juin : je compte y être vers cette époque, nous nous verrons un peu.

Plus ma vie s'avance, plus elle est triste. Je vais rentrer dans une complète solitude. Je fais des vœux pour le bonheur de votre fils comme s'il était le mien et je vous embrasse l'un et l'autre — mais vous un peu davantage, ma toujours aimée.

GEORGE SAND À GUSTAVE FLAUBERT

Paris, rue Gay-Lussac 5, lundi [3 juin 1872].

Je suis à Paris, et pour toute cette semaine dans l'horreur des affaires personnelles. Mais la semaine prochaine, viendras-tu ? Je voudrais aller te voir à Croisset, mais je ne sais pas si je le pourrai. J'ai pris la coqueluche de mon Aurore, et, à mon âge, c'est rude. Je suis pourtant mieux, mais guère capable de courir.

Écris-moi un mot pour que je réserve les heures que tu pourras me donner. Je t'embrasse comme je t'aime, à plein cœur.

G. SAND.

À GEORGE SAND

[Croisset,] mardi 4 [juin 1872].

« Les heures que je pourrai vous donner » ? chère Maître ! mais toutes mes heures. Maintenant, tantôt, et toujours.

Je comptais m'en aller vers Paris à la fin de la semaine prochaine, le 14 ou le 15. Y serez-vous encore ? Sinon j'avancerai mon départ.

Mais j'aimerais beaucoup mieux que vous vinssiez ici. Nous y serions plus tranquilles, sans visites ni importuns ! Plus que jamais j'aimerais à vous avoir maintenant dans mon pauvre Croisset, et à vous faire coucher près de moi, dans la chambre de ma mère.

Il me semble que nous avons de quoi causer sans débrider pendant 24 heures. Puis je vous lirais *Saint Antoine*, auquel il ne manque plus qu'une quinzaine de pages pour être fini.

Cependant ne venez pas, si votre coqueluche continue. — J'aurais peur que l'humidité ne vous fît du mal.

Vous me parlez de « l'horreur des affaires personnelles » ! Je la connais ! j'en sors ! et j'en suis encore moulu. La répulsion que m'inspire toute affaire d'argent eſt arrivée chez moi à la démence. Je parle très sérieusement.

Et à ce propos, si vous êtes en relations avec M. Lévy, méfiez-vous de lui. Vous ai-je conté qu'il avait été avec moi… *exécrable* ? S'il n'y avait pas d'autre éditeur sur la terre je me passerais plutôt d'imprimer, que de revenir à lui.

Le maire de Vendôme m'a invité à « honorer de ma présence » l'inauguration de la ſtatue de Ronsard, qui aura lieu le 23 de ce mois. J'irai, et je voudrais même *y prononcer un discours*, qui serait une proteſtation contre le Panmuflisme moderne. Le prétexte eſt bon. Mais pour écrire congruement *un vrai morceau*, la vigousse et l'alacrité me manquent[1].

À bientôt, chère maître.

Votre vieux troubadour
GVE FLAUBERT.
qui vous embrasse.

À MADEMOISELLE LEROYER DE CHANTEPIE

Croisset, 5 juin 1872.

Vous m'annoncez une mort qui vous désole. Je croyais vous en avoir appris une autre, celle de ma mère. J'avais moi-même écrit votre adresse sur le billet de faire part. Il ne vous eſt donc pas parvenu[2] ?

Que vous dirai-je, chère correspondante ? Vous avez passé par là et vous savez ce qu'on souffre. Pour nous autres, vieux célibataires, c'eſt plus dur que pour d'autres.

Je vais vivre maintenant complètement seul. Depuis trois

ans, *tous* mes amis intimes sont morts. Je n'ai plus personne à qui parler.

Dans quelques jours je verrai Mme Sand, que je n'ai vue depuis l'hiver de 1870. Nous causerons de vous.

Au milieu de mes chagrins, j'achève mon *Saint Antoine.* C'est l'œuvre de toute ma vie, puisque la première idée m'en est venue en 1845, à Gênes, devant un tableau de Breughel[1] et depuis ce temps-là je n'ai cessé d'y songer et de faire des lectures afférentes.

— Mais je suis tellement dégoûté des éditeurs et des journaux que je ne publierai pas maintenant. J'attendrai des jours meilleurs ; s'ils n'arrivent jamais, j'en suis consolé d'avance. Il faut faire de l'Art pour soi et non pour le public. Sans ma mère et sans mon pauvre Bouilhet, je n'aurais pas fait imprimer *Madame Bovary.* Je suis, en cela, aussi peu homme de lettres que possible.

Que lisez-vous ? À quoi occupez-vous votre esprit ? Nous devons travailler malgré tout ; c'est le moyen de ne pas sentir le poids de la vie. Le stoïcisme est de l'hygiène.

À LA PRINCESSE MATHILDE

Croisset, 5 juin [1872].

Princesse,

Je suis un misérable ! J'aurais dû répondre immédiatement à votre dernière lettre, qui est d'ailleurs *un chef-d'œuvre* de *style* et d'esprit. La description du mari d'Estelle[2] m'a fait rire tout haut. *Ça* se voit. Vous avez des coups de pinceau à la Saint-Simon qui sont exquis.

Mon petit voyage vers vous a été remis de semaine en semaine, par suite des *exécrables* affaires ! de l'inventaire du mobilier, du partage des meubles, etc. ! Quel ennui ! Mon incapacité en matières d'argent, ou plutôt la répulsion qu'elles me causent est arrivée chez moi à un tel point que cela frise l'imbécillité ou la démence. Je parle très sérieusement. J'aime mieux me laisser dépouiller jusqu'aux os que de me défendre, non par désintéressement, mais par la rage d'ennui que me donne un pareil travail. Tel est le caractère de votre esclave indigne, chère Princesse.

Enfin le plus lourd est terminé, et vers la fin de la semaine prochaine, pour me remettre un peu de baume dans le sang, j'espère bien contempler votre belle et bonne figure.

Au milieu de mes chagrins, j'achève mon *Saint Antoine*. Mais je suis si dégoûté des éditeurs et des journaux que je ne le publierai pas cet hiver. J'attendrai des jours meilleurs. Si jamais ils n'arrivent, mon deuil en est fait d'avance.

J'irai peut-être passer le mois de juillet à Luchon[1], pour y accompagner ma nièce, dont la santé me tourmente un peu.

Mais avant cela, le 23 de ce mois, j'assisterai à l'inauguration de la statue de Ronsard. Le maire de Vendôme m'a invité à y venir. Je suis curieux de voir un pays où l'on pense encore à la Littérature. J'avais même eu l'intention de composer *un discours* à cet effet. C'eût été une belle occasion de tomber sur le *muflisme* moderne, et d'exalter la Poésie. Mais pour faire cela convenablement, la force et l'entrain me manquent[2].

Vous me parlez de De Goncourt, que vous aimez. Vous avez bien raison ! Je ne connais pas de meilleur homme, de nature plus délicate.

C'est un vrai aristocrate, chose rare.

Adieu, ou plutôt à bientôt, Princesse.

Je vous baise les deux mains, et suis votre fidèle et dévoué.

À IVAN TOURGUENEFF

Croisset, 5 juin [18]72.

Mon cher ami,

Voici mes projets pour l'été :

La semaine prochaine, je vais à Paris. Le 23, je serai à Vendôme à l'inauguration de la statue de Ronsard. Le maire m'a invité à y venir et j'irai pour voir une ville où l'on pense encore à la Littérature. J'avais même pensé à composer pour la circonstance *un discours*, que j'aurais débité en plein air, devant le peuple !!! C'eût été une belle occasion d'engueuler le *muflisme* moderne et d'exalter ce que nous aimons. Mais pour écrire ce morceau-là congruement, l'entrain et la vigueur me manquent[3].

Au mois de juillet, je mènerai probablement ma nièce à Luchon, son mari ne pouvant l'y accompagner[4]. — Ainsi nous ne pouvons nous voir avant le milieu d'août. À cette époque-là je serai à Paris, et je compte vous ramener ici, pour vous promener un peu aux environs et vous lire la fin de *Saint Antoine*, lequel commence à m'ennuyer et surtout à m'inquiéter. J'ai peur que tout cela ne soit de la déclamation.

Mes affaires m'ont embêté démesurément. Êtes-vous comme moi ? J'aime mieux me laisser dépouiller que de me défendre, non par désintéressement, mais par ennui, par lassitude. Quand il s'agit de matières d'argent, il me prend comme une rage de dégoût qui touche à la démence. Je parle très sérieusement.

J'ai pensé à vous au milieu de toutes ces turpitudes, et voici comment. On a retrouvé dans la succession de mon père une créance de 14 mille francs attribuée à votre ami. Somme dont j'ignorais l'existence, et qui a été flibustée par un brave cousin chargé de nos affaires[1]. — L'idée d'un voyage en Russie m'est tout de suite venue. Ce petit excédent me permettrait de me promener là-bas, avec vous. Mais je crois que je [n']en verrai jamais un liard.

Ah ! cher ami, je voudrais bien m'étaler près de vous sur vos grandes meules de foin ! Cela rafraîchirait mon triste individu, singulièrement lassé ! Je relis du Plutarque, et puis… quoi encore ? C'est tout.

Rien de nouveau « sur l'horizon ». Un très beau discours de Dupanloup, à la glorification des humanités[2]. C'est à connaître.

Adieu, cher vieux Tourgueneff. Tenez-vous en santé, en joie, — pensez à moi et revenez-nous.

Votre Gve FLAUBERT
qui vous embrasse.

GEORGE SAND À GUSTAVE FLAUBERT

[Paris, 7 juin 1872]
Vendredi.

Cher ami,

Ton vieux troubadour a une toux si violente qu'un peu plus serait trop. D'un autre côté on ne se passe pas de moi chez nous, et je ne peux pas rester au-delà de la semaine prochaine, c'est-à-dire le 15 ou le 16. Si tu pouvais venir jeudi prochain 13, je me réserverais le 13, le 14, même le 15 pour être avec toi, chez moi dans la journée, à dîner, le soir, enfin comme si nous étions à la campagne, pouvant lire et causer. Je serais censée partie[3].

Un mot tout de suite. Je t'embrasse comme je t'aime.

G. SAND.

À SA NIÈCE CAROLINE

[Paris,] jeudi matin, 9 h[eures, 13 juin 1872].

Ma pauvre Caro,

Ton billet était bien gentil, mais bien court. J'espère que ta prochaine missive sera plus prolixe.

Il me semble que nous avons passé en tête-à-tête trois bonnes semaines[1], et que nous nous sommes fait du bien l'un à l'autre ? Ton vieil oncle te comprend, n'est-ce pas ?

J'étais atrocement triste en arrivant à Paris. Toutes les fois que j'y reviens, mon petit Duplan[2] me manque énormément.

J'ai rencontré *Lapierre*[3] qui m'a traîné rue de Milan dîner chez Girard. J'avais envie de pleurer en me mettant à table. Et puis, peu à peu, la tristesse s'en est allée. — Et en somme, je me suis amusé. Car la compagnie était fort aimable et le dîner excellent.

Hier j'ai passé la soirée avec la mère Sand, que je n'ai pas trouvée changée, du tout. Elle s'est informée de toi, et de toutes nos affaires très gentiment. Aujourd'hui je vais aller chez Flavie[4], et dimanche j'irai coucher à Saint-Gratien[5]. Mon wagon de dames pour Vendôme se bornera à moi, à moi seul, fort probablement.

Mais ils sont gigantesques, à Vendôme ! J'ai reçu le programme des Fêtes : il y aura congrès archéologique, comices agricoles, orphéons, etc., etc., et la présence de M. le ministre de l'Instruction publique ! Je suis invité à aller à la messe ! Comme Ronsard était un catholique, j'irai ! Mme Sand me pousse à écrire un discours. Mais je sais que je le raterais. Donc, je m'abstiens, tout en regrettant mon silence[6].

Si tu veux des nouvelles (peu intéressantes pour toi), je t'apprendrai la mort subite de *Chilly* : donc tout le monde se remue pour être d[irec]teur de l'Odéon.

Je ne crois pas que j'aie fini *Saint Antoine* quand nous partirons pour Luchon ? Il y a encore pas mal à faire.

Notre voyage est bien décidé pour le 8 environ, n'est-ce pas ? Le plus tôt que tu pourras me conviendra le mieux à cause de Juliet[7]. — Je me suis commandé chez Masquillier *un délicieux* costume, afin de ne point faire honte à ma belle nièce, qui trouve que Vieux manque de tenue !

J'attends en ce moment M. Devaux, un sculpteur de 3e ordre, qui a fait un buste de Bouilhet et qui me persécute.

Amitiés à Ernest,

Et à toi mes meilleures tendresses, pauvre chérie.

VIEUX
t'embrasse bien fort.

À GEORGE SAND

[Paris] 13 juin [1872].
Jeudi, 3 h.

Chère maître,

Avez-vous promis votre appui au nommé Duquesnel ? Si non, je vous *prierais* d'user de toute votre influence pour appuyer mon ami Raymond Deslandes, comme s'il s'agissait de

votre vieux troubadour.

Répondez-moi catégoriquement, afin que nous sachions ce que vous ferez[1].

À LÉONIE BRAINNE

[Paris, 14 ? juin 1872.]

Ma belle Amie,

Je vous dois des excuses ainsi qu'à toute la compagnie. Car j'ai été, hier au soir, intolérable et grossier.

Mais la stupidité fantastique de Georges[2] m'avait exaspéré ! le temps orageux me tapait sur les nerfs ! et la *Timbale d'argent* m'a donné des battements de cœur à crever, tant elle me faisait de mal[3]. Vous me connaissez suffisamment pour savoir que je n'exagère point.

Cela vous apprendra à me mener dans des endroits pareils !

Je ne suis point « ennemi d'une bonne gaieté », comme dit Prudhomme, mais quand je vois l'empire des idées reçues s'étendre jusqu'aux choses où la Fantaisie doit régner, je m'insurge violemment. *Il faut* trouver les Bouffes drôles ! et on trouve drôle *tout* ce qu'on y représente.

Pourquoi être toujours si indulgent envers ce qui eſt médiocre !

Bref, j'étais dans un tel état que j'ai été à pied jusqu'à la porte Saint-Martin. Et cette nuit je n'en ai pas fermé l'œil. L'immense bêtise moderne me donne la rage. Je deviens comme *Marat* insociable ! attachez-moi ! je mords !

Votre insalubre ami, qui vous adore nonobſtant.

Vendredi, 2 heures.

Demain de 4 à 6 heures, je passerai, *peut-être*, chez vous ? En tout cas, j'irai vous faire une visite, lundi, avant votre dîner, ne serait-ce que pour demander pardon à l'autre Ange[1], au géranium n° 2, que j'ai fortement embêté hier.

À LÉONIE BRAINNE

[Paris,] samedi soir, 6 heures [15 ? juin 1872].

Ma chère Belle,

Oui, à *jeudi*, 1° parce que ça vous convient, 2° parce que j'aurai le bon Georges[2], et 3° j'ai été, l'autre jour, si goujat, si grossier et si bête, que je vous dois bien quelques égards.

Y aura-t-il *du monde* ? dois-je revêtir l'habit et la cravate blanche ? la belle Alice[3] sera-t-elle des nôtres ?

Mille tendresses de votre vieux

POLYCARPE

Qui bécotte votre jolie mine.

À M. DESBOIS

[Paris, 16 juin 1872.]

Mon cher ami,

Entendez-vous avec M. Duval pour fixer le jour de notre réunion. Je serai revenu à Croisset le 26… que la réunion ne tarde pas.

Je repartirai de Croisset vers le 4 ou le 6 juillet.

Tout à vous.

Dimanche matin.

À SA NIÈCE CAROLINE

Paris, mercredi, 6 heures, 19 juin 1872.

Ma Chérie,

Un mot seulement. Je viens de rentrer à Paris et de lire ta lettre de samedi, qui m'a fait bien plaisir. La remise de la Ire du jeune Catulle[1] a dérangé tout mon programme. Et je suis parti pour Saint-Gratien[2] samedi soir.

Actuellement, tel que tu me vois (ou ne me vois pas), je suis *furieux*. Car je viens de recevoir une lettre de Claye me demandant si je veux le payer. Ainsi Lévy m'a fait la farce de ne pas lui parler du billet que j'ai signé avec Philippe[3] ! Tu ne peux pas t'imaginer à quel point les histoires d'éditeurs m'exaspèrent ! J'en ai un tremblement. Je finirai par flanquer des gifles au sieur Lévy. Paris, d'ailleurs, me dégoûte énormément, et je prévois le temps où je n'y remettrai plus les pieds.

Je partirai pour Vendôme samedi et je serai à Croisset mardi, ou peut-être lundi soir. Franchement, il n'y a plus que dans le pauvre Croisset que je me plaise, surtout quand j'y possède ma fameuse nièce !

Continue à t'occuper, mon cher loulou.

ton vieux qui t'embrasse bien fort.

À CHARLES CHAUTARD

Paris, samedi matin 22 [juin 1872].

Monsieur le Maire,

Je suis *désolé*. Un événement imprévu et fâcheux m'empêche [de] me rendre à votre invitation[4].

Je vous prie d'agréer toutes mes excuses. Ce que je regrette le plus, c'est de ne pouvoir faire personnellement votre connaissance.

Seriez-vous assez bon pour prier M. Blanchemain[5] qui doit être parmi vous de m'envoyer à *Croisset*, près Rouen, son adresse.

Je suis, Monsieur, votre très humble et très dévoué.

À SA NIÈCE CAROLINE

Croisset, dimanche, 4 h[eures, 23 juin 1872].

Mon Pauvre Caro,

Mme Winter[1] a dû hier au soir te donner de mes nouvelles ? Tu sais donc que je n'ai pas été à Vendôme. Vendredi soir, j'ai été pris d'un accès de misanthropie furieuse : Paris m'assommait et la vue de mes semblables me faisait mal au cœur. Aussi me suis-je hâté de regagner ma solitude. C'est encore là que je me trouve le mieux. — J'avais su indirectement quels devaient être mes compagnons de voyage et l'idée de subir leur compagnie m'a fait renoncer à cette petite fête de famille[2].

Je vais, tout à l'heure, aller à Rouen pour avoir des nouvelles du fils de Mme Brainne, qui est très dangereusement malade. La pauvre femme est partie de Paris en toute hâte, et depuis plusieurs jours ne s'est pas couchée. Cela vient, à ce qu'il paraît, de la bêtise de M. le Proviseur du collège de Rouen.

Les trois jours que j'ai passés à Saint-Gratien[3] ont été assez doux : Mais le reste du temps je me suis embêté à crever ! La vue de mon pauvre vieux Théo[4] n'a pas contribué, il est vrai, à m'égayer. Et puis je deviens tout à fait bedolle ! J'ai des attendrissements et des colères de vieillard. Croirais-tu que, pendant la messe de mariage du petit Schlésinger[5], je me suis mis à pleurer comme un idiot ! J'y ai rencontré, dans la sacristie, le sieur Delasseaux[6], qui est un ami de la famille Ruggieri.

Pour la première fois de ma vie, j'ai été dans les coulisses de l'Opéra ! ! ! où Victor Massé (le maître de chant des chœurs) m'attendait. J'ai répondu qu'on ferait de *Salammbô* ce qu'on voudrait et que je ne pouvais reprendre ma parole. L'éditeur Lachaud est venu chez moi pour *faire une affaire*. Je l'ai envoyé promener. — T'ai-je dit que j'avais encore eu des ennuis avec Lévy pour le volume de Bouilhet ? Je me suis vengé, en passant brutalement près de Calmann-Lévy, sans lui rendre son salut.

C'était dans le foyer de la Comédie-Française, jeudi dernier, le jour de la première de Catulle Mendès. Sa petite pièce a réussi[7]. Mlle Favart m'a sauté au cou devant tout le monde, en me parlant de la mort de ma mère, d'une façon très tendre et très convenable. Elle m'a encore proposé de venir à Rouen donner une représentation pour le monument de Bouilhet.

J'ai reçu de Juliet Herbert une lettre indignée, parce que je lui dis que je resterais à Luchon jusqu'aux premiers jours d'août. Je tâche de contenter tout le monde. Et tout le monde me trépigne ! Il faudra donc qu'Ernest vienne te chercher tout au commencement d'août. — On m'a dit qu'il y avait beaucoup de monde à Luchon et qu'il fallait s'y prendre d'avance pour les logements.

Je n'ai pas écrit une ligne de *Saint Antoine* depuis quinze jours, et il est certain que je n'aurai pas fini avant mon départ. Il me faudrait, pour cela, un entrain que je n'ai pas.

N. B. Pourquoi l'armoire à glace n'est-elle pas encore arrivée ?

Mon sucrier continue à être absent !

Hier, pendant 4 heures et demie, j'ai savouré W[inter[1]]. Quel profil de cuisse ! Et quelle botte !

Après demain mardi, mariage à la chapelle du château de Versailles, entre Mlle Soulié et M. V. Sardou[2]. Voilà, je crois, toutes les nouvelles, pauvre chérie.

Ta prochaine lettre me dira sans doute quel jour il faut que je me tienne prêt à t'accompagner. Je compte que ce sera vers la fin de la semaine prochaine ?

Malgré l'aimable compagnie que tu as maintenant, écris-moi un peu longuement, pense à

VIEUX,

qui est seul, et te bécote de loin.

Mme de Galbois… veut me marier[3] avec Mme Lepic[4] ! ! ! *(sic)*

La P[rince]sse s'est beaucoup informée de toi ; et a fait de grands éloges de ta beauté et de tes *manières*.

À SA NIÈCE CAROLINE

[Croisset,] mardi, 4 heures [25 juin 1872].

Mon Loulou,

Je ne t'ai pas répondu immédiatement parce que, hier, j'ai été déjeuner chez le père Pouchet[5], — et *que :* lors*que* je suis revenu par le bateau de 4 heures, je crevais de chaleur, je tombais sur les bottes ! — Le déjeuner avait été excessivement *fort*, ce qui, joint à la température, me rendait incapable d'aucune action ! En rentrant ici, je n'ai dormi que trois heures d'affilée.

Viens avec tes amis quand tu voudras, seulement préviens-moi un bon jour d'avance pour qu'on ait le temps de faire le dîner. Tu ferais bien d'amener Maria pour le confectionner ? Car Émile[1] ne peut faire la cuisine et servir cinq personnes. — Le vieil Alphonse ne sera peut-être pas libre ? Il faut s'y prendre d'avance.

Je ne serai pas ici, *samedi*, de tout l'après-midi. Car ce jour-là la Commission pour le monument Bouilhet s'assemble.

Il me sera commode de te voir un peu, avant notre départ, pour régler nos dispositions de voyage. — Et bien agréable de revoir ma pauvre nièce dont il m'ennuie !

Le petit garçon de Mme Brainne va mieux, mais la mère Baudry[2] est très mal.

À bientôt donc, chère Caro.

Je t'embrasse.

ton vieux

IVAN TOURGUENEFF À GUSTAVE FLAUBERT

Moscou, ce 26 juin 1872.

Mon cher ami,

Vous m'avez envoyé vos projets pour l'été, voici les miens :

N. B. Pour le moment je me trouve à Moscou, pincé par un vilain accès de goutte qui me cloue à mon sopha. — Je ne m'y attendais guère, après la violente attaque du mois d'octobre dernier — cela devient trop fréquent et on me fait trop de félicitations (« brevet de longévité », etc., etc.). — Heureusement, l'accès n'est pas trop fort et je puis espérer quitter la capitale de toutes les Russies dimanche ou lundi. C'est aujourd'hui mercredi.

Je vais droit comme une flèche à Paris, puis de là en Touraine chez ma fille qui est en train de me faire grand-père[3], puis de là à Valery-sur-Somme où je retrouve mes vieux amis les Viardot. — Je flâne, je travaille si je puis, puis je vais à Paris y trouver un certain Flaubert, que j'aime beaucoup et avec lequel je vais soit chez lui à Croisset, soit à Nohant, chez Mme Sand qui, à ce qu'il paraît, veut nous y voir. — Et puis à partir du mois d'octobre — Paris. — Voilà !

Mon cher ami, la vieillesse est un gros nuage blafard qui s'étend sur l'avenir, le présent et jusque sur le passé qu'il attriste en craquelant ses souvenirs. — (Je crains que voilà du bien mauvais français, mais cela ne fait rien.) Il faut se défendre contre ce nuage ! Il me semble que vous ne le faites pas assez. Je crois en effet qu'un voyage en Russie à nous deux vous ferait du bien. — Je viens de passer 4 jours entiers non pas sur le haut d'une meule de foin, mais dans les allées d'un vieux jardin campagnard tout bourré de parfums rustiques, de fraises, d'oiseaux, de rayons de soleil et d'ombres aussi endormis les uns que les autres — et deux cents arpents de seigles ondoyants tout autour ! C'était superbe ! On s'immobilise dans une sorte de sensation grave et immense — et stupide — qui tient à la fois de la vie de la bête et de Dieu. — On sort de là comme si on avait pris je ne sais quel bain puissant. — Et puis on reprend le train-train habituel.

Il ne faut pas que saint Antoine se décourage. Qu'il aille vaillamment jusqu'au bout !

Je sais que vous avez assisté à une belle soirée musicale chez Mme Viardot. — Il paraît que le public a été content.

Vous ne me dites rien de mon tableau[1]. — Il vous déplaît, ou bien ne l'avez-vous pas vu ?

Adieu et au revoir, mon cher ami... Tenons la tête haute avant que les flots ne la recouvrent.

Je vous embrasse cordialement.

Votre
Iv. TOURGUENEFF.

À ALBERT GLATIGNY

Croisset, 30 juin [1872].

Mon cher ami,

D'Osmoy a pour domicile Évreux, Versailles, et divers endroits dans Paris. La meilleure pour que votre volume lui parvienne est de l'adresser à Évreux, ou à la Chambre des députés.

Je ne vous ai pas remercié de vos rimes non folles mais exquises, et qui m'ont extrêmement amusé[2]. Vous aimez l'art, vous ! et vous lui restez fidèle. C'est pour cela que je vous aime, et suis

Votre

À ERNEST COMMANVILLE

[Croisset,] lundi 1er juillet, 2 heures [1872].

Mon cher Ami,

Voici le papier demandé. J'irai jeudi chez Bidault signer la procuration pour la vente des biens[3]. Il paraît que Desprez avait estimé trop cher ceux du Calvados. Malgré le désir de

M. Lemère, je crois qu'il faudrait, pour la vente, attendre après l'emprunt[1] ? Dites que je ne suis pas pratique !

J'ai été à l'Hôtel-Dieu[2] où l'on s'est montré plus que cordial, tendre.

Selon les ordres de votre épouse, je serai vendredi à la gare de la rue Verte, à 1 heure et demie.

J'espère qu'elle m'apportera de l'argent, car il faut que j'en laisse à mes gens, et j'ai payé beaucoup de notes. Je vous préviens aussi, mon bon, que, vers la fin du mois, je vous demanderai un billet de mille francs, et quand je reviendrai de vacances à la fin d'août, *item* !

Tant que mes revenus ne seront pas assurés, il faut que je mange mon capital, ce qui n'est pas gai.

Embrassez Caro pour moi.

Tout à vous.

Votre

À LA PRINCESSE MATHILDE

[Croisset,] lundi 1er juillet [1872].

Chère Princesse,

Votre aimable billet m'arrive, et je ne vous ai pas encore remerciée pour les trois bonnes journées passées près de vous !

Voici mon excuse : 1° J'ai fini *Saint Antoine* ; 2° j'ai été dérangé par la mort de Mme Bardry (la mère d'un ami de Soulié et de Renan[3]) ; 3° par des affaires, encore ! et 4° par mes préparatifs de départ. Je m'embarque pour Luchon, vendredi prochain. Ce que vous me dites de notre pauvre Théo[4] m'afflige, profondément. — J'ai bien peur de lui avoir fait, dernièrement, des adieux éternels ! Je crois que personne ne le pleurera plus que moi !

Je n'ai pas été à Vendôme, parce que je me sentais trop triste pour tolérer la foule, et surtout afin d'éviter la compagnie des chers confrères. J'aurais fait le voyage avec Saint-Victor ; or ce monsieur me déplaît profondément. Je ne suis pas bien impérialiste, mais je trouve qu'il *passe les bornes* ! et qu'il s'est conduit avec Votre Altesse comme un pur goujat.

Vis-à-vis de moi, ses façons ont été plus que grossières. Je n'aurais pu m'empêcher « d'avoir des mots », chose ridicule, et bien inutile.

Ce qui me paraît aussi inutile, c'eſt la rage moralisatrice de Dumas ! Quel eſt son but ? Eſt-ce de changer le genre humain, ou d'écrire de belles choses ? ou de devenir député ? Comme je n'aurai rien à faire là-bas, je lirai son élucubration[1].

À mon retour, en passant par Paris, je compte vous faire encore une petite visite. Pensez quelquefois à moi et comptez toujours sur

Votre,

qui vous baise les deux mains aussi longuement que vous le permettrez.

À GEORGE SAND

Croisset, 1er juillet [1872].
Lundi.

Chère maître,

Nous nous [sommes] bien mal vus, à Paris ! J'avais cent choses à vous dire que je ne vous ai pas dites. Et vous-même étiez gênée par la présence de votre neveu. Ainsi, j'aurais voulu savoir en quoi Troubat a été (ou eſt) une « canaille[2] », car je voulais le charger de mes affaires, pour liquider ma position dans la Maison Lévy. Cet enfant d'Israël continue à m'horripiler. À propos de moi, il a *chipé* 2 mois d'intérêts à Claye l'imprimeur, etc. C'eſt à en vomir. Et je suis si dégoûté de tout cela, que je ne veux plus imprimer, quelque besoin que j'aie d'argent. Ce que je peux gagner avec ma plume étant une dérision, l'abſtinence n'a pas grand mérite.

J'ai fini *Saint Antoine* ! Dieu merci ! Je vais retravailler une pièce de Bouilhet[3], dont le sujet eſt fertile. — Puis, je me mettrai à un roman moderne faisant la contrepartie de *Saint Antoine* et qui aura la prétention d'être comique[4]. — Un petit travail qui me demandera deux ou trois ans, au moins !

Pendant que j'étais à Saint-Gratien j'y ai vu Mme de Voisins, qui m'a paru à votre endroit pleine à la fois de respect et d'amertume. — Elle m'a, depuis, envoyé ses *Contes algériens*[5]. C'eſt une drôle de petite bonne femme, qui, j'en suis sûr, en a beaucoup dans son sac. Je me rappelle parfaitement que Sainte-Beuve m'avait conté sur elle des anecdotes… piquantes.

Vendredi prochain, j'emmène à Luchon ma nièce. Je reſterai

là-bas cinq ou six semaines, après quoi j'irai un peu au bord de la mer.

Devez-vous revenir prochainement à Paris comme vous l'avez écrit à la princesse ?

Les acteurs de l'Odéon ne désirent pas tous que Duquesnel soit leur directeur. Ils ont cédé à sa pression, par lâcheté comme toujours. Mais comme c'est un drôle, il sera nommé probablement, et il aura pour associé M. Blum, auteur de *Vlan dans l'œil*[1], mais détenteur de 500 mille francs et protégé d'Hugo.

Tendresses à tous les vôtres. Je vous embrasse.

Votre

GVE.

Je vous écrirai de Luchon pour vous envoyer mon adresse.

À ÉLISA SCHLÉSINGER

Croisset, 1er juillet [1872].

La messe de mariage de votre fils m'avait bouleversé, vous avez dû vous en apercevoir[2] ? Et je me suis senti si triste que je n'ai pas été à l'inauguration de la statue de Ronsard, comme je l'avais promis. — Je suis revenu dans ma solitude. C'est encore là que je me sens le mieux ! Le bonheur n'étant pas de ce monde, il faut tâcher d'avoir la tranquillité.

Dans deux jours, je pars pour Luchon où je conduis ma nièce. — Je serai absent pendant deux mois, environ. — En septembre ou en octobre, puisque vous devez aller à Trouville, je compte, comme l'année dernière, sur votre visite[3]. C'est convenu, n'est-ce pas ?

Je vous embrasse bien tendrement.

Votre vieil ami

À ERNEST COMMANVILLE

[Croisset,] mardi, 4 heures
[2 juillet 1872, date de la poste].

Mon cher Ami,

Caro a une migraine atroce et, depuis hier au soir, elle est dans son lit. Elle me charge de vous dire que nous vous attendons demain soir. On vous gardera à dîner.

La fin de l'inventaire aura lieu jeudi. Ce jour-là, on fera la distribution de l'argenterie.

Quelle journée que celle d'hier ! il m'a semblé que ma pauvre mère mourait une seconde fois !

Je me porte mieux cependant ! car je recommence à dormir.

Je vous embrasse tendrement.

Votre vieil oncle.

Bidault[1] a dû vous écrire pour vous dire d'apporter : 1° de l'argent à la communauté, et 2° vos comptes.

MADEMOISELLE LEROYER DE CHANTEPIE À GUSTAVE FLAUBERT

[Angers,] ce 3 juillet 1872.

J'ai bien reçu dans le temps, cher Monsieur, votre lettre de faire-part et comprenant votre malheur, je vous ai écrit une longue lettre ; vous y répondîtes par carte postale ces mots : merci de votre bonne lettre, j'y répondrai bientôt. Je crois que vous avez oublié l'une et l'autre, ce qui ne m'étonne pas, car j'ai moi-même, depuis mon malheur, perdu la notion du temps et la mémoire de ce qui l'a suivi. Je pleure chaque jour l'ami que j'ai perdu, j'entends sa voix, je vois ses traits, je ne puis croire qu'il soit mort, la vie me semble impossible sans lui. Les premières roses de son jardin qu'il m'avait apportées lui ont survécu, j'en ai conservé les feuilles et le parfum me semble quelque chose de lui. J'ai fait acheter les objets qui lui avaient appartenu, sa petite montre qu'il avait au collège, restée peut être à l'heure où il a cessé de vivre, et que nul n'a touchée depuis, tout cela me navre le cœur. Je suis allée dans un site pittoresque que nous avions vu ensemble l'an passé au printemps et en automne ; on y arrive par une châtaigneraie située sur un rocher, on descend un ravin, puis on se trouve au bord d'un étang et une prairie de l'autre, le tout planté d'un bois séculaire et encaissé par des rochers ; sur le haut, il y a une croix et une petite Vierge dans un arbre, j'y fais toujours ma prière, aujourd'hui elle était le psaume des morts, ah ! qui m'aurait dit la dernière fois que j'y vins avec lui que cette prière lugubre serait pour lui ; la maison voisine était comme l'an passé avec des oiseaux et des fleurs à la fenêtre, rien n'était changé, que ma vie entière ; hier, je suis allée dans un bois situé près d'un vieux château, ce fut ma première sortie après ma maladie ; ce printemps il était si heureux de me voir marcher ! ah ! Monsieur, j'ai pleuré toute la promenade. Il y a un oiseau que je n'entendais jamais chanter et qui semble me suivre. Je crois parfois que c'est une de ses pensées qui me parle, car il n'est pas mort, non, non, et puis Dieu peut le rendre à mes ardentes prières. J'ai été un mois sans vouloir recevoir personne, il a fallu y consentir. J'ai chez moi une famille d'artistes que je connais depuis longtemps, ils ont habité Angers dix ans et l'ont quitté il y a sept ans ; il y a deux jeunes filles et comme je n'avais pas l'habitude de les voir, cela ne m'a pas été pénible comme ceux que je voyais tous les jours. J'ai saisi hier quelques notes d'un air que jouait la jeune fille et j'ai fondu en larmes ; en me trouvant parmi tout ce monde à table, j'ai cherché involontairement celui qui était toujours auprès de moi pour recourir à sa protection et puis je suis allée pleurer. Vous me demandez ce que je lis, depuis longtemps je me fais lire à cause de mes yeux ; cet hiver, malgré mes souffrances, j'avais achevé un roman refait trois fois ; ce printemps j'avais repris mon *Histoire d'Anjou*, mais je ne puis faire que des ouvrages, du moins je n'ai qu'une idée fixe. Vous, cher Monsieur, croyez en mon amitié, ne restez pas seul, mariez-vous, ayez une famille. Je suis sûre que Mme Sand vous le dira ; si vous la voyez, dites-lui bien que je l'aime plus que tout au monde et que je la porte dans mon cœur. Je veux peu à peu relire *Lélia* avant de mourir, mon livre de prédilection.

Adieu, cher Monsieur, toute à vous.

M. S. LEROYER DE CHANTEPIE.

GEORGE SAND À GUSTAVE FLAUBERT

[Nohant, 5 juillet 1872.]

C'est aujourd'hui que je veux t'écrire, *68 ans*. Santé parfaite, malgré la coqueluche qui me laisse dormir depuis que je la plonge tous les jours dans un petit torrent furibond, froid comme glace. Cela bouillonne dans les pierres, les fleurs, les grandes herbes sous un ombrage délicieux, c'est une baignoire *idéale*.

Nous avons eu des orages terribles ; le tonnerre est tombé dans notre jardin, et notre ruisseau d'*Indre* est devenu un gave des Pyrénées. Ce n'est pas désagréable. Quel été splendide ! Les graminées ont sept pieds de haut, les blés sont des nappes de fleurs. Le paysan trouve qu'il y en a trop, mais je le laisse dire, c'eﬆ si beau ! Je vais à la rivière à pied, je me mets toute bouillante dans l'eau glacée. Le médecin trouve que c'eﬆ fou, je le laisse dire aussi, je me guéris pendant que ses malades se soignent et crèvent. Je suis de la nature de l'herbe des champs : de l'eau et du soleil, voilà tout ce qu'il me faut.

Es-tu en route pour les Pyrénées ? Ah ! je t'envie, je les aime tant ! J'y ai fait des courses insensées, mais je ne connais pas Luchon. Eﬆ-ce beau aussi ? Tu n'iras pas là, sans aller voir le cirque de Gavarnie, et le chemin qui y conduit ? Et Cauterets, et le lac de Gaube ? Et la route de Saint-Sauveur ? Mon Dieu, qu'on eﬆ heureux de voyager, de voir des montagnes, des fleurs, des précipices ! Eﬆ-ce que tout cela t'ennuie ? Eﬆ-ce que tu te rappelles qu'il y a des éditeurs, des direƈteurs de théâtre, des leƈteurs et des *publics*, quand tu cours le pays ? Moi j'oublie tout, comme quand Pauline Viardot chante.

L'autre jour nous avons découvert à trois lieues de chez nous *un désert*, désert absolu, des bois sur une grande étendue de pays où on n'aperçoit pas une chaumière, pas un être humain, pas un mouton, pas une poule, rien que des fleurs, des papillons et des oiseaux pendant tout un jour.

Mais où ma lettre te trouvera-t-elle ? J'attendrai pour te l'envoyer que tu m'aies donné une adresse[1].

À GEORGE SAND

Bagnères-de-Luchon (Haute-Garonne)
maison Binos
12 juillet [1872].

Me voilà ici depuis dimanche soir, chère maître, et pas plus gai qu'à Croisset ! un peu moins même, car je suis très désœuvré. On fait tant de bruit dans la maison que nous habitons qu'il eﬆ impossible d'y travailler. — La vue des bourgeois qui nous entourent m'eﬆ, d'ailleurs, insupportable ! Je ne suis plus fait pour les voyages. Le moindre dérangement m'incommode ! Votre vieux troubadour eﬆ bien vieux, décidément ! Le doƈteur Lambron, le médecin de céans, attribue ma susceptibilité nerveuse à l'abus du tabac ! Par docilité, je vais fumer moins, mais je doute fort que ma sagesse me guérisse !

Je viens de lire *Pickwick* de Dickens. Connaissez-vous cela ? Il y a des parties superbes ; mais quelle composition défectueuse ! Tous les écrivains anglais en sont là, W. Scott excepté. Ils manquent de plan ! cela eﬆ insupportable pour nous autres Latins !

Le sieur Duquesnel est décidément nommé à ce qu'il paraît ? Tous les gens qui ont à faire à l'Odéon, à commencer par vous, chère maître, se repentiront de l'appui qu'ils lui ont donné. — Quant à moi, qui Dieu merci n'ai plus rien à démêler avec cet établissement, je m'en bats l'œil.

Ma dernière histoire avec Lévy m'a dégoûté de toute publication. *Saint Antoine* est fini. Il va dormir dans un tiroir jusqu'à des temps meilleurs, s'il en vient.

Comme je vais commencer un bouquin qui exigera de moi de grandes lectures[1], et que je ne veux pas me ruiner en livres, connaissez-vous à Paris un libraire quelconque qui pourrait me louer tous les livres que je lui désignerais ?

Que faites-vous, maintenant ? Nous nous sommes peu et mal vus la dernière fois.

Cette lettre est stupide. Mais on fait tant de bruit au-dessus de ma tête que je ne l'ai pas libre (la tête).

Au milieu de mon ahurissement je vous embrasse ainsi que les vôtres.

Votre vieille ganache qui vous aime.

À LÉONIE BRAINNE

Bagnères-de-Luchon. Haute-Garonne.
Maison Binos.
12 juillet [1872[2]].

Ma belle et chère Amie,

Votre excessif est en train de devenir *enragé* ! ! ! On fait dans Luchon un tel bruit que je ne me tiens plus de colère ! Je ne devrais plus bouger de ma solitude, puisque, dès que je mets le pied dehors, je ne trouve que des sujets d'irritation ou d'indignation. Je vous assure que cet état parfaitement ridicule pour les autres est pour moi intolérable ! Où s'arrêtera ma susceptibilité nerveuse ? le docteur Lambron, le médecin de céans, l'attribue à l'abus du tabac. Je fais semblant de le croire, mais cette opinion me paraît absurde.

Et vous, chère belle normale et *saine*, comment allez-vous ? et le gamin[3] ? et la petite sœur — l'autre ange[4], etc., etc. ! Il me semble que je vous ai quittée depuis longtemps et il m'ennuie de vous *énormément*. Voilà.

Vous seriez bien gentille de m'envoyer le programme exact

de vos vacances, afin de savoir où vous trouver quand je reviendrai et où vous écrire, d'ici là.

Je ne fais absolument rien. Mes projets de travail ont eu le sort habituel des projets. J'ai lu un roman de Dickens[1]. Et puis c'est tout. Je voulais vous écrire ce soir une belle lettre, mais de nouveaux arrivants font depuis trois heures un tel vacarme au-dessus de ma tête que je ne l'ai pas suffisamment libre (la tête). — Mais le cœur est tout à vous.

Voilà une lettre stupide et qui « ne compte pas », comme disent les enfants. Elle a pour but d'en obtenir une de vous. Je vous baise la main et de *[sic]* tout ce que vous voudrez m'abandonner de votre chère personne.

SAINT POLYCARPE.

À PHILIPPE LEPARFAIT

[Bagnères-de-Luchon, mardi matin [16 juillet 1872].

Mon cher Bonhomme,

Je repasserai par Paris vers le 10 août environ. — Et peut-être y resterai-je deux ou trois jours ?

Je n'ai eu aucune révélation de Claye, depuis ma dernière entrevue avec lui. Écris-lui pour savoir ce que lui a dit Lévy et tâche d'en finir le plus promptement possible avec cette dette, *afin* que je puisse prendre les mesures tendant à régler 1° : les affaires de Bouilhet et 2° les miennes[2].

La commission Desbois, Galli, Duprez a-t-elle trouvé un terrain[3] ?

Je ne m'amuse pas énormément à Luchon, au contraire !

Embrasse ta mère et fais-moi le plaisir de me répondre.

Ton.

Bagnères-de-Luchon, Haute-Garonne.
Rue de la Cité, 8, Maison Bonnette.

À LA PRINCESSE MATHILDE

Mardi 16 [juillet 1872].
Rue de la Cité 8, maison Bonnette
Bagnères-de-Luchon, Haute-Garonne.

Princesse,

Si vous ne vous amusez pas plus à Saint-Gratien que moi à Luchon[1], je vous plains sincèrement. La Banalité moderne, dans ce qu'elle a de plus exaspérant, fleurit au milieu des montagnes. Je suis profondément irrité par la vue de mes semblables, par la gaieté du Public. Et puis votre ami est maintenant trop vieux pour les déplacements. Ce que j'ai de mieux à faire, c'est de ne plus quitter ma solitude.

Je suis arrivé ici avec de grands projets de travail. Ils ont eu le sort de tous les projets, c'est-à-dire qu'ils ont raté. Je n'ai rien lu qu'un roman de Dickens, et quelques chapitres d'Hérodote. Quant à écrire, le cœur n'y est pas. — Je passe la plupart de mon temps à dormir. — On dirait que je veux lutter avec les marmottes de la contrée. Par passe-temps, je me soigne, c'est-à-dire que je prends des bains, des douches et des verres d'eau. Le Dr Lambron, le médecin d'ici, m'a conseillé de moins fumer, afin de diminuer mon irritabilité nerveuse. Je doute de l'efficacité du remède. Ce qu'il y a de sûr, c'est que mon état commence à m'inquiéter. J'ai peur de devenir comme Jules de Goncourt ? Quels pauvres écorchés que tous ces gens de lettres !

J'ai lu dans un journal que *Théo*[2] avait une mission en Italie. — Qu'est-ce que cela veut dire ? L'honorable Turgan[3], que j'ai rencontré en chemin de fer, m'a dit l'avoir trouvé très mal, il y a une quinzaine de jours.

J'ai su par Harrisse, que mon ami Troubat voulait se conduire envers Mme Sand comme il s'est conduit d'abord envers vous, c'est-à-dire garder *des lettres*. Quel pauvre homme ! J'ai bien pensé à vous, hier, en lisant des fragments de la brochure de Dumas[4]. — Car il n'y a que vous, Princesse, pour *le* lire. Jamais je n'oublierai le talent que vous avez montré en articulant la préface de *La Princesse Georges*[5]. Mais pourquoi écrire de semblables banalités ! Quel est son but ?

En fait de distractions littéraires, je fais des visites fréquentes à une ménagerie de bêtes féroces, qui se trouve à 20 pas de mes fenêtres. Étant couché dans mon lit, j'entends les rugissements d'un lion. C'est très agréable. Le pitre de l'établissement m'a dit hier, en me montrant un ours : « Il est depuis 29 ans dans l'administration. » Je trouve le mot *administration* bien gentil.

Adieu, chère et adorable Princesse. Dans les premiers jours du mois d'août, vers le 10, j'espère vous aller baiser les deux mains, et vous assurer que je suis toujours

Votre vieux fidèle.

Vous ai-je dit que j'avais fini mon bouquin[1], dont le sous-titre peut être celui-ci : *Le Comble de l'insanité.*

GEORGE SAND À GUSTAVE FLAUBERT

Nohant, 19 juillet [18]72.

Cher vieux troubadour,

Nous aussi nous partons, mais sans savoir encore où nous allons. Ça m'est bien égal. Je voulais mener ma nichée en Suisse. Ils aiment mieux aller dans le sens opposé, vers l'Océan. Va pour l'Océan, pourvu que l'on voyage et qu'on se baigne, je suis folle de joie. Décidément nos deux vieilles *troubadoureries* sont deux antinomies. Ce qui t'ennuie m'amuse. J'aime le mouvement, le bruit, et même les choses ennuyeuses des voyages trouvent grâce devant moi, dès qu'elles font partie des voyages. Je suis bien plus sensible à ce qui dérange le calme de la vie sédentaire qu'à ce qui est dérangement normal et obligatoire dans la vie de locomotion. Je suis absolument comme mes petites-filles qui sont ivres d'avance et sans savoir pourquoi. Mais c'est curieux de voir comme les enfants, tout en aimant le changement, voudraient emporter leur milieu, leurs jouets d'habitude à travers le monde extérieur. Aurore fait les malles de ses poupées, et Gabrielle, qui préfère les bêtes, prétend emmener ses lapins, son petit chien et un petit cochon qu'elle protège en attendant qu'elle le mange. *Such is life.*

Je crois que malgré ta mauvaise humeur, ce voyage te fera du bien. Il te force à reposer ton cerveau, et s'il faut fumer moins, la belle affaire ! La santé avant tout. J'espère que ta nièce te force à remuer un peu ; elle est ton enfant, elle doit avoir de l'autorité sur toi ou le monde serait renversé.

Je ne peux te renseigner sur le libraire dont tu as besoin pour louer des livres. Je m'adresse pour ces choses-là à *Mario Proth* et je ne sais pas où il trouve. Quand tu retourneras à Paris, dis-lui *de ma part* de te renseigner. C'est un garçon dévoué, obligeant au possible. Il demeure *rue Visconti 2*. Il me semble que Charles-Edmond aussi te renseignerait très bien, Troubat aussi.

Et à propos de Troubat, j'ai peut-être eu tort de te mettre en méfiance contre lui. Je crois plutôt que le cerveau est fortement endommagé. Dans tous les cas, charger un fonctionnaire de la maison Lévy de surveiller tes intérêts dans cette maison, c'est un rêve ! J'ai placé un mien ami chez Lévy et il m'avait juré de connaître mes comptes. J'ai dû renoncer à cela. Je le mettais dans l'alternative de me laisser tromper ou de perdre sa place dont il avait absolument besoin. Troubat n'a pas moins besoin de la sienne. Au reste je sais que Lévy est très dur en affaires, mais je ne crois pas du tout qu'il soit malhonnête quand il a signé. Tu t'étonnes que les paroles ne soient pas des contrats. Tu es bien naïf. En affaires il n'y a que des écrits. Nous sommes des Don Quichotte, mon vieux troubadour, il faut nous résigner à être bernés par les aubergistes. La vie est faite comme cela et qui ne veut pas être trompé doit aller vivre au désert. Ce n'est pas vivre que de s'abstenir de tout le mal de ce bas monde. Il faut avaler l'amer et le sucré.

Pour ton *Saint Antoine*, si tu me le permets, à mon premier voyage à Paris, j'aviserai à te trouver un éditeur ou une revue. Mais il faudrait en causer ensemble et me le lire. Pourquoi ne viendrais-tu pas chez nous au mois de septembre ? J'y serai jusqu'à l'hiver.

Tu me demandes ce que je fais maintenant. J'ai fait depuis Paris un article sur *Mademoiselle Flaugergues*, qui paraîtra dans *L'Opinion nationale* avec un travail de ladite ; un feuilleton pour *Le Temps* sur Victor Hugo, Bouilhet, Leconte de Lisle et Pauline Viardot[1]. Je désire que tu sois content de ce que je dis de ton ami. J'ai fait un second conte fantastique pour la *Revue des Deux Mondes*, un conte pour les enfants ; j'ai écrit une centaine de lettres, la plupart pour réparer les sottises ou alléger la misère des imbéciles de ma connaissance. La paresse est la lèpre de ce temps-ci, et la vie se passe à travailler pour ceux qui ne travaillent pas. Je ne me plains pas, je me porte bien ! Je plonge tous les jours dans l'Indre et dans sa cascade glacée mes 68 ans et ma coqueluche. Quand je ne serai plus utile et agréable aux autres, je désire m'en aller tranquillement sans dire *ouf* ! ou, tout au moins, en ne disant que cela, contre la pauvre espèce humaine qui ne vaut pas grand-chose, mais dont je fais partie, ne valant peut-être pas grand-chose non plus.

Je t'aime et je t'embrasse. Ma famille t'en envoie autant, le bon Plauchut compris. Il vient courir avec nous. Quand nous serons pour *quelques jours, quelque part*, je te l'écrirai pour avoir de tes nouvelles.

G. SAND.

À PHILIPPE LEPARFAIT

Bagnères-de-Luchon, Haute-Garonne.
Rue de la Cité, 8. Maison Bonnette,
mardi 23 [juillet 1872].

Mon cher Bonhomme

Tu n'as pas compris un seul mot de ma dernière lettre.

Je te disais d'écrire à Claye, pour savoir ce que Lévy lui avait répondu, quand Claye lui a parlé du papier signé par toi et moi. Le silence de Claye m'étonne ?

Tu ne peux pas devoir trois mille francs, puisque la moitié de l'édition était vendue au mois de mai. Il faudrait savoir [de] combien tu es redevable maintenant à Lévy.

Je serai de retour à Paris vers le 8 ou le 10. — Et peut-être y resterai-je pour m'occuper du placement du *Sexe faible*[1], auquel je travaille sans discontinuer.

Il ne faut pas plus compter sur d'Osmoy que s'il n'existait pas, et je voudrais en finir, en finir ! nom de Dieu ! ! !

Je *supplie* Duprez de s'occuper d'un terrain. Ils sont trois pour cela. Fais-moi le plaisir d'aller chez Duprez et chez Galli et de stimuler leur zèle.

Ton père avait dit qu'il s'occupait du médaillon[2]. Où en est-ce ? Terminons quelque chose, au nom du ciel !

La besogne que je fais sur *Le Sexe faible* n'est ni facile ni gaie. Mais le scénario sera, dans 15 jours, assez complet pour que l'on comprenne admirablement la pièce. Il n'y aura peut-être plus que 5 ou 6 scènes à écrire, et tout le Ier acte.

Si je ne m'arrête pas à Paris en revenant d'ici, ce sera pour le mois de novembre.

À toi, je t'embrasse.

Ton.

À LÉONIE BRAINNE

Bagnères-de-Luchon (Haute-Garonne).
Rue de la Cité, 8. Maison Bonnette.
Samedi 27 [juillet 1872].

Quel amour de lettre que la vôtre, ma chère amie ! et comme j'ai envie de vous embrasser à pleins bras pour vous en remercier.

Et d'abord mille félicitations pour vos succès argento-littéraires. — Mais il ne faut pas que la soif de l'or vous pousse trop loin. Ne fatiguez pas la belle personne que chérit saint Polycarpe.

Il espère vous revoir bientôt. Car vers le 7 ou le 8 août, il sera de retour à Paris. Et je ne veux pas me confiner de nouveau dans ma solitude, sans vous avoir présenté mes respects. À peine arrivé là-bas, je vous enverrai un petit mot ou j'irai moi-même rue Mosnier[1].

Comment ? votre gamin[2] ne se rétablit pas plus vite que ça ! Je vous engage fortement à lui faire passer le plus de temps que vous pourrez en pleine campagne ou au bord de la mer.

Voici des détails sur votre « cher petit ».

Il s'est abonné à un cabinet de lecture et il lit des choses *abjectes*, du Pigault-Lebrun et du Paul de Kock. (Je me retrempe dans les classiques, comme vous voyez !) Ces lectures, après m'avoir fait rire pendant cinq minutes, me feraient pleurer, si je les prolongeais ! D'amères réflexions m'abreuvent en songeant à ce qu'on appelle la gloire littéraire. Ce qui nous semble idiot a été trouvé sublime. Où est le vrai, alors ?

Autre distraction : je vais voir de temps à autre une ménagerie de bêtes féroces ! 3e volupté, j'ai de temps à autre un dialogue avec Amédée Achard[3], lequel s'ennuie encore plus que moi à Luchon.

Depuis avant-hier seulement je suis accoutumé « à ces lieux », car nous avons fait une excursion qui m'a amusé. — Et le *sentiment du voyage* m'est revenu ! C'était sur la frontière d'Espagne. Je me suis senti hors des bourgeois, hors du faux, hors de toutes les charogneries modernes. — Et j'aurais très volontiers continué ma route à pied jusqu'à Madrid.

Tel est le caractère de l'Excessif. Vous savez qu'il lui faut en toute chose de l'entraînement.

Mme Lepic m'a écrit un très aimable billet pour m'inviter à venir à Rabodanges[4] dans la seconde quinzaine d'août, ou au mois d'octobre. — J'ai choisi le mois d'octobre. Et vous, quels sont là-dessus vos projets ? mais nous avons le temps d'en reparler.

Vous embrasserez bien pour moi l'autre ange, n'est-ce pas ? Ma nièce me charge de… auprès de vous, etc. (ces phrases banales m'ennuient à écrire) ! Mais ce qui ne m'ennuie pas, chère belle, c'est de vous dire que je suis tout à vous

SAINT POLYCARPE (qui en songeant
à vous ne pense plus au ciel !).

Vous serez revenue à Paris vers le 8, n'est-ce pas, dans 15 jours ? Si vous deviez retarder votre retour, je resterais deux ou trois jours de plus pour vous attendre.

À LA BARONNE JULES CLOQUET

Bagnères-de-Luchon, rue de la Cité, 8 (Haute-Garonne).
[27 juillet 1872.]

Ma chère Baronne,

Votre bonne lettre en date du 20 ne m'est parvenue qu'hier, après un long détour, et je m'empresse d'y répondre.

Merci d'abord pour votre cordiale invitation ; certainement j'irai vous faire une visite à Saint-Germain, si vous y êtes encore vers la fin ou le milieu de septembre.

Voilà déjà près d'un mois que je suis ici avec ma nièce Caroline. Elle avait besoin des eaux et, son mari ne pouvant l'accompagner, c'est moi qui fais l'office de cavalier ou de duègne. Elle me charge de la rappeler à votre souvenir ainsi qu'à celui de votre « cher Jules ». Je pense à lui extrêmement, car je me souviens des vacances de l'année 1840[1] ! Tout ce que je revois me remet en mémoire sa compagnie et sa personne.

Le temps est très chaud. — Nous sortons fort peu. — Et nous ne sommes pas, ma compagne et moi, d'une gaieté excessive. — Pour fuir l'oisiveté, je tâche de travailler. — Mais je n'ai pas grand cœur au travail. Il me faudra du temps pour me remettre de tous les deuils que j'ai subis depuis trois ans !

Adieu, chère Madame. — Embrassez pour moi le bon M. Cloquet, et croyez à la sincérité de mon attachement.

Votre très humble et dévoué.

IVAN TOURGUENEFF À GUSTAVE FLAUBERT

Saint-Valery-sur-Somme.
Maison Ruhaut.
Mardi, 30 juillet 1872.

Où êtes-vous dans ce moment, mon cher ami, et que devenez-vous jusqu'à l'hiver ? Écrivez-moi un mot, je vous prie. — Quant à moi, voici quinze jours que je suis dans le petit trou d'où je vous écris — et je m'y trouverais parfaitement bien, n'était la maudite goutte qui me tient par la patte plus obstinément que jamais. — Elle m'a happé il y a 6 semaines à Moscou, et ne me lâche pas. — J'ai eu trois ou quatre rechutes, j'ai marché à l'aide de béquilles — puis avec deux cannes — avec une — et me voilà de nouveau à peu près immobile. — La vieillesse est une vilaine chose, n'en déplaise à M. Cicéron[1].

Je suis ici avec la famille Viardot ; j'ai une très gentille chambre où rien ne m'empêche de travailler... mais voilà ! Cela ne vient pas. — Il y a de la rouille sur les ressorts.

Et *Antoine* — que fait-il ? Donnez-moi de ses nouvelles.

Cet emprunt de 9, 12, 15 milliards me fait l'effet d'une grosse salve d'artillerie. Vous êtes nés pour étonner le monde, vous autres diables de Français, d'une façon ou d'une autre.

Je suis grand-père depuis le 18 ; ma fille est accouchée d'une fille que l'on a nommée Jeanne, et que je vais aller baptiser vers la fin d'août. Je devrai passer et repasser par Paris. Si vous étiez à Croisset à cette époque, je pousserais bien jusque chez vous.

Allons — portez-vous bien et au revoir ! Je vous secoue la main rudement.

Votre

IV. TOURGUENEFF.

À LA PRINCESSE MATHILDE

[Bagnères-de-Luchon] samedi [3 août 1872].

Princesse,

Je commençais à trouver que vous m'oubliiez un peu. Il m'ennuyait de n'avoir pas de vos nouvelles, et j'allais vous écrire, quand j'ai reçu votre aimable billet du 29.

Mon temps de bains, dieu merci, touche à sa fin. — Et dans huit jours j'espère bien que nous serons à Paris. Je me propose d'aller vous demander à dîner, dimanche.

Il faut que je m'en retourne à Croisset pour *mes affaires*, qui du reste prennent une assez bonne tournure. — Et je ne resterai pas longtemps à Paris. Je profiterai de ce petit séjour pour tâcher de placer *Le Sexe faible,* une pièce de mon pauvre Bouilhet, que j'ai rarrangée. Mais je n'ai aucun espoir. N'importe, je ferai ce que je dois. Et puis, bonsoir !

J'ai lu *L'Homme-Femme*[2], et mon opinion est absolument la vôtre. Je trouve ce livre d'une médiocrité profonde. Aussi a-t-il un grand succès.

Ce que vous me dites de mon vieux Théo[3] m'afflige profondément. Tous mes amis s'en vont ! Quand les imiterai-je ?

Ma nièce est très sensible à votre bon souvenir. Elle me charge de présenter ses respects à Votre Altesse.

Je vous baise les deux mains, le plus longtemps que vous le permettrez, Princesse, et suis

Votre vieux Fidèle.

Vous m'avez appelé ainsi. C'est un titre dont je suis fier. — Et je m'en décore.

À IVAN TOURGUENEFF

Bagnères-de-Luchon,
Haute-Garonne.
5 août [1872] lundi.

Mon cher Tourgueneff,

Je serai revenu à Paris, vendredi prochain ; et trois ou quatre jours après, je serai à Croisset *où je vous attends.*

Il faut que je m'absente dans les premiers jours de septembre. — Donc, ne venez pas au-delà du 25, au plus tard. J'ai à vous lire la fin de *Saint Antoine* (que j'ai peur d'avoir bâclée), et à vous parler d'un tas de choses. — Moi aussi, je ne me sens pas en train ! Je suis dans « un état de sécheresse », comme disent les mystiques. La « grâce » me manque.

On cause mal à Paris. Le bruit de la rue et le voisinage des Autres enlèvent toute quiétude. Venez donc dans ma cabane. Nous y serons complètement seuls, et nous taillerons une jolie bavette.

Voulez-vous présenter mes respects à Mme Viardot ? Quant à vous, je vous embrasse.

Votre

Ne vous avisez pas de soigner votre goutte, pauvre cher ami. Tous les remèdes sont dangereux. Il n'y en a qu'un auquel j'aie confiance et il est atroce. Je vous le dirai. — Mes bénédictions sur la tête de Mlle Jeanne[1].

À LÉONIE BRAINNE

[Paris,] jeudi, 6 heures du soir.
[15 août 1872.]

Pauvre chère amie,

Votre lettre me bouleverse ! Écrivez-moi *un* mot, je n'en demande pas plus, pour me dire que vous n'avez plus d'inquiétude.

En arrivant à Rouen mardi j'irai rue de la Ferme[1] savoir de vos nouvelles. Est-ce parce que je vous aime que vous êtes affligée ? Le sort s'acharne à tout ce qui m'entoure de près ou de loin.

Embrassez votre pauvre petit malade[2] pour moi, et croyez à l'attachement de

votre

GVE FLAUBERT

qui vous baise les deux mains bien tendrement.

À EDMA ROGER DES GENETTES

[Croisset,] lundi 19 août [1872].

Votre lettre du 8 m'a été renvoyée de Croisset à Bagnères-de-Luchon. — Et je suis revenu ici avant-hier. Voilà la cause de mon retard épistolaire. Maintenant, causons.

Et d'abord, chère Madame, ou plutôt chère amie, vous *avez raison* de croire que je ne vous oublie pas. Je songe à vous profondément et avec une intensité indicible. N'êtes-vous pas liée à ce qu'il y a de meilleur dans mon passé ? Votre souvenir n'amène à ma pensée que des choses charmantes[3]…

Puisque vous devez aller à Paris cet hiver, faites-moi savoir ce voyage-là un peu d'avance et je me rendrai près de vous tout de suite ! Nous en aurons à nous dire, et je vous lirai tout ce que j'ai fait depuis l'époque immémoriale où nous nous sommes quittés.

Je suis si dégoûté *de tout* que je ne veux pas maintenant publier. À quoi bon ? Pourquoi ? Je vais commencer un livre[4] qui va m'occuper pendant plusieurs années. Quand il sera fini, si les temps sont plus prospères, je le ferai paraître en même temps que *Saint Antoine.* C'est l'histoire de ces deux bonshommes qui copient, une espèce d'encyclopédie critique en farce. Vous devez en avoir une idée ? Pour cela, il va me falloir étudier beaucoup de choses que j'ignore : la chimie, la médecine, l'agriculture. Je suis maintenant dans la médecine. — Mais il faut être fou et triplement frénétique pour entreprendre un pareil bouquin ! Tant pis, à la grâce de Dieu ! Et fût-il un chef-d'œuvre (et surtout si c'est un chef-d'œuvre), il n'aura pas le succès de *L'Homme-Femme*[1]. Ah ! moi aussi, je savoure ces infections. C'est à vous dégoûter de l'adultère ! chose bien gentille en soi, pourtant ! Quels plats lieux communs, quelle crasse ignorance ! Et Girardin qui ouvre le bec[2] ! et Mme Olympe Audouard[3], habituée à ouvrir autre chose, et qui fait sa partie dans le concert. Rien ne me semble plus comique que tous ces cocus faisant dorer leurs cornes et les exhibant aux populations. Mais pardon ! il me semble que mon langage devient grossier.

Que dites-vous des trois farceurs[4] qui ont *engueulé* M. Thiers ? Je trouve ça très comique et j'envie ces MM. Je voudrais être dans leur peau. Ils doivent être bien gais. Ce sont peut-être de simples idiots ? Autre face du problème.

Pendant que j'étais à Luchon (où je faisais le métier de duègne vis-à-vis de ma nièce, son mari n'ayant pu l'y conduire) j'ai lu, devinez quoi ? Du Pigault-Lebrun et du Paul de Kock[5]. Ces lectures m'ont plongé dans une atroce mélancolie ! Qu'est-ce que la gloire littéraire ? M. de Voltaire avait raison, la vie est une froide plaisanterie, trop froide et pas assez plaisante ! J'en ai, quant à moi, plein le dos, révérence parler.

Mon pauvre Théo[6] est au plus bas. — Encore un !

Adieu, bon courage, tant que vous le pourrez. C'est gentil de m'avoir donné l'espérance de vous voir cet hiver. Ne me trompez pas, hein ? Et d'ici là, de temps à autre, des lettres.

En vous baisant les deux mains je suis tout à vous.

Gve.

À RAOUL-DUVAL

[Croisset, 20 août 1872 ?]

Mon cher Ami,

Je vous PRIE de prendre en considération la note suivante. — Et de tâcher de faire avoir de l'argent au pauvre Feydeau qui est dans une position digne de pitié.

Paralysé, deux enfants ! — et beaucoup d'huissiers.

Merci d'avance et tout à vous.

Mardi.

[Voici la note jointe à la lettre qu'on vient de lire. Elle est de la main de Flaubert :]

M. ERNEST FEYDEAU

ayant été frappé de paralysie, fut inscrit, sous l'Empire, au budget du ministère des Beaux-Arts pour une pension annuelle de cinq mille francs.

Le gouvernement de septembre supprima cette pension.

M. Thiers envoya à M. Feydeau quatre mille francs le 31 décembre dernier.

Est-ce comme acompte sur la pension restituée ? Dans ce cas-là, M. Feydeau demanderait à toucher les trois autres mille francs échus et à recevoir l'assurance que les termes de la pension lui seront à l'avenir régulièrement payés ?

La position de M. Feydeau mérite le plus grand intérêt.

À GEORGE SAND

Croisset, jeudi [22 août 1872].

Chère maître,

Dans la lettre que j'ai reçue de vous à Luchon il y a un mois, vous me disiez que vous faisiez vos paquets, et puis c'est tout. Plus de nouvelles. « Je me suis laissé conter » comme disait ce bon Brantôme, que vous étiez à Cabourg ? Quand en revenez-vous ? où irez-vous ensuite ? à Paris ou à Nohant ? problème.

Quant à moi je ne serai pas à Croisset du 1er au 20 ou

25 septembre. Il faut que je vagabonde un peu pour *mes affaires.* Je passerai par Paris. Donc écrivez-moi *rue Murillo 4*.

J'aurais bien envie de vous voir. 1° pour vous voir, puis pour vous lire *Saint Antoine*, puis pour vous parler d'un autre livre plus important[1], etc., etc., et pour causer de mille autres choses, longuement, seul à seul.

D'ici là, je vous embrasse à deux bras et sur les deux joues. Votre vieux troubadour.

À SA NIÈCE CAROLINE

[Croisset,] jeudi soir, 6 h 1/2 [22 août 1872].

Me voilà revenu dans ma solitude, mon pauvre loulou ! Et je songe à toi. Je me rappelle tout notre voyage, dans ses plus petits détails. Comme c'est déjà loin ! et comme je regrette ta gentille société !

La mienne était par moments bien rébarbative. J'ai appris à Paris que plusieurs personnes (entre autres Gustave Moreau, le peintre) étaient affectées de la même maladie que moi, c'est-à-dire l'*insupportation* de la foule. C'est une affection commune depuis « nos désastres », à ce qu'il paraît.

Aujourd'hui, je me suis promené dans le jardin, par un temps splendide et triste. Et j'ai lu de la philosophie médicale. — Car je commence mes grandes lectures pour *Bouvard et Pécuchet.* Je t'avouerai que le plan, que j'ai relu hier soir après mon dîner, m'a semblé *superbe*, mais c'est une entreprise écrasante et *épouvantable.* Tu n'as pas dû y comprendre grand-chose, d'après ce que je t'en ai dit. — Et après avoir relu mes quatre pages de scénario, j'ai eu le regret de t'en avoir parlé.

Ah ! pauvre Caro, le rêve pour moi ce serait de vivre ici ensemble, que la scierie n'est-elle au Mont-Riboudet[2]. Mais je t'ennuierais trop. Il faut que les jeunes habitent avec les jeunes !

Mes quatre jours passés à Paris n'ont pas été suffisants pour mes recherches de livres et de renseignements. — Mais j'en ai assez pour m'occuper pendant un mois.

J'ai vu Carvalho, le directeur du Vaudeville, qui m'a rappelé que je lui avais rendu un service quand il était au Théâtre-Lyrique. Je dois lui lire *Le Sexe faible*[3] quand je reviendrai à Paris.

Mlle Julie[4] a été fort contente de me revoir. Et voudrait bien voir « sa Caroline ». Je lui ai conseillé la patience.

Aucune nouvelle locale à t'apprendre, et tu ne m'as pas donné la moindre nouvelle de Putzel ! Comment oublier un petit être aussi intéressant !

Il y a aujourd'hui trois semaines, à cette heure-ci, nous revenions de Bozo ! Que fait maintenant Dancos ? Où eſt Barrier[1] ? Marie bougonne-t-elle ? etc.

Adieu, pauvre chère nièce : — J'espère que tu vas te remettre à la peinture ? Écris un peu moins de lettres, afin d'occuper ta plume à des choses plus sérieuses. — Ou plutôt, quand les envies épiſtolaires te prendront, pense à ta vieille nounou, qui te bécote.

Je t'aurais écrit dès hier soir : — Mais Erneſt t'aura donné de mes nouvelles.

LE SUCRIER EST RENTRÉ !

Impossible d'en faire un pareil à Paris ! C'eſt là ce qu'on appelle « a misfortune ».

À PHILIPPE LEPARFAIT

Croisset, jeudi soir [22 août 1872].

Mon Bon.

Me voilà revenu. Honore-moi de ta visite !

J'ai vu ton père[2] dimanche dernier. Il allait fort bien.

Le médaillon de Carrier-Belleuse[3] me semble excellent.

A-t-on *enfin* trouvé un terrain ? Je me suis occupé du Vaudeville. — Et j'ai rendez-vous avec Carvalho pour la fin de septembre.

Tout à vous.

À LÉONIE BRAINNE

[Croisset,] lundi [26 août 1872].

Pauvre chère Amie,

Je commençais à trouver le temps bien long, quand votre lettre d'hier eſt venue augmenter mes inquiétudes. Comme je vous plains ! comme je vous plains ! j'aime à croire qu'Axenfeld a voulu vous effrayer[1]. Il appartient à *l'école positiviste*, laquelle n'est pas tendre. Quoi qu'il en soit, partez au plus vite, et restez là-bas le plus longtemps possible si vous voyez que les Eaux-Bonnes font du bien à votre cher enfant.

Jamais je n'ai plus regretté de n'être pas riche ! Comme je vous sens gênée, je voudrais pouvoir louer, pour vous seule, un grand wagon, afin de vous faciliter le voyage. — Et que vous trouviez là-bas un appartement splendide avec des esclaves attentifs. — Que ne puis-je aussi (cela serait plus facile) faire vos articles dans votre papier !

Dès que vous serez arrivée, donnez-moi de vos nouvelles.

En vertu de nos *affinités* sans doute, moi aussi, j'ai mal au bec ! et il faudra un de ces jours que j'aille chez Collignon[2] pour faire inspecter ce qui me reste de molaires.

Je ne fais que penser à votre gamin ! Il traverse un âge critique. *Il s'en tirera.* Pour supporter plus facilement sa mauvaise humeur, dites-vous : 1° qu'il souffre physiquement, et 2° qu'il a « du vague à l'âme ». À son âge j'étais bien vigoureux. Mais j'avais une mélancolie si effroyable que j'en frissonne encore, rien qu'en y songeant.

Comme vous allez vous ennuyer là-bas ! À quoi passerez-vous votre temps ?

Écrivez-moi le plus souvent possible, pour vous occuper.

On me fera parvenir vos lettres si je m'absente.

Bon courage, pauvre chère amie.

Et mille tendresses de votre

Gve.

À SA NIÈCE CAROLINE

[Croisset,] lundi, 5 h[eures, 26 août 1872].

Mon pauvre Loulou,

Il faut d'abord que je t'embrasse (car je m'ennuie de toi énormément), puis il me semble que j'ai pas mal de choses à te dire.

1° Le jardinier mettra demain matin au chemin de fer un panier pour toi. — Mais l'envoi sera peu important, car il n'y a pas grand-chose dans ton jardin. — Ce qui n'empêche pas la cupidité des voleurs, car la nuit on passe par-dessus le mur et l'on casse le treillage, d'où terreur de Mlle Julie.

2° Je viens d'avoir la visite de Laporte qui m'a invité à déjeuner pour jeudi prochain avec le terrible Raoul-Duval[1].

Ce matin j'ai eu la visite de Philippe[2].

J'ai reçu une lettre lamentable de Mme Brainne. Son fils est très malade. — Elle va l'emmener aux Eaux-Bonnes, et elle me paraît pleine d'inquiétude ou plutôt de désespoir. Il lui a fallu trouver de l'argent, et elle ne sait pas comment faire avec son journal. Elle a peur de perdre sa place. Il y a des gens peut-être plus à plaindre que nous, ma petite dame ?

À propos de malheur, je ne t'ai pas dit que Feydeau m'avait fait la confidence entière des siens. — Ils sont complets. Et, quant à lui, je le trouve très stoïque et beaucoup plus honnête que je ne croyais. Il m'a navré, le pauvre garçon !

J'ai commencé mes études de médecine[3]. Fortin[4] m'a prêté des livres. Quant à la chimie, que je comprends beaucoup moins bien, ou plutôt pas du tout, je l'ajourne. Mais il faut être enragé, et triplement *phrénétique* pour entreprendre un pareil livre ! Enfin, à la grâce de Dieu !

Je ne sais trop que te conseiller pour faire suite à Hérodote. Le mieux serait de lire maintenant Eschyle dans la trad[uction] de Leconte de Lisle. — Puis des trad[uctions] de Thucydide et de Démosthène, et le plus de Plutarque possible.

Comme manuel d'histoire, pour te reconnaître dans les faits, je te conseille Thirwall (en anglais) que je possède.

Tu m'as fait rire avec l'embêtement que te cause l'odieux môme de ton amie Jeanne !

Je te loue d'avoir engagé ton mari à faire le voyage d'Elbeuf. Il faut toujours être gentleman ! jusqu'au moment où l'on *casse la gueule* aux gens.

Si vous allez chez Achille Dupont[5] la semaine prochaine, viendrez-vous jusqu'ici ? Je n'ose l'espérer.

J'ai commencé à prendre des bains froids, mais qui me semblent trop froids. Aussi n'en prendrai-je pas beaucoup.

Voilà une lettre bien décousue, et écrite avec une absence complète de coquetterie littéraire. Ne [me] méprise pas pour cela, mon Caro, et aime toujours

VIEUX, qui t'embrasse bien fort.

À IVAN TOURGUENEFF

Croisset, jeudi [29 août 1872].

Je vous ai attendu ici depuis 15 jours, mon cher ami ! Pas de Tourgueneff ! et pas de lettres ! Avez-vous eu une reprise de goutte ?

Vous deviez venir ici en allant baptiser ou en revenant de baptiser votre petit-fils[1].

Il faut que je vagabonde *pour mes affaires* jusqu'au 20 septembre environ. Je passerai par Paris. Donc écrivez-moi rue Murillo, 4, afin que j'aie votre lettre plus promptement. Celle que je vous ai adressée à Saint-Valery a peut-être été perdue[2].

Quelle immense quantité de choses j'ai à vous dire !

Et comme j'ai envie de vous embrasser !

Votre.

Je *compte* sur vous ici pour le mois d'octobre. Arrangez-vous d'avance pour y rester longtemps. Je vous montrerai des choses drôles.

GEORGE SAND À GUSTAVE FLAUBERT

Nohant, 31 août [18]72.

Mon vieux troubadour,

Nous voilà revenus chez nous, après un mois passé en effet à Cabourg, où le hasard nous a plantés plus que l'intention. Nous avons pris de beaux bains de mer, tous, Plauchut y compris, nous avons souvent parlé de toi avec Mme Pasca qui était notre voisine de table et de chambre. Nous avons rapporté des santés superbes et nous sommes contents de retrouver notre vieux Nohant, après avoir été contents de le quitter un peu pour changer d'air.

J'ai repris mon travail ordinaire et je continue mes bains dans la rivière, mais personne ne veut m'y suivre, elle est trop froide. Qui est-ce qui croirait qu'avec mon air et mon âge tranquille, j'aime encore les excès ?

Ma passion dominante, en somme, c'est mon Aurore. Ma vie est suspendue à la sienne. Elle a été si gentille en voyage, si gaie, si reconnaissante des amusements qu'on lui donnait, si attentive à ce qu'elle a vu et curieuse de tout avec tant d'intelligence, que c'est une société véritable et une société sympathique à toute heure. Ah ! que je suis peu *littéraire* ! méprise-moi, mais aime-moi toujours.

Je ne sais pas si je te trouverai encore à Paris quand j'irai pour ma pièce. Je n'ai pas fixé avec l'Odéon l'époque de la représentation. J'attends Duquesnel pour la lecture définitive. Et puis, j'attends Pauline Viardot vers le 20 septembre et j'espère aussi Tourgueneff. Est-ce que tu ne viendras pas aussi ? ce serait si bon et si complet.

Dans cet espoir que je ne veux pas abandonner, je t'aime et t'embrasse de toute mon âme, et mes enfants se joignent à moi pour t'aimer et t'appeler.

G. SAND.

À SA NIÈCE CAROLINE

[Croisset,] dimanche [1er septembre 1872].

Mon pauvre Caro,

Je n'irai pas à Dieppe, maintenant. Je préfère y aller plus tard. Il faut bien que je m'habitue à vivre dans la solitude ! — et d'ailleurs j'aime mieux aller te voir quand Juliet[1] sera retournée en Angleterre. Je ne sais encore si elle ira à Dieppe avant ou après son séjour à Paris ? Peut-être la verras-tu cette semaine ?

Je crois qu'elle sera à Paris dimanche prochain ? Donc je partirais d'ici samedi. En disant à tout le monde que je vais chez la Princesse. Je descendrai chez moi rue Murillo. — Et je laisse Émile[2] ici.

Il faudrait que ton mari m'envoyât, cette semaine, *mille francs.* Rien ne m'embête plus que de lui demander perpétuellement de l'argent ! mais comment faire ? Il me tarde que tout soit arrangé, pour que je touche mes minces échéances, à époques fixes, sans importuner, de temps à autre, ce brave Ernest.

N. B. Autre commission pour lui : il pleut dans la chambre de notre pauvre vieille. Pendant que nous étions à Luchon, le plafond a été traversé. Et le même accident s'est renouvelé cette semaine. Il est donc indispensable que l'on fasse, une fois pour toutes, une bonne réparation au toit, avant l'hiver. — Autrement tout serait perdu dans la chambre. Et des frais considérables s'ensuivraient.

Parlons de choses plus amusantes (transition à l'espagnole). Qu'as-tu donc fait, mercredi dernier, pour séduire le ménage

Raoul-Duval ? Ils m'ont fait hier sur toi tant de compliments que j'en étais gêné. Jamais la petite mère Duval ne m'avait tant parlé. Son enthousiasme la rendait prolixe.

J'ai été hier à Rouen pour me faire astiquer le bec par Collignon[1] (qui n'y a rien trouvé du tout), et j'ai profité de mon voyage pour aller faire une visite au petit Baudry[2], lequel m'a ému de pitié. Il est dans un état moral déplorable. Je l'ai invité à dîner pour aujourd'hui. Jeudi prochain j'aurai Laporte, Lapierre, Fortin et peut-être Georges Pouchet[3].

À propos de Laporte, j'ai vu chez lui, jeudi dernier, *mon* chien, qui n'est pas du tout frisé comme je m'y attendais. C'est un simple lévrier, couleur gris de fer, mais qui sera très grand. J'hésite à le prendre, d'autant plus que maintenant j'ai peur de la rage. Cette sotte idée est un des symptômes de mon ramollissement. Je crois pourtant que je passerai par-dessus ?

Je lis toujours des bouquins médicaux, et mes bonshommes se précisent. Pendant trois ou quatre mois encore je ne vais pas sortir de la médecine. Mais j'aurai besoin (comme pour toutes les autres sciences) d'une foule de renseignements que je ne puis avoir ici. Il faudra donc cet hiver, et probablement l'autre, que je sois à Paris, pendant assez longtemps. — Et *l'idée de l'argent* revient à la traverse !............ (ces points sont pour indiquer la rêverie).

J'imagine que vous avez passé un joli petit dimanche à Pissy[4] ! Enfin, en voilà pour longtemps ! Hier, sur le bateau de [La] Bouille, je me suis trouvé avec un de tes anciens amis, Édouard Play[5] : il m'a paru absolument imbécile. — C'est une chose étrange comme il y a maintenant des gens bêtes !

Mlle Julie me demande sans cesse « quand tu viendras » ; elle a l'air de s'ennuyer beaucoup. Mon serviteur juge à propos de se laisser pousser la barbe, ce qui le rend hideux. Voilà des nouvelles bien intéressantes.

Faut-il que je sois vertueux pour résister aux séductions que tu m'offres, Mme Lapierre, Frankline[6] et Mme Roquère[7] ! C'est comme ça pourtant ! Tu n'as pas besoin de moi puisque tu as « de la compagnie ». Ton vieux Bedollard, ton vieux

PIS-ALLER
t'embrasse.

Quels livres veux-tu que je t'envoie ? et comment te les envoyer ? Tu trouveras à Dieppe beaucoup de ceux que je t'ai indiqués (dans la collection Charpentier).

À SA NIÈCE CAROLINE

[Croisset,] jeudi [5 septembre 1872].

Rien ne peut me faire plus de plaisir que te savoir en meilleure santé, pauvre loulou ! Est-ce Luchon qui t'a raffermie ? Laisse-moi le croire. Ça me flatte. J'ai été bien maussade pendant tout ce temps-là. Je t'aurais souhaité un compagnon plus aimable, et surtout plus sociable. Mais je crois que tu ne pouvais pas en avoir de plus *hygiénique*[1].

Reprends courage, pauvre fille, continue à peindre avec cette bonne Frankline[2]. Il me semble que sa compagnie doit te faire du bien.

Franchement, si tu m'avais eu en tiers, je vous aurais gênées. Il faut que les amis soient libres. — Et puis, j'aime mieux aller te voir quand tu n'auras personne. Alors tu seras tout à moi.

Juliet viendra chez toi quand elle aura quitté Paris. — Où elle arrive dimanche. Je pars d'ici samedi matin.

Aujourd'hui je *reçois* ! J'attends à dîner Laporte, Lapierre et Fortin. Ta spirituelle tante Achille[3], qui tâche d'arracher tout ce qu'elle voit, a pris en journée Alphonse, le vieux bonhomme de Canteleu, si bien qu'Émile a fait venir de Rouen un de ses amis pour servir à table. — Ne trouves-tu pas superbe d'aller jusqu'à Canteleu chercher des gens de journées ? Quel singulier besoin d'imitation ! Il y a là un point psychologique très drôle et très profond.

À propos de serviteurs, je suis très content du jardinier. Lui et sa femme ont l'air de bonnes gens.

Voilà quinze jours que *je n'arrête pas* de lire de la médecine. — Ce qui redouble mon mépris pour les médecins ! Encore quatre ou cinq mois et je saurai quelque chose.

J'ai vu quelqu'un que la peur de la misère tourmente plus que moi : c'est le petit Baudry[4]. Son frère n'avait pas exagéré en me disant que cette manie-là tournait à la démence. Il cherche Raoul-Duval pour lui vendre ses collections, afin de se faire de l'argent ! Ses collections !… Il m'a parlé de la lettre que tu lui as écrite de Luchon, avec des larmes d'attendrissement !

Adieu, pauvre loulou. — Remercie Ernest de son envoi. — S'il vient ici pendant mon absence, je le prie derechef d'aviser au plafond. Embrasse-le de ma part (pas le plafond).

J'attends une lettre de toi à Paris vers le milieu de la semaine prochaine.

Comme je pense à toi, et comme je te regrette quand je me promène solitairement dans le jardin !

Encore un bon baiser, pauvre chère fille !

Ta vieille nounou.

À LÉONIE BRAINNE

[Paris,] samedi 7 septembre [1872],
rue Murillo, 4.

Pauvre chère amie, comme je vous plains et comme je pense à vous ! d'abord parce que je vous aime, et puis, en ma qualité de romancier, j'ai l'habitude de me mettre facilement dans la peau et le cœur des autres. Je sens donc tout ce que vous sentez et je partage vos inquiétudes. Il ne faut pas les exagérer, cependant. Vous voyez bien que votre Henri[1] va mieux depuis qu'il eſt aux Eaux. J'ai voulu savoir par moi-même ce qu'Axenfeld[2] en pensait, et pas plus tard qu'hier au soir j'ai eu avec lui une longue conférence. Il m'a parlé *comme à un confrère* et voici le fond de son opinion.

Axenfeld ne pense pas que notre malade ait des tubercules au poumon. Si le sommet en eſt irrité, cela vient de sa pleurésie mal guérie. C'eſt la suite d'une affection aiguë et non l'effet d'un état conſtitutionnel. — *Mais* il croit qu'il faut de grandes précautions d'ici à longtemps. Le séjour des Eaux-Bonnes était urgent.

Je lui ai communiqué une idée, que m'avait donnée Lapierre, et qu'il trouve *excellente.* Coûte que coûte, Henri doit aller vivre dans un pays chaud, « le plus chaud possible » (mot d'Axenfeld). Donc, n'y aurait-il pas moyen de changer sa bourse du collège de Rouen contre une bourse du collège d'Alger ? Ce sera difficile puisque sa bourse eſt une bourse communale. Mais il faudra *faire ça* tout de même. Le bon Lizot[3] arrangera la chose. Axenfeld tient beaucoup à ce moyen de guérison, qui eſt même, selon lui, indispensable. Songez que l'hiver va revenir. Remettre Henri à Rouen me paraît insensé.

Méditez ce conseil, ma chère amie, et voyez ce que vous devez faire dès maintenant.

Quant à moi, je suis venu à Paris pour des recherches de documents et de livres relatifs à un nouveau bouquin que je médite[4], pour faire recopier *Saint Antoine*, et pour aller chez la Princesse.

Si vous me répondez d'ici à une douzaine de jours, écrivez-moi donc rue Murillo.

Je sais que l'autre *géranium*[1] a dîné samedi dernier chez Caro à Neuville.

Rien de neuf touchant les choses publiques, on eſt au calme plat.

La mère Sand m'a écrit qu'elle avait fréquenté à Cabourg Mme Pasca. Voilà tout.

Et puis je baise sur les deux joues votre belle et bonne mine. — Continuez à être vaillante, pauvre chérie ! et donnez de vos nouvelles

au cher Petit.

Combien de temps pensez-vous reſter encore aux Eaux-Bonnes ?

Le plus longtemps que vous y reſterez sera le meilleur, je crois ?

À SA NIÈCE CAROLINE

[Paris,] dimanche matin [8 septembre 1872].

Je commençais à trouver le temps long sans nouvelles de mon pauvre loulou ! Enfin, j'ai reçu ta bonne lettre hier, ma chérie ! Et elle m'a fait plaisir, car il me semble que tu vas mieux et que tu t'amuses dans la société de Frankline[2]. Je compatis à vos mésaventures d'artiſtes. Mais pourquoi ne te livres-tu pas au genre maritime ? Tu n'as encore rien tenté dans cette *branche*. Essaie.

Moi, je suis effrayé de ce que j'ai à faire pour *Bouvard et Pécuchet*. Je lis des catalogues de livres que j'annote. Il va falloir que j'en loue beaucoup et que j'en achète pas mal. — Et, à ce propos, préviens Erneſt que, dans une douzaine de jours sans doute, je lui redemanderai de l'argent, 500 ou 1 000 francs ? Je fais copier aussi *Saint Antoine*. — Que je remporterai à Croisset, bien entendu. Mais *B. et P.* m'épouvantent ! J'ai déjà consulté des gens spéciaux pour différents points scientifiques. — Mais je ne suis pas au bout de mes courses, ni de mes tracas. — Enfin, à la grâce de Dieu !

Tout à l'heure je viens de recevoir une lettre de Tourgueneff, qui eſt toujours abîmé par la goutte. Il se propose de venir me voir à Croisset vers le 10 oſtobre. Ce sera un prétexte légitime pour ne pas aller chez Mme Perrot[1]. Car tous ces trimbalements-là me dérangent et me coûtent de l'argent. — Quand la pauvre Juliet[2] m'aura quitté, j'irai trois ou quatre jours à Saint-Gratien[3]. — Et puis je rentrerai dans mon ermitage pour longtemps.

Cependant, j'irai voir un peu ma pauvre nièce, dont il m'ennuie beaucoup, malgré la compagnie que j'ai maintenant. — Nous parlons de toi, mon loulou, plus de vingt fois par jour.

Pourquoi les Dieppois tiennent-ils à distance Mme Lapierre ? Ta tante les a-t-elle fascinés[4] ? Sont-ce ses chapeaux qui la déshonorent ?

Quel être que *on* ! En voilà un que je méprise profondément ! Il faut tout faire en vue de sa propre considération à soi et pisser sur la tête de *on*. Moi, je les trouve charmants l'un et l'autre, le mari et la femme. — Voilà tout ce que j'ai à en dire. Mais ils ne sont pas riches, mais Monsieur est journaliste, mais Madame est très jolie !

Laporte, avec qui j'ai fait le voyage de Rouen à Paris, m'a dit que mon chien devenait superbe. Il me l'amènera dès que je serai revenu à Croisset.

N. B. — J'ai découvert le prénom de Barrier. Il s'appelle Saint-Ange ! Est-ce assez énorme ? Saint-Ange Barrier[5].

Ne me laisse pas plus de huit jours sans lettre comme la dernière fois, et aime toujours

Ta Nounou.
qui te bécotte.

À EDMOND LAPORTE

[Paris,] dimanche matin, 8 septembre [1872].
Rue Murillo, 4.

Mon cher Ami,

Pour une foule de raisons mystiques, appelez le lévrier du nom de *Julio* et amenez-le-moi dans trois semaines[6]. Je serai revenu à Croisset et je vous y attends, pour passer quelques moments ensemble.

Prévenez-moi la veille par un mot, ou plutôt je vous en enverrai un dès que je serai rengainé dans ma boîte.

D'ici là, tout à vous.

Je dis *Julio* par un *J* quoique un *I* serait peut-être plus archéologique ?

À PHILIPPE LEPARFAIT

[Paris,] rue Murillo, 4,
mercredi soir [11 ? septembre 1872].

Claye m'écrit pour me demander si je veux enfin le payer ! Donc Lévy me fait cette petite farce de ne pas lui avoir parlé de notre billet. — *Quels en sont les termes précis ?* Envoie-moi ce renseignement poste par poste[1].

J'en ai assez, de tes Affaires ! j'en ai assez mon cher bonhomme !

À toi.

À IVAN TOURGUENEFF

13 septembre [1872].

J'aurais bien voulu vous accompagner, mon cher ami, et faire avec vous le voyage de Nohant[2]. — Mais il faut que je rentre à Croisset.

Je vous y attends vers le 10 ou le 12 octobre, comme vous me l'annoncez. Arrangez-vous d'avance pour y rester longtemps.

J'ai besoin de vous exposer très en détail le plan d'un livre[3] et puis de vous voir, et de causer d'une foule de choses.

Je serai revenu à Croisset vers le 20, et n'en bougerai.

Je vous embrasse

Votre

Mes respects très humbles à Mme Viardot.

Comme je vous plains de souffrir sans cesse, mon pauvre cher ami. Donnez-moi de temps à autre de vos nouvelles.

Quelle jolie littérature que celle de *L'Homme-Femme*[4] ! Oh !...

À SA NIÈCE CAROLINE

[Paris,] samedi soir [14 septembre 1872].

Mon pauvre Loulou,

Je pense que dans huit jours ma chère compagne[1] (ce n'est pas de toi que je parle) viendra te voir dans « ta délicieuse villa », puis le train-train ordinaire de ma solitude recommencera !…

Quand penses-tu avoir Flavie[2] ? Combien de temps Mme Heuzey[3] restera-t-elle à Neuville ? Avant que tu ne viennes à Croisset (car je compte sur une petite visite d'une dizaine de jours au mois d'octobre), je pourrais bien aller passer un dimanche chez toi ? J'imagine qu'aujourd'hui tu as été à Croisset ? Mlle Julie a dû être bien contente !

Ce matin, on a fini de copier *Saint Antoine*. La tête des copistes était inimaginable d'ahurissement et de fatigue. Ils m'ont déclaré qu'ils en étaient malades et « que c'était trop fort pour eux ».

À propos de littérature, je suis en train de me fâcher, je crois, avec mon ami Feydeau. Il a écrit un roman inimaginable comme obscénité et bêtise[4] ! et comme je me suis permis de lui dire en marge du *ms.* mon opinion, il m'a écrit que j'étais un imbécile. Naturellement je lui ai répondu de la même encre. Ledit Feydeau arrive à me dégoûter profondément. Je ne suis pas bégueule, mais je trouve que l'on doit avant tout respecter l'art. — Et quand je ne vois dans un livre que l'envie de faire du scandale, je m'indigne ! Tu ne peux avoir une idée de la chose. C'est à en vomir ! Et la forme est pitoyable. J'ai peur que mon ami ne soit une franche canaille ? Je ne te cache pas que cette petite histoire m'a attristé. Les Bons sont partis.

Ce matin, je suis retourné chez Carrier-Belleuse pour le médaillon qui doit être sur le tombeau de Bouilhet. Au lieu de m'en faire faire un plâtre, ce sculpteur m'a proposé une terre cuite. Je l'aurai dans une quinzaine de jours.

Dès que je serai revenu à Croisset, Laporte m'amènera mon chien pour lequel Juliet m'a fait cadeau d'un collier superbe.

Un de ces soirs, j'aurai rendez-vous avec Carvalho pour lui lire *Le Sexe faible*[5].

Qu'ai-je encore à te dire ? Ah ! j'oubliais le plus utile. C'est de prier Ernest de m'envoyer pour mercredi ou jeudi *la somme de mille francs.* Après quoi je le laisserai tranquille pour quelque temps.

Je suppose que les affaires ne vont pas mal, puisqu'il était si en train et si facétieux avec ses hôtes ?

Je récolte çà et là des indications pour *Bouvard et Pécuchet* ; mais quel travail !

Adieu, pauvre chérie ! Comme il y a longtemps que je ne t'ai vue ! Et comme j'ai envie de bécotter ta chère, gentille mine !

Ta vieille Nounou.
GVE.

Penses-tu à « Brutussss » : au Parc *Arnatiron*, Barrier, Sarte[1], cette bonne Marie, etc., et à mes accès de rébarbaratisme ?

Sérieusement, je crois que Luchon m'a fait du bien à la santé ! Et toi, pauvre Loulou ? Parle-moi de ta chère personne.

À GEORGE SAND

[Paris,] rue Murillo 4.
Dimanche 15 septembre [1872].

Non, chère maître, je n'irai pas à Nohant, maintenant, parce que j'ai déjà beaucoup vagabondé cet été. Voilà trois mois bientôt que je n'ai guère vécu dans mon domicile. *Il faut* que j'y rentre.

Comme j'ai envie de vous y voir, un peu longuement ! pour causer d'un tas de choses qu'on ne peut dire par lettres. Je voudrais d'abord vous lire *Saint Antoine*, puis, vous parler d'un autre bouquin[2], que je vais entreprendre et qui va me demander cinq ans, au moins !

Quand votre pièce de l'Odéon[3] entre-t-elle en répétition ? Quand venez-vous à Paris ? Il me semble que vous pourriez bien me réserver deux ou trois jours, au milieu de vos affaires théâtrales ?

J'ai peur que vous n'ayez des désagréments avec l'aimable Duquesnel ? Il eſt en procès avec Sarah Bernhardt[4]. Joli début ! Les pensionnaires dudit en verront d'autres, je le connois !

Un de ces jours (puisque nous parlons de théâtre), je vais lire à Carvalho *Le Sexe faible*, une comédie en prose de Bouilhet, que j'ai un peu retouchée. Mais je n'ai *aucun* espoir. Jamais du reſte, la publicité ne m'a été plus indifférente. Le succès de

L'Homme-Femme (et de ses satellites) m'a donné le coup de grâce, comme démoralisation ! Et j'ai, tout à l'heure, passé devant l'affiche du Vaudeville où j'ai lu : « *Rabagas*, 224e représentation[1] » !

Tout cela me renforce dans… la Religion[2]. Vous comprenez ce que je veux dire.

Votre troubadour commence à étudier les théories médicales. — Ce qui eſt bien amusant. Après cela je passerai à d'autres exercices, préparatoires.

Le bon Tourgueneff ira vous voir bientôt. Je regrette sa compagnie. Et le séjour là-bas.

Embrassez pour moi tous les vôtres, chère maître, et arrangez-vous pour que nous puissions nous voir pendant quelque temps, seuls et tranquilles.

Tout à vous, encore.

À PHILIPPE LEPARFAIT

[Paris,] mardi 17 septembre [1872].

Mon cher Philippe,

Le médaillon en bronze[3], — que j'ai vu hier et que je trouve très bien, — te sera adressé très prochainement.

Dans une quinzaine je recevrai à Rouen trois terres cuites, une pour moi, une pour toi, une pour d'Osmoy.

Mais ce n'eſt pas pour cela que je t'écris. Voici l'hiſtoire, voici l'hiſtoire.

L'éditeur Charpentier veut devenir le mien, et racheter à Lévy tous ses droits sur mes œuvres. On me conseille d'écouter ses propositions. Mais, pour cela, il faut que je sois complètement libre vis-à-vis du fils de Jacob. Je voudrais en même temps faire acheter à Charpentier ce qui reſte de *Dernières chansons* et m'entendre avec lui pour une édition complète des œuvres de Bouilhet. Cet hiver Charpentier m'avait sollicité indireƈtement. Il revient à la charge. C'eſt très sérieux.

Donc, mon cher Monsieur, fais-moi le plaisir de me dire *précisément* à quelle époque tu ne devras plus rien au Lévy, afin que je puisse prendre avec Charpentier un arrangement net[4].

Quant au Vaudeville, voilà deux fois que j'y vais sans pouvoir mettre la main sur Carvalho. J'y retournerai ce soir, et je serais étonné si je retournais à Croisset sans lui avoir lu *Le Sexe faible.*

Retourne chez Gally de ma part. Et que la Commission du terrain fasse quelque chose, ô mon Dieu[1] !

Embrasse ta mère pour moi. Ton F. G.

Réponds-moi tout de suite. Je serai revenu à Paris vers jeudi ou vendredi de la semaine prochaine.

À LÉONIE BRAINNE

Croisset, lundi 23 septembre [1872].

Le cher Petit, ayant suffisamment goûté Saint-Gratien[2], étant repu de Paris, et se voyant *à court de monacos*, eſt revenu chez lui, depuis avant-hier. Voilà, ma chère belle, ce qui vous explique pourquoi c'eſt ma lettre et non ma personne que vous trouvez à votre retour.

Votre dernière m'a fait bien plaisir. Elle était pleine d'espoir. On sentait que vous commenciez à re-respirer !

Il me tarde de savoir comment vous avez laissé votre gamin ? va-t-il reſter à Pau ? quelle décision prenez-vous, etc ? Pour le faire changer de collège, il faudra peut-être que vous veniez voir le Préfet[3], et alors on pourra se contempler.

Quelle triſte vie vous menez depuis quatre mois ! que de chagrins et de dérangements ! je voudrais bien baiser ces beaux yeux qui s'emplissent de larmes, — si facilement.

Si vous aviez été à Paris il y a quinze jours je vous aurais prêté un joli *manuscrit* qui vous aurait causé quelque diſtraction. C'eſt un roman du sieur Feydeau *tellement* lubrique et indécent qu'aucun éditeur n'a consenti à le prendre[4] ! On ne va pas plus loin ! si même on y va.

Quant à moi, j'ai fini de relire la copie du bon *Saint Antoine*, — que je fourre dans un tiroir, — et comme s'il n'exiſtait pas, je passe à d'autres exercices. J'entreprends un livre[5] qui va me demander cinq ou six ans. Pendant ce temps-là, du moins, mes ennuis personnels seront atténués. — Car plus je vais et plus je suis rébarbatif, indigné, intolérant, névropathe et saint Polycarpe que jamais.

Ma Sainteté se proſterne devant vos grâces. — Avec toutes sortes de désirs qui n'ont pas le ciel pour objet, à moins que ce ne soit le ciel de votre lit. — Pardon ! et mille tendresses.

Encore à vous.

À EDMOND LAPORTE

[Croisset, 23 septembre 1872.]

Mon cher Ami,

Voulez-vous m'amener le toutou *jeudi* ? Si un autre jour vous convenait mieux, dites-le-moi par un mot, et ajoutez que vous viendrez dîner ou déjeuner, comme il vous plaira.

Tout à vous.

Croisset, lundi 23 septembre.

À LA BARONNE LEPIC

De mon ermitage, le 24 de septembre [1872]
(mois appelé Boédromion[1] par les Grecs).

Je mets la main à la plume pour vous écrire, et, me recueillant dans le silence du cabinet, je vais me permettre

Ô belle Dame !

de brûler à vos genoux quelques grains d'un pur encens.

Je me disais : Elle eſt partie vers la nouvelle Athènes avec des nourrissons de Mars ! Ils ont les cuisses serrées dans un brillant azur, et moi je suis couvert d'habits ruſtiques ! Un glaive reluit à leur flanc ; je ne puis montrer que des plumes ! Des panaches ornent leur tête ; à peine si j'ai des cheveux !…

Car les soins, l'étude, m'ont ravi cette couronne de la jeunesse, cette forêt qu'épile sur nos fronts la main du Temps deſtructeur.

C'eſt ainsi, ô belle dame, que la jalousie la plus noire se tordait dans mon sein !

Mais votre missive, grâces aux dieux, m'eſt arrivée tantôt comme une brise rafraîchissante, comme un véritable dictame !

Que n'ai-je la certitude, au moins, de vous voir prochainement établie au milieu de nos guérets, fixée sur nos bords ! La rigueur des autans qui s'approchent serait adoucie par votre présence.

Quant à l'horizon politique, vos inquiétudes peut-être dépassent-elles la mesure. Il faut espérer que notre grand historien national[1] va clore, pour un moment, l'ère des révolutions ! Puissions-nous voir les portes du temple de Janus à jamais fermées ! Tel eﬆ le souhait de mon cœur, ami des arts et d'une douce gaieté.

Ah ! si tous les mortels, fuyant la pompe des cours et les agitations du Forum, écoutaient la simple voix de la nature, il n'y aurait ici-bas que concorde, danses de bergères, entrelacements sous les feuillages ! d'un côté… de l'autre… ici… là ! Mais je m'emporte.

Mme votre mère se livre toujours aux occupations de Thalie[2] ? Très bien ! Et elle se propose d'affronter la publicité dans la maison de Molière ? Je comprends ça, mais je crois qu'il vaudrait mieux (dans l'intérêt de son élucubration dramatique) que je portasse moi-même ce fruit de sa muse à la propre personne du direﬆeur de cet établissement. Donc, sitôt que je serai arrivé dans la capitale, procéder à ma toilette, appeler mon serviteur, lui commander d'aller me quérir un char banal sur la place publique, monter dans ce véhicule, traverser toutes les rues, arriver au Théâtre-Français et finir par trouver notre homme, tout cela sera pour moi l'affaire d'un moment.

En me déclarant, Madame, votre esclave indigne, je dépose

PRUD'HOMME.

N. B. — Un parafe impossible.

À SA NIÈCE CAROLINE

[Croisset,] mardi soir, 24 septembre [1872].

Eh bien, oui, chère Caro, « ton petit bout d'expérience » eﬆ faux, et ta correspondance, quoi qu'en dise ta modeﬆie, « m'a manqué ». Mon cœur eﬆ assez large pour contenir tous les genres de tendresses. L'une n'empêche pas l'autre, ni les autres, et je voudrais déjà être au mois de novembre pour avoir ta visite.

J'étais si triﬆe samedi soir que j'ai inventé une blague pour m'en retourner ici, où je suis arrivé dimanche dans l'après-midi. — La rentrée dans « le bon vieux Croisset », comme tu dis, n'a pas été folichonne. Je m'y suis livré à des rêveries sur le passé tellement lourdes que c'était comme un écrasement. — Je les ai secouées et je me suis mis immédiatement à la Pioche.

J'ai corrigé la copie de *Saint Antoine*, puis j'ai lu une dissertation médicale sur le *Vertige nerveux*, puis un roman algérien de Mme de Voisins (Pierre Cœur[1]), laquelle m'a demandé cela comme un service, en me priant de lui en faire la critique.

Voilà l'emploi de mon temps depuis 48 heures. Le temps affreux qu'il a fait cet après-midi m'a inquiété. J'ai peur que Juliet n'ait eu une bien mauvaise traversée[2] ? Mais j'aime à croire qu'elle ne se sera pas embarquée, si la mer était trop forte !

J'attends demain soir Ernest[3] pour dîner. — Et jeudi j'aurai peut-être à déjeuner Laporte, qui m'amènera mon toutou. Il me semble que je vais l'aimer beaucoup ?

Carvalho doit m'écrire pour m'appeler à Paris vers le 10 ou le 12 octobre. Mais il est probable que je retarderai mon voyage d'un bon mois, afin de m'y trouver avec toi, pour faire faire ensemble le buste[4] de notre pauvre vieille. Il est temps de s'y mettre. Le souvenir, si précis qu'on le croie, ne tarde pas à s'embrouiller dans les petits détails.

Tu diras de ma part à ton, ou plutôt à notre amie Flavie[5], tout ce que tu pourras trouver de plus sérieusement aimable.

Je suis fâché pour toi de son séjour dans le Midi, cet hiver. Où va-t-elle ?

À propos de voyage, Mme d'Harnois[6] est partie faire un pèlerinage à la Salette. Son neveu, qui est venu chez moi dimanche, comme j'en partais, m'a dit qu'elle était devenue d'un fanatisme *intolérable.* — Et le père Maupassant traite ses deux petits-fils[7] de « canailles » et ne veut plus les voir, parce qu'ils lui demandent l'argent qui leur est dû.

Mais certainement, mon pauvre loulou, j'irai te voir ! dans la première quinzaine d'octobre, avant la visite de mes amis, sur laquelle je ne compte pas trop. — Malgré leurs promesses.

Je te baise sur les deux joues bien tendrement.

Ta vieille Nounou.

Comme il y a longtemps déjà que je te « faisais les cors » et que je te forçais à porter la gigantesque ceinture de flanelle.

À MADAME DE VOISINS D'AMBRE
(Pierre Cœur)

Croisset, près Rouen,
mardi, 24 septembre [1872].

Chère Madame, ou plutôt chère Confrère,

Je viens de lire tout d'une haleine votre très amusant roman.

C'est plein de goût, d'observation et d'intérêt, et s'il avait un titre alléchant, tel que *Borgia d'Afrique* (je parle au point de vue du sot public !), la vente de votre volume pourrait bien devenir très respectable[1].

Les offres d'amitié que nous nous sommes faites et l'esprit excessif qui anime votre figure m'engagent à une entière franchise. Je vais donc vous dire *tout* ce que je pense.

Comme style, je vous chercherai des chicanes pour des expressions *poncives*. Elles sont rares. N'importe ! Cela gâte un ensemble distingué.

Quant à la conduite du roman, je n'y vois rien à reprendre. Mais l'intérêt faiblit à partir de la mort de Robert… Tout le voyage en France, l'enterrement de Mme Robert, ses parents, son château, et ses amis, sont les parties les moins bonnes. La figure saillante du livre étant Robert, c'est sur elle qu'il fallait appuyer à la fin… J'aurais voulu plus de développements dans le combat où il est tué.

Il fallait rattacher à l'intrigue principale le capitaine envieux (Baltard) qui aurait fait pendant à l'oncle Bayah !… De même, j'aurais voulu voir dans une scène commune la femme arabe et la femme européenne aux prises. C'est excellent, ce que vous dites (où plutôt ce que vous montrez) de son ignorance. Pourquoi n'avez-vous pas appuyé sur ce côté-là, que vous savez et que vous sentez si bien ?

Le manuscrit de Robert est du même style que le reste du roman — ce qui est une faute — où plutôt un défaut tenant au cadre même du livre.

Qu'aviez-vous besoin de ce manuscrit ? C'est un moyen usé.

Voilà ma critique finie. Si je vous estimais moins, elle eût été toute différente, ou plutôt je ne vous aurais envoyé que l'autre partie de mon appréciation, c'est-à-dire des éloges.

Vous avez la première de toutes les qualités pour un conteur, — le mouvement. Ça marche, et vous allez au but, à travers les descriptions, chose rare. Mais vous abusez parfois du dialogue, quand trois lignes de tournure indirecte pourraient remplacer toute une page de conversation. Exemple : la deuxième colonne du premier feuilleton[1].

Quel PION je fais, hein ? C'est vous qui l'avez voulu, tant pis !

Comment faut-il vous renvoyer les *Bordjia* ? Par la poste ?

Je vous serre, ou plutôt je vous baise les mains, et suis, Madame, tout à vous.

À SA NIÈCE CAROLINE

[Croisset,] vendredi, 5 h[eures, 27 septembre 1872].

Tu penses bien, mon loulou, que je n'irai pas demain à Dieppe, puisque tu dois venir jeudi, n'est-ce pas ? *Mais ne manque pas*, autrement ma malédiction t'est destinée.

Quel temps ! Il pleut sans discontinuer et les habits en sont, même dans les appartements et malgré le feu, gras d'humidité.

Ma seule distraction est d'embrasser mon pauvre chien, à qui j'adresse des discours. Quel mortel heureux ! Son calme et sa beauté vous rendent jaloux.

Les maçons ont enlevé les feuilles de dessus les toits. — Et vont se mettre à réparer le corps de garde[2]. Voilà toutes les nouvelles.

J'ai le bras fatigué à force de prendre des notes.

Pauvre chat, comme je te plains avec tes éternelles migraines ! Luchon n'a donc servi à rien ?

Je t'embrasse bien fort.

Ton vieil oncle.

Joie de Mlle Julie en apprenant que sa Caroline va venir. Je ne dis rien de la mienne (joie).

À SA NIÈCE CAROLINE

[Croisset, 28 septembre 1872.]

Mon Loulou,

Tu sais bien que j'obéis à tes moindres commandements ! Donc, demain, dimanche, j'arriverai à Dieppe (par le train express de l'après-midi) pour en repartir mardi.

Je t'embrasse en signant de mon vrai nom qui est

VACHE !

samedi soir, 5 h.

À ALFRED BAUDRY

[Croisset,] lundi 30 [septembre 1872], 4 heures.

Mon petit père,

Nous comptons sur vous pour venir dîner ici *jeudi prochain* avec M. et Mme Lapierre, Mme Brainne et Laporte (de Couronne) = l'ami de Duplan.

Donc, à bientôt, mon bon

votre

À LÉONIE BRAINNE

[Croisset,] samedi 5 octobre [1872].

Eh bien ! c'est joli. Et « ce cher petit » comme on l'oublie ! pas un mot, depuis votre retour. Heureusement que l'autre Ange[1] m'a donné de vos nouvelles. Je sais, pauvre chérie, que vous êtes accablée de besogne. — Et non seulement je vous pardonne, mais je vous plains. N'importe, une épître me sera bien agréable.

Que vous dirai-je, belle et charmante ? J'étudie l'histoire des théories médicales et des traités d'éducation. — Après quoi je passerai à d'autres lectures. J'avale force volumes et je prends des notes. Il en va être ainsi pendant deux ou trois ans, après quoi je me mettrai à écrire. Tout cela dans l'unique but de cracher sur mes contemporains le dégoût qu'ils m'inspirent. Je vais enfin dire ma manière de penser, exhaler mon ressentiment, vomir ma haine, expectorer mon fiel, éjaculer ma colère, déterger mon indignation. — Et je dédierai mon bouquin aux Mânes de saint Polycarpe.

À propos de choses farces, il s'en passe entre Alex. Dumas et la mère Henry. J'ignore le fond de l'histoire. Mais il *y a des potins* relativement au mariage d'Olga[1] : notre amie aurait servi d'intermédiaire pour la correspondance ? Quand j'en saurai plus long, je vous le dirai si cela vous intéresse.

J'attends très prochainement Tourgueneff et d'Osmoy.

Dès que Carvalho m'appellera à Paris[2], vous aurez ma visite. — Nous nous verrons enfin ! Pauvre chérie ! quelles tristes semaines vous venez de passer ! Comme je vous ai plainte ! Avez-vous des nouvelles récentes de votre fils ?

Mille tendresses, et mille baisers de

GVE.

À EDMA ROGER DES GENETTES

[Croisset,] samedi 5 octobre [1872].

Oh ! non ! *je vous en prie,* retardez votre séjour à Paris d'une quinzaine. Parce que je ne pourrai m'absenter d'ici dans la seconde moitié de novembre. Il me sera impossible d'être à Paris avant le 1er décembre. Qui vous presse de retourner dans l'affreux Villenauxe ? Quel sacerdoce vous réclame ? Il y a si longtemps que nous ne nous sommes vus ! J'ai des masses de choses à vous dire. Ce n'est pas plusieurs heures que j'espère vous « consacrer », mais plusieurs très longues visites que je compte vous faire.

Je vous retrouve, dans toutes vos lettres, fière et vaillante, ou plutôt stoïque, chose rare par ce temps d'avachissement universel. Vous n'êtes pas comme les autres, vous ! (Phrase de drame, mais appréciation juste.) Je ne sais pas ce que vous avez perdu au physique, mais le moral est toujours splendide, je vous en réponds.

Le mien, pour le moment, est assez bon, parce que je médite une chose où *j'exhalerai ma colère.* Oui, je me débarrasserai, enfin, de ce qui m'étouffe. Je vomirai sur mes contemporains le dégoût qu'ils m'inspirent. Dussé-je m'en casser la poitrine, ce sera large et violent. Je ne peux pas, dans une lettre, vous exposer le plan d'un pareil bouquin[1], mais je vous le lirai quand je vous aurai lu *Saint Antoine*. — Car je vous promets de vous hurler ma dernière élucubration. Si vous ne pouvez monter toutes mes marches, pauvre chère malade, vous me donnerez asile chez vous, et là, portes closes, nous nous livrerons à une littérature féroce, comme deux Fossiles que nous sommes. L'expression n'est pas polie envers une dame, mais vous comprenez ce que je veux dire.

En attendant ce jour-là, qui sera pour moi un grand jour, je me livre à l'*Histoire des théories médicales* et à la lecture des *Traités d'éducation* ; mais assez parlé de moi !

Causons un peu du P. Hyacinthe[2]. C'est folichon ! chagrin pour les bonnes âmes, réjouissance pour les libres penseurs ! farce ! farce ! Le pauvre homme ! Il ne sait pas ce qu'il se prépare ! et on accuse les prêtres d'entendre leurs intérêts ! Cet hymen doit plonger notre amie Plessy[3] dans un océan de rêverie… Le bruit court que Mgr Bauer va, de même, convoler. Saprelotte, serait-ce possible ? Pour lui, c'est le port des bottes qui l'aura entraîné à cette extravagance. — Car il portait des bottes pendant le siège. Pourquoi le pantalon mis dans les bottes a-t-il un rapport fatal avec le débordement de l'esprit ? Quelle peut être l'influence du cuir sur le cerveau ? Problème.

Que dites-vous des pèlerins de Lourdes, et de ceux qui les insultent ? Ô pauvre, pauvre Humanité !

On m'a donné un chien, un lévrier. Je me promène avec lui, en regardant les effets du soleil sur les feuilles qui jaunissent. — En songeant à mes futurs livres. — Et en ruminant le passé, car je suis maintenant un Vieux. L'avenir pour moi n'a plus de rêves, et les jours d'autrefois commencent à osciller doucement dans une vapeur lumineuse. — Sur ce fond-là quelques figures aimées se détachent, de chers fantômes me tendent les bras. Mauvaise songerie et qu'il faut repousser, bien qu'elle soit délectable !…

Adieu ! Non ! Au revoir, à bientôt.

Une bonne poignée de main à M. Roger et tout à vous, chère Madame.

Votre
GVE.

À ÉLISA SCHLÉSINGER

Croisset, samedi [5 octobre 1872].

Ma vieille Amie, ma vieille Tendresse,

Je ne peux pas voir votre écriture, sans être remué ! Aussi, ce matin, j'ai déchiré avidement l'enveloppe de votre lettre. Je croyais qu'elle m'annonçait votre visite. Hélas ! non. Ce sera pour quand ? Pour l'année prochaine ? J'aimerais tant à vous recevoir *chez moi*, à vous faire coucher dans la chambre de ma mère.

Ce n'était pas pour ma santé que j'ai été à Luchon, mais pour celle de ma nièce[1], son mari étant retenu à Dieppe par ses affaires. — J'en suis revenu au commencement d'août. — J'ai passé tout le mois de septembre à Paris. — J'y retournerai une quinzaine au commencement de décembre, pour faire faire le buste de ma mère, puis je reviendrai ici le plus longtemps possible. C'est dans la solitude que je me trouve le mieux ! Paris n'est plus Paris, tous mes amis sont morts ; ceux qui restent comptent peu, ou bien sont tellement changés que je ne les reconnais plus. Ici, au moins, rien ne m'agace, rien ne m'afflige directement.

L'esprit public me dégoûte tellement que je m'en écarte. Je continue à écrire, mais je ne veux plus publier, jusqu'à des temps meilleurs du moins. On m'a donné un chien ; je me promène avec lui en regardant l'effet du soleil sur les feuilles qui jaunissent et, comme un vieux, je rêve sur le passé. — Car je suis un *Vieux*. L'avenir pour moi n'a plus de rêves. Mais les jours d'autrefois se représentent comme baignés dans une vapeur d'or. — Sur ce fond lumineux où de chers fantômes me tendent les bras, la figure qui se détache le plus splendidement, c'est la vôtre ! — Oui, la vôtre. Ô pauvre Trouville !

C'est à moi, dans nos partages, que Deauville[2] est échu. — Mais il me faut le vendre pour me faire des rentes.

Comment va votre fils ? Est-il heureux ? Écrivons-nous de temps à autre. — Ne serait-ce qu'un mot, pour savoir que nous vivons encore.

Adieu, et toujours à vous.

G.

À SA NIÈCE CAROLINE

[Croisset,] samedi, 2 h[eures, 5 octobre 1872].

Chère Caro,

Me voilà revenu dans ma solitude, où je me trouve (pour dire la vérité) très bien. C'est-à-dire tranquille. Il n'en faut pas demander davantage au ciel. — Le temps est superbe. Hier et aujourd'hui, je me suis promené après déjeuner, *en admirant la Nature.* Le soleil jouait dans le feuillage et mon chien gambadait autour de moi. Je rêvassais à *Bouvard et Pécuchet.* Mais je regrettais ma chère Caro, ma pauvre fille. — Ce qui adoucit un peu pour moi l'amertume de notre re-séparation, c'est l'idée que tu vas mieux, il me semble ? J'ai été heureux, aussi, de voir que ton brave mari était mieux dans ses affaires, enfin que « l'horizon s'éclaircissait », comme on dit en politique.

En débarquant du chemin de fer, j'ai été à l'Hôtel-Dieu, où je n'ai trouvé personne. Tout le monde était à la Vaupalière, chez le divin Dubreuil[1].

Demain je dîne chez Mme Lapierre. Lundi j'aurai à déjeuner Philippe, peut-être accompagné de sa mère[2].

D'Osmoy m'a écrit, de lui-même, qu'il viendra passer quelques jours avec moi à partir du 15 de ce mois. — Aucune nouvelle de Tourgueneff.

Les maçons sont en train de réparer le toit.

Que te dirai-je bien encore ? Je varie mes lectures médicales. avec les traités sur l'Éducation. — J'avale les volumes coup sur coup, et je prends des notes. Mes bonshommes se dessinent dans mon esprit. Et l'ensemble se corse. Telle est la cause de la bonne humeur (présente) de

VIEUX.

Tâche donc, dimanche prochain, pendant que l'Espagnol[3] sera sur le gril, de venir chez ta vieille nounou,

chez ton

DAUCOSSSSE qui t'embrasse.

Tu pourrais bien arriver le samedi. — Et Ernest te remmènerait en passant par Rouen. Quand reçois-tu Mme Heuzey ?

IVAN TOURGUENEFF À GUSTAVE FLAUBERT

Paris, 48, rue de Douai,
lundi 7 octobre 1872.

Mon cher ami,

Gare à celui qui viendrait me féliciter d'avoir la goutte en ajoutant que c'est un brevet de longue vie, etc., etc. — Il risquerait d'entendre des gros mots. — Imaginez-vous qu'il y a plus de quinze jours que je suis à Paris, et le jour même de mon arrivée, me voilà repris d'une rechute (la 8e ou la 9e, je ne les compte plus !), et je reste une semaine au lit sans pouvoir bouger ! Jeudi dernier je fais un effort surhumain, je vais à Nohant, toute la famille Viardot s'y trouvait. J'y reste un jour, je reviens, et me voilà de nouveau confiné dans ma chambre, boitant comme un misérable, et ne prévoyant pas quand ça finira !... C'est égal : je suis heureux d'avoir été à Nohant et d'avoir vu, chez elle, Mme Sand, qui est bien la meilleure et la plus aimable femme qu'on puisse rêver ! — Et tout son entourage est charmant.

Maintenant il faut que j'aille à Croisset. Mais quand ? — Voilà ce que je ne pourrais pas dire avec certitude. — Je sais bien que j'irai quand je me serai reposé un peu, très probablement au commencement de la semaine prochaine. — Vous serez averti à l'avance. — J'ai le plus grand désir de vous voir, de causer avec vous et d'entendre la fin d'*Antoine*, et puis il paraît qu'il y a d'autres projets[1]... Enfin, il faut causer, bavarder, c'est tout à fait nécessaire.

En attendant, je vous embrasse et vous dis au revoir

Votre
IVAN TOURGUENEFF.

À SA NIÈCE CAROLINE

[Croisset,] mercredi [9 octobre 1872].

Je suis fort étonné ! Pas un mot de toi depuis huit jours ! Es-tu malade ? Ta lettre s'est-elle égarée ? Ou tout simplement as-tu un peu oublié vieux ? C'est à cette dernière hypothèse que je m'arrête.

Puisqu'Ernest s'en va samedi vers l'Espagne, vous devriez venir coucher ici vendredi soir. Il te reprendrait en passant. *Il faut* que tu viennes ! Allons ! un bon mouvement. Ce sera le moyen de réparer ta paresse épistolaire.

J'ai reçu une lettre de Tourgueneff qui, depuis 15 jours, est re-couché avec la goutte. Il espère en être débarrassé à la fin de cette semaine et venir au commencement de la prochaine. Du 15 au 20, j'attends le sire d'Osmoy. Dimanche j'ai été dîner chez Lapierre et j'y ai été *à pied*, par le bord de l'eau, pour jouir du spectacle de la Nature. Eh bien, mon héroïsme ne m'a pas réussi. Une barque pleine de gueulards, et qui remontait la Seine, derrière moi, m'a gâté le paysage ! Le dîner chez ma belle amie[1] n'a pas été non plus très amusant : le général de France manque radicalement d'esprit et le jeune de Pommerac en possède fort peu[2]. J'aurais mieux aimé le repas sans ces deux convives.

Lundi, j'ai eu à déjeuner Philippe et sa mère[3]. Voilà toutes les nouvelles.

J'ai tant lu que j'ai un peu mal aux yeux. — Comment vivre, s'il faut me modérer sur la lecture ! J'espère me guérir, en ne faisant rien et en continuant tout de même.

N. B. Je prie Ernest de penser à mon loyer.

Adieu, pauvre chère fille.

Deux bons bécots de ton vieil oncle.

À GEORGES CHARPENTIER

Mercredi, 9 octobre 1872.

Cher Monsieur,

Il m'a été impossible de retrouver mon traité passé avec Lévy pour *L'Éducation sentimentale*. Je ne sais même plus si j'en ai un. J'ai fouillé dans tous mes tiroirs sans le moindre résultat.

Dans ce cas-là, que faire ?

Mais je possède le traité relatif à *Salammbô*. Faut-il vous l'envoyer maintenant ?

Je n'irai pas à Paris avant le commencement de décembre.

Je vous serre la main très cordialement et suis, Monsieur, votre

G. F.

Croisset, près Rouen.

À SA NIÈCE CAROLINE

[Croisset,] jeudi, 5 heures et demie
[10 octobre 1872].

Je suis bien heureux de savoir que tu viendras samedi, ma chérie.

Aujourd'hui j'ai eu la visite de Fortin et de Raoul-Duval. — Et puis j'ai un peu mal à la gorge. Voilà toutes les nouvelles.

Donc à samedi sur la pointe de 4 heures et non de 5 (le bateau partant à 3 heures et demie de Rouen), je verrai ma Caro, que j'embrasse bien fort.

VIEUX.

À ADÈLE PERROT

Croisset, jeudi 17 [octobre 1872].

Chère Madame,

Quelle gentille et bonne lettre que la vôtre. — Et comment y répondre dignement ? Je ne vois pas d'autre manière que de vous baiser sur les deux joues, sans façon, et très fortement. Cela étant fait, je vous expose mes perplexités.

Je viens d'envoyer un télégramme au bon d'Osmoy pour savoir, oui ou non, s'il va venir. — Et Tourgueneff retenu dans son lit par la goutte remet son voyage de jour en jour. Donc *ne sais-je* quand je serai libre pendant toute cette fin d'octobre !

De plus, au commencement de novembre, je dois lire à Boulet (de la Gaîté) notre sempiternelle Féérie[1]. — Et à Carvalho, une comédie de Bouilhet où il y a de grands changements à faire[2].

Jusqu'à quand restez-vous à Rabodanges ?

Vous voyez *comme quoi* j'ai peur de n'y pouvoir aller. — Et je le regrette, car j'imagine que je m'y plairais beaucoup. Je ne connais pas de compagnie agréable comme la vôtre. — Et nous passerions ensemble de bonnes heures, j'en suis sûr.

À quoi employez-vous votre temps ? Travaillez-vous bien ? Moi, je lis du matin au soir, sans désemparer, en prenant des notes pour un formidable bouquin qui va me demander cinq ou six ans. Ce sera une espèce d'encyclopédie de la Bêtise moderne. Vous voyez que le sujet est illimité[1].

Dites pour moi à Mme Lepic[2] tout ce que vous pouvez trouver de plus aimable, en gardant une bonne part pour vous, et croyez-moi, chère Madame,

Votre très affectionné

À SA NIÈCE CAROLINE

[Croisset,] samedi, 6 h[eures, 19 octobre 1872].

Quelle pluie, mon loulou ! Quelle humidité ! Quelle saleté ! Quel *temps pourri* !

Malgré mon amour pour Croisset, je trouve que son climat manque de charme. C'est pourquoi, plus que jamais, je m'enfonce dans le silence du cabinet, n'ayant pour toute distraction que de contempler mon chien qui bâille.

La nuit qui a suivi ton départ, il m'a donné beaucoup de tourment. De 9 h à 2 h du matin, ses hurlements n'ont pas cessé. Je les attribuais à l'envie qu'il avait de te revoir, quand enfin je suis descendu pour lui donner des consolations et le faire taire. Qu'avait-il ? Tableau : il était emprisonné dans les lieux ! Victoire en avait refermé la porte, sans le voir. Si, par malheur, *la planche* du trou avait été levée, mon pauvre toutou aurait pu tomber dans l'abîme. — Quelle triste fin pour un aussi joli monsieur !

Mes autres amis, Tourgueneff et d'Osmoy, ne m'envoient aucune lettre. — Ça commence à m'agacer. Mais qu'y faire ? J'en ai reçu encore une (lettre) de Rabodanges. Celle-là est de Mme Lepic, et gentille au-delà de toute expression.

C'est une belle chose que l'esprit ! et rare ! C'est pourquoi Vieux aime sa pauvre fille. — Quel dommage qu'il ne l'ait pas toujours avec lui !

Ce matin, sont arrivés les trois médaillons de Carrier-Belleuse[3]. J'ai placé le mien, celui que je garde dans la petite salle, au-dessus de la glace. — Tout en mangeant seul, je songerai qu'*il* était là, autrefois. Le souvenir de ta grand-mère ne me quitte pas non plus ! Et puis, je fais des plans d'embellissement intérieur pour la maison. Voilà le fond de mes rêveries, quand je ne rumine pas *Bouvard et Pécuchet.*

J'irai demain dîner chez Mme Lapierre. J'espère que ce sera

un peu moins fade que la dernière fois ? Ta lettre de ce matin m'a diverti. Toi aussi, chère Caro, tu vas gagner ma maladie, ou plutôt ma faculté d'*insupportation* ! Ça ne rend pas heureux, cette preuve de goût.

La mère d'Émile[1] a eu une attaque d'apoplexie, elle va mieux maintenant. — Mais le pauvre garçon est encore bien inquiet. Pendant deux jours, il n'avait plus du tout la tête à lui.

Je ne pense pas qu'Ernest[2] couche à Croisset ? Quel jour vient-il ? J'aimerais le savoir 24 heures d'avance.

Dis à Mme Heuzey tout ce que tu pourras trouver de plus aimable.

Deux bons bicots de ta vieille

NOUNOU.

À IVAN TOURGUENEFF

[Croisset, 19 octobre 1872.]

Eh bien ? Et cette goutte ? Est-ce elle, pauvre cher ami, qui vous empêche de venir ?

J'ai peur que vous ne soyez plus malade.

Faut-il toujours compter sur vous ? Et quand vous verrai-je ? Je vous attends de jour en jour, depuis le commencement de la semaine.

À bientôt, n'est-ce pas ?

et tout à vous.

GVE FLAUBERT.

Samedi soir 19. Croisset.

À SA NIÈCE CAROLINE

[Croisset,] nuit de samedi [20 octobre 1872].

Mon Loulou,

Si par hasard Ernest devait venir à Croisset jeudi, préviens-le que je n'y serai pas dans l'après-midi parce que j'ai un rendez-vous avec Caudron[1], et que de plus : je mène les dames Lapierre à la foire Saint-Romain, où nous verrons la ménagerie *Pezon* !

D'Osmoy m'a envoyé deux télégrammes pour me dire qu'il arriverait ici vendredi, et Tourgueneff doit y apparaître lundi ou mardi.

Tu as dû prévenir ton mari que j'aurai besoin *de mille francs* pour la fin de cette présente semaine ?

Adieu, pauvre Loulou, dans trois semaines, on se reverra un peu plus longuement !

Mille bécots de ta vieille

NOUNOU.

IVAN TOURGUENEFF À GUSTAVE FLAUBERT

Paris, 48, rue de Douai.
Ce 21 octobre [18]72.

Mon cher ami,

Je n'ai pas répondu immédiatement à votre première lettre, parce que je voulais pouvoir vous dire quand je viendrai chez vous. — Aujourd'hui je crois que je puis enfin espérer que la goutte me quitte et que je pourrai aller à Croisset le lundi ou le mardi de la semaine prochaine. — Avant d'aller de votre côté, je dois me rendre dans les environs de Châteaudun chez ma fille[2] qui m'a gratifié d'une petite-fille, que je n'ai pas encore vue. — Dans tous les cas, je vous écrirai un mot la veille de mon départ pour chez vous.

Je n'ai pas besoin de vous dire combien je désire vous voir.

En attendant, je vous embrasse bien amicalement.

Votre
IV. TOURGUENEFF.

À IVAN TOURGUENEFF

Croisset, mercredi [23 octobre 1872].

Pauvre cher Ami,

Comme je vous plains de souffrir incessamment ! La douleur physique, « quoi qu'on die », est ce qu'il y a de pis au monde, puisqu'elle entrave notre liberté. Ceux qui la supportent sans se plaindre, ne la sentent pas ou bien mentent.

Dès qu'elle vous aura quitté, dès que vous pourrez vous mettre en wagon, venez ici et arrangez-vous d'avance pour me consacrer quelques jours. S'il fait beau, je vous montrerai aux environs des choses amusantes, et puis nous bavarderons, surtout !

Je vous conseille de prendre l'express de l'après-midi qui part de Paris à midi 55 minutes. Écrivez-moi, et j'irai au-devant de vous. Je compte sur vous vers le commencement de la semaine prochaine, comme vous me l'annoncez.

Votre vieux qui vous aime.

À SA NIÈCE CAROLINE

Croisset, 25 octobre 1872.

Loulou,

Tu as raison ! La mort de mon pauvre vieux Théo[1], bien que prévue, m'a écrasé. — Et j'ai passé hier une journée, dont je me souviendrai !

J'ai reçu la nouvelle ce matin par un télégramme enfermé dans une lettre. — Si bien qu'au moment où j'apprenais la mort de mon vieil ami, on l'enterrait.

J'avais donné rendez-vous à Caudron, et aux dames Lapierre. Donc j'ai été à Rouen, *pour ne pas faire l'homme sensible.* — Sur le bateau de [La] Bouille, conversation d'Émangard ! À la descente du bateau, Caudron était là et nous avons réglé différentes choses relatives à *Bouilhet* ! Il m'a accompagné à l'Hôtel-Dieu, où je vais aller pour avoir des détails sur le père Pouchet[2]. Ta spirituelle tante ne m'a parlé *que* des chaleurs ou de la chaleur qu'elle éprouvait, et des aloyaux du sieur Tassel. — Après quoi, j'ai traversé à pied toute la ville, où j'ai rencontré trois ou quatre Rouennais. Le spectacle de leur vulgarité, de leurs redingotes, de leurs chapeaux, ce qu'ils disaient et le son de leur voix, m'ont donné à la fois envie de vomir et de pleurer ! Jamais, depuis que je suis sur la terre, pareil dégoût des hommes ne m'avait étouffé ! Je pensais continuellement à l'amour que mon vieux Théo[a] avait pour l'art, et je sentais comme une marée d'immondices qui me submergeait. — Car il est mort, j'en suis sûr, d'une suffocation trop longue causée par la bêtise moderne.

Je n'étais pas en train, comme tu penses bien, d'aller voir les farces de la foire Saint-Romain. « Les anges[3] » de la rue de la

Ferme l'ont deviné. — Et j'ai été au Cimetière Monumental voir les tombes de ceux que j'ai aimés. — Mes deux amies ont eu la gentillesse de m'y accompagner. Elles sont restées à m'attendre devant la grille, ainsi que Lapierre. Ce procédé-là m'a touché jusqu'au fond du cœur. — Lapierre dînait en ville. J'ai passé la soirée tout seul avec elles. — Et la vue de leurs belles et bonnes mines m'a fait du bien. Je leur en suis reconnaissant.

Le soir, quand je suis rentré ici, mon pauvre toutou m'a accablé de caresses. Je ne sais pas pourquoi je te dis tout cela, mais tu devineras la psychologie sous les faits.

J'attends dans quelques instants le bon d'Osmoy. — Et je t'écris aujourd'hui parce que demain, peut-être, je n'en aurais pas le temps (de t'écrire).

Je ne comprends rien aux retards de la poste ? Tu devrais t'en plaindre à Dieppe ?

Et l'histoire de l'agent de police ?

Il va sans dire qu'à l'Hôtel-Dieu, on n'a pas demandé de tes nouvelles, ni des miennes non plus, du reste. Achille[1] trouve que je mets de la « mollesse » dans les affaires de Bouilhet. Je devrais m'occuper davantage de la fontaine ! N'est-ce pas gigantesque ! (Ces deux dames étaient en grand deuil.)

Comme c'est triste de ne pas trouver dans sa famille un peu de la délicatesse qu'on rencontre chez des étrangers ! Mais je ne dois pas me plaindre de la famille, puisque je possède une nièce comme *mon Caro*, que je bécotte bien fort.

Son Vieux
Gve.

GEORGE SAND À GUSTAVE FLAUBERT

Nohant, 26 octobre [18]72.

Cher ami,

Voilà encore un chagrin pour toi ; un chagrin prévu, mais toujours douloureux. Pauvre Théo[2], je le plains profondément, non d'être mort, mais de n'avoir pas vécu depuis vingt ans. Et s'il eût consenti à vivre, à exister, à agir, à oublier un peu sa personnalité intellectuelle pour conserver sa personne matérielle, il eût pu vivre longtemps encore et renouveler son fonds, dont il a trop fait un trésor stérile. On dit qu'il a beaucoup souffert de la misère ; pendant le siège je le comprends. Mais après ? pourquoi et comment ?

Je suis inquiète de n'avoir pas de tes nouvelles depuis longtemps.

Es-tu à Croisset ? Tu as dû venir à Paris pour l'enterrement de ce pauvre ami. Que de séparations cruelles et répétées ! Je t'en veux de devenir sauvage et mécontent de la vie. Il me semble que tu regardes trop le bonheur comme une chose possible, et que l'absence de bonheur, qui est notre état chronique, te fâche et t'étonne trop. Tu fuis tes amis, tu te plonges dans le travail et prends pour du temps perdu celui que tu emploierais à aimer ou à te laisser aimer. Pourquoi n'es-tu pas venu chez nous avec Mme Viardot et Tourgueneff ? Tu les aimes, tu les admires, tu te sais adoré chez nous, et tu te sauves pour être seul.

Eh bien, pourquoi ne te marierais-tu pas ? Être seul, c'est odieux, c'est mortel, et c'est cruel aussi pour ceux qui vous aiment. Toutes tes lettres sont désolées et me serrent le cœur. N'as-tu pas une femme que tu aimes ou par qui tu serais aimé avec plaisir ? Prends-la avec toi. N'y a-t-il pas quelque part un moutard dont tu peux te croire le père ? Élève-le, fais-toi son esclave, oublie-toi pour lui.

Que sais-je, vivre en soi est mauvais. Il n'y a de plaisir intellectuel que la possibilité d'y rentrer quand on en est longtemps sorti. Mais habiter toujours ce *moi* qui est le plus tyrannique, le plus exigeant, le plus fantasque des compagnons, non, il ne faut pas.

Je t'en supplie, écoute-moi ! tu enfermes une nature exubérante dans une geôle. Tu fais, d'un cœur tendre et indulgent, un misanthrope de parti pris, et tu n'en viendras pas à bout. Enfin je m'inquiète de toi et te dis peut-être des bêtises, mais nous vivons dans des temps cruels et il ne faut pas les subir en les maudissant. Il faut les surmonter en les plaignant. Voilà. Je t'aime, écris-moi.

Je n'irai à Paris que dans un mois pour faire jouer *Mademoiselle La Quintinie*. Où seras-tu ?

IVAN TOURGUENEFF À GUSTAVE FLAUBERT

Paris, 48, rue de Douai.
Dimanche, 27 oct[obre] 1872.

Cher ami,

Je suis allé *jeudi* voir ma fille ; je suis revenu à grand peine *vendredi* ; j'ai *hurlé* de douleurs toute la nuit de vendredi à samedi. Aujourd'hui je ne souffre plus, mais j'ai le genou plus gros que la tête et me voilà au lit pour quinze jours au moins. — C'est ma ONZIÈME rechute de goutte ! — Vous avouerez que j'ai une chance bien distinguée.

Aussi ai-je juré de ne plus bouger jusqu'au printemps — jusqu'à l'époque où j'irai aux eaux de Carlsbad. — Fi ! La vie devient trop laide, et j'en ai de vraies nausées.

Si vous voulez me voir, il faut venir à Paris. — Venez le 9 novembre — c'est mon jour de naissance, et j'ai promis depuis longtemps aux filles de Mme Viardot de leur donner ce jour-là une petite sauterie — quoiqu'à voir le train dont vont les choses, il n'y ait guère de raison pour moi de me réjouir d'être né ce jour-là. — Enfin, on dansera en bas, et nous causerons en haut et j'écouterai la fin d'*Antoine*, si vous l'apportez, car cela m'intéresse, malgré toutes mes misères et mes dégoûts.

Écrivez-moi deux mots ; je suis bien découragé, mais je vous embrasse affectueusement.

Votre
IV. TOURGUENEFF.

À ERNEST FEYDEAU

[Croisset,] nuit de lundi, 28 octobre 1872.

Non, mon cher et pauvre vieux, je ne suis pas malade. Si je n'ai pas été à l'enterrement de notre Théo, c'est la faute de Catulle[1] qui, au lieu de m'envoyer son télégramme par télégraphe, l'a mis dans une lettre, que j'ai reçue trente-six heures après l'enterrement. Comme on escamote à Paris cette cérémonie, j'ai cru qu'elle avait lieu le jeudi et non le vendredi. Voilà pourquoi je suis resté.

Ah ! celui-là, je ne le plains pas ; au contraire, je l'envie profondément. Que ne suis-je à pourrir à sa place ! Pour l'agrément qu'on a dans ce bas monde (bas est le mot exact), autant en foutre son camp le plus vite possible.

Le 4 Septembre a inauguré un état de choses qui ne nous regarde plus. *Nous sommes de trop.* On nous hait et on nous méprise, voilà le vrai. Donc, bonsoir !

Mais avant de crever, ou plutôt en attendant une crevaison, je désire « vuider » le fiel dont je suis plein. Donc, je prépare mon vomissement. Il sera copieux et amer, je t'en réponds.

Pauvre, pauvre cher Théo ! c'est de cela qu'il est mort (du dégoût de l'infection moderne) ! C'était un grand lettré et un grand poète. Oui, monsieur, et plus fort que le jeune Alfred de Musset ! n'eût-il écrit que *Le Trou du serpent*[2]. Mais c'était un auteur parfaitement inconnu. Pierre Corneille l'est bien !

Depuis jeudi je ne pense qu'à lui, et je me sens à la fois écrasé et enragé. Adieu, bon courage. Je t'embrasse très fortement.

À LA PRINCESSE MATHILDE

[Croisset,] nuit de lundi [28 octobre 1872].

Princesse,

C'est bien bon à vous de m'avoir écrit. Vous avez pensé que je devais avoir du chagrin. Rien de plus vrai. Ah ! voilà trop de morts, trop de morts coup sur coup ! Je n'ai jamais beaucoup tenu à la vie, mais les fils qui m'y rattachent se brisent les uns après les autres. Bientôt il n'y en aura plus. Pauvre cher Théo ! C'était le meilleur *de la bande*, celui-là ! un grand lettré, un grand poète, et un grand cœur. Il vous aimait beaucoup, Princesse, et vous faites bien de le regretter.

Il est mort du dégoût de la vie moderne ; le 4 septembre l'a tué. Ce jour-là, en effet, qui est le plus maudit de l'histoire de France, a inauguré un ordre de choses où les gens comme Théo n'ont plus rien à faire. Depuis jeudi je pense à lui, sans cesse, et je me sens à la fois écrasé et enragé. C'était le plus vieux de mes amis intimes ; je le respectais comme un maître, et je l'aimais comme un frère. Je ne le plains pas. Je l'envie.

Catulle[1] m'a envoyé un télégramme dans une lettre que j'ai reçue trente-six heures après l'événement et, comme à Paris on a l'habitude d'escamoter les enterrements qui se font toujours dans les vingt-quatre heures, j'ai pensé que la cérémonie aurait lieu le jeudi et que j'arriverais trop tard.

J'aurais été fâché qu'il n'eût pas eu un enterrement catholique, car le bon Théo était au fond catholique comme un Espagnol du XIIe siècle. Dans ces matières-là, il faut respecter l'opinion du mort ; on doit autant que possible continuer son *idée.* C'est pourquoi, si j'avais eu à faire l'oraison funèbre de Théo, j'aurais dit ce qui l'a fait mourir. J'aurais protesté en son nom contre les Épiciers et contre les Voyous. Il est mort d'une longue colère rentrée. J'aurais donc exhalé quelque chose de cette colère. Le discours de Dumas[2] ne m'a paru que *convenable* ; on n'y sent pas de palpitation.

Mme Sand m'a envoyé aujourd'hui une très bonne lettre sur notre ami, et qui contient beaucoup de conseils à mon endroit. Je vous avouerai, entre nous, que son *bénissage* perpétuel, sa raison si vous voulez, me tape quelquefois sur les nerfs. Je vais lui répondre par des injures sur la démocratie ; ça me soulagera.

J'attends toujours Tourgueneff qui remet son voyage de semaine en semaine, car il a des accès de goutte consécutifs.

Je ne pense pas aller à Paris avant le commencement de décembre. Il fait froid et humide, tout est vilain et triste, le dedans et l'extérieur.

Soignez-vous bien ! Restez vaillante et telle que vous êtes. Soyez toujours « notre Princesse », comme disait le pauvre Théo, et croyez à l'affection profonde

de votre

À GEORGE SAND

[Croisset,] nuit de lundi [28 octobre 1872].

Chère maître,

Vous avez deviné que j'avais un redoublement de chagrin et vous m'avez écrit une bonne lettre bien tendre. Merci ! et je vous embrasse plus fortement encore que d'habitude.

Bien que prévue, la mort du pauvre Théo m'a navré. C'est le dernier de mes amis *intimes* qui s'en va ! Il clôt la liste. Qui verrai-je maintenant, quand j'irai à Paris ? avec qui causer de ce qui m'intéresse ? Je connais des penseurs (ou du moins des gens qu'on appelle ainsi), mais *un* artiste, où est-il ?

Moi, je vous dis qu'il est mort du dégoût « de la charognerie moderne ». C'était son mot. Et il me l'a répété cet hiver plusieurs fois. « Je crève de la Commune ! », etc. Le 4 septembre a inauguré un ordre de choses où les gens comme lui n'ont plus rien à faire dans le monde. Il ne faut pas demander des pommes aux orangers. Les ouvriers de luxe sont inutiles dans une société où la plèbe domine. — Comme je le regrette ! Lui et Bouilhet me manquent absolument et rien ne peut les remplacer. Il était si bon, d'ailleurs, et quoi qu'on dise, *si simple* ! On reconnaîtra plus tard (si jamais on revient à *s'occuper de littérature*) que c'était un grand poète. En attendant c'est un auteur absolument inconnu. Pierre Corneille l'est bien !

Il a eu deux haines. La haine des épiciers dans sa jeunesse. Celle-là lui a donné du talent. La haine du voyou dans son âge mûr. Cette dernière l'a tué. Il est mort de colère rentrée, et par la rage de ne pouvoir dire ce qu'il pensait. Il a été *opprimé* par Girardin, par Turgan, par Fould, par Dalloz[1]. Et par la présente République. Je vous dis cela parce que *j'ai vu* des choses abominables et que je suis le seul homme, peut-être, auquel il ait fait des confidences entières. Il lui manquait ce qu'il y a de plus important dans la vie, pour soi comme pour les autres : *le Caractère.* Avoir manqué l'Académie a été pour lui un véritable chagrin[1]. Quelle faiblesse ! et comme il faut peu s'estimer ! La recherche d'un honneur quelconque me semble, d'ailleurs, un acte de modestie incompréhensible !

Je n'ai pas été à son enterrement par la faute de Catulle Mendès qui m'a envoyé un télégramme trop tard. Il y avait foule. — Un tas de gredins et de farceurs sont venus là pour se faire une réclame, comme d'habitude, et aujourd'hui lundi, jour du feuilleton théâtral, il doit y avoir des *Morceaux* dans les feuilles ! *ça fera de la copie.*

En résumé je ne le plains pas ! *je l'envie.* — Car franchement la vie n'est pas drôle.

Non, je ne crois pas « le bonheur possible », mais bien la tranquillité. C'est pourquoi je m'écarte de ce qui m'irrite. Je suis insociable. Donc je fuis la Société. Et m'en trouve bien. Un voyage à Paris est pour moi maintenant une grosse affaire. Sitôt que j'agite le vase, la lie remonte et trouble tout. Le moindre dialogue avec qui que ce soit m'exaspère, parce que je trouve tout le monde idiot. Mon sentiment de la Justice est continuellement révolté. On ne parle *que* de Politique, et de quelle façon ! Où y a-t-il une apparence d'idée ? à quoi se raccrocher ? pour quelle cause se passionner ?

Je ne me crois pas néanmoins un monstre d'égoïsme. Mon moi s'éparpille tellement dans les livres que je passe des journées entières sans le sentir. J'ai de mauvais moments il est vrai. Mais je me remonte par cette réflexion : « Personne, au moins, ne m'embête », après quoi, je me retrouve d'aplomb. Enfin, il me semble que je marche dans ma voie naturelle, donc je suis dans le Vrai ?

Quant à vivre avec une femme, à me marier comme vous me le conseillez, c'est un horizon que je trouve fantastique. — Pourquoi ? *je n'en sais rien.* Mais c'est comme ça. Expliquez le problème. L'être féminin n'a jamais été emboîté dans mon existence. Et puis, je ne suis pas assez riche. Et puis, et puis… je suis trop vieux. — Et puis trop propre, pour infliger à perpétuité ma personne à une autre. Il y a en moi un fond d'ecclésiastique qu'on ne connaît pas. — Nous causerions de tout cela bien mieux de vive voix que par lettres.

Je vous verrai à Paris au mois de décembre. Mais à Paris on est dérangé par les Autres. — Je vous souhaite 300 représentations pour *Mademoiselle La Quintinie*. Mais vous aurez bien des embêtements avec l'Odéon. C'est une boutique odieuse, et où j'ai *durement souffert* l'hiver dernier. Toutes les fois que je me suis livré à l'Action, il m'en a cuit. Donc, assez ! assez ! « Cache ta vie », maxime d'Épictète. Toute mon ambition maintenant est de fuir les embêtements. — Et je suis certain par là de n'en pas causer aux autres, ce qui est beaucoup.

Je travaille comme un furieux. Je lis de la médecine, de la métaphysique, de la politique, de tout. Car j'ai entrepris un ouvrage de grande envergure[1], et qui va me demander bien du temps. — Perspective qui me plaît.

Depuis un mois, j'attends Tourgueneff de semaine en semaine. La goutte le retient toujours.

Adieu, chère bon maître. Continuez à m'aimer.

Votre vieux

GVE.

À IVAN TOURGUENEFF

[Croisset,] mercredi soir [30 octobre 1872].

Comme je vous plains, pauvre cher ami. Je n'avais pas besoin de vous savoir très souffrant pour être triste. La mort de mon vieux Théo m'a écrasé. Depuis trois ans, tous mes amis meurent l'un après l'autre, sans interruption. Je ne connais plus au monde maintenant qu'*un seul* homme avec qui causer, c'est vous. Donc, il faut vous soigner et ne pas me manquer comme les autres.

Théo est mort empoisonné par la *charognerie* moderne. Les gens exclusivement artistes comme lui n'ont que faire dans une société où la plèbe domine. C'est ce que j'ai répondu hier dans une lettre à Mme Sand, laquelle est très bonne femme, mais trop bonne, trop bénisseuse, trop démocrate et évangélique.

Moi, je suis comme vous, bien que je n'aie pas la goutte. L'existence commence à m'embêter furieusement. Voltaire la définissait une froide plaisanterie. Je la trouve trop froide et pas assez plaisante. Je tâche de l'escamoter le plus que je peux : je lis environ de neuf à dix heures par jour. N'importe, un peu de distraction de temps à autre ne me ferait pas de mal. Mais quelle distraction prendre ?

Votre visite, sur laquelle je comptais, en aurait été une

exquise, mieux que cela, une espèce de bonheur, et certainement le seul événement heureux [de] mon année. Crac ! vous êtes à souffrir dans votre lit comme un damné.

Vous me verrez à Paris au commencement de décembre. D'ici là, donnez-moi de vos nouvelles, et si vous vous trouvez en état de venir, venez. Vous serez toujours le bienvenu chez votre

Gve FLAUBERT
qui vous embrasse.

À SA NIÈCE CAROLINE

[Croisset,] jeudi matin [31 octobre 1872].

La *Nounou* trouve que sa *petite* l'oublie et n'est pas contente du tout, mais du tout ! Comment ! dimanche, après toute une semaine passée sans lettre, j'en reçois une, très courte et contenant l'affiche d'un appartement garni à louer, sans rien de plus, — et depuis silence ! pas de nouvelles !

Tu as pensé que j'avais des amis et que je n'aurais pas besoin de ta correspondance. Détrompe-toi ! d'abord Tourgueneff n'est pas venu et ne viendra pas. Il est repris de la goutte plus fortement que jamais. Son genou, me dit-il, est gros comme une tête d'enfant et pendant deux nuits il n'a fait que « hurler » ; il faut qu'il garde la chambre jusqu'au printemps prochain. Quant à d'Osmoy, il est reparti lundi matin, pour aller voir Alfred Guérard[1] qui est dans un pitoyable état. — Mme d'Osmoy est venue coucher ici dimanche.

Le matin j'avais eu à déjeuner le petit Baudry[2] et la mère Heuzey, qui a fait la conquête de d'Osmoy.

Un monsieur (Voisin ?) est venu m'apporter une signification de notaire, je ne sais quoi ? La visite a été farce (de ma part), je te conterai cela.

J'attendais ton mari la semaine dernière et je l'attends celle-ci. Mais pas d'Ernest ! pas de lettre de Caro ! c'est bien.

Je me venge de cet oubli en donnant à dîner, dimanche prochain, à mes belles amies de la rue de la Ferme[3]. Voilà.

Je t'embrasse bien fort, malgré ma rancune.

Ton vieil oncle.

À SA NIÈCE CAROLINE

[Croisset,] samedi matin [2 novembre 1872].

Comment ? je n'ai [pas] répondu tout de suite à Ernest que j'avais reçu dimanche matin une lettre chargée ? Je croyais l'avoir fait ? Présente-lui mes excuses. J'aurai été troublé par la compagnie que j'avais. La mère Heuzey séduisait mes deux jeunes gens, Baudry[1] et d'Osmoy. Croirais-tu que Baudry admire son râtelier qu'il prenait pour ses vraies dents !

Moi aussi, pauvre Caro, je n'ai pas été gai cette semaine. J'ai même été fort triste. Jamais je n'ai plus senti ma solitude, et puis je lisais des choses *crevantes,* et puis c'était la faute du temps.

Si tu ne viens ici qu'à la fin de novembre, j'irai te faire une petite visite en t'attendant. Quand sera-t-il décidé, le fameux voyage de Pologne ?

Demain je traite. J'aurais *l'éluite* ou (*de l'éluite* tout au moins), car je suis forcé d'inviter le général de France. — C'est même pour cela que je vais aller tout à l'heure à Rouen.

Je profiterai de ma course pour voir un autre terrain près de la gare d'Amiens[2]. — Toujours les occupations mortuaires ! Je pense démesurément à mon pauvre Théo. — Avec qui causer littérature, maintenant ? Non ! décidément, il n'est [pas] gai, ton vieil oncle

qui t'embrasse bien fort

IVAN TOURGUENEFF À GUSTAVE FLAUBERT

Paris, 48, rue de Douai.
Vendredi 8 nov[embre] 1872.

Mon cher ami,

Depuis quelque temps nous nous écrivons des lettres fort tristes, cela sent la maladie, la mort — ce n'est pas notre faute — mais il faut tâcher de se secouer un peu. J'ai fort peu connu Gautier — vous rappelez-vous notre dîner chez vous[3] ? — mais j'ai eu beaucoup de chagrin en apprenant sa mort, et j'ai aussitôt pensé à vous ; je savais que vous l'aimiez. — Madame Sand me parle de vous dans un petit billet qu'elle vient de m'écrire[4] ; elle s'inquiète de vous voir dans des idées noires et me dit de tâcher de vous en donner d'autres, plus gaies… Je ne sais pas ce que je pourrais bien vous dire, mais je sais qu'une bonne et longue conversation nous ferait du bien à tous les deux. — Eh ! et comment l'avoir, cette conversation ? Ma maudite goutte semble desserrer les griffes, mais il ne faut pas même songer à bouger : je marche — en boitant — sans bâton — mais je n'ai pas encore quitté mes deux chambres. — Il faut donc attendre votre arrivée ici.

Qu'avez-vous à tant vous inquiéter de la *plèbe*, comme vous dites ? — Elle ne domine que sur ceux qui acceptent son joug. — Voilà le cas de dire : *etiam si omnes, ego non*[1]. — Et puis, est-ce que Monsieur Alexandre Dumas fils — la « charogne » (pour prendre votre expression) faite homme — est de la plèbe ? — Et M. Sardou et M. Offenbach et M. Vacquerie et tous les autres, est-ce qu'ils sont de la plèbe ? Ils puent rudement pourtant. — La plèbe pue aussi, mais elle pue le mot de Cambronne ; les autres, c'est de la pourriture. Et puis, aussi longtemps qu'il y a quelqu'un au monde qui vous aime et sympathise avec vous…

Non, mon ami ; ce n'est pas là ce qui est difficile à supporter à notre âge ; c'est le *taedium vitae* en général, c'est l'ennui et le dégoût de toute chose humaine ; ce n'est pas de la politique cela, qui n'est, au bout du compte, qu'un jeu ; c'est la tristesse de la cinquantième année. — Et voilà en quoi j'admire Mme Sand : quelle sérénité, quelle simplicité, quel intérêt à toute chose, quelle bonté ! — Si pour avoir tout cela, il faut être un peu bénisseur, démocrate, voire même évangélique, ma foi ! — acceptons ses excroissances.

Il faut venir à Paris et apporter *Antoine* — et puis faire des projets, dévorer le monde ! — Nous avons beau être sceptiques, critiques, usés et fatigués — l'aiguillon de la poésie nous pousse dans les reins — et il faut marcher jusqu'au bout, surtout si l'on peut s'exciter à la vue d'un camarade, poussé de la même façon.

Je ne relis pas cette lettre allégorico-métaphysique ; je ne sais pas trop ce que j'ai écrit, je sais que je vous embrasse et vous dis : à bientôt.

Votre

IV. TOURGUENEFF.

À SA NIÈCE CAROLINE

[Croisset,] samedi soir, 6 h[eures, 9 novembre 1872].

Mon Loulou,

Vieux continue à n'être pas gai. Il est comme Macbeth, « il a tué le sommeil[2] ». Pourquoi ? Ce qu'il y a de drôle, c'est que Fortin est dans le même état que moi. La faute en est-elle à l'air de Croisset ? Il m'est impossible de fermer l'œil avant 5 h du matin. Aussi, j'en reste toute la journée énervé et mélancolieux.

Au milieu de mes tristes songeries, le maudit argent revient. Je suis effrayé par ma dépense ! *Mes déboursés pour le cidre m'épouvantent.* J'en ai payé depuis 8 jours pour plus de 500 fr[ancs]. Sur les mille fr[ancs] qu'Ernest m'a envoyés, il y a quinze jours, il ne m'en reste que 200. Tu peux donc lui dire de m'en envoyer 1 000 quand il voudra.

J'attends mardi avec impatience pour savoir si le voyage de Dantzig se fera et, par conséquent, quand est-ce que tu viendras ici. — J'ai bien envie, en t'attendant, d'aller te faire une petite visite samedi prochain.

J'ai reçu ce matin une lettre exquise du bon Tourgueneff.

Je continue toujours à lire et à prendre des notes pour *Bouvard et Pécuchet* qui se dessinent de plus en plus. Mais quel travail j'ai entrepris ! C'est écrasant !

Fais de ma part des compliments très aimables à la gentille compagnie que tu as maintenant[1].

Je me dépêche de plier ma lettre. Car le bateau va passer. Donc, bien vite, deux bons gros baisers

de NOUNOU

Sur tes joues fraîches.

À IVAN TOURGUENEFF

[Croisset,] mercredi 13 [novembre 1872].

Votre dernière lettre m'a attendri, mon bon Tourgueneff. Merci de vos exhortations ! Mais, hélas ! mon mal est, j'en ai peur, incurable. Outre mes causes personnelles de chagrin (la mort, en trois ans, de presque tous ceux que j'aimais) *l'état social m'accable.* — Oui ! c'est ainsi. Ça peut être bête. Mais c'est comme ça.

La Bêtise publique me submerge. Depuis 1870, je suis devenu patriote. En voyant crever mon pays, je sens que je l'aimais. La Prusse peut démonter ses fusils. Pas n'est besoin d'elle pour nous faire mourir.

La Bourgeoisie est tellement ahurie qu'elle n'a plus même l'instinct de se défendre. — Et ce qui lui succédera sera pire ! J'ai la tristesse qu'avaient les patriciens romains au IVe siècle. Je sens monter du fond du sol une irrémédiable Barbarie. —

J'espère être crevé avant qu'elle n'ait tout emporté. Mais en attendant, ce n'est pas drôle. Jamais les intérêts de l'esprit n'ont moins compté. Jamais la haine de toute grandeur, le dédain du Beau, l'exécration de la littérature enfin n'a été si manifeste.

J'ai toujours tâché de vivre dans une tour d'ivoire. Mais une marée de merde en bat les murs, à la faire crouler. Il ne s'agit pas de politique, mais de *l'état mental* de la France. Avez-vous lu la circulaire de Simon[1] contenant une réforme de l'instruction publique ? Le paragraphe destiné aux exercices corporels est plus long que celui qui concerne la littérature française. Voilà un petit symptôme significatif.

Enfin, mon cher ami, si vous n'habitiez pas Paris, je rendrais immédiatement à son propriétaire le logement que j'y loue. L'espoir de vous y voir quelquefois est la seule considération qui me fait le garder.

Je ne peux plus causer avec qui que ce soit sans me mettre en colère. Et tout ce que je lis de contemporain me fait bondir. Joli état ! — ce qui ne m'empêche pas de préparer un bouquin où je tâcherai de cracher ma bile. Je voudrais bien en causer avec vous. Je ne me laisse donc pas abattre, comme vous voyez. Si je ne travaillais pas, je n'aurais plus qu'à piquer une tête dans la rivière avec une pierre au cou. — 1870 a rendu beaucoup de gens fous, ou imbéciles, ou *enragés*. Je suis dans cette dernière catégorie. C'est là le vrai.

L'excellente Mme Sand est probablement ennuyée de ma mauvaise humeur ? Je n'entends plus parler d'elle. Quand se joue sa pièce[2] ? N'est-ce pas au commencement de décembre ? — C'est à cette époque-là que j'espère vous faire une visite.

D'ici là, tâchez de supporter votre goutte, pauvre cher ami ; et croyez bien que je vous aime. Votre

À SA NIÈCE CAROLINE

[Croisset,] mercredi, 6 heures [13 novembre 1872].

Loulou,

Le fameux voyage est-il décidé, enfin[3] ?

Quand viens-tu à Croisset ? Réponds-moi sur ce point *tout de suite*, parce que, si tu devais venir la semaine prochaine vers le 20, par exemple, je n'irais pas samedi à Dieppe. — Mais si tu n'honores de ta présence nos tristes bords qu'à la fin de ce mois, samedi prochain je m'embarquerai en wagon, chose grave, tant le moindre déplacement m'est devenu odieux ! Et puis, je trouve que tu ne me gâtes pas, tu m'écris de courts billets. Voilà tout.

Je t'embrasse, tout de même.

Ton vieux bonhomme d'oncle rébarbatif.

AU PROFESSEUR JULES CLOQUET

Croisset, 15 novembre [1872].

Cher monsieur Cloquet,

Je vous prie de me rendre le service suivant : il s'agit de l'élection de Berthelot à l'Académie des sciences[1]. Si vous n'avez pas promis votre voix à quelqu'un, je vous la demande pour lui comme un service personnel. — C'est un homme des plus forts et un très brave homme que j'aime beaucoup. En l'obligeant vous m'obligerez infiniment.

Comme voilà longtemps que nous ne nous sommes vus, cher bon ami ! Cet été, j'ai été chez vous deux fois sans vous rencontrer. À mon troisième voyage, toutes vos fenêtres étaient closes. — Comment va Mme Cloquet ? Moi, je ne suis pas des plus gais ; ma santé reste bonne, mais je tourne au noir.

J'espère vous voir au commencement du mois prochain. — En attendant ce plaisir-là, je vous embrasse et vous prie de présenter mes respects affectueux à Mme Cloquet.

Votre dévoué.

À ERNEST FEYDEAU

[Croisset,] mercredi soir [15 ? novembre 1872].

Je n'en sais rien, mon bon. Peut-être au commencement de décembre irai-je passer à Paris quinze jours, pour revenir ici jusqu'au commencement de février ? Peut-être ne partirai-je de Croisset qu'à cette époque ? Cela dépendra de mes affaires. Du reste, cette grave question sera décidée d'ici à une quinzaine de jours.

Comme renseignements sur Théo, adresse-toi à Olivier de

Gourjault, un ami de son fils[1], qui connaît à fond toute la partie bibliographique.

Quant à la biographie, prends des renseignements auprès de ses sœurs[2] et d'Arsène Houssaye[3].

Il y a une *Étude* de Sainte-Beuve. Mais tu la connais sans doute.

Fais bien sentir qu'il a été exploité et tyrannisé dans tous les journaux où il a écrit ; Girardin, Turgan et Dalloz[4] ont été des tortionnaires pour notre pauvre vieux, que nous pleurons. Moi, je ne me console pas de sa perte. Depuis que je sais que je ne le verrai plus, j'ai un redoublement d'amertume qui me submerge.

Un homme de génie, un poète qui n'a pas de rentes et qui n'eſt d'aucun parti politique étant donné, il eſt forcé, pour vivre, d'écrire dans les journaux ; or, voilà ce qui lui arriva. C'eſt là, selon moi, le *sens* dans lequel tu dois faire ton étude. Quand on écrit la biographie d'un ami, on doit la faire au point de vue *de sa vengeance.* Je finirais par un petit remerciement à l'adresse du sieur Vacquerie[5].

Soigne cela. Ne te presse pas. Sois grave et impitoyable.

J'espère te voir bientôt. Et attendant, je t'embrasse.

À SA NIÈCE CAROLINE

[Croisset,] mardi, 4 heures [19 novembre 1872].

Encore une déception ! Il faut attendre jusqu'à samedi avant de voir et d'avoir ma fameuse nièce, et elle ne me dit pas combien de temps elle me reſtera. — Ni de ce qui eſt du voyage de Dantzig. J'imagine qu'il n'aura pas lieu ?

Quant à ta lettre financière, quel en était le but ? tu ne te trompes pas en supposant qu'elle m'a attriſté ! Pas n'eſt besoin de me remettre ma misère sous les yeux. J'y songe assez !

Espères-tu que tes observations changeront mon tempérament. Crois-tu que je puisse *surveiller la dépense de mon domeſtique* ! Le suicide eſt doux à côté d'un pareil horizon ; il n'y a rien à faire qu'à gémir et se résigner.

J'ai encore mon logement de Paris, pour 2 ans et demi. Après quoi je le rendrai, forcément. — Et puis ce sera tout. Ma vie eſt abominablement aride, sans plaisir, sans diſtraction, sans épanchement. Or je ne pousserai pas l'ascétisme jusqu'à m'inquiéter de ma cuisine. C'est assez de tristesse comme ça ! Bonsoir ! n'en parlons plus.

Donc à samedi, mon Loulou. Je t'embrasse bien fort.

Ta vieille Nounou.

GVE.

J'ai peur que Julio[1] dans ses caresses n'écrase Putzel. D'un coup de patte il est capable de lui casser la colonne !

À LA BARONNE LEPIC ?

[Croisset, vers le 20 novembre 1872.]

Je suis si maussade maintenant que je ne veux infliger ma société à qui que ce soit.

La lecture quotidienne du *Nouvelliste* contribue à me rendre enragé ! et je ne vous cache pas que l'entêtement de la droite va finir par faire de moi, oui, vous lisez bien, un *Rouge* ! non par sympathie pour les brutes composant cet aimable parti, mais par dégoût des autres.

On n'a pas voulu des bons Constitutionnels de 89. La droite d'alors considérait Lafayette et Mirabeau comme des fléaux ; on a eu la Gironde ! La Gironde a été plus haïe par les royalistes que ne le fut Marat lui-même. Donc, on a démoli la Gironde mais au profit de la Montagne, — ainsi de suite — et le cercle recommence.

Bref, je ne comprends goutte aux prétendus Conservateurs qui me semblent poussés par un esprit de vertige et *qui font le jeu de leurs ennemis.*

Voulez-vous que je vous apprenne quelque chose : c'est que les bons Rouennais (eux-mêmes !) trouvent que notre ami[2] va trop loin ! beaucoup trop loin. Je ne justifie pas, je constate. Quant à moi, ne vous en déplaise, ô belle dame, j'aurais voté comme d'Osmoy (avec Naquet et Gambetta : qu'importe ?). J'aurais mérité votre « pouah ». Enfin, *j'admire* le message du père Thiers, bien que ce vieux Prudhomme me soit peu sympathique[3].

Voilà où j'en suis maintenant ! Ce n'est pas dire que je sois gai. J'imagine que nous reverrons d'ici peu des choses abominables, et je voudrais être parti de ce monde avant de les revoir.

Je parle très sérieusement. La Commune ne m'a pas autant

fait désespérer de la France que ce qui eſt maintenant. Les convulsions d'un fou furieux sont moins hideuses que le bavachage d'un vieillard idiot.

Et quelle hypocrisie ! Pas un parti n'ose attaquer en face ce qu'il redoute et tout le monde plie les reins devant la plus ignominieuse bêtise qu'on ait rêvée, je veux dire le Suffrage universel, notre « souverain à tous », comme dit le Prince Napoléon.

En voilà assez ! — et je vous demande pardon de ce débordement qui eſt un prétexte honnête pour me mettre à vos genoux, — croyant bien que mon péché ne me sera pas remis, ce qui fait que j'y reſte (à vos genoux)… en vous priant de me croire jusqu'au jour où nous serons guillotinés ensemble — douce perspeƈtive,

Votre tout dévoué.

P.-S. — Vous avez raison, il ne faut parler politique qu'avec les gens de son opinion… et encore ! Le seul moyen de convertir quelqu'un eſt de savoir d'avance qu'il eſt de votre avis.

À LA PRINCESSE MATHILDE

Jeudi [21 ? novembre 1872].

Princesse,

Cette hiſtoire du Prince Napoléon[1] m'a bien contrarié pour vous. — De toutes les façons. J'ai toujours peur qu'il n'en rejaillisse quelque chose sur votre tranquillité et qu'on ne vous inquiète. Rassurez-moi à cet égard.

Je ne comprends pas *le sens* d'une pareille mesure envers le Prince. Elle eſt odieuse de bêtise !

Quant à sa proteſtation, qui eſt fort juſte au fond, j'en blâme le dernier paragraphe. Et ce salut qu'il adresse au Suffrage universel. Tel eſt mon humble sentiment là-dessus.

Si vous reſtez à Saint-Gratien quelque temps encore, j'irai peut-être vous y faire une visite. — Car j'ai rendez-vous avec la Direƈtion de la Gaîté, au commencement du mois prochain, pour lui lire l'éternelle Féerie[2]. — Dont je me moque, étant pour le quart d'heure dans un tout autre courant d'idées.

Comme je comprends bien tout ce que vous dites sur la rue

de Courcelles[1] ! Je ne passe jamais par là sans que mon cœur ne soit remué. — Et vous avez raison. Il ne faut rien oublier, ni bienfait ni offense. Cette égalité entre le bien et le mal, le beau et le laid, cette douceur niaise, ce bénissage universel est une des pestes de notre époque. La Haine est une vertu.

J'espère que vos blessés sont tout à fait rétablis ?

Je vous baise les deux mains, Princesse, et suis, vous le savez, votre vieux dévoué.

À RAOUL-DUVAL

Croisset, jeudi 21 [novembre 1872 ?].

Certainement, ça me va !

Donc, je vous attends pour dîner *mardi prochain.* — Arrangez-vous pour arriver de bonne heure et ne partir que tard.

Tout à vous, mon cher vieux.

GEORGE SAND À GUSTAVE FLAUBERT

Nohant, 22 novembre [18]72.

Je ne pense pas aller à Paris avant février. Ma pièce est retardée, par suite de la difficulté de trouver l'interprète principal. J'en suis aise, car quitter Nohant, mes occupations et les promenades si belles en ce temps-ci, ne me souriait point ; quel automne chaud et bienfaisant pour les vieux ! Nous avons, à deux heures d'ici, des bois absolument déserts où, au lendemain de la pluie, il fait aussi sec que dans une chambre et où il y a encore des fleurs pour moi et des insectes pour Maurice. Les petites filles courent comme des lapins dans des bruyères plus hautes qu'elles. Mon Dieu, que la vie est bonne quand tout ce qu'on aime est vivant et grouillant ; tu es mon seul *point noir* dans ma vie du cœur, parce que tu es triste et ne veux plus regarder le soleil. Quant à ceux dont je ne me soucie pas, je ne me soucie pas davantage des malices ou des bêtises qu'ils peuvent me faire ou se faire à eux-mêmes. Ils passeront comme passe la pluie. La chose éternelle, c'est le sentiment du beau dans un bon cœur. Tu as l'un et l'autre, sacredié ! tu n'as pas le droit de n'être pas heureux. Peut-être eût-il fallu dans ta vie *l'emboîtement du sentiment féminin* dont tu dis avoir fait fi. Je sais que le féminin ne vaut rien, mais peut-être pour être heureux faut-il avoir été malheureux. Je l'ai été, moi, et j'en sais long ; mais j'oublie si bien !

Enfin, triste ou gai, je t'aime et je t'attends toujours, bien que tu ne parles jamais de venir nous voir et que tu en rejettes l'occasion avec empressement ; on t'aime chez nous quand même, on n'est pas assez littéraire pour toi, chez nous, je le sais, mais on aime et ça emploie la vie.

Est-ce que *Saint Antoine* est fini, que tu parles d'un ouvrage de grande envergure, ou si c'est le *Saint Antoine* qui va déployer ses ailes sur l'univers entier, il le peut, le sujet est immense.

Je t'embrasse ; dirai-je encore « mon vieux troubadour » quand tu es résolu à tourner au vieux bénédictin ? Alors moi je reste troubadour, il n'y a pas à dire.

G. SAND.

Je t'envoie deux romans pour ta collection de moi[1], tu n'es pas *obligé* de les lire en ce moment si tu es plongé dans le sérieux.

À GEORGE SAND

[Croisset, lundi soir 25 novembre 1872, 11 heures.]

Ceci est pour la chère maman[2] :

Le facteur, tantôt, à 5 h, m'a apporté vos deux volumes. Je vais commencer *Nanon* tout de suite. Car j'en suis fort curieux.

Et ne vous inquiétez plus de votre troubadour (qui devient un sot animal, franchement). Mais j'espère me remettre. J'ai passé, plusieurs fois déjà, par des périodes sombres ; et j'en suis sorti. Tout s'use, l'ennui, comme le reste.

Je m'étais mal expliqué. Je n'ai pas dit que je méprisais « le sentiment féminin », mais que la femme, matériellement parlant, n'avait jamais été dans mes habitudes, ce qui est tout différent. *J'ai aimé* plus que personne — phrase présomptueuse qui signifie « tout comme un autre, et peut-être même plus que le premier venu ». Toutes les tendresses me sont connues. « Les orages du cœur » m'ont versé « leur pluie ». Et puis le hasard, la force des choses fait que la solitude s'est peu à peu agrandie autour de moi, et maintenant, je suis seul, absolument seul.

Je n'ai pas assez de rentes pour prendre une femme à moi, ni même pour vivre à Paris pendant six mois de l'année. Il m'est donc impossible de changer d'existence.

Comme j'envie votre fils ! Comme sa vie est douce, régulière et saine !

Il eſt bien probable que j'attendrai votre arrivée à Paris pour m'y transporter.

Comment ! je ne vous avais pas dit que *Saint Antoine* était fini depuis le mois de juin dernier ? Ce que je rêve, pour le moment, eſt une chose plus considérable. Et qui aura la prétention d'être comique. Ce serait trop [long] à vous expliquer, avec la plume. Nous en causerons face à face.

Adieu, chère bon maître adorable. — À vous avec ses meilleures tendresses,

votre vieux

toujours *H* indigné comme saint Polycarpe.

Connaissez-vous, dans l'hiſtoire universelle en y comprenant celle des Botocudos[1], quelque chose de plus bête que la Droite de l'Assemblée nationale ? Ces MM. qui ne veulent pas du simple et vain mot République, qui trouvent Thiers « trop avancé »[2] ! ô, profondeur ! problème ! rêverie !

À LÉONIE BRAINNE

Croisset, mardi [26 ? novembre 1872].

Non ! ma chère belle (et bonne), je ne vous en ai pas voulu le moins du monde, pour votre silence. Je vous savais très occupée. — Et, quand on a écrit toute la journée, un simple billet le soir eſt parfois une chose impossible[3]. Voilà ce que ne comprennent pas les infects bourgeois contre lesquels je suis de plus en plus (si c'eſt possible) enragé.

Cela m'a fait plaisir d'apprendre qu'on avait *calé* devant vous. Il faut toujours être raide, *autant qu'on peut.* — Et si on vous donne un soufflet, en rendre quatre. Ce n'eſt pas évangélique, mais c'eſt pratique.

« Le cher Petit » continue à n'être pas gai. Pourquoi ? Tous les amis disparus, la bêtise publique, la cinquantaine, la solitude et quelques soucis d'argent, voilà les causes, sans doute ? — Je lis des choses très dures, je regarde la pluie tomber et je fais la conversation avec mon chien, et puis le lendemain c'eſt la même chose, et le surlendemain encore la même chose[4]. Bref, je deviens un sot animal, et je suis une bien « mauvaise connaissance », pauvre chère belle.

Je ne sais pas encore quand j'irai à Paris ? ce sera le mois prochain, sans doute ? Si Boullet[1] m'appelait pour lire la *Féerie,* je me précipiterais vers Lutèce. Mais je n'ai, de ce côté-là, *aucun espoir*, je vous l'avoue.

Dimanche dernier nous avons fait chez R.-Duval un dîner qui, grâce à Lapierre, a été folâtre. J'ai trouvé le bon Lizot bien *officiel* comme idées, et l'aimable général me paraît de moins en moins offensif[2]. Quelle belle chose que les bonnes manières ! Dans le commerce ordinaire de la vie cela remplace tout.

Elles me forceront (les bonnes façons) de transmettre votre invitation à Laporte. J'en suis *vexé*, mais il faut en prendre son parti. Je m'exécuterai.

Et cessez de railler le pauvre festin que je vous ai offert ! Ah ! que n'ai-je des palais vénitiens pour vous y recevoir… Là-dessus, rêverie infinie se terminant, comme toujours, par un gémissement échappé de la poitrine de saint Polycarpe.

La seule idée gaie qui me soit venue, depuis votre départ, m'a été fournie par mon médecin Fortin. Mais c'est une anecdote tellement obscène que vous me traiteriez d'immonde porc si je vous l'écrivais. Il faudra vous contenter de l'ouïr. Elle donne espoir pour la régénération de la France.

Quand vous écrirez à Mme Pasca[3], envoyez-lui de ma part un tas de gentillesses,

Et pour vous, chère belle,

Tout vôtre

GVE.

Comme vous m'avez serré le cœur cet été, quand je vous voyais si inquiète de votre fils. — Et j'éprouve maintenant comme un soulagement physique à vous savoir affranchie de toute angoisse.

Encore un baiser, et des meilleurs.

À GEORGE SAND

[Croisset,] mardi soir, 11 heures [26 novembre 1872].

Chère maître,

Voilà une nuit et un jour que je passe avec vous. J'avais fini *Nanon* à 4 h du matin. Et *Francia* à 3 h de l'après-midi. Tout cela me danse encore dans la tête. Je vais tâcher de recueillir mes idées, pour vous parler de ces deux excellents livres. Ils m'ont *fait du bien.* — Merci donc, chère bon maître. Oui, ç'a été comme une large bouffée d'air ; et après avoir été attendri je me sens ranimé.

Dans *Nanon*[1] j'ai d'abord été charmé par le style, par mille choses simples et fortes qui sont comprises dans la trame de l'œuvre et qui la constituent, telles que celle-ci : « Comme la somme me parut énorme, la bête me sembla belle », etc. Et puis je n'ai plus fait attention à rien, j'ai été empoigné, comme le plus vulgaire des lecteurs (je ne crois pas cependant que le vulgaire puisse admirer *autant* que moi). Bref c'est au *Mouton* que l'enchantement a commencé. Quelle merveille que les cent premières pages ! La vie des moines, les premières relations d'Émilien et de Nanon, la peur que causent les Brigands. Et l'incarcération du P. Fructueux, qui pouvait être poncive et qui ne l'est nullement. Quelle page que la page 113 ! Et comme c'était difficile de rester dans la mesure !

« À partir de ce jour-là, *je sentis du bonheur dans tout* et comme une joie d'être au monde[2] » !.......

J'aime bien votre avocat Cortejoux avec sa colère montée, puis la façon dont il reçoit Nanon. Mais ce qui me paraît tout bonnement *sublime* : c'est la saoulerie de Dumont quand il s'agit de délivrer Émilien. Je ne connais rien de plus pathétique et de plus grand. — J'en avais le cœur serré et j'ai crié deux ou trois fois malgré moi : « Nom de Dieu, comme c'est beau ! »

La Roche aux Fades est une idylle exquise. On voudrait partager la vie de ces trois braves gens.

Je trouve que l'intérêt baisse un peu quand Nanon se met en tête de devenir riche ? Elle devient trop forte, trop intelligente ?

Je n'aime pas non plus l'épisode des voleurs. — La rentrée d'Émilien avec son bras amputé m'a re-ému, et j'ai versé un pleur sur la dernière page, au portrait de la Marquise de Franqueville, vieille.

Je vous soumets les doutes suivants. Émilien me semble bien fort en philosophie politique ? À cette époque-là y avait [-il] des gens voyant d'aussi haut que lui ? Même objection pour le Prieur, que je trouve d'ailleurs charmant, au milieu du livre surtout ; mais comme tout cela est bien amené, enchaîné, entraînant, charmant ! *Quel être vous faites* ! ! ! quelle puissance !

Je vous donne sur les deux joues deux bécots de nourrice et je passe à *Francia*[3] !

Autre style, mais non moins bon. Et d'abord j'admire énormément votre *Dodore.* Voilà la première fois qu'on fait un gamin de Paris *vrai*. Il n'est ni trop généreux, ni trop crapule, ni trop vaudevilliste. — Le dialogue avec sa sœur quand il consent à ce qu'elle devienne une femme entretenue est un joli tour de force. — Votre Mme de Thièvre avec son cachemire qu'elle fait jouer sur ses grasses épaules, est-elle assez Restauration !

Et l'oncle qui veut souffler au neveu sa grisette ! Et Antoine, le bon gros ferblantier si poli au théâtre ! Le Russe est un simple, un homme Naturel, ce qui n'est pas facile à faire.

Quand j'ai vu Francia lui enfoncer son poignard dans le cœur, j'ai d'abord froncé le sourcil, craignant que ce ne fût une vengeance classique, qui dénaturât le charmant caractère de cette bonne fille ? Mais pas du tout ! je me trompais. Cet assassinat *inconscient* complète votre héroïne.

Ce qui me frappe dans ce livre-là c'est qu'il est très spirituel et très juste. On est en plein dans l'époque.

Je vous remercie du fond du cœur pour cette double lecture. Elle m'a détendu. Tout n'est donc pas mort ! il y a encore du Beau et du Bon dans le monde. Vous m'édifiez et vous m'émerveillez ! voilà.

Deux livres comme ceux-là me semblent des événements plus importants que le mariage civil de Rochefort[1] ! par exemple. Mais je vais me remettre à rugir contre mon époque, ce qui devient souverainement idiot. J'aime mieux songer à vous, et vous dire que je vous chéris et vous embrasse.

Votre vieux

GEORGE SAND À GUSTAVE FLAUBERT

Nohant, 27 novembre [18]72.

Maurice[2] est tout heureux et très fier de la lettre que tu lui as écrite, il n'y a personne qui puisse lui faire autant de plaisir et dont l'encouragement compte plus pour lui. Je t'en remercie aussi, moi, car je pense comme lui.

Comment, tu as fini *Saint Antoine* ? Eh bien, faut-il s'occuper de l'éditeur, puisque tu ne t'en occupes pas ? Tu ne peux pas garder cela en portefeuille. Tu ne veux pas de Lévy, mais il y en a d'autres. Dis un mot et j'agirai comme pour moi.

Tu me promets d'être guéri plus tard. Mais en attendant, tu ne veux rien faire pour te secouer. Viens donc me lire *Saint Antoine* et nous parlerons de la publication. Qu'est-ce que c'est que de venir de

Croisset ici pour un homme ? Si tu ne veux pas venir quand nous sommes en gaieté et en fête, viens pendant qu'il fait doux et que je suis seule.

Toute la famille t'embrasse.

Ton vieux troubadour

G. SAND.

GEORGE SAND À GUSTAVE FLAUBERT

Nohant, 29 novembre [18]72.

Tu me gâtes. Je n'osais pas t'envoyer ces romans qui étaient sous bande à ton adresse depuis huit jours. Je craignais de te déranger d'un courant d'idées et de t'ennuyer. Tu as tout lâché pour lire Maurice d'abord et puis moi. Nous aurions des remords, si nous n'étions pas des égoïstes, bien contents d'avoir un lecteur qui en vaut dix mille. Cela fait grand bien, car Maurice et moi, nous travaillons dans le désert, ne sachant jamais que l'un par l'autre si c'est réussi ou gâché, échangeant nos critiques, et n'ayant pas de rapports avec les *jugeurs* patentés. Michel ne nous dit jamais qu'au bout d'un an ou deux si ça s'est *vendu*. Quant à Buloz, quand c'est à lui que nous avons affaire, il nous déclare invariablement que c'est mauvais ou médiocre. Il n'y a que Charles-Edmond qui nous encourage en demandant de la copie. Nous écrivons sans préoccupation du public ; ce n'est peut-être pas mauvais, mais chez nous il y a excès. Aussi un encouragement de toi nous rend le courage, qui ne nous quitte pas, mais qui est souvent un courage triste, tandis que tu nous le fais brillant et gai, et sain à respirer.

J'ai donc bien fait de ne pas jeter *Nanon* au feu, comme j'étais prête à le faire quand Charles-Edmond est venu me dire que c'était très bien et qu'il le voulait pour son journal.

Je te remercie donc et je te rends tes bons baisers, pour *Francia* surtout, que Buloz n'a inséré qu'en rechignant et faute de mieux[1]. Tu vois que je ne suis pas gâtée. Mais je ne me fâche jamais de tout ça et je n'en parle pas. C'est comme cela et c'est tout simple. Du moment que la littérature est une marchandise, le vendeur qui l'exploite n'apprécie que le client qui achète, et si le client déprécie l'objet, le vendeur déclare à l'auteur que sa marchandise ne plaît pas. La république des lettres n'est qu'une foire où on vend des livres. Ne pas faire de concession à l'éditeur est notre seule vertu, gardons-la et vivons en paix, même avec lui quand il rechigne, et reconnaissons aussi que ce n'est pas lui le coupable. Il aurait du goût si le public en avait.

Voilà mon sac vidé et n'en parlons que pour aviser à *Saint Antoine*, tout en nous disant que les éditeurs seront bêtes. Lévy ne l'est pourtant pas, mais tu t'es fâché avec lui. Je voudrais parler de tout cela avec toi. Veux-tu venir ? ou remettre à mon voyage à Paris ? Mais quand irai-je ? je ne sais pas. Je crains un peu les bronchites l'hiver, et ne me déplace que quand il le faut absolument, par devoir d'État.

Je ne crois pas qu'on joue *Mademoiselle La Quintinie.* Les censeurs ont déclaré que c'était un *chef-d'œuvre de la plus haute et de la plus saine moralité*, mais qu'ils ne pouvaient pas *prendre sur eux* d'en autoriser la représentation. Il faut que *cela aille plus haut*, c'est-à-dire au ministre, qui renverra au général Ladmirault[1]. C'est à mourir de rire. Mais je ne consens pas à tout cela, et j'aime mieux qu'on se tienne tranquille jusqu'à nouvel ordre. Si le *nouvel* ordre est la monarchie cléricale, nous en verrons bien d'autres. Pour mon compte, ça m'est égal qu'on m'empêche, mais pour l'avenir de notre génération ?

À LA PRINCESSE MATHILDE

[Croisset,] samedi [30 novembre 1872].

Ce que je deviens, Princesse ! Rien de bon.

L'isolement qui se fait autour de moi, le découragement littéraire, le dégoût que m'inspirent mes contemporains, les nerfs qui se tendent trop, la cinquantaine sonnée et les inquiétudes d'avenir, voilà mon bilan. Je ne suis pas gai, voilà tout ce que je peux dire.

J'avais l'intention d'aller, au commencement de décembre, passer quelques jours à Paris, puis de revenir ici. Mais ce serait trop triste de rentrer seul dans cette maison. J'aime mieux attendre encore six semaines, pour ne revenir ici qu'au mois de mai. — Je ne me console pas de la mort de mon pauvre Théo[2] ! Lui et Bouilhet partis, je ne vois plus pour qui écrire. — *Je sens* que je suis un Fossile, un individu qui n'a plus de raison d'être dans le monde, maintenant. Mais parlons *de vous*, Princesse, c'est meilleur.

Vous me paraissez toujours sereine et vaillante ; ne changez pas. La mélancolie est le plus abominable des vices pour soi, et pour les autres.

Votre installation de la rue de Berri avance-t-elle ? En êtes-vous contente ?

Tourgueneff, après m'avoir fait attendre sa visite de semaine en semaine pendant deux mois, m'a déclaré qu'il ne viendrait pas parce qu'il est dans son lit, cloué par la goutte. Il a voulu aller à Saumur, au baptême de sa petite-fille et « a hurlé de douleur » pendant deux jours. Le pauvre garçon me paraît être, d'après ses lettres, dans un état lamentable.

Mme Sand eſt à Nohant. Elle m'a envoyé la semaine dernière deux livres d'elle, *Nanon* et *Francia*, que j'ai lus avec plaisir. Elle fait tout ce qu'elle peut pour me remonter le moral, et m'invite beaucoup à aller chez elle. — Mais je suis, pour le moment, un trop sot et triſte animal. Ce serait de la cruauté que d'infliger ma compagnie à ceux que j'aime.

J'ai reçu de Judith Catulle-Mendès[1] une très gentille lettre. Elle me paraît bien triſte.

On m'a dit que sa mère (Erneſta Grisi) était dans une misère abjecte, ce que je crois vrai.

Avez-vous chez vous à Saint-Gratien les nouveaux époux[2] ? Le spectacle du bonheur des autres eſt quelquefois bien doux, d'autres fois bien amer, c'eſt selon.

Je vous baise les deux mains, Princesse, et suis vôtre.

À GEORGE SAND

[Croisset, 4 décembre 1872.]
mercredi 3

Chère maître,

Je relève une phrase dans votre dernière lettre. C'eſt à propos de Lévy qui ne vous dit jamais rien de vos œuvres et de Buloz qui les débine avec suavité. « L'éditeur aurait du goût si le public en avait. » Oui, si le Public le forçait à en avoir, mais c'eſt demander l'impossible. Seulement nous pouvons exiger que l'éditeur soit poli, et que pour mieux nous exploiter, il ne nous mente pas en face, impunément. Ils ont des *idées littéraires*, croyez-le bien, ainsi que MM. les directeurs de théâtre. Les uns et les autres prétendent *s'y connaître*. Et leur eſthétique se mêlant à leur mercantilisme, ça fait un joli résultat !

Pourquoi Lévy, qui a gagné, et qui tous les jours encore gagne beaucoup d'argent avec vous et avec le père Dumas (je ne prends en exemple que ces deux-là), les dénigre-t-il tant qu'il peut ? Votre dernier livre eſt *toujours* inférieur au précédent ! que je sois pendu si ce n'eſt pas vrai[3] ! Il admire bien plus Ponsard et Octave Feuillet ! Lévy eſt académique. Je lui ai fait gagner plus d'argent que Cuvillier-Fleury, n'eſt-ce pas ? Eh bien, faites un parallèle entre nous deux, et vous verrez comme vous serez reçue. Vous n'ignorez pas qu'il a *refusé* ma copie ; il n'a pas voulu vendre de *Dernières chansons* plus de 1 200 exemplaires. Et les 800 qui restent sont dans le grenier à foin de ma nièce, rue de Clichy ! C'est très étroit de ma part, j'en conviens. Mais j'avoue que ce procédé m'a simplement enragé. Il me semble que ma Prose pouvait être plus respectée par un homme à qui j'ai fait gagner quelques sous. — Les éditeurs n'ont jamais à faire qu'à des enfants. Ils en abusent. Voilà tout le mystère.

Comme je ne veux plus re-parler audit Michel, c'est mon neveu Commanville qui va me remplacer pour liquider ma position. Je vais lui payer l'impression de *Dernières chansons*, 1 500 fr. environ, et puis, je me débarrasserai de toute relation [avec] lui.

Pourquoi publier (par l'abominable temps qui court) ? Est-ce pour gagner de l'argent ? quelle dérision ! Comme si l'argent était la récompense du travail ! et pouvait l'être ! Cela sera, quand on aura détruit la Spéculation. D'ici là, non ! Et puis, comment mesurer le Travail, comment estimer l'Effort ? Reste donc la Valeur commerciale de l'œuvre. Il faudrait pour cela supprimer tout intermédiaire entre le Producteur et l'acheteur. — Et quand même cette question en soi est insoluble. Car j'écris (je parle d'un auteur qui se respecte) non pour le lecteur d'aujourd'hui mais pour tous les lecteurs qui pourront se présenter, tant que la langue vivra. Ma marchandise ne peut donc être consommée maintenant, car elle n'est pas faite exclusivement pour mes contemporains. Mon service reste donc indéfini, et par conséquent im-payable.

Pourquoi donc publier ? Est-ce pour être compris, applaudi ? Mais vous-même, *vous*, grand George Sand, vous avouez votre solitude.

Y a-t-il maintenant, je ne dis pas de l'admiration ou de la sympathie, mais l'apparence d'un peu d'attention pour les œuvres d'art ? Quel est le critique qui lise le livre dont il ait à rendre compte ?

Dans dix ans, on ne saura peut-être plus faire une paire de souliers. — Tant on devient effroyablement stupide ! Tout cela est pour vous dire que jusqu'à des temps meilleurs (auxquels je ne crois pas) je garde *Saint Antoine* dans un bas d'armoire. Si je le fais paraître, j'aime mieux que ce soit en même temps qu'un autre livre tout différent. J'en travaille un, maintenant, qui pourra lui faire pendant[1]. Conclusion : le plus sage est de se tenir tranquille.

Pourquoi Duquesnel ne va-t-il pas trouver le général Ladmirault, Jules Simon, Thiers ? Il me semble que cette démarche le regarde. Quelle belle chose que la Censure ! Rassurons-nous : elle existera toujours ! parce qu'elle a toujours existé. Notre ami Alex. Dumas fils, pour faire un agréable paradoxe, n'a-t-il pas vanté ses bienfaits, dans la préface de *La Dame aux camélias*[1] ?

Et vous voulez que je ne sois pas triste ! J'imagine que nous re-verrons prochainement des choses abominables grâce à l'entêtement inepte de la Droite. Les bons Normands, qui sont les gens les plus conservateurs du monde, inclinent vers la Gauche, *très* fortement !

Si l'on consultait maintenant la bourgeoisie, elle ferait le père Thiers roi de France. Thiers ôté, elle se jetterait dans les bras de Gambetta. — Et j'ai peur qu'elle ne s'y jette bientôt ?

Je me console en songeant que jeudi prochain j'aurai 51 ans !

Si vous ne devez pas venir à Paris au mois de février, j'irai vous voir à la fin de janvier, avant de rentrer au parc Monceau. Je me le promets.

La Princesse m'a écrit pour me demander si vous étiez à Nohant. Elle veut vous écrire.

Ma nièce Caroline à qui je viens de faire lire *Nanon*, en est ravie. Ce qui l'a frappée, c'est « la jeunesse » du livre. Le jugement me paraît vrai. C'est un *bouquin*. Ainsi que *Francia* qui, bien que plus simple, est peut-être encore plus réussi, plus irréprochable comme œuvre.

J'ai lu, cette semaine, *L'Illustre Docteur Mathéus* d'Erckmann-Chatrian[2]. Est-ce assez pignouf ! voilà deux cocos qui ont l'âme dégoûtamment plébéienne.

Adieu, chère bon maître.

Votre vieux Troubadour
vous embrasse.

Je pense toujours à Théo. Je ne me console pas de cette perte.

À EDMA ROGER DES GENETTES

Mercredi soir [4 décembre 1872].

Un mot seulement, chère Madame. Il y a bien des choses changées dans mon programme. — Rassurez-moi.

Faut-il absolument que vous vous en retourniez à Villenauxe le 20 décembre ? pourquoi (ma question est bien indiscrète) ne restez-vous pas à Paris une bonne partie de l'hiver ?

Y reviendrez-vous au printemps, avant le mois de mai ?

Je suis sûr que la campagne ne vous vaut rien. — Je parle sincèrement : *la solitude exaspère les nerfs.*

Un mot de réponse, n'est-ce pas, et en vous baisant les deux mains, je suis tout à vous.

GEORGE SAND À GUSTAVE FLAUBERT

Nohant, 8 décembre [18]72.

Eh bien, alors, si tu es dans l'idéal de la chose, si tu as un livre d'avenir dans la pensée, si tu accomplis une tâche de confiance et de conviction, plus de colère et plus de tristesse. Soyons logiques. Je suis arrivée, moi, à un état philosophique d'une sérénité très satisfaisante et je n'ai rien *surfait* en te disant que toutes les misères qu'on peut me faire, ou toute l'indifférence qu'on peut me témoigner ne me touchent réellement plus et ne m'empêchent pas, non seulement d'être heureuse en dehors de la littérature, mais encore d'être littéraire avec plaisir et de travailler avec joie. Tu as été content de mes deux romans ? Je suis payée. Je crois qu'ils sont *bien*, et le silence qui a envahi ma vie (il faut dire que je l'ai cherché) est plein d'une bonne voix qui me parle et me suffit. Je n'ai pas monté aussi haut que toi dans mon ambition. Tu veux écrire pour tous les temps. Moi je crois que dans cinquante ans je serai parfaitement oubliée et peut-être durement méconnue. C'est la loi des choses qui ne sont pas de premier ordre et je ne me suis jamais crue de premier ordre. Mon idée a été plutôt d'agir sur mes contemporains, ne fût-ce que sur quelques-uns, et de leur faire partager mon idéal de douceur et de poésie. J'ai atteint ce but jusqu'à un certain point, j'ai fait du moins pour cela tout mon possible, je le fais encore et ma récompense est d'en approcher toujours un peu plus.

Voilà pour moi ; mais, pour toi, le but est plus vaste, je le vois bien, et le succès plus lointain. Alors, tu devrais te mettre plus d'accord avec toi-même en étant encore plus calme et plus content que moi. Tes colères d'un moment sont *bonnes.* Elles sont le résultat d'un tempérament généreux et comme elles ne sont ni méchantes, ni haineuses, je les aime ! Mais ta tristesse, tes semaines de spleen, je ne les comprends pas et je te les reproche. J'ai cru, je crois encore à trop d'isolement, à trop de détachement des liens de la vie.

Tu as de puissantes raisons pour me répondre, si puissantes qu'elles devraient te donner la victoire. Fouille-toi et réponds-moi, ne fût-ce que pour dissiper les craintes que j'ai souvent sur ton compte, je ne veux pas que tu te consumes. Tu as cinquante ans, mon fils aussi ou à peu près. Il est dans la force de l'âge, dans son meilleur développement, toi de même si tu ne chauffes pas trop le four aux idées. Pourquoi dis-tu souvent que tu voudrais être mort ? Tu ne crois donc pas à ton œuvre ? Tu te laisses donc influencer par ceci ou cela des choses présentes ? C'est possible, nous ne sommes pas des Dieux et quelque chose en nous, quelque chose de faible et d'inconséquent trouble parfois notre théodicée. Mais la victoire devient chaque jour plus facile quand on est sûr d'aimer la logique et la vérité. Elle arrive même à prévenir, à vaincre d'avance les sujets d'humeur, de dépit ou de découragement.

Tout cela me paraît facile quand il s'agit de la gouverne de nous-mêmes : les sujets de grande tristesse sont ailleurs, dans le spectacle de l'histoire qui se déroule autour de nous. Cette lutte éternelle de la barbarie contre la civilisation est d'une grande amertume pour ceux qui ont dépouillé l'élément barbare et qui se trouvent en avant de leur époque. Mais dans cette grande douleur, dans ces secrètes colères, il y a un grand stimulant qui justement nous relève en nous inspirant le besoin de réagir. Sans cela, je confesse que, pour mon compte, j'abandonnerais tout.

J'ai eu assez de compliments dans ma vie, du temps où l'on s'occupait de littérature. Je les ai toujours redoutés quand ils me venaient des inconnus, ils me faisaient trop douter de moi. De l'argent, j'en ai gagné de quoi me faire riche. Si je ne le suis pas, c'est que je n'ai pas tenu à l'être, j'ai assez de ce que Lévy fait pour moi (Lévy qui vaut mieux que tu ne dis). Ce que j'aimerais, ce serait de me livrer absolument à la botanique, ce serait pour moi le paradis sur la terre. Mais il ne faut pas, cela ne servirait qu'à moi, et si le chagrin est bon à quelque chose, c'est à nous défendre de l'égoïsme. Donc, il ne faut pas maudire ni mépriser la vie. Il ne faut pas l'user volontairement. Tu es épris de la *justice*, commence par être juste envers toi-même, tu te dois de te conserver et de te développer.

Écoute-moi ; je t'aime tendrement, je pense à toi tous les jours et à tout propos, en travaillant je pense à toi. J'ai conquis certains biens intellectuels que tu mérites mieux que moi et dont tu dois faire un plus long usage. Pense aussi que mon esprit est souvent près du tien et qu'il te veut une longue vie et une inspiration féconde en jouissances vraies.

Tu promets de venir, c'est joie et fête pour mon cœur et dans la famille.

Ton vieux troubadour.

Il faut me raconter toute *l'inconduite* de Michel. S'il a eu des torts, je tâcherai qu'il les répare[1].

IVAN TOURGUENEFF À GUSTAVE FLAUBERT

Paris, 48, rue de Douai.
Mercredi 11 déc[embre] [18]72.

Eh bien ! Voilà la mi-décembre qui arrive — et pas de Flaubert. Malheureusement je ne suis pas comme Mahomet, je ne puis aller à la montagne ; je ne puis pas aller du tout, car voici quinze jours que je ne quitte pas la chambre, et Dieu sait combien cela durera encore ! — Ma goutte eſt pour le moins aussi obſtinée que l'Assemblée de Versailles, et je crois qu'elle durera encore quand l'autre se sera déjà — ou aura été — dissoute. — Voyons, un bon petit effort, et venez à Paris. — Écrivez-moi en tout cas si vous avez l'intention de le faire et *quand* ? — Personne ne vient, c'eſt désolant. Mme Sand reſte assez à Nohant. Mais je ne désespère pas et vous dis au revoir. En attendant, je vous embrasse.

Votre
IV. TOURGUENEFF.

À PHILIPPE LEPARFAIT

[Croisset,] jeudi 12 décembre [1872].

J'avais envoyé, avant-hier, Émile[1] à Rouen pour te prier de venir. Il m'a dit que « tu avais *vu* Lévy » ? je suis curieux de connaître le résultat de la visite.

Je te dirai pourquoi je n'ai pas été à Paris. Mon voyage eſt remis au milieu de janvier. — Mais je peux payer l'enfant de Jacob dès maintenant. Mme Sand veut qu'il me fasse des excuses pour nous réconcilier. — Vas-y voir !

À l'enterrement du père Pouchet[2], Desbois m'a dit que *Gally* avait découvert un second terrain[3] près la gare d'Amiens. — Quel en eſt le prix ?

Fais-moi le plaisir d'aller chez Caudron et de lui dire que je voudrais lui parler.

Je t'attends samedi ou lundi.

À toi, mon bon.

GVE.

À EDMA ROGER DES GENETTES

[Croisset,] jeudi 12 décembre [1872].

(Anniversaire de ma naissance ! c'est-à-dire que votre ami prend ses 51 ans ! Espérons que je n'en ai pas encore autant à avaler !)

Non ! je ne suis pas *libre.* — Pas si libre que vous le croyez. Maintenant du moins. Il faut remettre l'entrevue dont je me faisais d'avance une joie, à un peu plus tard.

Répondez-moi *bien franchement* si vous pouvez me recevoir à Villenauxe chez vous, au printemps ? cela vous gêne-t-il ? y voyez-vous un inconvénient quelconque ? Faudrait-il apporter *Saint Antoine* ? êtes-vous sûre d'avance que vos nerfs n'en souffriront pas ? c'est un lourd morceau, je vous en préviens. Le général[1] m'a dit que la moindre émotion vous faisait beaucoup de mal. — Plaignez un homme qui est fortement embêté par *les Affaires* ! et ne doutez pas de votre

GVE.

À GEORGE SAND

[Croisset,] 12 décembre [1872].

Chère bon maître,

Ne vous inquiétez pas de Lévy ! et n'en parlons plus. Il n'est pas digne d'occuper notre pensée une minute ; il m'a profondément blessé dans un endroit sensible : le souvenir de mon pauvre Bouilhet[2]. Cela est *irréparable.* Je ne suis pas chrétien, et l'hypocrisie du pardon m'est impossible. — Je n'ai qu'à ne plus le fréquenter. Voilà tout. Je désire même ne le jamais revoir. Amen.

Et ne prenez pas au sérieux les exagérations de mon ire. N'allez pas croire que je compte « sur la Postérité pour me venger de l'indifférence de mes contemporains ». J'ai voulu dire seulement ceci : quand on ne s'adresse pas à la Foule, il est juste que la Foule ne vous paye pas. — C'est de l'Économie Politique. Or je maintiens qu'une œuvre d'art (digne de ce nom et faite avec conscience) est inappréciable, n'a pas de valeur commerciale, ne peut pas se payer. Conclusion : si l'artiste n'a pas de rentes, il *doit* crever de faim ! ce qui est charmant.

Et on parle de l'indépendance des lettres ! On trouve que l'Écrivain, parce qu'il ne reçoit plus de pension des Grands, est bien plus libre, bien plus noble. Toute sa noblesse sociale maintenant consiste à être l'égal d'un Épicier. Quel progrès ! Quant à moi, vous me dites : « Soyons logiques », mais c'est là le difficile.

Je ne suis pas *sûr* du tout d'écrire de bonnes choses, ni que le livre que je rêve maintenant puisse être bien fait. — Ce qui ne m'empêche pas de l'entreprendre. Je crois que l'idée en est originale, rien de plus. Et puis comme j'espère cracher là-dedans le fiel qui m'étouffe, c'est-à-dire émettre quelques vérités, j'espère par ce moyen *me purger* et être ensuite plus Olympien. — Qualité qui me manque absolument. Ah ! comme je voudrais m'admirer !

J'entre aujourd'hui dans ma 52e année, et je tiens à vous embrasser aujourd'hui. C'est ce que je fais tendrement, puisque vous m'aimez si bien.

Votre vieux troubadour.

Encore un deuil. J'ai conduit l'enterrement du père Pouchet, lundi dernier. Je soutenais son fils Georges qui sanglotait à se briser les côtes[1].

La vie de ce bonhomme a été très belle, et je l'ai pleuré.

Je ne sors plus des enterrements ! c'est à en devenir croque-morts !

À IVAN TOURGUENEFF

[Croisset, 12 décembre 1872.]

Mon cher ami,

J'avais d'abord projeté d'aller passer à Paris une quinzaine au commencement de ce mois, puis de revenir ici jusqu'à la fin de janvier. Mais à présent les trimbalages en chemin de fer me sont odieux, et pour m'épargner ces allées et venues, j'ai préféré en finir tout de suite avec *mes Affaires*[2] ! ! ! — et avancer l'époque de ma saison d'hiver. — Donc vous ne [me] verrez pas avant le 15 janvier. — Quand je vous aurai embrassé, j'irai voir Mme Sand, qui m'a l'air de ne pas vouloir venir à Paris cet hiver, puisqu'on ne jouera pas sa pièce. — La censure l'a interdite[3]. Je trouve cela gigantesque ! — Ah ! nous allons bien ! Mais où s'arrêtera le débordement de la Stupidité publique ?…

Pauvre cher ami, comme ça m'embête de vous savoir toujours souffrant ! Vous m'avez l'air de vous ennuyer assez congruement ? Ma société, pour le quart d'heure, ne serait pas bien récréative ! Je tourne au Funèbre.

J'ai bien envie de causer avec vous longuement ! — Et surtout de vous parler du Bouquin que je médite[1]. Il va me demander des lectures considérables. Mais quand j'aurai expectoré mon fiel, je serai peut-être plus tranquille ?

Le Nouvelliste de Rouen a reproduit votre *Roi Lear de la steppe*, au commencement de novembre[2]. C'était une galanterie du rédacteur en chef[3] qui savait que vous deviez venir, à ce moment-là, chez moi.

Dans six semaines environ, on se verra donc, enfin !

Tibissimi.

12 décembre, anniversaire de ma naissance. Votre ami prend 51 ans. — Et ne souhaite pas voir ce nombre doublé, contrairement aux vœux qui sont toujours formulés dans les chansons hyménéo-pochardes qu'on chante aux repas de noces :

Puissions-nous dans cent ans
Répéter tous gaiement
Aimez Aimée } *ter*
Aimez Aimée }

Aimée est le nom de la jeune personne dont on trouve que l'auteur (qui est un des membres de la compagnie) « a très bien profité ». — Charmant ! charmant !

À EDMOND LAPORTE

[Croisset,] vendredi soir [13 décembre 1872].

Mon cher Ami,

J'ai changé mon programme. Je pars de Croisset pour Paris (où je resterai jusqu'au printemps) dimanche soir.

Venez donc chercher votre fils Julio[4] dimanche, à 11 heures, nous déjeunerions ensemble.

Si par hasard vous deviez vous en aller « vers la capitale » lundi, j'attendrais jusqu'à lundi pour faire la route en votre compagnie.

Tout à vous.

À ERNEST FEYDEAU

[Croisset,] dimanche soir [29 décembre 1872].

Rien de neuf dans ma vie, mon cher vieux. Je la passe uniformément au milieu de mes livres et dans la compagnie de mon chien. J'avale des pages imprimées et je prends des notes pour un bouquin[1] où je tâcherai de *vomir ma bile* sur mes contemporains. Mais ce dégueulage me demandera plusieurs années.

Les temps ne sont point propices à la littérature. Aussi n'ai-je aucune hâte de publier. D'ailleurs, c'est trop cher pour mes moyens. *Dernières chansons*, de mon pauvre Bouilhet, va me coûter d'ici à la fin de cette présente année la légère somme de 2 000 francs, si ce n'est 2 500 ! Lévy est gigantesque de rapacité et de mauvaise foi. Je te donnerai sur tout cela des détails édifiants.

Tu me verras vers le 30 janvier, peut-être avant. J'irai passer une semaine à Nohant chez Mme Sand, puis je resterai à Paris jusqu'au mois de mai.

Que dis-tu de l'histoire de *Robin*[2] ! n'est-ce pas énorme ? Toi non plus, mon bonhomme, tu ne seras pas du jury, ni moi non plus, ce dont je me fous profondément.

Tout cela nous prépare encore de beaux jours ! Les libéraux voteront avec les rouges, et nous entrerons (pour longtemps cette fois) dans l'horrible. Il faudra en remercier la Droite de l'Assemblée. Amen !

J'ai pris 51 ans le 12 de ce mois ; c'est une consolation.

Que 1873 te soit léger.

À LA PRINCESSE MATHILDE

[Croisset,] dimanche soir [29 décembre 1872].

Que devenez-vous ? Il m'ennuie de n'avoir pas de vos nouvelles, Princesse ! Êtes-vous revenue à Paris ?

Donnez-moi, je vous prie, le numéro de votre nouvelle maison dans la rue de Berri.

Quant à moi, je continue à n'être pas d'une gaieté folle. —

Cependant je travaille beaucoup, et le temps s'écoule, ce qui est le principal. C'est peut-être un signe de décadence, mais la politique m'inquiète de plus en plus. La *droite* s'y prend si bien que beaucoup de bourgeois fort modérés, aux prochaines élections, voteront avec les Rouges. — Alors nous entrerons dans l'Horrible, et ce sera pour longtemps !

En fait d'horreurs, on a assassiné un enfant et une jeune fille, dans mon village, la nuit, à un quart de lieue de chez moi. Croiriez-vous, Princesse, que les maîtres de pension de Rouen ont conduit en promenade « leurs jeunes élèves » sur *le théâtre du crime*, pour voir la flaque de sang. Voilà à quel point de bêtise nous en sommes.

Bêtise d'un autre genre, et que vous savez peut-être : la pièce de Mme Sand est arrêtée depuis deux mois par la censure du général Ladmirault[1] ! L'auteur se refuse, bien entendu, à faire des démarches auprès des grands (!) pour qu'on lève cette interdiction.

J'ai eu, indirectement, de vos nouvelles par quelqu'un qui vous a vue au mariage de Mlle Vimercati. — On m'a dit qu'elle était rayonnante.

Que devient de Goncourt ?

J'espère vous voir, enfin, un peu après le Jour de l'An.

Que 1874[2] vous soit léger! Princesse. Cette année-là, comme les précédentes, je serai, soyez-en sûre, entièrement vôtre.

À JEANNE DE LOYNES

[Paris,] jeudi soir, 6 heures [1872 ?].

Tourgueneff demeure rue de Douai, 50[3].

Écrivez-lui. Il m'a d'ailleurs promis de venir mardi.

D'ici là, je compte vous faire une petite visite samedi.

Donc à bientôt, chère belle amie.

Votre

À JEANNE DE LOYNES

[Paris, hiver 1872-1873 ?]

Ma chère belle amie,

Un petit billet, je vous prie, pour me dire comment vous allez ! J'ai l'air de vous oublier. Il n'en est rien. Mais je suis *accablé* par mes lectures, et dérangé de mon travail le plus sottement du monde. Tous les jours je veux vous aller voir — et à l'heure où vous êtes chez vous, je me trouve empêché.

Votre vieux fidèle,

vous envoie toutes ses tendresses et vous baise les deux mains.

À EDMOND LAPORTE

Dimanche, 2 heures [1872].

Eh bien, mon bon, c'est convenu : à mardi !

J'ai reçu un mot de M. Le Plé[1]. Remerciez-le pour moi, si vous le voyez. D'ailleurs je lui envoie une carte.

Votre

GÉANT.

À EDMOND LAPORTE

[Croisset,] jeudi [1872].

Cher Vieux,

Êtes-vous revenu de Paris ? Peut-on compter sur vous dimanche à 11 heures ?

Votre

GUSTAVE FLAUBERT
de plus en plus vache.

À EDMOND LAPORTE

[Croisset,] vendredi soir [1872].

Si vous êtes revenu à Couronne[1], venez donc déjeuner dimanche à Croisset. Je suis seul et livré à mes tristes pensées. Ça ne va pas ! Ça ne va pas !

Votre plaisance[2] me fera bien plaisir.

Votre

GÉANT
aplati.

À EDMOND DE GONCOURT

[Paris,] vendredi 3 j[anvier 1873].

Me revoilà revenu, cher ami. C'est-à-dire que je vous attends. Un petit mot, n'est-ce-pas, pour m'affirmer que nous nous verrons bientôt.

Votre

GVE FLAUBERT

qui vous embrasse, et qui n'est pas roide.

Non ! ça ne va pas ! ça ne va pas, du tout !

Je serai chez moi, dimanche, tout l'après-midi. — Et la semaine prochaine, je prendrai une existence régulière.

À GEORGE SAND

[Paris, 3 janvier 1873.]

Chère bon maître,

Je vous envoie pour vous et les vôtres tous les souhaits de bonne année, imaginables. Mais je n'imagine rien. Car il me semble que vous avez *tout* !

Moi, me voilà revenu à Paris, peu gai. Mais j'ai bien fait de quitter Croisset, j'y ai un peu trop lu depuis trois mois, et j'ai besoin de prendre l'air. Voilà trois jours que je marche comme un facteur rural et je recommence à dormir.

Mon intention est toujours d'aller vous voir à la fin de ce mois. Si toutefois vous ne devez pas venir à Paris, de tout l'hiver.

Mille tendresses profondes de votre vieux

Gve FLAUBERT
qui vous chérit.

4, rue Murillo.
Vendredi soir.

À MARIE RÉGNIER

[Paris,] samedi soir [4 janvier 1873].

Je persiste à vous jurer *ma parole d'honneur* que je n'ai pas reçu vos *trois* lettres. J'en ai reçu une après la mort de ma mère, où vous vous étonniez de n'avoir pas eu de billet de faire-part. Or, ce billet, je l'avais écrit moi-même. Il y a donc un guignon sur notre correspondance[1] ?

Quant au Dalloz[2], vous me permettrez de ne point aller chez lui parce que : 1° ma recommandation serait parfaitement inutile, et 2° que ledit Dalloz n'a jamais manqué les occasions de m'être désagréable. Il m'avait promis de m'acheter *Aïssé* pour sa feuille de chou ; puis il a refusé le manuscrit et a fait débiner la pièce par cet excellent M. Paul de Saint-Victor[3], etc., etc.

En résumé : je n'ai jamais reçu le moindre service d'aucun journal. Des promesses tant qu'on en veut, et puis rien. J'ai été l'année dernière trois fois aux *Débats* et j'ai écrit six lettres pour avoir un article sur *Dernières chansons.* L'article est encore à faire. Rappelez-vous ma correspondance avec Charles-Edmond[4]. Ah ! j'en ai gros sur le cœur, chère Madame ! Enfin je suis si dégoûté de ce qu'on nomme « la vie littéraire » (par dérision, sans doute), que je renonce à toute publication. *Saint Antoine* ne verra pas le jour, on le verra dans des temps plus prospères. J'ai remercié Lemerre, Lachaud et Charpentier. Ma première publication m'a coûté 300 francs ; la dernière vient de m'en coûter 2 354, c'est assez ! L'argent, d'ailleurs, quoi qu'il soit, me semble une amère ironie et, quant à la gloire, ce sont de ces choses auxquelles on ne croit plus à mon âge. Je continue cependant à faire des phrases, comme les bourgeois qui ont un tour dans leur grenier font des ronds de serviette, par désœuvrement et pour mon agrément personnel. Mais c'est tout.

Il est si impossible de réussir à quoi que ce soit que je ne puis même réunir les membres de la commission pour le monument de notre pauvre ami. Voilà, depuis trois semaines, six lettres que j'écris à *Rouen*, sans qu'aucun de ces messieurs, y compris *Philippe*[1], daigne m'honorer d'une réponse. Comme je suis las de retourner le cadavre de Bouilhet ! Et, à ce propos, quand vous insistez pour que j'aille vous voir à Mantes, ne sentez-vous pas que vous me priez de faire une chose qui n'est pas sans douleur ? Toutes les fois que je passe devant la gare et que j'aperçois le clocher de cette bonne petite ville, où j'ai passé des heures exquises, mon cœur se soulève et je retiens un sanglot. Voilà le vrai[2]. Vous avez assez d'esprit pour me comprendre. Laissez-moi me remettre, je suis maintenant très meurtri. La mort de Théo[3] a fait déborder le vase, pour employer une comparaison classique, mais juste.

Un grand signe de décadence, c'est que la politique m'irrite et m'afflige. Je suis exaspéré contre la Droite, à me demander si les communards n'avaient pas raison de vouloir brûler Paris, car les fous furieux sont moins abominables que les idiots. Leur règne, d'ailleurs, est toujours moins long.

Mme Sand est maintenant le seul ami de lettres que j'aie, avec Tourgueneff. Ces deux-là valent une foule, c'est vrai, mais quelque chose de plus près du cœur ne me ferait pas de mal.

Excusez-moi pour cette lugubre épître.

GEORGE SAND À GUSTAVE FLAUBERT

Nohant, 8 janvier [18]73.

Oui, oui, mon vieux. Il faut venir me voir. Je ne pense pas aller à Paris avant la fin de l'hiver et on se voit si mal à Paris. Apporte-moi *Saint Antoine*, je veux l'entendre. Je veux en vivre avec toi. Je veux t'embrasser de toute mon âme, et Maurice aussi. Lina t'aime aussi et nos petites ne t'ont pas oublié, je veux que tu voies comme mon Aurore est devenue intéressante et aimable. Je ne te dirai de moi rien de nouveau. Je vis si peu en moi. Ce sera une bonne condition pour que tu me parles de ce qui m'intéresse davantage, c'est-à-dire de toi. Préviens-moi pour que je t'évite l'affreuse patache de Châteauroux à Nohant. Si tu pouvais amener Tourgueneff, nous en serions heureux et tu aurais le plus délicieux compagnon de voyage. As-tu lu *Pères et enfants* ? comme c'est bien[4] !

Allons ! Je t'espère sérieusement cette fois. Et je crois que notre air te fera du bien. Il fait si beau ici !

Ton vieux camarade qui t'aime.

G. SAND.

Je t'embrasse six fois pour la bonne année.

À LA PRINCESSE MATHILDE

[Paris,] jeudi 9 [janvier 1873].

Princesse,

J'ai été, hier, à la Grande-Bibliothèque faire une visite à *Chéron*[1], pour savoir ce qui [en] était des *Lettres de Sainte-Beuve à la Princesse M(athilde).*

Chéron a vu les épreuves et m'a dit que cette publication était tout entière à la louange de l'Empire et de la Princesse. Il n'est question dans ces billets (forts insignifiants, du reste) que de services rendus par vous, sur les recommandations de Sainte-Beuve.

Chéron a même dit à Troubat[2] : « Est-ce que tu es devenu impérialiste ! »

Il n'en est rien ! Mais le pauvre garçon pressé par la misère a vendu ces lettres pour 3 mille francs à l'enfant de Jacob, son patron[3].

Il ne faut donc pas s'inquiéter de cette publication. J'aurais été hier au soir vous parler de cela, si je n'avais attrapé, à la première représentation de Leconte de Lisle[4], un rhume formidable. — Et hideux.

J'espère, néanmoins, que je pourrai passer la soirée de dimanche prochain près de votre Altesse,

dont je suis

le très humble et affectionné

À PHILIPPE LEPARFAIT

[Croisset,] dimanche soir [12 janvier 1873].

Mon cher Philippe,

Fais-moi le plaisir d'aller chez Caudron et de le prier de me faire l'honneur de répondre à mes lettres.

Il y a trois semaines, je l'ai prévenu que je désirais convoquer la commission du 15 au 20 janvier ; or, nous sommes au 13 et je n'ai aucun avertissement.

Il faut s'arranger pour qu'il manque le moins de monde possible. C'est donc une affaire toute rouennaise. Que Gally, Caudron, Desbois et Dupré[1] se concertent à cet effet. Je demande seulement à être averti trois jours d'avance. — D'ici-là, je reste le bec dans l'eau.

J'ai une consultation écrite du notaire Duplan[2], qui a pris connaissance de toutes mes paperasses, celles qui me regardent personnellement, et celles qui regardent Bouilhet. — Mon affaire, à moi, est très simple. À partir du 1er janvier 73, je rentre dans tous mes droits, sauf pour *L'Éducation sentimentale*, dont Lévy a encore l'exploitation pour 7 ans. Mais les traités de Bouilhet sont pitoyables ! il n'y a rien à faire pour *Melaenis* ! et ses droits sur *Festons et astragales* sont sujets à contestation.

J'ai fait demander par plusieurs personnes le volume de *Festons et astragales*. On a répondu qu'il était épuisé, mais que la maison Lévy allait faire « une édition complète des œuvres de M. Bouilhet », et puis, ce soir même, j'ai reçu un mot de Troubat[3] me prévenant officiellement qu'on allait faire une édition bon marché de *L'Éducation sentimentale*.

Mystère ! problème !

Trois journaux ont annoncé la prochaine apparition de *Saint Antoine* ! — Qu'est-ce que cela veut dire ?

En tout cas, *Lévy* va être payé par moi, cette semaine. Tu seras quitte envers lui[4]. Après quoi, nous verrons.

Peut-être, comme il s'agit, avant tout, d'avoir une édition complète de Bouilhet, vaudrait-il mieux *caler*, car Lévy ne cédera jamais *Melaenis*, etc.

Quant à moi, je suis si dégoûté de toute publication que j'ai remercié Lachaud et Charpentier. — Je pourrais maintenant vendre *Bovary* et *Salammbô*. Mais le vomissement que me donnent de semblables pourparlers est trop fort ! Je ne désire qu'une chose, à savoir : *crever*. L'énergie me manque pour me casser la gueule. Voilà le secret de mon existence. Je suis si indigné *de tout* que j'en ai parfois des battements de cœur à étouffer. — Que les Dieux te préservent d'en arriver jamais là !

J'ai vu, à la première de Leconte de Lisle[1], le sieur Lévy et je lui ai envoyé un regard qui n'était pas chargé d'amour, je t'en réponds.

Ton père[2] a maintenant une espèce de calotte de velours vert qui le fait ressembler, tout à la fois au Dante et au Malade imaginaire.

Je t'embrasse, ton vieux

fortement grippé.

En nous convoquant pour un dimanche (soit dimanche prochain, soit l'autre dimanche), d'Osmoy et R.-Duval pourraient venir ? Mais cela contrariera peut-être ces Mosieurs de Rouen, à cause de la chasse ? « On n'a que ce jour-là dans la semaine, sacré nom de Dieu. »

Si tu veux avoir l'air d'un homme chic (et faire plus tard un beau mariage), je te préviens qu'il faut *porter le deuil* de Badinguet[3]… C'est bon genre !

À GEORGE SAND

[Paris,] mercredi soir 15 [janvier 1873].

Chère maître,

Quand je serai guéri de ma grippe, j'irai vous voir. — Mais actuellement je souffre trop et je suis, d'autre part, hideux avec ma toux et mes mouchoirs de poche.

J'ai communiqué votre invitation au bon Tourgueneff. Il a bien envie de me suivre. Mais il a peur d'une rechute ?

Je continue à n'être pas folâtre. Les bêtises suscitées par la mort de Badinguet sont inimaginables ! Autrefois elles m'auraient fait rire. Maintenant tant de sottise m'indigne. Je suis devenu *trop moral* ? J'ai perdu le sens du comique, et peut-être celui de la Vérité !

Mille tendresses de votre vieux

GVE FLAUBERT
qui vous embrasse.

À IVAN TOURGENEFF

[Paris,] mercredi soir [15 janvier 1873].

Mon cher ami,

Vous n'entendez pas parler de moi, parce que j'ai une grippe abominable.

J'en suis à la période *toussante*, la plus intolérable pour autrui.

Combien de temps encore cela va-t-il durer ? — Problème ! Dès que je serai rétabli, j'irai vous voir.

Quelle merveille que *Le Gentilhomme de la steppe*[1] ! Il me tarde d'en causer avec vous.

Votre vieux
GVE FLAUBERT

qui ne pleure pas Badinguet, quoique ce soit *bon genre*.

À IVAN TOURGUENEFF

[Paris, seconde quinzaine de janvier 1873 ?]

J'ai attendu jusqu'au dernier moment, mais il faut en prendre son parti. Vous ne me verrez pas ce soir. Ma tousserie vous empêcherait de manger. Cent pulsations à la minute, extinction de voix, etc., bref une grippe carabinée.

Tous mes regrets aux amis.

GVE FLAUBERT.

Je suis si rosse que j'ai du mal à vous écrire ce billet.

À ALFRED BAUDRY

[Paris,] samedi 18 janvier [1873],
rue Murillo, 4, parc Monceau.

Mon cher ami,

Je vous prie de me rendre le service suivant, Caudron et *Philippe*[2] s'obstinant à ne pas répondre aux billets que je leur écris.

Vous seriez donc bien bon (et je vous demande cela comme un service) de vous concerter avec les autres membres de la Commission afin de vous réunir quand il plaira à ces Messieurs. Qu'ils choisissent leur jour. Mais qu'ils en choisissent un ! Et qu'ils daignent me le faire savoir ! D'ici-là, je ne puis m'absenter de Paris, ni donner aucun rendez-vous. Je demande à être prévenu trois ou quatre jours à l'avance.

Je compte sur votre prompte réponse.

Merci d'avance

et tout à vous.

GEORGE SAND À GUSTAVE FLAUBERT

Nohant, 18 janvier [1873].

Faut pas être malade, faut pas être grognon, mon vieux chéri troubadour. Il faut tousser, moucher, guérir, dire que la France est folle, l'humanité bête, et que nous sommes des animaux mal finis ; et il faut s'aimer quand même, soi, son espèce, ses amis surtout. J'ai des heures bien tristes. Je regarde *mes fleurs*, ces deux petites qui sourient toujours, leur mère charmante et mon sage piocheur de fils que la fin du monde trouverait chassant, cataloguant, faisant chaque jour sa tâche, et gai quand même comme Polichinelle aux heures *rares* où il se repose.

Il me disait ce matin : « Dis à Flaubert de venir, je me mettrai en récréation tout de suite, je lui jouerai les marionnettes, je le forcerai à rire. »

La vie à plusieurs chasse la réflexion. Tu es trop seul. Dépêche-toi de venir te faire aimer chez nous.

G. SAND.

À ALFRED BAUDRY

[Paris,] vendredi [24 janvier 1873].

Vous êtes *le seul homme propre de* ma connaissance !

Grâce à vous, enfin, j'ai une lettre de Philippe[1].

Je viens d'écrire à *Mulot* pour convoquer la commission le 2 février. Donc, si vous voyez quelqu'un de ces messieurs, je vous prie d'échauffer leur zèle, puisque vous faites si bien.

À bientôt, mon petit père, et tout à vous.

À M. DESBOIS

[Paris, 24 janvier 1873.]

Mon cher ami,

Je viens d'écrire à Mulot, qu'il convoque la commission chez vous le 2 février.

J'ai choisi un dimanche afin d'avoir Duval[1] et d'Osmoy.

Rendez-moi le plaisir de prévenir M. Deschamps[2] ? Je tiens beaucoup à l'avoir ainsi que Caudron. Il me faut tout le monde ayant une communication importante à faire.

Tout à vous, mon cher ami.

Vendredi, 4, rue Murillo.

À PHILIPPE LEPARFAIT

[Paris,] vendredi [24 janvier 1873].

Mon cher Philippe,

Bien que Caudron soit insaisissable, fais l'impossible, saisis-le, et préviens-le de ceci :

Mulot eſt chargé par moi de convoquer tous les membres de la commission[3] pour le 2 février, à sept heures du soir, chez Desbois. Il me semble qu'en dix jours ces Messieurs ont le temps de se préparer à ce sacrifice ! *Je tiens expressément* à ce que Caudron et M. Deschamps soient présents, ainsi que d'Osmoy et R.-Duval. C'eſt pourquoi j'ai choisi un dimanche.

Quant à Lévy, il m'a donné une jouissance, car je sais pertinemment qu'il eſt très vexé et humilié par ma conduite.

Je lui ai payé lundi 2 100 francs, car il me doit rendre 500 francs (pour *Aïssé*[4]) sur les 2 600 versés par Commanville.

Nous nous occupons maintenant de racheter *Melaenis* (ou bien de nous faire acheter *Dernières chansons*), afin de pouvoir faire une édition complète. C'eſt très long et embrouillé à t'expliquer. Voilà trois fois que Commanville confère avec lui et il n'eſt pas près d'avoir fini.

Impossible de rien tirer du Vaudeville, bien entendu.

Bouilhet n'a pas eu tort de mourir ! De nos deux rôles, il a pris le meilleur !

À toi, ton.

D'Osmoy ne vient pas aux rendez-vous, ne répond pas aux lettres, etc.

À LÉONIE BRAINNE

[Paris, 25 janvier 1873.]

Ne venez pas, ma belle amie.

Je suis *infect*, et je vous empoisonnerais de mon haleine. J'ai une belle grippe avec accompagnement de fièvre et sueurs. Je crache, je tousse, je mouche, etc. ! Il ne faut pas me voir. Ma Vanité en souffrirait trop.

Je ne sais pas même si je serai capable d'aller chez vous, lundi ?

Je vous le ferai savoir dans la journée.

Mille tendresses de votre Gve

qui continue à n'être pas d'une gaieté folle.

Samedi, 1 heure.

À IVAN TOURGUENEFF

[Paris, 30 janvier 1873 ?]

Mon cher ami,

Mme Commanville, ma nièce, demeure rue de Clichy, 77. Il m'est impossible encore de vous dire quand je pourrai vous lire *S[ain]t Antoine*, et ce n'est pas l'envie qui me manque, puisqu'à présent vous êtes pour moi le *seul être* humain que je considère ! le seul littérateur qui existe, le seul ami qui me reste ! Mais mon larynx est trop endommagé pour gueuler congrument pendant plusieurs heures consécutives.

Autre histoire. Si vous venez avec moi à Nohant, ne vaudrait-il pas mieux attendre que nous soyons à Nohant[1], puisque je dois lire *S[ain]t Antoine* à Mme Sand ? Autrement vous subiriez la chose trois fois, ce qui me paraît un peu vif ?

Dès que je sortirai, j'irai chez vous. En tout cas, tâchez de venir me voir dimanche prochain, dans l'après-midi.

Tout à vous. *Ex imo.*

Jeudi soir. 10 h.

À LINA SAND

[Paris, 31 janvier 1873.]

Chère Madame,

La malchance me poursuit ! car il m'eût été bien agréable de vous avoir pour compagnon de voyage ! Mais vers le milieu ou la fin de la semaine prochaine, il faut que je retourne à Rouen pour *présider* une commission ! celle du monument Bouilhet.

La grippe s'acharne contre moi. — Mais qu'elle soit passée ou non, vous me verrez à Nohant avant le milieu de février !

Embrassez bien pour moi vos deux petites filles, tendresses à leur grand-mère, une bonne poignée de main à Maurice,

Et tout à vous, chère Madame.

Vendredi, 3 heures.

À LEONIE BRAINNE

[Paris, 3 février 1873.]

Ma chère Belle,

Je n'en peux plus ! je tousse d'une façon assommante, et *je mouche* d'une manière dégoûtante. — J'ai de la fièvre et des douleurs assez vives au haut des deux poumons.

Toutes les fois que je prends l'air, depuis un mois, je suis rempoigné par la grippe. Bref, je n'irai pas vous voir aujourd'hui.

Le premier guéri se précipitera vers l'autre. — Je ne bougerai pas de chez moi avant mardi soir pour aller dîner chez Caro. — Et même, si je ne suis pas mieux mardi, je n'irai pas.

Donnez-moi de vos nouvelles, chérie.

Votre Gve.

À GEORGE SAND

[Paris,] lundi soir 3 février [1873].

Chère maître,

J'ai l'air de vous oublier et de ne pas vouloir faire le voyage de Nohant ? il n'en est rien ! Mais depuis un mois, toutes les fois que je prends l'air je suis re-empoigné par la grippe, qui devient plus forte à chaque reprise. Je tousse abominablement et je salis des mouchoirs de poche innombrablement ! Quand cela finira-t-il ?

J'ai pris le parti de ne plus franchir mon seuil jusqu'à complète guérison. — Et j'attends toujours le bon vouloir des membres de la commission pour la fontaine Bouilhet ! Depuis bientôt deux mois, il ne m'est pas possible de faire se trouver ensemble à Rouen, six habitants de Rouen ! Voilà comme sont les amis !

Tout est difficile ! la plus petite entreprise demande de grands efforts. J'ai eu, cependant, une jouissance ces jours-ci. Car j'ai acquis la preuve que j'avais fortement embêté le sieur Michel Lévy. Ce misérable-là est d'une immoralité si naïve qu'il ne se doute pas du *mal* qu'il m'a fait ! Je vous conterai tout cela en détail. Il m'a cru « pauvre » et dès lors ne s'est nullement gêné. Eh bien, je venge les Pauvres. Je me fiche impudemment de MM. les éditeurs, je leur fais monter mon escalier plusieurs fois, sans leur donner de réponse définitive, bien décidé à ne traiter avec aucun. Car, *j'en ai assez* ! et il se passera de longues années avant que je ne fatigue la Presse.

Je lis maintenant de la chimie (à laquelle je ne comprends goutte) et de la médecine, Raspail ; sans compter *Le Potager moderne* de Gressent et *L'Agriculture* de Gasparin[1]. — À ce propos, Maurice serait bien gentil de recueillir pour moi ses souvenirs agronomiques. Afin que je sache quelles sont *les fautes* qu'il a faites, et par quels *raisonnements*, il les a faites.

De quels renseignements n'ai-je pas besoin pour le livre que j'entreprends ! Je suis venu à Paris, cet hiver, dans l'intention d'en recueillir. Mais si mon affreux rhume se prolonge mon séjour ici sera inutile ! Vais-je devenir comme ce chanoine de Poitiers dont parle Montaigne et qui depuis 30 ans n'était pas sorti de sa chambre « par l'incommodité de sa mélancholie » et qui pourtant se portait fort bien « sauf un rheume qui lui était tombé sur l'estomach[1] » ! C'est vous dire que je vois fort peu de monde. D'ailleurs, *qui* fréquenter ? La Guerre a creusé des abîmes.

Il n'y a que le bon Tourgueneff qui me cause une satisfaction complète ! Quel homme ! quelle conversation ! quel goût ! Je lui ai lu *Saint Antoine* ; il m'en a paru content et m'a fait deux remarques fort judicieuses.

Je n'ai pu me procurer votre article sur Badinguet. Je compte le lire chez vous[2].

En fait de lectures, je viens d'avaler *tout* l'odieux Joseph de Maistre. Nous a-t-on assez scié le dos avec ce monsieur-là ! Et les Socialistes modernes qui l'ont exalté ! à commencer par les Saint-Simoniens pour finir par A. Comte[3]. La France est ivre d'autorité, quoi qu'on die. Voici une belle idée que je trouve dans Raspail : « *Les médecins devraient être des magistrats*, afin qu'ils puissent forcer[4]… », etc.

Votre vieille ganache romantique et libérale vous embrasse tendrement.

Mille m'amours aux petiotes. Et dites encore à Mme Maurice combien j'ai été fâché de ne pouvoir faire le voyage de Nohant avec elle.

Tout le monde déchire à belles dents *La Femme de Claude*[5] (que je ne connais pas) et *Les Érinnyes* rapporteront à Leconte de Lisle environ 1 200 fr[6]. Alors qu'est-ce qu'on veut ? que conclure ?

GEORGE SAND À GUSTAVE FLAUBERT

Nohant, 5 février [18]73.

Je t'ai écrit hier à Croisset, Lina croyant que tu y étais retourné. Je te demandais un petit service que tu m'as déjà rendu, à savoir : prier ton frère d'accorder sa protection à mon ami Despruneaux[7] pour son affaire qui va en cassation. Ma lettre te sera probablement renvoyée à Paris, aussi vite que t'arrivera celle-ci. Il s'agit d'écrire un mot à ton frère, si cela ne t'ennuie pas.

Qu'est-ce donc que cette bronchite obstinée ? Il n'y a qu'un remède, une dose minime, demi-centigramme acétate de morphine à prendre tous les soirs quand la digestion est faite, et pendant huit jours au moins. Je ne fais pas autre chose et je m'en tire toujours bien. J'en tire de même tous les miens. C'est si facile à faire et si vite fait ! C'est au bout de deux ou trois jours qu'on en sent le bon effet. J'attends ta guérison avec impatience, pour toi d'abord, et puis pour moi parce que tu viendras et que j'ai faim et soif de te voir.

Maurice est embarrassé pour répondre à ta question. Il n'a pas commis de fautes dans son exploitation et sait bien celles que les autres commettent ou peuvent commettre ; mais il dit que cela varie à l'infini et *que chaque faute est spéciale au milieu où l'on opère.* Quand tu seras ici et qu'il saura bien ce que tu veux, il pourra te répondre pour tout ce qui concerne le centre de la France, et la géologie générale de la planète, s'il y a lieu à généraliser. Son raisonnement à lui a été celui-ci : ne pas innover de toutes pièces, mais pousser au développement de ce qui est en se servant toujours de la méthode établie par l'expérience. L'expérience ne peut jamais tromper, elle peut être incomplète, jamais menteuse.

Sur ce, je t'embrasse, je t'appelle, je t'attends, je t'espère et ne veux pourtant pas te tourmenter. Mais nous t'aimons, voilà qui est sûr, et nous voudrions t'infuser un peu de notre patience berrichonne à l'endroit des choses de ce monde qui ne sont pas drôles, nous le savons bien ! Mais pourquoi sommes-nous en ce monde si ce n'est pour patienter ?

Ton obstiné troubadour qui t'aime.

G. SAND.

À EDMOND DE GONCOURT

[Paris,] lundi matin [10 ? février 1873].

Mon cher ami,

Je vous assure que, si vous pouviez remettre votre déjeuner de jeudi prochain à *l'autre jeudi*, vous me rendriez un vrai service, parce que jeudi prochain j'ai plusieurs rendez-vous auxquels je tiens.

Si je vais déjeuner chez vous ce jour-là, je serai obligé de vous quitter de très bonne heure et encore ne ferai-je pas tout ce que j'ai à faire.

Tâchez d'arranger cela.

Au reste, nous nous verrons mercredi soir.

Tout à vous,

Votre

À EDMOND LAPORTE

[Paris,] vendredi soir [14 ? février 1873].

Vous êtes donc plus mal, mon vieux Laporte, que vous n'apparaissez point sur nos bords ?

Ma grippe eſt passée mais je n'en suis pas plus gai. Je prends maintenant du bromure de potassium et de l'eau de Vals.

Le pire c'eſt que : par hygiène je fais chaque jour une promenade d'une heure ! Ça *m'achève.* Mon bouquin m'embête à crever[1].

J'ai d'ailleurs d'autres sujets d'ennui. Bref, votre ami tourne (ou eſt tourné) à l'hypocondrie.

Il me tarde de vous voir.

Votre Vieux

À RAOUL-DUVAL

[Saint-Gratien, 16 février 1873.]

Mon cher Ami,

J'écris à Desbois[2] de s'entendre avec vous pour fixer le jour où nous nous rassemblerons afin d'en finir avec la fontaine Bouilhet.

Je suis à votre disposition à partir du mercredi 26 courant. — Et comme je tiens beaucoup à vous avoir là-bas, ne manquez pas d'y venir.

Tout à vous.

Dites de ma part à vos deux collègues d'Osmoy et Bardoux qu'ils sont des drôles à gifler ; ils n'ont pas daigné répondre à un rendez-vous que je leur donnais.

Saint-Gratien, dimanche matin.

À RAOUL-DUVAL

[Paris,] jeudi [20 février 1873].

J'ai attendu, vainement, une lettre de vous avant-hier, hier et aujourd'hui. — Vous aussi, vous êtes inexact, mon bon.

1° N'oubliez pas que *je compte sur vous* samedi prochain, à 3 heures chez Desbois.

2° Amenez-moi, mort ou vif, votre collègue d'Osmoy. *Il faut* qu'il vienne !

Donc, à samedi et tout à vous.

À LÉONIE BRAINNE

[Paris, 21 ? février 1873.]

Parfaitement ! Je vous attends dimanche à six heures et demie, ô ange !

Votre Gve.

Toujours peu gai et continuellement toussant.

Vendredi midi.

À EDMA ROGER DES GENETTES

[Paris,] samedi soir 22 février [1873].

Oui, c'est moi ! Je ne vous oublie pas, malgré vos soupçons, que je devine. — Et je vous prouverai avant la fin d'avril que je ne *blague jamais* et qu'il fallait être « naïve », c'est-à-dire croire à la bonne foi de ma proposition. Je la réitère : pouvez-vous m'héberger pendant 24 heures[1] ? Voulez-vous que je vous apporte *Saint Antoine* ? et le plan du roman que j'entreprends ? Pouvez-vous, sans fatigue pour vos nerfs, supporter ces violentes lectures ? Sinon, j'arriverai, orné de mes seules grâces naturelles, et j'irai loger à l'auberge.

Comment allez-vous ? Comment traînez-vous le boulet de

l'existence ? Le général[1], que j'ai vu plusieurs fois cet automne, m'a dit que vous étiez stoïque. Et Mme Plessy[2], lundi dernier, vous a citée en exemple, comme un merveilleux résultat du culte des lettres. J'avais envie de lui sauter au cou, devant le monde, à cause de cette bonne parole.

Je ne compare pas mes misères aux vôtres, pauvre chère Madame, mais je ne suis pas gai, je deviens même lugubre, pourquoi ? Ah ! à cause de… tout ! Je passe de l'exaspération à la prostration, puis je remonte de l'anéantissement à la Rage, si bien que la moyenne de ma température est l'embêtement.

Je ne vois guère plus de monde à Paris que je n'en voyais à Croisset. Qui voir ? qui fréquenter ? Je puis dire comme Hernani : « Tous mes amis sont morts. » Et je n'ai pas de Doña Sol, pour essuyer la pluie de l'orage.

Dans ces derniers temps, j'ai pris cependant un certain plaisir à envoyer promener MM. les éditeurs. — Qui montent mes quatre étages, auxquels je ne réponds rien de définitif, et qui reviennent en grimaçant comme des chats-tigres, pour me subtiliser ma pauvre copie. Mais je suis bien décidé à ne *rien publier*. Ils ne comprennent goutte à ma conduite. Ça m'amuse et *je venge les pauvres*.

Lévy m'a dégoûté des éditeurs comme une certaine femme peut écarter de toutes les autres. Jusqu'à des temps plus prospères, je reste sous ma tente. — Et je continue à tourner mes ronds de serviette (ce qui est une comparaison moins noble et plus juste) sans aucun espoir ultérieur.

Je voudrais n'aller visiter les sombres bords qu'après avoir vomi le fiel qui m'étouffe. C'est-à-dire pas avant d'avoir écrit le livre que je prépare. Il exige des lectures effrayantes, et l'exécution me donne le vertige, quand je me penche sur le plan. Mais cela pourra être drôle.

Présentement, je m'aventure sur les plates-bandes de M. Roger. Car j'étudie le jardinage et l'agriculture. — Théoriquement, bien entendu.

En fait de nouvelles, je n'en ai aucune. J'ai eu pendant six semaines une grippe formidable, attrapée à la première des *Érinyes*, où j'ai revu Leconte de Lisle. — En le revoyant, j'ai repensé à la rue de Sèvres[3] !… Le Passé me dévore. C'est un signe de vieillesse.

Ma vie se passe à lire et à prendre des notes. Voilà à peu près tout. Le dimanche je reçois assez régulièrement la visite de Tourgueneff. — Et dans une quinzaine j'irai en faire une à Mme Sand qui est une excellente femme, mais trop angélique, trop bénisseuse ! À force d'être pour la grâce on oublie la Justice. Remarquez-vous qu'elle est oubliée si bien, cette pauvre Justice, qu'on ne dit plus même son nom ?

À propos de justice, j'ai payé dernièrement au sieur Lévy 3 mille francs de ma poche, pour *Dernières chansons*, et ledit enfant de Jacob vient d'être décoré !

Dieu des Juifs, tu l'emportes[1] !

Vous allez trouver cela bien puéril, mais je me suis désorné de l'étoile. Je ne porte plus la [croix] d'Honneur, et j'ai prié un de nos amis communs de m'inviter à dîner avec Jules Simon, afin d'engueuler Son Excellence à ce propos, et c'est ce qui se fera. Je tiens surtout les paroles que je me donne.

Dans votre dernier billet, vous me parlez de Paris avec un certain regret. Pourquoi n'y venez-vous pas plus souvent, puisque vous y reprenez vie ? En cherchant bien, on pourrait peut-être reconstituer une petite société d'émigrés qui serait agréable. — Car nous sommes tous des émigrés, les restes d'un autre temps. Je ne dis pas cela pour moi, qui suis un vrai fossile, « une pièce de cabinet », comme écrivait mon compatriote Saint-Amant[2].

Donnez de ma part à M. Roger une bonne poignée de main, et permettez-moi, chère Madame, de baiser les deux vôtres en vous répétant que je suis

votre fidèle

J'attends une réponse prochaine et longue, surtout.

À LAURE DE MAUPASSANT

Paris, 23 février 1873.

Tu m'as prévenu, ma chère Laure, car depuis un mois je voulais t'écrire pour te faire une déclaration de tendresse à l'endroit de ton fils. Tu ne saurais croire comme je le trouve charmant, intelligent, bon enfant, sensé et spirituel, bref (pour employer un mot à la mode) sympathique ! Malgré la différence de nos âges, je le regarde comme « un ami », et puis il me rappelle tant mon pauvre Alfred[3] ! J'en suis même parfois effrayé, surtout lorsqu'il baisse la tête en récitant des vers. Quel homme c'était, celui-là ! Il est resté, dans mon souvenir, en dehors de toute comparaison. Je ne passe pas un jour sans y rêver. D'ailleurs le passé, les morts (mes morts) m'obsèdent. Est-ce un signe de vieillesse ? Je crois que oui.

Quand nous retrouverons-nous ensemble ? quand pourrons-nous causer du « garçon » ? est-ce que tu ne viendrais pas bien avec tes deux fils passer quelques jours à Croisset ? J'ai, maintenant, beaucoup de places à vous offrir et j'envie la sérénité dont tu me parais jouir, ma chère Laure, car je deviens bien sombre. Mon époque et l'existence me pèsent sur les épaules, horriblement. Je suis si dégoûté de tout, et particulièrement de la littérature militante que j'ai renoncé à publier. Il ne fait plus bon vivre pour les gens de goût.

Malgré cela, il faut encourager ton fils dans le goût qu'il a pour les vers[1], parce que c'est une noble passion, parce que les lettres consolent de bien des infortunes et parce qu'il aura peut-être du talent : qui sait ? Il n'a pas jusqu'à présent assez produit pour que je me permette de tirer son horoscope poétique ; et puis à qui est-il permis de décider de l'avenir d'un homme ?

Je crois notre jeune garçon un peu flâneur et médiocrement âpre au travail. Je voudrais lui voir entreprendre une œuvre de longue haleine, fût-elle détestable. Ce qu'il m'a montré vaut bien tout ce qu'on imprime chez les *Parnassiens*... Avec le temps, il gagnera de l'originalité, une manière individuelle de voir et de sentir (car tout est là) ; pour ce qui est du résultat, du succès, qu'importe ! Le principal en ce monde est de tenir son âme dans une région haute, loin des fanges bourgeoises et démocratiques. Le culte de l'Art donne de l'orgueil ; on n'en a jamais trop. Telle est ma morale.

Adieu, ma chère Laure, ou plutôt au revoir, car d'ici peu il faudra nous voir. Il me semble que nous en avons besoin. En attendant ce plaisir-là, je t'embrasse fraternellement.

À EDMOND LAPORTE

[Paris,] vendredi matin [février-mars 1873 ?].

Le seul moyen de nous voir demain soir c'est que nous dînions ensemble chez ma nièce[2]. Voulez-vous ? Elle me charge de vous inviter.

Je pars dimanche par l'express de l'après-midi.

En tous cas, venez demain rue Murillo, vers cinq heures, comme vous me l'avez promis.

Votre

À IVAN TOURGUENEFF

[Paris,] mardi [4 mars 1873 ?].

Mon cher Ami,

Connaissez-vous Mme *Ernesta Grisi*, l'ancienne maîtresse de Théo[1] et la mère de ses enfants ? Probablement que non ? N'importe ! voici le service que je vous demande pour elle.

Elle est venue me trouver dimanche pour m'annoncer qu'elle donne un concert le 19 de ce mois — afin d'avoir un peu d'argent ; car elle crève de misère ; et elle m'a prié de demander à Mme Viardot d'y chanter.

J'ai répondu que je ne connaissais pas assez Mme Viardot pour l'importuner d'une pareille requête. Je n'aime pas à me rendre désagréable, vainement.

Cependant, si j'étais sûr que Mme Viardot ne repoussât pas ma prière, je la lui adresserais. Tâchez donc de savoir, adroitement, si elle consentirait à cette bonne action ? et informez-moi de sa volonté.

Je comptais vous voir dimanche, soit chez moi, soit dans la maison *unmentionnable*[2]. Vous y verrai-je demain soir ?

En tout cas, à bientôt ; n'est-ce pas ?

Votre vieux

IVAN TOURGUENEFF À GUSTAVE FLAUBERT

[*Paris*,] 48, rue de Douai.
Mercredi matin [5 mars 1873 ?].

Mon cher Ami,

J'ai parlé à Mme V[iardot] du désir exprimé par Mme E. Grisi. Malheureusement, c'est impossible. — Mme V[iardot] a dû se faire une loi de ne pas chanter pour des particuliers ; elle reçoit tant de demandes que si elle consent une fois, il n'y a plus de raison pour refuser aux autres. — Elle regrette beaucoup de ne pouvoir rien faire précisément cette fois-ci. — Quand elle était plus jeune, cela pouvait aller, mais maintenant elle doit forcément se ménager beaucoup. — Voilà, mon bon ami, l'exacte vérité.

Je vous verrai certainement dimanche, peut-être plus tôt. J'irai probablement ce soir chez la princesse Mathilde.

Mille amitiés de votre

IV. TOURGUENEFF.

À GEORGE SAND

[Paris,] mercredi 12 [mars 1873].

Chère Maître,

Si je ne suis pas chez vous, la faute en est au grand Tourgueneff. Je me disposais à partir pour Nohant quand il m'a dit : « Attendez, j'irai avec vous au commencement d'avril. » Il y a de cela 15 jours. Je le verrai demain chez Mme Viardot et je le prierai d'avancer l'époque car ça commence à m'impatienter. J'éprouve *le besoin* de vous voir, de vous embrasser et de causer avec vous. Voilà le vrai.

Je commence à me re-sentir d'aplomb. Qu'ai-je eu depuis quatre mois, quel trouble se passait dans les profondeurs de mon individu ? Je l'ignore. Ce qu'il y a de sûr, c'est que j'ai été très malade, vaguement. — Mais à présent je vais mieux, je commence même à ne plus songer continuellement à Michel Lévy. Cette haine tournait à la manie, et me gênait. Je n'en suis pas débarrassé tout à fait, mais la pensée de ce misérable ne me donne plus des *battements de cœur*, de colère et d'indignation. C'est cela de gagné. En revanche je suis bien décidé à ne plus imprimer quoi que ce soit, afin de n'avoir rien à démêler avec les marchands de livres. Depuis le 1er janvier dernier *Madame Bovary* et *Salammbô* m'appartiennent, et je pourrais les vendre. Je n'en fais rien, aimant mieux me passer d'argent que de m'exaspérer les nerfs. Tel est votre vieux troubadour.

Je lis toutes espèces de livres, et je prends des notes pour mon grand bouquin qui va me demander cinq ou six ans[1]. Et j'en médite deux ou trois autres[2]. Voilà des rêves pour longtemps, c'est le principal. L'art continue à être « dans le marasme » comme dit M. Prud'homme, et il n'y a plus de place dans ce monde pour les gens de goût. Il faut comme le rhinocéros se retirer dans la solitude, en attendant sa crevaison[3].

Amitiés à tous les vôtres, et à vous, chère bon Maître, mille tendresses de

Votre

GEORGE SAND À GUSTAVE FLAUBERT

Nohant, 15 mars [18]73.

Enfin, mon vieux troubadour, on peut t'espérer prochainement. J'étais inquiète de toi. J'en suis toujours inquiète, à vrai dire, je ne suis pas contente de tes colères et de tes *partis pris.* Ça dure trop longtemps et c'est en effet comme un état maladif, tu le reconnais toi-même. Oublie donc, ne sais-tu pas oublier ? Tu vis trop en toi-même et tu arrives à tout rapporter à toi-même. Si tu étais un égoïste et un vaniteux, je me dirais que c'est un état normal, mais chez toi, si bon et si généreux, c'est une anomalie, un mal qu'il faut combattre. Sois sûr que la vie est mal arrangée, pénible, irritante pour tout le monde. Mais ne méconnais pas les immenses compensations qu'il est ingrat d'oublier. Que tu te mettes en colère contre celui-ci ou celui-là, peu importe si cela te soulage ; mais que tu restes furieux, indigné, des semaines, des mois, presque des années, c'est injuste et cruel pour ceux qui t'aiment et qui voudraient t'épargner tout souci et toute déception. Tu vois, je te gronde, mais, en t'embrassant je ne songerai qu'à la joie et à l'espérance de te voir refleurir. Nous t'attendons avec impatience et nous comptons bien sur Tourgueneff, que nous adorons aussi.

J'ai beaucoup souffert tous ces temps-ci d'une série de fluxions très douloureuses ; ça ne m'a pas empêchée de m'amuser à écrire des contes et à jouer avec mes fanfans. Elles sont si gentilles et mes grands enfants sont si bons pour moi que je mourrai, je crois, en leur souriant. Qu'importe qu'on ait cent mille ennemis si on est aimé de deux ou trois bons êtres ? Ne m'aimes-tu pas aussi, et ne me reprocherais-tu pas de compter cela pour rien ? Quand j'ai perdu Rollinat, ne m'as-tu pas écrit d'aimer davantage ceux qui me restaient ? Viens, que je *t'abîme* de reproches car tu ne fais pas ce que tu me disais de faire.

On t'attend, on prépare une mi-carême fantastique ; tâche d'en être. Le rire est un grand médecin. Nous te costumerons. On dit que tu as eu un si beau succès, en pâtissier, chez Pauline ! Si tu vas mieux, sois sûr que c'est parce que tu t'es secoué et distrait. Paris t'est bon ; tu es trop seul là-bas dans ta jolie maison.

Viens travailler chez nous. La belle affaire que de faire venir une caisse de livres !

Annonce ton arrivée pour qu'on te fasse trouver une voiture à la gare de Châteauroux.

À LÉONIE BRAINNE

[Paris,] mercredi, 1 heure [19 mars 1873].

Ma chère Belle,

Une Femme qui porte le costume des Romaines doit en avoir la vertu (je parle latin ; *vertu* signifiant en bon français courage). Donc il faut que vous ayez demain un domino et que vers minuit nous nous *esbignions* clandestinement pour aller ensemble chez Arsène Houssaye[1].

Je vous conterai comment je ne puis (sous peine de pignouflisme) me dispenser d'aller chez ce Mécène ! Envoyez promener les observations de la Famille !

Tel est le conseil de votre vieux

POLYCARPE.

Je vous attends demain vers 10 heures. Et pour vous je rate la mère Viardot. Voilà un sacrifice !

Hier à la première de Catulle[2], abordage et excuses du drôle nommé Duquesnel[3].

J'imagine que Mme Laurent[4] lui a flanqué un galop gigantesque.

À propos de femmes mûres (ou blettes), avez-vous remarqué avant-hier le « vive l'Empereur » de Mme Lepic[5] ! ô abîme, ô vertige ! Je comprends qu'on puisse être fasciné par le Crime, mais par l'imbécillité, c'est ce qui me passe.

Dernières nouvelles :

L'ange nommée Doche[6], appuyée du coude droit sur mon genou gauche, m'a (hier soir à 10 heures 35) considérablement gêné par ses émanations buccales.

P.-S. — Il n'en est pas ainsi des vôtres !...

À GEORGE SAND

[Paris,] jeudi 20 [mars 1873].

Chère maître,

Le gigantesque Tourgueneff sort de chez moi. Et nous venons de faire un serment solennel. Le *12* avril, veille de Pâques, vous nous aurez à dîner chez vous.

Ce n'a pas été une petite affaire que d'en arriver là. — Tant il est difficile de réussir à quoi que ce soit.

Quant à moi, rien ne m'eût empêché de partir dès demain. Mais notre ami me paraît jouir de peu de liberté. Et moi-même j'ai des empêchements dans la Ire semaine d'avril.

Je vais ce soir à deux bals costumés ! ! ! Dites après cela que je ne suis pas jeune.

Mille tendresses de votre vieux

Troubadour
qui vous embrasse.

Lire, comme exemple de fétidité moderne dans le dernier numéro de *La Vie parisienne* l'article sur *Marion Delorme*[1]. C'est à encadrer. Si toutefois quelque chose de fétide peut être encadré ! Mais à présent on n'y regarde pas de si près.

GEORGE SAND À GUSTAVE FLAUBERT

[Nohant,] 23 mars [18]73.

Non, ce géant[2] ne fait pas ce qu'il veut, je m'en suis aperçue. Mais il est de ceux qui trouvent leur bonheur à être gouvernés, et je le comprends du reste. Pourvu qu'on soit en bonnes mains, et il y est.

Enfin nous l'espérons toujours, mais je ne compte absolument que sur toi. Tu ne peux pas me faire un plus grand plaisir que de me dire que tu sors, que tu te secoues et te distrais. C'est absolument nécessaire dans ces temps de gâchis. Le jour où un peu d'ivresse ne sera plus nécessaire pour se conserver, c'est que le monde ira très bien. Nous n'y sommes pas.

Cette chose *fécale*[3] ne vaut pas la peine d'être lue. Je n'ai pas été jusqu'au bout, on se détourne de ces choses, on ne se gâte pas l'odorat à les respirer. Mais je ne crois pas que celui à qui on offre cela dans un encensoir, en soit satisfait.

Viens donc avec les hirondelles et apporte *Saint Antoine.* C'est Maurice qui va s'intéresser à ça ! Il est plus savant que moi, qui n'apprécierai, grâce à mon ignorance de beaucoup de choses, que le côté poétique et grand. Je suis sûre, je sais déjà qu'il y est.

Continue à te remuer, il le faut et surtout continue à nous aimer comme nous t'aimons.

GEORGE SAND,
ton vieux troubadour.

À MONSIEUR KLEIN

Paris, 31 mars 1873.

Gustave Flaubert présente ses respects à M. Klein, et enverra chercher mercredi prochain quelques-uns des livres indiqués sur la liste suivante[1].

Jacques Besson, *L'Art de trouver des eaux sous terre*, Orléans, 1569, in-4°.

Paramelle, *L'Art de découvrir les sources,* Paris, in-8.

A. Comte, *Traité de sociologie*, 4 vol. in-8°.

Bonald, *Essai analytique sur les lois de l'ordre social,* in-8°.

Ahrens, *Cours de droit naturel ou de philosophie du droit,* Bruxelles, 1860, in-8°.

Vattel, *Le Droit des gens,* Paris, 1863, 3 vol. in-8°.

Kluber, *Droit des gens modernes de l'Europe*, 2 vol. in-8°.

Locke, *De l'éducation des enfants*, Amsterdam, 1791, in-12.

Fritz, *Esquisse d'un système complet d'éducation et d'instruction,* Paris, 1840, 3 vol. in-8°.

Balme-Frézol, *Réflexions et conseils pratiques sur l'éducation,* 1859, 2 vol. in-8°.

Golius, *Qu'est-ce que la science sociale ?*, 4 vol. in-8°.

Figuier, *Histoire du merveilleux dans les temps modernes,* 4 vol. in-12.

Jobard (de Bruxelles), *Nouvelle économie sociale.*

À SA NIÈCE CAROLINE

[Paris, 6 avril 1873.]

Mon Loulou,

Veux-tu me donner à dîner *mardi* ? Un petit repas où nous ne serons que nous trois. — Tranquillement, afin de causer de nos affaires. Depuis longtemps on est trop dérangé.

Demain, anniversaire de la mort de notre pauvre vieille[2], je reste chez moi où je me livrerai à mes souvenirs.

Il me semble que notre soirée d'hier a dû te faire du bien ? puisqu'elle m'en a fait.

Adieu, ma pauvre fille.

Ton Vieux
Gve.

Dimanche, 1 h.

GEORGE SAND À GUSTAVE FLAUBERT

Nohant, 7 avril [1873].

J'écris à mon ami le *général Ferri-Pisani*, que tu connais et qui *fonctionne* à Châteauroux[1], de retenir une voiture qui vous attendra *le 12* à la gare, à 3 h 20. Vous devez partir de Paris à 9 h 10 m par *l'express.* Autrement le voyage est plus long et ennuyeux. J'espère que le général viendra avec vous. S'il y avait décision contraire à ta promesse, envoie-lui un télégramme à Châteauroux, pour qu'il ne vous attende pas. Il vient ordinairement à cheval.

Nous comptons sur vous *impatiemment.*

Ton vieux troubadour

G. SAND.

À GEORGE SAND

[Paris,] mercredi [9 avril 1873].

Moi, j'arrive à Nohant samedi, chère maître. Mais notre grand Moscove[2] n'y sera que lundi, parce que : le frère de Mme Viardot vient passer trois jours à Paris..... Cette raison me *passe* ! Enfin !.....

Donc, c'est convenu, à moins que le ciel ne s'écroule, dans 72 heures,

votre vieux troubadour
Gve FLAUBERT
vous embrassera.

Je compte sur Ferri-Pisani pour me voiturer jusqu'à vous.

À IVAN TOURGUENEFF

[Nohant]
Lundi soir, 4 h[eures, 14 avril 1873].

Mon cher ami,

Nous vous attendons. On désespère de vous voir. Moi, je soutiens que vous viendrez. Problème !

Vous trouverez à la gare de Châteauroux, en descendant de wagon, des loueurs de voiture. Prenez-en une. Il y a bien la diligence, mais votre taille ne vous permet pas l'usage de cette boîte.

Mon intention est toujours de partir d'ici samedi[1].

Arrivez. Ou sinon, vous êtes un homme sans foi ni parole.

Votre vieux

GVE FLAUBERT vous embrasse.

À ÉMILE ZOLA

[Paris, 22 ou 29 avril 1873.]

Mon cher ami,

Je lis demain *Le Sexe faible*[2] chez Charpentier à 3 heures et demie.

Et je compte sur vous (deux).

Mardi 6 h du soir.

À GEORGE SAND

[Paris,] jeudi matin [24 avril 1873].

Chère maître,

Il n'y a que 5 jours depuis notre séparation et je m'ennuie de vous comme une bête. Je m'ennuie d'Aurore, et de toute la maisonnée jusqu'à Fadet. Oui ! *c'est comme ça.* On est si bien chez vous ! Vous êtes tous si bons et si spirituels !

Pourquoi ne peut-on vivre ensemble, pourquoi la vie est-elle toujours mal arrangée ?… Maurice[3] me semble être le type du bonheur humain. Que lui manque-t-il ! Certainement il n'a pas de plus grand envieux que moi.

Vos deux amis Tourgueneff et Cruchard ont philosophé sur tout cela, de Nohant à Châteauroux, très agréablement portés dans votre voiture, au grand trot de deux bons chevaux. Vivent les postillons de La Châtre ! Mais le reste du voyage a été fort déplaisant, à cause de la compagnie que nous avions dans notre wagon. Je m'en suis consolé par les liqueurs fortes. Car le bon Moscove avait une gourde remplie d'excellente eau-de-vie. — Nous avions l'un et l'autre le cœur un peu triste, et nous ne parlions pas. — Nous ne dormions pas.

Nous avons retrouvé ici la bêtise barodetienne en pleine fleur[1]. Aux pieds de cette production s'est développé, depuis trois jours, Stoffel[2] ! autre narcotique âcre ! Oh ! mon Dieu ! mon Dieu ! quel ennui que de vivre dans un pareil temps ! Vous n'imaginez pas le torrent de démences au milieu duquel on se trouve ! Que vous faites bien de vivre loin de Paris !

Je me suis remis à mes lectures, et dans une huitaine je commencerai mes excursions aux environs pour découvrir une campagne pouvant servir de cadre à mes deux bonshommes[3]. — Après quoi, vers le 12 ou le 15, je rentrerai dans ma maison du bord de l'eau. — J'ai bien envie d'aller enfin, cet été, à Saint-Gervais pour me blanchir le museau et me retaper les nerfs[4]. Depuis dix ans je trouve toujours un prétexte pour m'en dispenser. Il serait temps, cependant, de se désenlaidir, non pas que j'aie des prétentions à plaire et à séduire par mes grâces physiques, mais je me déplais trop à moi-même quand je me regarde dans ma glace. À mesure qu'on vieillit, il faut se soigner davantage.

Je verrai ce soir Mme Viardot. J'irai de bonne heure et nous causerons de vous.

Quand nous reverrons-nous, maintenant ? Comme Nohant est loin de Croisset !

Vous prendrez Aurore sur vos deux genoux et vous la bécoterez bien fort de ma part et à mon intention. Vous en ferez de même à Mlle Titi. Pour Maurice, ça ne vous serait peut-être pas très commode, si l'exercice se prolongeait longtemps. Quant à Mme Maurice vous lui direz que je l'aime bien, carrément. Une petite tape sur le front de Fadet, et à vous, chère bon maître, toutes mes tendresses.

G. FLAUBERT.

autrement dit le R.P. Cruchard des Barnabites, directeur des Dames de la Désillusion[5].

À EDMA ROGER DES GENETTES

[Paris,] jeudi [24 avril 1873].

Certainement, chère Madame, je tiendrai ma promesse ! mon intention eſt d'aller vous voir au commencement de l'*autre* semaine vers le 5 ou le 6 mai. D'ici là, je vous préviendrai du jour et de l'heure.

Mais comment se transporter de Nogent à Villenauxe[1] ?

Faut-il vous apporter *Saint Antoine* ? pouvez-vous supporter une aussi lourde lecture qui demande environ *six* heures ? (Ne vaudrait-il pas mieux remettre la chose au mois d'octobre ?)

Quoi qu'il en soit, vous me verrez bientôt parce que j'ai grande envie de vous voir et de vous baiser les mains, en vous priant de croire que je suis comme toujours

Tout à vous.

Présentez mes meilleures amitiés à M. Roger.

Les parents que j'ai à Nogent ne doivent pas être avertis de ma future arrivée dans leur région. Je vous dirai pourquoi. Donc silence et myſtère ! S. V. P[2].

À GEORGE SAND

[Paris, 27 avril 1873.]
Dimanche 10 h du matin.

Chère maître,

Quelle bonne surprise !

Il faut que vous veniez demain dîner chez Cruchard avec Renan et Baudry[3] (déjà conviés).

Quant au reſte de la semaine, je suis libre mardi, jeudi et samedi.

À quelle heure vous trouver, autrement qu'à 6 h du soir chez Magny ?

Voulez-vous dîner, ce soir, chez moi, en tête à tête ? *Mais je compte sur vous pour demain.* Vous n'avez pas encore posé vos coudes sur ma table à manger, notez-le bien, et cela n'eſt pas juſte[4].

Je suppose que vous irez jeudi chez Mme Viardot. Si ce jour-là vous convient mieux, prenez-le ! Nous partirions d'ici après dîner pour la rue de Douai.

Enfin, il me faut un jour. — Mais avant tout ne vous fatiguez pas. Fermez votre porte aux fâcheux.

À bientôt donc.

Votre vieux

G.

GEORGE SAND À GUSTAVE FLAUBERT

[Paris, 27 avril 1873.]
Dimanche.

Demain, mon révérend, j'irai dîner chez toi. Je serai chez moi tous les jours à 5 heures, mais tu peux rencontrer des museaux qui te déplaisent. Mieux vaudrait venir chez Magny où tu me trouverais seule ou avec Plauchut, ou avec des amis qui sont les tiens.

Je t'embrasse. J'ai reçu aujourd'hui la lettre que tu m'écrivais à Nohant.

G. SAND.

À SA NIÈCE CAROLINE

[Paris,] lundi, 2 heures [28 avril 1873].

Mon Caro,

Demain, comme il eſt convenu si je n'ai pas de nouvelles de toi, j'irai te prendre à 3 h 1/2 pour que nous achetions ensemble : 1° des rideaux, 2° des plâtres.

Je ne sais pas si, malgré mon ardeur musicale, je reſterai à dîner chez vous. Car je ferais mieux d'expédier les livres qui me reſtent à lire. Le temps de mon départ approche et j'ai encore bien à faire. Émile[1] part vendredi soir, et lundi prochain je commence mes courses aux environs de Paris. Ce qui me demandera une bonne semaine. Mais ce n'eſt pas pour te dire tout cela que je t'écris. Voici le but de mon épître :

1° Dis à ton mari que je voudrais avoir maintenant *mille francs* et dans quelque temps mille autres.

[2°] Ordonne à ton serviteur Anselme de me préparer une vingtaine de bouteilles de vin.

[3°] Je ne peux plus retrouver la mesure des rideaux de Croisset. Je ne te l'aurais pas donnée par hasard !

J'ai vu hier le Moscove[1]. Il m'a dit que *bien sûr*, Sarasate[2] viendrait jeudi chez Mme Viardot.

Le philosophe Baudry et son gendre sont *enchantés* de leur soirée de mardi dernier[3] !

À bientôt, chérie. Deux bons bécots sur tes bonnes joues.

Ton vieux CRUCHARD.

À EDMA ROGER DES GENETTES

[Paris, 28 ? avril 1873.]

Oui, j'irai à Villenauxe et je vous porterai *Saint Antoine*. C'est ma récompense de vous regarder *m'écouter* ; car vous écoutez comme personne.

Tant d'événements cruels se sont passés depuis notre dernière entrevue ; on a tant souffert dans son orgueil et dans son cœur qu'on a besoin de se retrouver debout en face l'un de l'autre.

Merci à votre mari de sa bonne invitation : ce sera sans doute vers le 5 ou le 6 mai que je vous arriverai.

À EDMA ROGER DES GENETTES

[Paris,] jeudi 1er mai [1873].

Chère Madame,

Je compte partir de Paris pour aller vous voir lundi prochain par le train de 1 h 35 mn qui arrive à Nogent à 4 h 20.

D'ici là, je vous serre bien affectueusement les mains ainsi qu'à M. Roger et je suis, chère Madame,

Tout à vous.

Pas n'est besoin de vous dire que je me fais une grande fête de vous revoir, après une si longue absence.

J'arriverai avec tous mes papiers !

À EDMOND DE GONCOURT

[Paris, 2 mai 1873.]

Mon cher ami,

Venez demain me prendre à 5 heures au lieu de 6. Parce que : Tourgueneff m'a paru avoir envie d'inviter Mme Sand, qui est à Paris pour quelques jours encore. De chez moi nous irons chez Tourgueneff, et de chez lui, rue Gay-Lussac.

À demain donc, cher vieux.

Votre

Vendredi 11 heures.

À EDMA ROGER DES GENETTES

[Paris,] samedi matin [10 mai 1873].

Chère Madame,

Votre si *aimable* lettre m'a fait rougir. C'était à moi de vous écrire le premier pour vous remercier des heures que j'ai passées près de vous, et je vous suis bien reconnaissant pour les conseils littéraires que vous m'envoyez.

Voici ce que je pense : 1° la Croix est une chose laide, esthétiquement parlant. Surtout lorsqu'elle n'a pas de support, lorsqu'elle est suspendue en l'air ; 2° et puis je l'ai employée pour jeter une ombre sur l'Olympe. — Que diriez-vous de la *face du Christ* apparaissant dans le disque du soleil[1] ?

Il me semble que cela est moins commun ? et plus clair. Car il me faut une chose très claire et courte[2].

Mais il me va falloir oublier tout cela, et même négliger *Bouvard et Pécuchet* ! pour *Le Sexe faible.* Carvalho en est féru et prétend qu'il tient pour l'hiver prochain *un grand succès* !

J'ai dîné hier chez lui, et j'y re-dîne vendredi prochain. Il m'aime !...

Demain je m'en vais à Senlis, et mardi à Rambouillet[3]. Samedi je serai à Croisset. Les rendez-vous se multiplient et je commence à avoir l'ahurissement du départ.

Mon voyage de Nogent à Paris a été assez triste, la pluie, des compagnons désagréables, et la mélancolie qui vient après les bons moments.

Je n'ai pas encore eu le temps d'aller chez Mme de Valazé[1]. C'est une faute que je vais réparer tout à l'heure.

Mille bonnes amitiés, je vous prie, à M. Roger, et plus que jamais, chère Madame, croyez-moi

Tout à vous.

À EDMOND DE GONCOURT

Croisset, samedi [17 ? mai 1873].

Mon cher Edmond,

Vous êtes en droit de me regarder comme un sacré cochon. Car je ne vous ai encore rien dit de votre dernière œuvre — qui en est une.

C'est que je suis considérablement occupé par *Le Sexe faible*, ayant hâte d'en avoir fini avec cette besogne pour en prendre une autre, selon moi plus sérieuse.

Je travaille comme 30 mille nègres ! Qu'en arrivera-t-il ? Si le succès couronnait la bizarrerie de Carvalho, ce serait drôle !

Mais causons de votre pièce[2]. Je la trouve, moi, telle qu'elle est, complète et sans rien à y retoucher. Le style, comme reproduction de l'époque (autant que je la connais), m'a ravi. Il y a des pages, dans le 1er acte surtout, qui seront un jour détachées et données comme tableaux d'histoire, tous vos personnages sont des types, des figures résumantes. Vous faites aimer ce vieux monde qui avait du bon.

Nous en causerons plus longuement quand je vous aurai relu, et que nous serons ensemble.

Reste à savoir si tout cela eût, sur les planches, produit son effet ? Il vous aurait fallu, peut-être, dénaturer l'ensemble à force de changements partiels, faire des suppressions, ajouter des éclaircissements. Ainsi Perrin, qu'on croit mort à la fin du IIIe acte, reparaît sans qu'on s'explique comment il a réchappé de son suicide ? Je me trompe peut-être ?

N'importe, je suis sûr que dans bien des endroits le public eût été empoigné. Si vous étiez plus vaillant, ce serait une tentative à faire ?

Et le Gavarni[3] ? quand l'aura-t-on ?

Je vous embrasse à deux grands bras, mon cher vieux,

Votre.

À SA NIÈCE CAROLINE

[Croisset,] dimanche, 4 h[eures, 18 mai 1873].

Mon pauvre Caro,

Je vous plains pour votre promenade. S'il fait à Fontainebleau le temps de Rouen, elle eſt manquée et ces messieurs *marronneront*!...

Mon retour ici n'a pas été très gai. J'ai commencé par faire une visite à la chambre de notre pauvre vieille ! et mon après-midi a été lugubre. Pour dire le vrai, je me suis ennuyé à crever. Puis j'étais brisé de fatigue. — Mes nombreux colis sont déballés et dès ce soir je me mets au *Sexe faible*.

Laporte, qui eſt venu déjeuner avec moi, ne m'a pas ramené Julio, parce que ce « pauvre petit » eſt malade, et qu'il ne veut me [le] rendre qu'en bon état.

Demain, je vais à Rouen pour y faire des emplettes. Et j'y dînerai probablement chez les Lapierre. À propos de dîner, celui de vendredi chez Carvalho[1] a été fort aimable, et excellent sous le rapport culinaire. — Carvalho m'a eu l'air de plus en plus convaincu du succès, et j'ai maintenant sa promesse *écrite* d'être joué l'hiver prochain, de septembre en avril.

Ci-inclus l'avertissement de contributions. Je n'ai rien de plus à te dire, ma chère Caro, si ce n'eſt que la maison me semble bien grande, et vide ! et qu'il me tarde de revoir ma pauvre fille

que sa Nounou bécote de loin.

As-tu senti la beauté de mon Moscove, me suivant dans mes courses et m'attendant aux portes ? Il en a eu pour trois heures de voiture. — C'était afin d'être plus longtemps avec moi ! Voilà des procédés qui attendrissent.

À SA NIÈCE CAROLINE

[Croisset,] nuit de mardi [20 mai 1873].

Quelle ne fut pas ma surprise, hier matin, en recevant ta lettre de samedi, datée de Fontainebleau ! Cette attention-là m'a fait bien du plaisir, ma chère Caro. — Et je t'en remercie.

Oui, je connais les livres et même la personne du bonhomme Dennecourt, dit « le Sylvain ». Si tu t'es promenée à pied dans la forêt, tu as pu te convaincre qu'il s'y est livré à des travaux gigantesques[1].

Moi, je me suis promené hier dans Rouen, dans l'unique but d'y faire des achats. Que n'ai-je point acheté ! des rideaux de vitrage, des serviettes, des draps, un tapis, une toile cirée, un garde-manger, etc. Car la pauvre maison de Croisset manque de bien des choses. Je tâche de la recaler. — Et même je ne voudrais pas que tu *vinsses* avant que tout n'y soit établi, dans mes idées. Ce sera, je crois, vers la fin de la semaine prochaine, c'est-à-dire le commencement de juin.

Serait-ce exaspérer, par trop, mon beau neveu que de lui demander timidement quand se fera le voyage de Liverpool ? et l'époque où vous viendrez chez la Nounou ?

N. B. Demande-lui aussi ce que je dois faire relativement à la Cale du sieur Lasne. — Deux ou trois des plus grosses pierres sont disjointes et menacent de tomber sur la berge[2]. — Il vaudrait mieux les rétablir maintenant, que d'attendre à plus tard pour les relever ? Car les frais alors seraient plus considérables. Faut-il faire venir les maçons ? Et lesquels ?

J'ai eu ce matin, bien du mal pour le placement des métopes du Parthénon ! Mais ça se fera.

Je me suis mis au *Sexe faible* (*Bouvard et Pécuchet* restent sous la remise), et la 1re scène du Ier acte est à peu près écrite. Je vise comme style à l'idéal de la conversation naturelle, ce qui n'est pas très commode, quand on veut donner au langage de la fermeté et du rythme. — Il y avait longtemps (un an bientôt) que je n'avais écrit, et faire des phrases me semble doux.

Quand tu viendras ici, n'oublie pas de m'apporter : 1° le grand cordon de sonnette qui a dû être remis lundi dernier chez toi ; 2° mes portraits de japonaises.

Si tu passais devant Goupil, tu ne ferais pas mal d'y entrer pour voir ce que deviennent mes photographies. — Et comment on les a encadrées. Je devais les recevoir ici au bout de dix jours, et la dizaine est passée.

Donne-moi des détails sur le voyage de Fontainebleau et sur tout. Car de toi, chère fille, tout m'intéresse.

Ton vieil oncle qui t'aime.

Lapierre m'a chargé de dire « à M. Commanville, que Giroud, certainement, lui donnerait la préférence ». (Je crois que) ledit Giroud attend sa visite[3] ?

À PHILIPPE LEPARFAIT

[Croisset,] jeudi [22 mai 1873].

Au lieu, dimanche, de venir ici déjeuner, tu ferais mieux d'y venir dîner. J'aurai Georges Pouchet[1].

Je travaille *Le Sexe faible* comme 36 mille nègres. Ma journée d'hier a été de 14 heures.

J'espère avoir fini le Ier acte dans une quinzaine.

À toi.

Réponds-moi à quelle heure ta binette soleillante apparaîtra sur nos bords (à cause de mon larbin).

À EDMOND LAPORTE

[Croisset,] samedi 24 [mai 1873].

Vous êtes un ange avec vos deux Monstres[2] ! Tudieu, cher ami, quelles façons de Prince vous avez ! C'est là un cadeau splendide.

Les objets décorent déjà mon escalier, et ce qui augmente leur prix c'est qu'ils me viennent de vous, un peu en souvenir de notre pauvre Duplan[3].

Ce souvenir-là est un lien commun qui ne se dénouera pas, au contraire.

Mille remerciements encore une fois.

Et tout à vous.

Vous pouvez venir quand il vous plaira. Vous ne me dérangerez jamais. Seulement je réclame un petit mot la veille afin que vous ayez de quoi manger.

À SA NIÈCE CAROLINE

[Croisset,] samedi soir [24 mai 1873].

Ah ! bien oui, payer les impositions ! Il me reste encore près de 500 fr, mais j'ai peur que je n'aie pas de trop pour solder mes factures de Rouen. — Et de me trouver comme la cigale,

... fort dépourvue
Quand note sera venue.

Quoi qu'il en soit, qu'Ernest m'envoie ou ne m'envoie pas d'argent, les 200 fr d'impositions seront payés avant la fin de la semaine.

Les mille fr de la *Bovary* (fournis par Lemerre) auront passé aux embellissements de Croisset, mais pas au-delà. — Au moins, il me restera quelque chose de mes œuvres. — Et ce quelque chose sera employé à la maison de notre pauvre vieille !...

Vraiment, ce n'était pas du luxe ! plus de rideaux de vitrage, plus de draps, plus de serviettes, etc. ; un délabrement qui serrait le cœur !

Du reste, la Fortune semble me sourire ? car aujourd'hui même je viens de recevoir un cadeau *splendide* : ce sont deux monstres chinois en porcelaine, donnés par Laporte ! en souvenir, m'écrit-il, de notre pauvre Duplan, parce que je les ai, l'année dernière, remarqués chez lui à Couronne, et qu'ils feront très bien aux deux coins de mon escalier. — En effet, quand j'aurai pour eux d'autres piédestaux que les petites armoires... Mais en voilà assez pour cette année ! La grande salle à manger reste la même avec son vieux tapis de toile écrue. Une toile cirée partout eût été trop cher.

Je ne comprends pas Goupil ! A-t-il oublié mes cadres ? et le cordon de la cloche ? Les photographies sont payées. — Et le cordon aussi (mais j'ai oublié le nom du mercier ! et ma facture est restée à Paris. Ne t'inquiète pas de ça, du reste).

Ton vieux Cruchard, ta vieille Nounou, est perdu dans l'Art dramatique. Hier, j'ai travaillé *18 heures* (depuis 6 h 1/2 du matin jusqu'à minuit ! *c'est comme ça*) et je n'ai fait aucun somme dans la journée ! Jeudi, j'avais travaillé 14 heures. Monsieur a le bourrichon très monté ! Je crois, du reste, qu'une pièce de théâtre (une fois que le plan est bien arrêté) doit s'écrire avec une sorte de fièvre. Ça presse davantage le mouvement ; on corrige ensuite.

Si je continue de ce train-là, j'aurai fini vers le milieu de juillet ?

Personne ne vient me voir. — Aucune visite. Je vis comme un petit père tranquille.

Et je suis fier, Madame, que ma description de la forêt de Fontainebleau[1] vous ait semblé bien troussée. — J'avoue que je ne la trouve pas mal.

Si vous alliez en Angleterre, tu ferais bien de m'envoyer quelques jours d'avance Marguerite. Elle se rendrait chez « l'oncle de Madame » avec vos bagages, dans lesquels je brûle de voir les IV tableaux[2]. Ne ferais-tu pas bien de les faire, à Paris, coller sur des panneaux ? Ce serait plus solide et meilleur contre l'humidité ?

Que penses-tu du Buste[3] ? Tu ne l'as pas vu peut-être ? Il est sans doute maintenant à la cuisson ?

Adieu, pauvre fille que j'aime.

Deux bons baisers sur chacune de tes joues.

VIEUX.

P.-S. Ce n'est pas M. Lasne qui demande que l'on répare la cale. Mais j'ai remarqué, moi-même, la dégradation de la susdite. Et je crois qu'il faudrait y porter remède très promptement.

À LÉONIE LEPARFAIT

[Croisset,] mercredi soir [28 mai 1873 ?].

Ma chère Léonie,

Dites donc à Philippe de venir *dîner dimanche prochain* à Croisset (il aura pour compagnons Desbois et Guy de Maupassant).

J'aurai besoin de le voir pour le tombeau de notre pauvre ami[4] !

Je ne lui écris pas, parce que j'ignore l'adresse de son patron.

Je vous embrasse sur les deux joues et à deux bras.

Votre vieux.

N. B. — Qu'il me réponde !

S'il veut venir vers 5 heures et apporter son caleçon, nous piquerons une coupe ensemble dans la Seine.

À IVAN TOURGUENEFF

Croisset, jeudi [29 mai 1873].

J'ai reçu avant-hier votre nouveau volume[1], mon cher ami. — Je ne vous en parle pas, parce que je ne l'ai point encore lu. Quand je me serai un peu débrouillé dans mon premier acte[2], je m'y mettrai. Donnez-moi votre adresse à Carlsbad, afin que je puisse vous écrire.

Je travaille comme un furieux au *Sexe faible*, — piètre besogne en somme ! Je crois, pourtant, que j'arriverai à en faire quelque chose ?

Il fait ici un temps de chien et je n'ai pas encore été au fond de mon jardin. Je m'occupe aussi de retaper ma pauvre maison, afin qu'elle soit digne de vous recevoir quand vous y viendrez à votre retour, pour 1° entendre la lecture du *Sexe faible* et de la *Féerie*[3], et 2° voir un peu mes alentours.

Je vous embrasse

Votre vieux

Déposez-moi aux pieds de Mme Viardot.

À GEORGE SAND

[Croisset,] samedi [31 mai 1873].

Chère maître,

Cruchard aurait dû vous remercier plus vite pour l'envoi de votre dernier volume. Mais le Révérend travaille comme 18 mille nègres. Voilà son excuse.

Ce qui ne l'empêche pas d'avoir lu *Impressions et souvenirs*[4]. J'en connaissais une partie, pour l'avoir lue dans *Le Temps* (un calembour !).

Voici pour moi ce qui était nouveau et qui m'a frappé. 1° le premier fragment. 2° le second où il y a une page charmante et juste, sur l'impératrice. Comme c'est vrai ce que vous dites sur le Prolétaire[5] ! Espérons que son règne passera, comme celui des Bourgeois ! et pour les mêmes causes, en punition de la même bêtise et d'un égoïsme pareil.

La *Réponse à un ami* m'est connue puisqu'elle m'était adressée[1].

Le Dialogue avec Delacroix est instructif. Deux pages curieuses sur ce qu'il pensait du père Ingres.

Je ne suis pas complètement de votre avis sur la ponctuation. C'est-à-dire que j'ai là-dessus l'exagération qui vous choque. Et je ne manque, bien entendu, de bonnes raisons pour la défendre.

« J'allume le fagot », etc., tout ce long fragment m'a charmé[2].

Dans les *Idées d'un maître d'école*, j'admire votre esprit pédagogique, chère maître. — Et il y a de bien jolies phrases d'abécédaire !

Merci pour ce que vous dites de mon pauvre Bouilhet[3] !

J'adore votre *Pierre Bonnin*[4] ! J'en ai connu de son espèce, et puisque ces pages-là sont dédiées à Tourgueneff, c'est l'occasion de vous demander : avez-vous lu *L'Abandonnée*[5] ? Moi je trouve cela simplement sublime ! Ce Scythe est un immense bonhomme !

Je ne suis pas maintenant dans une littérature aussi haute ! tant s'en faut ! Je bûche et surbûche *Le Sexe faible*. En huit jours j'ai écrit le premier acte ! Il est vrai que mes journées sont longues. J'en ai fait une, la semaine dernière, de 18 heures ! et Cruchard est frais comme une jeune fille. Pas fatigué, sans mal de tête ! Bref, je crois que je serai débarrassé de ce travail-là dans trois semaines. Ensuite, à la grâce de Dieu ! Ce serait drôle si la bizarrerie de Carvalho était *couronnée de succès* !

J'ai peur que Maurice n'ait perdu sa dinde — truffée — car j'ai envie de remplacer les trois Vertus théologales par la Face du Christ qui apparaît dans le soleil. — Qu'en dites-vous[6] ? — Quand cette correction sera faite et que j'aurai renforcé le massacre à Alexandrie et clarifié le symbolisme des bêtes fantastiques, *Saint Antoine* sera *irrévocablement* fini. — Et je me mettrai à mes deux bonshommes[7], laissés de côté pour la comédie[8].

Quelle vilaine manière d'écrire que celle qui convient à la scène ! Les ellipses, les suspensions, les interrogations et les répétitions doivent être prodiguées si l'on veut qu'il y ait du mouvement ! et tout cela, en soi, est fort laid.

Je me mets peut-être le doigt dans l'œil, mais je crois faire maintenant quelque chose de très rapide et facile à jouer ? nous verrons !

Adieu, chère bon maître. — Embrassez tous les vôtres pour moi et surtout Lolo, qui vous le rendra de ma part. Ce sera plus doux.

Votre vieille bedolle

CRUCHARD,

ami de *Chalumeau* (notez ce nom-là). C'eſt [une] hiſtoire gigantesque, mais qui demande qu'on se piète pour la raconter convenablement[1].

À IVAN TOURGUENEFF

Croisset, près Rouen, samedi [31 mai 1873].

Je n'y ai pas tenu, cher ami ! J'ai ouvert votre livre[2] malgré les serments de vertu que je m'étais faits et je l'ai dévoré.

Quel immense bonhomme vous êtes ! Je ne vous parle pas du *Roi Lear de la ſteppe* que je connaissais[3], mais de *Toc-toc*[4] et surtout de *L'Abandonnée*[5]. Je ne sais pas si jamais vous vous êtes montré plus poète et plus psychologue ! C'eſt une merveille, un chef-d'œuvre. Et quel art ! Que de malices d'exécution sous cette apparente franchise !

Voici maintenant ce qui me reſte dans la tête.

Dans *Toc-toc,* la création de Téglew, l'homme fatal, à la fois poseur et naïf ! (Sa lettre ! Son album divin !) — et ce brouillard où on le cherche ! Le froid vous entre dans les os. Comme ça se voit ! Ou mieux, comme ça se sent ! Le myſtère eſt suspendu tout le temps, de façon à faire presque peur. Puis l'explication arrive tout naturellement et soulage.

Le premier de vos contes eſt celui qui m'a plu le moins[6]. Le second tableau : le paysage de pluie eſt pourtant bien puissant ; mais je crois que vous auriez pu allonger le tout ? N'eſt-ce pas un peu court ? Je dis peut-être une bêtise.

Mais je suis sûr de n'en pas dire en affirmant que *L'Abandonnée* eſt un *morceau* de premier ordre ! Le jeune homme qui colle et qui a peur de se compromettre, le Juif avec sa famille, le jeune Viſtor, — et surtout Elle, votre Abandonnée, m'ont enchanté. J'en poussais des exclamations de joie dans mon fauteuil. Comme ça fait du bien d'admirer !

La description de la manière dont Suzanne joue du piano, le portrait de son père, le vieux gentilhomme, etc., etc. Que vous dirai-je ? Vous m'épatez, voilà tout. On n'analyse pas de pareilles choses.

Voici une phrase (attendez que je cherche le livre), c'est p. 269 : « … et comme ces points lumineux qui s'agitaient dans l'obscurité, je sentais mes ténèbres à moi traversées par des clartés inconnues et subites », — que je trouve rarissime de justesse et de beauté.

Et comme c'est habile, au point de vue de l'intérêt, de n'avoir donné aucun détail sur ses rapports avec son second amant — qui a été son seul amant, bien entendu. Grâce à l'arrachement des derniers feuillets du manuscrit, elle reste pure dans le souvenir du lecteur.

Mais ce qui écrase tout, c'est l'enterrement, les enfants qu'on lève sur le cadavre ! — et la saoulerie finale. Énorme, mon cher ami, énorme !

Moi, je ne suis pas maintenant dans une littérature si haute. Je travaille *Le Sexe faible*. J'en ai encore pour un mois ou trois semaines, pas davantage. Il est vrai que mes journées sont longues, et que je bûche, comme un furieux, sans discontinuer.

Où êtes-vous maintenant ?

Donnez-moi des nouvelles de Mme Viardot.

Je vous embrasse bien fort. Votre

Gve FLAUBERT
qui vous aime.

À ERNEST FEYDEAU

[Croisset, mai 1873.]

[…] Les ecclésiastiques de la Seine-Inférieure se signalent par leurs débordements. Le vicaire d'Harfleur vient d'être condamné à vingt ans de galères pour avoir effondré plusieurs de ses jeunes paroissiens. Et celui de Canteleu qui s'appelle Chalumeau a été surpris souillant le cimetière des protestants avec deux jeunes filles. Il y a encore une troisième anecdote, mais je manque de détails. N'importe ! Tu vois que l'ordre se rétablit. Ça rassure.

Sur ce, mon bon, je t'embrasse.

À LA PRINCESSE MATHILDE

[Croisset,] mardi soir 2[3] juin [1873].

Vous m'avez prévenu, Princesse ! Un peu plus, nos deux lettres se seraient croisées, comme cela nous est souvent arrivé. Mon excuse, la voici : depuis mon retour à Croisset, j'ai formidablement travaillé. Le moins, c'est 14 heures par jour. Une fois même j'ai fait une séance de *18* heures ! J'expédie *Le Sexe faible*, dont j'espère être débarrassé avant la fin de ce mois. Qu'en adviendra-t-il ? À la grâce de Dieu ! Littérairement, j'y attache peu d'importance, ou du moins une importance très secondaire.

J'avais bien pensé que le changement de Présidence vous donnerait des inquiétudes[1]. Mais je crois que, quoi qu'il puisse advenir, elles n'ont pas de raison d'être.

Et tout s'est passé sans violences ! Voilà du nouveau en fait de révolutions ! Nous allons probablement être tranquilles pendant plusieurs mois de suite, pourvu que Messieurs les conservateurs (lesquels ont l'habitude de tout détruire) veuillent bien ne [pas] faire de bêtises. Redoutons nos amis !

À propos d'amis, la mort du brave père Lebrun[2] m'a affligé. C'était un charmant vieillard. — Et je lui suis reconnaissant, pour ma part, de m'avoir défendu en pleine Académie.

Comme je plains M. Benedetti[3] ! Son veuvage lui sera bien dur, dans les premiers temps, et puis… on s'habitue à tout et on se trouve passablement dans un état qui vous désespérait. Ce qui n'empêche pas que *rien ne se remplace*, pour ceux, du moins, qui ont de la mémoire ou du cœur.

Quel abominable été ! Je fais du feu comme en hiver, et je n'ai pas mis beaucoup les pieds dans mon jardin. Comme distraction, je me suis occupé à restaurer l'intérieur de ma cabane. Elle est plus propre, ce qui m'égaye un peu.

Je n'ai pas lu une ligne depuis trois semaines, l'Art dramatique m'occupant tout entier.

Cependant, je vous recommande la dernière publication de Tourgueneff, *Étranges histoires,* et, dans ce volume, plus particulièrement *L'Abandonnée,* qui est selon moi un chef-d'œuvre.

Au revoir, Princesse, ou plutôt chère Princesse.

Votre

vous baise les deux mains et est toujours votre tout dévoué.

À SA NIÈCE CAROLINE

[Croisset,] mercredi, 6 heures [4 juin 1873].

Eh bien, mon Caro, je ne t'en verrai que plus tôt. Bien que je sois fâché pour toi de ce petit désappointement. — Un peu de dérangement vous aurait fait du bien à l'un et l'autre.

Faut-il, lundi soir, vous garder à dîner ? J'aimerais mieux vous attendre, et dîner avec vous. Prenez avant de partir un bouillon, puis, nous ferons ensemble un vrai repas.

Aucune nouvelle de Mlle Julie[1] ! Comme Émile n'est nullement pressé de la revoir et de la re-servir, il ne lui a pas écrit, se fiant, là-dessus, à Mme Commanville.

Ne pourrais-tu pas faire savoir au père Giroud que je ne le trouve pas gentil, pour moi ? Est-ce qu'il lui est impossible d'ici à lundi de trouver quelques heures, pour recaler tes œuvres[2] ? Envoie-les chez lui. Ça lui sera peut-être plus commode.

J'ai oublié le nom du mercier à qui j'ai payé le cordon de la cloche. — Comment le retrouver ? C'est dans la rue Neuve-des-Petits-Champs, à gauche, en allant vers la Bourse, entre la rue de la Paix et la rue Richelieu. J'ai été là d'après la recommandation du jeune homme qui nous a vendu les rideaux au magasin du Louvre. — J'ai peur que le cordon ne soit pas fait ? ou qu'on ait oublié ton adresse ? bref, d'en être pour mon argent !

J'enverrai payer les contributions vendredi. Ma caboche est un peu fatiguée, mais le second acte du *Sexe faible* touche à sa fin ! Je ne me serai pas trompé sur le temps. Tout sera (provisoirement) fini avant un mois. Et je ne te cache pas que je commence à avoir bon espoir. Pour dire la vérité, je brûle même de lire mon 1er acte à quelqu'un pour juger de l'effet. — Mais à qui ? Tu subiras cette lecture, mon loulou, mais tu n'estimes que les choses *pohêtiques* !

Ce bon Tourgueneff ! c'est gentil, son attention de t'avoir envoyé son volume[3].

À bientôt, donc, pauvre chérie,

Ta Nounou t'embrasse.

Oui, je trouve la peinture de l'escalier très bien. — Mais vous ne serez pas mécontents, je crois, de la façon dont j'ai orné votre immeuble.

Du reste, Croisset est charmant ! C'est à présent qu'il faut y venir, et y rester le plus longtemps possible.

IVAN TOURGUENEFF À GUSTAVE FLAUBERT

Paris, 48, rue de Douai.
Mercredi 4 juin [18]73.

Mon cher ami,

Si vous croyez que je ne suis pas fier comme un paon de tout ce que vous me dites dans votre lettre ! ! — En voilà une que je garderai précieusement. En vérité, je vous le dis, vous m'avez fait un très grand plaisir, et je suis heureux de voir que je vous en ai fait. Je vous serre la main bien fort.

Vous avez raison de trouver le premier récit *(Étrange histoire)* écourté. Il fallait là de bien plus grands développements, ce sont des états psychologiques qu'il ne suffit pas d'indiquer. Mais la paresse !

Je suis encore ici, mais je pars demain. — Je vous écrirai de Vienne et certainement de Carlsbad.

Travaillez — non, on n'a pas besoin de vous le dire — vous êtes laborieux comme une fourmi, mais portez-vous bien, et attendez-moi à Croisset au commencement du mois d'août.

Toute la famille se porte bien et vous fait dire mille choses.

Je vous embrasse bien fort et suis pour toujours

Votre vieux
Iv. TOURGUENEFF.

P.-S. On vous enverra mon autre volume[1] dès qu'il aura paru. — J'ai un peu peur pour ce volume.

À GEORGES CHARPENTIER

Croisset, près Rouen, 17 juin [1873].

Mon cher Éditeur,

Je vous attends *vendredi prochain.*

En partant de Paris par l'express du matin (8 heures), vous serez à Rouen à 10 heures et demie. Là, vous prendrez à la gare une citadine, en lui disant de vous mener à Croisset, chez M. Gustave Flaubert, et à 12 heures vous serez chez le susdit qui, immédiatement, vous fera déjeuner.

Il me paraît impossible que nous puissions expédier notre besogne[2] dans l'après-midi ? Donc, vous resterez à coucher et vous ne repartirez que le lendemain. Voilà qui est bien convenu.

J'ai un scrupule à vous soumettre, mais nous en causerons.

Présentez, je vous prie, mes hommages à Mme Charpentier et croyez-moi tout à vous.

Si quelquefois vous ne pouviez venir, prévenez-moi par un mot ; mais je *compte* sur vous.

À SA NIÈCE CAROLINE

[Croisset,] mercredi, 1 h[eure, 18 juin 1873].

Mon Loulou,

Jusqu'à présent, tu ne m'as pas l'air de t'amuser beaucoup dans ton voyage, et *j'aime à croire* que tu regrettes un peu le pauvre Croisset et la société de Vieux ? Laisse-moi cette illusion ! Je ne suis pas cependant assez égoïste pour ne point te souhaiter un changement d'humeur. Il aura lieu avec le changement de temps. Maintenant il fait beau, ici du moins, et les orages paraissent s'en aller.

L'éditeur Charpentier m'a annoncé hier qu'il viendrait me voir vendredi. Je suis toujours fort incertain de savoir ce que je ferai. Je lui ai promis les suppléments en question[1], et je regrette ma promesse. Cependant… bref, je change d'avis là-dessus vingt fois par jour.

Putzel[2] va très bien. Et me tient compagnie pendant presque toute la journée. — Mais dès que je caresse Julio[3], elle entre en fureur. Hier, elle a sauté dessus comme un bouledogue et l'a mordu au museau. Julio n'a pas eu l'air de s'en apercevoir. Et est retourné se coucher sur le divan.

Lundi j'ai été à Rouen payer mes cadres et m'acheter des torchons et des chaussettes. On m'a retenu à dîner chez les Lapierre où j'ai vu l'illustre Tavernier[4], belles moustaches.

Laporte m'a envoyé l'*Antéchrist* de Renan[5], sachant que j'avais envie de le lire et que mon exemplaire devait être resté à Paris. Je suis attendri par les aimables procédés de ce brave garçon. — Depuis hier au soir, j'ai donc expédié ce volume qui m'a charmé. Je vais me remettre à mes lectures pour *B. et P.*, lesquelles sont moins drôles.

Pas de nouvelles de Carvalho. — S'il persévère encore deux jours dans son mutisme, je lui re-écrirai.

As-tu vu, avez-vous vu Pelcat ?

Tu as oublié de me donner ton adresse. Mais je suppose que ma lettre te parviendra tout de même, que « l'ouvrier du Mont-

Riboudet[1] » emploie toute son astuce pour bien vendre les terrains, et qu'il embrasse de ma part mon Caro.

NOUNOU.

À CHARLES CHAUTARD

Croisset, près Rouen, 18 juin [1873].

Monsieur le Maire,

Comment vous remercier de toutes vos gracieusetés ?

Le volume que vous m'annoncez est resté à Paris, mais votre lettre du 16 m'arrive à l'instant et me confond.

Voulez-vous me dire de combien je vous suis *matériellement* redevable pour ce volume ?

Et recevez, je vous prie, avec l'assurance de ma gratitude, celle de mes sentiments les plus distingués.

À EDMA ROGER DES GENETTES

[Croisset,] mercredi 18 [juin 1873].

Il me semble que c'est moi qui vous *dois* une lettre, chère Madame. Nous n'en sommes pas, Dieu merci, à y regarder de si près, n'est-ce pas ? N'importe ! je crois n'avoir pas répondu à votre « dernière et honorée » ? Et il m'ennuie de ne pas entendre parler de vous. C'est vous dire que j'espère très prochainement recevoir une épître démesurée.

Depuis mon retour, j'ai travaillé d'une façon tellement *gigantesque* que j'ai écrit la valeur d'à peu près trois actes, et *Le Sexe faible* est complètement terminé. J'attends Carvalho[2], pour lui en faire la lecture dans quatre ou cinq jours. Si ses prévisions se réalisaient, ce serait drôle ! Entre nous, je n'attache pas une grande importance à cette œuvre. Je la juge « convenable », mais rien de plus. Et je ne souhaite son succès que pour deux raisons : 1° gagner quelques mille francs ; 2° contrarier plusieurs imbéciles.

Ce qui serait gentil (si la chose doit réussir) ce serait que vous fussiez là, à la Ire.

Depuis que j'en ai fini avec les exercices théâtraux, j'ai recalé la fin de *Saint Antoine*, et je me suis remis à mes immenses lectures pour mon roman. Je lis maintenant l'esthétique du sieur Lévesque[1], professeur au Collège de France ! Quel crétin ! Brave homme du reste, et plein des meilleures intentions. Mais qu'ils sont drôles, les universitaires, du moment qu'ils se mêlent de l'Art !

Je viens d'expédier immédiatement l'*Antéchrist* de Renan. Lisez cela. C'est un beau livre, à part quelques taches de style. Mais il ne faut pas être pédant.

Pour le *Saint Antoine* je n'y ferai plus rien du tout. J'en ai assez ! et il est temps que je ne m'en mêle plus, car je gâterais l'ensemble. La Perfection n'est pas de ce monde. Résignons-nous.

J'ai été à Rouen pour voir le général[2]. — Sans le rencontrer. Je le suppose fort occupé par la Politique ? qui, Dieu merci, ne m'occupe plus. Mon sac aux colères est-il vide ? Je ne le crois pas, cependant. — Mais je sens, comme la France elle-même, le besoin d'être tranquille. — Et de m'occuper de « mes affaires ».

C'est pour ne point les négliger et par le désir vertueux de ne pas perdre une journée que je me suis privé aujourd'hui d'une grande distraction. Il s'agissait d'aller voir aux assises le vicaire d'Harfleur, lequel est prévenu d'attentat aux mœurs sur des néophytes ! Il y a des détails drôles et ça se plaide à huis clos. Mais j'ai tant de pitié pour les pauvres diables que je ne veux pas infliger à celui-là la vue d'un spectateur désintéressé. Les gens qui vont aux exécutions capitales participent à l'action du bourreau. Et puis, s'il fallait se déranger pour tout ce qu'il y a d'intéressant à voir, on ne resterait pas assis une minute dans une existence d'un siècle !

Fait-il à Villenauxe[3] un aussi exécrable été qu'à Croisset ? J'ai supprimé le feu depuis trois jours seulement.

Mille bonnes amitiés à M. Roger à qui je souhaite des poires de Chanaan[4] !

Et à vous, chère Madame,

tout à vous

À GUY DE MAUPASSANT

Croisset, 20 juin 1873.

Mon cher Ami,

Je vous prie de me rendre le petit service suivant. En partant de Paris, Carvalho m'a promis de venir à Croisset entendre la lecture du *Sexe faible*, dès que je lui annoncerais la terminaison de la chose. Voilà deux lettres que je lui écris et je n'ai pas encore de réponse. Mystère !

Faites-moi donc le plaisir d'entrer à la direction du Vaudeville et de lui demander humblement ce que signifie son mutisme. Vous m'obligerez par là beaucoup, car l'indécision où je reste m'empêche de bouger de chez moi et de me remettre à un autre travail.

J'attends votre réponse et en vous remerciant je suis vôtre....

Lisez, dans le dernier volume de Tourgueneff, *Histoires étranges*[1], celle qui a pour titre : *L'Abandonnée.* C'est un rare chef-d'œuvre.

À SA NIÈCE CAROLINE

Croisset, samedi, 2 heures [21 juin 1873].

« Écris-moi ici » ! ici où ? Il faut que je devine que tu es à l'hôtel Frascati ? Nous sommes « légers, bien légers » !

Eh bien, moi aussi, mon loulou, j'ai fait un voyage ! Moi aussi, je me promène en bateau à vapeur ! Moi aussi, je m'amuse ! *J'ai été hier à La Bouille !!!* et cette petite excursion m'a semblé délicieuse.

Charpentier[2] est arrivé hier à 11 heures et demie. Après le déjeuner, nous nous sommes mis à notre affaire. Et voici ce que nous avons décidé. Il publiera, en appendice, l'assignation près du juge d'instruction, le réquisitoire de Pinard, la plaidoirie de Senard et le jugement. — Rien de plus. — Pas un mot des critiques. Je trouve cela plus digne.

Je lui ai, par la même occasion, vendu *Salammbô* qui paraîtra cet hiver.

Ledit Charpentier n'a *pas cessé* de caresser Julio et Putzel ! Je crois que la vue de Croisset, qui était splendide hier, ne m'a pas nui dans son opinion, et tout à l'heure, en partant, il m'a remercié, avec effusion, « de mon hospitalité ».

Comme il faisait une chaleur à crever, à 5 heures nous avons pris le bateau pour aller à La Bouille, d'où nous étions revenus à 7 heures et demie. Il a, et j'ai comme lui, beaucoup admiré les rives de la Seine.

Après le dîner, lecture du *Sexe faible*, qui l'a fait rire. Mais il m'a fait sur le 3e acte la même observation que Mme Commanville ! et d'une façon tellement claire, que maintenant je comprends ce qu'il faut y mettre. — Il ne doute pas d'un très grand succès ! Ainsi soit-il !

J'ai re-écrit à Carvalho, hier, pour lui dire que je l'attendais[1].

Voilà tout, ma chérie. Je compte sur vous mardi à midi. Profitez du bon temps.

Ton vieux bonhomme d'oncle

te bécotte.

À EDMOND DE GONCOURT

Croisset, mercredi 25 [juin 1873].

Mon cher Ami,

Votre volume sur Gavarni[2] m'a tenu compagnie toute la journée de dimanche. — Ou plutôt c'est *vous deux* qui étiez là ! J'entendais parler votre pauvre frère et, pendant tout le temps de cette lecture, ç'a été à la fois un charme et une obsession. Mais qu'il en soit question, comme si j'étais un lecteur indépendant.

Eh bien ! je crois cela un livre très bien fait et amusant. Reste à savoir en quoi consiste l'élément amusant ? Pour moi, c'est ce qui m'amuse.

J'ai été séduit dès les premières pages par *la couleur historique*[3] que vous avez su donner aux premières années de Gavarni. Quel drôle d'homme ! et quelle drôle de vie ! Quel monde loin de nous ! Après chaque paragraphe on rêve. Vous avez intercalé ses notes d'une manière fort habile. Ce qui est de lui se fond avec ce qui est de vous. — Sous l'apparente bonhomie du récit, il y a une composition savante.

(Mais pardon ! une idée incidente ! Comment se fait-il que

vous n'ayez pas parlé de Camille Rogier[1] qui, je crois, avait longtemps vécu avec Gavarni ? ou qui du moins le connaissait intimement ?)

Il y a un fragment merveilleux. C'eſt celui qui commence à la p[age] 92[2]. Depuis *Les Confessions* de Rousseau, je ne vois pas qu'il y ait de livre donnant un bonhomme si complexe et si vrai. — Je note aussi, comme faisant saillie sur l'ensemble, le ch[apitre] 1er : les bals masqués. Mais encore une fois, quelle drôle de vie ! Étaient-ils assez jeunes, ceux-là ! et comme on se divertissait ! Il me semble que les hommes de notre génération, à nous, ignorent absolument le Plaisir. Nous sommes plus rangés et plus funèbres.

Vous me ferez penser à vous demander l'indication précise du numéro de *La Presse* où Gavarni eſt traité d'homme immoral. — J'aurais besoin de ce renseignement[3].

Tout son séjour en Angleterre, dont je ne savais rien du tout, eſt bien intéressant[4]. — J'aime quelques-unes de ses maximes, celle sur Proudhon entre autres[5]. On devrait écrire cette ligne-là sur la couverture des livres de cet immense farceur, qui n'a pas été la moindre des légèretés de notre ami Beuve.

La fin eſt navrante, superbe (p. 383[6]) et, jusqu'au dernier mot, jusqu'à l'inscription tombale, on eſt empoigné complètement.

En résumé, mon cher vieux, vous avez fait une œuvre exceptionnelle à tous les points de vue. — Comme psychologie et comme hiſtoire je trouve cela inappréciable.

Qu'allez-vous pondre maintenant ? Que couvez-vous ?

Où serez-vous cet été ?

Voilà longtemps que la Princesse ne m'a donné de ses nouvelles.

J'attends Carvalho à la fin de cette semaine pour lui lire *Le Sexe faible*, écrit… pardon du mot ! J'en ai fini (je l'espère du moins) avec l'art dramatique, qui m'agrée fort peu. — Et je re-suis dans mes lectures pour mon prochain bouquin, alternant mes plaisirs entre Gressent (*Taille des arbres fruitiers*) et Garnier (*Facultés de l'âme*), sans compter le reſte[7]. Tout cela fait passer le temps, ce qui eſt le principal.

Qu'il vous soit léger, mon cher vieux, et croyez bien que je vous aime et vous embrasse.

À ALFRED NION ?

[Croisset,] 2 juillet 1873.

[…] Si tu savais, mon cher ami, comment se font les biographies des contemporains et comment on se fait illustre par ce moyen, tu n'aurais pas le regret dont je te sais beaucoup gré, de n'y voir figurer ni mon père ni moi[1] […].

À ERNEST FEYDEAU

[Croisset, jeudi 3 juillet 1873.]

Non, mon cher bonhomme, je ne t'oublie pas, mais voici ce qui m'est arrivé depuis que tu ne m'as vu.

Parmi les papiers de Bouilhet se trouvait un vieil ours intitulé *Le Sexe faible*, comédie en cinq actes et en prose, autrefois refusée au Vaudeville. L'année dernière, à Luchon, j'en ai refait le scénario, en changeant complètement le 1er et le 3e acte, et au mois de septembre dernier j'ai été trouver Carvalho qui, pendant cinq mois, a dû me donner un rendez-vous de semaine en semaine.

Au commencement de janvier, j'ai porté cette besogne informe audit Carvalho qui m'a laissé pendant quatre mois et demi sans réponse. Enfin, ennuyé d'attendre, j'ai été au Vaudeville où j'ai lu la chose audit Carvalho. Alors changement d'horizon, enthousiasme et réception immédiate ! Je suis donc revenu ici où j'ai travaillé pendant un mois d'une façon gigantesque, quatorze heures, et une fois dix-huit heures par jour ! Bref la chose est faite. Carvalho est venu ici en entendre la lecture samedi dernier et me paraît fort content. Il croit à un succès.

Si l'on rend *L'Oncle Sam* de Sardou, je ne passerai qu'en janvier, ce que je souhaite ; sinon, je serai joué en novembre.

Je suis éreinté et je dors beaucoup. Voilà mon histoire.

Maintenant, je vais me remettre à mes effroyables lectures pour mon bouquin[2] ; que je ne commencerai pas avant un an.

Et toi, pauvre vieux, comment vas-tu ?

Merci de ton livre, mais je le connais déjà. Ce qui ne m'empêchera pas de le relire, car je le trouve très instructif, très amusant, très bien fait.

À LA PRINCESSE MATHILDE

[Croisset,] jeudi [3 juillet 1873].

Comment se fait-il que depuis si longtemps je n'aie entendu parler de vous, Princesse ?

Votre silence commence à m'inquiéter. Je n'ai rien de plus à vous dire. — Ou plutôt c'eſt ce que j'ai de plus important à vous dire.

Carvalho eſt venu ici, samedi dernier, entendre la lecture du *Sexe faible* et il m'en a paru très content. Il croit à un succès.

Si *L'Oncle Sam* de Sardou eſt rendu par la censure, je ne serai joué qu'en janvier, ce que je souhaite. Sinon, je passerai en novembre. De toute façon je serai joué l'hiver prochain. Advienne que pourra !

Mais ces occupations dramatiques m'ont éreinté. Car j'y ai été leſtement et furieusement. Si bien que je dors beaucoup, 10 heures par nuit et deux dans la journée : ça repose un peu ma pauvre cervelle.

Avez-vous lu *L'Antéchriſt* de Renan[1] ? Je trouve cela un maître-livre ! et vous, Princesse ?

J'ai appris indirectement, il n'y a pas plus de deux ou trois jours, la mort de la pauvre Mme Benedetti[2] ! Je sais combien son mari l'aimait et je le plains profondément.

Dans votre dernière lettre, vous me paraissiez avoir des inquiétudes politiques. Elles sont passées, n'eſt-ce pas ?

Songez quelquefois, Princesse, à

votre vieux fidèle

qui vous aime et vous baise les deux mains.

À GEORGE SAND

[Croisset,] jeudi [3 juillet 1873].

Pourquoi me laissez-vous si longtemps sans me donner de vos nouvelles, chère bon maître ? il m'ennuie de vous, voilà !

J'en ai fini avec l'Art dramatique. Carvalho eſt venu ici samedi dernier pour entendre la lecture du *Sexe faible*, et m'en a paru très content. Il croit à un succès. Mais je me fie si peu aux lumières de tous ces malins-là que moi, j'en doute ?

Je suis éreinté. Et je dors maintenant 10 heures par nuit, sans compter deux heures par jour. Ça repose ma pauvre cervelle.

Je vais reprendre mes lectures pour mon bouquin, que je ne commencerai pas avant une bonne année.

Savez-vous où se trouve maintenant l'immense Tourgueneff ?

Mille tendresses à tous et à vous les meilleures.

Votre vieux

CRUCHARD.

GEORGE SAND À GUSTAVE FLAUBERT

[Nohant] 4 juillet [1873].

Je ne sais où tu es à présent, Cruchard de mon cœur. Je t'adresse à Paris d'où j'imagine qu'on te renverra ma lettre. J'ai été malade, mon révérend, aucune souffrance mais une anémie stupide, pas de jambes et pas d'appétit, toujours la sueur au front et le cœur barbouillé comme une femme grosse ; c'est injuste, cet état-là, quand on arrive à la septantaine. J'entre demain dans mon 70e printemps, guérie depuis une dizaine de bains de rivière. Mais j'ai trouvé si bon de me reposer que je n'ai pas encore fait une panse *d'a*, depuis mon retour de Paris et que je rouvre mon encrier aujourd'hui pour t'écrire.

Nous relisions ce matin ta lettre où tu dis que Maurice a perdu son pari. Il prétend l'avoir gagné puisque tu ôtes les *vertus théologales*[1]. Moi je désire que, pari ou non, tu gardes la version nouvelle qui est tout à fait dans la couleur, tandis que les vertus théologales n'y sont pas.

As-tu des nouvelles de Tourgueneff ? J'en suis inquiète. Mme Viardot m'écrivait, il y a quelques jours, qu'il avait fait une chute et qu'il s'était blessé à la jambe. Oui, j'ai lu *L'Abandonnée*, c'est très beau, comme tout ce qu'il fait. Pourvu que sa blessure ne soit pas grave ! c'est toujours grave avec la goutte.

Tu travailles donc toujours avec rage ? Malheureux ! tu ne connais pas l'ineffable plaisir de ne rien faire ! Et comme le travail va me paraître bon après cela ! Je m'y mettrai pourtant le plus tard possible. J'arrive de plus en plus à la notion que rien ne vaut la peine d'être dit !

N'en crois rien, fais de belles choses et aime ton vieux troubadour qui te chérit toujours.

G. SAND.

Tendresses de tout Nohant.

À IVAN TOURGUENEFF

Croisset, jeudi 10 juillet [1873].

Mon cher ami,

Où êtes-vous, et comment allez-vous ? Mme Sand m'a écrit que vous aviez fait une chute et étiez blessé à la jambe[1]. Je n'en sais pas plus. Tirez-moi d'inquiétude, et donnez-moi de vos nouvelles.

Vous savez que je compte sur votre promesse, c'est-à-dire que je vous attends ici au commencement d'août. Je dis tout au commencement, car vers le 8 ou le 10 je m'absenterai jusqu'à la fin du mois.

Je vous embrasse.

Votre vieux
GVE FLAUBERT.

À ERNEST RENAN

Croisset près Rouen, 12 juillet [1873].

Mon cher ami,

Votre volume m'est parvenu, après quelques jours de retard, car il était adressé à Paris.

Comme tout ce qui sort de votre plume je l'ai dévoré. Maintenant, je vais le relire, à petits traits, en humant.

Il n'excitera pas de colères comme les autres. L'érudition y domine trop pour que les imbéciles en soient émus.

Quel travail ! que c'est profond et fouillé, sage, bien *vu*, en un mot, excellent ! moi qui connais un peu la matière, j'ai pu apprécier votre œuvre : à chaque ligne c'était un plaisir, une découverte. J'apercevais nettement des choses que je n'avais fait qu'entrevoir. D'autres m'ont semblé toutes neuves (les Flaviens[2] par exemple) et l'ensemble m'a charmé.

Merci donc encore une fois — et faites-nous en de pareils, le plus possible.

Je vous serre la main très fort, mon cher Renan, et suis, vous n'en doutez pas

tout à vous

Mes respects, je vous prie, à Mme Renan.

À GEORGES CHARPENTIER

Croisset, 17 juillet [1873].

Mon cher Ami,

Je renvoie à l'imprimerie Raçon deux formidables paquets d'épreuves[1]. Vous ferez bien de les faire revoir par quelqu'un, car je ne suis pas fort sur la typographie.

Il me semble que les lignes sont *beaucoup* trop serrées ? Bien des lettres sont tombées en pâte, etc.

Les eaux de Vichy v[ous] ont-elles fait du bien ?

Présentez, je vous prie, mes respects à Mme Charpentier, et recevez pour vous une bonne poignée de main de votre

Je serai probablement à Paris du 10 au 15 août.

À LA PRINCESSE MATHILDE

[Croisset, dimanche, 20 juillet 1873.]

Princesse,

Votre chère et mauvaise écriture a été, comme toujours, la bienvenue. Je commençais vraiment à être inquiet, quand le petit mot de Popelin[2] est venu me rassurer, puis votre lettre. Tout va bien, dieu soit loué !

Je regrette beaucoup de n'avoir pas été à Paris lorsque le Prince[3] s'y trouvait, mais j'espère bien le revoir fréquemment l'hiver prochain. Car son exil est absurde. Il faudra que toutes ces sottises-là finissent ! Et qu'un Napoléon puisse vivre dans son pays, tout comme un autre.

J'ai lu ce matin des détails horribles sur ce qui se passe en Espagne[4], et plus que jamais je suis indigné contre l'abominable race humaine. Quels animaux ! quelles bêtes brutes ! et féroces ! Mais causons de choses moins noires.

Je réponds d'abord à vos questions : *Le Sexe faible* sera joué en janvier, si *L'Oncle Sam*[5] est rendu par la censure. Autrement, comme Carvalho n'aurait rien pour son automne, je passerais en novembre. Il va sans dire que je souhaite à Sardou cent représentations. — Car mon intérêt est d'être joué le plus tard possible.

Admirez Princesse, ce que c'est que la suite d'un mouvement[1] ! Ayant pris l'habitude, pendant six semaines, de voir les choses théâtralement et de penser *par* le dialogue, ne voilà-t-il pas que je me suis mis, sans nul effort, à construire le plan d'une autre pièce, ayant pour titre *Le Candidat*. Mon scénario est écrit. Mais je vais le laisser reposer, pour le reprendre je ne sais quand.

Je vous demande pardon de vous entretenir de choses si peu importantes, mais pour moi elles sont sérieuses. Voulez-vous que je vous lise *Le Sexe faible*, quand j'irai vous voir à Saint-Gratien ? Ce sera probablement au commencement de septembre[2], si vous le permettez.

Que dites-vous du Schah ? Je crois que son séjour à Paris a eu une influence monarchique démesurée[3] ?

C'est aujourd'hui dimanche. Il fait un temps splendide, un soleil éclatant. Je vous vois d'ici, Princesse, à l'ombre de vos grands arbres, coiffée d'un joli chapeau de paille. — Je vous salue, je m'avance et je vous baise la main. Car je suis votre.

À GEORGE SAND

[Croisset,] dimanche [20 juillet 1873].

Je ne suis pas comme M. de Vigny : je n'aime point « le son du cor au fond des bois[4] ». Voilà deux heures qu'un imbécile posté dans l'île en face de moi m'assassine avec son instrument ! Ce misérable-là me gâte le soleil, et me prive du plaisir de goûter l'été. Car il fait maintenant un temps splendide. Mais j'éclate de colère ! Je voudrais bien, cependant, causer avec vous, un petit peu, chère maître.

Et d'abord salut à votre Septantaine, qui me paraît plus robuste que la Vingtaine de bien d'autres ! Quel tempérament d'Hercule vous avez ! se baigner dans une rivière glacée, c'est là une preuve de Force qui m'épate, et la marque d'un « fond de santé » rassurante pour vos amis. Vivez longtemps. Soignez-vous pour vos chères petites-filles, pour le bon Maurice, pour moi aussi, pour tout le monde. Et j'ajouterais pour la Littérature, si je n'avais peur de vos dédains superbes.

Allons bon ! encore le cor de chasse ! c'est du délire. J'ai envie d'aller chercher le garde-champêtre !

Moi, je ne les partage pas, vos dédains. — Et j'ignore absolument, comme vous le dites, « le plaisir de [ne] rien faire ». Dès que je ne tiens plus un livre, ou que je ne rêve pas d'en écrire un, il me prend un ennui *à crier.* La vie enfin ne me semble tolérable que si on l'escamote. — Ou bien il faudrait se livrer à des plaisirs désordonnés… et encore !

Donc j'en ai fini avec *Le Sexe faible* qui sera joué — telle est du moins la promesse de Carvalho — en janvier, si *L'Oncle Sam* de Sardou est rendu par la Censure[1]. Dans le cas contraire, ce serait en novembre.

Comme j'avais pris l'habitude, pendant six semaines, de voir les choses théâtralement, de penser par le dialogue, ne voilà-t-il pas que je me suis mis à construire le plan d'une autre pièce ! laquelle a pour titre *Le Candidat.* Mon plan écrit occupe 20 pages. Mais je n'ai personne à qui le montrer. — Hélas ! Je vais donc le laisser dans un tiroir, et me remettre à mon bouquin. Je lis l'*Histoire de la médecine*, de Daremberg[2], qui m'amuse beaucoup. Et j'ai fini l'*Essai sur les facultés de l'entendement* du sieur Garnier que je trouve fort sot[3]. — Voilà mes occupations.

Il[4] paraît se calmer. Je respire.

Le nommé Maurice Sand me paraît un filou, car c'est lui, il me semble, qui avait parié que je ne changerais rien à *Saint Antoine*, et il prétend avoir gagné son pari ! N'abuse-t-il pas de la candeur du jeune Plauchut[5] ?

Pas la moindre révélation du Moscove ! J'ai, il y a quelque temps, envoyé une lettre, à son adresse, rue de Douai. — Pourquoi ce mutisme ? Mme Viardot l'a-t-elle mangé ?

Comme villégiature, j'irai à Paris, au mois d'août, faire quelques recherches dont j'ai besoin. Puis, je passerai peut-être une semaine à Dieppe[6], et je reviendrai ici, d'où je ne partirai que pour le Vaudeville.

Je ne sais si à Nohant on parle autant du schah que dans nos régions. L'enthousiasme a été loin ! un peu plus on l'aurait proclamé empereur ! Son séjour à Paris a eu, sur la classe commerçante, boutiquière, et ouvrière une influence *monarchique*, dont vous ne vous doutez pas. Et messieurs les cléricaux vont bien. — Très bien même !

Autre côté de l'horizon : les horreurs qui se commettent en Espagne ! de telle sorte que l'ensemble de l'humanité continue à être bien gentil.

Embrassez tous les vôtres pour moi, chère maître, et surtout Lolo.

Votre vieux CRUCHARD qui vous aime fort.

À SA NIÈCE CAROLINE

[Croisset,] samedi, 4 h 1/2 [26 juillet 1873].

J'ai un joli mal de tête, pour avoir trop pris de notes dans Daremberg. Et je voudrais piquer un chien avant de me baigner dans les eaux sales de la Seine. — Donc la lettre à ma pauvre Caro ne sera pas longue.

Que lui dirai-je, après bien entendu l'avoir embrassée ? que je m'ennuie d'elle ? Comme elle le sait, c'est inutile !

Mais que je te plains, mon loulou, de tes mésaventures murales ! (belle expression). Est-ce assez ennuyeux ! Sans compter la dépense ! Il me semble que tu prends cela philosophiquement, ce dont je t'applaudis.

L'abbé Chalons[1] peut venir. Je suis tout prêt à le recevoir. Mais qu'il ne compte pas sur de grandes distractions. Est-ce lui qui va remplacer dans ton jardin le malheureux vicaire du Polet ?...

Tu as dû recevoir une boîte de photographies et ta robe des Magasins du Louvre. J'ai tout payé, 96 francs, ce qui fait que j'attends de l'argent avec impatience.

Émile s'est couché ce matin à 1 heure, emporté par le délire des confitures. Il y a 6 pots de gelée de *gardes*[2] pour Mme Commanville. La provision est petite, mais nous manquions de pots. On a même été obligé d'en racheter.

Depuis ton départ, mon pauvre chat, je me suis baigné deux fois, j'ai fini Flammarion, j'ai expédié toutes les notes à prendre dans Daremberg et j'ai lu pas mal de Buffon[3]. Puis j'ai beaucoup pensé à toi. Voilà ma vie.

Aucune nouvelle de Carvalho[4].

Préviens-moi un jour d'avance de l'arrivée de l'abbé.

Ton vieux scheik d'oncle qui t'aime te bécotte sur tes deux bonnes joues.

Fais prendre de l'Eau-bonne à ton mari.

À AGÉNOR BARDOUX

[Croisset, 29 juillet 1873.]

Je te souhaite tout le bonheur que tu mérites, mon cher ami. — Et mes compliments, jusqu'à présent, sont pour ta « Future[1] ».

Quand tu seras dans les liens de l'hymen, seras-tu un homme moins occupé et pourra-t-on se voir un peu ?

Je t'embrasse très fort.

Ton

Mardi 29 juillet, anniversaire des Glorieuses ! Hélas ! on était plus haut dans ce temps-là.

À SA NIÈCE CAROLINE

[Croisset,] mardi, 3 h[eures, 29 juillet 1873].

Ma Chérie,

Émile, bien qu'affligé d'une véhémente colique, si tu tiens à avoir des détails intimes sur mon ménage, Émile, *dis-je*, vient de partir pour Rouen, afin de mettre au chemin de fer, grande vitesse, ton petit chapeau noir.

J'ai reçu ce matin les 500 francs, sur lesquels il ne m'en reste plus que 200 ! Tu as prévenu ton mari, n'est-ce pas, que je lui demanderais pour le mois d'août de mille à 1 500 francs ? S'il vient à Croisset d'ici à 8 jours, il peut m'en apporter 500. Je prendrai 500 autres à Dieppe, où je compte être mercredi de la semaine prochaine. Si toutefois il y a « une chambre d'ami » pour Cruchard ?

J'attends l'abbé Chalons, et lui ai fait disposer sa couche dans la chambre à deux lits. À quoi vais-je l'occuper, ce soir ?

J'ai reçu, par autographe, la nouvelle du *mariage de Bardoux* avec Mlle Villa-Bimar ou Bemar ; c'est un nom de maison de campagne et non pas un nom de femme ! Raoul-Duval ne se trompait pas ; notre législateur[2] avait des sentiments.

N. B. Pierre Allais[3] vous a envoyé ici le billet de faire-part de la mort de son père. Ne point oublier de lui envoyer des cartes.

De plus : les locataires de M. Commanville, le charpentier (qui m'a remis 110 francs que j'ai livrés immédiatement à Mlle Julie) et Remoussin *réclament* aigrement leur bail ?

J'ai encore reçu ce matin des épreuves de Lemerre[1], que je viens de corriger. Mais je n'ai aucune nouvelle de Carvalho. Je viens de lui écrire pour savoir si je dois l'attendre plus longtemps.

Il fait présentement un temps d'orage accablant. Néanmoins je ne suis pas *vache* comme hier, où je me sentais si las que j'ai renoncé au bain froid. C'était peut-être d'avoir trop lu, ces jours-ci ? ou plutôt la suite d'un abominable accès de tristesse que j'ai eu, dimanche. — Rarement, je me suis senti plus isolé, plus vieux ! La philosophie a repris le dessus, et je me suis remis aux Notes, pour *Bouvard et Pécuchet* !

Comme je pense aux bons jours que nous avons passés ensemble, pauvre chère fille ! Je ressemble à ta grand-mère, n'est-ce pas ? Ou plutôt à une vraie nounou. Mon poupon m'assottit, et je le bécote sur ses deux bonnes jouettes.

VIEUX.

À IVAN TOURGUENEFF

Croisset, 31 juillet [1873].

Ah ! enfin ! J'ai donc des nouvelles de mon bon vieux Tourgueneff ! et il m'envoie un livre de lui[2] — ce qui me promet une journée rare.

Mais voici ce qui arrive, mon cher ami. Il faut que je parte d'ici *mardi* prochain, ou mercredi au plus tard. Or comme je tiens à vous posséder chez moi *longtemps*, parce que 1° j'ai une foule de lectures à vous faire, et que 2° je veux vous promener aux environs, j'aime mieux que vous veniez au commencement de septembre. Vous ne pourriez pas maintenant rester suffisamment — pour ma soif.

Mme Sand m'avait inquiété avec votre chute[3]. Mais je vois que ça va bien : tant mieux. Conservez-vous en bonne santé p[ou]r ceux qui vous aiment et qui ne veulent pas vous voir souffrir.

J'attends samedi prochain le sieur Carvalho[4] et dimanche j'aurai chez moi Raoul-Duval. Nous serions dérangés. —

Cependant, si vous ne pouvez venir au mois de septembre, venez tout de suite. Car mieux vaut peu que point. Mais j'aimerais mieux le mois de septembre.

Je suis en veine dramatique. Car j'ai écrit *Le Sexe faible* et, de plus, le plan d'une grande comédie politique intitulée *Le Candidat*[1], — ce qui ne m'a pas empêché de poursuivre mes lectures pour mes deux bonshommes[2].

Je vais m'en aller à Dieppe, à Trouville, puis à Paris, et aux environs.

Envoyez-moi un petit mot pour me dire vos intentions.

Dites, pour moi, tout ce que vous pourrez trouver de plus gentil aux Viardot. — Quant à vous, mon bon vieux, je vous embrasse le plus fortement possible.

GVE FLAUBERT

qui va se caler sur son divan, et se foutre une bosse avec *Les Eaux printanières* !

À MARIE RÉGNIER

[Juillet-août 1873.]

[...] En admettant que *Le Candidat* soit réussi, jamais aucun gouvernement ne voudra le laisser jouer parce que j'y roule dans la fange tous les partis. Cette considération m'excite. Tel est mon caractère. Mais il me tarde d'en avoir fini avec le théâtre. C'est un art trop faux, on n'y peut rien dire de complet.

Je vous baise les deux mains, chère Madame.

À SA NIÈCE CAROLINE

[Croisset,] samedi [2 août 1873].

Eh bien ? pourquoi pas de lettre ? As-tu eu la migraine tellement que tu n'as pu m'écrire, pauvre chérie ? Qu'y a-t-il ? Je m'attendais hier ou avant-hier à la visite d'Ernest ? Je commence à m'inquiéter et ta nounou va en avoir son lait tourné ! Mais j'espère que demain matin, pour mon dimanche, j'aurai une épître ?

Mercredi a été une journée farce. Je venais de reconduire au bateau l'abbé Châlons, quand une voiture s'arrête à la porte. J'ouvre et qu'aperçois-je, ô mon Dieu ? Le gigantesque Arthur Fontenillat et l'inéluctable Mme Doche[1]. Tableau : poignée de main à lui, deux baisers à elle. Ils venaient me faire une visite. — Promenade dans le jardin. Grogs à l'eau-de-vie, inspection de tous les appartements et enthousiasme universel.

Bref, tant d'amour avait un but, à savoir : obtenir un rôle dans la pièce de ce bon Flaubert. Pour jouer Mme de Mérilhac[2], le vieil ange Doche rompra son engagement avec l'Odéon, etc., etc. Elle demande un rôle dans ma pièce, à n'importe quelles conditions. Comme je crois qu'elle jouera parfaitement celui de Mme de Mérilhac, je ne demande pas mieux, bien entendu, que de l'avoir. Donc, j'ai pour samedi prochain un rendez-vous avec Carvalho, qui est indisposé, m'a-t-il écrit.

Ainsi, ma chérie, je compte être chez toi mercredi et y rester jusqu'à samedi matin. — Si ça te gêne en quoi que ce soit, dis-le-moi franchement. Mais, pour partir d'ici, il me faut toujours *de l'argent. N. B.* Je l'attends mardi.

J'ai reçu une note de 86 francs du tapissier, je n'y comprends goutte ? Est-ce qu'on ne l'a pas payé depuis un an ? Ce n'est pas une facture que j'ai reçue, mais un rappel de facture !

L'abbé Châlons m'a paru très changé, et à son avantage. Je l'ai trouvé plus sérieux. Je n'ai pas très bien compris ce qu'il m'a dit sur Léonce Roquigny[3], qui aurait hésité à te saluer, au Casino ? ce serait là, vraiment, une action Regenat[4] !

Le Moscove a enfin donné de ses nouvelles. Il a fait une chute et est resté dans son lit tout le temps qu'il a passé à Vienne. Puis, de là, il a été aux eaux de Carlsbad. — Dont il paraît content.

Il se disposait à venir me voir ici, la semaine prochaine. Je lui ai répondu qu'afin de le garder plus longtemps je préférais l'avoir au mois de septembre. Ce mâtin-là m'a envoyé un nouveau conte de sa façon, intitulé *Les Eaux printanières*, qui m'a fait passer une journée délicieuse. Quel homme !

Évènement dramatique hier à Croisset : *Ton* jardinier Chevalier a arrêté un homme qui volait des prunes chez la mère Bréauté ! Gueulade sur le quai, en pleine chaleur. Personnages : Remoussin, Leroux, la chienne d'Émile, etc., la *bourouette* de Chevalier et la petite Marie, fille de Chevalier. — On a conduit le délinquant en prison, et MM. les gendarmes sont venus faire une enquête.

À propos de criminels, Saint-Martin m'a dit que toutes les

nuits, depuis quelques jours, il passait, entre 2 et 3 heures, environ 20 personnes qui s'en allaient à Bonne-Nouvelle[1], dans l'espoir de voir guillotiner Neveu !… Hein ? l'humanité !… pauvre chat !…

Quand Flavie[2] vient-elle ? N'est-ce pas mardi ? Je serais bien aise de la voir.

Mais c'est toi, surtout, chère Caro, qui me feras plaisir à contempler, et à embrasser.

À bientôt donc.

Ton vieux CRUCHARD qui t'aime.

À IVAN TOURGUENEFF

[Croisset,] samedi 2 [août 1873].

C'est encore moi ! mon bon.

Je veux vous dire que j'ai lu *Les Eaux printanières*, et relu le *Gentilhomme de la steppe*, dont je ne connaissais pas la deuxième partie[3].

Les Eaux printanières ne m'ont [pas] ravagé comme *L'Abandonnée* ; mais j'en ai été troublé, mouillé, et comme vaguement distendu. C'est l'histoire de nous tous ! hélas ! Cela fait rougir sur son propre compte. Quel homme que mon ami Tourgueneff ! Quel homme !

L'intérieur de la confiserie, adorable, adorable ! Et la promenade à deux, le matin, quand ils causent sur un banc. — Pantaleone, le caniche ; Énée ! et la fin, la fin douce et lamentable ! Ah ! voilà un roman d'amour, s'il en fut. Vous en savez long sur la vie, mon cher ami, et vous savez dire ce que vous savez, ce qui est plus rare.

Je voudrais être professeur de rhétorique pour expliquer vos livres ! Notez que je ne les expliquerais pas du tout ! N'importe, je crois que je ferais comprendre même à un idiot certains artifices qui m'épatent. Exemple : le contraste de vos deux femmes dans *Les Eaux printanières*, et celui de leur entourage. —

Pour qualifier votre dernière œuvre, je ne trouve pas d'autre mot que celui-ci, qui est bien bête : *charmant*. Mais donnez-lui sa vraie signification, laquelle est profonde. Cela vous met le cœur en amour. On sourit, et on a envie de pleurer.

Le début du *Gentilhomme* est bien cocasse ! Cette fureur imbécile pose le caractère, très bien. — Ce conte-là, comme tous les bons livres, gagne à la seconde lecture.

Donc, je compte sur vous, vers le 10 septembre. — Nous ne nous ennuierons pas ensemble !

Amitiés aux amis[1], et à vous, mon cher vieux, mes plus hautes tendresses.

À GEORGES CHARPENTIER

Croisset, 3 août [1873].

Mon cher Ami,

Serez-vous à Paris la semaine prochaine ? Pouvez-vous me donner un rendez-vous ?

Soyez assez aimable pour m'adresser un mot de réponse *rue Murillo, 4*. (Je n'arriverai à Paris que lundi soir.)

D'ici là, je vous serre la main bien fortement et suis

Votre

À EDMOND LAPORTE

[Croisset,] lundi soir, 4 août 1873.

Mon cher Ami,

Permettez-moi de vous offrir le médaillon de Bouilhet[2]. Vous m'avez paru le trouver à votre goût ?

Je ne reviendrai à Croisset qu'au commencement de septembre. Dès que j'y serai, je vous enverrai un petit mot pour vous prier de venir, les coudes sur la table, causer en tête-à-tête avec votre

À EDMA ROGER DES GENETTES

[Croisset,] lundi soir, 4 août [1873].

Voilà longtemps qu'on n'a causé ensemble, n'est-ce pas, chère Madame ? j'en ai des remords. Votre dernière lettre était si gentille et si bonne !

Mon excuse est un travail *excessif.* Comme j'étais en veine dramatique, je me suis mis, après m'être débarrassé du *Sexe faible*, à faire le scénario d'une grande comédie politique ayant pour titre : *Le Candidat.* Si jamais je l'écris et qu'elle soit jouée, je me ferai déchirer par la populace, bannir par le Pouvoir, maudire par le clergé, etc. Ce sera complet, je vous en réponds ! Cette idée-là m'a occupé un mois, et mon plan remplit trente pages. Ce qui ne m'a pas empêché de continuer mes gigantesques lectures pour mon roman[1].

Savez-vous combien j'ai avalé de volumes depuis le 20 septembre dernier ? 194 ! Et dans tous, j'ai relevé des notes ; de plus, j'ai écrit une comédie et fait le plan d'une autre. Ce n'est pas l'année d'un paresseux.

À propos de livres, procurez-vous tout de suite *L'Abandonnée* et *Les Eaux printanières* du gigantesque (répétition de mots. 2 fois *gigantesque.* N'importe[2]) Tourgueneff ? Puis vous me remercierez.

J'ai pour samedi prochain un rendez-vous avec Carvalho[3]. Alors je saurai (du moins, je l'espère) l'époque où je dois être joué. — Ce sera en novembre, ou en janvier. *Il faut* ajuster votre séjour à Paris en conséquence, et y rester le plus longtemps possible, pour qu'on ait le temps de se voir, comme au bon vieux temps !...

Peut-être vous ferai-je assister à ce qui s'appelle vulgairement un four ? L'enthousiasme de Carvalho m'inquiète. Quand on est d'avance si sûr de la victoire, d'ordinaire on reçoit une pile ? Je ne crois pas aux gens qui « se connaissent en théâtre ». Cependant, ils peuvent quelquefois ne pas se tromper ! Après tout, bonsoir ! J'ai fait ce que je *devais* faire. J'ai écrit une chose légère, mais pas honteuse.

Comme je songe à vous depuis mon petit voyage à Villenauxe, à votre maison, à votre jardin, à tout ! Et *je* vous dis que vous vous trompez. Si *Curtius*[4] ne s'est pas jeté deux fois dans son trou, c'est qu'il est mort dès le premier plongeon. Il n'en est pas de même de moi (mais vous ne vous rappelez pas que vous m'avez comparé *aux* Curtius et *aux* Decius[5]) et je suis très capable de réitérer mon sacrifice.

Mon été n'a pas eu de désagréments. — Ma nièce Caroline est venue ici passer 6 semaines, et sa gentille compagnie m'a fait du bien. — Mon existence ordinaire est si esseulée et farouche ! Je m'en vais demain passer quelques jours à Dieppe, puis de là j'irai à Paris chercher des livres, ensuite à Saint-Gratien, puis aux environs de Rambouillet, pour découvrir le paysage où je puis placer mes deux Bonshommes[1]. J'ai déjà fouillé (sans succès) tous les autres environs de Paris. Après quoi, je reviendrai ici jusqu'au moment de cabotiner sur les planches du Vaudeville !

Deux anecdotes à ce relatives : Koning[2], l'immense Koning, celui-là même à qui Déjazet, âgée de 71 ans, écrit « ta petite femme t'attend dans la rue de Vendôme », *autore* de Banville, M. Koning, dis-je, voulait venir à Croisset m'offrir sa collaboration. — Non pour être l'amant de Déjazet (j'en serais incapable), mais pour palper les droits d'auteur sur la pièce de ce bon Flaubert. Un ami, à Rouen, l'a dissuadé de cette démarche. Je le regrette bien. Quelle réception !... rêvez-en !

Autre histoire. L'ange nommé Eugénie Doche est venue jusque dans mon humble asile pour avoir un rôle. — Et comme j'en ai un pour elle, je ne demande pas mieux que de tout faire pour que Carvalho la prenne. Le surlendemain, que reçois-je ? ô mon Dieu ! une idéale photographie, représentant la susdite : pose orientale, œil noyé, narine remontante et aigrette sur la toque ! avec ces mots au bas du carton : « À vous ! » Ah ! le comique est une grande chose !

Vous le sentez, vous, chère Madame ! C'est pourquoi je me permets de vous envoyer ces légers détails.

Et ces pauvres jambes ? et cette voix ?...

Il faudra à Paris, cet hiver, recommencer un traitement sérieux.

Si vous m'écrivez ce mois-ci, envoyez-moi votre épître rue Murillo.

Mes bonnes amitiés à M. Roger, et

tout à vous
votre vieil ami

Avez-vous lu *L'Antéchrist*[3] ?

IVAN TOURGUENEFF À GUSTAVE FLAUBERT

Bougival (Seine-et-Oise), maison Halgan
Mercredi 6 août [18]73.

Vous me dites de trop bonnes choses, mon cher ami ; elles me font rougir de plaisir — et de confusion. — C'est égal, c'est très agréable, et les vieux Latins avaient raison, quand ils parlaient de

laudari a laudato viro[4]

Je suis tout content et tout fier d'avoir fait plaisir à mon vieux Flaubert, et à l'auteur d'*Antoine*. Et c'est très gentil à lui de me dire tout cela.

Ma lettre ne vous trouvera peut-être pas à Croisset, mais c'est égal : il faut qu'elle parte. — Au 10 septembre j'arrive — et nous ne nous ennuierons pas — oh non !

Savez-vous que toute notre bande (je parle de mes amis d'ici, qui vous disent mille choses) s'en va à la fin de septembre à Nohant, pour y passer une semaine au moins ! — Si vous veniez aussi, ce serait le triomphe !

Il fait une chaleur abominable, et, malgré les volets fermés, je suis à peu près ruisselant. — Écrire est une chose héroïque, dans de pareilles conditions ; aussi vous allez me permettre de vous embrasser sur les deux joues et de vous dire au revoir et encore une fois merci.

Votre vieux fidèle
Iv. TOURGUENEFF.

À SA NIÈCE CAROLINE

[Paris, 10 août 1873.]

Mon Loulou,

Le sieur Carvalho[1] m'a ouvert la porte lui-même, à 7 h précises, et tout m'a l'air d'aller de mieux en mieux.

1° *L'Oncle Sam*[2] sera joué au commencement d'octobre, donc je ne passerai pas avant le milieu de janvier ou le commencement de février, ce qui me laisse tout mon automne pour travailler à *Bouvard et Pécuchet*.

2° Mme Doche a été acceptée d'emblée, et je viens de lui écrire[3].

J'ai trouvé sur ma table 3 énormes paquets d'épreuves de Lemerre et je viens de les corriger.

Sais-tu avec qui j'étais invité à déjeuner ce matin ? avec M. mon frère[4]. En descendant du chemin de fer, j'ai rencontré Florimont[5] qui m'a montré une lettre d'Achille lui annonçant son passage à Paris pour ce matin. J'ai refusé cette partie de plaisir.

Le soir sur le boulevard, dialogue avec le jeune Daudet[6], celui que tu as vu chez R[aoul]-Duval. On ne parle que de la Fusion[7] et on est monarchique. J'ai affiché des principes rouges !

Il faut que j'aille au spectacle deux ou trois fois pour voir des acteurs : c'est ce que je ferai cette semaine, où je vais me livrer aussi à des courses de livres.

Vieux était un peu triste hier dans le wagon, triste d'avoir quitté sa pauvre fille. Et je suis arrivé à Paris en regrettant mon petit Duplan[1] !

Recommande à Ernest, quand il ira à Rouen, de voir Pottier ou Fortin[2]. J'ai peur qu'il ne devienne sérieusement malade.

Dis bien mes amitiés aux dames Vasse, et à toi, mon pauvre Loulou, mes meilleures tendresses.

Ton vieux

J'ai reçu une lettre du Moscove pour me remercier de ma lettre d'admiration à l'encontre des *Eaux printanières.*

J'ai donné à Émile 3 jours de vacances pendant mon absence. Il les a prises tout de suite. Il sera revenu à Croisset mardi certainement.

Encore un bon *bacio.*

Dimanche.

À SA NIÈCE CAROLINE

[Paris, 11 août 1873.]

Mon Loulou,

Remercie Ernest de m'avoir envoyé le billet de mille francs ! Dans la lettre qui l'enveloppait, il me dit que tu as eu hier la migraine, pauvre chérie ! Luchon[3] n'a donc pas enlevé tous tes maux ? Quant à moi, je crois sérieusement que je suis un peu plus fort et moins irritable depuis notre petit voyage, auquel je songe souvent, pauvre chérie !

Ce matin, j'ai reçu des propositions *superbes* de l'éditeur Charpentier, lequel est venu lui-même et en personne me faire une visite. Procédé inouï de la part de ses pareils. Il veut racheter toutes mes œuvres à Lévy et me faire des rentes. Je vais donc m'occuper de ma libération vis-à-vis de l'enfant d'Israël. Charpentier voulait, bien entendu, m'acheter *Saint Antoine* qu'il sait terminé. J'ai été vertueux.

Il faudra que je revienne à Paris dans quelque temps pour Carvalho, lequel ne peut m'accorder maintenant trois heures d'audience, mais ce sera un dérangement d'une journée, pas plus. Il me tarde de pouvoir me livrer complètement à *Bouvard et Pécuchet,* pour lesquels j'ai fait hier une dépense de 60 francs de livres !

Voilà toutes les nouvelles. Samedi, dès que la pauvre Juliette[1] ne sera plus là, j'irai à Saint-Gratien, puis jeudi au plus tard je serai à Croisset.

Tu serais bien aimable de me répondre immédiatement rue Murillo. Ou bien écris-moi jusqu'à mercredi à Saint-Gratien.

Adieu, ma chère fille. Tu *me dois* une très longue lettre.

Je t'embrasse bien fort.

Ton vieil oncle.

À SA NIÈCE CAROLINE

[Paris, 15 août 1873.]

Quelle chaleur, pauvre Loulou ! c'eſt à tomber sur les bottes !

Ce qui n'empêche pas que, ce soir, Monsieur retourne au spectacle ! J'ai passé *toute* la journée d'hier avec Carvalho. — Nous cherchons des acteurs.

Il n'eſt pas besoin de te cacher que je lui ai lu le plan du *Candidat* ! Enthousiasme dudit Carvalho, qui m'a prié de lui permettre de l'annoncer ! Ce que j'ai formellement refusé. Là-dessus, je suis inflexible.

Autre hiſtoire : le sieur Feydeau (m'a-t-on dit) a publié une lettre de moi à lui adressée sans ma permission ! Que dis-tu du procédé ? La lettre eſt ancienne et roule sur la Politique. Je vais tâcher de trouver le numéro du journal où elle se trouve, puis j'en écrirai une à mon ami ! une qu'il ne publiera pas, je t'en réponds[2].

Mes deux éditeurs[3] m'accablent d'épreuves, et je fais toujours des recherches pour *B. et P.* Voilà ce que j'ai de plus important à te dire, mon pauvre Caro.

Je me réjouis comme toi à l'idée de passer encore une bonne quinzaine ensemble au mois de novembre. Dans le vieux Croisset que j'aime de plus en plus.

Fais bien des amitiés à tes bonnes compagnes, et tâche de n'avoir pas la migraine.

Ma plume eſt si mauvaise qu'elle m'agace !

Donne-moi de tes nouvelles. — Enfin pense toujours à

VIEUX

qui te baise sur les deux joues.

Je suis tanné de la Fusion.

À EDMA ROGER DES GENETTES

[Paris, 16 août 1873.]

Je vous en supplie, chère amie, donnez-moi l'indication précise du numéro de journal où Feydeau a inséré de ma prose. J'ai fait hier des recherches vaines dans *Le Moniteur.*

N. B. — Il me faut ce renseignement tout de suite. Je n'ai que le temps de vous baiser la main, et je suis, malgré la chaleur,

Votre

J'ai été cette semaine deux fois au théâtre[1]! c'est de l'héroïsme, cela.

À bientôt une lettre plus longue.

Rue Murillo, 4.

Je serai à Paris ou aux environs jusqu'à la fin du mois.

À EDMA ROGER DES GENETTES

[Paris,] 18 août [1873].

Je ne vous ai pas remerciée pour le numéro du *Moniteur.*

Il n'y a pas de quoi se fâcher. J'avais tort.

La chaleur est telle que l'énergie me manque pour vous écrire une épître convenable.

Sachez seulement qu'on a rendu[2] au Vaudeville *L'Oncle Sam,* donc je passerai après. — En janvier probablement ? Je cabotine pour les engagements d'acteurs.

De Croisset je vous écrirai plus longuement. Mille amitiés à M. Roger. — Quant à vous, chère Madame, je suis, vous le savez, entièrement

Vôtre

Lundi matin.

À SA NIÈCE CAROLINE

[Paris,] jeudi [21 août 1873].

Mon Loulou,

Il me semble que j'ai plusieurs choses à te dire ? Je ne sais lesquelles. Elles vont me revenir à la mémoire, pendant que je vais t'écrire :

1° Je n'ai pas reçu le modèle de procuration pour le notaire Duplan. — Dès qu'il sera fait par le susdit je le renverrai à ton époux[1].

2° Préviens-le, ton époux, que dans une huitaine nous serons à la fin du mois, c'est-à-dire que j'aurai besoin d'argent. Il peut m'envoyer ou me faire toucher par Xemer mille francs. Ce sera pour mon mois de septembre.

3° La princesse Mathilde s'est hier beaucoup informée de Mme Commanville. Éloge de ma belle nièce, pendant le dîner.

J'ai passé une soirée fort agréable dans la conversation de ce monstre de Renan, qui est un homme charmant. — De quoi avons-nous causé ? des Pères de l'Église ! M. Vieux a étalé son érudition.

J'attends le retour de Carvalho, qui est maintenant à Puy, pour retourner au Vaudeville et régler encore bien des petites choses[2].

Il est probable que, vers la fin de la semaine prochaine, je ne serai pas loin de mon départ. — Mais avant de rentrer à Croisset, je ferai un petit voyage en carriole de Rambouillet à Mantes[3].

Le Moscove demeure à Bougival (Seine-et-Oise), maison Halgan. Je ne l'ai pas encore vu. Et ne sais s'il a reçu tes deux épîtres ? Il m'a écrit qu'à la fin de septembre toute la bande Viardot, lui compris, bien entendu, irait passer quelques jours à Nohant, et m'a invité à en faire partie. — Mais c'est assez de vacances comme ça. Il faut se remettre à *B[ouvard] et P[écuchet]*, pour lesquels je me ruine en achats de livres.

Peut-être qu'une fois rentré, je vais céder à la tentation du *Candidat*[4].

Tu sais bien, ma chérie, que je ne partage pas du tout tes opinions sur *la Fusion.* C'est, selon moi, une sottise pratique et une Ânerie historique.

En de certains jours, il me prend des envies d'écrire de la Politique, pour exhaler là-dessus ce qui m'étouffe ! Mais à quoi bon ? Le plus clair de la Fusion sera que : elle n'aura pas lieu, d'abord, puis que les Orléanistes seront déshonorés. — Du reste, ça renforce les Bonapartistes. Là est le comique.

On commence à Paris à n'y plus croire. Elle sera usée avant la rentrée des Chambres.

Je te plains de n'avoir plus Flavie[1] ! Mme Roquère[2] ne la remplacera pas.

Adieu, pauvre chère fille. Je t'embrasse bien fort.

Ton vieil oncle qui t'aime.

À SA NIÈCE CAROLINE

[Paris,] lundi [25 août 1873].

Ma chérie,

N. B. Si ton mari, au lieu de me faire toucher mille francs *lundi* prochain, pouvait m'en envoyer 2 ou 3 cents *jeudi* ou *vendredi*, il me rendrait service, parce que les fonds sont bien bas. — Et que lundi prochain, probablement, je ne serai pas à Paris. Je serai à Saint-Gratien ou à Villeneuve-le-Roi[3].

Quelle chaleur mon loulou ! Je tremble à l'idée que la semaine prochaine je me promènerai dans la campagne pour *B[ouvard] et P[écuchet]* ! mais l'art avant tout ! Et puis, à la fin de cette même semaine, je rentrerai dans mon domicile.

Et il faudra qu'un de ces soirs je retourne au Vaudeville ! Je vais tout à l'heure aller voir ce bon M. Carvalho ! Tu ne me dis pas s'il a été aimable.

Nous n'avons pas reparlé de la lettre que tu méditais d'écrire à ta cousine Juliette[4] ? Gardes-en la copie ! Si tu ne l'as pas encore faite, veux-tu m'envoyer le brouillon, ma pauvre fille ? Je te donnerais dessus des conseils, s'il y a lieu.

Je viens d'écrire au Moscove[5] pour lui dire que je l'attends toujours le 10 septembre, et que mon intention est de le mener dans divers endroits, à Dieppe entre autres. — Mais quelles seront les personnes que tu auras chez toi vers le 15 ou le 18 ? Sera-ce les Censier, la mère Heuzey[6], *tes* élèves ? Il me faut de l'*éluite*, bien entendu.

Adieu, pauvre chère fille. — Quoiqu'il n'y ait pas longtemps que je ne t'ai vue, je m'ennuie de toi, et voudrais baiser sur les deux joues ta bonne et jolie mine.

Tels sont les sentiments de ta

vieille Nounou.

À IVAN TOURGUENEFF

[Paris,] lundi 25 [août 1873].

Mon bon vieux Tourgueneff,

Je suis à Paris depuis quelques jours, déjà, — mais tellement occupé qu'il me sera impossible d'aller, comme je le voulais, vous faire une visite à Bougival.

C'est vous qui m'en ferez une à Croisset, ainsi qu'il est convenu. Ma nièce m'a écrit ce matin qu'elle compte vous voir à Dieppe. Donc, mon bon, prenez d'avance vos dispositions. Je veux vous faire plusieurs lectures — et vous promener un peu. Tout cela vous demandera quelques jours. Arrangez-vous pour rester longtemps chez moi.

C'est bien le *10 septembre*, n'est-ce pas, que vous apparaîtrez[1] ?

Je vous embrasse.

Votre

Vous pouvez me répondre, cette semaine, à Paris. Puis j'irai à Saint-Gratien[2] puis aux environs de Rambouillet pour *B. et P.*[3], — enfin je serai à Croisset le 7 ou le 8, et je vous y attendrai impatiemment.

À CHARLES-EDMOND CHOJECKI

[Paris,] mardi 26 août 1873.

Je regrette que vous ne puissiez faire avec moi ce petit voyage de Villeneuve[4]. Je m'embête tellement en chemin de fer qu'au bout de cinq minutes j'y hurle d'ennui. On croit dans les autres wagons que c'est un chien oublié. Pas du tout ! c'est Monsieur Flaubert qui soupire ! Voilà pourquoi je désirais votre compagnie, mon cher vieux.

Cela dit, passons (style Hugo).

J'enverrai votre lettre[5] à Mme Régnier, et je ne doute pas que, dans son envie d'être imprimée, elle ne cède à vos exhortations.

Mais si elle me demande là-dessus mon avis, je lui conseillerai de vous envoyer promener carrément (en admettant même que vous ayez raison). Oui, mon bon ! Et cela, par système, entêtement, orgueil, et uniquement *pour soutenir les principes* !

Ah ! que j'ai raison de ne pas écrire dans les journaux, et quels funestes établissements.

La manie qu'ils ont de *corriger* les manuscrits qu'on leur apporte finit par donner à toutes les œuvres, quelles qu'elles soient, la même absence d'originalité. S'il se publie cinq romans par an dans un journal, comme ces cinq romans sont corrigés par un seul homme ou par un comité ayant le même esprit, il en résulte cinq livres pareils. Exemple : le style de la *Revue des Deux Mondes*.

Tourgueneff m'a dit dernièrement que Buloz lui avait retranché quelque chose dans sa dernière nouvelle. Par cela seul, Tourgueneff a déchu dans mon estime. Il aurait dû jeter son manuscrit au nez de Buloz, avec une paire de gifles en sus et un crachat comme dessert. — Mme Sand aussi se laisse conseiller et rogner ; j'ai vu Chilly[1] lui ouvrir des horizons esthétiques et elle s'y précipitait. — Nom de Dieu ! Il en était de même pour Théo[2], au *Moniteur*, du temps de Turgan ! etc. Eh bien ! de la part de pareils génies, je trouve que cette condescendance touche à l'improbité. — Car : du moment que vous offrez une œuvre, si vous n'êtes pas un coquin, c'est que vous la trouvez bonne. Vous avez dû faire tous vos efforts, y mettre toute votre âme. Une individualité ne se substitue pas à une autre. Il est certain que Chateaubriand aurait gâté un manuscrit de Voltaire et que Mérimée n'aurait pu corriger Balzac. — Un livre est un organisme. Or, toute amputation, tout changement pratiqué par un tiers le dénature. Il pourra être moins mauvais, n'importe, cela ne sera plus lui.

L'élucubration de Mme Régnier n'est pas en cause, mais je vous assure, mon bon, que vous êtes *sur une pente* et que vous autres journaux, vous contribuez, par là encore, à l'abaissement des caractères et à la dégradation, chaque jour plus grande, des choses intellectuelles.

Je vous montrerai le manuscrit de la *Bovary*, orné des corrections de la *Revue de Paris*. C'est curieux. On m'objectait, pour me calmer, l'exemple d'Arnould Fremy et d'Ed. Delessert[3], lesquels avaient été plus doux, plus raisonnables. — Bref, nous nous sommes si bien fâchés que mon procès en est sorti[4]. Ces Messieurs avaient tort, et pourtant quels malins, Laurent-Pichat, ce bon Du Camp, Fovard, notaire, et le père Kauffmann[5], de Lyon, fort en soieries !

Là-dessus, mon vieux, je vous bécotte.

IVAN TOURGUENEFF À GUSTAVE FLAUBERT

Bougival (Seine-et-Oise), maison Halgan.
Jeudi 28 août 1873.

Mon cher ami,

Mort ou vif, j'irai chez vous à Croisset, mais voici ce qui m'arrive. Il y a deux ans, en Angleterre, j'ai fait la connaissance d'un très aimable garçon, nommé Bullock, qui avait un oncle extrêmement riche, un vieux général en retraite, nommé Hall. — Ce général Hall possédait :

la plus belle chasse de perdrix de toute l'Angleterre ! ! ! — rien que cela. Mais c'était un original, qui chassait seul et n'invitait que son neveu — de temps en temps. — Et voilà qu'il meurt, et qu'il laisse sa fortune, son nom et sa *chasse* à son neveu, et voilà que le neveu se souvient de moi et m'invite d'aller chez lui tuer des montagnes de perdreaux entre le 9 et le 14 septembre ! — Malgré ma passion effrénée pour la chasse, seule passion qui me reste — je me suis souvenu de ma promesse, et j'ai répondu… évasivement ; d'autant plus que je ne sais pas si ma goutte me permet de pareilles fredaines, et s'il n'est pas honteux à un vieux barbon comme moi de traverser deux fois les mers pour jeter du plomb à des perdreaux ? — Le fait est que je suis indécis, et voici pourquoi, voulant me mettre à l'aise, je vous demande de remettre à 5 jours mon arrivée à Croisset — c'[est]-à-d[ire] d'y venir le 15 au lieu du 10. — Il est plus que probable que je n'irai pas en Angleterre, mais comme cela je serai tranquille. — C'est entendu, n'est-ce pas ?

Je dois aller samedi à Paris pour affaires. À midi précis je serai au café *Riche*[1] pour y déjeuner. — Si vous pouvez y venir, bravo ! — Si non, je saurai que vous acceptez ce petit retard sans trop d'indignation.

Et en attendant, je vous souhaite santé et bonne humeur, et je vous embrasse.

Votre
IV. TOURGUENEFF.

GEORGE SAND À GUSTAVE FLAUBERT

Nohant, 30 août 1873.

Où se retrouver, à présent ? où es-tu niché ? Moi, j'arrive d'Auvergne avec toute ma *smala*, Plauchut compris. C'est beau, l'Auvergne ; c'est joli surtout. La flore est toujours riche et intéressante, la promenade rude, les logements difficiles. J'ai tout supporté très bien, sauf les deux mille mètres d'élévation du Sancy, qui, mêlant un vent glacé à un soleil brûlant, m'ont flanqué quatre jours de fièvre. Après cela j'ai repris le courant et je reviens ici continuer mes bains de rivière jusqu'aux gelées.

De travail quelconque, de littérature à quelque degré que ce soit, il n'a pas été plus question que si aucun de nous eût jamais appris à lire. Les « poâtes » du cru me poursuivaient avec des livres et des bouquets. J'ai fait la morte et on m'a laissée tranquille. J'en suis quitte, en rentrant chez moi, pour envoyer un exemplaire de moi, n'importe quoi en échange. Ah ! que j'ai vu de beaux endroits et des combinaisons volcaniques bizarres, où il eût fallu entendre ton *Saint Antoine* dans un *cadre* digne du sujet ! À quoi servent ces joies de la vision et comment se traduisent plus tard les impressions reçues ? on ne le sait pas d'avance, et, avec le temps et le laisser-aller de la vie, tout se retrouve et s'enchâsse.

Quelles nouvelles de ta pièce[1] ? As-tu commencé ton livre[2] ? As-tu choisi une station d'étude ? Enfin dis-moi, ce que devient mon Cruchard, le Cruchard de mon cœur. Écris-moi, ne fût-ce qu'un mot. Dis-moi que tu nous aimes toujours comme je t'aime et comme nous t'aimons tous ici.

G. SAND.

À LA PRINCESSE MATHILDE

[Paris,] lundi matin, 1er septembre [1873].

Princesse,

Votre lettre datée de l'autre dimanche n'est arrivée à Croisset que mardi dernier et a couru après moi dans mes différentes pérégrinations, si bien qu'elle m'a rejoint ici, avant-hier, jour où je me proposais d'aller chez vous.

Tout est difficile ! Car je dois être revenu à Croisset jeudi prochain pour y recevoir Tourgueneff qui me promet sa visite depuis quatre ans ! Et qui de Croisset ira baptiser sa petite-fille à Saumur, puis, de là, chasser les perdrix en Angleterre.

Tout ce contretemps me contrarie plus que je ne saurais dire.

Ma visite au cher Saint-Gratien n'est du reste que différée. Le mois prochain, vers le milieu d'octobre[3], je compte prendre ma revanche ?

Agréez donc mes excuses, Princesse, mes regrets serait une expression plus juste, et permettez-moi de vous baiser les mains en vous priant de croire que je suis

Votre très humble et très affectionné

À PHILIPPE LEPARFAIT

[Croisset,] jeudi matin [4 septembre 1873].

Mon jeune homme,

Si tu viens me voir dimanche à Croisset, je t'apprendrai des choses agréables. 1° la réception au Vaudeville du *Sexe faible* ! Carvalho eſt *enthousiasmé (sic)* des changements que j'ai faits au scénario, et « eſt sûr » d'un grand succès pour l'hiver prochain[1].

Demain, nous finissons de régler tout. Et puis etc. etc. !

Je crois, enfin, que tu ne seras pas mécontent de ton vieux.

Bon espoir pour la *Féerie*[2], à la Porte Saint-Martin. Lévy cédera *Mélaenis.* Édition complète de Bouilhet chez Charpentier[3]. — Ah !

À SA NIÈCE CAROLINE

[Croisset,] vendredi, 4 heures [5 septembre 1873].

Eh bien, c'eſt une jolie conduite ! pas de lettre ! pas de nouvelles de Caro à sa pauvre Nounou.

J'ai été très désappointé, je l'avoue, de ne pas recevoir une petite épître ici, hier ou ce matin.

Ma journée de mercredi a été épique ! J'ai été de Paris à Rambouillet en chemin de fer. — De Rambouillet à Houdan en calèche, de Houdan à Mantes en cabriolet. Puis re-chemin de fer jusqu'à Rouen, — et je suis arrivé à Croisset à minuit par une pluie diluvienne. Prix : 83 fr ; car il en coûte pour faire de la littérature consciencieuse ! Enfin, je crois que j'ai trouvé la maison de *B[ouvard] et P[écuchet]* à Houdan. Cependant, avant de me décider, je veux voir la route de Chartres à Laigle. D'après ce qu'on m'a dit, c'eſt peut-être mieux. Mais ce sera la dernière tentative.

Monsieur Vieux a pris de l'air, cette semaine. Car lundi j'ai passé toute la journée à Villeneuve-le-Roi[4], et mardi j'ai été à Rentilly, au-delà de Lagny, chez Mme André[5]. Ce château eſt d'un luxe qui dépasse tout ce que j'ai vu, jusqu'à présent. Il eſt vrai qu'il y a dans la maison plus d'un million de rentes. — Et je le crois sans peine, d'après le train qu'on y mène. — J'ai vu arriver à la fois, par quatre avenues dans le parc, quatre voitures de la maison, chacune attelée de deux chevaux superbes, etc. À plus tard les descriptions.

Carvalho, qui continue à avoir pour moi une passion folle, reviendra à Croisset, au commencement d'octobre, pour régler le scénario du *Candidat*, ou plutôt pour en causer longuement. Car il n'y trouve rien à reprendre, et il veut que je l'écrive dès maintenant, afin de le jouer l'autre hiver[1]. Je suis plein d'hésitations. D'autre part, je voudrais être débarrassé de toute préoccupation, quand je me mettrai l'été prochain à *B[ouvard] et P[écuchet]*.

Fais-moi le plaisir de me dire à quel[le] [heure] sera, de dimanche prochain en huit, l'arrivée du paquebot de New-Haven. Il est convenu entre moi et Tourgueneff que si je ne reçois pas de lettre de lui, d'ici là, il arrivera le 14 au matin à Dieppe. — Et que nous passerons la journée chez Mme Commanville[2].

Pendant que j'étais parti, le choléra sévissait sur nos bords. Plusieurs personnes en sont mortes, entre autres une fille de Saint-Martin, celle qui t'a servi de modèle. Une fille Bony s'est noyée, et on l'a repêchée devant notre porte.

Émile voudrait savoir si M. Commanville a bien reçu tous les papiers qu'il demandait.

Comme on a formellement interdit la pièce de M. Coëtlogon *parce qu'elle attaquait l'Empire ! (sic)*, celle de Sardou passera du 15 au 20 octobre (j'irai à Paris pour la première). En donnant à *L'Oncle Sam* 120 représentations, cela me remet au commencement de février. Donc mes répétitions commenceront vers le milieu de décembre, au plus tard. — Ainsi, ma chère nièce pourra encore passer ici une quinzaine avec son Vieux, qui s'ennuie bien d'elle. Mes retours à Croisset ne sont pas précisément folichons, mon pauvre loulou. Cependant je jouis énormément de n'avoir plus à m'habiller ! et à sortir. Je finissais par être las des bottines !

Carvalho m'a accordé tous les engagements que je désirais. Il nous reste à trouver une Femme-Colosse, pour la nourrice. On la découvrira dans les Bas-fonds de la Société[3] !

Adieu, chérie. Écris-moi une longuissime lettre.

Ton vieux.

À JEANNE DE LOYNES

Croisset, vendredi 5 septembre 1873.

Flaubert a fortement « cabotiné » à Paris pendant le mois d'août et Carvalho, le directeur du Vaudeville est si charmant et si enthousiaste qu'il en conçoit de l'inquiétude : « Quand on est si sûr de la victoire, il faut se méfier de la défaite. » Il s'agit du *Sexe faible* que Flaubert définit ainsi : « C'est un vieil ours de Bouilhet que j'ai reléché et modernisé. » Il dit avoir entrepris ce travail pour venir en aide au fils adoptif de Bouilhet, Philippe Leparfait.

« Comme j'étais en train de penser par *le dialogue* [pour *Le Sexe faible*], je me suis mis à faire le scénario d'une autre comédie — une grande comédie politique, en 5 actes. » De plus il continue à amasser des notes pour *Bouvard et Pécuchet.*

Il déclare que *La Tentation de saint Antoine* est son œuvre de prédilection : « *Saint Antoine* n'est pas une pièce, ni un roman non plus. Je ne sais quel genre lui assigner. »

On parle de la Fusion. « C'est un expédient usé, les Processions lui ont fait tort. » Flaubert pense que la France n'est ni royaliste, ni républicaine, que l'Ancien Régime et 93 sont des épouvantails pour elle, et que seul le centre-gauche est dans son tempérament, aussi reverra-t-on « le petit père Thiers ».

Il donne des détails de sa « vie matérielle » qui a été toute remplie de déplacements. Et le voilà « dans son gîte au bord de l'eau ».

À GEORGE SAND

Croisset, vendredi 5 septembre [1873].

En arrivant ici, hier, j'ai trouvé votre lettre[1], chère bon maître. Tout va bien chez vous ! donc Dieu soit loué !

J'ai passé tout le mois d'août[2] à vagabonder, car j'ai été à Dieppe, à Paris, à Saint-Gratien, dans la Brie et dans la Beauce, pour découvrir un certain paysage que j'ai en tête, et que je crois avoir enfin trouvé aux environs de Houdan ? Cependant avant de me mettre à mon effrayant bouquin, je ferai une dernière recherche sur la route qui va de La Loupe à Laigle[1]. — Après quoi, bonsoir.

Le Vaudeville s'annonce bien. Carvalho, jusqu'à présent, est charmant. Son enthousiasme est même si fort que je ne suis pas sans inquiétudes. Il faut se rappeler les bons Français qui criaient « à Berlin » et qui ont reçu une si jolie pile.

Non seulement ledit Carvalho est content du *Sexe faible*, mais il veut que j'écrive tout de suite une autre comédie dont je lui ai montré le scénario, et qu'il voudrait donner l'autre hiver[2]. Je ne trouve pas la chose assez mûre pour me mettre aux phrases. D'autre part, je voudrais bien en être débarrassé avant d'entreprendre l'histoire de mes deux bonshommes[3]. En attendant, je continue à lire et à prendre des notes.

Vous ne savez pas, sans doute, qu'on a formellement interdit la pièce de Coëtlogon *parce qu'elle critiquait l'Empire*[4]. C'est la réponse de la Censure. Comme j'ai dans *Le Sexe faible* un vieux général un peu ridicule, je ne suis pas sans crainte à l'endroit de ces imbéciles. Quelle belle chose que la Censure ! Axiome : tous les gouvernements exècrent la Littérature. Le Pouvoir n'aime pas un autre Pouvoir.

Quand on a défendu de jouer *Mademoiselle La Quintinie*, vous avez été trop stoïque, chère maître, ou trop indifférente[5]. Il faut *toujours* protester contre l'injustice et la Bêtise, gueuler, écumer, et écraser. Quand on le peut. — Moi, à votre place et avec votre autorité, j'aurais fait un fier sabbat ! Je trouve aussi que le père Hugo a tort de se taire pour *Le Roi s'amuse*[6]. Il affirme souvent sa personnalité dans des occasions moins légitimes.

À propos de grands hommes, on m'a dit à Dieppe que notre ami Dumas tournait tout à fait à la religion ! Il a demandé aux Bonnes Sœurs de Neuville à présider la distribution des prix, et a offert de donner les livres. — On a dénié ses offres ! La Maîtresse d'École s'est même moquée de lui, par devers les bourgeoises de la localité. On le suspecte de viser à la Députation (noble ambition !) et je crois le soupçon raisonnable. Quel drôle d'homme ! Voilà ce que c'est que n'avoir pas lu les classiques dans sa jeunesse ! S'il avait étudié les Maîtres avant d'avoir du poil au menton, il ne prendrait pas Dupanloup pour un homme fort[7]... Je vous conte tout cela, sous le sceau du plus inviolable, sous-entendu secret. Car je serais désolé de déplaire en quoi que ce soit à ce brave garçon.

À Rouen, aussi, on a fait des processions[8] ! mais l'effet a complètement raté. Et le résultat en est déplorable pour la Fusion ! quel malheur ! Parmi les bêtises de notre temps, celle-là (la Fusion) est peut-être la plus forte[1]. Je ne serais pas étonné quand nous reverrions le petit père Thiers ? D'autre part, beaucoup de Rouges, par peur de la réaction cléricale, sont passés au Bonapartisme. Il faut avoir une belle dose de naïveté pour garder une foi politique quelconque.

Avez-vous lu *L'Antéchrist*[2] ? Moi, je trouve cela un beau bouquin, à part quelques fautes de goût, des expressions modernes appliquées à des choses antiques. Renan me semble du reste en progrès. J'ai passé dernièrement toute une soirée avec lui et je l'ai trouvé adorable.

J'attends la semaine prochaine le grand et bon Tourgueneff.

Eh bien, et vous ? est-ce que jamais plus, vous ne reviendrez dans mon humble logis ?

J'irai à Paris pour la première de Sardou[3], vers le 20 octobre. Puis au commencement de décembre pour mes répétitions.

Amitiés aux vôtres, bécots de nourrice aux petites, et à vous, chère bon maître, toutes mes tendresses.

À EDMA ROGER DES GENETTES

[Paris,] dimanche soir [7 septembre 1873].

Il me semble que je ne vous ai point écrit depuis très longtemps ? et je m'ennuie d'être sans voir votre écriture ! Votre ami a monstrueusement travaillé depuis un mois, car il a fait le Ier acte de sa comédie, et avalé une vingtaine de volumes ! pas davantage. Carvalho m'a paru très content du scénario du *Candidat* (titre qu'il m'a prié de taire, parce qu'il le trouve excellent). Donc, revenu ici, je me suis mis à l'œuvre, car je voudrais être débarrassé de mes occupations théâtrales le printemps prochain pour me mettre à écrire mes Deux bonshommes[4]. Je les prépare dans l'après-midi (la pièce est mon *labeur* du soir) et, parmi les choses assommantes que je viens d'avaler, je ne connais rien de pire que les ouvrages des RR. PP. Jésuites ! Ce n'est pas fort, décidément. Ça donne envie de retourner à d'Holbach. J'ai lu aussi les 3 volumes de Mgr Dupanloup sur l'*Éducation*[5] ! Il s'y vante d'avoir fait dans la cour du petit séminaire de Paris un autodafé des « principaux ouvrages romantiques », et il y a là, aussi, un petit parallèle entre Voltaire et Rousseau qui ne manque pas de gaieté.

J'ai trouvé dans le P. Gagarin un grand éloge du sieur Jules

Simon[1]. — Les louanges sont pour faire passer le blâme qui vient après, naturellement ; n'importe ! le bon Père admire Simon. Il est ébloui par… son style ! tant il est vrai que tous les esprits faux concordent. Pourquoi le hideux, l'exécrable « Mosieur de Maistre » est-il prôné et recommandé par les saint-simoniens et par Auguste Comte, tous si opposés de doctrine à ce sinistre farceur[2] ? C'est que les tempéraments sont pareils.

Je ne suis pas sans inquiétude du côté de la censure quant au *Sexe faible*. Bien que je n'y blesse ni la religion, ni les mœurs, ni la monarchie, ni la république, le caractère *bedolle* d'un vieux général qui finit par épouser une cocotte pourrait déplaire à quelques-uns de MM. les militaires qui sont actuellement nos juges absolus ? *N. B.* Donc connaissez-vous le général Ladmirault[3] ? et par quel moyen, si besoin en est, fléchir ce guerrier en faveur de Thalie ? Ma pièce passera après celle de Sardou, vers la fin de janvier, probablement. Dans quatre mois jouirons-nous d'Henry V ? Je ne le crois pas (bien que ce soit tellement idiot que cela se pourrait) ; la Fusion m'a l'air coulée. — Et nous resterons en République par la force des choses. Est-ce assez grotesque ! Une forme de gouvernement, dont on ne veut pas, dont le nom même est presque défendu, et qui subsiste malgré tout ! Nous avons un président de la République, mais des gens s'indignent si on leur dit que nous sommes en république ! Et on raille dans les livres les « vaines querelles théologiques de Byzance » !

Je ne partage pas, chère Madame, vos réticences à l'endroit de *L'Antéchrist*[4]. Je trouve cela, moi, un très beau livre, et comme je connais l'époque pour l'avoir spécialement étudiée, je vous assure que l'Érudition de ce bouquin-là est solide. — C'est de la véritable histoire. Je n'aime pas certaines expressions modernes qui gâtent la couleur. Pourquoi dire par exemple que Néron s'habillait « en jockey » ? ce qui fait une image fausse. — Quel dommage que Renan, dans sa jeunesse, ait tant lu Fénelon ! Le quiétisme s'est ajouté au celticisme, et les arêtes vives manquent.

Vous savez qu'Alexandre Dumas fils déclare à la postérité que le nommé Goethe « n'était pas un grand homme ». Barbey d'Aurevilly avait fait, l'été dernier, la même découverte. C'est bien le cas de s'écrier comme M. de Voltaire : « Il n'y aura jamais assez de camouflets, de bonnets d'âne pour de pareils faquins ! »

En admettant que *Le Candidat* soit réussi, jamais aucun gouvernement ne voudra le laisser jouer, parce que j'y roule dans la fange tous les partis. Cette considération *m'excite.* Tel est mon caractère. Mais il me tarde d'en avoir fini avec le théâtre. C'est un art trop faux. On n'y peut rien dire de complet.

Mes amitiés à M. Roger. Voilà un beau temps pour son jardin !

Je vous baise les deux mains, chère madame, et suis, vous le savez, votre très affectionné

À SA NIÈCE CAROLINE

[Croisset,] mardi soir [9 septembre 1873].

Mon pauvre Caro,

Le Moscove est un être tellement *mené*[1] que je ne sais pas maintenant s'il est à Bougival, à Saumur, ou à Oxford. Mais d'ici à samedi matin j'aurai de ses nouvelles et l'annonce, peut-être, de son arrivée.

Les Censier sont chez toi dimanche. Il me semble que nous[2] ne pouvons pas y coucher ? cela vous gênerait trop ?

De toute façon (en admettant que Tourgueneff n'aille pas à Dieppe) il ne se passera pas bien du temps avant que tu ne voies ta vieille nounou. Car elle s'ennuie beaucoup de sa pauvre fille.

N. B. Qu'est-ce qu'Émile m'a chanté avec une pétition qu'il faut que M. Commanville fasse pour avoir le droit de réparer les cales « et on a écrit pour cela à M. Commanville ».

Il serait temps de s'y mettre (au quai), les marées deviennent très fortes !

J'ai reçu ce matin une lettre très aimable du père *Hugo*[3], m'invitant à dîner chez lui, le jour que je voudrai. Je m'étais présenté à son domicile pour avoir des nouvelles de son fils qui est très malade.

J'en ai reçu une autre de Lachaud, l'éditeur, qui me redemande un bouquin quelconque.

Mais j'en ai reçu une de Mme Magnier, confiseur, qui me fait moins d'honneur que les deux précédentes ! car elle me réclame plusieurs factures. Là-dessus, voyage à Rouen. Recherches infructueuses des quittances, correspondance peu récréative. Bref, j'ai aujourd'hui même craché (pour des confitures depuis longtemps digérées par d'autres) la somme de 304 francs. Il m'eſt également revenu, depuis mon retour de Paris, deux ou trois petits papiers de ce genre-là, et je ne possède plus que 40 francs. Donc, si mon beau neveu pouvait m'envoyer *500* francs, il m'obligerait.

Comment va-t-il, Erneſt ?

Qu'a-t-il fait à Deauville ?

Moi, je crois que j'ai bien fait de lire à Carvalho le plan du *Candidat*. Car il l'a trouvé très bien, et l'espoir de le jouer dans l'hiver de 1874-1875[1] va lui donner du zèle pour *Le Sexe faible* ?

T'ai-je dit qu'il m'avait promis de revenir à Croisset, prochainement, pour causer du *Candidat* ?

Je m'y suis mis ! Depuis dimanche, c'eſt mon travail du soir. Dans la journée, je lis des ouvrages des RR. PP. Jésuites, et je vais en avaler un de Mgr Dupanloup[2] !

Le choléra a été assez fort à Croisset. Pour le prévenir, tout le monde entonne du rhum avec conviction. Mais l'épidémie paraît se calmer.

Aucune nouvelle. Mon serviteur, hier, a manqué se casser la margoulette en dégringolant du haut d'un noyer où il lochait des cerneaux[3]. Il s'eſt poché l'œil, écorché la main et meurtri le dos.

Le temps commence à n'être pas chaud, mon loulou.

Tu as bien tort de laisser manger ton temps par les fâcheux ! C'eſt la pire manière de le perdre.

Incline-toi une fois de plus devant ma sagesse, à propos des Roquère[4] ! Tu vois que j'avais raison. C'eſt « bien léger, bien léger ».

La compagnie de Mlle Marianne ne doit pas t'empêcher de te livrer à tes travaux ≀≀ tiſtiques[5] ?

Fais-lui mes meilleures amitiés.

Je t'embrasse bien fort, ma chère fille.

Ton vieil oncle.

Tu ne diras pas cette fois que je t'écris de simples billets ? Là-dessus, mon loulou,

Serviteur !

À VICTOR HUGO

Croisset, près Rouen, 9 septembre [1873].

Mon cher Maître,

Je tenais à avoir des nouvelles de Monsieur votre fils, que je savais gravement malade[1].

Donc, mardi dernier, vers 9 heures du soir, je me suis présenté à Auteuil devant votre porte. Elle était close, et un gardien de l'ordre public m'affirma que « Monsieur Hugo Victor *(sic)* était couché » !

Mais le mois prochain, j'aurai le plaisir d'accepter cette bonne invitation à laquelle maintenant, je ne puis me rendre. — Et puis, cet hiver, n'est-ce pas, vous serez à Paris ?

D'ici là, cher Maître, je vous embrasse et vous prie de me croire, *ex imo*,

Tout à vous.

À SA NIÈCE CAROLINE

[Croisset,] vendredi [12 septembre 1873].

Tu peux voir par la lettre ci-jointe comment il se fait que le Moscove[2] ne sera pas à Dieppe dimanche prochain.

J'irais bien, *tout de même !* mais je pense : qu'il vaut mieux avancer mon premier acte[3], et puis qu'en allant chez toi vers le commencement d'octobre cela coupe mieux mon temps, c'est-à-dire la privation où je suis de mon pauvre Loulou.

Je travaille beaucoup. — Me voilà emballé ! Monsieur s'est couché ce matin à 5 heures.

Je vais t'envoyer des cerneaux. — Mais ils tournent en noix, déjà.

Émile, lundi prochain, est garçon d'honneur à la noce du fils Leroux avec Mlle Allais. J'irai peut-être, ce jour-là, dîner à Rouen chez Lapierre ?

Merci des 500 francs.

J'espère que miss Marianne[4] ne sera pas partie quand j'irai à Dieppe. Ce sera tout au commencement d'octobre.

Je suis bien aise, mon chéri, que ma dernière lettre t'ait amusée. — Que n'était-ce ma personne !

Un bon bécot sur les deux joues.

Ton vieux.

Il faut s'occuper du quai. Autrement, nous ne serons pas des personnes calées[1] !

À GEORGES CHARPENTIER

Dimanche, 14 septembre [1873].

Mon cher Ami,

Raçon m'a envoyé ce matin deux paquets d'épreuves que j'ai corrigées tout de suite. Je les lui renvoie.

Il faudrait que vous prépariez la petite note historique qui doit précéder le réquisitoire de Pinard et le plaidoyer de Sénard[2].

Est-ce bien utile, cette note ? Ne serait-il pas mieux de mettre tout simplement : « Huitième Chambre de…, etc. » (voir la *Gazette des tribunaux*, pour la date) puis d'étaler sans aucun préambule l'œuvre du sieur Pinard ?

Cependant il faudrait dire clairement que la *Revue de Paris* m'avait fait des suppressions ! (n[os] de décembre).

J'ai passé une heure à rechercher encore mon *assignation* ! Je l'ai, j'en suis sûr ! Mais où est-elle ? Je ferai une troisième tentative, après quoi j'y renonce.

Il faudra dans les deux discours Pinard et Sénard, faire des références pour les pages, — qu'on puisse voir de suite, dans le volume, les endroits qui étaient incriminés dans les numéros de la *Revue*.

Cela sera imprimé en plus petit texte au bas de la page.

Je n'ai fait aucune correction au titre, mais « édition nouvelle » ne me paraît pas suffisant, pour vous. Dans l'intérêt de la vente, ne faudrait-il pas indiquer quelque chose de plus[3] ?

Et si on faisait pour les cent premiers exemplaires une couverture différente, et qui tirât l'œil un peu plus que la couverture ordinaire de votre Bibliothèque ? Qu'en dites-vous ?

Je vous prie, mon cher ami, de me mettre aux pieds de Mme Charpentier et de me croire vôtre.

À SA NIÈCE CAROLINE

[Croisset,] mercredi, 4 h[eures, 17 septembre 1873].

Tu as parfaitement deviné ma conduite. Lundi, j'ai été dîner chez Lapierre, où il n'y avait avec moi que M. le Préfet. — Puis, le soir, est venu Houzeau, le professeur de chimie.

Ce jour-là, lundi, la noce de M. Leroux a bien tiré cent coups de fusil ! et les salves ont recommencé le lendemain ! C'était, au dire d'Émile, « tout à fait très bien ». Huit fiacres ! et l'on avait tué six poules.

Moi, je continue toujours mon *Candidat*, dont je ne suis pas mécontent, quoique (j'en ai peur) il y aura bien des retouches à faire ? Mais ça m'amuse *énormément*. Et en somme, je mène une bonne vie, seul, dans mon domicile, sans personne qui m'embête, et poursuivant la même idée du matin jusqu'au soir, et même quelquefois pendant toute la nuit. — Je me suis un peu calmé, toutefois, car la semaine dernière mon exaltation allait trop loin !

Que [me] manque-t-il ? ma pauvre nièce ! pour lui faire part de mes élucubrations. Si Tourgueneff n'est pas à Croisset, le 1er octobre, je décampe pour aller la voir. Car il y a trop longtemps que je n'ai pas eu ce plaisir. — Je t'avouerai que le Moscove commence à me dégoûter par sa mollasserie ! Je suis sûr qu'il *a envie* de venir, mais les Viardot l'entraînent ailleurs ; et il n'ose pas affronter leur courroux.

Je t'engage à aller chez les Regenat. — Précisément à cause de ta cousine Juliette[1]. D'ailleurs, un peu de chasse fera [du] bien à Ernest[2]. Il a besoin de se reposer.

Dans les intervalles de l'art dramatique je me bourre d'un tas d'œuvres édifiantes, peu fortes à tous les points de vue. Mgr Dupanloup a cependant du bon. Je lis de lui un traité sur l'éducation[3]. — Et à la fin du mois j'aurai avalé (et annoté) 20 volumes que je renverrai à Mlle Cardinal[4].

Le citoyen Émangard n'en trouve, pas moins, que « je ne fais rien ». C'est à moi-même qu'il l'a dit.

Adieu, chère fille. Deux bons baisers. Ton vieux.

NOUNOU.

À GEORGES CHARPENTIER

[Croisset, 17 septembre 1873.]

Mon *assignation* doit se trouver chez l'huissier du tribunal. Le greffe a beau être brûlé, on doit retrouver une copie de ladite assignation, 1° chez l'huissier de la 8e chambre, et 2° dans les journaux de droit du mois de janvier 1857. Voilà du moins ce que m'a affirmé, hier, un ancien magistrat.

Tout à vous, cher ami.

Votre.

17 septembre, mercredi.

Il me tarde de voir les appendices imprimés.

Renvoyez-moi, avec les épreuves, *ceux* (unique) des plaidoiries.

À AGÉNOR BARDOUX

Croisset, près Rouen, jeudi [automne 1873].

Mon cher Ami,

J'attends, de jour en jour, une lettre de vos deux Seigneuries[1] m'annonçant votre arrivée dans ma cabane. Quand sera-ce ? Le terrible d'Osmoy n'a pas répondu à ma dernière épître, de même qu'il n'a pas envoyé de billets pour la Chambre à ma nièce, rue de Clichy, 55. Je lui pardonne ces deux crimes, à condition que tu me l'amènes *illico.* Pourquoi pas ?

Je t'embrasse. À toi.

À ERNEST FEYDEAU

[Croisset, après le 21 septembre 1873.]

Pourquoi es-tu exaspéré des pèlerinages ? La bêtise universelle n'est pas une chose surprenante. Puisque les gens d'ordre croient qu'il faut les amulettes pour préserver des incendies, et que la Droite considère le bonhomme Thiers comme un rouge — ainsi qu'elle a fait pour Lamartine et pour Cavaignac — courbe la tête. Soumets-toi et va à confesse ; tu seras un exemple. Ça moralisera les masses.

Quant à tes *Mémoires d'une demoiselle*[1], tu n'as pas compris mes critiques. Je ne disais pas qu'il y avait trop de folichonneries, mais qu'il n'y avait *que cela.* C'est bien différent. *Tout* peut passer, mais il faut faire à ce tout un entourage, une sauce.

Pour ce qui est de *Saint Antoine*, je ne m'en occupe nullement. Ce livre maintenant n'existe plus pour moi. Quand le publierai-je ? Je l'ignore.

Je suis tout entier à des lectures édifiantes, je me bourre à en vomir des œuvres de Mgr Dupanloup et de celles des jésuites modernes, sans compter le reste ; le tout en vue du livre[2] que je commencerai enfin l'été prochain. Le soir, pour me délasser, je compose une grande comédie politique dont je viens de finir le premier acte[3]. Mais aucun gouvernement ne la laissera jouer, parce que j'y roule tous les partis dans la merde ! étant un homme juste.

Je ferai une apparition à Paris lors de la première de Sardou[4]. Puis j'y reviendrai pour mes répétitions, ne sais quand.

Mon unique compagnie est un lévrier superbe qui dort sur mon divan et bâille devant mon feu. Telle est, mon bonhomme, l'existence de ton vieux qui t'embrasse.

À SA NIÈCE CAROLINE

[Croisset,] mercredi, 6 h[eures, 24 septembre 1873].

Mon Loulou,

Je ne te cache pas que le Moscove[5] m'embête avec ses retards continuels. Et son mutisme, car je n'entends point parler de lui. Bref, je ne remettrai pas ma visite à Dieppe au-delà de la fin de la semaine prochaine. — Ça fera deux mois passés sans voir ma pauvre fille. C'est trop bête !

Je ne te cache pas non plus que prendre l'air, ne serait-ce qu'un jour, me ferait du bien, car depuis que je suis revenu ici, j'ai travaillé d'une façon insensée. Sache que j'ai fini le Ier acte du *Candidat*, dimanche dernier, à 3 h 1/2 du matin ! Maintenant j'expédie un tas de livres assommants ! Je suis écœuré par les élucubrations de MM. les Jésuites. — Et je m'en bourre ! je m'en gorge ! à en crever. — Mais je veux en avoir fini cette semaine, pour les renvoyer à Mlle Cardinal[1] et me mettre dimanche ou lundi prochain à préparer mon second acte.

Si je continue de ce train-là, j'aurai certainement fini en janvier, et peut-être avant ? Il faut que l'été prochain je commence enfin *B[ouvard] et P[écuchet]* !

Dimanche dernier j'ai eu à dîner M. et Mme Lapierre et Houzeau, le professeur de chimie. — Je tiens à soigner Lapierre, à cause des renseignements qu'il peut me donner sur les élections. Et j'ai besoin de Houzeau pour *B (ouvard) et P (écuchet).*

Pas d'autres nouvelles, mon Loulou. Comme il a fait beau hier ! Moi aussi, Madame, j'ai admiré la Nature. Et j'avais bien envie de m'en aller… je ne sais où… de sortir enfin, pour jouir du beau temps. Mais, après un tour de terrasse, je suis remonté dans mon cabinet afin de relever des notes dans le *Christianisme* de l'abbé Senac[2], aumônier du collège Rollin ! Voilà !

Ce que tu me dis du jeune Roquigny[3] m'a fait rire. Un précepteur ! ah ! ce sera du beau ! Pauvre garçon (c'est du précepteur que je parle). Comme je le plains… Tout cela finira par tourner très mal, j'en ai peur, ou plutôt je m'en moque profondément.

La présence de ce grigou de Baudry[4] a, je crois, empêché ton mari de me narrer quelques potins de famille ? À bientôt ce plaisir. Adieu, pauvre chat. Tu ne m'as pas l'air de mener une vie très active ? ni très intelligente ? Pardon du mot. Que lis-tu ? que fais-tu ? Il me semble que tu ne profites pas beaucoup de la paix des champs, pour te recueillir dans le silence du cabinet ?

Et la peinture ? que devient-elle ?

Adieu, mon Caro. Deux bons baisers sur chaque joue.

NOUNOU.

Il n'y a plus de choléra. — À Croisset.

À propos de choléra, comme tu recevras dimanche la visite de Censier, prends garde ! Ne t'approche pas de trop près.

Amitiés à Miss Marianne[5].

À IVAN TOURGUENEFF

[Croisset, 25 septembre 1873 ?]

Ah ! enfin ! ! !

Donc, *je vous attends la semaine prochaine*, à condition, toutefois, que vous ne vous en irez pas trop vite. Prenez vos précautions d'avance.

Moi aussi, j'ai bien des choses à vous dire.

Nous verrons si « Gautier d'Aulnay eſt un gentilhomme sans foi et sans honneur » (*Tour de Nesle*[1]).

Je vous embrasse, en *brûlant* d'impatience.

Votre

Jeudi.

À LA PRINCESSE MATHILDE

[Croisset,] mardi soir 30 [septembre 1873].

Comme il y a longtemps que nous n'avons *correspondu*, Princesse ! J'attendais toujours, pour vous écrire, que je susse l'époque de mon prochain retour à Paris. Carvalho doit m'y appeler, mais je n'entends pas parler de lui. — Et d'ici à ma visite dans le bon Saint-Gratien (ce qui aura lieu, je pense, dans une quinzaine), je voudrais bien savoir comment vous allez, ce que vous devenez ?

Moi, je n'ai pas perdu mon temps. Car j'ai beaucoup travaillé. — Et puis, je me suis occupé de « mes affaires », qui prennent une assez bonne tournure. — Mais cela eſt peu important.

Je sais que le Prince Napoléon eſt à Paris, et j'ai vu de sa prose imprimée. Qu'en pensez-vous[2] ? Je crois qu'il va trop vite ?

Quand la Fusion sera coulée, sera-t-on un peu tranquille ? ô mon Dieu !

Comme le temps eſt doux ! Ici, chez moi, c'eſt charmant. Il faudra pourtant, Princesse, qu'un jour vous vous décidiez à faire ce voyage, et que vous honoriez ma cabane de votre présence ! Serais-je assez content de vous recevoir !

Je continue à y vivre, en philosophe. Quand je me suis un peu promené dans mon jardin, escorté de mon lévrier qui gambade, et que j'ai bien roulé les feuilles mortes sous mes pieds et un tas de souvenirs dans ma vieille cervelle, je secoue la tristesse qui m'envahit et je remonte à mon ouvrage. Voilà.

Ce mois-ci, j'ai lu beaucoup de livres des Révérends Pères Jésuites, lesquels ne sont pas forts, quoi qu'on dise ; et puis j'ai fait le Ier acte d'une comédie[1] politique, qu'aucun gouvernement ne laissera jouer.

Mais de cela, je me console d'avance.

À bientôt donc ! et croyez, chère Princesse, que je suis toujours votre vieux fidèle et dévoué.

À SA NIÈCE CAROLINE

[Croisset,] mercredi matin, 1er octobre [1873].

Mon pauvre Chat,

Je ne crois pas qu'il faille se tourmenter beaucoup de ce que pourrait faire ton père[2] ? Il est dans une position à être coulant, car il a tout intérêt à te ménager. — Et je crois aussi que le notaire a des scrupules exagérés. Ces messieurs-là ne cherchent dans les affaires qu'à en retarder la solution. Axiome : les avoués les embrouillent et les notaires les arrêtent. — Sans compter que leur science n'est pas énorme, ton mari en sait quelque chose !

J'ai enfin reçu, hier, une lettre du Moscove[3] qui m'annonce sa venue pour demain, jeudi, par l'express de l'après-midi. Je ne sais pas combien de temps il restera ici, ni si nous irons chez toi, ensemble.

J'ai écrit à Carvalho pour lui demander s'il était toujours dans l'intention de venir causer du scénario du *Candidat*, et quand est-ce que *L'Oncle Sam*[4] passerait.

J'espère dans ma prochaine lettre te communiquer toutes ces réponses, d'où dépend ma petite visite chez ma pauvre fille.

Je suis en plein dans mon 2e acte. Un bon tiers est fortement esquissé[5].

Quelle dinde que ton ancienne amie Mme Play ! Hier, je l'ai rencontrée devant notre boîte aux lettres. Je l'ai saluée, et j'allais lui parler en bon voisin, mais elle a pris, tout de suite, un tel air, que j'ai rengainé ma politesse !

C'eſt bien là le genre soi-disant convenable des dames de Rouen !

J'en verrai une autre, demain ! car avant d'aller à la rencontre du Moscove, je me présenterai à l'Hôtel-Dieu[1], pour savoir s'il faut que j'y amène mamzelle Julie.

Adieu, pauvre chérie. Tâche de reprendre ta bonne petite vie paisible.

Vieux t'embrasse.

Il fait une chaleur à vomir !

Émile[2] m'a fait hier un aveu : il a une grande envie de voir la scierie de M. Commanville ! C'eſt un désir violent !

Je lui ai promis que je lui accorderais cette volupté, et il m'en a remercié avec effusion. (Je ne plaisante pas du tout.)

À SA NIÈCE CAROLINE

[Croisset,] dimanche [5 octobre 1873].

Mon Moscove m'a quitté ce matin, parce qu'il faut qu'il soit ce soir au dîner des Viardot, où il doit y avoir (myſtère) un fiancé !

Tu l'as tout à fait séduit, mon loulou ! Car à plusieurs reprises il m'a parlé de mon « adorable nièce », « de ma charmante nièce », « ravissante femme », … etc., etc., enfin le Moscove t'adore ! ce qui me fait bien plaisir, car c'eſt un homme exquis. Tu ne t'imagines pas ce qu'il sait ! Il m'a répété, par cœur, des morceaux des tragédies de Voltaire ! et de Luce de Lancival[3] ! Il connaît, je crois, *toutes* les littératures jusque dans leurs bas-fonds ! Et si modeſte avec tout cela ! si bonhomme, si *vache* ! Depuis que je lui ai écrit qu'il était une « poire molle », on ne l'appelle plus que « poire molle » chez les Viardot ! Nouvel exemple de mon génie, pour inventer des surnoms. — Je l'ai mené vendredi à Jumièges ! Mais tout le reſte du temps, nous n'avons pas arrêté de parler. — Et franchement j'en ai la poitrine défoncée ! Ah ! voilà trois journées ⦚tiſtiques[4] !

Je lui ai lu *Le Sexe faible*, la *Féerie* et le Ier acte du *Candidat*, avec le scénario d'icelui.

C'eſt *Le Candidat* qu'il aime le mieux. — Il ne doute pas du succès du *Sexe faible.* Quant à la *Féerie*, il m'a fait une critique pratique, que je mettrai à profit. Le *Pot-au-feu* lui a fait pousser des rugissements d'enthousiasme ! Il prétend que ça écrase tout le reste ! Mais il croit que *Le Candidat* sera une forte pièce ! Ce jugement m'encourage beaucoup. — Et dès demain je m'y remets.

Ce soir, je vais dîner chez Lapierre. — J'irai donc à Neuville vers la fin de l'autre semaine, c'est-à-dire dans une petite quinzaine. J'espère de là aller à Paris pour *L'Oncle Sam*. Jusqu'à présent, aucune nouvelle de Carvalho ! La mère Sand m'a répondu pour me remercier de la biographie de *Cruchard* qui l'a fort divertie[1].

Ce matin, j'ai eu la visite inattendue de Guy de Maupassant avec Louis Le Poittevin[2].

Je viens d'écrire à ton mari, pour le prier de m'envoyer mille francs.

J'ai été jeudi à l'Hôtel-Dieu, mais Achille n'y sera de retour que le 10. — Donc, il me faudra y aller dans une huitaine. Cette pauvre Julie[3] me fait pitié, tant elle a peur de l'opération et de l'hôpital.

Te voilà donc en pleine campagne, mon pauvre Caro, au milieu des bons paysans, dans *tes* terres[4]. Vas-tu y répandre des bienfaits ! moraliser les classes pauvres ! instruire les enfants ! etc., etc. ; enfin être assez châtelaine et ange du Hameau !

« *Mme Commanville ou la Madone de Pissy*, romance ! Paroles de M. Amédée Achard, musique de M. Madoulé, vignette de M. Melotte ! Se vend au profit des pauvres ! »

Je ne me figure pas, du tout, quelles peuvent être tes occupations dans ton manoir ? As-tu, au moins, emporté ta boîte à couleurs, pour te livrer à des études ⦚ tistiques ? Par ce temps d'automne les feuilles sont bien jolies à peindre. Il est vrai que Pissy manque de *sites*. N'importe, tu trouveras peut-être quelque recoin convenable.

Le Moscove a contemplé tes panneaux et trouve que tu as « le sentiment de la couleur ».

Adieu, ma pauvre chère fille.

Deux bons gros baisers de

NOUNOU.

À EDMOND LAPORTE

[Croisset,] jeudi soir, 16 [octobre 1873].

Il m'ennuie de ne pas voir mon vieux Laporte. Quand aurai-je cette joye ?

À EDMOND LAPORTE

[Croisset,] vendredi soir [17 ? octobre 1873].

Mon cher Ami,

Vous êtes invité par Mme Brainne et par Mme Lapierre à venir dimanche prochain (après-demain) dîner à Croisset chez votre

GVE FLAUBERT.

Ainsi à dimanche vers 6 heures et demie, n'est-ce pas, mon grand ?

À SA NIÈCE CAROLINE

Saint-Gratien, lundi matin [27 octobre 1873].

Mon pauvre Loulou,

Je compte être rentré à Croisset mercredi soir. Arrange-toi donc pour que j'y trouve une lettre de ma chère fille.

Jeudi soir, après t'avoir quittée, j'ai été dîner au café *Riche* où j'ai rencontré d'Osmoy qui m'a paru gigantesque ! Jamais je n'ai vu un homme plus spirituel et plus crâne. Il était au milieu de députés de la gauche et, bien entendu, on ne parlait que Politique. Nous sommes restés ensemble jusqu'à une heure du matin.

La Fusion[1] m'a l'air bien endommagée ? Raoul-Duval vient d'écrire une lettre à Rouher[2] où il se déclare *contre* la monarchie. J'espère de plus en plus qu'elle sera enfoncée. Tâche de lire les brochures de *Cathelineau*[3] et de Mgr de *Ségur*[4], et tu verras ce que c'est que ce parti-là.

M. Giraud, la Princesse et M. Popelin[1] m'ont demandé des nouvelles de ma « belle nièce » que j'embrasse très fort.

D'Osmoy trouve que Carvalho a raison et qu'il faut commencer par *Le Candidat*[2].

Adieu, pauvre fille chérie.

Ton vieux CRUCHARD.

À SA NIÈCE CAROLINE

[Croisset,] jeudi [30 octobre 1873].

Mon Loulou,

Je suis arrivé ici hier à 11 heures, *très* éreinté par mon voyage en chemin de fer ! ! ! Afin de moins m'ennuyer en wagon et d'y dormir, je m'étais absolument privé de sommeil dans la nuit de mardi à mercredi. Malgré cela, je n'ai pas fermé l'œil, et j'ai eu jusqu'à hier soir 10 heures (heure à laquelle je me suis couché) un abominable mal de tête, à crier ! Il m'est impossible maintenant d'aller en chemin de fer ! C'est une maladie qui devient gênante ! Heureusement que j'en ai maintenant pour deux grands mois avant de revoir une gare. — Car je ne retournerai pas à Paris avant la fin du *Candidat*. Si, après *L'Oncle Sam*, *Le Candidat* n'est pas terminé et bien terminé, Carvalho jouera *Le Sexe faible* sans aucun changement. C'est convenu[3].

Mais tout le monde se range à l'avis de Carvalho. — Surtout d'Osmoy. Ce grand patriote viendra me faire une visite, après que le grand événement sera passé.

J'ai vu, la semaine dernière, beaucoup de monde, énormément de monde. — Et ma conclusion est que : *on* a peur de la monarchie. En admettant qu'elle passe, ce ne sera qu'à une majorité de 5 à 6 voix. Or, comme d'ici au Jour de l'An, il y aura 13 élections radicales, la Chambre renverserait le roi. Ce serait charmant ! De plus, l'armée est républicaine et bonapartiste. Messieurs les militaires se flanqueraient des coups de fusil, etc. Bref, ce serait déplorable ! Mais Henri V (qui jusqu'à présent n'a fait *aucune* concession, quoi qu'on dise) sera enfoncé et nous aurons dès le lendemain un ministère Centre gauche.

Il y a des jours où je brûle d'être journaliste, pour épancher ma bile, ou plutôt pour dire ce qui me semble la justice.

La légitimité n'est pas plus viable que la Commune. — Ce sont deux âneries historiques.

Au reste, je me suis assez amusé dans la contemplation de la sottise humaine pendant huit jours. Le meilleur a été pour moi la soirée passée avec d'Osmoy. Il était bien beau au milieu de ses collègues. — Bien spirituel et très carré.

La Princesse a été très gentille. — Mon Moscove[1] s'est informé de l'époque de ton retour à Paris, afin de se précipiter chez toi, pour te faire une visite.

Si vous voulez vous mettre en route vers le 10, vous viendrez ici vers la fin de la semaine prochaine, n'est-ce pas ?

Comme ton époux n'aime pas qu'on lui parle des affaires du ménage, j'ai pris sur moi d'autoriser le jardinier à remplacer 20 arbres dans les cours.

Dis de ma part à Mme Winter[2] tout ce que tu pourras trouver de plus aimable.

Ta vieille Nounou t'embrasse bien fort.

Quelle est l'adresse de Mme du Paty[3], pour que je lui envoie une carte ?

À propos du mariage, notre ami Bardoux a épousé une femme *très* riche. On m'a dit 800 000 francs[4] !

La brochure de Ségur est intitulée *Vive le roi !* Je la possède. C'est à se tordre de rire. On la croirait écrite par un homme du XIIe siècle.

À LAURE DE MAUPASSANT

Croisset, 30 octobre 1873.

Ma chère Laure,

Je vais répondre bien mal à ta lettre du 10, car je suis maintenant surchargé de besogne ; le temps me manque pour causer avec toi d'une manière convenable.

Il me sera impossible d'aller te faire une visite à Étretat avant le printemps prochain et je regrette bien que tu ne me donnes pas l'exemple en venant ici à Croisset.

Ton fils[5] a raison de m'aimer, car j'éprouve pour lui une véritable amitié. Il est spirituel, lettré, charmant, et puis c'est ton fils, c'est le neveu de mon pauvre Alfred[6].

Le premier ouvrage que je mettrai sous presse portera en tête le nom de ton frère, car dans ma pensée *La Tentation de Saint Antoine* a toujours été dédiée « à Alfred Le Poittevin[7] ». Je lui avais parlé de ce livre six mois avant sa mort. J'en ai fini avec cette œuvre qui m'a occupé à diverses reprises pendant vingt-cinq ans ! Et à défaut de *lui*, j'aurais voulu t'en lire le manuscrit à toi, ma chère Laure. Du reste je ne sais pas quand je le publierai. Les temps ne sont point propices.

Adieu, ma chère et vieille amie. Excuse mon laconisme et crois-moi toujours à toi.

À EDMA ROGER DES GENETTES

Croisset, jeudi 30 octobre [1873].

Chère Madame,

Je rentre chez moi après dix jours passés à Paris et mon opinion est que : *ils* seront enfoncés. Nous n'aurons pas de monarque, dieu merci. C'est-à-dire qu'on ne brûlera pas les églises et qu'on ne tuera pas les pauvres curés. — Conclusion infaillible de la Légitimité remise en honneur. Tâchez donc de vous procurer la brochure de *Cathelineau*[1] et celle de Mgr de *Ségur*[2]. Vous verrez le fond de ces gens-là ! qui sont des gens du XIIe siècle.

J'oublie de vous féliciter à propos de votre frère[3]. Où demeure-t-il ?

Et le procès Bazaine[4] ? C'est du propre, hein ? Me mépriserez-vous comme innocent et juvénile si je vous avoue que l'acte d'accusation de M. Rivière m'a fait *pleurer* ? Oui ! cela m'a suffoqué, étouffé, comme si une montagne d'ordures me fût tombée sur la bouche. Je ne croyais pas qu'on pût être *immoral* à ce point-là ! Il n'y a pas, en histoire, de plus grand crime. — Et c'est un crime sans grandeur ! Pauvre Troppmann ! tu avais au moins une excuse, toi ! Si tu as assassiné des enfants, c'est que tu venais de voyager avec eux pendant toute une journée et peut-être que leur bruit dans le wagon t'avait agacé les nerfs ? Mais lui, l'Homme de Metz, quel coquin et quel imbécile ! Il y a là un monsieur qui est bien joli, le sieur Régnier[5] !

Que dites-vous de Villemessant allant chercher son Roy ? n'est-ce pas gigantesque ?

Ce n'est pas pour le Roi que j'ai été à Paris, mais pour Carvalho[6], qui n'a rien de royal. Ledit sieur, après 6 mois de réflexion, voulait me faire fondre en un acte l'acte second et l'acte troisième du *Sexe faible.* Je l'ai envoyé promener carrément et il a fini par m'avouer « que j'avais raison ». Le fond de l'histoire est qu'il désire jouer d'abord *Le Candidat*, mais *Le Candidat* n'est pas fini ; et si *L'Oncle Sam* expire avant sa terminaison, il jouera *Le Sexe faible*. En travaillant bien, je pense avoir terminé *Le Candidat* au Jour de l'An ? Donc, je vais dialoguer encore pendant deux grands mois, le mieux et le plus vite possible. Après quoi je reviendrai aux choses sérieuses. Le style théâtral me fait l'effet d'eau de Seltz : c'est agréable au commencement, puis cela agace.

J'ai vu à Saint-Gratien quelqu'un qui vous chérit : Mme Guyon[1]. Nous avons causé de vous pendant très longtemps. Je ne connaissais pas Mme Guyon. Elle m'a plu extrêmement.

J'espère bien que vous ne serez pas à Paris avant le mois de janvier ? D'ici là, je ne bouge de ma chaumière. — Écrivez-moi de temps à autre. Et ne m'en voulez pas si mes réponses sont tardives et laconiques, car j'ai un vigoureux coup de collier à donner. Mais soyez généreuse. Faites-moi des cadeaux, envoyez-moi des épîtres.

Je vous baise les deux mains bien fort.

Votre

Mes amitiés à M. Roger, dont les poiriers sont plus spirituels et plus fructueux que ces Messieurs les *Droitiers*.

À GEORGE SAND

Croisset, jeudi [30 octobre 1873].

Quoi qu'il advienne, le catholicisme en recevra un terrible coup. Et si j'étais dévot je passerais mon temps à répéter devant un crucifix : « Gardez-nous la République, ô mon Dieu ! »

Mais *on a peur* de la monarchie, à cause d'elle-même, et à cause de la réaction qui s'ensuivrait. L'opinion publique est absolument contre elle. Les rapports de MM. les Préfets sont inquiétants, l'armée est divisée en bonapartistes et en républicains, et le haut commerce de Paris s'est prononcé contre Henri V. Voilà les renseignements que je rapporte de Paris où j'ai passé dix jours. Bref, chère Maître, je crois, maintenant, qu'*ils* seront enfoncés. Amen !

Je vous conseille de lire la brochure de *Cathelineau* et celle de *Ségur*. C'est curieux ! On voit le fond nettement. Ces gens-là se croient au XIIe siècle[2].

Quant à Cruchard[1], Carvalho lui a demandé des changements qu'il a refusés (vous savez que Cruchard, quelquefois, n'eſt pas commode). Ledit Carvalho a fini par reconnaître qu'il était impossible de rien changer au *Sexe faible* sans dénaturer l'idée même de la pièce. Mais il demande à jouer d'abord *Le Candidat*, qui n'eſt pas fait et qui l'enthousiasme, naturellement. Puis, quand la chose sera terminée, revue et corrigée, il n'en voudra peut-être plus. Bref, après *L'Oncle Sam*, si *Le Candidat* eſt terminé, il le jouera. Sinon, ce sera *Le Sexe faible.* Au reſte, je m'en moque, tant j'ai envie de me mettre à mon roman[2], qui m'occupera plusieurs années. — Et puis le ſtyle théâtral commence à m'agacer. Ces petites phrases courtes, ce pétillement continu m'irrite à la manière de l'eau de Seltz qui d'abord fait plaisir, et qui ne tarde pas à vous sembler de l'eau pourrie. — D'ici au mois de janvier, je vais donc dialoguer le mieux possible, après quoi, bonsoir ; je reviens à des choses sérieuses.

J'ai vu notre cher Moscove[3], qui a la gravelle, qui a mal à l'eſtomac, et qui m'inquiète. Il n'eſt pas solide, notre ami. Je crois aussi qu'il n'eſt pas ſtoïque ?

Je me suis présenté chez le prince Napoléon, mais il était sorti. — Et j'ai entendu causer politique ! immensément. Oh ! que la Bêtise humaine eſt vaſte et infinie !

Je suis content de vous avoir un peu divertie avec la biographie de Cruchard. Mais, je la trouve hybride et le caractère de Cruchard ne se tient pas ? Un homme si fin dans la Direction n'a pas autant de préoccupations littéraires. L'archéologie eſt de trop. Elle appartient à un autre genre d'ecclésiaſtique ? C'eſt peut-être une transition qui manque ? Telle eſt mon humble critique.

On avait dit dans un courrier de théâtres que vous étiez à Paris. J'ai eu une fausse joie, chère bon maître que j'adore et que j'embrasse.

Votre vieux

Amitiés à tous les vôtres, et de bons baisers aux charmantes petites.

À MARIE RÉGNIER

Croisset, jeudi soir [30 octobre 1873].

Madame et chère Confrère,

En rentrant chez moi, ce matin, après une absence de dix jours, je trouve votre lettre et m'empresse de vous répondre.

Carvalho, que j'ai quitté hier à 11 heures du soir, avait commencé la lecture de votre manuscrit[1] et en paraissait très content. Il m'a promis de le lire avec attention et nous en causerons lorsqu'il viendra ici, dans un petit mois. Je ne doute pas du résultat, qui sera heureux. Mais il faudra, je crois, condenser le tout.

Quant à moi, quant au *Sexe faible*, ledit Carvalho est refroidi et aime mieux jouer d'abord une autre pièce de votre serviteur (seul !) laquelle pièce n'est pas encore finie, mais peut l'être vers le Jour de l'An.

La monarchie, grâces aux dieux, me paraît enfoncée ! Cependant il ne faut pas chanter victoire avant de voir les morts par terre.

À propos des morts, j'apprends à l'instant même que cette nuit, pendant que l'Opéra brûlait[2], mon pauvre Feydeau a quitté ce monde[3]. Tant mieux pour lui, du reste.

À SA NIÈCE CAROLINE

[Croisset,] 4 novembre,
fête de la Saint-Charles et de la Sainte-Caroline,
mardi, 2 heures [1873].

Eh bien, moi, mon loulou, j'en suis *enchanté*[4] parce que : en ma qualité de libre penseur, je ne veux pas qu'on brûle les églises et qu'on tue les curés, ce que l'on s'apprêtait à faire, en Bourgogne, au dire du maire de Reims à moi-même, et dans le Midi, comme me l'a assuré Mme Espinasse[5]. — L'Est se serait soulevé pour le père Thiers, la Provence pour Gambetta, et l'armée se serait administré des coups de fusil, etc., etc. Bref, c'était déplorable, affreux ! D'ailleurs, au bout de six semaines, la Chambre eût déposé le sieur Chambord, chose bien facile avec le renfort survenu à la gauche par les 14 députés qui sont à nommer et qui eussent été ultra-radicaux.

Je ne sais pas où ton mari avait puisé ses renseignements quand il m'assurait que le monde des affaires demandait Henri V ? Quand je suis arrivé à Paris, j'ai appris que le Président du tribunal de commerce, le doyen des notaires et M. André, un des régents de la Banque, avaient fait près de Mac-Mahon une démarche officielle contre la Monarchie, et je n'ai vu que des gens effrayés par cette perspective !

Faut-il être assez ignorant en histoire pour croire encore à l'efficacité d'un homme, pour attendre un Messie, un Sauveur ! Vive le bon Dieu et à bas les Dieux ! Est-ce qu'on peut prendre tout un peuple à rebrousse-poil ! nier 80 ans de développement démocratique, et revenir aux chartes octroyées !

Ce qu'il y a de comique, c'est la colère des partisans de Chambord contre ledit sieur ! On est tellement bête de ce côté-là, qu'on ignore le principe même du prétendu droit divin que l'on veut défendre. — Et tout en prêchant pour lui, on le renverse. — J'avoue que j'ai un poids de moins sur la poitrine. N'importe ! le petit-fils de saint Louis est un honnête homme ! Et il nous a épargné de grands désastres[1].

Maintenant, ils veulent faire de M. de Joinville[2] un lieutenant général du royaume ! Mais c'est vieux jeu. Assez !

Et assez de politique, n'est-ce pas ?

J'aurai fini mon 3e acte[3] demain, ou peut-être cette nuit ? Monsieur s'est couché à 4 heures, après avoir hurlé dans le silence du cabinet depuis 9 heures du soir, sans discontinuer. — Je crois que j'aurai terminé le 4e à la fin du mois, et le 5e vers Noël ? Ensuite, advienne que pourra ! Et je ne suis pas près de refaire du théâtre. — C'est bon pour les gens qui n'aiment pas le style, en soi.

Samedi, j'ai eu la visite de Guy de Maupassant et de Louis Le Poittevin[4]. — Dimanche, Guilbert a apporté le buste[5]. Je le trouve très joli, comme sculpture, mais les yeux et le bout du nez me déplaisent. — On ne retrouve notre pauvre vieille que partiellement. Cependant le profil, à la lumière surtout, est très ressemblant.

Guilbert ne m'a pas encore donné sa note. — Mais cela ne tardera pas ? Quand vous viendrez ici (la semaine prochaine sans doute ?), qu'Ernest m'apporte mille francs. S.V.P.

Là-dessus, ma pauvre chérie, je vais faire « mon tolette », il en est temps. Puis me remettre à ma « scène d'amour ». Après quoi, Monsieur prendra un bain, dînera et regueulera nuitamment comme un ≀ qu'il est !

Je ferai observer à la belle dame Commanville qu'elle m'envoie depuis quelque temps des épîtres bien courtes ! Je l'embrasse très fort.

Sa Nounou

GEORGE SAND À GUSTAVE FLAUBERT

[Nohant, 10 novembre 1873.]
lundi

Ton pauvre vieux troubadour au sortir d'un cruel accès de rhumatisme, pendant lequel il n'a pu ni se coucher ni manger, ni s'habiller tout seul, est enfin debout. Il a passé par le mal de foie, la jaunisse, l'urticaire, la fièvre, enfin il était bon à jeter à la borne.

Le voilà debout, très faible, mais pouvant écrire quelques lignes et dire avec toi *amen* aux dictatures catholiques enfoncées ; ce n'est pas même *catholiques* qu'il faudrait dire, ces gens-là ne le sont pas. Ce ne sont que des cléricaux.

Je vois aujourd'hui dans *les feuilles*, qu'on a joué *L'Oncle Sam.* On dit que c'est mauvais, mais cela peut bien être un succès quand même[1]. Je te vois bien ajourné, et Carvalho me semble aussi capricieux, aussi insaisissable que les autres directeurs de théâtre.

Tout Nohant t'embrasse et moi, je t'embrasse plus encore, mais je ne peux pas écrire davantage.

G. SAND.

Bon travail ? Quand pourrai-je m'y mettre, moi ? je suis *chiffe.*

À LA PRINCESSE MATHILDE

Croisset, mercredi 12 [novembre 1873].

J'attendais pour vous écrire, Princesse, que nous puissions nous réjouir ensemble de l'issue des événements. Mais nos Souverains ne se décident pas à nous donner un gouvernement définitif, ou plus ou moins définitif ? L'important est que nous soyons délivrés du cauchemar de la Monarchie[2] ! Dieu merci, nous le sommes. Donc, *hosannah !* En ce qui vous concerne personnellement, j'en suis ravi, car la première chose des Cléricaux (l'histoire est là pour nous renseigner) eût été une proscription en masse, où vous auriez pu être comprise ? Ils sont si bêtes, et si lâches, que j'en tremblais d'avance.

Depuis que j'ai quitté le cher Saint-Gratien, où j'ai passé les trois meilleurs jours de mon année, j'ai travaillé comme un enragé à ma comédie politique[1] qui sera finie, je l'espère, dans un petit mois. Donc vers le milieu de décembre je serai revenu à Paris, et vous re-verrai plus souvent.

Il me tarde d'être sorti de l'Art dramatique. Ce travail fiévreux et pressé me tord les nerfs comme des cordes à violon. — J'ai peur, par moments, que l'instrument n'éclate.

Quand je suis parti de Paris, l'Opéra achevait de brûler, et le pauvre Feydeau se mourait. Je n'ai pas été (bien qu'aient dit les feuilles) à son enterrement, parce que je suis rassasié de funérailles. — Ma présence n'eût fait de plaisir à personne, et je suis resté chez moi. Cet ami-là est le moins regrettable de tous ceux que j'ai perdus depuis quatre ans. — Mais enfin il avait été mon ami ! Je l'avais connu très intelligent, très agréable, et propre[2]. Et puis, c'est encore un de moins !

Rien n'est bête comme ce genre de réflexions à la Prud'homme, et je vous en demande pardon. D'où vient, cependant, qu'on ne peut pas s'empêcher de les faire ? D'ailleurs, s'il fallait dire toujours des choses spirituelles, on ne dirait rien ou presque rien.

Quand retournez-vous à Paris ? Bientôt sans doute ?

Je me suis présenté rue de l'Arcade chez le Prince. Mais il était sorti.

Je vous baise les deux mains, Princesse, ou plutôt ma chère Princesse (style Blanchard, je crois ; n'importe, il est juste), et suis entièrement vôtre.

À SA NIÈCE CAROLINE

[Croisset,] vendredi, 1 heure [14 novembre 1873].

Mon pauvre Chat,

Moi aussi, je n'étais pas bien gai, avant-hier au soir, après votre départ ! J'ai voulu me remonter à force de travail ; si bien que je me suis endormi à 7 heures du matin ! Ma vie, au fond, n'est pas toujours bien drôle, malgré la littérature. L'élément tendre y fait trop défaut !

Hier a paru, dans *L'Événement*, une petite réclame pour la première comédie de M[onsieur] Fl[aubert][1], qui me semble venir de Carvalho. On dit qu'elle passera après *L'Oncle Sam*, « mais quand ? » ; ce qui veut dire que *L'Oncle Sam* n'a pas un grand succès.

J'aurai, je crois, fini dans 15 jours ou trois semaines. — Un peu avant la terminaison j'écrirai à d'Osmoy de venir, puis j'appellerai Carvalho.

Il a fait, hier, un temps splendide ! et je te regrettais bien, ma pauvre fille !

J'attends tout à l'heure la visite de Laporte. Il m'a écrit ce matin pour me l'annoncer.

La Profession de foi du sieur Desgenetais (qu'il a eu la bonté de m'adresser ainsi qu'à mon domestique) a l'air copiée sur celle de Rousselin[2] : c'est l'inverse.

Mme Doche, et une actrice de l'Odéon, Mlle Déborah, m'ont re-écrit. Il y a du nouveau là-bas[3] ?

Maintenant, parlons de toi. Je comprends très bien ce que veut dire M. Blot. Il a peut-être raison ? L'important, maintenant, c'est que tu puisses faire ton voyage, avec de bonnes chances pour ta chétive, sous-entendu, Santé.

Comment ! « dans six semaines, ou deux mois » nous nous reverrions ! Je croyais que vous deviez être revenus entre Noël et le Jour de l'An.

Quoi qu'il en soit, mes chers enfants, je vous souhaite bonne santé, bonne humeur et réussite d'affaires !

Écris le plus souvent que tu pourras à ton pauvre vieil oncle.

Encore un *bacio* avant de monter en wagon.

À GEORGE SAND

[Croisset,] samedi soir 15 novembre [1873].

Je n'aime pas à vous savoir souffrante, à l'approche d'un hiver qui menace d'être rude.

Permettez-moi un conseil. Allez dans quelque endroit chaud. *Coûte que coûte*. Lâchez tout pour votre santé.

Vos bains de rivière ont fort bien pu vous donner ces rhumatismes ? Mon frère vient de se guérir des siens, par un mois de séjour à *Aix* en Savoie.

Est-ce le foie qui est le plus malade, allez à Vichy. — On s'y soigne tout aussi bien en hiver qu'en été. — Pas trop de philosophie, chère maître ! Pensez à vous, ou plutôt à nous.

Je viens de finir mon 4e acte. Et j'aurai tout terminé dans 15 jours. Mais je ne dors plus. « Macbeth a tué le sommeil. »

Votre vieux

Troubadour
vous embrasse.

Que Maurice m'écrive si cela vous fatigue.

À SA NIÈCE CAROLINE

Nuit de lundi, 1 heure, 17 novembre [1873].

Sommes-nous assez loin l'un de l'autre, mon pauvre chat ! Quel ruban de chemin de fer, sans compter les lieues marines[1] !

Aujourd'hui vous devez être à Hambourg ? Je n'aurai pas de télégramme avant jeudi ? et, d'après mes calculs, peut-être pas de lettres avant 8 jours ! Il me tarde bien de savoir comment s'est effectué le voyage, si tu n'es pas fatiguée, si tu n'as pas froid, etc. Le temps était rude samedi soir, et j'ai bien pensé à vous !

Hier j'ai été voter à Bapeaume[2]. Cela m'a fait une petite promenade qui a rafraîchi ma tête trop échauffée. — Si bien que cette nuit j'ai pu dormir, et 8 heures de bon sommeil m'ont retapé. *Le Candidat* marche d'un train effroyable : je l'aurai fini, sans aucun doute, avant huit jours. À la fin de cette semaine, j'appellerai d'Osmoy et, s'il tarde à venir, je demanderai tout de suite le sieur Carvalho. — Une petite réclame pour moi, dans *L'Événement*, me fait présumer que *L'Oncle Sam* n'aura pas la vie très longue ?

Le général Valazé a été élu à une majorité écrasante, plus de 40 mille voix, sur le sieur Desgenetais, dont l'enfoncement m'est agréable, je ne sais pourquoi. Mais les autorités de Croisset, les gens du grand parti de l'ordre, les sieurs Lecœur et Poutrel le défendaient ; ce dernier est même venu prêcher en sa faveur notre jardinier, qui est resté sourd à la corruption. Enfin la manufacture est aplatie. *Taïeb*[3].

Samedi j'ai reçu la visite de Laporte. Il s'est occupé d'un époux pour Miss Putzel. Il a été chez plusieurs marchands de chiens et chez un acteur des Variétés (Cowper), où on lui avait dit qu'il trouverait des mâles idoines. — Enfin, le plus célèbre chienneur de Paris, M. Butler, lui a répondu qu'il attendait d'Allemagne des jeunes gens, où tout au moins un jeune homme, pour les dames de la race de Putzel qui en ont besoin.

Tu vois que ce bon Laporte ne t'avait pas oubliée. Il viendra déjeuner ici, dimanche. — Ce jour-là, sans doute, j'irai dîner chez Lapierre, et je profiterai de ma sortie pour rendre la visite du général Merle.

Je ne vois pas d'autre nouvelle à te narrer, chère Caro. Ma vie eſt aussi monotone que la vôtre eſt maintenant accidentée. Il fait maintenant une nuit noire comme de l'encre. Tout a l'air figé dans un mutisme absolu. Pas de vent ! Pas une étoile ! Ma lampe brûle et je n'entends, de temps à autre, que le craquement de mon feu. Je suis très rouge, un peu oppressé et j'ai soif. Voilà.

La chaufferette m'eſt arrivée. Quel monument ! Elle a causé la ſtupéfaction de mes gens. M. Senard va la vernir, et je ferai « des embarras avec ! » Tu serais bien gentille de m'écrire souvent et longuement si cela se peut. Donne-moi, non seulement des nouvelles de vos santés, mais encore des Affaires[1] !

Adieu, mes chers enfants.

Ton vieil oncle t'embrasse tendrement.

Le 12 du mois prochain il aura 52 ans. Pense à lui.

À EDMA ROGER DES GENETTES

[Croisset,] nuit de lundi [17 novembre 1873].

Mes compliments pour la nomination du Frère[2] !

Je suis dans le *coup de feu* de la fin ! au milieu du cinquième acte. — Battements de cœur et fièvre. Mais ça va très bien.

Et je vous baise les deux mains.

Tout à vous.

IVAN TOURGUENEFF À GUSTAVE FLAUBERT

[Paris,] 48, rue de Douai.
Mercredi, 19 nov[embre 19]73.

Eh bien, cher ami, depuis hier vous avez la dictature militaire[1]. Vous êtes, comme on l'a dit, Macmahonnien. Il m'avait toujours semblé qu'être tout simplement Français valait mieux ; mais je peux me tromper.

Le seul bon côté de tout cela, c'est que rien ne doit plus vous empêcher de publier *Antoine*[2], puisqu'on nous promet la paix, la reprise des affaires, et pendant 7 ans. Je suis allé avant-hier à Versailles et j'en suis revenu tout dégoûté et attristé.

Au diable la politique ! Je suis fort content de voir que vous travaillez ferme et que votre comédie[3] avance à pas de géant. Celle de Sardou[4] (que je n'ai pas vue du reste) fait plus de bruit que de besogne. Je ne crois pas qu'elle ait les 200 représentations de *Rabagas*[5]. La vôtre pourrait arriver plus tôt.

Ma santé s'est remise, je suis un peu tourmenté par une toux nerveuse, mais il faut bien qu'on ait quelque chose.

Je ne quitte pas Paris avant la fin de janvier. À bientôt, j'espère. Tout le monde va bien.

Je vous embrasse

Votre vieux
IV. TOURGUENEFF.

À SA NIÈCE CAROLINE

[Croisset,] samedi soir, 22 novembre [1873].

Chère Caro,

Reçois d'abord mille remerciements pour ta lettre de Hambourg et pour le télégramme de Malmoe[6]. De plus, Daviron m'a envoyé, ce matin, votre adresse à Stockholm.

Jusqu'à présent le voyage m'a l'air de te faire du bien ! J'attends, bien entendu, une très longue lettre pour me confirmer les bonnes nouvelles et me donner une *masse de détails, surtout.* Je ne suppose pas que tu aies grand-chose à faire, à moins que « la Société » ne prenne tous tes loisirs. — Enfin, pense à Vieux. — Recommandation inutile, je le sais. N'importe !

Eh bien, moi, j'ai fini *Le Candidat* ! Oui, Madame ! et je crois que le Ve acte n'est pas le plus mauvais ? Mais je suis bien éreinté. — Et je me soigne. Aujourd'hui j'ai fait une très longue course à pied. Demain, je me donne absolument vacance. Mardi, sel de Glauber[1], mardi prochain re-promenade, mercredi re-bain. Il était temps que je m'arrête, ou arrêtasse. Le plancher des appartements commençait à remuer sous moi comme le pont d'un navire, et j'avais en permanence une violente oppression. Je connais cela, qui veut dire : « assez ! »

Dès que j'ai eu fini, j'ai écrit à d'Osmoy (comme nous en étions convenus) et pour que ma lettre lui arrive plus vite, j'en ai écrit une autre à Mme d'Osmoy. — Pas de réponse depuis deux jours ! Je lui enverrai un télégramme lundi, et s'il ne me répond ou qu'il ne puisse pas venir tout de suite, j'appellerai Carvalho. J'aurais voulu cependant lire d'abord *Le Candidat* à d'Osmoy ! Enfin ! il faut prendre les gens comme ils sont !

Croirais-tu que je n'y pense plus, à ma pièce ! et que si je suivais *mon instinct*, je ne m'occuperais pas de la faire jouer ? Je l'ai recopiée. Je n'y vois plus rien à faire ! C'est fini. Tournons-nous d'un autre côté ! ou plutôt je ne demande qu'à dormir ; car j'ai la tête fatiguée comme si on m'avait donné des coups de bâton sur icelle. Le sommeil « fuit ma paupière ». À force d'exercice, j'espère le rappeler.

Tu auras vu, par les journaux, que nous avons le maréchal Mac Mahon pour 7 ans ! Je ne crois pas que cette solution hypocrite fasse du bien « aux Affaires ». Les mêmes gens qui, depuis deux ans, gémissent sur le Provisoire, viennent de le décréter pour 7 ans. Quelle logique !

Jusqu'au vote des lois constitutionnelles, on ne peut rien prévoir.

Ce qui me paraît sûr, c'est que la République va se constituer définitivement, par une transition lente ?

Le Moscove m'a écrit pour me dire (encore) qu'il fallait cet hiver publier *Saint Antoine*, puisque l'on va être tranquille, pendant quelque temps. À propos de *Saint Antoine*, j'ai lu aujourd'hui un livre sur lui (c'est-à-dire ayant le même titre), par M. Hello, conseiller à la Cour d'appel de Paris[2]. Devine quel en peut être le but ? Le voici : 1° faire admettre dans les us des fidèles un pèlerinage à Vienne, en Dauphiné, où reposent les reliques du Saint, et 2° choisir Henri V pour nous régénérer ! Là, vraiment, n'est-ce pas beau !

Une lettre venant de Dieppe, et que je crois de Mme Levert, est arrivée ici pour toi, avant-hier ? Que veux-tu que j'en fasse ?

À quelle distance ne te trouves-tu pas de « tes élèves[3] » !

maintenant. Il me semble que la sensible Marguerite doit faire « un journal » où se trouve l'opposition du Nord et du Midi. Moi en Provence. Elle en Suède, etc.

Tâche de n'y pas perdre le bout du nez. Dans les pays froids, cela peut vous arriver ! Vois-tu ton état, s'il restait dans ton mouchoir ? Soignez-vous bien, mes chers enfants, et revenez-moi gaillards et satisfaits.

Julie[1] m'a chargé de dire « à Mme Commanville pour la rassurer » que sa nièce la reprendrait, cet hiver, volontiers. Néanmoins elle frissonne déjà à l'idée de mon départ. Je ne suis pas pressé de l'effectuer. — Et si Carvalho n'a pas besoin de moi, je resterai ici peut-être jusqu'à votre retour.

Le temps a été très froid pendant deux jours, puis s'est radouci tout à coup. — Comment se comportent les bronches de ton époux dans la zone polaire ? Et toi, ma pauvre fille, les migraines ? Mon Dieu, comme je voudrais te voir ! C'est bien ennuyeux de ne pouvoir se figurer nettement les endroits où se trouvent ceux qu'on aime.

Adieu, pauvre chat ! Tu vois que mon existence continue à être peu variée. Je vais reprendre les lectures pour *B[ouvard] et P[écuchet]* jusqu'au moment des répétitions[2]. Et puis, à la grâce de Dieu !

Ta vieille Nounou t'embrasse de toutes ses forces.

Je demande la description de l'effet produit à la Bourse de Stockholm, par l'arrivée inattendue de M. C[ommanville]. Tableau.

À SA NIÈCE CAROLINE

[Croisset,] mercredi soir 26 novembre [1873].

J'ai reçu tantôt à 2 h. 1/2 un télégramme de vous qui me demande de mes nouvelles. Mais, mon pauvre chat, voilà la 3e (et même, je crois, 4e) lettre que je vous adresse ! La 1re était « poste restante » et la seconde à « l'hôtel de *Kung-Karl* ». Peut-être n'ai-je pas mis suffisamment de timbres ? car le facteur m'a dit, dimanche, en prenant ma lettre, qu'il fallait 12 sols ! Les autres n'en avaient que huit. Je suis bien fâché, ma chérie, de te donner de l'inquiétude. Il me semble pourtant que ce n'est pas ma faute ? Au moins, as-tu reçu le télégramme d'aujourd'hui ?

Je vois avec plaisir que le voyage ne t'a pas fatiguée ! Quelle gaillarde ! Aller au musée, tout de suite, en débarquant (quelle conduite d' ⌇[1]) Et tu es bien gentille ! tu n'oublies pas Vieux ! Un bon baiser pour te récompenser.

J'ai fini *Le Candidat*, comme tu sais. Et j'ai écrit à d'Osmoy qu'il vienne en entendre la lecture. — Sa réponse m'est arrivée, deux jours après, m'annonçant sa présence ici pour mardi (hier). — À 7 heures du soir télégramme m'annonçant qu'il ne peut venir d'ici à deux jours ! Alors j'ai télégraphié à Carvalho que je l'attendais. Ledit Carvalho m'a répondu qu'il viendrait vendredi ou lundi. — Au reste, qu'il me ferait savoir demain le jour précis de son arrivée. Ainsi, ma prochaine lettre te dira le résultat de cette lecture. — Grande affaire ! Advienne que pourra, après tout ! Je me suis remis à mes lectures pour *Bouvard et Pécuchet*, et même aujourd'hui j'ai avalé un volume et demi de l'abbé Bautain, *La Chrétienne*[2], qui m'a très intéressé. Cet homme-là connaît le monde de Paris à fond.

Dimanche, j'ai fait chez Lapierre la connaissance de Mme Pressy que je trouve une personne *très bien*. Elle m'a appris le mariage de Madoulé avec une des filles Levesque[3]. Il n'est sorte de bêtises que je n'aie dites à ce dîner. — Et je crois que j'ai été très loin ! — mais la société était indulgente. La cause de ma gaieté était d'être débarrassé du *Candidat* ! Le matin j'avais eu à déjeuner Laporte, qui m'a conduit à Rouen dans son tilbury.

Demain je dîne chez Houzeau, le professeur de chimie. Il a dîné ici, il y a deux mois. Échange de politesses.

Quoi de neuf à te dire ? ma foi, rien ! Lundi Monsieur s'est purgé. Monsieur se soigne, et recommence à dormir. Mais, franchement, j'en avais assez !

En fait de politique, nous allons être, pour quelque temps, dans le calme. Raoul-Duval, depuis qu'il a voté à plusieurs reprises contre la droite, a « reconquis sa popularité » ! Il est sûr maintenant d'être réélu.

Ce soir, au Gymnase, Ire représentation de *Monsieur Alphonse*, comédie en 3 actes d'Alexandre Dumas. On s'attend à un très grand succès.

L'Événement de dimanche annonçait que Carvalho était présentement chez moi, pour entendre la pièce qui doit succéder à *L'Oncle Sam*.

On a vu passer à Croisset Mr. Roquigny fils[4] dans *sa* voiture qu'il conduisait lui-même, avec son domestique. Il faut, décidément, que son grand-père soit idiot ! Quelle manière d'élever un gamin !

J'ai reçu la note de Guilbert[1] : *Mille francs* en tout (ce qui n'est pas cher), et immédiatement j'ai écrit à Daviron pour qu'il envoyât mille francs à Paris.

Depuis plusieurs jours, il fait chaud et extrêmement humide. Les murs suintent. — On est dans le brouillard et dans l'eau. Aujourd'hui, cependant, le soleil s'est remontré. — À l'heure qu'il est, minuit, je travaille la fenêtre ouverte ; la nuit est noire et tranquille, et je laisse mourir mon feu. — Et toi, pauvre loulou, as-tu froid ? Comment vas-tu ? et la toux d'Ernest ? et ses affaires ? et « tes succès de société » ? Écris-moi très longuement, si tu en as le temps. Il y a aujourd'hui 15 jours que tu m'as quitté. J'espère que dans un mois nous ne serons pas loin de nous revoir.

Ma vie continue à se passer sans le moindre épisode. Ma seule distraction m'est fournie par Julio[2], qui joue avec son petit d'une manière attendrissante (à propos as-tu des nouvelles de Putzel ?) L'autre jour, quand il a reconnu Laporte, il s'est mis à trembler de tous ses membres, à sauter, à japper, et à pleurer. Nous en étions si émus que nous en sommes restés béants. On aurait dit une personne humaine.

Mes compliments sur tes talents d'allemand. Voilà ce que c'est que d'avoir une « belle éducation ». T'amuses-tu au musée ? Rapporte-moi des tableaux pour orner mon domicile, et surtout rapporte-toi en bel et bon état. Je vous embrasse tendrement tous les deux, mes chers enfants.

Encore un bon baiser sur chaque joue de ma pauvre nièce.

Son vieil oncle.

Je suis curieux de savoir si mes lettres, à la fin, te parviennent. Il y en aura eu d'égarées dans vos changements d'hôtel.

À RAOUL-DUVAL

[Croisset, 27 novembre 1873.]

Mon cher ami,

Je vous attends *dimanche prochain* pour dîner, avec nos amis de la rue de la Ferme[3].

C'est convenu, n'est-ce pas ?

Tout à vous.

Jeudi matin, Croisset.

À RAOUL-DUVAL

[Croisset, 30 novembre 1873.]

Merci, mon cher ami ! mais je ne peux pas aller chez vous ce soir, parce que j'ai promis à *Carvalho* (qui eſt venu hier ici) de lui donner demain mon 3ᵉ acte, modifié. Je passe toute la journée, et passerai probablement toute la nuit à cette besogne, pour qu'il n'en soit plus queſtion. Car *elle m'embête au-delà de toute expression !*

Mes amitiés à Daudet.

Excusez-moi, et tout à vous.

Dimanche.

À SA NIÈCE CAROLINE

[Croisset,] mardi 2 décembre [1873].

Chère Caro,

J'entre en répétition le 20 de ce mois ! peut-être le 25 ; en tout cas, avant le Jour de l'An[1]. Nous causerons tout à l'heure « théâtres » mais d'abord, permets-moi, mon loulou, de te vitupérer sur ton étourderie :

1° En partant, vous me dites de vous écrire poſte reſtante, ce que je fais. Et l'idée ne vous vient pas d'aller voir à la poſte s'il y a des lettres !

2° Dans ta lettre du 21 novembre, tu me préviens qu'il faut t'écrire hôtel *Rydberg* ;

3° La veille, Daviron m'avait bien recommandé, de votre part, de vous écrire à *Kung-Karl.* — J'ai écrit à *Kung-Karl.* Puis au *Rydberg.*

Et 4° Dans ton épître du 25 (reçue hier), tu me dis de t'écrire au *Kung-Karl.* Ah ! loulou, loulou ! sont-ce les dîners des bons Suédois ou le froid qui te bouche la mémoire ? Bref, tu vois, mon pauvre chat, que je suis bien innocent si tu n'as pas plus régulièrement des lettres de ton Vieux factice.

Je suis bien content de voir que ta santé eſt bonne, et que tu te sens plus robuſte.

Maintenant je commence mes narrations dramaturgiques[2].

Carvalho est arrivé samedi à 4 heures. — Embrassade suivant les us des gens de théâtre. À 5 heures moins dix minutes, a commencé la lecture du *Candidat*, qu'il n'a interrompue que par des éloges. Ce qui l'a le plus frappé, c'est le 5ᵉ acte, et, dans cet acte, une scène où Rousselin a des sentiments religieux, ou plutôt superstitieux. — Nous avons dîné à 8 heures et nous nous sommes couchés à deux.

Le lendemain, nous avons repris la pièce, et alors ont commencé les critiques : *elles* m'ont *exaspéré*, non pas qu'elles ne fussent, pour la plupart, très judicieuses, mais l'idée de retravailler le même sujet me causait un sentiment de révolte et de douleur *indicible*. — Note que notre discussion a duré tout le dimanche, jusqu'à 2 heures du matin ! et que ce jour-là j'avais les Lapierre à dîner ! Ah ! je me suis peu diverti ! Pour dire le vrai, il y a peu de jours dans ma vie où j'aie autant souffert. Je parle très sérieusement, et Dieu sait combien je me suis contenu ! Carvalho, accoutumé à des gens plus commodes (parce qu'ils sont moins consciencieux), en était tout ébahi. Et, franchement, il est patient !

Les changements qu'il me demandait, à l'heure qu'il est, *sont faits*, sauf un. — Donc, ce n'était ni long ni difficile. N'importe ! ça m'a bouleversé. Il y a un point sur lequel je n'ai pas cédé. Il voudrait que je profitasse « de mon style » pour faire deux ou trois gueulades violentes. Ainsi, à propos de Julien, une tirade contre les petits journaux de Paris. Bref, le bon Carvalho demande du scandale. Nenni ! je ne me livrerai pas aux tirades qu'il demande, parce que je trouve cela facile et canaille. C'est en dehors de mon sujet ! C'est anti-esthétique ! Je n'en ferai rien !

En résumé, le 2ᵉ et le 3ᵉ actes sont fondus en un seul (je n'ai enlevé qu'une scène), et la pièce aura 4 actes. *L'Oncle Sam* ne dépassera pas les premiers jours de février. Carvalho voulait même me remmener avec lui à Paris. Toutes mes corrections seront faites demain ou après-demain.

Donc, vers la fin de la semaine prochaine, je fermerai Croisset et irai là-bas. — Je suis, d'avance, énervé de tout ce que je vais subir ! et je regrette, maintenant, d'avoir composé une pièce ! On devrait faire de l'Art exclusivement pour soi : on n'en aurait que les jouissances. Mais, dès qu'on veut faire sortir son œuvre du « silence du cabinet », on souffre trop, surtout quand on est, comme moi, un véritable écorché. Le moindre contact me déchire. Je suis, plus que jamais, irascible, intolérant, insociable, *exagéré*, Saint-Polycarpien. Ce n'est pas à mon âge qu'on se corrige !

Mme d'Osmoy m'a écrit pour me dire que son mari était malade et qu'il eſt couché. Il ne sort de son lit qu'aux heures de la Chambre. Si cela eſt vrai, je lui pardonne. Mais il m'a bien manqué tous ces jours-ci, où j'aurais eu le plus grand besoin de ses conseils. — Enfin, à la grâce de Dieu !

Carvalho croit que la censure ne me tourmentera pas ? Je ne partage pas sa confiance.

Allez-vous reſter à Chriſtiania jusqu'à votre départ de la Suède[1] ?

Aujourd'hui, à Rouen, conférence de *Timothée Trimm* ! J'avais envie d'y aller, mais mon temps sera mieux employé « au salon de Flore[2] ».

Écris-moi donc à Croisset. Tu es bien gentille, mon Caro, de m'envoyer souvent de tes nouvelles, et de te porter bien. Conserve ces deux bonnes habitudes. Adieu, mes chers enfants, je vous embrasse.

Encore deux baisers de nourrice sur chaque joue.

Ton vieil oncle.

Vous serez revenus au Jour de l'An, n'eſt-ce pas ?

À LAURE DE MAUPASSANT

[Croisset, 2 décembre 1873.]

Ma Chère Laure,

Je n'ai pas besoin d'avoir recours à Du Camp ; je connais M. Dumesnil[3], qui eſt un fort aimable homme, et j'irai le voir dès que je serai à Paris.

Écris donc à ton fils de venir me trouver dimanche prochain. Tu penses bien que je ferai pour ton cher Guy tout ce que je pourrai à cause de toi, à cause d'Alfred[4] et à cause de lui, car c'eſt un charmant garçon que j'aime beaucoup.

Nous aurions bien voulu te posséder ici pendant quelques jours. Comme nous aurions causé du vieux temps !

Tu m'affliges avec cet appauvrissement du sang dont tu me parles. Eſt-ce bien vrai ? N'as-tu pas fait trop d'exercice ? trop marché ?

Tâche de venir à Paris cet hiver ; il me semble que nous avons bien des choses à nous dire.

Au revoir, ma chère Laure, et compte toujours sur ton vieux camarade qui t'embrasse.

À EDMA ROGER DES GENETTES

[Croisset,] nuit de mardi, 2 décembre [1873].

Ouf ! *c'est fini.* — Et j'entre en répétition le *20* de ce mois, à moins que… ? à moins que ?… Peut-on jamais savoir ?

Carvalho a passé ici 48 heures et m'a quitté hier. Depuis lors, j'ai exécuté les retouches qu'il désirait, et je n'y travaille plus[1].

Aucun succès ne pourra me payer de l'embêtement, de l'irritation, de l'exaspération que m'a causés ledit sieur Carvalho par ses critiques. Notez qu'elles étaient raisonnables ! Mais je suis trop nerveux pour renouveler de pareils exercices. Palpitations, tremblements, étreintes à la gorge, etc. Oh ! rien n'y manque. Je préfère me livrer à des œuvres plus longues, plus sérieuses et plus calmes.

À l'heure qu'il est, je ne sais pas comment j'ai la force de vous écrire. C'est uniquement pour vous remercier de vos deux *adorables* lettres, restées sans réponse (celle du 27 et celle du 28 novembre[2]).

Je serai à Paris dans une quinzaine. — N'y venez pas avant. D'ici là, je vous baise les deux mains très longuement.

Votre fidèle.

Amitiés à M. Roger.

À LA PRINCESSE MATHILDE

[Croisset,] dimanche soir [mercredi] 3 décembre [1873].

Excusez-moi, Princesse, de n'avoir pas répondu plus tôt à votre bonne petite épître du 20 novembre[3]. Mais j'ai tant travaillé qu'il faut être indulgente. Bref, j'ai fini *Le Candidat.* Carvalho est venu en entendre la lecture ici, dimanche, et il en a paru content ? Je dois entrer en répétition vers la fin de ce mois.

Mais sait-on jamais ce qui peut advenir dans le monde des théâtres ! À la grâce de Dieu !. N'importe ! je ne suis pas près de recommencer des exercices pareils. — Et je regrette même de m'y être livré. Il faut pour cela être jeune et moins *névropathe* que je ne suis.

Quoi qu'il en soit, avant 15 jours, vers la fin de la semaine prochaine probablement, j'aurai le plaisir de vous voir. Si j'entrevois pour mon hiver une série d'embêtements, je m'en console en songeant que je passerai de bonnes heures près de vous.

La Politique m'a l'air de se calmer ? Nous allons être pour quelque temps au plat fixe, jusqu'à un nouveau tremblement. Le ministère ne m'a pas l'air d'avoir la vie longue. Mon deuil en est fait d'avance. Quelle jolie page l'académicien *Beulé*[1] vient d'ajouter à sa biographie ! Le Pouvoir aura servi à lui donner un ridicule ineffable. — Rien de plus.

À propos d'académiciens, que dit-on ? *Renan* ferait une pièce sur le roi Salomon ! Je n'en crois rien !

Avez-vous fait votre tournée de théâtres ? Avez-vous vu *Monsieur Alphonse*[2] ? Est-ce vraiment aussi bon qu'on le prétend ? Mais vous n'êtes pas un juge commode ! Et j'ai remarqué, Princesse, que vous n'avez pas toujours pour les œuvres la même bienveillance que vous avez pour les personnes.

Gardez-moi la vôtre, car je suis — moi — votre vieux fidèle et dévoué.

À IVAN TOURGUENEFF

[Croisset,] mercredi soir, 3 décembre [1873].

J'ai fini *Le Candidat* ! Carvalho est venu en entendre la lecture dimanche, et j'entre en répétition le 20 de ce mois.

Mais… mais… Enfin, mon cher vieux, je suis vaguement inquiet et d'avance embêté de tout ce que je vais éprouver. Ne faites jamais de théâtre ! Une journée comme celle que j'ai subie dimanche, n'est comparable à rien. Je n'ai pas les nerfs assez robustes pour vivre dans ce monde-là !

Bref, vous me verrez avant une quinzaine. Donc ne partez pas si vite. Est-ce que sérieusement vous allez vous mettre en route pour la Russie juste au beau milieu du froid (si le froid peut avoir un milieu) ?

En relisant votre lettre du 19 novembre, je m'aperçois que vous ne devez pas quitter « nos bords » avant la fin de janvier. — Tant mieux. On aura le temps de se voir un peu ! Je suis bien impatient de vous lire ma pièce.

Carvalho désire que j'y intercale de grosses violences, des

tirades contre… je ne sais quoi, les petits journaux par exemple, — ce à quoi je me suis refusé carrément, parce que je trouve cela facile, canaille et anti-esthétique, indigne de moi pour dire le mot.

Le bon Carvalho, accoutumé à des gens qui mettent à leur ouvrage moins de conscience qu'un bottier n'en met au sien, ne comprend goutte à mes susceptibilités. Je suis sûr qu'il est parti de chez moi me croyant aux trois quarts fou. En effet, je ne suis pas « raisonnable » ; je ne fais pas « comme tout le monde ». De là, épatement et scandale.

Oh ! l'Action ! Du moment que je m'en mêle, il m'en cuit. Et puis il y a une maxime d'Épictète, qu'il faudrait se rappeler : « Si tu cherches à plaire, te voilà déchu[1]. »

Si vous n'avez rien de mieux à faire, envoyez-moi un autographe. Vous serez bien gentil.

Je vous embrasse comme je vous aime, très fortement.

Votre

Ma nièce est en Suède avec son mari. Elle sera à Paris vers le Jour de l'An.

Respects et amitiés chez vous.

À SA NIÈCE CAROLINE

[Croisset,] vendredi soir, 8 heures [5 décembre 1873].

Mon pauvre Chat,

Lis la petite bande bleue ci-incluse[2], je viens de la recevoir ; et tu verras si je dois être occupé ! Je vais donc faire bien vite mes paquets, en laissant Émile[3] pour : fermer la maison, attendre qu'on vienne prendre mamzelle Julie[4] et conduire Julio[5] chez Laporte.

Dès demain matin, je file.

Ça m'a l'air sérieux cette fois ?

Merci des deux photographies ! Je t'écrirai dans deux ou trois jours. Adresse toutes tes lettres rue Murillo.

Mille baisers de ta vieille Nounou qui va voir son lait bien agité.

À EDMOND LAPORTE

[Croisset,] nuit de vendredi, 1 heure [5 décembre 1873].

Mon cher Ami,

Tantôt à 7 heures du soir, j'ai reçu un télégramme de Carvalho ainsi conçu : « Avez-vous fini ? Venez. Commençons immédiatement répétitions[1]. » Donc, j'ai fait mon paquet en toute hâte et ne pourrai point aller un de ces jours déjeuner chez vous !

Je vous renvoie notre fils Julio. Venez me voir rue Murillo à votre prochain voyage.

Je vous embrasse. À bientôt, n'est-ce pas ?

Votre

IVAN TOURGUENEFF À GUSTAVE FLAUBERT

Paris, 48, rue de Douai, samedi.
6 décembre 1873.

Mon cher ami, si je ne vous ai pas répondu sur-le-champ, c'est que j'ai été absent pendant trois jours — chez ma fille[2] —. Je suis très content d'apprendre que vous avez fini votre pièce[3], et pas étonné du tout de tous les plis et replis de Carvalho. Vous en verrez bien d'autres, et vous devez à présent *aciérer* (du mot : *acier*) *vos* nerfs[4] — comme disent les Allemands — précisément parce que votre pièce ne ressemble pas à tout ce qu'on a déjà fait. Le tout est de traverser toutes ces anxiétés d'accouchement avec le plus de calme possible.

Je me réjouis fort de vous voir bientôt, je ne quitte Paris que dans deux mois, ou même plus tard.

Je n'ai pas encore vu *L'Oncle Sam*[5] — mais j'ai vu *Monsieur Alphonse* de Dumas[6]. C'est une machine *fortement charpentée*, et en somme fort remarquable et empoignante, quoiqu'il y ait un rôle de jeune fille de 11 ans qui donne des nausées, et quoiqu'on y rencontre des phrases dans le genre de :

« Ô cœur humain, profond comme le ciel, mystérieux comme la mer (ou la mort !) » — ou bien :

« Créature de Dieu, être vibrant, où veux-tu que je prenne la force de te punir ? » — ou bien encore :

« À quoi était occupée la bonté de Dieu, quand elle a créé cet homme[7] ? »

Est-ce assez niais, hein ?

Tout le monde va bien ici ; je suis allé frapper à la porte de Mme Commanville et j'ai appris qu'elle était à Stockholm[1]. Il faut pourtant revenir à Paris !

À bientôt, n'est-ce pas ? Je vous embrasse.

Votre vieux
Iv. TOURGUENEFF.

À LÉONIE BRAINNE

[7 décembre 1873.]

Ma belle Amie,

Comment allez-vous ?

Je n'ai pas eu le temps hier d'aller chez vous. — Et aujourd'hui je ne peux pas sortir parce qu'il faut que je revoie la copie de ma pièce[2].

C'est jeudi, ou peut-être même mercredi, que je fais *la lecture aux acteurs* !

Quant à moi ça va mieux. — Je re-dors.

Mille tendresses de

SAINT POLYCARPE.

À GEORGES CHARPENTIER

[Paris, 7 ? décembre 1873.]

Mon cher Ami,

Je n'ai pas le temps d'aller vous voir, parce que je suis dans la révision du *Candidat* dont je dois faire la lecture aux acteurs jeudi. Mais vous seriez bien aimable de venir un de ces matins chez votre

Il me semble que nous avons pas mal de choses à nous dire.

Lemerre me demande à publier le procès à la suite de son second volume ; je lui ai écrit de venir me trouver et je l'engagerai à ne pas insérer cet appendice[3].

À GEORGE SAND

Paris, lundi 8 [décembre 1873].

Chère Maître,

J'ai su hier par l'Américain Harrisse

(*L'Américain farouche est un monstre sauvage*
qui mord en frémissant le frein de l'esclavage

M. de Voltaire — *Alzire*[1])

que vous alliez *tout à fait bien.*

Donc allez-vous venir à Paris pour les répétitions de *Villemer*[2] ?

Moi, je lis jeudi prochain *Le Candidat*, aux acteurs du Vaudeville. Et j'entrerai en répétition tout de suite.

CRUCHARD,

qui vous embrasse, va être bien agité ! lui qui d'habitude ne sort pas du recueillement de la sacristie !

Écrivez-moi si vous avez le temps.

Un bon baiser à vos chères petites.

GEORGE SAND À GUSTAVE FLAUBERT

Nohant, 9 décembre [1873].

[...] Te voilà lancé dans les émotions et les continuelles déceptions du théâtre. Eh bien, tant mieux, tu auras de rudes ennuis, et tel que je te connais, des colères bleues [...]. Je t'aime, mon Cruchard, nous t'aimons tous ici, tiens-nous au courant je t'en prie. Ton vieux troubadour

G. SAND.

À SA NIÈCE CAROLINE

Paris, jeudi soir, 10 heures, 11 décembre [1873].

Mon Loulou,

Tantôt, à 5 heures, je t'ai expédié un télégramme te disant que la lecture du *Candidat* avait parfaitement réussi. — Ce serait gentil de recevoir, avant de me coucher, la réponse à mon télégramme ! Vais-je l'avoir ?

D'abord et avant d'entrer dans les détails de ma vie dramatique, causons de toi ou plutôt de vous. — On m'a renvoyé hier, de Croisset, ta lettre du 6. Je vois que les voyages te font du bien « sous tous les rapports », et je me réjouis de savoir qu'Ernest est content de ses affaires. J'ai oublié de vous *dire que* Tavernier[1] avait *dit* à Laporte *qu'il* l'estimait beaucoup et le regardait comme « un homme très sérieux » Parenthèse : Laporte n'a point pour son ami Tavernier les mêmes sentiments. Car il le considère comme un pur imbécile. Je peux te donner des nouvelles de Putzel[2]. Maria[3] me l'a amenée hier. La jolie petite bête va très bien. — Et je compte, dimanche prochain, en orner mes salons, afin de briller à tes dépens.

Maintenant revenons au Vaudeville. J'ai commencé la lecture, calme comme un dieu et tranquille comme Baptiste. Pour se donner du ton, Monsieur s'était coulé dans le cornet une douzaine d'huîtres, un bon beefsteak et une demie de Chambertin avec un verre d'eau-de-vie et un de chartreuse.

J'ai lu *sur* le théâtre, à la lueur de deux carcels et devant mes *26* acteurs. Dès la seconde page, rires de l'auditoire et tout le 1er acte a extrêmement amusé. — L'effet a faibli au second acte. Mais le troisième (le salon de Flore) n'a été qu'un éclat de rire, on m'interrompait à chaque mot. — Et le 4e a « enlevé tous les suffrages ». La scène du mendiant (que tu ne connais pas) a été trouvée sublime[4], et le mot de la fin : « Je vous en réponds[5] » a paru exquis de comique. En un mot, ils croient tous à un grand succès.

Cependant (car il y a toujours un cependant), peut-être vais-je faire encore des corrections ? Je me suis aperçu, aujourd'hui, que décidément Carvalho s'y connaît. Ses observations concordent avec celles de d'Osmoy et du bon Tourgueneff qui a passé, avant-hier mardi, *toute* la journée chez moi. Il est revenu le soir après son dîner et ne s'en est allé qu'à 1 heure du matin ! Il n'y a que les gens de génie pour avoir de ces complaisances.

Carvalho ne veut pas qu'on puisse m'empoigner sur quoi que ce soit ; il demande une chose parfaite. Il a peut-être raison au point de vue de la réussite ? mais j'ai peur que mon œuvre y perde en ampleur. Enfin, lundi prochain nous arrêterons tout décidément.

La pièce sera demain à la Censure. Et nous n'avons aucune crainte. D'ailleurs, j'ai pris des mesures politiques.

Et puis, je crois que je vais lâcher *Saint Antoine.* Ah !

Charpentier commence à imprimer *Salammbô* ! Tu vois, chérie, que je ne m'endors pas.

Enfin j'ai très bon espoir ! Est-ce que la chance va tourner ?

Qu'ai-je vu dans le cabinet de Carvalho, immédiatement après ma lecture ? « Tout-Paris[1] » lequel s'est, tout de suite et beaucoup, informé de Mme Commanville.

Maintenant, je déclare que je tombe sur les bottes ! J'éprouve le besoin de me reposer pendant quelque temps.

J'ai lu, tantôt, comme un Ange ! Pas d'enrouement, pas d'émotion (il n'en avait pas été de même l'autre dimanche, à Croisset), et je suis « adoré de ces dames ». Ah ! on me fait des politesses ! J'ai une petite mère Rousselin qui est bien jolie, trop jolie pour le rôle ; quant à son talent, problème ? Voilà tout ce que j'ai à te dire, mon pauvre chat.

En sortant du bureau télégraphique du *Grand-Hôtel*, j'ai rencontré Cernuschi[2]. Demain je déjeune chez lui, après quoi il me montrera ses curiosités japonaises.

Je n'ai encore fait aucune visite. — Mais demain et après-demain je vais me répandre. — Bien que demain soir je reprenne les lectures pour *Bouvard et Pécuchet.* Ce qui est plus sérieux que le théâtre.

Je ne me monte pas du tout le bourrichon, mais en somme je suis content.

Allons, encore une quinzaine, et je reverrai « ma pauvre fille » que j'aime tant et que je bécotte bien tendrement

son vieux Gve.

À EDMA ROGER DES GENETTES

[Paris,] 12 [décembre] 1873.
Anniversaire de ma naissance.
Le 52e a sonné.

Chère Madame,

Votre vieil ami a lu hier aux comédiens du Vaudeville *Le Candidat*, qui a paru leur faire un GRAND EFFET. Le Ier acte a visiblement amusé. Au milieu du second acte, l'intérêt a faibli. Mais le 3e était à chaque minute interrompu par les éclats de rire et les bravos, et le 4e a « enlevé tous les suffrages ».

Mon manuscrit est maintenant à la Censure, et les répétitions commencent la semaine prochaine. Je me torture la cervelle pour découvrir le moyen d'alléger le second acte ! Il est trop tard, j'en ai peur ?

De plus, Charpentier prend demain *Saint Antoine*[1], lequel paraîtra après le *Quatre-vingt-treize* du père Hugo. Je quitte ce vieux compagnon avec tristesse[2]. Cependant il faut faire une fin !

Écrivez-moi. Je crève de fatigue, mais je suis très gaillard.

Pas la moindre émotion pendant la lecture, qui avait lieu *sur la scène*. Je m'étais coulé dans le cornet une bouteille de chambertin et 2 forts petits verres. J'ai lu comme *un Ange* !

Un baiser sur chaque main, et à vous.

Vôtre

Rue Murillo, 4.

À GUSTAVE TOUDOUZE

Paris, 13 décembre 1873.
Rue Murillo, 4. Parc Monceau.

Monsieur,

J'ai l'habitude de lire immédiatement tous les livres que l'on me fait l'honneur de m'envoyer. Mais je suis, maintenant, *surchargé de besogne*. Donc, je vous demande quelques jours de répit. Dès que je connaîtrai votre volume[3] je me présenterai chez vous pour en causer.

D'ici là, je vous prie de me croire

Votre très humble

À SA NIÈCE CAROLINE

Paris, lundi soir, 15 décembre [1873].

Mon pauvre Caro,

Je me réjouis à l'idée de savoir que, dans une huitaine, tu ne seras pas, nous ne serons pas, bien loin du moment où je reverrai et bécoterai ta bonne et gentille mine.

Dès que ceci te parviendra, tu serais bien aimable de m'envoyer un télégramme : 1° pour me dire comment s'est passée la traversée, et 2° le jour et l'heure de votre retour.

Mais d'ici là, j'attends une lettre en réponse à mon télégramme de jeudi dernier 11 et à ma lettre de vendredi 12[1].

Rien de nouveau. Le Vaudeville continue à être charmant pour moi. Je sais par mon « élève » Guy de Maupassant, qui est le camarade d'un des actionnaires ou commanditaires de l'établissement, que ces messieurs « fondent sur la pièce[2] de grandes espérances ». On s'est débarrassé de Barrière, qui voulait me couper l'herbe sous le pied.

Aujourd'hui, *le manuscrit* a été définitivement arrêté et les rôles sont à copier. — Dans une huitaine, M. Vieux sera sur les planches. Voilà, mon loulou.

Autre histoire : *j'ai vendu Saint Antoine* à Charpentier, à d'excellentes conditions ! Je te les expliquerai.

La traduction dudit bouquin dans une revue russe me rapportera près de 3 mille francs ! Cela, c'est une gentillesse du Moscove. — Et j'ai d'autres « tours dans mon sac ». Enfin je crois que je vais devenir pratique !!!!!!!! Pourvu que je ne devienne [pas] idiot ! ce qui en est souvent la conséquence.

Mais comme le père Hugo va faire paraître d'ici à un mois un roman en trois volumes intitulé *Quatre-vingt-treize*, il nous faudra attendre pour paraître que ce livre-là ait produit son effet. — On va néanmoins l'imprimer tout de suite.

Tu vois, ma chère fille, que je ne m'endors pas ! Mon plus grand souci est maintenant de trouver un Amoureux (pour le rôle de Julien), ce qui ne me paraît point facile. Les jeunes acteurs d'à présent ne comprennent rien à la Poésie et à la Passion. *De mon temps* on en aurait trouvé à remuer à la pelle !

Ce matin, j'ai déjeuné chez Mme Carvalho[3], et demain j'irai la voir dans *L'Ambassadrice*[4].

Elle m'a appris que le port de Pouzaille[1] était une affaire décidée.

Embrasse pour moi ton mari, et qu'il te *le* rende.

Votre vieux bonhomme d'oncle.
Ta nounou. — Qui t'aime

Il fait bien froid. Le vent vous coupe la margoulette.

À HIPPOLYTE TAINE

Paris, 4, rue Murillo,
vendredi matin [19 ? décembre 1873].

Mon cher Ami,

Si nous ne mangeons pas ensemble, jamais nous ne nous verrons !

Donc voulez-vous venir déjeuner chez moi *dimanche* prochain ?

Une fatalité s'attache au mardi. Voilà plusieurs mardis qu'il m'a été impossible d'aller chez vous — et mardi prochain je suis pris par le baptême du jeune Charpentier[2].

Donc à dimanche, n'est-ce pas ? un mot de réponse pour me dire oui.

Et d'ici là tout à vous.

À GUSTAVE TOUDOUZE

Paris, vendredi soir [19 ? décembre 1873].
Rue Murillo, 4.

J'ai lu votre livre[3], mon cher confrère, et je voudrais bien en causer avec vous.

Venez donc un de ces matins, ou le dimanche dans l'après-midi, comme il vous plaira.

Je vous serre la main très affectueusement.

Et suis votre

Je ne vais pas chez vous parce que je ne sais à quelle heure vous trouver.

À HIPPOLYTE TAINE ?

[Paris,] 4, rue Murillo (parc Monceau),
samedi, 1 heure [20 décembre ? 1873].

Mon cher Ami,

Un doute philosophique m'a assailli ce matin à mon réveil. Je ne sais pas si je vous ai dit que demain (dimanche) vous deviez rester chez moi, à dîner avec Edmond de Goncourt et le bon d'Osmoy.

Quoi qu'il en soit, *je compte sur vous !*

Venez de bonne heure pour vous en aller très tard. Si vous tenez à faire la connaissance de Tourgueneff, je vous préviens qu'il sera là dans l'après-midi vers 4 heures.

Ainsi, c'est conclu. À demain,

et tout à vous,

Votre

À GEORGE SAND

[Paris,] mercredi [31 décembre 1873].

Puisque j'ai un moment de tranquillité j'en profite pour causer un peu avec vous, chère bon maître ! Et d'abord embrassez de ma part tous les vôtres, et recevez, tous, mes souhaits de bonne année !

Voici maintenant ce qu'il advient de votre P. Cruchard.

Cruchard est très occupé, mais serein (ou serin ?). Et fort calme, ce qui étonne tout le monde. Oui, c'est comme ça ! pas d'indignation ! pas de bouillonnements ! Les répétitions du *Candidat* sont commencées, et la chose paraîtra sur les planches au commencement de février. Carvalho m'en a l'air très content ? néanmoins, il a tenu à me faire fondre deux actes en un seul. — Ce qui rend le premier acte d'une longueur démesurée ! J'ai exécuté ce travail, en deux jours. Et là, Cruchard a été beau ! Il a dormi 7 heures en tout, depuis jeudi matin (jour de Noël) jusqu'à samedi. Et il ne s'en porte que mieux.

Pour compléter mon caractère ecclésiastique, savez-vous ce que je vais faire ? je vais être parrain. La petite mère Charpentier[1], dans son enthousiasme pour *Saint Antoine*, est venue me prier d'appeler *Antoine* l'enfant qu'elle va mettre au monde ! J'ai refusé d'infliger à ce jeune chrétien le nom d'un homme si agité. Mais j'ai dû accepter l'honneur qu'on me faisait ! bien qu'il m'en coûte, ou m'en coûtera ! Voyez-vous ma vieille trombine près des fonts baptismaux, à côté du poupon, de la nourrice et des parents ! Ô Civilisation, voilà de tes coups ! Belles manières, telles sont vos exigences !

J'ai été dimanche à l'enterrement civil de François-Victor Hugo[1]. Quelle foule ! et pas un cri, pas le plus petit désordre ! Des journées comme celle-là sont mauvaises pour le catholicisme. — Le pauvre père Hugo (que je n'ai pu me retenir d'embrasser) était bien brisé, mais Stoïque. Que dites-vous du *Figaro* qui lui a reproché d'avoir à l'enterrement de son fils, « un chapeau mou[2] » !...

Quant à la Politique, calme plat. Le procès Bazaine est de l'histoire ancienne. Rien ne peint mieux la démoralisation contemporaine que la grâce octroyée à ce misérable[3] ! D'ailleurs le droit de grâce (si l'on sort de la théologie) est un déni de justice. De quel droit, un Homme peut-il empêcher l'accomplissement de la Loi ? Les Bonapartistes auraient dû le lâcher ; mais pas du tout ; ils l'ont défendu aigrement, en haine du 4 septembre ! Pourquoi tous les Partis se regardent-ils comme solidaires des coquins qui les exploitent ? c'est que tous les partis sont exécrables, bêtes, injustes, aveugles ! Exemple : l'histoire du sieur *Azor* (quel nom !). Il a volé les ecclésiastiques. N'importe ! les cléricaux se considèrent comme atteints[4].

À propos d'Église, j'ai lu, entièrement (ce que je n'avais jamais fait), l'*Essai sur l'indifférence* du citoyen Lamennais[5]. Je connais maintenant, et à fond, tous ces immenses farceurs, qui ont eu sur le 19e siècle une influence désastreuse. Établir que le critérium de *la certitude* est dans le sens commun, autrement dit dans la Mode et la Coutume, n'était-ce pas préparer la voie au Suffrage universel, qui est, selon moi, la Honte de l'esprit humain !

Je viens de lire, aussi, *La Chrétienne* de l'abbé Bautain. Livre curieux pour un romancier. Cela sent son époque, son Paris moderne[6]. Pour me décrasser, j'ai avalé un volume de Garcin de Tassy sur *La Littérature hindoustanie*[7]. Là-dedans, au moins, on respire.

Vous voyez que votre Cruchard n'est pas complètement abruti par le théâtre. Du reste, je n'ai pas à me plaindre du Vaudeville. Tout le monde y est poli, et exact ! quelle différence avec l'Odéon !

Notre ami Chennevières est maintenant notre supérieur puisque les théâtres se trouvent dans son compartiment. La gent artiste est enchantée de sa nomination[1].

Je vois le Moscove[2] tous les dimanches. Il va très bien ; et je l'aime de plus en plus.

Saint Antoine sera imprimé, en placards, à la fin de janvier.

Adieu, chère maître ! Quand nous reverrons-nous ? Nohant est bien loin ! et je vais être, tout cet hiver, bien occupé !

Que 1874 vous soit léger !

Votre vieux

G.

qui vous aime.

À EDMA ROGER DES GENETTES

[1873 ?]

Hier, le général[3] est venu me voir ; il conte à merveille, comme sa sœur. Il a aussi de votre regard et je l'en aime davantage. Il m'a conté des histoires très gaillardes : j'ai riposté et nous nous sommes quittés contents l'un de l'autre.

Votre dernière lettre[4] était charmante, mais si triste !... et pourtant vous êtes une vaillante. Comme vous, pauvre amie, je trouve la vie bien lourde. Si au moins elle était tolérable ! Mon ambition maintenant ne va pas plus loin.

Mme X***[5] est une poseuse, qui croit savoir ce qu'elle ne sait point. C'est toujours un danger pour une femme d'esprit de donner de bons dîners. On la juge sur ses menus, et les affamés la traitent de grand écrivain. Il en faut rabattre : elle a le sentiment de la nature, elle a des paysages réussis, mais de là au style, à l'Art, il y a un abîme. On ne sait pas assez tout le mal que donne une phrase bien faite. Mais quelle joie quand tout y est ! c'est-à-dire la couleur, le relief et l'harmonie. Vous me parliez l'autre jour du Banquet des Mercenaires[6]. Je peux me vanter de l'avoir pioché ce chapitre-là, mais aussi vous avez eu un cri de satisfaction que j'entends encore. Ah ! ce logement du boulevard du Temple[7], il a connu de grands régals littéraires !

À LÉONIE BRAINNE

Paris, lundi soir 11 h [5 janvier 1874].

Ma chère belle,

J'avais cru, ce matin, pouvoir vous saisir avant votre départ ! Vaine espérance ! Je suis arrivé au haut de votre escalier, soufflant inutilement.

Votre saint Polycarpe (très peu polycarpé, j'étonne Carvalho par ma douceur) eſt l'homme le plus occupé de la terre. Il a tous les jours répétition de midi à 5 heures. — Puis, après son dîner, il corrige les épreuves de *Saint Antoine* et il continuera cette exiſtence pendant six semaines.

Je meurs d'envie de vous voir cependant, mais comment faire ? À vous d'aviser. Je ne vois d'autre moyen que celui-ci : venez me faire une visite le soir, ou dîner avec votre ami, en prévenant la veille.

Demain (mardi) il faut que je sois à 10 heures du matin, chez Charpentier. Le soir je reſterai chez moi. Mercredi je dîne chez la Princesse. Jeudi ou samedi j'irai voir *Monsieur Alphonse*[1]. Vendredi j'ai Carvalho à dîner. Voilà le programme de cette semaine. Celui de la semaine prochaine sera plus simple.

Je pourrai peut-être aller déjeuner chez vous jeudi, à 11 heures moins le quart. Je dis peut-être ? ne m'attendez pas.

À vous, chérie, le moins décemment possible.

Votre

GVE.

Ce qui serait gentil, ce serait de trouver tantôt à mon retour chez moi un petit mot de vous ! Encore mille tendresses !

AU BARON LARREY

[Paris,] mercredi matin [7 janvier 1874].

Cher Monsieur Larrey,

Je renvoie aujourd'hui à M. Cloquet[2] la thèse que vous avez [eu] la bonté de m'apporter chez moi.

Comment vous remercier de cette aimable attention !

Si je n'étais *dramatiquement* et *typographiquement* si occupé, j'irais vous serrer les mains, et vous prier, de vive voix, de me croire, cher Docteur,

Tout à vous.

À ERNEST RENAN

[Paris,] mercredi matin [7 janvier 1874].

Voici votre volume[1], mon cher Renan. Je vous en remercie, car il m'a fort intéressé.

Pouvez-vous me donner le suivant ?

Je suis en répétition, toute la journée et le soir je corrige les épreuves de *Saint Antoine*. C'est pourquoi je ne vais pas chez vous. Mais j'espère vous voir un de ces mercredis chez la Princesse[2].

D'ici là, comme toujours

Tout à vous.

À LÉON CARVALHO

[Paris,] vendredi, 4 heures du matin [9 ? janvier 1874].

Mon Bourreau,

Comme vous avez l'habitude de me couper la parole avant que je n'aie desserré les lèvres, je me permets de vous adresser *par écrit* les observations ci-dessous, que vous méditerez « dans le silence du cabinet ».

I. Depuis hier au soir, je pressure, sans discontinuer, ma pauvre cervelle, afin d'arranger *la scène finale du IIIe acte*[3], *sans femme*.

Impossible… et voici pourquoi :

Il faut : 1° qu'on voie *l'accord subit de Murel et de Julien*, entente qui se fait par des apartés, tandis que les deux femmes sont avec Rousselin. 2° Murel *profite de l'occasion* pour demander Louise officiellement. Il l'a déjà tant de fois demandée que cette demande doit différer des autres, être plus forte, plus évidente. 3° Il est indispensable de *montrer l'amour de Louise* ; autrement sa résistance, au IVe acte[4], n'aurait pas de sens et serait sans préparation. 4° Quant à *l'inconvenance* qu'il y a à faire cette demande dans un lieu public, elle est relevée par *Mme Rousselin* elle-même. 5° *La présence des femmes au salon de Flore ?* Mais Louise dit que c'est une ruse d'elle, pour parler à Murel ! 6° Il faut montrer que *Mme Rousselin a réussi*, et qu'elle mène son mari par le nez. On ne la verra plus, c'est bien le moins qu'elle paraisse une dernière fois. 7° Raison majeure : *sans femme, l'acte est triste* comme peinture. Je suis, pour ma part, écœuré par cette masse de vilains costumes, cette quantité d'hommes ; un peu de robes délassera la vue. On a fait pendant cet acte assez de vacarme, tout ne doit pas être subordonné au mouvement ou à ce qui passe pour tel. Sacrifions aux Grâces !

Enfin, mon cher ami, je ne trouve pas moyen de changer la scène en question. Ce que j'ai fait n'est pas bon, mais ce que vous me proposez est pire. De cela, j'en suis sûr.

Je vais aujourd'hui tâcher de mettre en scène, moi-même, cette fin d'acte. Nous verrons ce qui en résultera. Vous conviendrez que vous n'avez pas même essayé de voir ce qu'elle donnerait.

Sur cette partie, je n'ai pas besoin de vous dire que Goudry et Saint-Germain partagent mon avis. Quant à Delannoy, c'est vous qui l'avez corrompu, gros malin ; j'ai vu votre dialogue avec lui.

Autre guitare :

II. Delannoy, qui a la rage des changements, n'a pas songé que, dans son second monologue du IIIe, Rousselin *doit* parler de *Gruchet* (son ennemi) et de Félicité[1] (dont il est tant de fois question et qu'on reverra au IVe acte). Donc, après le mot « carrière politique », il ferait bien (maintenant) d'ajouter : « Cette infamie-là doit venir de Gruchet, sa bonne est sans cesse à rôder autour de ma maison » ; puis, tout ce qu'il voudra.

Bref, mon cher ami, je suis à bout de forces, et *je ne change plus rien !* Assez ! tout a des bornes !

N. B. — Si vous trouvez encore des modifications de texte à établir, je vous prie de me communiquer vos idées là-dessus, tranquillement, posément, chez vous ou chez moi, en tête-à-tête, mais non plus à brûle-pourpoint et en plein théâtre, endroit où la discussion est impossible et où votre violence me clôt le bec.

III. Je suis sorti du théâtre dans l'état d'un monsieur qui vient de recevoir sur le crâne une volée de coups de canne. Ce n'était pas tout ! En bas, sous la porte, le costumier m'a arrêté, et je fus violemment saisi par la hideur de cet homme ! Car le Vaudeville doit me faire éprouver tous les sentiments, y compris « l'Épouvante » !

Comme cette épouvante m'avait glacé (cré nom de D… qu'il est laid ! quelle dentition !) je suis arrivé à la Censure avec une physionomie et un caractère tout nouveaux. Les sieurs de Bauplan et Hallays[1] ne m'ont pas reconnu. L'ombre de Flaubert a proféré quelques sons… confus… et a tout accordé, tout concédé, par lassitude, dégoût, avachissement, et pour en finir. Ah ! c'est une jolie école de démoralisation que le théâtre !

Donc l'affaire de la *Censure est terminée.*

Je me résume : 1° Il faut que nous nous entendions pour les costumes, ou plutôt parlez-*lui*, vous-même ; seul, je n'oserais !

2° Tâchons de mettre en scène la fin du IIIe acte, telle qu'elle est.

3° Faites vos efforts pour venir demain, dimanche.

Il est temps d'aller se coucher, je crève.

À vous, mon bon (quoique — ou plutôt parce que — vous me faites subir de rudes étamines).

Votre.

Je me recommande toujours à Mme Carvalho.

À EDMA ROGER DES GENETTES

[Paris, 10 ? janvier 1874.]

Oui, c'est moi, je ne vous oublie pas, malgré vos soupçons que je devine, et je vous prouverai avant la fin d'avril que je ne *blague jamais*, et qu'il fallait être « naïve », c'est-à-dire croire à la bonne foi de ma proposition. Je la réitère : pouvez-vous m'héberger pendant vingt-quatre heures ? Voulez-vous que je vous apporte *Saint Antoine* et le plan du roman que j'entreprends ? Pourrez-vous, sans fatigue pour vos nerfs, supporter ces violentes lectures ? Sinon, j'arriverai orné de mes seules grâces naturelles, et j'irai loger à l'auberge.

Comment allez-vous ? Comment traînez-vous le boulet de l'existence ? Le général[2], que j'ai vu plusieurs fois cet automne, m'a dit que vous étiez stoïque et Mme Plessy[1], lundi dernier, vous a citée en exemple, comme un merveilleux résultat du culte des lettres. J'avais envie de lui sauter au cou, devant le monde, à cause de cette bonne parole.

Je ne compare pas mes misères aux vôtres, pauvre chère Madame, mais je ne suis pas gai. Je deviens même atrocement lugubre. Pourquoi ? Ah ! à cause de « tout ». Je passe de l'exaspération à la prostration, puis je remonte de l'anéantissement à la rage, si bien que la moyenne de ma température est l'embêtement.

Je ne vois guère plus de monde à Paris que je n'en voyais à Croisset. Qui voir ? Qui fréquenter ? Je puis dire comme Hernani : « Tous mes amis sont morts », et je n'ai pas de dona Sol pour essuyer sur moi la pluie de l'orage.

Dans ces derniers temps, j'ai pris cependant un certain plaisir à envoyer promener messieurs les éditeurs, qui montent mes quatre étages, auxquels je ne réponds rien de définitif, et qui reviennent en grimaçant comme des chats-tigres pour me subtiliser ma pauvre copie. Mais je suis bien décidé à ne *rien publier*. Ils ne comprennent goutte à ma conduite. Ça m'amuse *et je venge les pauvres*.

À LA BARONNE LEPIC

Paris, nuit de mercredi [14 ? janvier 1874].

Hélas, chère Madame, je ne pourrai vendredi me rendre à vos *agapes fraternelles*, parce que : le soir je corrige des épreuves.

Mais, dans une huitaine de jours, je serai un peu plus tranquille, alors je vous demanderai ce repas que je refuse.

Le dernier que j'ai pris chez vous était si agréable que j'en désire un autre dans les mêmes conditions. *Pas de bourgeois !* pas de mufles (en admettant que vous en connaissiez) ! Rien que les exquises maîtresses de la maison et votre ami grossier[2], avec le bon Duval[3] : d'ici là, un long baiser sur chacune de vos mains, mille tendres respects à Mme Perrot[4], et tout à vous, chère Madame.

À GEORGES CHARPENTIER

[Paris,] samedi soir, minuit [17 ? janvier 1874].

Mon cher Ami,

Vous êtes beau comme un ange ! ! !

J'ai reçu ce soir la fin des premières épreuves de *Saint Antoine*.

Faites-moi le plaisir (si vous n'avez rien de mieux à faire), de venir aujourd'hui dimanche chez moi. Je vous attendrai jusqu'à 6 heures du soir et nous réglerons tout. J'ai à moi tout l'après-midi, et nous aurons le temps de causer tranquillement.

Je désire d'autant plus vous voir que demain, lundi, je recevrai à 10 heures du matin la visite du sieur Michaelis[1] ! Vous voyez qu'il y a urgence.

Tout à vous.

Tous les jours de la semaine prochaine, dès 11 heures, je serai pris par mes répétitions.

À EDMA ROGER DES GENETTES

[Paris,] vendredi matin [6 février 1874].

Impossible de vous donner un manuscrit[2] !

Le seul qui soit lisible est retourné à la censure, pour que ladite (ou plutôt maudite) censure puisse le confronter avec le sien !

Me sera-t-il possible aujourd'hui d'aller vous faire mes adieux ! j'en doute, car après ma répétition je dois aller : 1° chez Charpentier[3], 2° à l'imprimerie, et 3° chez Tourgueneff pour ma traduction russe[4] ! Et la répétition sera longue. Les costumes ne sont pas encore réglés !

Il est temps que ça finisse ! ! !

Je regrette bien que vous n'ayez pas profité de votre séjour à Paris pour prendre une consultation sérieuse ! Je suis jaloux des poires[5] vers lesquelles vous retournez.

Tâchez de revenir promptement. — Et tout à vous, chère Madame.

À GEORGE SAND

[Paris,] samedi soir 7 février [1874].

J'ai enfin un moment à moi, chère maître, donc causons un petit peu.

J'ai su par Tourgueneff que vous alliez maintenant très bien. Voilà l'important. Or, je vais vous donner des nouvelles de cet excellent P. Cruchard.

J'ai, hier, signé le dernier bon à tirer de *Saint Antoine.* Mais le susdit bouquin ne paraîtra pas avant le 1er avril (comme poisson ?) à cause des traductions. C'est fini, je n'y pense plus ! *Saint Antoine* est réduit, pour moi, à l'état de souvenir ! Cependant, je ne vous cache point que j'ai eu un quart d'heure de grande tristesse lorsque j'ai contemplé la première épreuve. Il en coûte de se séparer d'un vieux compagnon !

Quant au *Candidat*, il sera joué, je pense, du 20 au 25 de ce mois[1]. Comme cette pièce m'a coûté très peu d'efforts et que je n'y attache pas grande importance, je suis assez calme sur le résultat.

Le départ de Carvalho m'a contrarié et inquiété pendant quelques jours. Mais son successeur Cormon est plein de zèle[2]. Je n'ai jusqu'à présent qu'à me louer de lui, comme de tous les autres du reste. Les gens du Vaudeville sont charmants. Votre vieux troubadour que vous vous figurez agité et continuellement furieux est doux comme un mouton, et même débonnaire ! J'ai fait, d'abord, tous les changements qu'*on* a voulus. Puis *on* a reconnu qu'ils étaient imbéciles, et *on* a rétabli le texte primitif. Mais j'ai, de moi-même, enlevé ce qui me semblait trop long. — Et ça va bien, très bien, Delannoy et Saint-Germain ont des binettes excellentes et jouent comme des anges[3]. Je crois que ça ira.

Une chose m'embête. *La Censure* a abîmé un rôle de petit gandin légitimiste[4], de sorte que la pièce, conçue dans un esprit d'impartialité stricte, doit maintenant flatter les Réactionnaires ? effet qui me désole ; car je ne veux complaire aux passions politiques de qui que ce soit, ayant comme [vous] savez la haine essentielle de tout dogmatisme, de tout parti.

Eh bien, le bon Alexandre (Dumas) a fait le plongeon ! Le voilà de l'Académie[5] ! Je le trouve bien modeste.

Il faut l'être pour se trouver honoré par les Honneurs.

Avez-vous lu sa préface de *Faust* ? triste ! triste ! Affirmer que Goethe n'est pas « un grand homme » je trouve cela fort[1] ! Et je cherche le but, la cause d'une pareille assertion, le motif enfin qui a pu le pousser à une impudence aussi inepte !

Problème... Il y a peut-être là-dessous du Dupanloup ? qui sait ?

À propos de religion, vous ignorez sans doute que le mois prochain on me verra au pied des autels. La petite mère Charpentier[2] est venue me prier d'être le parrain de son dernier produit. Il a fallu en passer par là, sous peine de pignouflisme.

Adieu, chère bon maître. — Embrassez pour moi toute la famille, grands et petites.

Et à vous, du fond du cœur.

Votre vieux

GVE.

À ALFRED BAUDRY ?

[Paris,] lundi soir [10 février 1874].

Ah ! mon bon, vous me demandez une chose que je n'ose vous promettre, *c'est de songer*, à vous prévenir la veille.

Vous savez bien qu'il y a toujours des retards, et que rarement une 1re[3] a lieu au jour indiqué.

Consultez *Le Figaro* ou *L'Événement*. Si je vous oubliais, je vous enverrai un mot par télégraphe.

Vous pensez bien, mon brave, que je commence à être légèrement ahuri.

Votre billet de fauteuil d'orchestre sera chez moi. — Et jusqu'à 6 heures du soir vous pouvez venir l'y prendre.

Cette « solennité » aura lieu, je crois, le 23 ou le 25[4].

Saint Antoine est imprimé et paraîtra comme poisson le 1er avril.

Je vous embrasse.

À ALEXANDRE DUMAS FILS?

[Paris,] lundi soir [10 février 1874].

Parbleu! Vous êtes des premiers sur ma liste, mon cher confrère! Je n'avais pas attendu votre aimable requête pour vous y coucher.

Quant à vous fournir deux places, je n'ose vous les promettre? On n'en donnera fort peu. — Et je suis accablé de demandes.

Comptez bien, cependant, que je ferai tout ce qui dépendra de moi, pour vous contenter.

Venez chercher la chose la veille de la 1re *chez moi.* C'est plus sûr.

Ce sera, je crois, pour lundi 23 ou mercredi 25. Les feuilles, du reste, vous l'apprendront.

tout à vous.

1re représentation du *Candidat.*

À RAOUL-DUVAL

Paris, le vendredi midi [13 février 1874].

C'est demain, *à midi un quart*, qu'a lieu la répétition devant les *Censeurs*!!! Donc je compte sur vous, mon bon. Car vous me rendrez, par votre présence, un *grand service.*

Si vous voyez Cordier[1] amenez-le.

Tout à vous.

Pas de Versailles, quoi qu'il y ait, n'est-ce pas?

GEORGE SAND À GUSTAVE FLAUBERT

Noh[ant], 13 février [18]74.

Tout va bien et tu es content, mon troubadour. Alors nous sommes heureux ici de ton contentement et nous faisons des *vœux* pour le succès. Et nous attendons avec impatience *Saint Antoine* pour le relire.

Maurice a eu une grippe qui le reprend tous les deux jours. Lina et moi nous allons bien. Les petites supérieurement. Aurore apprend tout avec une facilité et une docilité admirables. C'est ma vie et mon idéal que cette enfant. Je ne jouis plus que de son progrès. Tout mon passé, tout ce que j'ai pu acquérir ou produire, n'a plus de valeur à mes yeux que celle qui peut lui profiter. Si j'ai eu en partage une certaine dose d'intelligence et de bonté, c'est pour qu'elle puisse en avoir une plus grande.

Tu n'as pas d'enfant. Sois donc un littérateur, un artiste, un maître. C'est logique, c'est ta compensation, ton bonheur et ta force. Aussi dis-nous bien que tu marches en avant. Cela nous semble capital dans ta vie.

Et porte-toi bien. Je crois que ces répétitions qui te font aller et venir te sont bonnes.

Nous t'embrassons tous bien tendrement.

G. SAND.

À HIPPOLYTE TAINE

[Paris,] jeudi matin [19 février 1874].

Mon cher Taine,

Un abominable rhume m'empêchera de me rendre samedi à votre invitation.

Je suis à plaindre et non à excuser. Présentez tous mes respects à Mme votre mère.

Pourquoi n'êtes-vous pas venu à Magny[1] lundi dernier ?

Je compte sur vous dimanche.

Ex imo.

Une bonne poignée de main de ma part à About[2].

À EDMA ROGER DES GENETTES

[Paris,] dimanche soir [22 février 1874],
rue de Murillo *4* et non 14 !

Si vous n'avez pas de manuscrit, c'est qu'il n'en existe pas de lisible[3] (j'ai cependant payé comme frais de copie 163 francs). Bref le souffleur ou plutôt la souffleuse peut seule s'y reconnaître, et tous les jours je la supplie de me faire un manuscrit lisible !

MM. les censeurs sont revenus, hier, sur *Le Candidat* et, après avoir assisté à la 1re des répétitions générales, ont donné leur visa. Donc de ce côté plus d'inquiétudes ! Mais ma pièce a été (je l'ai appris par Chennevières[1]) « une grosse affaire », et si le gouvernement n'avait pas craint un joli engueulement de votre ami, on l'eût interdite. Il est vrai *que* c'est parce *que* c'était moi *qu'on* était si mal disposé. Je serai toujours suspect à tous les gouvernements sans en attaquer aucun, et cela m'honore.

Ma 1re aura lieu samedi prochain, ou lundi, ou mercredi. Je n'y comprends plus rien ! L'audition de la moindre de mes phrases me donne la nausée, et ce que j'entends de bêtises est inconcevable. Et des conseils !... Pas n'est besoin de vous dire que je n'en écoute aucun.

Je suis harcelé par les demandes de places ; j'ai une grippe abominable, je tousse, je mouche, je crache et j'éternue sans discontinuer, avec accompagnement de fièvre la nuit. De plus un joli bouton fleurit au milieu de mon front entre deux plaques rouges. Bref, je deviens extrêmement laid et je me dégoûte moi-même. Avec tout cela l'appétit se maintient et l'humeur est gaillarde. Je crois que je me conduirai bien le jour de la première.

J'ai donné le dernier bon à tirer de *Saint Antoine*, il y a plus de douze jours. Vous recevrez mon bouquin, comme poisson, le 1er avril et une copie du *Candidat* dès que j'en aurai une. Pourquoi n'êtes-vous pas là ? ce serait plus simple.

Croyez, chère Madame, à mon inaltérable affection.

À SA NIÈCE CAROLINE

[Paris,] lundi [23 février 1874].

Oui, ma chérie, j'irai dîner demain chez toi ; ce sera ma première sortie depuis vendredi soir. — Ma grippe a été abominable samedi et hier. Aujourd'hui je vais mieux.

Le Candidat est arrêté par la grippe de Delannoy[2] ! Il a dit à Émile[3] (qui vient d'aller chez lui) qu'il espérait reprendre les répétitions mercredi ou jeudi. — Je n'en sais pas plus ! La pièce se désapprend. C'est déplorable.

Autre histoire. La Censure de S. M. l'Empereur de toutes les Russies a arrêté la traduction de *Saint Antoine* comme attentatoire à la Religion, et interdit même la vente de l'édition française, ce qui me fait perdre 2 mille francs que m'aurait donnés la *Revue de Saint-Pétersbourg* et peut-être encore 2 ou 3 que j'aurais eus tant de la traduction en volume que de l'édition française.

Enfin il faut être philosophe.

Est-ce le rhume ou l'oisiveté ? mais depuis samedi je suis triste à crever.

Demain je passerai quelques bons moments avec ma pauvre fille.

Sa Nounou.

Préviens Commanville qu'à la fin de la semaine, ou même avant, j'aurai besoin d'argent. Qu'il me donne mille francs, si faire se peut.

À EDMA ROGER DES GENETTES

[Paris,] nuit de jeudi à vendredi [26-27 février 1874].

Je viens de relire encore une fois *Le Candidat* pour vous ! et franchement c'est une preuve de tendresse ! soit dit, sans me vanter ! On m'a remis enfin *le manuscrit*, tantôt ; il est corrigé, ficelé et étiqueté. Donc vous le recevrez presque en même temps ou en même temps que ceci. — Dès que vous l'aurez lu, renvoyez-le-moi, je vous prie.

C'est lundi, mercredi ou jeudi qu'aura lieu la 1re. Elle a été retardée par les recettes de *L'Oncle Sam*[1] qui devaient descendre au-dessous de 1 500 francs. — Et puis par la grippe de Delaunay.

Je l'ai mêmement (la grippe). Voilà bientôt quinze jours que je tousse, crache, mouche et souffle d'une façon hideuse.

La Censure russe a formellement interdit *Saint Antoine* ! Ni la traduction ni l'édition française ne pourront paraître sur les terres des Scythes ! pour cause de religion ! ! !

C'est une perte de 5 à 6 mille francs au moins.

J'ai beau ne faire toujours que de l'Art, je gêne tous les gouvernements ! *Le Candidat* n'aurait point passé sans la protection de mon ami Chennevières *(sic)*.

On exècre le style, voilà le vrai. « *On* » veut dire tout Pouvoir, quel qu'il soit.

Néanmoins, le bon *Saint Antoine* paraîtra dans la semaine de

Pâques. Vous aurez, bien entendu, chère Madame, un des premiers exemplaires.

Amitiés à M. Roger.

Je vous baise les deux mains et suis vôtre

GVE.

Je crois que je serai *très bien* joué.

À SA NIÈCE CAROLINE

[Paris,] samedi soir [28 février 1874].

Mon Loulou,

La 1re est décidée pour *vendredi*, et la répétition générale pour mercredi. — Mais, d'ici là, il y aura encore du changement. Je pourrais bien n'être joué que *samedi* ou *lundi*[1]. À la grâce de Dieu, du reste ! *Je ne pense plus du tout* au *Candidat !* Tel est mon caractère. C'est une idée usée dans mon cerveau. — Tant mieux ! je n'en serai que plus calme.

Mais ce qui m'exaspère, ce sont les gens qui me demandent des places ! Il y a des âmes sans pitié ! J'en cognois qui m'ont écrit jusqu'à *6* lettres pour avoir un balcon ! Mon pauvre Bouilhet avait l'idée d'un livre intitulé *Les Gladiateurs modernes*[2]. Je comprends maintenant la profondeur de son idée. Il faut que nous amusions, dussions-nous en crever !

Il me sera impossible de donner (même en location) le quart des places que j'ai promises. Bonsoir !

Je ne sais pas pourquoi je t'écris, ce soir ? Car je n'ai rien à te dire : par besoin de causer, sans doute ! Nous nous voyons si peu ! Et je te ferai observer, à ce propos, que tu ne viens jamais me faire de visites ! tandis que tu vas chez un tas d'imbéciles, soit dit sans t'offenser.

Probablement que lundi, vers 4 heures du soir, je passerai chez toi ? en revenant de chez Charpentier, où je resterai tout l'après-midi à relire *Saint Antoine.* Nous avons laissé échapper des fautes. — C'est mardi qu'on m'a promis mes places.

Mon rhume dure toujours. Je suis très fatigué, doux et mélancolieux[3].

Ta vieille Nounou

t'embrasse.

À GEORGE SAND

[Paris,] samedi soir [28 février 1874].

Chère Maître,

La 1re du *Candidat* est fixée à vendredi prochain à moins que ce ne soit samedi. Ou peut-être lundi 9[1] ? Elle a été retardée par une indisposition de Delannoy. Et par *L'Oncle Sam*. Car il fallait attendre que ledit *Sam* fût descendu au-dessous de 1 500 fr. !

Je crois que ma pièce sera très bien jouée ? voilà tout. Car pour le reste, je n'ai aucune idée. Et je suis fort calme sur le résultat, indifférence qui m'étonne beaucoup.

Si je n'étais harcelé par des gens qui me demandent des places, j'oublierais absolument que je vais bientôt comparaître sur les planches, et me livrer, malgré mon grand âge, aux risées de la populace. Est-ce stoïcisme ou fatigue ?

J'ai eu (et j'ai encore) la grippe. D'où résulte pour votre Cruchard une lassitude générale, accompagnée d'une violente (ou plutôt profonde) mélancolie. Tout en crachant et toussant au coin de mon feu je rumine ma jeunesse. Je songe à tous mes morts, je me roule dans le Noir ! Est-ce le résultat de trop d'activité depuis huit mois, ou l'absence radicale de l'élément femme dans ma vie, mais jamais je ne me suis senti plus abandonné, plus vide et plus meurtri. — Ce que vous me dites (dans votre dernière lettre) de vos chères petites m'a remué jusqu'au fond de l'âme ! Pourquoi n'ai-je pas *cela* ! j'étais né avec toutes les tendresses ! pourtant. Mais on ne fait pas sa destinée. On la subit ! J'ai été lâche dans ma jeunesse. *J'ai eu peur* de la Vie ! Tout se paye.

Causons d'autre chose. Ce sera plus gai.

S. M. l'empereur de toutes les Russies n'aime point les Muses. La Censure de l'« autocrate du Nord » a formellement défendu la traduction de *Saint Antoine* et les épreuves m'en sont revenues de Saint-Pétersbourg, dimanche dernier. L'édition française sera, mêmement, interdite. C'est pour moi une perte d'argent assez grave. Il s'en est fallu de très peu que la Censure française n'empêchât ma pièce. L'ami *Chennevières* m'a donné un bon coup d'épaule. — Sans lui, je ne serais pas joué. Cruchard déplaît au Temporel. Est-ce drôle cette haine naïve de l'Autorité, de tout gouvernement, quel qu'il soit, contre l'Art !

Avez-vous lu le *93*[1] du père Hugo ? J'aime mieux ce livre-là que ses deux derniers[2]. Il y a de bien belles choses dans le 1er volume. Mais tous les personnages parlent en Hugo. Il n'a pas le don de faire des bonshommes vrais.

Je lis maintenant des livres d'hygiène. Oh ! que c'est comique ! quel aplomb que celui des médecins ! quel toupet ! quels ânes, pour la plupart ! Je viens de finir *La Gaule poétique* du sieur Marchangy (l'ennemi de Béranger !). Ce bouquin m'a donné des accès de rire. Pour me retremper dans quelque chose de fort, j'ai relu l'immense, le sacro-saint, l'incomparable Aristophane ! Voilà un homme, celui-là ! Quel monde que celui où de pareilles œuvres se produisaient…

Mardi prochain je suis invité de signer le contrat de Mlle Viardot. Le bon Tourgueneff m'a l'air très content de ce mariage[3].

J'ai vu le Prince Napoléon. — Qui m'a paru maigri et bruni. Il m'a demandé de vos nouvelles. Nous avons peu causé de politique, Dieu merci.

Je vous baise sur les deux joues, tendrement.

Votre vieux

À GEORGES CHARPENTIER

[Paris, février-mars 1874.]

Mon cher Ami,

N'oubliez pas de m'envoyer demain, avec les épreuves, le *guide-âne* pour les corrections typographiques.

Et donnez-moi des nouvelles de mon filleul[4] et de sa maman.

Toutes mes amitiés au papa.

Son.

Jeudi matin.

À EDMOND LAPORTE

[Paris,] lundi soir [2 mars 1874].

Mon cher Ami,

C'est samedi qu'a lieu ma première.

La dernière répétition générale est vendredi à 1 heure.

Je compte vous voir chez moi samedi matin, mais si vous arriviez à Paris et qu'il vous fût agréable d'aller à la répétition, voici votre entrée.

Un baiser de ma part à Julio[1].

Il m'en ennuie énormément.

À HENRY HARRISSE

[Paris, 3 mars 1874.]

Je vous présente M. John *Pradier*, le fils du célèbre statuaire.

Je m'intéresse beaucoup à lui et si vous pouvez l'obliger dans l'affaire dont il va vous entretenir, je vous en serai très reconnaissant.

Tout à vous
Votre

Mardi 4 *(sic)* mars.

À RAOUL-DUVAL

[Paris, 6 mars 1874.]

Mon cher Ami,

C'est vendredi vers 1 heure, je crois, qu'a lieu ma répétition. La 1re est pour samedi[2]. Voici votre entrée.

Laissez entrer à la répétition générale du *Candidat* M. Raoul-Duval.

6 mars.

À LÉONIE BRAINNE

[Paris, 6 mars 1874.]

Non, c'est mardi la répétition et *mercredi* la première.

J'ai sérieusement peur de crever de rage.

À vous, que j'ai envie de manger.

GVE.

Vendredi soir.

À GEORGES CHARPENTIER

[Paris, 6 mars 1874.]

Encore un renfoncement ! !

Je suis remis à *Mercredi.* (La répétition est pour mardi.)

Venez me voir dimanche, je vous donnerai ce que j'aurai pu arracher (comme places).

À vous.

Vendredi soir.

À EDMOND LAPORTE

[Paris,] vendredi soir [6 mars 1874].

Ma première n'a lieu que mercredi 11. La répétition générale mardi.

C'est à grand-peine que j'ai pu vous faire inscrire pour deux strapontins.

Je crève de rage.

À EDMA ROGER DES GENETTES

[Paris, 6 mars 1874.]

Chère Madame,

J'ai *enfin* trois places pour la 1re de lundi. Je n'ose les confier à la poste, mais seriez-vous assez bonne pour les faire prendre demain matin chez moi. — De midi à 2 heures. Excusez, je vous prie, le sans-gêne du procédé. Mais je suis tellement ahuri que je ne sais trop ce que je fais.

Ne m'en croyez pas moins votre tout dévoué et très humble.

Vendredi soir, 5 h. 1/2.

À RAOUL-DUVAL

[Paris, 7 mars 1874.]

Voici, cher ami, ce que j'ai pris pour vous.

Vous seriez bien aimable de venir demain me faire une visite dans l'après-midi.

Tout à vous.

Samedi matin.

À MARGUERITE CHARPENTIER

[Paris, 7 ou 8 mars 1874.]

Chère Madame,

Je reçois votre pancarte japonaise au moment où je venais de vous prévenir que ma première n'a lieu que mercredi 11.

Je suis écœuré par tous ces retards ! et je vous présente mes excuses.

C'est à grand-peine que j'ai pu vous avoir une loge ; elle est de quatre places. Je n'en ai qu'une et il n'y a pas eu location[1].

Probablement que d'ici à mercredi je vous prierai d'y recevoir deux belles dames[2].

Donc à mardi, une heure précise.

En vous baisant les mains, je suis, Madame,

Votre.

À SA NIÈCE CAROLINE

[Paris, 8 mars 1874.]

J'ai tant de choses à te dire que j'irai ce soir dîner chez toi à 6 h. 1/2, car c'est le jour de musique.

Réponds à Mme Charpentier que sans doute la soirée sera retardée[3], ce dont je suis désolé, etc.

Puis invite-la de ta part à *une* place (la sienne) dans ta loge. Car il m'a été impossible d'en avoir une pour elle.

Tu as 5 places qu'il *faut* ainsi répartir : M. et Mme Commanville, Mme Charpentier, Mme Roquière (j'aimerais mieux que ce fût Mme Sandeau ou Mme Viardot qui n'en auront pas).

La 5e place sera pour M. Roquière (qui pourrait bien aller au diable[1] !).

Enfin à tantôt.

Ton

Ernest peut dès maintenant retirer à la location 2 orchestres au nom de Landry[2].

Je m'en suis collé pour 228 francs.

J'ai payé un orchestre *40* francs.

Ils en vaudront plus de 100, mercredi.

À IVAN TOURGUENEFF

[Paris, 8 mars 1874.]

Mon bon Vieux,

La première a lieu mercredi, et la répétition générale mardi à midi et demi.

Jusqu'à présent, je n'ai pas de loge pour vous. (Oh ! quelle histoire que celle des places !) Mais j'ai *trois* fauteuils d'orchestre. Ma nièce n'a qu'une loge de secondes.

Je m'en suis collé pour 228 francs ; et ceux que j'aime ne seront pas placés ou le seront mal.

GEORGE SAND À GUSTAVE FLAUBERT

[Nohant, 10 mars 1874.]

Nos deux petites cruellement grippées m'ont pris tout mon temps, mais je suis, dans les journaux, la marche de ta pièce. J'irais t'applaudir, mon Cruchard chéri, si je pouvais quitter ces chères petites malades. C'est donc mercredi qu'on te juge. Le jury peut être bon, ou bête, on ne sait jamais !

Je me suis remise aussi à la pioche après m'être reposée du long roman publié par la *Revue* et qui a du succès. Je te l'enverrai quand il sera en volume[3].

Toi, donne-moi vite des nouvelles, jeudi. Je n'ai pas besoin de te dire que le succès et l'insuccès ne prouvent rien, et que c'est un billet à la loterie. Il est agréable de réussir ; il doit être, pour un esprit philosophique, peu désolant d'échouer. Moi, sans rien savoir de la pièce, je crois à un succès du premier jour. Pour le succès de durée, c'est toujours l'inconnu et l'imprévu au jour le jour.

Nous t'embrassons tous bien tendrement.

G. SAND.

À GEORGE SAND

[Paris,] jeudi, 1 heure [12 mars 1874].

Chère Maître,

Pour être un *Four*, c'en est un ! Ceux qui veulent me flatter prétendent que la pièce remontera devant le vrai public, mais je n'en crois rien !

Mieux que personne je connais les défauts de ma pièce. Si Carvalho ne m'avait point, durant un mois, blasé dessus avec des corrections imbéciles (que j'ai enlevées) j'aurais fait des retouches ou plutôt des changements qui eussent peut-être modifié l'issue finale. Mais j'en étais tellement écœuré que pour un million je n'aurais pas changé une ligne. Bref je suis enfoncé.

Il faut dire aussi que la salle était détestable. Tous gandins et boursiers qui ne comprenaient pas le sens matériel des mots. On a pris en blague des choses poétiques. Un *poète* dit : « C'est que je suis de 1830, j'ai appris à lire dans *Hernani* et j'aurais voulu être Lara[1]. » Là-dessus, une salve de rires ironiques ! etc.

Et puis, j'ai dupé le public à cause du titre. Il s'attendait à un autre *Rabagas*[2] ! Les conservateurs ont été fâchés de ce que je n'attaquais pas les républicains. De même les communards eussent souhaité quelques injures aux légitimistes.

Mes acteurs ont supérieurement joué, Saint-Germain entre autres. Delannoy qui porte toute la pièce est désolé. Et je ne sais comment faire pour adoucir sa douleur.

Quand à Cruchard, il est calme, très calme ! Il avait très bien dîné avant la représentation et après la représentation il a encore mieux soupé. Menu : 2 douzaines d'Ostende, une bouteille de champagne frappé, 3 tranches de roastbeef, une salade de truffes, café et pousse-café.

La religion et l'Estomac soutiennent Cruchard.

J'avoue qu'il m'eût été agréable de gagner quelque argent. — Mais comme ma chute n'est ni une affaire d'art ni une affaire de sentiment, je m'en bats l'œil profondément.

Je me dis : « Enfin *c'est fini* ! » et j'éprouve comme un sentiment de délivrance.

Le pire de tout c'est *le potin* des billets ! Notez que j'ai eu *12* orchestres et une loge (*Le Figaro* avait 18 orchestres et 3 loges). Je n'ai même pas *vu* le chef de claque. On dirait que l'administration du Vaudeville s'était arrangée pour me faire tomber. — Son rêve est accompli.

Je n'ai pas donné le quart des places dont j'avais besoin. Et j'en ai acheté beaucoup — pour des gens qui me débinaient éloquemment, dans les corridors. Les bravos de quelques dévoués étaient étouffés tout de suite par des « chuts ». Quand on a prononcé mon nom à la fin, il y a eu des applaudissements (pour l'homme mais non pour l'œuvre), avec accompagnement de deux jolis coups de sifflet partant du Paradis. Voilà la vérité.

La petite presse de ce matin est polie. — Je ne peux pas lui en demander davantage.

Adieu, chère bon maître. Ne me plaignez pas. — Car je ne me trouve pas à plaindre. Moi aussi, j'ai eu comme vos petites une affreuse grippe. — Mais ça va mieux.

Et je vous embrasse trétous.

Votre vieux

Un beau mot de mon domestique en me remettant ce matin votre lettre. Comme il connaît votre écriture, il m'a dit, en soupirant : « Ah ! la meilleure n'était pas là, hier soir. »

Ce qui est bien mon avis.

GEORGE SAND À GUSTAVE FLAUBERT

[Nohant, samedi 14 mars 1874.]

J'ai passé environ vingt-cinq fois par l'épreuve, la pire est l'écœurement dont tu parles. On ne voit jamais sa pièce, on ne l'entend pas, on ne la connaît plus, elle vous devient indifférente. De là vient la philosophie avec laquelle les auteurs qui par hasard sont artistes acceptent le verdict quel qu'il soit.

J'avais déjà des nouvelles de ta représentation. Le public n'était pas bon. Le sujet avait trop d'actualité pour plaire. On n'aime pas à se voir tel qu'on est. Il n'y a plus de milieu au théâtre entre l'idéal et la polissonnerie. Il y a un public pour les deux extrêmes. L'étude des mœurs choque les mauvaises mœurs, et comme il n'y en a peut-être plus d'autres, on appelle ennuyeux, ce qui est désagréable. Enfin ! tu ne t'en affliges pas et c'est ce qu'il faut jusqu'à la revanche.

Je ne sais rien de ta pièce, sinon qu'elle était pleine de talent supérieur (c'est Saint-Germain qui m'écrivait ça dernièrement, mais qu'il n'espérait pas qu'elle fût au goût du moment). Tu me l'enverras imprimée, et je te dirai si c'est Cruchard ou le public qui se trompe. Vois ta seconde et ta troisième. Sache si les diverses couches de public ont des différences d'appréciations dont tu puisses te rendre compte.

Pour les billets donnés à tout le monde excepté à l'auteur, c'est toujours comme ça pour moi. Nous sommes trop débonnaires, et pour les amis qui trahissent, c'est comme ça pour tout le monde.

Je t'embrasse et je t'aime. Prends vite ta revanche, je ne suis pas en peine de l'avenir.

Tendresses de nous tous. Dis à ton larbin qu'il a raison et qu'il est un brave garçon. Les petites vont mieux. Je travaille.

À GEORGE SAND

[Paris,] dimanche [15 mars 1874].

Comme il aurait fallu *lutter* et que Cruchard a en horreur l'action, j'ai retiré ma pièce sur 5 mille fr. de location ! tant pis ! je ne veux pas qu'on siffle mes acteurs ! Le soir de la seconde, quand j'ai vu Delannoy[1] rentrer dans la coulisse avec les yeux humides, je me suis trouvé criminel et me suis dit : « assez ! » (trois personnes m'attendrissent : Delannoy, Tourgueneff et mon domestique !). Bref c'est fini. J'imprime ma pièce, vous la recevrez vers la fin de la semaine.

Tous les partis m'éreintent ! *Le Figaro* et *Le Rappel*[2]. C'est complet ! Des gens que j'ai obligés de ma bourse ou de mes démarches me traitent de crétin, comme *Monselet* entre autres, *qui a demandé* dans son journal à faire l'article *contre* moi[3]. Ce qui m'est bien indifférent ! jamais je n'ai eu moins de nerfs. Mon stoïcisme (ou orgueil) m'étonne moi-même ! Et quand j'en cherche la cause je me demande si vous, chère maître, vous n'en êtes pas une des causes.

Je me rappelle la 1re de *Villemer* qui fut un triomphe, et la 1re des *Don Juan de village* qui fut une défaite[4]. Vous ne savez pas combien je vous ai admirée, ces deux fois-là ! La hauteur de votre caractère (chose plus rare encore que le génie) m'édifia ! Et je formulai, en moi-même, cette prière : « Oh ! que je voudrais être comme Elle, en pareille occasion. » Qui sait ? votre exemple m'a peut-être soutenu ? Pardon de la comparaison !

Enfin, je m'en bats l'œil profondément. Voilà le vrai.

Mais j'avoue que je regrette les mille francs[1] que j'aurais pu gagner. Mon petit pot au lait eſt brisé. Je voulais renouveler le mobilier de Croisset, bernique !

Ma répétition générale a été funeſte. Tous les reporters de Paris ! On a pris tout en blague ! Je vous soulignerai dans votre exemplaire les passages que l'on a empoignés.

Avant-hier et hier, on ne les empoignait plus — Tant pis ! il eſt trop tard. *La superbe* de Cruchard l'a peut-être emporté.

Et on a fait des articles sur *mes* domiciles, sur mes pantoufles et sur *mon chien* ! Les chroniqueurs ont décrit mon appartement où ils ont vu « aux murs, des tableaux et des bronzes ». Or il n'y a rien du tout sur mes murs ! Je sais qu'un critique a été indigné que je ne lui aie pas fait de visite ! Un intermédiaire eſt venu me le dire ce matin ! en ajoutant « Que voulez-vous que je lui réponde ? — Merde. — Mais MM. Dumas, Sardou et même Victor Hugo ne sont pas comme vous. — Oh ! je le sais bien ! — Alors ne vous étonnez pas ! etc. »

Adieu, chère bon maître adoré. Amitiés aux vôtres, baisers aux chères petites et à vous toutes mes tendresses.

P.-S. Pourriez-vous me donner une copie ou l'original de la biographie de *Cruchard*[2] ? Je n'ai aucun brouillon et j'ai envie de la relire, pour me retremper dans *mon idéal* ?

À GEORGES CHARPENTIER

[Paris, 16 ? mars 1874.]

Oui ; c'eſt *cornu* et non *connu*[3].

Eh bien ! et les épreuves du *Candidat* ? je les ai attendues toute la journée. Quand les aurai-je ?

Cette incertitude m'empêche de bouger de chez moi, où je n'ai rien à faire.

Il faut se hâter.

Lundi soir, 7 h.

À ALPHONSE DAUDET

[Paris, 17 mars 1874.]

Mon cher ami,

Vous m'avez rendu un tel service en me rappelant à l'Orgueil que je ne sais comment vous exprimer ma reconnaissance[1]. Mais voici deux anecdotes qui vous feront plaisir.

1 — Haugel, ou Heugel[2], un des administrateurs du *Vaudeville m'a sifflé* ! à ce que soutient Peragallo[3].

2 — Villemessant[4] a particulièrement recommandé que l'on m'éreintât (et la seconde note dans *Le Figaro* est de lui-même), parce que « Flaubert est un républicain ». Adrien Marx[5] était là, et l'a dit à Charpentier. — Là-dessus, rêvez.

3 — L'éreintement dans *Le Rappel* est de mon ami Meurice[6] ! Etc., etc.

Voulez-vous venir dimanche prochain déjeuner, ou dîner, à votre choix chez

votre

Mardi soir.

À GEORGES CHARPENTIER

[Paris,] mercredi, 1 h 1/2 [18 mars 1874].

Eh bien ! Je ne trouve pas ça gentil. Je vous excuse à cause de votre rhume, mais je suis indigné ! avec plusieurs *H* aspirés. […] En s'y prenant bien, *Le Candidat* aurait pu être imprimé en trois jours ! Nous en mettons dix ! ce qui est absurde — et *désastreux* […].

À SA NIÈCE CAROLINE

[Paris,] 10 heures [fin mars 1874].

M. Guilbert me demande le buste pour l'exposer au Salon[1]. C'est le dernier jour. Je n'y vois pas d'inconvénient; et toi?

Ton Gve.

10 heures.

À SA NIÈCE CAROLINE

[Paris, mars-avril 1874.]

Ma Chérie,

J'irai, demain mardi, dîner chez toi. Préviens-moi si tu ne pouvais me recevoir.

Ce matin j'ai eu ce signe de décadence: l'envie d'aller à la campagne. Veux-tu, pendant qu'Ernest sera en Angleterre, que nous allions un jour voir le musée de Saint-Germain?

Je désirerais que, avant de partir, ton époux me laissât quelque argent, car je n'ai plus le sou! Ça coûte, des essais comme celui que je viens de faire[2].

Adieu, pauvre chat,

ton vieux G.

Qui s'est rengorgé cette nuit, à propos des éloges qu'on lui faisait de Mme Commanville[3]!

Lundi, 1 h.

GEORGE SAND À GUSTAVE FLAUBERT

[Nohant,] 3 avril [18]74.

Nous avons lu *Le Candidat* et nous allons relire *Antoine*. Pour celui-ci, je n'en suis pas en peine, c'est un chef-d'œuvre. Je suis moins contente du *Candidat*. Ce n'est pas vu par *toi*, spectateur, assistant à une action et voulant y prendre intérêt. Le sujet est écœurant, trop réel pour la scène et traité avec trop d'amour de la réalité. Le théâtre est un optique[1] où un rosier réel ne fait point d'effet, il y faut un rosier *peint*. Et encore, un beau rosier de maître n'y ferait pas plus d'effet. Il faut la peinture à la colle, une espèce de tricherie. Et de même pour la pièce. À la lecture la pièce n'est pas gaie. Elle est triste au contraire. C'est si vrai que ça ne fait pas rire, et comme on ne s'intéresse à aucun des personnages, on ne s'intéresse pas à l'action. Ce n'est pas à dire que tu ne puisses pas et ne doives pas faire du théâtre. Je crois au contraire que tu en feras et très bien. C'est difficile, bien plus difficile, cent fois plus difficile que la littérature *à lire*. Sur vingt essais, à moins d'être Molière et d'avoir un milieu bien net à peindre, on en rate dix-huit. Ça ne fait rien. On est philosophe, tu en as fait l'épreuve, on s'habitue vite à ce combat à bout portant, et on continue jusqu'à ce qu'on ait touché l'adversaire, le public, la bête. Si c'était aisé, si on réussissait à tout coup, il n'y aurait pas de mérite à accepter cette lutte diabolique d'un seul contre tous.

Tu vois, mon chéri, je te dis ce que je pense. Tu peux être sûr de ma candeur quand je t'approuve sans restriction. Je n'ai pas lu les journaux qui parlent de toi. Ce qu'ils pensent m'est égal pour toi comme pour moi-même. Les jugements individuels ne prouvent rien. L'épreuve du théâtre est faite sur l'être collectif, et pour lire ta pièce, je me suis mise dans la peau de *tous*. Tu aurais eu un succès, j'aurais été contente du succès, mais pas de la pièce. Certes elle a, au point de vue *de la façon*, le talent *qui ne peut pas ne pas y être*. Mais c'est de la belle bâtisse employée à faire une maison qui ne pose pas sur le terrain où tu la mets. L'architecte s'est trompé de place. Le sujet est possible en charge, *M. Prudhomme*, ou en tragique, *Richard d'Arlington*[2]. Tu le fais *exact*, l'art du théâtre disparaît. C'est cela qui est de la photographie. N'en fait pas qui veut dans la perfection, mais ce n'est plus de l'art. Et toi, si artiste ! Recommençons et *fons mieux* ! comme dit le paysan.

Je fais une pièce en ce moment, et je la trouve excellente[3]. Elle ne sera pas plus tôt devant le quinquet de la répétition qu'elle me paraîtra détestable, et il y a autant de chances pour sa valeur que pour sa nullité. On ne sait jamais soi-même ce qu'on fait et ce qu'on vaut, nos meilleurs amis ne le savent pas non plus. Empoignés à la lecture ils sont désempoignés à la représentation. Ils ne trahissent pas pour cela. Ils sont surpris par un effet nouveau. Ils veulent applaudir et leurs mains retombent. L'électricité n'y est plus. L'auteur s'est trompé, eux aussi. Qu'est-ce que ça fait ? Quand l'auteur est un artiste et un artiste comme toi, il éprouve le désir de recommencer et il s'éclaire de son expérience. J'aimerais mieux te voir recommencer tout de suite que de te voir fourré dans *tes deux bonshommes*[1]. Je crains d'après ce que tu m'as dit du sujet, que ce soit encore du trop vrai, du trop bien observé et du trop bien rendu. Tu as ces qualités-là au premier chef ; et tu en as d'autres, des facultés d'intuition, de grande vision, de vraie puissance qui sont bien autrement supérieures. Tu as, je le remarque, travaillé tantôt avec les unes, tantôt avec les autres, étonnant le public par ce contraste extraordinaire. Il s'agirait de mêler le réel et le poétique, le vrai et le fictif. Est-ce que l'art complet n'est pas le mélange de ces deux ordres de manifestation ? Tu as deux publics, un pour *Madame Bovary*, un pour *Salammbô.* Mets-les donc ensemble dans une salle et force-les à être contents l'un et l'autre.

Bonsoir mon troubadour, je t'aime et je t'embrasse, nous t'embrassons tous.

G. SAND.

À JOSÉ-MARIA DE HEREDIA

[Paris, début avril 1874.]

L'envoi de mes gants sous faveur bleue est d'un homme doublement chic, tel, enfin, que je vous avais jugé à première vue[2]. Certainement j'irai vous revoir tant que vous ne serez pas guéri, et après, j'espère. En attendant, voici un *Saint Antoine.* L'auteur et ses œuvres sont à vous, mon cher ami[3].

À LÉONIE BRAINNE

[Paris,] lundi, 4 heures [6 avril 1874].

Que je sois pendu si je ne viens pas de relire 5 à 6 fois votre charmante, votre exquise lettre, ma chère amie !

Moi aussi j'éprouve le besoin de vous embrasser. Or, je passerai demain chez vous vers 5 heures. — Si je ne vous trouve pas je repasserai mercredi, sinon jeudi, à la même heure.

Je [ne] vous donne point de rendez-vous chez moi demain ni après-demain, parce que ces deux après-midi-là me sont pris.

Mille tendresses de Saint Polycarpe.

T.S.V.P.

Rien n'est plus bête que du papier à lettre de petit format ! on ne dit pas le quart de ce qu'on veut dire.

Eh bien, *votre excessif* (je crois que *Saint Antoine* peut me valoir cette qualification), votre excessif, *dis-je* (tournure de style légère), a toujours mal à la mâchoire. — De plus, il a eu fortement mal à la gorge.

Mon bouquin va très bien : 2 mille exemplaires ont été vendus depuis mercredi.

Je garde chez moi l'exemplaire de Lapierre[1].

Ah ! on est jaloux de la belle Alice[2], tant mieux !

C'est *une tactique* de ma part. Suis-je assez roué !

Encore un baiser, et mettez-le, chérie, où il vous plaira, toutes les places de vous étant bonnes.

À GEORGE SAND

[Paris,] mercredi 8 [avril 1874].

Chère Maître,

Merci de votre longue lettre sur *Le Candidat.* Voici maintenant les critiques que j'ajoute aux vôtres.

Il fallait baisser le rideau après la réunion électorale et mettre au commencement du IVe acte toute la moitié du IIIe.

2° enlever la lettre anonyme qui fait double emploi, puisqu'Arabelle apprend à Rousselin que sa femme a un amant.

3° intervertir l'ordre des scènes du IVe acte, c'est-à-dire commencer par l'annonce du rendez-vous de Mme R*[ousselin]* avec Julien, et faire Rousselin un peu plus jaloux. Les soins de son élection le détournent de son envie d'aller pincer sa femme. — Les exploiteurs ne sont pas assez développés. Il en aurait fallu 10 au lieu de 3 ! Puis il donne sa fille. C'est là la fin. — Et au moment où il s'aperçoit de sa canaillerie, il est nommé. Alors son rêve est accompli. Mais il n'en ressent aucune joie.

De cette façon-là, il y aurait eu progression et moralité.

Je crois, quoi que vous en disiez, que le *sujet* était bon. Mais je l'ai raté. — Pas un des critiques ne m'a montré en quoi. — Moi, je le sais. Et cela me console. Que dites-vous de La Rounat[1] qui dans son feuilleton m'engage « au nom de notre vieille amitié » à ne pas faire imprimer ma pièce, tant il la trouve « bête et mal écrite ». Suit un parallèle entre moi et Gondinet[2].

Une des choses les plus comiques de ce temps c'est l'*Arcane théâtral* ! On dirait que l'art du théâtre dépasse les bornes de l'intelligence humaine et que c'est un mystère réservé à ceux qui écrivent comme les cochers de fiacre. *La question du succès immédiat* prime toutes les autres. C'est l'école de la démoralisation ! Si ma pièce avait été soutenue par la direction elle aurait pu faire de l'argent comme une autre. En eût-elle été meilleure ? Vous savez que je n'ai pas eu *un* billet, que je n'ai *pas vu* le chef de claque et que j'ai été sifflé par un des administrateurs *(sic)*.

Votre ami Saint-Germain[3] m'a tellement débiné, avant, pendant et après mes 4 représentations, que je me suis abstenu de lui envoyer ma brochure. — Procédé qui l'a choqué. Je me demande pourquoi, puisqu'il a trouvé que le public faisait bien de m'empoigner sur des phrases que je trouve excellentes. Charpentier l'a presque mis à la porte de sa librairie, tant il allait loin dans ses diatribes contre votre ami. — Je vous prie de croire, que de cela je me bats l'œil, profondément. Mais il ne faut pas être trop nigaud et savoir à qui on s'adresse.

Puisque nous en sommes aux potins, les commis du sieur *Lévy* soutiennent aux chalands que « Mme Sand trouve *La Tentation de saint Antoine* détestable ». Mais il y a des chalands qui se révoltent et qui nient le fait comme *Tourgueneff* ! — car, c'est à lui, Tourgueneff, qu'on a soutenu ledit propos !

La Tentation ne s'en porte pas plus mal. Le premier tirage à 2 mille exemplaires est épuisé. Demain le second sera livré. J'ai été déchiré dans les petits journaux, et exalté par deux ou trois personnes. — En somme, rien de sérieux n'a encore paru, et, je crois, ne paraîtra ? *Renan* n'écrit plus (dit-il), dans *Les Débats*, et *Taine* est occupé de son installation à Annecy !

Je suis *exécré* par les sieurs Villemessant et Buloz[4] qui feront tout leur possible pour m'être désagréables. Villemessant me reproche de ne pas m'être « fait tuer par les Prussiens » ! Tout cela est à vomir[5] !

Et vous voulez que je ne remarque pas la Sottise humaine !

et que je me prive du plaisir de la peindre ! Mais le Comique est la seule consolation de la Vertu. — Il y a, d'ailleurs, une manière de le prendre qui est haute. C'est ce que je vais tâcher de faire dans mes deux bonshommes[1]. Ne craignez pas que ce soit trop réaliste ! J'ai peur au contraire que ça ne paraisse impossible, tant je pousserai l'idée à outrance. Ce petit travail que je commencerai dans 6 semaines me demandera quatre ou cinq ans ! il aura *ça* de bon.

Adieu, chère bon maître. Amitiés aux vôtres, et à vous toutes les tendresses

de

CRUCHARD.

À ÉMILE ZOLA

[Paris, 8 avril 1874.]

Convenu ! pour vendredi à 7 heures, au restaurant de la place de l'Opéra-Comique.

Tourgueneff et Goncourt m'ont répondu.

Rien encore de Daudet, à qui je réécris pour la 3e fois[2].

Tout à vous, mon vieux solide.

Mercredi.

À GEORGES CHARPENTIER

[Paris,] jeudi [9 ? avril 1874].

Mon cher Ami,

M. de Forges, rue d'Aumale, 11 (le père d'Anastasie[3]), me demande un *Candidat*. Je n'en ai plus un. Voulez-vous lui en envoyer un ? Le dernier exemplaire qui me restait est parti avant-hier pour New York, à l'adresse de Weinschenk, qui veut le faire jouer sur ces rives lointaines.

Embrassez pour moi tout votre monde.

À vous.

Nom d'un nom, quel froid !

GEORGE SAND À GUSTAVE FLAUBERT

[Nohant,] 10 avril [1874].

Ceux qui disent que je ne trouve pas *Saint Antoine* beau et excellent en ont menti, je n'ai pas besoin de te le dire. Je te demande un peu comment j'aurais été faire mes confidences aux commis de Lévy que je ne connais pas ! Je me souviens, quant à Lévy, de lui avoir dit ici, l'été dernier, que je trouvais la chose superbe et de *premier numéro.*

Je t'aurais déjà fait un article, si je n'avais refusé à Meurice, ces jours derniers, d'en faire un pour le *Quatrevingt-Treize* de V. H[ugo]. J'ai dit que j'étais malade. Le fait est que je ne sais pas *faire d'articles*, et que j'en ai tant fait pour Hugo que j'ai épuisé mon sujet. Je me demande pourquoi il n'en a jamais fait pour moi, car enfin je ne suis pas plus journaliste que lui, et j'aurais plus besoin de son appui qu'il n'a du mien.

En somme, les articles ne servent à rien, à présent, pas plus que les amis au théâtre. Je te l'ai dit, c'est la lutte d'un contre tous, et le mystère, s'il y en a un, c'est de provoquer un courant électrique. Le sujet importe donc beaucoup au théâtre. Dans un roman on a le temps d'amener à soi le lecteur. Quelle différence ! Je ne dis pas comme toi qu'il n'y a rien de mystérieux. Si fait, c'est très mystérieux par un côté : c'est qu'on ne peut pas juger son effet d'avance et que les plus malins se trompent dix fois sur quinze. Tu dis toi-même que tu t'es trompé. Je travaille en ce moment à une pièce. Il m'est impossible de savoir si je ne me trompe pas. Et quand le saurai-je ! le lendemain de la première représentation si je la fais représenter, ce qui n'est pas sûr. Il n'y a d'amusant que le travail qui n'a encore été lu à personne. Tout le reste est corvée, et *métier*, chose horrible !

Moque-toi donc de tous ces *potins.* Les plus coupables sont ceux qui te les rapportent. Je trouve bien étrange qu'on dise tant contre toi à tes amis. On ne me dit jamais rien, à moi, on sait que je ne laisserais pas dire.

Sois vaillant et *content* puisque *Saint Antoine* va bien et se vend supérieurement. Que l'on t'éreinte dans tel ou tel journal, qu'est-ce que ça fait ? *Jadis* ça faisait quelque chose. À présent rien. Le public n'est plus le public d'autrefois et le journalisme n'a plus la moindre influence littéraire. Tout le monde est critique et fait son opinion soi-même. On ne me fait jamais d'articles pour mes romans. Je ne m'en aperçois pas.

Je t'embrasse et nous t'aimons.

Ton vieux

troubadour.

À LOUISE PRADIER

[Paris,] vendredi 17 avril [18]74.

Votre lettre, ma chère amie, m'a fait à la fois plaisir et peine. J'ai été bien content de voir que vous pensiez à moi, — mais fort chagrin d'apprendre le mauvais état de votre santé.

Puisque vous avez un secrétaire, priez-le de me donner *les plus amples détails.*

Où êtes-vous ? est-ce chez Thérèse[1] ? Moi, je suis bien éreinté et cet été, dès que les neiges des Alpes seront fondues, j'irai en Suisse pour me refaire, en Suisse. J'ai cet hiver fait jouer une pièce (qui a été un four complet) et publié un livre qui est un très grand succès[2].

Mille tendresses de votre vieil ami

Rue Murillo, 4. — Parc Monceau.

Je serai à Croisset dans un mois.

À EDMOND LAPORTE

[Paris, lundi] 20 avril [1874].
4, rue Murillo, Parc Monceau.

Mon cher Ami,

Donnez-moi, je vous prie, l'adresse de Jules Cabanon[3], pour que je puisse lui envoyer ma carte, à l'occasion de la mort de Mme Dibbon.

Pourquoi ne vous ai-je pas vu de tout l'hiver ? Comment se porte Julio[4].

Je compte être revenu à Croisset vers le 15 mai.

Tout à vous.

À EDMOND LAPORTE

[Paris, vers le 25 avril 1874.]

Mon cher Vieux,

Nous avons été bien fâchés de ne pas vous avoir mercredi.

J'espère vous embrasser dans quinze jours ou trois semaines, car je serai à Croisset vers le milieu de mai.

Dites-moi où demeure *l'ouvrier qui fait les étagères chinoises*[1]. J'ai oublié son adresse.

Votre

GVE FLAUBERT.

Qui continue à être roulé dans la fange par les folliculaires, mais, de cela, je me fous profondément. *Saint Antoine leur* casse la gueule, et le mieux, c'est que ça se vend ! deux mille exemplaires ont été enlevés en trois semaines. La deuxième édition a paru samedi dernier. On cherche du papier pour la troisième.

À EDMA ROGER DES GENETTES

[Paris,] vendredi soir 1er mai [18]74.

Quel amour de lettre ! et comme elle m'a été au cœur ! Je n'en repousse que la première ligne : « Vous m'oubliez ! » Vous n'en croyez rien, avouez-le ! Quelque chose d'intime et de persistant doit vous dire que je songe à vous… sans cesse, *oui, tous* les jours ! Et je maudis cette idée d'habiter si loin, à Villenauxe[2] ! Comme s'il n'y avait pas moyen d'avoir des jardins à la porte de Paris. — Quel dommage ou plutôt quel désastre de ne pouvoir être ensemble plus souvent ! Je vous ferais de longues visites et vous m'écouteriez parler, je lirais la réponse dans vos yeux ! Vous qui êtes si stoïque, prêchez-moi la philosophie, là-dessus du moins.

J'en aurais besoin (si j'avais moins d'orgueil) pour supporter toutes les critiques que l'on m'éructe. La symphonie est complète ! Aucun des journaux ne manque à sa mission !

Aujourd'hui c'est le bon Saint-René Taillandier[1]. Lisez son élucubration ; il y a de quoi rire. Mon Dieu ! sont-ils bêtes ! quels ânes ! Et je sens, en dessous, de la *haine* contre ma personne. Pourquoi ? et à qui ai-je fait du mal ? Tout peut s'expliquer par un mot : *je gêne* ; et je gêne encore moins par ma plume que par mon caractère, mon isolement (naturel et systématique) étant une marque de dédain.

J'ai eu, dans *Le Bien public*, un article d'énergumène. Un jeune homme dont j'ignorais l'existence, M. Drumont[2], m'a mis, tout bonnement, au-dessus de Goethe, appréciation qui prouve plus d'enthousiasme que d'esprit. À part celui-là (car je ne compte pas quelques alinéas bienveillants), j'ai été généralement honni, bafoué par la Presse. Saint-Victor[3] (dévoué à Lévy) ne m'a même pas accusé réception de mon volume et je sais qu'il me déchire. Le père Hugo (que je vois assez souvent et qui est un charmant homme) m'a écrit une « belle » lettre[4] et m'a fait de vive voix quelques compliments. Tous les Parnassiens sont exaltés, ainsi que beaucoup de musiciens. Pourquoi les musiciens plus que les peintres ? Problème !

Votre ami, le père Didon, est, à ce qu'il paraît, au nombre de mes admirateurs. — Il en est de même des professeurs de la Faculté de théologie de Strasbourg[5]. — Quant à la réussite matérielle, elle est grande, et Charpentier se frotte les mains. — Mais la critique est pitoyable, odieuse de bêtise et de nullité. J'ai lu deux bons articles — anglais. J'attends ceux de l'Allemagne ? Lundi doit paraître dans *Le National* celui de Banville. Renan m'a dit qu'il s'y mettrait quand tous auraient fini. Assez causé de ces misères !

Le *Quatre-vingt-treize* du père Hugo me paraît au-dessus de ses derniers romans ; j'aime beaucoup la moitié du premier volume, la marche dans le bois, le débarquement du marquis, et le massacre de la Saint-Barthélemy, ainsi que tous les paysages ; mais quels bonshommes en pain d'épice que ses bonshommes ! Tous parlent comme des acteurs. Le don de faire des êtres humains manque à ce génie. S'il avait eu ce don-là, Hugo aurait dépassé Shakespeare.

Dans une quinzaine je m'en retourne vers ma cabane, où je vais me mettre à écrire mes *Deux Copistes*[6]. Présentement, je passe mes journées à la Bibliothèque. La semaine prochaine, j'irai à Clamart *ouvrir des cadavres.* Oui ! Madame, voilà jusqu'où m'entraîne l'amour de la littérature. Vous voyez que je suis loin des idées saines où Taillandier me conseille de me retremper ? Vous ai-je dit que cet été j'irais retremper mes nerfs à Saint-

Moritz[1] (car je suis pas mal éreinté) ? C'est d'après le conseil du docteur Hardy, qui m'appelle « une vieille femme hystérique[2] ». — « Docteur, lui dis-je, vous êtes dans le vrai ! »

Un long baiser sur chaque main et à vous toujours.

vôtre

G.

Vous ne me parlez pas de votre santé ?

À GEORGE SAND

[Paris,] vendredi soir 1er mai [1874].

Chère Maître,

Ça va bien. Les injures s'accumulent ! C'est un concerto, une symphonie où tous s'acharnent dans leur instrument. J'ai été éreinté depuis *Le Figaro* jusqu'à la *Revue des Deux Mondes*, en passant par la *Gazette de France* et *Le Constitutionnel*[3]. — Et *ils* n'ont pas fini ! Barbey d'Aurevilly m'a injurié personnellement[4], et le bon René-Saint-Taillandier *(sic)* qui me déclare « illisible », m'attribue des mots ridicules[5]. Voilà pour ce qui est de l'imprimerie. Quant aux paroles, elles sont à l'avenant. Saint-Victor (est-ce servilité envers Michel Lévy ?) me déchire au dîner de Brébant, ainsi que cet excellent Charles-Edmond, etc. ! etc. ! En revanche, je suis admiré par les professeurs de la faculté de théologie de Strasbourg, par Renan, par le P. Didon, dominicain, et par la caissière de mon boucher ! sans compter quelques autres. Voilà le vrai.

Ce qui m'étonne c'est qu'il y a sous plusieurs de ces critiques une *haine* contre moi, contre mon individu, un parti pris de dénigrement, dont je cherche la cause. Je ne me sens pas blessé. Mais cette avalanche de sottises m'attriste. On aime mieux inspirer de bons sentiments que de mauvais. — Au reste, je ne pense plus à *Saint Antoine*, bonsoir !

Je vais me mettre, cet été, à un autre livre du même tonneau[6]. — Après quoi je reviendrai au roman pur et simple. J'en ai, en tête, deux ou trois que je voudrais bien écrire, avant de crever[7]. Présentement, je passe mes jours à la bibliothèque, où j'amasse des notes. Dans une quinzaine je m'en retourne vers ma maison des champs. Au mois de juillet, j'irai me décongestionner sur le haut d'une montagne, en Suisse, obéissant au conseil du docteur Hardy lequel m'appelle « une femme hystérique », mot que je trouve profond.

Le bon Tourgueneff part la semaine prochaine pour la Russie. Ce voyage va interrompre forcément sa rage de tableaux. Car notre ami ne sort plus de la salle des ventes! C'est un homme passionné! tant mieux pour lui. Un autre passionné c'est le jeune Plauchut[1]! Mais il l'est, lui, pour Terpsichore! Quel danseur! quel monsieur de salon! Il a, dans les quadrilles, un sourire et un bras… exquis, indicibles!

Je vous ai bien regrettée chez Mme Viardot, il y a quinze jours. Elle a chanté de l'*Iphigénie en Aulide*[2]! Je ne saurais vous dire combien c'était beau, transportant, enfin sublime. Quel artiste que cette femme-là! quelle artiste! De pareilles émotions consolent de l'existence.

Eh bien, et vous, chère bon maître, cette pièce dont on parle, est-elle finie? Vous allez retomber dans le Duquesnel! je vous plains! Après avoir mis sur les planches de l'Odéon des chiens, il va peut-être vous demander d'y mettre des chevaux! Voilà où nous en sommes! Avez-vous admiré l'inqualifiable style de *La Jeunesse de Louis XIV*[3]? On est bien indulgent pour *d'aucuns*! avouons-le!

Et toute la maison depuis Maurice[4] jusqu'à Fadet comment va?

Embrassez pour moi les chères petites et qu'elles vous *le* rendent, de ma part.

Votre vieux

CRUCHARD.

LAURE DE MAUPASSANT À GUSTAVE FLAUBERT

Étretat, le 3 mai 1874.

Je crois vraiment, mon cher Gustave, que j'ai laissé passer tout un grand mois sans te remercier de tes livres, sans te dire à quel point ils ont été les bienvenus dans ma maison. Je te devrais peut-être des excuses, mais ma conscience est si tranquille que je me dispenserai de cette formalité; je ne parlerai même pas de ma santé, toujours assez chancelante cependant… Je me bornerai à rejeter la faute sur les vrais coupables, *Saint Antoine* et *Le Candidat*.

Avant d'écrire, j'ai voulu faire intime connaissance avec des personnages qui occupaient ma pensée depuis longtemps déjà. J'ai lu, j'ai relu, puis j'ai encore relu. J'ai suivi le vieux saint dans ces régions du rêve, où l'éblouissement succède à l'épouvante, où le charme de la couleur le dispute à la profondeur de la pensée. Te dire combien ces voyages prodigieux m'ont attachée, captivée, je ne le pourrais pas ; mais je te serre les deux mains bien fort, en reconnaissance des heures enchantées que tu m'as fait passer.

Puis, j'ai pu regagner la terre, et trouver un vrai plaisir à suivre l'analyse, hélas ! bien réelle, de scènes que nous avons tous contemplées, plus ou moins, depuis quelques années. Comme ils sont vivants, comme ils sont de chair et d'os, tes personnages du *Candidat* ! Qu'il y ait des gens qui n'aiment pas à voir cela, je le conçois sans peine ; leurs photographies leur paraissent trop ressemblantes.

Pendant les quelques jours que Guy a passés à Étretat, nous avons bien parlé de toi, mon vieux Gustave, et je sais combien tu te montres toujours excellent pour mon fils. Aussi comme on t'aime, comme on croit en toi, comme le disciple appartient au maître !

J'espère bien que tu nous donneras quelques jours cet été, et que tu viendras voir notre chère petite vallée. Il faudra t'entendre avec Guy et profiter d'un des congés du pauvre garçon. Il ne saurait se consoler de n'être point ici pour te faire les honneurs de nos rochers et son chagrin me gâterait la joie que je me promets de ta bonne visite. Quant à dire non, tu n'y peux penser, car il te faudrait un cœur bien féroce. Adieu mon vieux, mon cher camarade, je t'embrasse bien cordialement, et Hervé[1] te prie de ne pas oublier tout à fait l'écolier qui est en train de devenir un homme. En attendant, c'est toujours un bon et gentil garçon et j'espère que tu l'aimeras aussi. Encore une bonne poignée de main de ton amie d'enfance.

LAURE LE P. DE MAUPASSANT.

À EUGÈNE DELATTRE

[Paris,] rue Murillo, 4, parc Monceau,
lundi soir [4 ? mai 1874].

Mon cher Vieux,

Fais-moi le plaisir de me dire si tu peux venir chez moi déjeuner vendredi prochain ou samedi prochain.

Sinon, vieux, dimanche dans l'après-midi.

Mais nous serons plus *seuls* un des matins de cette semaine (sauf le jeudi où je serai absent toute la journée).

J'accepte ta proposition d'article[2] *avec empressement.*

Merci d'avance et tout à toi.

R.S.V.P.

GEORGE SAND À GUSTAVE FLAUBERT

[Nohant,] 4 mai [1874].

Ils diront tout ce qu'ils voudront. *Saint Antoine* eſt un chef-d'œuvre, un livre magnifique. Moque-toi des critiques. Ils sont *bouchés*. Le siècle aƈtuel n'aime pas le lyrisme, attendons la réaƈtion, elle viendra pour toi, et splendide. Réjouis-toi des injures, ce sont de grandes promesses d'avenir.

Je travaille toujours ma pièce. Je ne sais pas du tout si elle vaut quelque chose et ne m'en tourmente point. On me le dira quand elle sera finie, et si elle ne paraît pas intéressante, je la remettrai au clou. Elle m'aura amusée six semaines. C'eſt le plus clair de notre affaire à nous autres.

Plauchut fait les délices des salons ? Heureux vieillard ! toujours content de lui et des autres, ça le rend bon comme un ange. Je lui pardonne toutes ses grâces.

Tu as été heureux en écoutant la *Diva Paulina*[1], nous l'avons eue, avec *Iphigénie*, pendant 15 jours à Nohant, l'automne dernier[2]. Ah oui, voilà du beau et du grand.

Tâche de venir nous voir avant d'aller à *Croisset*. Tu nous rendrais tous heureux. Nous t'aimons et tout mon cher monde t'embrasse d'un *grand bon cœur*.

Ton vieux toujours troubadour

G. SAND.

À EDMOND LAPORTE

[Paris, 16 mai 1874.]

Mon vieux Bab,

Je compte être revenu à Croisset *mercredi* vers 4 heures.

Guidez-vous là-dessus.

Je suis tout mélancolieux[3] en songeant que nous allons être quelque temps sans nous voir !

Hier, j'ai fini mes leƈtures ! — de bibliothèque.

Je vous embrasse.

Votre
Gve.

Samedi matin.

IVAN TOURGUENEFF À GUSTAVE FLAUBERT

Berlin, hôtel de S[ain]t-Pétersbourg.
Dimanche, 17 mai 1874.

Mon cher ami,

Je vous envoie un article qui vient de paraître dans la *National-Zeitung* sur *Antoine.* C'est K. Frenzel[1] qui l'a écrit et en somme il est assez favorable. — Mais pourquoi n'a-t-on pas envoyé les exemplaires demandés par moi à Julian Schmidt[2] qui est le premier critique littéraire de l'Allemagne et à Louis Pietsch[3], qui en est le premier feuilletoniste ? Je les avais pourtant désignés sur ma liste, j'en suis *absolument sûr.* Faites réparer cet oubli au plus vite. — Je donne de nouveau les adresses :

Dr. Julian Schmidt, Kurfürstenstrasse, n° 70, Berlin.

Mr. Ludwig Pietsch, Landgrafenstrasse, n° 8. Berlin.

Je les ai vus tous les deux, et tous les deux se sont plaints de n'avoir rien reçu.

Je vous écris cette lettre encore à Paris, parce que je suppose que vous y êtes encore ; du reste, si vous n'y êtes plus, on vous l'enverra.

Je pars ce soir pour Pétersbourg ; j'y dîne après-demain, si rien ne m'arrive. — Mon adresse à S[ain]t-P[étersbourg] est à *l'hôtel Demouth.*

Je vous embrasse bien cordialement

Votre vieux
IV. TOURGUENEFF.

À GEORGES CHARPENTIER

Croisset, mercredi soir [20 mai 1874].

Mon cher Ami,

Tourgueneff m'a envoyé ce matin, de Berlin même, la *Gazette nationale* du 13 mai, n° 221, contenant sur *Saint Antoine* un article favorable.

Dans le tohu-bohu de mon arrivée ici, je viens de perdre la lettre dudit Tourgueneff ! Elle avait pour but de vous rappeler à vous, ô Charpentier, que vous n'avez point envoyé d'exemplaires à deux critiques berlinois[4], dont Tourgueneff vous avait donné les adresses ; sont-elles aussi égarées ?

L'un est M. Schmidt ! et l'autre X*** *très important*, me souligne Tourgueneff. Viardot peut vous renseigner là-dessus ;

il vous dira où écrire à Tourgueneff, et Tourgueneff vous répondra.

Je suis éreinté par deux jours de chemin de fer et de carriole, et votre ami jouit pour le moment d'un mal de tête conditionné ! Dès que je serai remis, je commencerai l'analyse de Froehner pour votre *Salammbô*[1].

Faut-il être bête pour avoir égaré, ou brûlé, cette lettre du Moscove !

Il a l'air de tenir beaucoup à ce que ces deux critiques allemands parlent de mon livre. L'un est le Sainte-Beuve de la Germanie[2].

Tout à vous et aux vôtres, cher ami.

Votre.

À GEORGES CHARPENTIER

Croisset, mardi 26 mai [1874].

Mon cher Georges,

Je vous demande la réponse aux nombreuses questions incluses dans mes trois lettres précédentes.

Et je bécotte Marcel[3], qui me paraît un homme plus sérieux que son père.

Tout à vous.

Je viens de lire l'article de Claveau[4]. Foible ! foible ! !

À GEORGE SAND

Croisset, mardi 26 mai [1874].

Chère bon Maître,

Me voilà revenu dans ma solitude ! Mais je n'y resterai pas longtemps, car dans un petit mois j'irai passer une vingtaine de jours sur le *Righi* pour respirer un peu, me dépaffer[5], *me dénévropathiser !* Voilà trop longtemps que je n'ai pris l'air. Je me sens fatigué. J'éprouve le besoin d'un peu de repos.

Après quoi, je me mettrai à mon grand bouquin qui me demandera, au moins, quatre ans ! Il aura ça de bon !

Le Sexe faible, reçu au Vaudeville par Carvalho, m'a été rendu par ledit Vaudeville, et rendu mêmement par Perrin[1], qui trouve la pièce scabreuse, et inconvenante. « Mettre un berceau et une nourrice sur la scène des Français ! y pensez-vous ! » Donc, j'ai porté la chose à Duquesnel. Qui ne m'a point encore (bien entendu) rendu de réponse.

Comme la Démoralisation que procure le théâtre s'étend loin ! Les bourgeois de Rouen, y compris mon frère, m'ont parlé de la chute du *Candidat* à voix basse *(sic)* et d'un air contrit, comme si j'avais passé en cour d'assises pour accusation de Faux. *Ne pas réussir est un crime* et la réussite est le critérium du Bien. Je trouve cela grotesque au suprême degré.

Expliquez-moi aussi pourquoi on met des matelas sous certaines chutes, et des épines sous d'autres ? Ah ! le monde est drôle, et vouloir se régler d'après son opinion me semble chimérique.

À propos de théâtre, où en est votre pièce ? et quoi de décidé sur elle ?

Le bon Tourgueneff doit être maintenant à Saint-Pétersbourg ? Il m'a envoyé de Berlin un article favorable sur *Saint Antoine*[2]. Ce n'est pas l'article qui m'a fait plaisir mais lui. Je l'ai beaucoup vu cet hiver. Et je l'aime de plus en plus.

J'ai aussi fréquenté le père Hugo, qui est (lorsque la galerie politique lui manque) un charmant bonhomme.

Est-ce que la chute du ministère de Broglie ne vous a pas été agréable ? à moi, extrêmement ! Mais la suite ? Je suis encore assez jeune pour espérer que la prochaine Chambre nous amènera un changement en mieux. Cependant ?… on est si bête ! on est si bête !

Ah ! saprelotte, comme j'ai envie de vous voir et de causer avec vous, longuement. Tout est mal arrangé dans ce monde. Pourquoi ne pas vivre avec ceux qu'on aime ! L'abbaye de Thélème est un beau rêve ! mais rien qu'un rêve.

Embrassez bien fort pour moi les chères petites,

et tout à vous

CRUCHARD*.

Y a-t-il du livre de Maurice sur les papillons une édition bon marché[3] ?

* Plus Cruchard que jamais. Je me sens bedolle, vache, éreinté, sheik, déliquescent, enfin calme et modéré, ce qui est le dernier terme de la décadence.

À ÉMILE ZOLA

[Paris,] mardi soir [26 mai 1874].

C'est très fort ! mon brave homme ! J'ai lu tout d'une haleine, et j'en suis étourdi. Dans huit jours je le relirai lentement pour vous dire si j'ai raison d'être enthousiasmé[1].

J'ai reçu un grand choc, comme d'une machine électrique. Vous ne serez pas poursuivi. La *poésie* vous sauvera. Mais je comprends les terreurs du jeune Charpentier.

À dimanche une longue bavette sur votre truculent bouquin.

Tout à vous

Je trouve *Barbané*[2] très médiocre de fond et de forme, quoi qu'on die. Celui-là, par exemple, je ne le relirai pas ? Je le sais.

À IVAN TOURGUENEFF

Croisset, 1er juin [1874].

Mon bon vieux,

J'ai eu la bêtise de perdre votre lettre de Berlin, dans laquelle vous me donniez votre adresse à Saint-Pétersbourg, de sorte que celle-ci vous sera remise par l'intermédiaire de Mme Viardot à qui je l'envoie.

Que de kilomètres nous séparent ! Mais le dicton est juste : « loin des yeux, près du cœur ». J'en ai eu la preuve par la gentille attention que vous avez eue en m'adressant un aimable feuilleton sur *Saint Antoine*[3].

Il me tarde d'avoir de vos nouvelles ! Si vous en avez le temps, écrivez-moi, longuement.

Quant à moi, mon bon, voici mon programme : vers la fin du mois, j'irai me rafraîchir au Righi, pendant une vingtaine de jours. — J'en passerai quelques-uns à Paris, — puis, je reviendrai ici me mettre à mon roman[4] qui me fait trembler de plus en plus. — À mesure que j'y réfléchis, ma terreur augmente.

Perrin[5] n'ayant pas voulu du *Sexe faible*, je l'ai porté à l'Odéon, dont je n'ai jusqu'à présent aucune réponse. Je m'en moque après tout, ma philosophie à l'endroit du théâtre étant complète.

Je viens de lire d'un trait, aujourd'hui même, le dernier roman de Zola, *La Conquête de Plassans*, et j'en suis encore tout ahuri. C'est roide. Ça vaut mieux que *Le Ventre de Paris*[1]. Il y a, vers la fin, deux ou trois choses superbes. Mme Sand m'a envoyé *Ma sœur Jeanne*, que je commencerai demain[2]. Mais je lis tellement (pour mon bouquin) que mes pauvres yeux commencent à se fatiguer. Il faudrait tout savoir pour ce chien de livre-là.

Avez-vous trouvé à Saint-Pétersbourg le renseignement que vous vouliez pour le vôtre[3] ? Moi, il m'a été impossible encore une fois de découvrir l'endroit où je placerai la maison de mes deux bonshommes ! — Dans une quinzaine, je ferai une petite excursion en basse Normandie, dans ce seul but[4] ! Serais-je plus heureux ? *Ça ne va pas !* Il me semble, par moments, que je suis vidé. J'éprouve ce que les mystiques appellent l'état de sécheresse. La confiance me fait défaut. — Premier signe de décrépitude. Ah ! si on pouvait dépouiller sa vieille peau comme les serpents, renouveler son moi, rajeunir !

Quel temps avez-vous là-bas ? Ici, il fait très chaud, et les Parisiens tirent la langue. L'été est une saison qui prête au comique. Pourquoi ? Je n'en sais rien. Mais cela est.

Et la goutte ? Et l'estomac ? et le reste ? qu'en faites-vous ?

Ma nièce, qui se trouve maintenant à Croisset, me charge de vous présenter toutes ses amitiés. Elle part pour la Suède dans une dizaine de jours. Le voyage en Russie est encore incertain.

Adieu, mon cher et bon vieux. Tenez-vous en liesse et en santé.

Je vous embrasse bien tendrement.

Votre.

Adressez-moi votre prochaine lettre à Croisset, jusqu'au 20 juin environ. — Et ne pas oublier dans vos projets que vous m'avez promis d'y venir cet automne passer *au moins* 15 jours !

Charpentier m'a affirmé qu'il avait envoyé des exemplaires de *Saint-Antoine* « *à toutes* les adresses données par M. Tourgueneff ».

À PHILIPPE LEPARFAIT

[Croisset,] mardi [2 juin 1874].

Mon cher Ami,

En désespoir de cause, j'ai porté *Le Sexe faible* à l'*Odéon* (car il a été refusé par le *Vaudeville*, bien que Carvalho l'eût reçu, et par le Théâtre *français*). En 15 jours le sieur Duquesnel[1] n'a eu le temps que de parcourir le Ier acte ! et je n'augure rien de bon de sa décision. *Mais* comme on vient de renouveler son engagement (et il ne doit pas être encore signé) pour deux ans, je suis sûr que, si Beauplan[2] insistait, on pourrait faire recevoir ladite pièce.

Écris donc à ton père[3], pour lui représenter tout l'*intérêt* que tu as à la réception du *Sexe faible* et à sa réussite.

Il faut se dépêcher, avant que Duquesnel ne se soit, vis-à-vis de moi, compromis par un refus ! Duquesnel est notre dernière planche (ou bûche) de salut[4].

Charpentier fait une 2e édition de *Dernières chansons*.

Veux-tu venir, *dimanche prochain*, dîner chez ton ami ?

Le dimanche il y a un bateau qui part de Croisset à 9 h. 1/2 ; il y arrive à 6 h. 1/2. À moins que tu ne préfères venir à cheval, ce qui me fournirait l'occasion de voir « un des plus jolis cavaliers *de la ville de Rouen* ».

Je dis *dîner*, parce que ça m'est plus commode que le déjeûner.

À GEORGE SAND

Croisset, mercredi, 5 heures [3 juin 1874].

Chère Maître,

Je viens d'avaler d'un trait, comme un bon verre de vin, *Ma sœur Jeanne*[5], dont je suis ravi. C'est amusant, et émouvant. Quelle netteté ! comme ça marche.

Le commencement est un modèle de narration, puis la psychologie arrive, et le drame (très bien préparé dès le début) se déroule naturellement.

Votre héros eſt un *vrai* homme. — Et cependant on l'aime.

Cependant je trouve qu'il lâche un peu vite Manuela[1], laquelle m'excite, moi, prodigieusement ! Et sir Richard me paraît bien raisonnable ? Voilà mes deux seules critiques ; or, elles sont mauvaises, puisque je me place à un autre point de vue que l'auteur, *chose qu'on n'a pas le droit de faire.*

Comme c'eſt vrai, cet amour de jeune homme pour une femme qu'on n'a pas encore vue ! et sa course haletante pour tâcher de la voir.

Tout en vous écrivant, je relis les p. 111 et 112 qui sont un *morceau*[2] !

Le récit de Manuela eſt exquis. — Et la jalousie du médecin [3], ses brutalités, son ergotage, eſt-ce assez vrai ! Il y a, de temps à autre, des réflexions morales sur lui-même qui sont bien profondes, sous leur apparente simplicité.

Au bas de la page 211, il a semblé au P. Cruchard qu'on l'embrassait lui-même ! il a ressenti comme un choc ! Quelle flamme ! ô mon chère maître[4] ! Les cinq ou six pages qui suivent sont à la hauteur de tout ce que vous avez fait de plus beau. — Je me suis arrêté dans ma lecture pendant quelques minutes, pour en jouir.

Encore une légère objection cependant ; je me demande si la page 217 eſt bien juſte, étant donné la situation et l'espèce d'amour qu'inspire la *senora* ? Je ne comprends pas pourquoi vous aviez besoin de les faire chaſtes[5], puisque sir Richard arrive au moment critique ?

Quant à cette double influence nerveuse exercée par deux hommes, l'un l'exaspérant et l'autre l'apaisant, voilà qui eſt une merveille.

Ainsi que le ch. XVI. L'hiſtoire des amours de la pauvre Fanny[6].

Et la danse ! le boléro ! que j'oubliais ! quelle merveille de description !

Un frisson de terreur vous prend à la queſtion (p. 320) : « Où eſt l'enfant ? » Quelle fin d'acte on ferait avec cette scène-là !

Et j'adore la conclusion : Vianne, l'homme raisonnable cédant à la spontanéité[7]. Cela eſt très comique et très fort. Peut-être y vois-je un comique que vous n'avez pas voulu y mettre ? N'importe ! le parallélisme eſt clair.

Là-dessus, chère maître adoré, et toujours jeune, toujours vaillant et flambant, je vous embrasse tendrement.

Votre

Vous avez bien raison de vous appeler un troubadour ! *Ma sœur Jeanne en* eѕt une preuve.

Tout le problème eѕt là. Être troubadour sans être bête. Faire beau tout en reѕtant vrai. — Et vous l'avez résolu encore une fois.

À ÉMILE ZOLA

Croisset près Rouen, 3 juin [1874].

Je l'ai lue, *La Conquête de Plassans*, lue tout d'une haleine, comme on avale un bon verre de vin, puis ruminée, et maintenant, mon cher ami, j'en peux causer décemment. J'avais peur, après *Le Ventre de Paris*, que vous ne vous enfouissiez dans le syѕtème, dans le parti pris. Mais non ! Allons, vous êtes un gaillard ! Et votre dernier livre eѕt un crâne bouquin !

Peut-être manque-t-il d'un milieu proéminent, d'une scène centrale (chose qui n'arrive jamais dans la nature), et peut-être aussi y a-t-il un peu trop de dialogues, dans les parties accessoires ! Voilà, en vous épluchant bien, tout ce que je trouve à dire de défavorable. Mais quelle observation ! quelle profondeur ! quelle poigne !

Ce qui me frappe, c'eѕt d'abord le ton général du livre, cette férocité de passion sous une surface bonhomme. Cela eѕt fort, mon vieux, très fort, râblé et bien portant.

Quel joli bourgeois que Mouret, avec sa curiosité, son avarice, sa résignation (p. 183-184) et son aplatissement[1] ! L'abbé Faujas eѕt siniѕtre et grand — un vrai direсteur ! Comme il manie bien *la femme*, comme il s'empare habilement de celle-là, en la prenant par la charité, puis en la brutalisant !

Quant à elle (Marthe[2]), je ne saurais vous dire combien elle me semble réussie, et l'art que je trouve au développement de son caraсtère, ou plutôt de sa maladie. J'ai surtout remarqué les pages 194, 215 et 227[3], 261[4], 264[5], 267[6]. Son état hyѕtérique, son aveu final (p. 350 et sq[7].) eѕt une merveille. Comme le ménage se dissout bien ! Comme elle se détache de tout et en même temps son moi, son fond ! Il y a là une science de dissolution profonde.

J'oublie de vous parler des Trouche, qui sont adorables comme canailles, et de l'abbé Bouvelle, exquis avec sa peur et sa sensibilité.

La vie de province, les jardins qui se regardent, le ménage Paloque, le Rastoil et les parties de raquette, parfait, parfait.

Vous avez des détails excellents, des phrases, des mots qui sont des bonheurs : page 17, « … la tonsure comme une cicatrice[1] », 181, « j'aimerais mieux qu'il allât voir les femmes » ; 89, « Mouret avait bourré le poêle[2] », etc.

Et le Cercle de la jeunesse ! Voilà une invention vraie. J'ai noté en marge bien d'autres endroits.

Les détails physiques qu'Olympe donne sur son frère, la fraise, la mère de l'abbé prête à devenir sa maquerelle (152), et son coffre ! (338[3]).

L'âpreté du prêtre qui repousse les mouchoirs de sa pauvre amante, parce que cela sent « une odeur de femme ».

« Au fond des sacristies, le nom de M. Delangre… » et toute la phrase qui est un bijou.

Mais ce qui écrase tout, ce qui couronne l'œuvre, c'est la fin. Je ne connais rien de plus empoignant que ce dénouement. La visite de Marthe chez son oncle, le retour de Mouret et l'inspection qu'il fait de sa maison ! La peur vous prend, comme à la lecture d'un conte fantastique, et vous arrivez à cet effet-là par l'excès de la réalité, par l'intensité du vrai ! Le lecteur sent que la tête lui tourne comme à Mouret lui-même.

L'insensibilité des bourgeois qui contemplent l'incendie, assis sur des fauteuils, est charmante, et vous finissez par un trait *sublime* : l'apparition de la soutane de l'abbé Serge au chevet de sa mère mourante, comme une consolation ou comme un châtiment !

Une chicane, cependant. Le lecteur (qui n'a pas de mémoire) ne sait pas quel instinct pousse à agir comme ils font Me Rougon et l'oncle Macquart. Deux paragraphes d'explication eussent été suffisants. N'importe, *ça y est*, et je vous remercie du plaisir que vous m'avez fait.

Dormez sur vos deux oreilles, c'est une œuvre.

Mettez de côté pour moi toutes les *bêtises* qu'elle inspirera. Ce genre de documents m'intéresse.

Je vous serre la main très fort, et suis (vous n'en doutez pas) vôtre.

À GEORGES CHARPENTIER

[Croisset, 4 ? juin 1874.]

Mon cher Georges,

Ci-inclus un petit billet dont vous ferez ce que bon vous semblera[1].

1° Ne serait-il pas temps que vous alliez (ou allassiez), *proprio motu*, chez le bon Renan pour lui demander ce qu'il compte élucubrer ? et quand cela sera[2] ? Vous pouvez prendre, comme prétexte, votre prochain départ pour la campagne ;

2° J'attends toujours les épreuves de *Salammbô*[3].

J'embrasse le jeune Marcel Charpentier.

Et sa maman aussi — liberté que me permet mon grand âge !

Je suis enchanté par *La Conquête de Plassans* et je n'ai dit à Zola que la centième partie du bien que j'en pense.

Tout à vous, mon bon. Votre

À EDMOND LAPORTE

[Croisset, 6 juin 1874.]

Mon cher Ami,

Ne devez-vous pas vous en aller à Paris lundi prochain, pour n'en revenir que 8 jours après, vers le 15 ?

Je n'ai rien changé à mes projets. — Donc, en revenant de la Capitale, venez déjeuner ou dîner chez moi, à votre choix, afin que nous réglions notre itinéraire.

Nous pouvons partir le 17 ou le 18, soit le mercredi. — Et être revenus ici le samedi[4] ?

Tout à vous, mon cher vieux.

Votre

Samedi matin.

À FRÉDÉRIC BAUDRY

Croisset, 8 juin [1874].

Merci, mon cher vieux, pour vos deux élucubrations agricoles, qui me semblent à première vue splendides de bêtise[1].

Vous me demandez si je ne suis pas effrayé par le développement d'icelle (la bêtise), mais, mon bon, je ne fais pas autre chose que de vouloir en montrer, en décrire l'étendue. La moralité de votre ami consiste en *cela* !

Je crois que le *problème social* consiste à la refouler au second plan ; quant à l'anéantir, c'est impossible. En attendant, nous n'avons qu'une chose à faire : l'analyser. Un mal connu est à moitié guéri. Ah ! que nous sommes loin de la santé !

J'ai ce soir dîné avec votre frère chez Lapierre et je l'ai trouvé en très bon état, bonne figure et bonne humeur.

Dans une quinzaine de jours, je m'en irai en Suisse pour respirer pendant un mois sur un haut sommet, afin de me *dépayser* et de me *dénévropathiser*.

Quand nous reverrons-nous ? au mois d'août probablement !

Pour le quart d'heure, je suis en train de lire le livre d'Haeckel sur la création naturelle, lequel m'amuse beaucoup[2].

Adieu, mon cher vieux. Je vous embrasse. Votre.

À LA PRINCESSE MATHILDE

Croisset près Rouen, lundi 8 juin [1874].

Comment allez-vous, Princesse ? Je voudrais bien avoir de vos nouvelles.

Je vous crois maintenant à Saint-Gratien, dans cet endroit *qui vous va si bien*, et qui vous ressemble.

Quant à votre ami, il se dispose à s'en aller dans une quinzaine vers un haut sommet de la Suisse, afin de se reposer et de se calmer les nerfs. Voilà si longtemps que je travaille sans discontinuer, que j'ai besoin d'un peu de repos.

J'ai repris ma solitude et je continue à faire des lectures pour le livre[3] que je commencerai cet automne. Il aura cela de bon qu'il me demandera plusieurs années. Le reste est secondaire.

Le principal dans ce monde (puisque le bonheur y eſt impossible), c'eſt de passer le temps agréablement.

Que dites-vous de la Politique ? Il me semble qu'on eſt au calme plat, et que, d'ici à longtemps, *rien d'effeƈtif* n'aura lieu ? Mais je me trompe peut-être ? Qu'il eſt difficile de porter un jugement sur l'opinion publique ! Ainsi les bons Rouennais (qui ne sont pas bons, du tout) sont presque tous pour le centre gauche, fort peu dévots, et nullement cléricaux, ce qui n'empêche pas que hier les Processions de la Fête-Dieu ont été splendides. Les rues regorgeaient de monde. — Et deux généraux (par ordre supérieur, il eſt vrai) accompagnaient l'Archevêque. Tirez donc une conclusion !

Je suis, pour mon compte, effrayé par la Bêtise universelle ! Cela me fait l'effet du déluge, et j'éprouve la terreur que devaient subir les contemporains de Noé, quand ils voyaient l'inondation envahir successivement tous les sommets. Les gens d'esprit devraient conſtruire quelque chose d'analogue à l'Arche, s'y enfermer et vivre ensemble.

Je vous respeƈte, je vous admire, je vous assure parce que vous êtes, vous, Princesse, du petit nombre des *Élus*, du groupe rarissime des *Ariſtocrates naturels*. Vous avez, pour qui sait voir, le *Signe* sur le front.

Et je vous baise les mains, car je suis
entièrement vôtre.

À SA NIÈCE CAROLINE

[Croisset,] vendredi, 6 heures du soir [12 juin 1874].

Pauvre Loulou

Moi aussi je n'étais pas gai avant-hier au soir, quand vous êtes partis[1] ! Je ne crois pas que je sois plus tendre qu'autrefois, mais je suis plus bedolle. Je deviens vieux. — Et la solitude, par moments, me pèse davantage. — Et puis ta société eſt si charmante, ma chère fille, qu'on la regrette et qu'on la désire.

Hier matin, j'ai reçu une lettre d'Achille[2] me disant que je pouvais amener Julie à l'Hôtel-Dieu. C'eſt ce que j'ai fait immédiatement. Je l'ai inſtallée dans sa chambre, où tout était prêt, du reſte. Émile a été la voir aujourd'hui. Elle se trouve très bien, d'autant plus qu'Achille lui a donné ce matin grand espoir sur sa guérison.

Cette visite dans l'hôpital, où je n'avais pas mis les pieds, depuis si longtemps, n'a pas été précisément d'une gaieté folle[1]. De plus, j'ai été empoigné au milieu de Rouen par un violent mal de ventre, dû sans doute au cayeu[2] (tu vois que je continue à ne te rien cacher), et par un mal de dents.

Il se peut même que demain ou lundi je me fasse extraire ma dernière molaire du côté droit ! J'ai peur d'être embêté par elle dans mon voyage de découvertes en Basse-Normandie.

En fait de nouvelles, le serrurier eſt venu hier poser la serrure de la porte de l'escalier. — Et tout à l'heure l'étameur a pris les glaces.

Lundi prochain je dînerai chez les Lapierre.

Le temps s'eſt singulièrement rafraîchi. J'espère qu'il en eſt de même à Paris. Je vais faire une petite promenade dans les cours, en compagnie de Julio, avant de dîner. Mais que Croisset eſt triſte, sans sa propriétaire[3] !

Remercie bien Erneſt de la peine qu'il s'eſt donnée pour mon logement. Sans être « sublimes » ni l'un ni l'autre, soignez-vous bien — ou plutôt tâchez de n'avoir besoin d'aucun soin extraordinaire. Pas de maladies, et pas d'accident !

Je t'écrirai lundi ou mardi prochain.

Pense à moi souvent et envoie-moi de bonnes lettres.

Bon voyage, mes chers enfants. La pensée de ta vieille

Nounou qui te bécotte
t'accompagne.

À EDMOND LAPORTE

Croisset, vendredi soir [12 juin 1874].

Mon Vieux solide,

Rien ne s'oppose à ce que nous partions pour notre voyage de découvertes *jeudi prochain.*

Mais à quelle heure ? Problème. Car je ne comprends goutte à l'indicateur. Il faudrait aller coucher à Alençon.

Je vous préviens, mon bon, que je ne sais pas quand je serai revenu ici. — Car il faut que j'en finisse ! Il faut que j'aie découvert, avant de rentrer, le logis de mes bonshommes[4]. — Je ne sais pas jusqu'où cette recherche peut m'entraîner. — Peut-être trois ou quatre jours ?

Si nous étions revenus, lundi, je suppose, seriez-vous

homme à partir pour le Righi à la fin de la semaine (de demain en quinze) ?

Pour simplifier les choses, faites ceci : venez me voir mardi ou mercredi, nous réglerons tout. — Ou bien, si vous êtes trop occupé, écrivez-moi vos intentions.

Je vous embrasse.

Votre

À SA NIÈCE CAROLINE

Croisset, mardi, 16 [juin 1874], 10 h[eures] du matin.

Où es-tu maintenant, pauvre fille ? Sans doute au milieu de la mer, confinée dans ta cabine s'il pleut, ou bien, s'il fait beau, appuyée sur le bordage à contempler *les effets* du ciel et de l'eau. Je vous souhaite un meilleur temps qu'ici, où il fait un froid de chien. J'ai été obligé depuis trois jours d'avoir constamment du feu dans mon cabinet.

Ma journée d'hier a été abominable d'ennui. Car je suis resté sur le pavé de Rouen depuis 1 heure jusqu'à 7 ! J'ai été deux fois à l'Hôtel-Dieu pour voir Achille, qui opère enfin Julie aujourd'hui ou demain. On ne saura le résultat que dans une huitaine. — Voici mes autres courses : 1° Chez M. le préfet, pour Mme Salé[1] ; pas de préfet ! 2° Chez Colignon ; pas de dentiste ! Chez Billard, le marchand de curiosités, pour acheter des chenets ; pas de chenets ! Ne sachant que faire de moi, j'ai été chez le petit Baudry[2]. Il était reparti pour Paris le matin même. J'ai voulu me retremper par la contemplation du Beau et je me suis transporté à l'Exposition de Rouen ; cela a été le coup de grâce ! Quelles peintures ! Te rappelles-tu un tableau représentant Louis XVII arraché à Marie-Antoinette ? Est-ce assez lamentable ! ! ! Quant au jeune Le Poittevin[3], je ne le crois pas destiné à être un grand peintre ! Je conçois, pauvre loulou, que la vue de semblables horreurs t'ait enorgueillie ! Enfin, comme il n'était encore que 3 heures (de l'après-midi), je me suis abattu dans un café où je suis resté une heure ! Puis je suis retourné à l'Hôtel-Dieu, où j'ai dormi pendant une demi-heure dans le cabinet d'Achille. Monsieur et Madame sont arrivés d'Ouville à 5 heures. On a été fort aimable : « Viens-tu nous demander à dîner ? » Après quoi, j'ai été (toujours à pied) de l'Hôtel-Dieu à la rue de la Ferme, où je me suis remonté le moral par l'ingestion d'un homard à l'américaine dû aux talents de Mme Brainne, et qui était délicieux. Telles sont, à moi, mes impressions de voyage.

Il paraît que ta cousine Juliette n'en a pas éprouvées à Venise d'excessives. Elle trouve la ville « malpropre », s'y est mortellement ennuyée, ainsi que sa compagnie, M. et Mme Édouard[1] ! Bref, le wagon où ces trois personnes se trouvaient en revenant de Paris avec Mme Lapierre, a été scandalisé de leur bêtise.

Ma débauche, depuis ton départ, a été, dimanche soir, d'aller sur la place de Croisset, voir *la Fête*. La plus grande décence y régnait, ou plutôt la plus complète somnolence. L'orchestre, les danseurs, les loteries, et jusqu'aux chevaux de bois, tout avait l'air de roupiller. Aucun « joyeux drille », pas même un pochard ! À la vue d'un quinquet, j'ai aperçu le Pseudo[2] donnant le bras à une petite dame. — Puis, je me suis recollé au coin de mon feu.

Nouvelles locales : Raoul-Duval vient d'acheter le domaine du Vaudreuil, prix : 700 000 francs.

Nouvelles politiques : la République a été reconnue hier par 4 voix de majorité. Si Gambetta n'avait pas reçu une gifle de M. de Sainte-Croix, on n'aurait pas eu peur des Bonapartistes, et on n'aurait pas voté une loi qui les brise. Voilà comme les petites causes amènent de grands effets. Philosophons un peu !

Nouvelles de la maison : les hommes des Ponts et chaussées sont venus voir les cales. — La fenêtre du grenier où il manquait un carreau se trouve être pourrie. J'ai commandé à Senart d'en faire une autre. M. Saucisse, propriétaire à Deauville, m'écrit pour me demander de fixer un bornage. — Je vais envoyer sa lettre à Bidault[3] pour qu'il l'expédie au notaire de « la localité », afin que Saucisse ne me joue pas un pied de cochon.

Nouvelles des chiens : Miss est heureusement accouchée de trois toutous. La mère et les enfants se portent bien.

M. Julio, présentement, dort.

Je ne sais rien de Putzel[4] à laquelle je pense, et toi aussi, j'en suis sûr.

Nouvelles de l'Assemblée nationale : M. et Mme Agénor Bardoux ont, ce matin, « l'honneur de me faire part de la naissance de leur fils Jacques ».

Quoi encore ? C'est tout, il me semble ?

J'attends, ce soir ou demain, mon compagnon Laporte pour fixer l'heure de notre départ, jeudi (après-demain), et huit jours après je m'emballerai pour l'Helvétie. — Je compte bien avoir à mon retour de Caen, lundi prochain, une lettre de ma chère Caro.

Je suis curieux de savoir si mon beau neveu M. Commanville a consulté quelqu'un pour ses bronches avant de partir de Paris. *Gageons que non.* « Les Affaires ! Les Affaires ! Est-ce qu'on a le temps ! » Mais je prie le susdit et même, en ma qualité de grand-parent, je lui enjoins d'aller voir un médecin à son retour.

Voilà, mon loulou, une longue lettre. Écris-m'en de pareilles. — Portez-vous bien, soignez-vous bien. Amusez-vous si faire se peut. Je vous embrasse.

Et à toi, pauvre chère fille,
deux bons baisers de ta Nounou.

À EDMA ROGER DES GENETTES

[Croisset,] mercredi soir 17 [juin 1874].

À moi aussi, cet abominable été agace les nerfs ! Je suis abîmé de douleurs dans tous les endroits de ma vieille machine. Je me sens profondément fatigué et triste. Pourquoi ?

Demain je recommence un voyage de découvertes pour mes deux Bonshommes[1], car il faut que je trouve un pays pour les placer. J'ai besoin d'un sot endroit au milieu d'une belle contrée. — Et que dans cette contrée on puisse faire des promenades géologiques et archéologiques. — Demain soir j'irai donc coucher à Alençon (votre patrie), puis je *rayonnerai* tout à l'entour jusqu'à Caen (jusqu'à quand ? un calembour !). Ah ! quel bouquin ! C'est *lui* qui m'épuise d'avance ! Je me sens accablé par les difficultés de cette œuvre, pour laquelle j'ai déjà lu et résumé 294 volumes ! Et rien n'est encore fait.

Quand je serai revenu de la Basse-Normandie, la semaine prochaine[2], je ferai mon paquet pour « les Champs de l'Helvétie » ou plutôt pour les monts d'icelle. Je ne vais pas à Saint-Moritz et je ne prendrai aucune eau. Je vais respirer un air pur sur le Righi, rien de plus. On suppose que la pression barométrique, y étant moins forte, me décongestionnera, en faisant refluer le sang vers les organes inférieurs. Voilà la théorie. — Ce qu'il y a de sûr, c'est que j'ai besoin de repos.

Je vous recommande Haeckel, *De la création naturelle*[3]. Ce livre est plein de faits et d'idées. C'est une des lectures les plus substantielles que je sache.

Mon opinion sur Schopenhauer est absolument la vôtre. Et dire qu'il suffit de mal écrire pour avoir la réputation d'un homme sérieux[1] !

Je vous aime d'aimer Lucrèce. Quel homme, hein ? N'est-ce pas qu'il ressemble parfois à Lord Byron[2] ? M. de Sacy, membre de l'Académie française, m'a déclaré qu'il n'avait jamais lu Lucrèce *(sic)* ni Pétrone. « Mon Dieu, oui, cher monsieur, je m'en tiens à Virgile ! » Ô France ! Bien que ce soit notre pays, c'est un triste pays, avouons-le ! Je me sens submergé par le flot de bêtise qui la couvre, par l'inondation de crétinisme sous laquelle peu à peu elle disparaît. Et j'éprouve la terreur qu'avaient les contemporains de Noé, quand ils voyaient la mer monter toujours.

Les plus grands bénisseurs, tel que le père Hugo, commencent eux-mêmes à douter. — Je voudrais disparaître de ce monde pendant 500 ans, puis revenir pour voir « comment ça se passe ». Ce sera peut-être drôle.

Un long baiser sur chaque main. Mes amitiés à M. Roger,

et tout à vous

GVE.

Je vous écrirai de là-bas, du séjour des aigles.

À propos d'aigle, comme les Bonapartistes sont jolis. Quels messieurs ! quelle moralité !

IVAN TOURGUENEFF À GUSTAVE FLAUBERT

Spasskoïë.
Gouvernement d'Orel.
Ville de *Mtsensk.*
Mercredi 17/5 juin 1874.

Mon cher ami,

Je vous écris du fond de mon sac, où je suis arrivé ce matin et où je trouve votre lettre du 1er juin[3]. — Elle a mis du temps, comme vous voyez — mais ce n'est pas sa faute, ni celle de Mme Viardot. Je ne croyais pas rester si longtemps à Pétersbourg et à Moscou, et j'avais donné un itinéraire — ou plutôt un arrangement de mon temps qui se trouve être inexact. — Ce qui est ennuyeux, c'est que vous ne serez plus à Croisset à partir du 20 — c'est-à-dire à partir d'après-demain —

et que cette lettre aura à courir après vous. — Elle vous rattrapera, j'en suis sûr — et pourtant — cela me glace tant soit peu la plume.

Ce n'est pas la première fois que je vous écris d'ici — et vous connaissez l'endroit : c'est vert, doré, large, monotone, doux, vieillot et terriblement immobile. — Un ennui patriarcal, lent et enveloppant. — Si je puis travailler, je resterai ici quelques semaines ; sinon, je pars comme une flèche pour Carlsbad[1], et de là pour Paris. Mon séjour en Russie n'a pas été inutile — en tous cas, j'ai trouvé — à peu près — ce que je cherchais[2], il est vrai que je suis moins — beaucoup moins — exigeant que vous ; vous l'êtes trop. — Vous êtes content du roman de Zola[3] ? Je lui ai écrit ; j'ai arrangé son affaire pour l'avenir[4] — ce n'est pas grand-chose ; mais autant vaut cela que rien. Il continue à être fort lu en Russie, et traduit : on vient de publier sa *Curée*.

Antoine[5] n'est décidément pas pour le gros public : les lecteurs ordinaires reculent épouvantés, même en Russie. — Je ne croyais pas mes compatriotes si mièvres que cela. Tant pis ! Mais *Antoine* — malgré tout — est un livre qui restera.

Je vous raconterai pas mal de choses qui vous feront rire, une fois que je serai de retour, et dans votre bon cabinet de Croisset. — Il y a des choses bien bizarres — et intéressantes — dans ma *cara patria*. Pour le moment, grâce à un léger abus de laitage auquel j'ai cru pouvoir me livrer, dans l'espoir que l'air natal ferait tout passer, je suis en proie à des coliques d'une violence ! ! Je crois qu'elles doivent se sentir jusque dans la forme des lettres des mots que j'écris… Ce n'est ni bizarre, ni intéressant — quel chien d'estomac !

Et quelle chienne de politique dans ce moment ! ! ? — Hein ? qu'en dites-vous ? — Ni vous, ni moi, nous n'aimons pas qu'on en parle, mais le moyen de ne pas pousser au moins un Oh ! ou un Ha !

Je pense avec plaisir au moment où nous pourrons reprendre nos petits dîners si gentils d'auteurs dramatiques sifflés[6] — En attendant, si cette lettre vous trouve perché sur un glacier quelconque du Righi, rafraîchissez-vous à force !

Quand vous écrirez à votre gentillissime nièce, faites-lui mes meilleures amitiés. Je vois bien que je ne la verrai pas en Russie.

Étude de compatriote
vu par derrière
(le 16 juin, par 16 degrés de chaleur)

Là-dessus (pas sur ce derrière) je vous embrasse et vous dis au revoir.

Votre vieux
Iv. TOURGUENEFF.

À SA NIÈCE CAROLINE

[Croisset], mercredi 24 [juin 1874].

Ma pauvre Fille,

J'ai reçu l'autre mardi ton télégramme de Malmoë, puis hier ta lettre commencée à Hambourg et finie à Stockholm. Aurai-je une autre lettre de toi avant samedi prochain, qui eSt le jour de mon départ pour la Suisse ? Sitôt arrivé à Kaltbad, je t'enverrai un télégramme qui peut-être ne te trouvera pas, car où es-tu maintenant ? Il me paraît difficile d'avoir une correspondance régulière. Tu devrais bien me faire un programme de vos séjours.

Mon petit voyage en Normandie a été charmant. Nous[1] avons parcouru le département de l'Orne et celui du Calvados. Voici nos Stations : la Ferté-Macé, Domfront, Condé-sur-Noireau, Caen, Bayeux, Port-en-Bessin, Arromanches, Musigny, Falaise ; retour par Mézidon et Lisieux. Tu n'imagines pas la beauté de ce pays. Domfront m'a rappelé ConStantine. C'eSt à faire exprès le voyage ! Que de sujets pour un pitre-paysagête[2]. Je placerai *Bouvard et Pécuchet* entre la vallée de l'Orne et la vallée d'Auge, sur un plateau Stupide, entre Caen et Falaise. Mais il faudra que je retourne dans cette région quand j'en serai à leurs courses archéologiques et géologiques, et il y a de quoi s'amuser. Les bords de l'Orne, de Condé-sur-Noireau à Caen, sont on ne peut plus... *pittoresques* ! (pardon du mot). Partout des rochers, et de place en place une grande falaise au milieu de la verdure. — Nous nous sommes trimbalés en guimbarde, nous avons mangé dans des cabarets de campagne et couché dans des auberges classiques. J'ai initié mon compagnon[3] à l'eau-de-vie de cidre, et il en a remporté une bouteille chez lui ! On n'eSt pas meilleur garçon ni plus attentionné. Il ne partira pas avec moi, mais il viendra me chercher[4]. C'eSt demain matin que je quitte Croisset.

J'ai aujourd'hui été à l'Hôtel-Dieu. L'opération a jusqu'à présent très bien réussi. Il eSt sûr que Julie[5] verra d'un œil, et quant au second, c'est probable. Elle m'a tout de suite demandé de tes nouvelles, avant même de me parler de sa santé. En l'apercevant dans son lit, avec un bandeau qui lui cachait la figure et ne découvrait que le menton, le souvenir de notre pauvre vieille m'est revenu, et j'ai comprimé un gros sanglot. Comme je la regrette, ma chère Caro ! J'ai songé à elle tout le temps que je me suis promené en Basse-Normandie ; à propos de mille petits détails, les souvenirs d'enfance m'assaillaient. Et hier soir, la rentrée solitaire dans mon domicile a été, comme de coutume, fort amère. Ce sentiment de l'isolement est un effet de l'âge. Mais ne nous attristons pas ! Je m'en vais sur les hauts sommets tâcher de me remonter la mécanique, afin de me lancer dans *Bouvard et Pécuchet* gaillardement.

Du reste, mon petit voyage de cinq jours m'a fait du bien. Je suis moins rouge et je me sens moins fatigué.

Il me tarde d'avoir de toi une bonne longue lettre pleine de détails. La locomotive, et le changement d'air, ont-ils fait du bien à la toux d'Ernest ? Et toi, pauvre chat, la migraine ?

Mon serviteur est tout dolent de me voir partir. Il dit qu'il s'ennuie à crever quand je ne suis pas là.

Aucune nouvelle. — Rien en politique. Les journaux se sont occupés beaucoup du retour de Rochefort[1] Mais cette rengaine commence à s'user.

« Nos campagnes » se plaignent de manquer d'eau. Il fait alternativement très chaud et très froid ; « le fond de l'air » est bizarre, ou plutôt il n'a pas de fond.

À l'instant même, un coup de sonnette m'a fait battre le cœur. Je croyais que le facteur m'apportait une lettre de Suède. Pas du tout ! mais c'est une lettre pour Mme Commanville. Timbre illisible et écriture de femme inconnue. Je vais la mettre dans une enveloppe et te l'adresser.

Parmi les choses colossales, la figure de ma belle-sœur peut compter pour une des plus réussies. Quelle grosseur de face et de menton ! et quel incarnat. J'en étais tantôt ébahi ! Elle peut être classée parmi « les merveilles de la nature ». Fort aimable, du reste ; re-invitation à dîner et refus de ma part. J'ai d'ailleurs invité pour aujourd'hui mon petit ami Fortin. Mes paquets sont faits. *J'ai réglé* avec Émile. Il ne me reste plus qu'à dire adieu à Julio qui dort près de moi sur la peau d'ours, et à partir. Je suis curieux de savoir si le moral sera meilleur à mon retour ; ce qu'il y a de certain, c'est que depuis quelque temps il est bas.

Adieu, mes chers enfants. Portez-vous bien et songez à ton pauvre vieux bedollard d'oncle, à ta nounou qui t'embrasse tendrement.

À PHILIPPE LEPARFAIT

[Paris,] vendredi, 2 h[eures, 27 juin 1874].
Rue Murillo.

Hier, en arrivant ici, j'ai trouvé sur ma table le *manuscrit* du *Sexe faible*[1] très bien enveloppé et cacheté, avec le timbre du Ministère des Beaux-Arts. Et, dans l'enveloppe, une lettre[2] dont je t'envoie la copie. — Car j'ai peur de perdre l'original. — C'est un trésor !

Savoures-en tous les mots, mon bon, et jusqu'à la signature.

Note que je n'avais nullement chargé ton père[3] d'aller chercher le *manuscrit*, et que Duquesnel ne m'a encore rien répondu. Est-ce assez joli d'insolence ! *On ne fait pas cela* à un inconnu. J'avoue que j'en suis resté quelques minutes abasourdi. Voilà comme il est bon d'avoir des amis !...

Ton papa est drôle. — Entre nous. Et il a des Messieurs sous ses ordres qui écrivent de charmantes lettres.

Eh bien ! j'ai été *immédiatement* au théâtre de Cluny. Et *maintenant* le Directeur est en train de lire *Le Sexe faible*.

Mais je n'aurai sa réponse qu'à mon retour de Suisse.

Que dis-tu aussi du jeune Rohaut[4], qui n'a pas répondu à ma lettre, et qui n'est même pas venu prendre chez mon portier un exemplaire de *Saint-Antoine* qu'il avait réclamé avec passion !

Là-dessus, je t'embrasse, et m'enfuis vers les hauts sommets.

Ton

GVE.

À SA NIÈCE CAROLINE

Mercredi, 1er juillet [1874].
Kaltbad Righi[5]. Suisse.

En réponse à ta lettre du 21 juin et à celle du 25[6].

Mon Loulou,

Je commence par déclarer que les beautés de la Nature m'embêtent profondément. Mon attente est même, en cela, surpassée. — Et je résiste à l'envie de m'en retourner chez moi. La perspective de passer encore au moins vingt jours dans une pareille situation m'épouvante ! Décidément *Vieux* n'est pas pôhétique, il préférerait à tous les glaciers de la Suisse une bibliothèque, un théâtre ou un musée. La Nature m'assomme ou plutôt m'écrase. J'ai envie de descendre le Righi et de m'en aller à Venise, qui n'est qu'à 48 heures d'ici, et où je verrais des choses « *artistiques* » ! Mais il faut être sage, restons ! ennuyons-nous ! Plus un remède est désagréable, plus il doit être salutaire. C'est un principe.

Je suis tellement abruti, je me sens la cervelle si bien vidée, que j'ai de la peine à assembler mes lettres. J'en ai envie de pleurer. J'ai dormi cette nuit 12 heures, et je viens d'en redormir trois, cet après-midi. Ma consolation est de me gorger de nourriture et de fumer. Oh ! pour fumer, je fume ! Enfin la morosité que j'avais à Luchon n'est rien près de celle que j'ai maintenant. Le pays est bien beau, cependant, et je vis d'une manière très confortable. En d'autres circonstances, je serais peut-être fort heureux ? mais mon isolement et surtout mon oisiveté sont trop grands.

Comme facéties, au début de mon séjour en Suisse, j'ai commencé par me faire arracher une dent, je n'y tenais plus ! C'est un praticien de Lucerne qui m'a fait cette opération. Après quoi, je me suis embarqué sur le Lac, et une heure après j'étais à Witznau, au pied du Righi. Là, j'ai pris le chemin de fer qui grimpe sur la montagne. La voie ferrée (style de Prudhomme) côtoie des précipices, et même passe par-dessus. C'était le moment d'avoir des émotions. Je n'en ai eu aucune, si ce n'est celle de l'étouffement. Car le temps était fort orageux. Enfin, à 5 heures du soir (hier) je suis arrivé ici. J'habite une modeste chambre, d'où j'ai la vue du Lac et des montagnes. — Jusqu'à présent je n'ai encore parlé à personne. J'ai refusé (bien entendu) de manger à la table d'hôte, qui est d'ailleurs infestée d'Allemands, et il n'y a pas de chance pour que, d'ici à mon départ, je desserre les lèvres.

Afin de m'occuper, je vais tâcher de creuser quelques-uns des *sujets* vagues que j'ai en réserve. — Mais je suis sûr que je ne trouverai rien du tout, et la conscience de mon impuissance m'achèvera.

Tantôt j'ai fait une course de deux heures à pied en suant comme un bœuf, en soufflant comme un phoque, en gémissant comme un âne, et en m'arrêtant tous les vingt pas. Mais je suis les préceptes « de mon Docteur » ! je fais de l'exercice et je me repose !

Presque tous les touristes portent de longs bâtons, sur lesquels on fait marquer au fer rouge les noms des *sites* fameux, par eux visités. Cette mode-là m'agace d'une façon violente, et je me retiens pour ne pas insulter les imbéciles fournis de ces branches. Tel est mon caractère.

Quand revenez-vous ? Quand sera fini votre voyage ? Le temps va me sembler doublement long, d'ici au moment où je bécoterai ta chère mine.

Le Moscove qui est en Russie et qui a la colique m'a écrit du fond de sa province qu'il renonce à l'espoir de piloter « ma charmante nièce ».

Je ne t'ai pas parlé de cette pauvre Fanny[1]. Dis-lui que je participe à son chagrin. Comme c'est une personne exaltée, elle doit souffrir plus qu'une autre. La sensibilité est un don du ciel, funeste !

À propos de Fanny, je viens tout à l'heure d'entendre écorcher la valse de Chopin d'une façon à faire fuir toutes les vaches d'Helvétie. Messieurs les voyageurs ou plutôt mesdames les voyageuses poussent l'amour du piano jusqu'au délire. — C'est comme celui de la longue-vue ; il y en a une installée sur la terrasse de l'hôtel, et il y a toujours un crétin installé devant la longue-vue, chapeau en arrière, tendant le cul et poussant des exclamations.

Il est maintenant 7 heures. Je vais me rhabiller pour aller dîner, puis je me coucherai. Hier je suis entré dans les draps à 9 heures. Les lits suisses sont des merveilles et j'en use fortement, n'ayant à faire que cela.

Ne te donne pas mal à l'estomac, dans toutes les noces que tu subis. — Continue à m'écrire souvent et longuement, et tâchez, mes chers enfants, de vous amuser plus que moi, ce qui n'est pas difficile.

Ton vieil oncle qui t'embrasse.

Je viens de relire tes deux lettres, ce qui me rend encore plus honteux de la nullité de la mienne.

À IVAN TOURGUENEFF

Jeudi, 2 juillet 1874.
Kaltbad, Righi, Suisse.

Moi aussi, j'ai chaud, et je possède cette supériorité ou infériorité sur vous que je m'embête d'une façon gigantesque. Je suis venu ici pour faire acte d'obéissance, parce qu'*on* m'a dit que l'air pur des montagnes me dérougirait et me calmerait les nerfs. Ainsi soit-il. Mais jusqu'à présent je ne ressens qu'un immense ennui, dû à la solitude et à l'oisiveté ; et puis, je ne suis pas *l'homme de la Nature* : « ses merveilles » m'émeuvent moins que celles de l'Art. Elle m'écrase sans me fournir aucune « grande pensée ». J'ai envie de lui dire intérieurement : « C'est beau ; tout à l'heure je suis sorti de toi ; dans quelques minutes j'y rentrerai ; laisse-moi tranquille, je demande d'autres distractions. »

Les Alpes, du reste, sont en disproportion avec notre individu. C'est trop grand pour nous être utile. Voilà la troisième fois qu'elles me causent un désagréable effet[1]. J'espère que c'est la dernière. Et puis, mes compagnons, mon cher vieux, messieurs les étrangers qui habitent l'hôtel ! tous Allemands ou Anglais, munis de bâtons et de lorgnettes. Hier, j'ai été tenté d'embrasser trois veaux que j'ai rencontrés dans un herbage, par humanité et besoin d'expansion.

Mon voyage a mal commencé, car je me suis fait, à Lucerne, extraire une dent par un artiste du lieu. Huit jours avant de partir pour la Suisse, j'ai fait une tournée dans l'Orne et le Calvados, et j'ai enfin trouvé l'endroit où je gîterai mes deux bonshommes[2]. Il me tarde de me mettre à ce bouquin-là, qui me fait d'avance une peur atroce.

Vous me parlez de *Saint-Antoine* et vous me dites que le gros public n'est pas pour lui. Je le savais d'avance, mais je croyais être plus largement compris du public d'élite. Sans Drumont[3] et le petit Pelletan[4], je n'aurais pas eu d'articles élogieux. Je n'en vois venir aucun du côté de l'Allemagne. Tant pis ! à la grâce de Dieu. Ce qui est fait, est fait ; et puis, du moment que vous aimez cette œuvre-là, je suis payé. Le grand succès m'a quitté depuis *Salammbô*. Ce qui me reste sur le cœur, c'est l'échec de *L'Éducation sentimentale*. Qu'on n'ait pas compris ce livre-là, voilà ce qui m'étonne.

J'ai vu jeudi dernier le bon Zola qui m'a donné de vos nouvelles (car votre lettre du 17 m'a rattrapé à Paris le lendemain). Sauf vous et moi, personne ne lui a parlé de *La Conquête de Plassans*, et il n'a pas eu un article, ni pour ni contre. Le temps est dur pour les Muses. Paris m'a d'ailleurs semblé plus bête et plus plat que jamais. Si détachés que nous soyons l'un et l'autre de la politique, nous ne pouvons pas nous empêcher d'en gémir, ne serait-ce que par dégoût physique.

Ah ! mon cher bon vieux Tourgueneff, que je voudrais être à l'automne pour vous avoir chez moi, à Croisset, pendant une bonne quinzaine ! Vous apporterez votre besogne, et je vous montrerai les premières pages de *Bouvard et Pécuchet*, qui, espérons-le, seront faites ; et puis, je vous ouïrai.

Où êtes-vous présentement, en Russie ou à Carlsbad ? Ce qui serait sublime, ce serait de revenir en France par le Righi. Mais les Decius[1] ne sont plus de ce monde. Je résiste à l'envie de me rembarquer sur le lac et de passer le Saint-Gothard pour aller finir mon mois à Venise. Là, au moins, je m'amuserais.

Ma nièce doit être actuellement au-delà de Stockholm, elle compte être revenue à Dieppe à la fin de juillet.

Pour m'occuper, je vais tâcher de creuser deux sujets encore fort obscurs. Mais je me connais, je ne ferai ici absolument rien. Il faudrait avoir vingt ans et se promener dans ces paysages avec la bien-aimée. Les chalets se mirant dans l'eau sont des nids à passion. Comme on *la* serrerait bien contre son cœur au bord des précipices ! Quelles expansions, couchés sur l'herbe, au bruit des cascades, avec le bleu dans le cœur et sur la tête ! Mais tout cela n'est plus à notre usage, mon vieux, et a toujours été fort peu au mien.

Je répète qu'il fait atrocement chaud ; les montagnes, couvertes de neige au sommet, sont éblouissantes. Phœbus darde toutes ses flèches. Messieurs les voyageurs confinés dans leurs chambres suent et boivent. Ce qu'on boit et ce qu'on mange en Helvétie est effrayant. Partout des buvettes, des « restaurations » ! Les domestiques de Kaltbad ont des tenues irréprochables : habit noir dès 7 heures du matin ; et comme ils sont fort nombreux, il vous semble qu'on est servi par un peuple de notaires ou par une foule d'invités à un enterrement : on pense au sien, c'est gai.

Écrivez-moi souvent et longuement : vos lettres seront pour moi « la goutte d'eau dans le désert ».

Vers le 25, je compte bien quitter la Suisse ; je resterai sans doute quelques jours à Paris.

Adieu, cher grand ami, je vous embrasse de toutes mes forces.

Votre

À GEORGE SAND

Kaltbad Righi (Suisse),
vendredi 3 juillet [18]74.

Est-il vrai, chère maître, que la semaine dernière vous êtes venue à Paris ? J'y passais pour aller en Suisse et j'ai lu dans « une feuille » que vous avez été voir *Les Deux Orphelines*[1], fait une promenade au Bois de Boulogne, dîné chez Magny, etc., ce qui prouve que, grâce à la liberté de la Presse, on n'est pas maître de ses actions[2]. D'où il résulte que le P. Cruchard vous garde rancune pour ne l'avoir pas averti de votre présence dans la « nouvelle Athènes ». Il m'a semblé qu'on y était plus bête et plus plat que d'habitude ? La Politique en est arrivée au bavachement ! on m'a corné les oreilles avec le retour de l'Empire. Je n'y crois pas ! Cependant ?... alors il faudrait s'expatrier. Mais où, et comment ?

C'est pour une pièce que vous êtes venue ? Je vous plains d'avoir à faire à Duquesnel ! Il m'a fait remettre le manuscrit du *Sexe faible* par l'intermédiaire de la Direction des Théâtres, sans un mot d'explication ! Et dans l'enveloppe ministérielle se trouvait une lettre d'un sous-chef, qui est un morceau ! Je vous la montrerai. C'est un chef-d'œuvre d'impertinence ! On n'écrit pas de cette façon-là à un gamin de Carpentras apportant un vaudeville au théâtre Beaumarchais. Le procédé vient de Chennevières[3] ! voilà à quoi servent les amis !

C'est cette même pièce *Le Sexe faible* qui l'année dernière avait enthousiasmé Carvalho ! maintenant personne n'en veut plus. Car Perrin trouve qu'il serait inconvenant de mettre sur la scène des Français « une nourrice et un berceau » *(sic)*. — Ne sachant qu'en faire, je l'ai portée au théâtre de Cluny. Ah ! que mon pauvre Bouilhet a bien fait de crever ! Mais je trouve que l'Odéon pouvait marquer plus d'égards pour ses œuvres posthumes.

Sans croire à une conjuration d'Holbachique[4], je trouve aussi qu'on me trépigne un peu trop depuis quelque temps. — Et on est si indulgent pour certains autres ! Si j'avais écrit, par exemple, la préface, ou lettre, dont Dumas a orné *Le Retour de Jésus*[1], quels rires ! et quels sifflets ! Après avoir été législateur et moraliste, il devient théologien, maintenant ! et critique ! Il nous apprend que Goethe n'était pas un poète (préface de *Werther*[2]). Son ami (et le vôtre) le docteur Favre m'a dit à moi-même « cet imbécile de Goethe » à propos de *Faust* ! bravo !

C'est comme l'Américain Harrisse[3] me soutenant que Saint-Simon écrivait mal. Là, j'ai éclaté. — Et je l'ai traité d'une façon telle qu'il ne recommencera plus devant moi l'éructation de sa bêtise. — C'était chez la Princesse à table. Ma violence a jeté un froid.

Vous voyez que votre Cruchard continue à n'entendre point la plaisanterie sur la Religion[4]. Il ne se calme pas ! au contraire ! Et il exècre *de plus en plus* l'infâme Michel Lévy ! Rien que de songer à cet animal immonde, j'ai des battements de cœur (exact).

Causons de choses plus gaies. Avez-vous lu un livre que je trouve très fort, *La Conquête de Plassans* par Zola[5] ? Il passe inaperçu ! pourquoi ?

Je viens de lire *La Création naturelle* de Haeckel. Joli bouquin, joli bouquin ! Le Darwinisme m'y semble plus clairement exposé que dans les livres de Darwin, même[6].

Le bon Tourgueneff m'a envoyé de ses nouvelles, du fond de la Scythie. Il y a trouvé le renseignement qu'il cherchait pour un livre qu'il va faire. Le ton de sa lettre est folâtre d'où je conclus qu'il se porte bien. Il sera de retour à Paris dans un mois.

Il y a quinze jours j'ai fait un petit voyage en Basse-Normandie, où j'ai découvert enfin, un endroit propice à loger mes deux bonshommes ! Ce sera entre la vallée de l'Orne et la vallée d'Auge. J'aurai besoin d'y retourner plusieurs fois. Dès le mois de septembre je vais donc commencer cette rude besogne ! Elle me fait peur, et j'en suis d'avance écrasé.

Comme vous connaissez la Suisse, il est inutile que je vous en parle. — Et vous me mépriseriez trop si je vous disais que je m'y embête à crever. J'y suis venu, par obéissance, parce qu'on me l'a ordonné, pour me dérougir la face et me calmer les nerfs. Je doute que le remède soit efficace, en tout cas, il m'aura été mortellement ennuyeux.

Je ne suis pas l'*homme de la Nature*. Et je ne comprends rien aux pays qui n'ont pas d'histoire. Je donnerais tous les glaciers de la Suisse pour le musée du Vatican. — C'est là qu'on rêve ! Enfin dans une vingtaine de jours je serai recollé à ma table verte ! dans un humble asile où vous m'avez l'air de ne plus vouloir venir !

Voilà bien longtemps que je n'ai reçu de vos lettres, chère maître. Envoyez-m'en une longuissime.

Je vous embrasse tendrement.

Votre vieux.

GEORGE SAND À GUSTAVE FLAUBERT

[Nohant,] 6 juillet [18]74.
(Hier 70 ans.)

J'ai été à Paris du 30 mai au 10 juin. Tu n'y étais pas. Depuis mon retour ici je suis malade, grippée, rhumatisée, et souvent privée absolument de l'usage du bras droit. Je n'ai pas le courage de garder le lit. Je passe la soirée avec mes enfants et j'oublie mes petites misères qui passeront, tout passe.

Voilà pourquoi je n'ai pu t'écrire même pour te remercier de la bonne lettre que tu m'as écrite à propos de mon roman. À Paris j'ai été un peu surmenée de fatigue. Voilà que je vieillis et que je commence à le sentir. Je ne suis pas plus souvent malade, mais la maladie me met plus *à bas*. Ça ne fait rien. Je n'ai pas le droit de me plaindre, étant bien aimée et bien soignée dans mon nid. Je pousse Maurice à courir sans moi puisque la force me manque pour l'accompagner. Il part demain pour le Cantal, avec un domestique, une tente, une lampe et quantité d'ustensiles pour examiner les *micros* de sa *circonscription* entom[ologi]que. Je lui dis que tu t'ennuies sur le Righi. Il n'y comprend rien.

[Du 7 juillet.]

Je reprends ma lettre, commencée hier. J'ai encore beaucoup de peine à remuer ma plume. Et encore aujourd'hui j'ai une douleur au côté, et je ne peux pas. À demain.

8 juillet.

Enfin, je pourrai peut-être aujourd'hui. Car j'enrage de penser que tu m'accuses peut-être d'oubli, tandis que je suis empêchée par une faiblesse toute physique, où mon cœur n'est pour rien.

Tu me dis qu'on te *trépigne* trop. Je ne lis que *Le Temps* et c'est déjà beaucoup pour moi d'ouvrir un journal et de voir de quoi il parle. Tu devrais faire comme moi et *ignorer* la critique quand elle n'est pas sérieuse et même quand elle l'est. Je n'ai jamais bien vu à quoi elle sert à l'auteur critiqué. La critique part toujours d'un point de vue personnel dont l'artiste ne reconnaît pas l'autorité. C'est à cause de cette usurpation des pouvoirs dans l'ordre intellectuel, que l'on arrive à discuter le soleil et la lune, ce qui ne les empêche nullement de nous montrer leur bonne face tranquille.

Tu ne veux pas être l'homme de la nature. Tant pis pour toi, tu attaches dès lors trop d'importance au détail des choses humaines et tu ne te dis pas qu'il y a en toi-même une force *naturelle* qui défie les *si* et les *mais* du bavardage humain. Nous sommes de la nature, dans la nature, par la nature et pour la nature. Le talent, la volonté, le génie, sont des phénomènes naturels comme le lac, le volcan, la montagne, le vent, l'astre, le nuage. Ce que l'homme tripote est gentil ou laid, ingénieux ou bête ; ce qu'il reçoit de la nature est bon ou mauvais, mais cela *est*. Cela existe et subsiste. Ce n'est pas au tripotage d'appréciation appelé *la critique*, qu'il doit demander ce qu'il a fait et ce qu'il veut faire. La critique n'en sait rien. Son affaire est de jaser. La nature seule sait parler à l'intelligence, une langue impérissable, toujours la même, parce qu'elle ne sort pas du vrai éternel, du beau absolu. Le difficile quand on voyage c'est de trouver la nature, parce que partout l'homme l'a arrangée et presque partout gâtée.

C'est pour cela que tu t'ennuies d'elle probablement, c'est que partout elle t'apparaît déguisée ou travestie. Pourtant les glaciers sont encore intacts je présume.

Mais je ne peux plus écrire. Il faut que je te dise vite que je t'aime et que je t'embrasse tendrement. Donne-moi de tes nouvelles. J'espère que dans quelques jours, je serai sur pied. Maurice attend pour partir que je sois vaillante. Je me dépêche tant que je peux. Mes petites t'embrassent. Elles sont superbes. Aurore se passionne pour la mythologie (George Cox, trad[uctio]n de Baudry[1]). Tu connais cela ? Travail adorable pour les enfants et les parents.

Assez, je ne peux plus. Je t'aime, n'aie pas d'idées noires et résigne-toi de t'ennuyer si l'air est bon là-bas.

À SA NIÈCE CAROLINE

Kaltbad-Rigi (Suisse), mercredi soir, 6 heures,
8 juillet [1874].

Mon pauvre Chat,

Comme je m'ennuyais énormément de n'avoir pas de vos nouvelles, j'ai ce matin écrit un mot à Daviron[2], par le télégraphe. Il vient de me faire répondre : « Voyageurs arrivent demain à Paris. » Cinq minutes avant le télégramme de Daviron, j'en ai reçu un autre *von* Amsterdam, incompréhensible, sans doute à cause de la traduction qui l'aura dénaturé. Que veut dire ce « serons neuvième dimanche écrivez ».

De tout cela je conclus que vous voilà de retour. Mais pourquoi si tôt ? L'un de vous est-il malade ? ou y a-t-il quelque anicroche dans les affaires ? Il est bon de te dire que la Suisse ne m'égaie pas et même qu'elle me tourne au noir. Si je continuais longtemps une vie pareille, je deviendrais absolument hypocondriaque. Jamais de la vie je ne me suis plus mortellement ennuyé. Les huit jours qui viennent de s'écouler m'ont semblé trois siècles. Bien que je fasse, chaque après-midi, de deux à trois heures de promenade, j'ai perdu l'appétit : voilà comme l'exercice m'est favorable. Il est vrai que je n'ai plus mal à la tête et que je suis peut-être un peu moins rouge.

Enfin, j'aspire comme un prisonnier au moment de la délivrance. Je compte que mon ami Laporte viendra me chercher vers vendredi ou samedi de la semaine prochaine et que 8 jours après (encore 15 jours de Suisse !) je serai à Paris.

J'y aurai probablement à faire. Car *Le Sexe faible* m'a l'air d'être reçu à *Cluny* ? du moins, j'en ai vu la nouvelle dans *Le Figaro* et dans *Le XIX*[e] *Siècle*. On l'annonce comme devant être joué au mois de septembre. Tout ce que je sais, c'est que je l'ai porté à ce théâtre, en passant par Paris, et que le directeur devait me donner la réponse à mon retour. Il est probable qu'il aura lu la pièce immédiatement et que, lui convenant, il l'aura fait annoncer. — Mais s'il la donne comme pièce d'ouverture, je serais obligé de rester tout le mois d'août à Paris, ce qui me contrarierait. Un peu de patience : dans une quinzaine j'en aurai le cœur net.

Comme il me tarde de t'embrasser, ma chère fille ! Jamais, je crois, je n'en ai eu plus envie.

Vous n'allez pas, j'imagine, rester longtemps rue de Clichy ? N'importe ! Il faut qu'Ernest se fasse ausculter et consulte quelqu'un pour sa gorge. Comme toi, mon bibi, pour tes excrétions urinaires. Ne badinons pas avec la santé.

Écris-moi longuement. Sais-tu que je n'ai pas eu un mot de toi depuis le 25 juin ! Moi, je t'ai écrit il y a juste huit jours au Rydberg, puis j'ai envoyé au même Rydberg un télégramme samedi dernier.

Songe que même en me répondant tout de suite, je n'aurai pas ta lettre avant samedi ou dimanche.

Adieu, pauvre Caro. Encore un bon baiser de ta pauvre vieille

NOUNOU.

À EDMOND LAPORTE

Jeudi, 9 juillet [1874].
Kaltbad-Rigi. Suisse.

Mon cher Ami,

Puisque vous avez l'intention de rester quatre ou cinq jours à Neuchâtel, faites dès maintenant vos paquets, de manière à vous trouver ici dès la fin de la semaine prochaine, c'est-à-dire le 18 ou le 19. Nous en repartirions le mardi. Nous passerions le mercredi à Genève, et nous serions à Paris le vendredi matin (de demain en quinze). Répondez-moi un mot par le télégraphe pour me dire vos intentions.

Je m'embête, mon bon Laporte ! Je m'emmerde au-delà de toute expression et il me tarde de vous voir 1° pour vous revoir et 2° pour foutre mon camp (j'ai rarement eu envie de foutre quoi que ce soit avec plus d'énergie). De plus vous saurez que j'ai porté *Le Sexe faible* au théâtre de Cluny. Je devais avoir la réponse du Directeur de cette boîte à mon retour de Suisse… or j'ai vu ici dans *Le XIXe Siècle* et dans *Le Figaro* que le théâtre de Cluny ouvrirait sa saison par *Le Sexe faible*, c'est-à-dire le donnerait au commencement de septembre, nouvelle qui ne me satisfait qu'à demi, car septembre est une bien mauvaise époque. Je voudrais savoir à quoi m'en tenir. Donc, venez ! mes vingt jours, quand vous serez là, seront subis, et je dételerai de l'Helvétie avec empressement.

Notre petite tournée sur les bords de l'Orne[1] m'aura laissé de meilleurs souvenirs.

Tous Allemands autour de moi. Des femmes abominables ! un désœuvrement complet et l'humeur sombre. Voilà mon bilan.

Donc à bientôt. Je vous embrasse.

Votre

À GEORGES CHARPENTIER

Vendredi, 10 juillet [1874].
Kaltbad-Rigi (Suisse).

Mon cher Ami,

Avez-vous vu Renan ? Comme je voudrais lui faire une visite dans une quinzaine, quand je serai de retour à Paris, je désirerais savoir au préalable ce qu'il a résolu, relativement à notre affaire. Cette incertitude me gêne beaucoup vis-à-vis de lui. En tout cas, reprenez la collection des articles sur *Saint Antoine* ; je tiens beaucoup à cet amas de bêtises. Mais si Renan devait faire très prochainement son article ou lettre[1], laissez-lui la liasse (ou chiasse).

Je serai à Paris du 23 au 26. Je partirai d'ici le 20. Mes respects à Mme Charpentier, bécots aux moutards.

Et tout à vous, mon bon. Votre.

À EDMOND LAPORTE

Vendredi [10 juillet 1874].
Kaltbad-Rigi. Suisse.

VETUS OSTIUM MEUM[2],

J'ai oublié hier de vous dire dans ma lettre d'apporter avec votre aimable personne *un paquet de tabac*, ma provision quand vous serez arrivé ici touchera à sa fin. N'ayant absolument rien à faire et me trouvant en Suisse, je fume comme un *idem* (style de *Féerie*).

Je compte bien vous embrasser dans une huitaine.

À LA PRINCESSE MATHILDE

Kaltbad, Rigi, Suisse,
vendredi 10 juillet [1874].

Comment allez-vous, Princesse ? Êtes-vous remise de votre mal de gorge ? Il y a quinze jours, quand j'ai dîné au bon Saint-

Gratien, vous aviez l'air souffrante. — Et, comme cet air-là ne vous est pas habituel, j'en ai été tout surpris et affligé.

Moi, je m'ennuie ici à périr. Si une vie pareille continuait, je me jetterais dans un précipice, pour l'abréger. La prédiction de Popelin[1] s'est accomplie : je fume beaucoup. Mais celle de M. Benedetti[2] a raté : jusqu'à présent aucune Russe ne m'a offert son cœur.

Il n'y a autour de moi que des Allemands, presque tous des juifs de Francfort. Leurs épouses sont simplement hideuses, et elles portent des toilettes qui ajoutent au désagrément de leur anatomie. — Le paysage est très beau, sans doute. — Mais je ne suis pas en disposition pour l'admirer. Les pays sans histoire ne m'intéressent pas. — Étant plus sensible aux œuvres de l'Art qu'à celles de la Nature. Pour se plaire en Suisse, il faut être géologue ou botaniste, ou amoureux (car ce serait un joli endroit pour passer une lune de miel). De ces trois métiers, c'est encore le dernier dont je serais le plus capable. Mais avec qui la partager, la lune ?

Écrivez-moi un petit mot. La vue seule de votre chère écriture sera comme la goutte d'eau dans le désert.

Dans une quinzaine de jours, à la fin de l'autre semaine, j'espère bien vous aller faire une petite visite, avant de m'en retourner à Croisset.

D'ici là, Princesse, je suis à vos pieds et vous baise les deux mains.

Votre fidèle serviteur.

À SA NIÈCE CAROLINE

Kaltbad-Rigi (Suisse), dimanche, 6 heures
[12 juillet 1874].

Ah ! enfin ! Voilà donc une lettre de ma pauvre fille ! La vue de ton écriture m'a retiré un poids de dessus l'estomac ! d'autant plus que Daviron[3], à qui j'ai retélégraphié hier soir, ne m'a pas encore répondu ! Demain matin tu auras une lettre de moi à Neuville. Depuis quelques jours, j'étais rongé d'inquiétude. C'est le fait de l'oisiveté, et peut-être aussi de ma tendresse pour mon Caro.

Est-ce que ma lettre et mon télégramme, envoyés d'ici au Rydberg ne vous sont pas parvenus ?

Ernest est-il content de son voyage sous le rapport commercial ? Que lui a dit et ordonné Guéneau de Mussy ? Mais d'abord auquel des Guéneau de Mussy a-t-il eu recours ? Est-ce l'ancien médecin des d'Orléans, ou bien Noël Guéneau de Mussy ? Ce dernier vaut mieux que l'autre. J'aurais préféré qu'il consultât Piorry ou Sée[1].

Il me semble que cette fois vous ne vous êtes point follement amusés en Scandinavie. Espérons que vos promenades hyperboréennes ne se renouvelleront pas de sitôt. — Quant à moi, je m'ennuie un peu moins, mais les premiers jours c'était intolérable. Je n'ai encore adressé la parole à *personne.* Oh ! je me repose le larynx. Quant aux dames que tu m'engages à courtiser, une pareille occupation est au-dessus de mes forces : elles sont toutes fort laides, mal habillées, grotesques, et Messieurs leurs époux, *idem.*

Presque tous les soirs il y a des orages, si bien qu'à l'heure destinée pour la promenade, je suis contraint de rester dans ma modeste chambre. 4 francs par jour ! Tu vois que je ne fais pas de folies ! Enfin dans 8 jours le bon Laporte arrive, et avant la fin de la semaine prochaine, vers le 24 sans doute, je serai à Paris. — Mais d'ici là, mon loulou, il faut m'écrire souvent pour me dédommager un peu. — Les lettres n'arrivent de Paris que le 3ᵉ jour, le surlendemain.

Je t'ai dit, sans doute, qu'en désespoir de cause j'avais porté *Le Sexe faible* au théâtre de Cluny. Le directeur m'a écrit (dès le surlendemain de notre entrevue, le 30 juin) une lettre restée quelques jours à Croisset et qui m'est parvenue hier. Cette épître est pleine d'enthousiasme. Il trouve ma pièce « parfaite » et croit à « un grand succès d'argent »... Il va engager un jeune premier du Gymnase pour le rôle de Paul, et Alice Regnault pour celui de Victoire. Son intention est de jouer la pièce le plus tôt possible au mois d'octobre.

Je te prie de croire que je ne me monte pas le bourrichon du tout, me rappelant l'engouement de Carvalho, puis son refroidissement. Cependant ? qui sait ? Je vais donc encore une fois remonter sur les planches, et me sens de force à affronter de nouvelles bourrasques ! Mais il me tarde d'être installé à *Bouvard et Pécuchet,* pour voir un peu la tournure qu'ils vont prendre. — Les répétitions du *Sexe faible* me forceront à les lâcher. Mais j'aime mieux qu'elles arrivent maintenant que plus tard[2].

Pas n'est besoin de te dire, mon loulou, que dès que je serai revenu à Croisset, j'irai passer un dimanche avec vous.

Ernest a-t-il songé à Mme Touzan[1]. Je parie que non.

Ce que tu me dis du pauvre La Chaussée[2] m'afflige. Voilà une famille qui n'est pas heureuse !...

Comme tu dois te trouver bien dans ta fraîche maison de Neuville ! Après tous ces trimbalements, il est doux de se reposer et de revoir Putzel !

Quel pot-au-feu je prendrai quand je serai de retour, et quelle cruche de cidre !

Avec lesquels je voudrais avoir l'honneur d'être, mon loulou,

Ton vieux
qui t'embrasse et te chérit.

IVAN TOURGUENEFF À GUSTAVE FLAUBERT

Moscou, boulevard Pretchistenski.
Au comptoir des Apanages.
Dimanche, 12 juillet 1874.
30 juin

Mon cher ami,

J'ai reçu votre lettre du Righi au moment où, péniblement hissé sur deux béquilles, je me fourrais dans une voiture pour quitter la campagne et venir ici. — Je ne me suis cassé aucun membre, comme vous pourriez le supposer ; mais *l'air natal*, qui fait tant de bien aux Marseillais, m'a redonné un accès de goutte, et cette fois aux *deux* pieds ; m'a cloué dans mon lit pendant quinze jours, et ne m'a pas encore lâché. — Vous dire que cela me fait voir la vie en rose ou en bleu d'azur — (je pense à votre rêve sous le ciel de la Suisse[3]) — serait dire un gros mensonge. — Infirmités, dégoût lent et froid, agitations pénibles des souvenirs inutiles, voilà, mon bon vieux, la perspective qui s'offre à la vue de l'homme ayant passé la cinquantaine. — Et pardessus et au-delà de tout cela, la résignation, la HIDEUSE résignation, cette préparation de la mort... Assez ! Je vais tâcher de filer aussi vite que je pourrai sur Karlsbad, pas sur le K[arsbad[4]] où vous vous morfondez — mais sur K[arlsbad] en Bohême, où je vais rester cinq semaines. — Et en automne, plus tard ! nous verrons. Pour le moment, je ne veux faire aucun plan — pas de plan agréable surtout — je craindrais de me flanquer la *jettatura* à moi-même.

Vous ne m'avez pas l'air de vous amuser sur ces sommets *sublimes*, chantés par Haller[5] et Rousseau[6] ! — Il faut l'avouer : le peuple qui vit le plus constamment en face de ces sublimités — je parle des Suisses — est bien le peuple le plus lourdement ennuyeux et le moins doué que je connaisse. — D'où vient cette anomalie ? dirait un philosophe. — Ou peut-être n'est-ce pas du tout une anomalie ? — Quelle serait là-dessus l'opinion de Bouvard et Pécuchet ?

Je suis enchanté que vous ayez enfin trouvé un *site* — ou plutôt — *le* site[1]. — Mais plus j'y rêve, plus c'est un sujet à traiter *presto*, à la Swift, à la Voltaire. Vous savez que ça a toujours été mon opinion. Votre scénario raconté m'a semblé charmant et drôle. — Si vous vous appesantissez là-dessus, si vous êtes trop savant…

Enfin, vous avez les mains à la pâte.

La Conquête de Plassans de Zola a été traduit en abrégé dans un journal russe. — Plus tard on traduira *in extenso.* — On l'aime en Russie.

Si vous profitiez de votre glacière du Righi pour inventer quelque chose de passionné, de torride, d'incandescent ? Hein ? — C'est une idée, ça !

Mais surtout, rafraîchissez-vous vous-même. Malheureusement, chez certaines natures l'ennui fouette et agite le sang. — Revenez-nous pâle et monochrome, comme un vers de Lamartine.

J'ai de bonnes nouvelles de mes amis de Paris[2] et de Bougival[3]. — Cela me met du baume dans le sang.

À propos de politique…

Vous aurez un bon sabre inglorieux, un sabre de gendarme pour vous gouverner pendant 7 ans[4]. Et vous verrez qu'il finira par gouverner tout seul, sans chambres.

Cela me fait penser qu'à la campagne (où j'ai une très bonne bibliothèque), j'ai lu dans la collection intitulée « Choix des rapports, etc., prononcés à la Tribune française depuis 1789 jusqu'à 1821 » le discours de Robespierre sur la question : Louis XVI doit-il être jugé[5] ? — Il m'a paru admirablement beau ! — Plus tard, vers la fin de sa carrière, Robespierre s'est gâté : il a donné dans le sentiment et les grandes phrases émues et ronflantes. Mais il avait du bon, ce gaillard-là !

Au revoir, mon ami — probablement à Croisset, au mois de septembre ; bien portants tous les deux — espérons-le !

Je vous embrasse

Votre vieux

Iv. TOURGUENEFF.

P.-S. Êtes-vous bien sûr que, ce soit Karlsbad où vous êtes ? — Vous écrivez deux fois : Karltbad — mais c'est un nom impossible. — Je vais fignoler sur l'adresse.

À EDMOND LAPORTE

[Kaltbad-Rigi,] lundi, 13 juillet [1874].

Mon Vieux solide,

Merci de votre télégramme, mais je vous préviens de ceci. *Il est rare* que le train qui arrive le matin à Neuchâtel corresponde avec celui qui, partant de Neuchâtel, arrive à Lucerne vers cinq heures.

Donc, si vous voulez rester avec moi un jour pour le moins à Kaltbad, je vous conseille de partir vendredi au lieu de samedi.

J'ai reçu une lettre enthousiaste du Directeur de Cluny. Il trouve *Le Sexe faible* « parfait » et compte sur un « grand succès d'argent ». Je ne me monte pas le bourrichon du tout, cependant il se peut que la Fortune vienne à changer[1].

Je voudrais bien être à Paris le vendredi matin après avoir vu Genève.

Je compte toujours sur vous pour dimanche prochain et vous embrasse violemment.

Votre

À EDMA ROGER DES GENETTES

14 juillet, mardi [1874], Kaltbad-Rigi, Suisse.

Pourquoi vous ai-je rêvée cette nuit ? Vous étiez bien-portante, vous aviez recouvré la parole. Et je vous faisais voir mon ancien logement à l'Hôtel-Dieu de Rouen. — Puis, j'ai mis à la porte de mon petit appartement, rue Murillo, un chroniqueur du *Figaro*, et je me suis réveillé comme j'étais en train d'injurier l'honorable Villemessant[2] !

Depuis 15 jours que je suis ici, *je m'ennuie à crever*, car n'ayant apporté aucun livre, aucun travail, je songe à moi. — Et du moment que l'on songe à soi, on se trouve malade et on finit par le devenir. — Aujourd'hui, cependant, comme on m'a donné une chambre plus large, et que le moment de mon départ approche, le pays commence à me plaire, et je m'en irai, peut-être, avec regret.

Ne sachant que faire, j'ai creusé deux ou trois sujets, encore dans les limbes, entre autres un grand livre en trois parties qui sera intitulé : « Sous Napoléon III » ; mais quand le commencerai-je[1] ?

À propos de Napoléon, n'êtes-vous pas écœurée comme moi par MM. les Bonapartistes ? Quelles sales canailles ! On a beau dire : je ne crois pas à leur triomphe. Il y a un an, à pareille époque, nous étions plus près de Henri V que nous ne le sommes de Napoléon IV ! Et maintenant M. de Chambord est définitivement coulé. Il en sera de même, bientôt, du crapaud impérial ! Et puisque nous causons politique, je vous dirai que notre amie Sylvanire[2] me paraît en cette matière (comme en beaucoup d'autres) très peu forte. D'où lui vient, par exemple, son acharnement contre le père Hugo, qui est un homme *exquis* ? Plus on le fréquente, plus on l'aime.

Autre guitare : *Le Sexe faible*, comédie en cinq actes de Bouilhet, arrangée, refaite par votre esclave indigne, avait été l'année dernière reçue au Vaudeville avec enthousiasme. Après l'échec du *Candidat* on n'en a plus voulu. Perrin[3] a trouvé qu'il était inconvenant de mettre sur les planches du Théâtre-Français *une nourrice*. Le ruffian nommé Duquesnel[4] l'a refusée mêmement. — Alors, je l'ai portée à Cluny. Or le directeur de cette boîte m'a répondu, 48 heures après, qu'il trouve cette pièce « parfaite » et compte avoir avec elle « un grand succès d'argent » ; il me parle d'engagements superbes. Il veut séduire à prix d'or, pour jouer le rôle d'une cocotte, Mlle Alice Regnault, qui en est une autre (cocotte ; moi pas la connaître). Je vous jure que je ne me monte pas le bourrichon. — Ayant de l'expérience, hélas ! Cependant qui sait ?

D'après ce que m'écrit le susdit directeur, *Le Sexe faible* serait joué en octobre, et les répétitions commenceraient en septembre. Il compte sur « 200 représentations ». Ainsi soit-il ! Tout cela va me déranger de mon roman des *Deux copistes*[5], auquel je voudrais me mettre tout de suite en arrivant à Croisset. — Je serai revenu à Paris vers la fin de la semaine prochaine du 24 au 26, et cinq ou six jours après réinstallé, je l'espère, dans ma maison des champs.

J'ai lu un livre qui fait joliment rêver : l'*Histoire de la création naturelle* de Haeckel[6].

Je vous recommande aussi *La Conquête de Plassans* de Zola[7]. Ce roman n'a obtenu aucun succès. Il n'en est pas moins fort. C'est une œuvre !

Vous n'imaginez pas la laideur des dames qui m'entourent !

Quelles toilettes ! quelles têtes ! Toutes Allemandes ! c'eſt à vomir ! Pas un œil éclairé, pas un bout de ruban un peu propre, pas une bottine ou un nez bien faits, pas une épaule faisant rêver… à des pâmoisons ! Allons, vive la France ! et surtout vivent les Françaises !

Je vous baise les deux mains, chère Madame,

et suis votre vieil ami.

Gve.

Mes amitiés à M. Roger.

Voilà une température diablement bonne pour les espaliers, hein ?

À GEORGE SAND

Kaltbad-Rigi Suisse,
mardi, 14 juillet [1874].

Comment ? malade ? pauvre chère maître ! Si ce sont des rhumatismes, faites donc comme mon frère, qui en sa qualité de médecin ne croit guère à la médecine. Il a été l'année dernière aux eaux *d'Aix-en-Savoie*, et en 15 jours il s'eſt guéri de douleurs qui le tourmentaient depuis six ans. Mais il faudrait pour cela vous déplacer, quitter vos habitudes, Nohant, et les chères petites. Vous reſterez chez vous et *vous aurez tort*. On doit se soigner… pour ceux qui vous aiment.

Et à ce propos, vous m'envoyez dans votre dernière lettre un vilain mot. Moi, vous soupçonner d'oubli envers Cruchard ! allons donc ! j'ai, primo, trop de vanité, et ensuite trop de foi en vous.

Vous ne me dites pas ce qui en eſt de votre pièce à l'Odéon.

À propos de pièces, je vais, derechef, m'exposer aux injures de la populace et des folliculaires. Le direćteur du théâtre de Cluny à qui j'ai porté *Le Sexe faible*[1] m'a écrit une lettre admirative et se dispose à jouer cette pièce au mois d'oćtobre. Il compte « sur un grand succès d'argent ». Ainsi soit-il !

Mais je me souviens de l'enthousiasme de Carvalho, suivi d'un refroidissement absolu ! Et tout cela augmente mon mépris pour les soi-disant malins qui prétendent *s'y* connaître. Car, enfin voilà une œuvre dramatique déclarée par les direćteurs du Vaudeville et de Cluny « parfaite », par celui des

Français « injouable » et par celui de l'Odéon « à refaire d'un bout à l'autre ». Tirez une conclusion maintenant ! et écoutez leurs avis ! N'importe ! comme ces quatre messieurs sont les maîtres de vos destinées parce qu'ils ont de l'argent, et qu'ils ont plus d'esprit que vous, n'ayant jamais écrit une ligne, il faut les en croire, et se soumettre.

C'est une chose étrange combien les imbéciles trouvent de plaisir à patauger dans l'œuvre d'un autre ! à rogner, corriger, *faire le pion !* Vous ai-je dit que j'étais, à cause de cela, très en froid avec le nommé *Charles-Edmond* ? Il a voulu remanier, dans *Le Temps*, un roman que je lui avais recommandé, qui n'était pas bien beau, mais dont il est incapable de tourner la moindre des phrases[1]. Aussi, ne lui ai-je point caché mon opinion sur son compte, *inde irae.* Cependant, il m'est impossible d'être assez modeste pour croire que ce brave Polaque soit plus fort que moi en prose française ! Et vous voulez que je reste calme ! chère maître ! Je n'ai pas votre tempérament ! Je ne suis pas comme vous toujours planant au-dessus des misères de ce monde. — Votre *Cruchard* est sensitif comme un écorché. — Et la Bêtise, la suffisance, l'injustice l'exaspèrent de plus en plus. — Ainsi, la laideur des Allemandes qui m'entourent me bouche la vue du Rigi ! ! ! Nom d'un nom ! quelles gueules !

Dieu merci « de mon horrible aspect je purge leurs États[2] » mardi prochain. Je serai à Paris du 24 au 26. — Et à Croisset, au commencement d'août.

Embrassez pour moi tous les vôtres. — Et donnez-moi de vos nouvelles pour me dire que vous allez mieux.

Votre vieux qui vous chérit,

À SA NIÈCE CAROLINE

Kaltbad-Rigi (Suisse), mercredi, 6 heures du soir
[15 juillet 1874].

Dieu merci, mon pauvre chat, voilà notre correspondance devenue régulière. J'ai reçu ta lettre partie de Paris vendredi dernier et une antérieure renvoyée de Croisset.

Le Rydberg[3] ne vous a donc fait parvenir ni lettre ni télégramme de moi ? Mais à présent peu importe !

Il fait ici une chaleur étouffante ! encore un orage ! et *je tombe sur les bottes*, d'autant plus que je ne peux piquer aucun chien dans l'après-midi, à cause du tapage environnant et surtout des sonnettes électriques. M'agacent-elles le système ! me l'agacent-elles ! Enfin, dans quatre jours mon compagnon arrive et, à la fin de la semaine prochaine, sans doute vendredi (d'après-demain en huit), je serai à Paris. Je ne crois pas y rester longtemps et très prochainement j'irai vous voir. Maintenant causons de mon beau-neveu.

D'après ce que tu me dis, son état, suivant Guéneau de Mussy, n'est pas bien grave. N'importe ! il faut se soigner *et aller aux Eaux-Bonnes*[1] malgré les Affaires. — Ah ! il n'y a pas à barguigner. Vous pouvez très bien rester à Dieppe encore tout le mois d'août, car les Eaux-Bonnes peuvent se prendre dans n'importe quelle saison. Ce qui n'empêche pas que, si j'étais de vous, j'avalerais cette pilule, je subirais cette corvée le plus tôt possible. Note que voilà longtemps que l'on recommande *les Eaux-Bonnes* à ton mari : il ferait mieux de se soigner une bonne fois plutôt que de traîner toujours, de se préparer un mauvais hiver et de finir par se flanquer quelque maladie sérieuse. Les Affaires ? eh bien, tant pis ! Il me semble que la santé doit passer avant elles. La Nature est plus forte que nous et n'attend pas nos convenances.

Je conviens que la perspective d'un re-voyage doit vous embêter. Cependant, c'est à toi d'être raisonnable, mon Caro, de forcer ton époux à ce déplacement. J'ai la plus grande confiance dans les Eaux-Bonnes pour toutes ces affections-là, en ayant vu des résultats prompts et incroyables.

Bien qu'Ernest regimbe à la locomotion, je parie que c'est un monsieur *à se frapper le moral.* Qu'il ne s'inquiète pas, mais qu'il se guérisse.

Il est dans mon rôle d'oncle de vous prêcher, de vous tanner, de vous lavementer. C'est donc ce que je viens de faire, après quoi je vous embrasse.

VIEUX.

En me répondant tout de suite, je peux avoir encore une lettre de toi, ici. J'y répondrai avant de me mettre en route.

Encore un bon baiser sur chaque joue, ma pauvre fille.

À SA NIÈCE CAROLINE

[Rigi,] dimanche 19 [juillet 1874].

Ma chère Caro,

Nous partons ce soir de Kaltbad ; nous allons coucher à Lucerne. Demain, à Lausanne. Mardi, à Genève, et nous serons vendredi matin à Paris. — Peut-être aurais-je alors à 5 heures ta réponse à ma lettre de mercredi soir. — La tienne du 15 ne m’eſt arrivée que ce matin.

J’y vois que Mr. mon neveu persiſte à ne pas vouloir se soigner. Quand il sera très malade, il faudra bien qu’il s’y résigne. — Et alors que deviendront ses affaires ? Eſt-ce pour imiter Melotte[1], pour faire l’ ≀≀[2] ? Je suis content qu’il ait vu Noël Guéneau de Mussy[3]. C’eſt un homme plus sérieux que son cousin. Je l’ai autrefois connu, d’abord à Rouen, où il a dîné chez ton grand-père[4] qui lui a fait un dessin pour lui expliquer je ne sais quoi sur les fractures du fémur que Guéneau n’avait jamais pu comprendre jusque-là ; puis je l’ai revu à Trouville, et chez Taine, dont c’eſt un grand ami. — Enfin, cet excellent M. Commanville a grand tort de ne pas suivre *illico* ses prescriptions. Je ne peux pas le forcer à s’en aller aux Eaux-Bonnes, et je regrette de n’avoir pas ce pouvoir. Maintenant, n’en parlons plus.

Le bon Laporte eſt arrivé hier, à 2 heures. J’avais été au-devant de lui à Lucerne ; il m’eſt arrivé indigné contre le sieur *Gaubert*, juge à Rouen, qui depuis Paris jusqu’à Bâle l’avait empêché de fumer. Et il était aux trois-quarts crevé de chaleur.

Le Moscove a maintenant la goutte aux deux pieds. J’ai reçu de lui, ce matin, une lettre charmante, mais fort triſte[5].

À propos de choses triſtes, je plains la pauvre famille Vasse ! Dis bien à Flavie que je l’embrasse de tout mon cœur[6].

Le Sexe faible ne m’inquiète nullement. Qu’il réussisse ou ne réussisse pas, je m’en bats l’œil, profondément ! M. Vieux a tant d’orgueil qu’il eſt (je le crois, du moins) inaccessible à la vanité.

Du reſte, je me propose d’être à Cluny *terrible*[7]. Et pas du tout bon enfant, pas du tout commode.

Adieu, pauvre chère fille ! Dans une dizaine de jours, j’espère [être] à Neuville et t’embrasser, car il a bien envie de te voir, ton pauvre

VIEUX.

À SA NIÈCE CAROLINE

[Paris,] vendredi, 4 heures [24 juillet 1874].

Nous sommes arrivés ce matin à 7 heures. Je viens de me réveiller et j'ai la tête tout étourdie.

J'ai reçu toutes tes lettres. J'irai voir Flavie[1], certainement. Mais, de ce pas, je me précipite vers le théâtre de Cluny.

Demain ou après-demain je t'écrirai le jour de ma visite à Dieppe.

À bientôt donc, chère fille, je t'embrasse tendrement.

Ton Vieux.

P.-S. Je m'aperçois que quand je vais avoir payé mon loyer, il me restera *cent* francs. Prie Ernest de m'envoyer par la poste un billet de 300 francs.

À SA NIÈCE CAROLINE

[Paris, 25 juillet 1874.]

Ma Chérie,

Malgré une nuit de 12 heures, je continue à tomber sur les bottes. Il est vrai qu'aujourd'hui j'ai eu huit heures de voiture, et je ne suis pas au bout.

Mes affaires sont réglées à Cluny, qui compte plus que jamais sur *un grand succès d'argent.*

Bref, je prends demain l'express de 1 heure, mais j'irai coucher à Croisset pour me débarrasser de mes cantines, et prendre des chemises. — Puis *lundi* j'espère dîner avec vous. Donc à lundi. Je vous embrasse.

Ta vieille Nounou, qui s'ennuie de son joli poulot.

Samedi, 5 heures du soir.

À GEORGES CHARPENTIER

Dieppe, mardi 28 juillet [1874].

Mon cher Ami,

Mon filleul Marcel doit commencer à savoir écrire, ou bien il manquerait de précocité ? Dans ce cas-là, priez-le de me répondre aux lettres que je vous envoie.

Qu'il ne manque pas de dire que l'on m'adresse les *appendices* de *Salammbô*. J'ai, hier, renvoyé de Croisset, à Toussaint, les dernières épreuves du texte.

La semaine prochaine, je vais me mettre enfin à mon espovantable bouquin[1], pour lequel je suis tenté de faire dire des neuvaines, et je voudrais bien ne plus m'occuper d'autre chose.

Vous saurez cependant que, cet hiver, je vais derechef me livrer aux risées de la populace, puisque *Le Sexe faible* est reçu au théâtre de Cluny et y sera joué après la pièce de Zola[2].

Questions :

1° Avez-vous vu Renan[3] ? — 2° Quand ferez-vous paraître la petite édition de *Saint Antoine* ? — 3° Quand publiez-vous *Salammbô* ? — 4° [Quand publiez-vous] un retirage de *Bovary* ? — 5° [Quand publiez-vous] les *Dernières chansons* ?

Vous *pouvez* m'écrire à Croisset, où je serai revenu samedi.

Au commencement de septembre, je passerai quelques jours à Paris. Y serez-vous ? En tout cas, je compte vous voir (et vous avoir) à Croisset vers la fin dudit mois de septembre.

D'ici là, mon bon, je vous embrasse vous et les vôtres, et suis vôtre.

À PHILIPPE LEPARFAIT

Dieppe-Neuville, mardi 28 [juillet 1874].

Mon Bon,

Sexe faible est reçu par le théâtre de Cluny avec enthousiasme. Weinschenk, le directeur, croit « à un grand succès d'argent ». Il engage pour le rôle de Paul un jeune premier du Gymnase, et pour celui de Victoire une très belle cocotte ayant beaucoup de dentelles et de diamants, Mlle Alice Regnault.

Les répétitions commenceront au milieu ou à la fin d'octobre, mais, si la pièce de Zola a du succès nous passerons beaucoup plus tard, ce que je souhaite. Ce serait drôle si *Le Sexe faible* réussissait, en dépit de tout et de tous, y compris Monsieur ton père[1]. (Ah ! je déclare n'avoir pas encore digéré la lettre de son subordonné. Il en est parfaitement innocent, j'en suis sûr. C'est précisément ce dont je l'accuse.)

Bref, viens dîner à Croisset, *lundi* prochain. Nous causerons de tout cela.

À toi. Ton Vieux
qui ne lâche pas le morceau, j'ose le dire.

N. B. — J'ai découvert au Rigi un plagiat, ou plutôt un vol littéraire de *Decorde*[2] ! ! !

Informe-toi auprès des amateurs de Rouen de la valeur d'une actrice qui se nomme Mme Larmet[3].

À GUY DE MAUPASSANT

Dieppe, mardi 28 juillet [1874].

Mon cher Ami,

Comme le samedi est pour vous le jour sacro-saint du canotage, et que je ne suis resté à Paris qu'un seul jour, qui était samedi dernier, je n'ai pas pu vous voir en revenant de l'Helvétie.

Sachez donc que *Le Sexe faible* est reçu avec « enthousiasme » par le théâtre de Cluny et y sera joué après la pièce de Zola, c'est-à-dire vers la fin de novembre. Le nommé Weinschenk, directeur de cette boîte exiguë, compte sur un grand succès d'argent, amen !

Il va sans dire *que* l'on trouve généralement *que* je me déshonore en comparaissant sur un théâtre inférieur !

Mais voici l'histoire : parmi les artistes que Weinschenk veut engager pour ma pièce, se trouve la nommée Alice Regnault. Il a peur qu'elle ne soit déjà prise par le Vaudeville et que le Vaudeville ne veuille point la lâcher, pour moi.

Voudriez-vous avoir la bonté de vous informer adroitement de ce qui en est ?

Je serai revenu à Croisset vendredi soir, et samedi je commence *Bouvard et Pécuchet* ! J'en tremble, comme à la veille de m'embarquer pour un voyage autour du monde ! ! !

Raison de plus pour vous embrasser.

Votre

À EDMOND LAPORTE

Dieppe, mercredi [29 juillet 1874].

Mon cher Compagnon,

Je vous attends dimanche prochain à Croisset pour dîner. (J'y serai revenu vendredi soir.) Venez de bonne heure !

Votre père Simonin[1].

À IVAN TOURGUENEFF

Dieppe, mercredi [25] 29 juillet 1874.

Mon bon vieux Tourgueneff,

Je serai revenu à Croisset vendredi (après-demain) et, le samedi 1er août, je commence, enfin, *Bouvard et Pécuchet* ! Je m'en suis fait le serment ! Il n'y a plus à reculer ! Mais quelle peur j'éprouve ! Quelles transes ! Il me semble que je vais m'embarquer pour un très grand voyage vers des régions inconnues, et que je n'en reviendrai pas.

Malgré l'immense respect que j'ai pour votre sens critique (car chez vous le Jugeur est au niveau du Producteur, ce qui n'est pas peu dire) je ne suis point de votre avis sur la manière dont il faut prendre ce sujet-là. S'il est traité brièvement, d'une façon concise et légère, ce sera une fantaisie plus ou [moins] spirituelle, mais sans portée et sans vraisemblance, tandis qu'en détaillant et développant, j'aurai l'air de croire à mon histoire, et on peut faire une chose sérieuse et même effrayante. Le grand danger est la monotonie et l'ennui. Voilà bien ce qui m'effraie cependant...

Et puis, il sera toujours temps de serrer, d'abréger. D'ailleurs, il m'est impossible de faire une chose courte. Je ne puis exposer une idée sans aller jusqu'au bout.

Autre histoire. Vous souvenez-vous d'une pièce de moi et de Bouilhet : *Le Sexe faible* ? Eh bien, après avoir [été] acceptée par le Vaudeville et reprise par moi, car le Vaudeville n'en voulait plus, puis refusée par Perrin[2] comme indécente, et trouvée « à remanier d'un bout à l'autre » par Duquesnel[3], elle est jugée par le théâtre de Cluny « excellente » et le directeur de ce tréteau subalterne[1] compte avoir avec elle « un grand succès d'argent ». Admirez la contradiction de tous ces jugements ! Que dites-vous de tous ces imbéciles, de tous ces malins pleins d'expérience ? Et tâchez, d'après leur opinion, de tirer une conclusion pratique ! Et songez que Mme Sand croit à ces messieurs et écoute leur avis ! Quoi qu'il en soit, ladite pièce sera jouée après celle de Zola, probablement en novembre ? J'entrerai en répétition vers le milieu d'octobre. — Cela va me faire perdre 2 mois, et peut-être me valoir de nouvelles avanies. Mais je m'en moque profondément. — La moindre des phrases de *B. et P.* m'inquiète plus que *Le Sexe faible* tout entier.

Votre dernière lettre me paraît mélancholieuse ? Si je me laissais aller, je pourrais vous donner la réplique. Car moi aussi, je suis terriblement embêté, par tout, et principalement par mon propre individu. Il me semble, par moments, que je deviens idiot, que je n'ai plus une idée et que mon crâne est vide comme un cruchon sans bière. Mon séjour (ou plutôt mon oisiveté crasse) au Righi m'a abruti. On ne devrait jamais se reposer, car du moment qu'on ne fait plus rien, on songe à soi, et dès lors on est malade, ou l'on se trouve malade, ce qui est synonyme.

Et vous, mon pauvre vieux, comment va cette goutte ? Puisque Karlsbad vous avait fait l'année dernière beaucoup de bien, pourquoi n'en serait-il pas de même cette année ?

Si vous revenez vers le commencement de septembre, il est possible que je vous voie à Paris, car j'y passerai peut-être à ce moment-là deux ou trois jours ? En tout cas, je compte sur vous cet automne à Croisset. Mon bouquin sera en train et nous pourrons en causer jusque dans les moelles.

La politique devient incompréhensible de bêtise. — Je ne crois pas à la dissolution de la Chambre. — À propos de politique, j'ai vu à Genève une chose bien curieuse : le cabaret du père Gaillard, cordonnier et ex-général de la Commune... Je vous en ferai la description. *C'est tout un monde*, le monde [tel] que le rêve la démocratie, et que je ne verrai pas, Dieu merci ! Ce qui va occuper le premier plan, pendant peut-être deux ou trois siècles, est à faire vomir un homme de goût. Il est temps de disparaître.

Adieu, mon bon cher vieux. Donnez-moi de vos nouvelles et revenez-nous guéri.

Je vous embrasse bien fort.

Votre

À ERNEST COMMANVILLE

[Croisset,] samedi, 6 heures [1er août 1874].

Mon cher Ami,

Fortin sort de mon cabinet à l'instant même et voici son ultimatum :

1° Les eaux d'Enghien sont une pure blague, et ne serviraient à rien, absolument à rien pour votre affection.

2° On ne reste pas aux Eaux-Bonnes au-delà du 15 septembre à cause du froid. Donc s'il vous est *absolument* impossible d'y aller vers le 15 août, vous pouvez remettre la partie à l'année prochaine.

3° MAIS alors il *faut* (je souligne il faut) faire venir des Eaux-Bonnes même 50 quarts de bouteilles d'eau. — (Les quarts valent mieux que les litres parce qu'ils s'absorbent plus vite et que la bouteille reste moins longtemps débouchée.)

Vous en prendrez matin et soir une tasse à café, dans laquelle vous mettrez deux cuillerées de lait chaud avec addition d'une cuillère à soupe de sirop de tolu[1].

Vous demanderez à Charrières le meilleur *pulvérisateur*, et vous prendrez tous les jours une pulvérisation d'Eaux-Bonnes, pendant 8 ou 10 minutes.

N. B. Pendant tout le temps que vous serez au régime des Eaux-Bonnes vous vous abstiendrez d'arsenic.

Fortin ne doute pas que si vous vous astreignez à ce traitement (= ingurgitation d'eau et pulvérisation), vous ne guérissiez radicalement. Il faudra faire cela pendant 30 jours.

Avez-vous compris, mon bon ? et serez-vous obéissant ?

Ayez soin de ne pas interrompre votre traitement, même un jour. Fortin m'a bien recommandé de vous le dire.

Les impositions, en additionnant les deux petits papiers bleus, se montent à la somme de 590 francs 60 centimes. Émile[2] les payera lundi.

Tâchez de m'envoyer 500 francs vers la fin de la semaine, et quand vous aurez le temps, faites-moi mon compte.

— Le jardin est magnifique.

— Aucunes nouvelles du peintre !!!

— Le sieur Raoul-Duval et Lapierre que mon larbin a

rencontrés devaient venir me faire une visite aujourd'hui, mais je n'ai vu jusqu'à présent que ce bon Fortin.

J'oubliais de vous dire que je n'ai plus les papiers des impositions. Les avez-vous pris ? Faut-il les présenter au Receveur ? Dans ce cas-là, renvoyez-les-moi *illico*.

Hier soir, j'ai rangé toutes mes « petites » affaires, ce matin j'ai rangé mes plumes, et tout à l'heure, à 4 heures, après tout un après-midi de torture, j'ai enfin trouvé la première phrase de *B. et P.*, que j'envoie à Caro, selon ma promesse[1]. Qu'elle ne m'accuse point de vol, si elle s'aperçoit de l'absence de son cachet. Anselme l'a fourré dans ma malle, ainsi que le restant du « petit » bout de cire.

Sur ce, je vous embrasse, et transmettez cette politesse à la belle dame Commanville.

À vous.

P.-S. — M. Risler[2] est toujours dans le même état. Caro pourra le dire dans les visites, si on lui parle de moi. — Et elle ajoutera de ma part « serviteur ».

À ÉMILE ZOLA

Croisset, près Rouen.
Dimanche soir, 2 août [1874].

Mon cher Ami,

On me dit que *L'Événement* de ce matin annonce le départ de Weinschenk pour les Menus-Plaisirs.

Aurions-nous un renfoncement anticipé ?

J'en ai quelque peur, d'autant plus que ledit Weinschenk, qui devait m'écrire relativement aux engagements d'acteurs, ne m'a pas donné de ses nouvelles.

Tout à vous.

Hier au soir, j'ai enfin commencé mes bons-hommes[3].

À SA NIÈCE CAROLINE

[Croisset,] jeudi, 3 heures [6 août 1874].

C'eſt pour t'obéir, mon loulou, que je t'ai envoyé la première phrase de *Bouvard et Pécuchet*[1]. Mais comme tu la qualifies, ou plutôt décores du nom de reliques et qu'il ne faut point adorer les fausses, sache que tu ne possèdes pas la vraie phrase.

La voici : « Comme il faisait une chaleur de 33 degrés, le boulevard Bourdon se trouvait absolument désert. » Maintenant, tu ne sauras rien de plus, d'ici à longtemps. Je patauge, je rature, je me désespère. J'en ai eu, hier au soir, un violent mal d'eſtomac. Mais ça ira, il *faut* que ça aille. N'importe ! les difficultés de ce livre-là sont effroyables. Je suis capable d'y crever à la peine ? L'important, c'eſt qu'il va m'occuper durant de longues années. Tant qu'on travaille, on ne songe point à son misérable individu.

Rien de plus à te dire. Je vis solitairement comme un petit père tranquille, n'ayant pour compagnie que Julio. — Et à propos de tranquille, Fortin trouve que j'ai l'air « calmé et plus brave homme ». C'eſt possible, mais moi, je trouve que la Suisse m'a un peu abruti : premier point pour être convenable.

La queſtion des Eaux-Bonnes eſt donc vuidée, et à la satisfaction d'Erneſt, puisqu'il s'épargne le voyage. A-t-il acheté le pulvérisateur ? Il doit être drôle, assis le bec ouvert devant l'appareil.

Tu m'as envoyé dans ta dernière lettre un mot sublime : « Je ne permets pas que l'on touche à mes chers anciens », et, comme c'eſt à propos de Sénèque, cela m'a rappelé Montaigne disant : « Insulter Seneca, c'eſt m'insulter moi-même[2]. »

Tâche de trouver dans les journaux de Rouen (de mardi dernier ?) le discours en vers de Decorde, à l'Académie. Quel morceau[3] !

Adieu, pauvre chat. Deux bons baisers sur les deux bonnes jouettes.

Ton Vieux.

À MARGUERITE CHARPENTIER

Croisset, jeudi 6 [août 1874].

Chère Madame,

Commencez, je vous prie, par remercier votre mari de m'avoir enfin répondu. Cet effort a dû lui coûter ! N'importe ! Assurez-lui, de ma part, qu'il est beau !

Quant à vous, je ne sais comment vous dire le plaisir que m'a fait votre charmante lettre. Vous *sévignez* comme un ange. Mais quelles longues vacances vous prenez ! Vous avez bien raison. Amusez-vous, humez le bon air de la plage. Je me suis promené sur celle-là bien souvent, autrefois, et je n'aime pas à y retourner parce que j'y rencontre trop de souvenirs.

Pendant que Georges fainéantise à l'ombre de son vaste chapeau de planteur, son auteur travaille comme un nègre. Samedi dernier j'ai enfin commencé mon roman[1]. Les premières pages sont dures à décrocher, et avant que j'aie fini la dernière, bien des révolutions auront peut-être passé sur le macadam. L'important pour moi, c'est que le susdit bouquin va m'occuper pendant longtemps. Tant qu'on travaille, on ne songe pas à ses misères.

Le directeur de Cluny a l'air enchanté du *Sexe faible*. Aurais-je une revanche ? comme on dit en style de feuilleton ? Ce serait drôle.

Quand nous reverrons-nous ? Vous savez que je compte sur votre visite cet automne ; et je profite de mon grand âge pour vous baiser sur les deux joues, chère Madame, ainsi que mon filleul[2], et celle qui m'appelle

HABERT[3].

À ALPHONSE LEMERRE

Croisset près Rouen, 6 août [1874].

Mon cher ami,

En passant par Paris, pour aller en Suisse il y a six semaines, j'ai trouvé chez moi votre petite brochure sur la typographie. Je me souviens qu'elle m'a beaucoup intéressé par une foule de renseignements que j'ignorais, et qu'on y sent « l'amour de la chose ». Je vous remercierais plus longuement si je n'avais eu la bêtise d'oublier votre opuscule rue Murillo.

Mais cette lettre a un but plus personnel ou mieux plus égoïste. Ne devez-vous pas à la fin du mois de septembre prochain me donner *mille francs*[1] ? Puis-je compter dessus pour cette époque ? Si vous pouviez dès maintenant m'envoyer le billet, j'en trouverais l'emploi. Il va sans dire que vous ferez comme il vous plaira, et que je ne prétends vous gêner ou contrarier en quoi que ce soit, étant très cordialement

Votre

Un petit mot de réponse, je vous prie.

À SA NIÈCE CAROLINE

[Croisset,] dimanche, 5 heures [9 août 1874].

Questions commerciales (pour mon neveu) :

1° Lemerre m'a envoyé ce matin un billet à ordre de mille francs à toucher fin octobre. Je voudrais bien avoir dès maintenant cette somme en deux parts, pour en donner une à mon tapissier, de Rouen, et l'autre à Marguillier. Comment faire ?

2° J'attendais de Dieppe, ce matin, 500 francs.

Question médicale concernant le même neveu : ce n'est pas en se trimballant à Étretat, à Bordeaux, à Paris et à Rouen qu'il se guérira. Force-le, au moins, à voyager avec des bouteilles d'Eaux-Bonnes ! Il aurait dû déjà se mettre à l'insufflateur ! Fortin, avec qui je suis revenu hier sur le bateau, m'a paru surpris qu'il ne l'eut pas encore acheté, et fronçant les sourcils : « Il faut que M. Commanville suive son régime mieux que ça ! et tout de suite, pour que nous ayons deux mois de traitement *avant l'hiver.* »

Sur le bateau de La Bouille où je suis revenu de Rouen avec Bataille, j'ai vu une binette gigantesque : celle de Laisné, l'associé de Pécuchet[2] (pas le mien). Du reste, je suis rentré, broyé d'ennui par le spectacle de l'*éluite* ! aller à Rouen est dur !

Julie[3] y verra de ses deux yeux, à ce que m'a prétendu l'interne d'Achille. Elle en a un qui est toujours enflammé. C'est pourquoi on la garde à l'Hôtel-Dieu, où elle paraît s'affaiblir, bien qu'elle ne soit pas malade.

J'ai pensé beaucoup à toi aujourd'hui, pauvre chat. Tu es au milieu de gens qui te plaisent. Tu t'amuses et probablement tu ris ! Moi, je tire sur ma cervelle pour faire venir des idées, qui ont du mal à venir, et je ne suis pas précisément très gai. Il pleut, et de loin, je t'embrasse.

VIEUX.

Réponse à mes questions.

J'attends une description narrative, ou narration descriptive, du voyage d'Étretat.

À EDMOND LAPORTE

[Croisset,] nuit de lundi [10 ? août 1874].

Mon bon,

On me charge de vous demander quel jour de cette semaine vous viendrez, jeudi ? par exemple.

Apprêtez votre caleçon. Nous prendrons un bain.

Je ne vous lirai rien, parce que j'ai peu écrit.

Raison de plus pour m'amener votre œuvre, et de la copie, s'il y en a de faite[1].

Je vous embrasse.

Votre vieux géant.

À SA NIÈCE CAROLINE

[Croisset,] jeudi matin [13 août 1874].

Voici le billet[2], mon Loulou, donne-le à Ernest[3], pour que je puisse payer le tapissier de Rouen. — Et Mme Touzan ? Y pense-t-il ?

Rien de nouveau ! Car il est inutile que je te parle toujours de *B. et P.*, messieurs qui me donnent bien du mal !

L'évasion de Bazaine fait pendant à celle de Rochefort[4]. On est maintenant si bête et vache qu'on ne sait même plus garder les prisonniers. Il va prendre du service en Espagne, pour « sauver encore une fois la société ». Ce qui me divertit là-dedans, c'est la mine de la magistrature, les enquêtes, les procès-verbaux ! Depuis lundi matin, le gouvernement a peut-être dépensé là-dessus trois rames de papier. Allons, adieu, un fort *bacio* de Vieux !

À SA NIÈCE CAROLINE

[Croisset,] dimanche, 4 heures [16 août 1874].

Quel beau temps ! ma chérie. Quel calme autour de moi, et quelle solitude ! Il faut être parfois robuste[a] pour l'endurer. Mais enfin aucun bourgeois ne m'embête par ses discours ou le spectacle de sa personne ! C'est l'important. N'importe ! il y a des moments où le cœur s'ennuie.

Bouvard et Pécuchet continuent leur petit chemin. J'espère avoir fini le premier mouvement du 1er chapitre dans quatre ou cinq jours ; ce sera toujours cela de fait ! Mais la mise en train est bien difficile.

Le bon Laporte est venu avant-hier m'inviter pour jeudi prochain à déjeuner ou à dîner. Cette question n'est pas encore réglée.

Je vais tout à l'heure faire (enfin) à M. Deschamps[1] une visite promise depuis plus de six mois. — Julio s'est uni morganatiquement à une jeune personne de la maison Davy, répondant au nom de Gilda. Je n'ai pas assisté au mariage. Voilà toutes les nouvelles de céans.

Je suis bien aise que Laure le Poittevin[2] t'ait mieux reçue cette fois. Ce que tu m'en avais dit l'année dernière me chiffonnait. Je regrette de ne pas la voir plus souvent pour causer ensemble de bien des choses et des gens, dont nous seuls nous souvenons.

As-tu au moins brillé dans ta conversation *sérieuse* avec M. Franck[3]. Ce voyage d'Étretat me fait penser à Mazeline, que j'ai vu à la gare avec vous. Quel manque de chic ! peu de prestige, peu de prestige !

Malgré les grognements de ton mari, je t'engage *à le morigéner* pour sa boisson, et écris souvent de bonnes petites lettres à ce

pauvre Vieux
qui t'aime.

À EDMOND LAPORTE

[Croisset,] jeudi soir [20 août 1874].

Mon vieux Brave,

Comme il se peut très bien que je parte samedi soir pour Saint-Gratien, venez donc demain vendredi dîner chez votre Géant.

N'eSt-ce pas que le père Simonin[1] eSt beau ?

Au reçu de la présente, envoyez-moi par le bateau de [La] Bouille un petit mot pour me dire s'il faut vous attendre.

Quand même vous n'arriveriez ici qu'à 7 heures et demie, ça ne fait rien.

À SA NIÈCE CAROLINE

[Croisset,] vendredi matin [21 août 1874].

Un mot seulement, mon Caro, pour te dire que *je m'étonne beaucoup* de n'avoir pas encore le montant de mon billet. Je voudrais me débarrasser de mes notes, tout de suite, d'autant plus que la semaine prochaine, probablement mardi, je partirai pour Paris où je reSterai une quinzaine. Voilà ; j'y verrai la chère Juliet[2], et j'irai à Saint-Gratien[3].

Pour ne pas toujours reparler d'argent et en demander (car ces queStions-là m'assomment !), préviens mon beau neveu qu'il ait à m'envoyer à Paris vers le 8 ou le 10 du mois prochain mille francs. Tant mieux qu'un lopin de Deauville soit vendu et bien. Lequel ?

J'ai été hier déjeuner chez Laporte. Quelle gentille inStallation ! C'eSt à voir. Au milieu de tout cela, je ne suis pas gai ! mais pas du tout ! Je regrette plus que jamais (sans compter les autres) mon pauvre Bouilhet, dont je sens le besoin à chaque syllabe de *B. et P.*, ce livre eSt diabolique ! J'ai peur d'avoir la cervelle épuisée. C'eSt peut-être que je suis trop plein de mon sujet et que la bêtise de mes deux bonshommes m'envahit ?

Quand je serai revenu de Paris, il faudra venir voir

VIEUX

pour le remonter un peu.

Mes amitiés à Mme Heuzey[1].

À LA PRINCESSE MATHILDE

[Croisset,] vendredi matin [21 août 1874].

Comme il y a longtemps que je n'ai eu de vos nouvelles, chère Princesse ! Je n'en avais aucune à vous donner de moi, qui fussent bien intéressantes. Depuis un mois j'essaie de commencer un grand livre[2] qui me donne un mal affreux ! Et les soucis de l'Art, joints au vide de la Solitude, ne me rendent pas précisément très gai.

L'évasion de Bazaine m'a paru un événement assez drôle. Quelle suite aura-t-il ? Je n'imagine rien de bon de notre avenir ?

Je n'ai pu voir à Dieppe le prince Napoléon. Il venait d'en partir, avec sa dame de compagnie, qui a été un sujet d'épatement pour les bourgeoises de la localité.

Comment allez-vous ? Vous seriez bien bonne de m'envoyer un peu de votre inqualifiable et chère écriture. — Très prochainement du reste, j'irai peut-être un soir vous demander à dîner, car il faudra que j'aille bientôt à Paris pour mes affaires théâtrales. Je serai payé du dérangement par le plaisir de vous voir.

En vous baisant les deux mains, Princesse, je suis votre vieux dévoué.

À SA NIÈCE CAROLINE

[Paris,] vendredi matin [28 août 1874].

Comme tu as *de la société*, mon cher loulou ! Est-ce que, vraiment, cette brillante compagnie, cette suite de visites te retiendra à Neuville[1] jusqu'à la fin d'octobre ? et que d'ici là le pauvre vieux doit se résigner à n'avoir pas ta compagnie, à Croisset ? N'importe ! quand je serai de retour, si tu ne peux venir, j'irai te voir, car il m'ennuie de toi démesurément, pauvre fille. J'ai peur avec l'âge de ressembler tout à fait à ta grand-mère. *J'y tourne !*

Et ce qu'il y a de sûr, c'est que le Rigi ne m'a pas fait de bien, moralement parlant. Je crois que les spectacles sublimes m'ont abêti. Cela tient aussi à *Bouvard et Pécuchet* qui me rongent. J'en viendrai à bout, cependant !

Le pauvre Moscove[2] est de retour depuis deux jours, et plus malade que jamais. J'ai été le voir à Bougival (voyage embêtant à cause de l'omnibus ; il ne se doutera jamais du *sacrifice* que je lui ai fait) et nous avons passé notre temps à gémir et à nous attrister sur nos maux réciproques. Je n'échangerais pourtant pas les miens contre les siens. Bien entendu, nous n'avons parlé que de *Bouvard et Pécuchet* ! et, en somme, ça va mieux. Mais j'étais bien bas, en partant de Croisset.

Je vais voir aujourd'hui Weinschenk[3] et je saurai peut-être l'époque des répétitions. Elles n'auront pas lieu avant le mois de novembre (d'après le calcul de Zola). Il faut aussi que la question des engagements soit résolue maintenant.

Le dîner embelli par Casse-Robine[4] a-t-il été amusant ? etc. etc.

Adieu, pauvre Caro.

Deux bons baisers de

VIEUX.

Julie[5] pourrait dès maintenant rentrer à Croisset. Mais comme je ne trouve personne pour la soigner, j'aime mieux attendre qu'elle soit tout à fait bien. Elle verra d'un œil ; pour le second, c'est fort douteux ! « Elle n'est pas facile », m'a dit son infirmière.

À SA NIÈCE CAROLINE

[Paris,] dimanche matin [30 août 1874].

C'est le moment de « te montrer sublime », ma chérie. Néanmoins ton pauvre mari préférerait sans doute se priver d'un aussi beau spectacle (celui de la sublimité). Je le plains énormément, car il n'eſt pas habitué à souffrir ! et l'impossibilité de se rendre « à ses affaires » doit le mettre en rage.

Je suis curieux de savoir jusqu'où ira la liaison avec Mme Carvalho[1]. Elle eſt très aimable et je la crois pleine de raison ; mais elle n'a pas pour moi le charme de Mme Viardot.

J'ai hier passé tout mon après-midi au théâtre de Cluny. Il eſt probable que mes répétitions commenceront vers le 10 novembre ? On a engagé deux ou trois artiſtes que je ne connais pas, entre autres une demoiselle *Kléber*[2], qui vient d'Égypte, et dont Weinschenk eſt enthousiasmé. J'irai demain voir pour deux de mes acteurs.

J'ai réglé les appendices à mettre à la fin de *Salammbô*[3]. On les imprime et l'édition paraîtra dans très peu de jours, ainsi qu'un nouveau tirage de *Madame Bovary*.

On m'a envoyé de Strasbourg une traduction de *Saint Antoine* avec préface et biographie de l'auteur[4]. La préface eſt très élogieuse bien entendu.

Ce que tu me dis de mes amis Lapierre me désole. Voilà un temps infini que je n'ai entendu parler d'eux.

À propos, dis-moi donc où il faut envoyer les *Contes* à Mme de La Chaussée[5] ?

Calme plat dans le bon Paris.

Bouvard et Pécuchet ont du revif. À diſtance, ce que j'ai fait me paraît mieux, et le reſte se tasse.

Donne-moi des nouvelles d'Erneſt. — Engage-le à la patience et soigne-le bien.

Ta vieille Nounou te bécote tendrement.

À GEORGES CHARPENTIER

[Paris, jeudi matin, 3 ? septembre 1874.]

Mon cher Ami,

J'ai vu hier au soir Renan, qui m'a fait part de ce qu'il voulait exécuter pour moi. Je crois son idée excellente[6]. Venez donc demain matin, à l'heure qu'il vous plaira. Je vous conterai la chose. De plus, je dois ce soir me trouver avec quelqu'un de fort influent aux *Débats*.

S'il en eſt encore temps, une remarque pour Toussaint[7] : dans le Buddha, un homme appelé Simon, c'eſt *Siméon*[8].

Apportez-moi ce que vous avez de journaux. Il importe que la *collection* des articles sur *Saint Antoine* soit *complète*. Cela est indispensable pour le travail que Renan m'a positivement promis.

Tout à vous, et deux bécots au filleul.

Votre.

À SA NIÈCE CAROLINE

[Paris,] vendredi matin [4 septembre 1874].

Je ne comprends goutte à l'entêtement d'Ernest ! Pourquoi se refuse-t-il à subir son traitement, qui n'est pas bien rigoureux ? Tu lui diras une dernière fois, de ma part, qu'il a tort. — Et que je souhaite qu'il ne s'en repente pas plus tard. — Maintenant, bonsoir, c'est son affaire. Aurait-il la *tête attaquée* ? car sa conduite me paraît tenir à la Démence !

Tu dois avoir maintenant les Winter[1]. Après eux ce sera Mme Desgenetais[2], puis Frankline[3]. Donc, mon pauvre chat, il me semble que toutes « les chambres d'ami » seront prises dans ta villa, d'ici à longtemps, si bien que je ne vois pas le moyen de t'y faire une visite sérieuse ? Mais je pourrais bien y aller dîner un dimanche ? Il faudra que je revienne à Paris vers la fin d'octobre. — Ainsi, pas de Caro à la fin du mois d'octobre dans le pauvre Croisset ! Enfin nous verrons à nous arranger. Ce qu'il y a de sûr, c'est que j'ai bien envie de bécoter ta chère mine.

J'ai vu Mme Brainne : son fils n'est pas aussi mal qu'on te l'avait dit.

En effet, la Princesse a été à Arenenberg[4], « ne pouvant faire autrement », mais elle est revenue depuis plusieurs jours. J'ai vu hier, à dîner, chez elle, ton ancien ami le baron Larrey[5]. Il m'a dit que les Cloquet[6] iraient probablement à Dieppe sous très peu de jours. — Au mois d'octobre, j'aurai à Croisset la visite de Popelin[7] et de Giraud[8].

Ma journée d'avant-hier a été tristement occupée par l'enterrement de la mère de Coppée[9] ; jamais je n'ai vu une pareille douleur. Le pauvre garçon faisait mal à voir. Je l'ai presque porté pour descendre la grande avenue du cimetière Montmartre. Dès qu'il m'a vu, il s'est presque accroché à moi, bien que nous ne soyons pas intimes. C'est là (à cet enterrement) que j'ai vu pour la première fois l'ancienne passion de la Divine[1], mon ennemi Barbey d'Aurevilly. Il eſt gigantesque ! Je t'en ferai la description[2].

Je compte être revenu dans mon humble asile vers le commencement de l'autre semaine.

Adieu, pauvre chère fille. Écris-moi de bonnes lettres si tu en as le temps, ou plutôt prends-en le temps et aime toujours

VIEUX.

À SA NIÈCE CAROLINE

[Paris,] lundi [7 septembre 1874].

Chère Caro,

J'ai reçu hier la visite de Xemer[3] qui m'a remis mille francs. Remercie-*z'-en* ton époux qui commence à devenir beau, malgré sa sciatique. Veut-il que je me rende chez le fabricant de pulvérisateurs pour lui reporter son inſtrument ? Rien ne me serait plus facile.

Mes compliments sur ta soirée de samedi. Les Dieppois ne pourront plus vous accuser d'être *fiers* ! Quant à moi, le même jour samedi, j'ai passé toute ma soirée à voir jouer deux de mes futurs acteurs dont je suis loin d'être enthousiasmé. Je vais aller de ce pas chez Weinschenk[4] pour lui communiquer mon impression peu favorable. Et il faut que je m'entende avec *Zola*[5] pour des engagements nouveaux. Si tous les autres sont comme ces deux-là, ce sera pitoyable ! Cette perspeƈtive ne laisse pas que de m'inquiéter ; tant pis, après tout.

J'ai passé mon après-midi d'hier à lire un manuscrit de mon ami Dreyfus[6], qui eſt fort bête (le manuscrit). C'eſt une petite pièce en vers dont la première aura lieu lundi ou mardi prochain à l'inévitable théâtre Cluny.

Dès que je serai rentré à Croisset (dans une huitaine) j'y aurai la visite du poète Théodore de Banville. Puis, au commencement d'oƈtobre, j'aurai celle de Popelin et du père Giraud. Tu vois que, moi aussi, je *recevrai* ! Je me suis acheté une paire de chenets en fer pour mon cabinet, me préparant à piocher vigoureusement *Bouvard et Pécuchet* pour lesquels je me sens, au fond du cœur, un revif.

Tu ne me dis pas quels sont présentement tes hôtes ?

Mon serviteur Émile a fait un petit voyage à Trouville « pour se distraire ». Fortin m'a envoyé ce matin des nouvelles de Julie[1]. On doit lui donner aujourd'hui des lunettes, c'est-à-dire qu'elle va bientôt sortir de l'hôpital. Il est probable que je la trouverai à la maison quand j'y rentrerai.

Il faudra que nous nous occupions de la loger quelque part, pour le temps où je ne suis pas à Croisset.

Adieu, pauvre chère fille. — Écris-moi encore ici pour la fin de la semaine, et aime toujours ta vieille

Nounou.

Décidément, le Rigi m'a fait du bien. Je monte les escaliers sans essoufflement et je suis beaucoup moins rouge et moins nerveux.

À JEANNE DE LOYNES

[Paris,] mercredi 9 septembre [1874].

Votre dernier billet qui m'a été renvoyé de Croisset m'a fait de la peine, chère belle ! C'est une plaisanterie, n'est-ce pas ? Moi *vous oublier* ? Allons donc ! Vous n'en croyez rien !

Je suis passé chez vous il y a trois ou quatre jours, et vous ai laissé ma carte. Dites-moi donc le jour (dans cette semaine) où vous serez à Paris, afin que je puisse vous voir un peu, ne serait-ce que cinq minutes ?

D'ici là, je vous baise les mains, en vous regardant de près dans vos chers bons et beaux yeux.

Votre
Gve.

À GEORGES CHARPENTIER

[Paris, vers le 10 septembre 1874.]

Mon cher Ami,

J'ai oublié de vous dire que bientôt :

1° Je vais regagner ma maison des champs[2] ; donc pressez l'impression de *Salammbô*, si vous voulez que les épreuves soient prêtes avant mon départ ;

2° Les *Dernières chansons*[1] sont chez vous depuis hier. Il faudrait faire faire tout de suite des spécimens pour les couvertures.

J'irai chez vous à la fin de la semaine. Mais pas pour déjeuner. C'est trop dangereux !

Je m'absente de Paris pour deux ou trois jours.

Tout à vous, mon bon. Votre.

À SA NIÈCE CAROLINE

[Paris,] dimanche [13 septembre 1874].

Ma Chérie,

Je serai revenu à Croisset jeudi, pas avant, car il faut que je reste ici jusqu'à mercredi pour assister à une 1re de Cluny qui m'intéresse[2].

J'ai hier passé mon après-midi à une répétition pour juger du mérite de divers acteurs, et je recommence demain et mercredi ce même exercice.

J'ai trouvé une actrice qui vient de Rouen et qui a du talent, Mme Larmet. — J'ai refusé un acteur pour le rôle du Ministre et j'attends avec impatience l'audition de Mlle Kléber, destinée à celui de la Cocotte.

Malgré tes répugnances et ton sinistre pressentiment, je crois que *Le Sexe faible*[3] peut réussir. — D'ailleurs, pourquoi ne pas faire jouer une chose que l'on trouve bien ? et puis, je deviens de plus en plus indifférent à ce que *On* peut dire. Car *on* me semble de plus en plus bête. *On* n'est jamais content. *On* ne sait [ce] qu'il veut. Enfin, j'exècre cet insaisissable ! … *on*, et la moindre page de *Bouvard et Pécuchet* m'inquiète plus que le sort du *Sexe faible.*

Le notaire Duplan a été (à propos de *B. et P.*) charmant pour moi. J'ai passé avant-hier deux heures chez lui. Et il m'a écrit, séance tenante, quatre pages de renseignements sur les testaments. — Mon petit ami Guy de Maupassant doit demain m'en donner sur les copistes de ministère[4].

Je viens de finir, aujourd'hui même, de corriger la dernière épreuve de *Salammbô* avec appendices. Les Charpentier reviennent de Dives, mardi.

Voilà, pauvre chat, toutes les nouvelles. Quant à aller te voir samedi prochain, franchement, je ferai mieux de rester dans mon humble asile ! D'ailleurs, dimanche prochain, je dînerai chez Mme Lapierre, qui m'avait invité pour aujourd'hui.

Et puis, mon pauvre loulou, avec tous ces trimbalages, le roman n'avance pas, et je voudrais bien avoir fini mon introduction avant de revenir à Paris, vers la fin d'octobre.

Mais quand Frankline[1] sera partie, qui t'empêche de venir me faire une visite ? Note que je vais avoir Banville[2], pendant un jour. Puis Popelin et Giraud[3]. Si je vais à Dieppe, je ne ferai plus rien.

En désespoir de cause, j'irai si tu ne viens pas !

Donne-moi des détails sur la quête. Comment va Ernest[4] ? L'eau Bonnes[5] lui fait-elle du bien ? Mes compliments à Mme Winter. Écris-moi pour la fin de la semaine. Adieu, pauvre chérie. Je t'embrasse bien tendrement.

Ta vieille Nounou

À CLAUDIUS POPELIN

[Croisset, 18 septembre 1874.]

Mon cher ami,

En arrivant ici hier, j'ai trouvé votre lettre me communiquant l'invitation de Mme André[6].

Remerciez-la bien pour moi, mais franchement je me suis tellement trimballé cet été qu'il est temps de se mettre au travail. Je voudrais avoir fait mon 1er chapitre avant la fin d'octobre. Et puis, pour le moment, j'ai une forte colique rapportée de la Capitale, et une telle fatigue que j'ai dormi hier presque sans discontinuer.

Ma prochaine épître sera pour vous sommer de tenir votre promesse[7].

Tout à vous

Votre

Vendredi.

À SA NIÈCE CAROLINE

[Croisset,] samedi soir, 5 heures
[19 septembre 1874].

Comment ? pas de lettres ! Vieux croyait bien en trouver une, ici, à son retour ! et Vieux en est d'autant plus marri qu'il se trouve présentement souffreteux. Depuis jeudi matin, je suis en proie à une colique abominable. À peine si je peux me tenir sur mes jambes. Je ne fais que monter et descendre l'escalier. Les détails de lingerie sont ignobles. Enfin, si je ne vais pas mieux lundi, j'emploierai des moyens énergiques ! Cette indisposition me cause une telle fatigue que j'ai dormi hier 14 heures d'affilée, et cette nuit douze.

J'ai trouvé ici Mlle Julie. — Enchantée d'être revenue dans sa maison et d'y voir ! Il lui semble qu'elle renaît. Elle distingue des choses qu'elle n'avait pas vues depuis plusieurs années. Cependant elle est loin d'être guérie ; son œil droit se rétablit difficilement.

On m'a renvoyé aujourd'hui, de Paris, la lettre ci-jointe, à laquelle *je prie* ton mari de faire droit. Je croyais cette affaire terminée ? Qu'elle le soit donc ! et promptement. La lettre de Mme Touzan[1] est très polie et habile. C'est elle qui a le beau rôle.

Autre réclamation audit sieur Commanville : MON VIN ! Je ne vois venir aucune barrique de vin !

J'ai beaucoup cabotiné pendant ces derniers jours. Mes acteurs seront satisfaisants. — J'en aurai même quelques-uns de bons, entre autres Mme Hamet[2] (celle qui a joué dans *Les Deux Orphelines* le rôle de la Frochard[3]). Pour ma Cocotte, j'en aurai une *très* belle (Cocotte), Mlle Kléber[4], mais j'ignore son talent ?

Peragallo (l'agent dramatique) m'a demandé *la Féerie*[5], sûr, dit-il, de la placer. — Je la lui donnerai quand je reviendrai à Paris, vers la fin d'octobre, sans doute ? Je voudrais d'ici là avoir fini l'introduction de *Bouvard et Pécuchet.* Je me sens en bonne disposition de travail. Mais je suis gêné par mes désordres intestinaux qui m'empêcheront demain d'aller dîner chez Mme Lapierre.

J'espère que demain matin j'aurai des nouvelles de ma pauvre fille.

Il faudra que tu viennes pendant le mois d'octobre, mon loulou, d'abord pour me voir et puis pour décider que faire de Julie pendant mes absences.

Adieu, pauvre chat. Je t'embrasse tendrement.

Ta vieille Nounou.

Mes amitiés à Frankline[1]. Je regrette de n'être pas en tiers dans votre aimable société.

À GEORGES CHARPENTIER

[Croisset,] dimanche matin [20 septembre 1874].

Ô Georges,

Voici la chose. Renan[2], me croyant à Paris (d'après ma carte de visite déposée à sa porte), me donne rendez-vous pour *jeudi prochain.* À partir de deux heures il sera chez lui. Donc, mon bon, transportez-vous-z-y, s. v. p.

Comment s'est passée la lecture de Zola[3] ? A-t-on commencé les répétitions ? est-il content ?

Je travaille fortement et vous embrasse *tretous.*

Votre

À EDMOND DE GONCOURT

Croisset, mardi 22 [septembre 1874].

Votre lettre du 12 m'est arrivée à Paris comme j'en partais, étant venu dans la nouvelle Athènes pour cabotiner ; nous recauserons de cela tout à l'heure.

Comme vous êtes triste, mon cher ami ! Votre découragement m'afflige. Vous regardez trop au fond des choses. Quand on réfléchit un peu sérieusement, on est tenté de se casser la gueule. C'est pourquoi il faut agir. Le livre qu'on lit a beau être bête, il importe de le finir. Celui qu'on entreprend peut être idiot, n'importe ! Écrivons-le ! La fin de *Candide* : « Cultivons notre jardin[4] » est la plus grande leçon de morale qui existe. — Je ne comprends pas que vous passiez votre temps à pêcher et à chasser. Soyez sûr que ce sont des occupations funestes. « La distraction » ne distrait pas — pas plus que les Excitants n'excitent. J'ai beau être névropathe, au fond je suis un sage. Or je vous conjure, je vous supplie, de vous remettre à la besogne bravement, sans tourner la tête derrière vous.

Le Rigi, où je me suis embêté à périr, m'a fait du bien. Mes étouffements ont diminué, et je monte les escaliers comme un jeune homme. À mon retour ici au mois d'août, j'ai enfin commencé mon Roman[1], lequel va me demander trois ou quatre ans (c'est toujours ça de bon). J'ai cru d'abord que je ne pouvais plus écrire une ligne. Le début a été dur. Mais enfin, j'y suis, ça marche ou du moins ça va mieux.

Le Sexe faible passera après la pièce de Zola (à la fin de décembre[2] ?). Tout le monde trouve que je me déshonore en figurant sur un bouisbouis aussi piètre que le théâtre de Cluny. Mais je m'en bats l'œil complètement.

Je vous recommande, comme spectacle, d'aller dans le vestibule de Nadar, à côté de Old England. Vous y verrez : 1° la photographie d'Alex[andre] Dumas, grandeur nature ; et 2° le buste du même Dumas[3]. Ce qui prouve que la modestie est inséparable du vrai mérite. De plus, il va faire une préface à *Manon Lescaut* et une préface à *Paul et Virginie*[4]. Voilà de ces choses qui consolent. — D'ailleurs, on ne doit pas se plaindre d'une époque où il arrive des histoires comme celles de la sentinelle de Bazaine. Quel joli sujet d'opéra-comique !

N'importe, la Bêtise moderne m'épouvante ! Elle monte de jour en jour ! Où fuir ?

Le pauvre Tourgueneff était repris de sa goutte la dernière fois que je l'ai vu. Il m'a parlé de refaire un dîner *artistique* comme celui de l'hiver dernier. C'est chose convenue, n'est-ce pas ? — et qui aura lieu dès que je serai à Paris, c'est-à-dire vers la fin d'octobre, probablement.

D'ici là, je vous embrasse, mon cher vieux.

Votre.

À IVAN TOURGUENEFF

Croisset, mardi 22 [septembre 1874].

Donnez-moi donc de vos nouvelles, mon cher vieux. Voilà un mois que je n'ai entendu parler de vous ! et j'ai peur que vous ne soyez trop souffrant pour m'écrire.

Quant à moi, j'ai eu pendant quelques jours une violente dysenterie, dont je me suis tiré avec du bismuth et du laudanum.

Et j'ai repris confiance en *Bouvard et Pécuchet* ! Ça va mieux ! Je crois être dans le ton ? J'aurai bientôt fini le 1er chapitre.

Les répétitions du *Sexe faible* commenceront sans doute dans un mois. Donc, à cette époque, je reviendrai à Paris pour tout l'hiver. Mais, d'ici là, je voudrais bien avoir fini l'introduction de mes bonshommes.

Puisque vous êtes un lecteur de la feuille bulozienne, avez-vous savouré l'*Histoire d'un diamant* par P. de Musset[1] ? Quelle œuvre ! Je vous défie d'en faire une pareille.

Je vous recommande d'aller dans le vestibule de la photographie *Nadar* (*near Old England*). Là, vous verrez la photographie grandeur naturelle d'Alexandre Dumas, et tout à côté le buste en terre cuite du même Dumas ! On annonce de lui une préface à *Manon Lescaut* et une préface à *Paul et Virginie* ! Et songer qu'il ne se doute pas de son comique !

Avez-vous des nouvelles de Mme Sand ? Elle ne m'écrit plus.

Je vous embrasse.

Votre vieux.

À GUY DE MAUPASSANT

[Croisset,] 23 septembre 1874.

Eh bien, mon jeune homme, et ces renseignements :
1° sur les copistes[2]
et 2° sur la mécanicienne[3],
qu'en faites-vous ?
Je les attends et vous embrasse.

À SA NIÈCE CAROLINE

[Croisset,] jeudi, 5 h[eures, 24 septembre 1874].

Mon pauvre Caro,

Voilà deux lettres de toi, qui ne sont pas gaies, surtout celle de ce matin ! Comment se fait-il qu'ayant près de toi ton amie

Frankline, tu sois d'une pareille humeur ? Tu devrais la reconduire et venir faire une visite à Vieux pour causer avec lui, ne serait-ce qu'un jour.

Ma dysenterie a disparu devant le laudanum et le bismuth. Et Bouvard et Pécuchet se portent très bien. Voilà comment les temps se suivent et ne se ressemblent pas. Au mois d'août, j'étais dans une situation d'esprit abominable, désespéré de tout à me casser la margoulette, et depuis huit jours, malgré mon ventre, ça va merveilleusement. Espérons qu'il en sera de même bientôt de ma chère fille. J'ai été hier dîner chez Lapierre. Madame était dans son lit, ayant un érysipèle à la face, par suite de la piqûre d'un mouſtique. Convives : Mmes Brainne et Pasca et le sieur Houzeau[1].

Philippe[2] était venu me voir la veille et j'attends demain la visite de Laporte.

J'étais invité à aller passer la semaine à Reuilly chez Mme André. Mais j'ai autre chose à faire que de me trimbaler dans les châteaux. D'ailleurs, mes bonshommes m'amusent plus que la société des riches.

À l'heure qu'il eſt, on enterre le père Risler (un sujet de moins pour mes conversations dans mes visites aux bourgeois de Rouen). La mère du Pseudo[3] eſt morte il y a deux jours.

Maintenant, attention à ce qui suit, et réponse immédiate, je t'en prie.

1° L'économe de l'Hôtel-Dieu m'a envoyé ce matin la note de Mlle Julie s'élevant à la somme de 388 francs. Il me serait difficile de les envoyer, puisque je n'en possède que 250. Elle en a 300, mais Bidault[4] doit en avoir à elle.

Que dois-je faire ?

2° Et mon vin ? Je ne le vois pas venir.

Il y avait encore une troisième queſtion dans ma dernière lettre. Je ne me souviens plus de laquelle.

Elle était adressée à ton mari.

Sent-il que les Eaux-Bonnes lui fassent du bien ? Je crois que Théodore de Banville[5] viendra me voir dans huit ou dix jours. Quant à Popelin et à Giraud[6], aimes-tu mieux que je les invite quand tu seras là ? Ce sont d'aimables gens. Mais si tu ne dois reſter (au mois d'oƈtobre) que peu de jours ici, j'aime mieux être seul avec Caro. J'imagine que Weinschenk[7] m'appellera à Paris plus tard qu'il ne l'avait dit.

Adieu, pauvre chère fille.

Vieux t'embrasse tendrement.

À EDMA ROGER DES GENETTES

[Croisset,] samedi 26 septembre [1874].

J'étais sûr de vous avoir écrit le dernier ! je me suis donc trompé ? Je m'étonnais de votre silence, j'étais inquiet, et j'allais envoyer une lettre à M. Roger en personne, pour avoir de vos nouvelles. Voilà l'exacte vérité, chère Madame.

Votre billet d'hier, si court qu'il soit, m'a fait bien plaisir. Ici, j'ouvre une parenthèse : pourquoi ne me faites-vous pas cadeau d'épîtres plus longues ? moi, je griffonne du matin au soir, mais vous !...

Au mois d'août, je me suis mis à mon bouquin[1] dont les premières pages m'ont semblé impossibles. J'ai cru un moment que je [ne] pourrais pas continuer ! et ma désolation était indescriptible ! mais enfin, j'y suis, ça va ! (en attendant quelque désespoir nouveau). Si je mène à bien une pareille œuvre, la terre ne sera pas digne de me porter ! mais j'ai peur de faire un four absolu. C'est abominable d'exécution ! et puis je suis seul maintenant. Absolument seul, sans conseil, ni sans encouragement, pas le moindre secours ! rien ! La terre me semble se vider de tout esprit. La Bêtise universelle s'étale. Les temps sont tristes et je suis comme eux.

Néanmoins, je vais derechef me livrer aux risées de la populace. *Le Sexe faible* sera joué à Cluny après la pièce de Zola, qui doit être maintenant en répétitions ; il est probable que ce sera vers le milieu de décembre. Weinschenk paraît enchanté, il compte sur un succès. — Et moi j'en doute. Au reste, cela m'inquiète fort peu. Mes deux bonshommes me préoccupent bien davantage. Mais *on* me blâme de comparaître sur des tréteaux inférieurs, *on* trouve que..., *on* est difficile à contenter. *On* est un immense sot collectif. Et pourtant, ô Misère, nous travaillons pour amuser *on.*

Dans tout cela, je ne sais rien de votre santé. Est-elle pire, meilleure, ou toujours la même ? Ne viendrez-vous pas cet hiver à Paris ? Que lisez-vous, comment supportez-vous le fardeau ? etc.

Amitiés au mari, et tout à vous.

Vous me faites un tel éloge de l'aimable femme qui est maintenant chez vous, que j'ai envie d'en être amoureux. Son nom ! afin que je le redise dans mes rêves !

À GEORGE SAND

[Croisset,] samedi 26 septembre [1874].

On ne s'aime donc plus ! on ne s'écrit plus. On oublie Cruchard. On néglige son vieux troubadour. C'eſt mal.

Que devenez-vous, chère maître ? vous et tous les vôtres. Cette santé, le travail, etc. Au nom du ciel, ou plutôt au mien, vite une lettre, et qu'elle soit un peu longue. Vous serez bien gentille.

Donc, après m'être embêté comme un âne au Rigi, je suis revenu chez moi au commencement d'août, et je me suis mis à mon bouquin. Le début n'a pas été commode. Il a même été espovantable, et j'ai cuydé en périr de désespoir. Mais à présent ça va, j'y suis. Advienne que pourra ! Du reſte, il faut être absolument fol pour entreprendre un pareil livre. J'ai peur qu'il ne soit, par sa conception même, radicalement impossible ? nous verrons. Ah ! si je le menais à bien... quel rêve.

Vous savez, sans doute, qu'une fois de plus je m'expose aux orages de la Rampe (jolie métaphore) et « qu'affrontant la publicité du théâtre » je comparaîtrai sur les tréteaux de Cluny probablement vers la fin de décembre. Le directeur de cette boîte eſt enchanté du *Sexe faible.* Mais Carvalho, aussi, l'était, ce qui n'a pas empêché... vous savez le reſte.

Il va sans dire que tout le monde me blâme de me faire jouer dans un pareil boui-boui. Mais puisque les autres ne veulent pas de cette pièce, et que je tiens à ce qu'elle soit représentée pour faire gagner à l'héritier de Bouilhet quelques sous, je suis bien obligé d'en passer par là. Je garde, pour vous en faire le récit quand nous nous verrons, deux ou trois jolies anecdotes à ce propos. Pourquoi le théâtre eſt-il une cause générale de délire ? Une fois qu'on eſt sur ce terrain-là, les conditions ordinaires de la vie sont changées. Si on a eu le malheur (léger) de ne pas réussir, vos amis se détournent de vous. On eſt très déconsidéré. On ne vous salue plus ! Je vous jure ma parole d'honneur que cela m'eſt arrivé pour *Le Candidat.* Je ne crois pas aux conjurations d'Holbachiques. Cependant tout ce qu'on m'a fait depuis le mois de mars m'étonne. — Au reſte, je m'en bats l'œil profondément et le sort du *Sexe faible* m'inquiète moins que la plus petite des phrases de mon roman.

L'esprit public me semble de plus en plus bas ! Jusqu'à

quelle profondeur de bêtise descendrons-nous ? Le dernier livre de Belot[1] s'est vendu en 15 jours à 8 mille exemplaires. *La Conquête de Plassans* de Zola à 17 cents, en six mois. Et il n'a pas eu *un* article ! Tous les idiots du lundi viennent de se pâmer sur *Une chaîne* de M. Scribe[2] !… La France est malade, très malade, quoi qu'on die. Et mes pensées, de plus en plus, sont couleur d'ébène.

Il y a pourtant de jolis éléments de comique. 1° l'évasion Bazaine, avec l'épisode de la sentinelle[3]. 2° l'*Histoire d'un diamant*, du sieur Paul de Musset (voir la *Revue des Deux Mondes* du 1er septembre). 3° le vestibule de l'ancien établissement de Nadar, *near Old England*, où l'on peut contempler la photographie d'Alex. Dumas grandeur nature, le portrait-carte d'Alex. Dumas, le buste en terre cuite d'Alex. Dumas ! « Cet imbécile de Goethe » (mot du docteur Favre[4] à moi) était plus modeste. Il est vrai que « ce n'était pas un poète », assertion du même Alexandre (voir préface de *Werther*).

Je suis sûr que vous me trouvez grincheux et que vous allez me répondre : « Qu'est-ce que tout cela fait ! »

Mais tout fait. Et nous crevons par la Blague, par l'ignorance, par l'outrecuidance, par le mépris de la grandeur, par l'amour de la banalité, et le bavardage imbécile.

« L'Europe qui vous hait vous regarde en riant », dit Ruy Blas[5]. Ma foi, elle a raison de rire,

et SAINT POLYCARPE
vous embrasse sur les deux joues.

À SA NIÈCE CAROLINE

[Croisset,] dimanche matin [27 septembre 1874].

Si M. Deville garde le mémoire, Ernest peut toujours donner quelque chose à Mme Touzan[6], tout au moins qu'il lui écrive. Il ferait bien, quand il sera à Paris, de retourner voir M. Guesneau.

Pauvre Loulou ! quelle série de souffrances ! cinq jours de migraine, et malgré cela tu trouves moyen de m'écrire une petite épître charmante.

Je payerai l'hôpital cette semaine.

Demain j'aurai à déjeuner Mme Brainne et son fils, lequel me considère comme le plus grand homme de l'univers.

Je suis curieux de savoir si vous vous êtes débarrassés de votre délicieuse villa !

Je me résigne à acheter du vin.

Quand Ernest sera revenu de Paris, il serait bien gentil de m'envoyer, dans une huitaine, un billet de mille.

Deux bons bécots de Nounou.

À EDMOND LAPORTE

[Croisset,] lundi soir [28 septembre 1874].

Qu'est-ce qu'une conduite pareille ? Pourquoi ne voit-on pas son troubadour ?

D'après votre promesse, je vous attends depuis cinq ou six jours ?

Votre vieux

Géant,

qui vous embrasse.

GEORGE SAND À GUSTAVE FLAUBERT

Nohant, 28 septembre [18]74.

Non certes, on n'oublie pas son Cruchard adoré, mais je deviens si ennuyeuse que je n'ose plus t'écrire. Je suis insignifiante comme les gens heureux dans leur intérieur et habitués à leur besogne. Tous les jours se ressemblent, les relations bien soudées ne changent pas. J'ai eu pourtant durant près d'une année, le voisinage de ma fille qui a acheté l'ancienne propriété de mon frère et qui s'y installe bizarrement. C'était un peu contre mon gré, je savais bien qu'elle s'ennuierait vite de nous et cela est arrivé. Elle nous boude depuis deux mois et c'est autant de gagné, car avec de l'esprit et du charme, elle a le caractère le plus fantasque et le plus tracassier qu'il soit possible d'imaginer. J'ai beaucoup de patience, mais les autres en ont moins et respirent quand elle s'en va. Avec cela des phrases sur son amour du pays et de la famille, une pose perpétuelle que toutes les actions démentent et un débinage de tout et de tous, qui est très comique avec la prétention de tout chérir et de tout admirer. C'est une nature essentiellement *littéraire*, dans le mauvais sens du mot. C'est-à-dire que tous ses sentiments se rédigent en paroles et ne pénètrent pas sous l'épiderme. Elle est heureuse quand même puisqu'elle s'approuve. Je ne m'en tourmente plus.

Je n'ai pas été d'une brillante santé cette année, je n'ai pas quitté le *home*. Je voulais qu'on me laissât seule et qu'on fît courir les enfants. Ma bonne Lina n'a pas voulu et mes petites ont continué à être florissantes. Aurore est grande et musclée comme si elle avait douze ans. C'est un ange de droiture et de sincérité. Je continue à être son professeur et son intelligence m'épate.

Moi je me suis remise à ma tâche annuelle, je fais mon roman[1]. La facilité augmente avec l'âge, aussi je ne me permets pas de travailler à cela plus de deux ou trois mois chaque année, je deviendrais fabrique et je crois que mes produits manqueraient de la conscience nécessaire. Je n'écris même que deux ou trois heures chaque jour, et le travail intérieur se fait pendant que je barbouille des aquarelles.

Voilà pour moi. Quant à Maurice, il a fait deux excursions, l'une au Sancy, l'autre au *Plomb* du Cantal qui s'appelle *pélon* dans le pays, c'est-à-dire « pelouse », « pays désolé », mais intéressant, d'où il a rapporté des choses précieuses pour son travail de bénédictin.

À présent nous allons être bien seuls. Mes trois petits-neveux sont, l'un à Montpellier, l'autre à Lyon, dans la finance, et l'aîné, notre *gros René*, est nommé substitut à Châteauroux où sa mère le suit. Ce n'est pas loin, mais la vie de tous les jours est détraquée. Antoine Ludre travaille le droit à Paris pour succéder à l'étude de son père. Tous sont avec nous pour les vacances, mais, dans quelques jours, tous nos petits pigeons seront envolés.

Te voilà donc condamné à aller bientôt avaler des répétitions. Un jour, tu t'y habitueras, mais il y tant de fourmis à avaler qu'au commencement on s'imagine avaler des vipères. Tu ne m'as jamais raconté et je n'ai jamais su pourquoi, après son enthousiasme pour *Le Sexe faible*, Carvalho t'avait faussé parole. C'est probablement par l'unique raison qu'il te l'avait donnée. Les directeurs sont ainsi faits, *tous*. On ne saura jamais pourquoi. Duquesnel est de même, mais comme je ne crois pas un mot de ce qu'il m'annonce, je ne suis pas autrement attrapée que les oiseaux d'Arnal. Je ne te blâme pas moi, d'aller à Cluny. C'est un théâtre comme un autre et j'ai prêché d'exemple. Tu me diras quand tu iras à Paris. Je tâcherai d'y être en même temps, bien que je ne prévoie pas y avoir affaire sérieuse.

Je ne te fais pas de sermons cette fois sur ta misanthropie. Je te dirais toujours la même chose parce que c'est toujours la même chose — et si ça n'était pas toujours la même chose le monde finirait. Dans tous les temps il a été stupide pour le petit nombre de gens qui ne le sont pas. C'est pour éviter le chagrin que je me suis faite stupide avec empressement, affaire d'égoïsme peut-être.

Je t'aime et je t'embrasse. Les miens t'embrassent et t'aiment. Écris-nous plus souvent, ne travaille pas trop et aime tes vieux Berrichons du bon Dieu qui parlent de toi sans cesse.

Ton troubadour.

À JEANNE DE LOYNES

[Croisset,] vendredi [fin septembre-début octobre 1874].

Voici les deux pièces demandées, ma chère amie. Donnez-moi un peu plus longuement de vos nouvelles. Je me suis informé « de maisons de campagne à vendre » aux environs de Rouen. Il y en aura deux à *Croisset* même, d'ici à peu de temps ? Voulez-vous plus de détails ?

Je vous baise *bien* tendrement les mains.

Votre dévoué — ou dévot.

GVE.

À SA NIÈCE CAROLINE

[Croisset,] jeudi 1er octobre [1874].

Mon loulou, voici une lettre qui m'est renvoyée de Paris, et à laquelle je ne comprends goutte. Qu'est-ce que cela veut dire « des traites », « des marchandises ! ». Que faut-il que je réponde ?

J'attends lundi (5) 500 francs. Ernest me donnera les autres 500 francs plus tard. — Qu'il n'oublie pas non plus de payer mon terme le 15 courant ! Je voudrais bien qu'il me donnât mes comptes, pour que je sache enfin ce que je possède et que je ne sois pas toujours à lui demander de l'argent. Je voudrais que nous prissions des époques fixes. J'ai peur de me réveiller un beau jour sans le sol !

Ce que je désire d'abord, c'est voir ma pauvre nièce ! En quatre mois, rien que deux jours ! pas plus !

Il me semble d'ailleurs que nous avons besoin de conférer ensemble et que ça nous fera du bien. Je me réjouis en songeant que je n'ai plus qu'une quinzaine à passer dans la solitude. Car je compte sur toi le 15 prochain, ma chérie.

Depuis que je suis revenu ici, j'ai fait 7 pages ! Mon 1er chapitre sera terminé quand tu viendras[1].

J'espère que la peinture, *cultivée* dans la compagnie de ta chère Frankline, t'aura un peu remonté le moral.

Adieu, pauvre chat. Mille tendresses de

VIEUX.

Je suis bien fâché que vous ayez raté votre location de Pissy[1]. Il me semble que depuis quelque temps *ça ne va pas* ?

Comme je finis *ce billet*, voici une note que l'on me remet.

À LA PRINCESSE MATHILDE

[Croisset,] 1er octobre [1874].

Princesse,

Vous êtes-vous bien amusée chez Mme André ? Popelin m'avait transmis son invitation. L'idée de vous trouver là-bas et de passer quelques jours avec vous me tentait beaucoup. Mais je m'étais tellement trimballé, depuis quelque temps, qu'il a fallu être raisonnable. La semaine dernière, d'ailleurs, j'étais *en proie* à une incommodité qui eût été fort désagréable pour les convives. Mais le laudanum[2] m'a guéri. Je vous engage à vous méfier de cette petite épidémie qui court partout.

Quel beau temps il y a fait depuis un mois ! Vous n'imaginez pas le charme de la Normandie à cette époque. Je regrette que Giraud et Popelin n'aient pas été chez moi. Mais je les attends avant la fin du mois, le plus promptement même qu'ils le pourront.

Dimanche prochain j'aurai ici Théodore de Banville. Étant très malade l'été dernier, il a témoigné l'envie de me faire une visite à la campagne ! Pourquoi cela ? Je n'en sais rien. — Or, comme il s'est toujours montré pour moi charmant, je n'ai pu faire autrement que de l'inviter, bien que nous ne soyons pas intimes. Il m'amènera un grand garçon de 15 ans qui passe pour son fils, mais qui est celui de Jourdan[3] (du *Siècle*) ; c'est l'histoire de Bouilhet. Décidément les poètes sont de bons diables. Ils élèvent les enfants des autres.

Dans une apparition de 48 heures que j'ai faite à Paris (depuis que je vous ai vue), j'ai cabotiné en vue de *Sexe faible*[4], lequel entrera en répétition vers le 25 courant.

J'ai bien peur que ce ne soit joué d'une façon pitoyable ? À la grâce de Dieu, après tout ! Le sort de ma pièce m'inquiète beaucoup moins que la plus petite des phrases du roman que j'écris. Après d'atroces difficultés au début, j'ai fini par attraper *le ton* et je crois que ça ira, mais d'ici à la terminaison que de désespoirs ! J'y perdrai le peu de cheveux qui me restent.

Tout ce que je vous dis là n'offre pas un grand intérêt ! Mais de quoi vous parler ? Ma vie extérieure est très plate, sans les moindres agréments ni la moindre aventure. Ma solitude est complète. Je n'ai que mes rêves littéraires pour me tenir compagnie. Quant aux souvenirs, j'en suis accablé comme un vieux.

Je songe à vous avec attendrissement et je vous baise les deux mains, Princesse.

Vôtre.

À CLAUDIUS POPELIN

Croisset, par Déville,
Seine-Inférieure.
1er octobre [1874].

Mon cher Popelin,

Pouvez-vous me rendre le service suivant :

Mon neveu est sur le point d'entrer *en affaires très graves* avec M. *Durassié*[1], qui a été au service du Prince Napoléon.

Tâchez de me trouver le plus de renseignements possibles sur la moralité, le caractère et la fortune dudit sieur.

Il y va de mes intérêts futurs. Donc c'est griève.

Merci d'avance, et tout à vous, mon bon.

Votre

Vous savez que je m'attends cet hiver à une forte visite de votre Excellence.

Respects à la Princesse — je lui écrirai très prochainement.

À SA NIÈCE CAROLINE

[Croisset,] jeudi [8 octobre 1874].

Je viens d'écrire à Zola et à Weinschenk[2] pour leur demander l'époque où l'on m'appellera. — De plus, Banville doit passer lui-même au théâtre. D'ici à très peu de temps, j'aurai une réponse et nous saurons à quoi nous en tenir, mon loulou.

J'ai reçu lundi les 500 francs de Daviron[3]. Mais j'attendais une lettre de toi, pour « t'en accuser réception ».

Banville est venu ici, dimanche soir, avec son fils[1], jeune homme âgé de 15 ans, et qui a l'air d'une petite demoiselle. Je les ai menés à La Bouille (naturellement) et ils sont repartis mardi soir. Le dit Banville m'a donné pour *Le Sexe faible* quelques bons avis que je tâcherai de suivre.

Tourgueneff m'a envoyé hier trois articles d'une gazette de Berlin sur *Saint Antoine*. L'auteur de ces articles, qui est un de ses amis, demande à traduire *Salammbô*. Quand tu seras ici, tu me traduiras, toi, lesdits articles élogieux à la gloire de Vieux[2].

Bouvard et Pécuchet arrivent dans leur maison de campagne. J'espère avoir fini ce 1er chapitre ou introduction à la fin de la semaine prochaine.

Je suis comme toi, je n'ai aucune envie de m'en aller à Paris, ce beau pays m'attirant de moins en moins.

Pas drôle, hein, la compagnie des Lillebonnais[3] ! Je te répète *qu'il n'y a que moi*.

Il est vrai que samedi j'étais très souffrant. Ces mêmes douleurs qui sont, je crois, la suite de ma dysenterie, ne m'ont définitivement quitté qu'hier.

Adieu, pauvre chérie. Il me tarde de te voir. Nous avons bien des choses à nous dire.

Que les Censier te soient légers (et inodores).

Je t'embrasse.

Ta vieille Nounou.

À EDMOND LAPORTE

Croisset, jeudi [8 octobre 1874].

Je sais bien que vous n'y teniez pas beaucoup, mais n'importe ! on n'aime pas à rater ce que l'on entreprend. Donc, mon cher vieux, recevez mes félicitations[4].

Je crois que notre projet de voyage aux Andelys est avarié ? Il fait bien vilain et je n'aurai peut-être pas le temps, mais il faut à toute force que j'aille voir la ferme de Lisors[5]. Tout, du reste, dépend de Cluny[6]. Là-dessus, je saurai à quoi m'en tenir très prochainement.

Dès que j'aurai pris une résolution, je vous le dirai.

Adieu, mon bon, ou plutôt à bientôt.

Votre

À JOHN PRADIER

Croisset, jeudi 8 [octobre 1874].

Tu es trop aimable, mon cher ami, je n'ai aucune commission pour l'Algérie.

Si tu vas à Oran, tu pourras te présenter chez M. *Jacques*[1], receveur des contributions. C'est un parent à moi, il te recevra bien.

Profite de ton voyage, ouvre les yeux et amuse-toi.

Comment va ta mère[2] ? où est-elle ?

Ton vieil ami.

À IVAN TOURGUENEFF

Croisset, jeudi 8 [octobre 1874].

Mon cher Vieux,

Merci de votre envoi. Voilà de ces attentions d'ami. « Je te reconnais bien là, Marguerite[3]. »

Vous remercierez pour moi M. Lindau, il est bien aimable. Quand ma nièce sera ici, dans une huitaine, je me ferai traduire ses articles.

Pour ce qui est de *Salammbô,* il est bon de prévenir M. Lindau et son éditeur que ce livre a été traduit en allemand, dès son apparition, par Mme ? (Je ne sais plus le nom[4].) C'est une amie de Mme Cornu, la femme d'un professeur d'Iéna, je crois ? et il m'est impossible de retrouver ce volume, couvert en jaune !

Si je peux, de ce côté-là, toucher quelques monacos, ça me fera plaisir. Je vous laisse là-dessus toute liberté.

J'attends l'appel de Cluny[5] pour quitter Croisset.

Bouvard et Pécuchet viennent d'arriver dans leur maison de campagne ! j'aurai fini le premier chapitre à la fin de la semaine prochaine. Les affaires dramatiques (qui m'inquiètent fort peu d'ailleurs) vont me déranger ! mais je reviendrai ici le plus tôt que je pourrai.

À bientôt. — Je vous embrasse.

Savourez-vous les luttes intra-bonapartistes, la querelle des Jéromistes et des Louloutiens[1] ? Est-ce assez farce ? Je suis dévoré du besoin de faire une pièce sur l'évasion Bazaine. Mais le sens du comique est mort ! Cette histoire-là, autrefois, aurait donné des convulsions de rire. Elle a passé presque inaperçue. Ô Welches ! comme disait M. de Voltaire[2].

À ÉMILE ZOLA

Croisset, jeudi 8 octobre [1874].

Mon cher Ami,

Comment vont les répétitions[3] ? Charpentier m'a écrit que vous étiez désolé. Est-ce vrai ?

Pouvez-vous me dire le moment précis où vous croyez être joué ? J'aurais besoin de le savoir pour mes petites dispositions personnelles.

Donnez-moi quelques détails sur votre affaire ; vous me ferez plaisir.

Tout à vous.

À SA NIÈCE CAROLINE

[Croisset,] dimanche [11 octobre 1874].

Weinschenk, Zola et Banville m'ont répondu que : je ne serais pas appelé à Paris, avant la première quinzaine de décembre[4]. Donc, mon pauvre loulou, tu vas pouvoir passer à Croisset *tout* le mois de novembre comme c'était ton intention. Tu sais que je compte là-dessus absolument et si tu me faisais la « crasse » de manquer à ta parole, je serais indigné, ou plutôt déçu, car Vieux ne peut s'indigner contre sa chère fille.

La pièce de Zola sera jouée vers le 25. J'irai voir la répétition et la première, tant pour l'auteur que pour moi-même. Ce sera un dérangement de deux jours. Après la pièce de Zola, on jouera (par charité) *Le Mangeur de fer* d'Ed. Plouvier[5], qui crève de misère et de maladie. Je pourrais réclamer mon tour, mais je n'en fais rien, d'autant plus que ce retard m'arrange.

J'aurai le temps, d'ici là, de mettre bien en train mon premier chapitre (celui de l'agriculture), lequel commence à se dessiner nettement dans mon imaginative. — Mon Prologue[1] sera fait demain. Il me manque, pour l'avoir fini, de m'être promené la nuit avec une chandelle dans le potager, excursion que je vais accomplir ce soir[2].

Il est probable que samedi prochain j'irai avec Laporte voir la ferme modèle de Lisors.

As-tu trouvé des serviteurs ?

Vite une réponse définitive sur tes projets.

N. B. — Que faut-il que j'écrive au fermier de Deauville ?

Comment se sont comportés les Censier[3] ?

Adieu, pauvre chat. À bientôt, enfin.

Deux bons baisers de

VIEUX.

À EDMOND LAPORTE

[Croisset,] dimanche [11 octobre 1874].

Oui ! Samedi, je veux bien. Mais à quelle heure faut-il que je sois au chemin de fer ? Et à quelle gare ?

Il me semble que la visite de Lisors ne doit pas nous demander plus de 2 ou 3 heures. Donc l'après-midi sera suffisant. Enfin, réglez tout, j'obéirai.

Et la *mécanicienne* ?

À vous, mon bon.

Votre

À ÉMILE ZOLA

Croisset, dimanche [11 octobre 1874].

Merci de votre bonne lettre, mon cher ami, et de tous les détails que vous me donnez.

Loin d'être contrarié pour le retard de ma pièce, *il* me fait plaisir.

Et je profiterai de vos conseils. Dès que je serai débarqué à Paris, j'irai vous voir.

Prévenez-moi un peu d'avance, pour que je puisse me

rendre à votre répétition générale et à votre première. J'y serai, comptez là-dessus.

Tout à vous. Votre.

À EDMOND LAPORTE

[Croisset, 14 octobre 1874.]

C'est convenu ! Samedi je prendrai le train de 9 heures ! bien qu'il soit dur de se lever si tôt.

Vous avez manqué hier un dîner agréable.

Où dînerons-nous samedi ? M'est avis que le plus sage serait de revenir dîner à Rouen.

À vous, mon vieux solide.

Votre

Mercredi soir.

À SA NIÈCE CAROLINE

[Croisset,] jeudi [15 octobre 1874].

Il me semble, mon loulou, *que* : puis*que* tu ne resteras *que* quinze jours dans le pauvre Croisset, tu pourrais bien activer tes emménagements, afin de venir ici plus promptement. Une semaine et demie pour faire tes paquets ! Ça me semble « exagéré ». Allons, dépêche-toi ! voyons ! et arrive !

J'ai peur d'être, pendant que tu seras près de moi, appelé à Paris ? Ce sera, y compris l'aller et le retour, quatre jours de moins à jouir de ta compagnie.

Samedi prochain, je vais voir la ferme de Lisors. Un des jours de la semaine prochaine j'irai à Rouen pour conférer avec le jardinier Beaucantin[1], auquel j'ai demandé un rendez-vous. Je prépare actuellement mon 1er chapitre (l'agriculture et le jardinage). L'introduction est faite. C'est bien peu comme nombre de pages, mais enfin je suis en route ! ce qui n'était pas commode. Mais quel livre ! Hier au soir, à minuit, j'en suais à grosses gouttes, bien que ma fenêtre fût ouverte. Le difficile dans un sujet pareil c'est de varier les tournures. Si je réussis, ce sera, sérieusement parlant, le *comble de l'Art.*

Lundi, Raoul-Duval eſt venu m'inviter à dîner pour le lendemain, et mardi j'ai fait chez lui un dîner très gentil avec M. et Mme Lapierre, et Lizot[1], qui n'a pas été officiel. Mme Lapierre trouve que le jeune Baudry[2] eſt devenu si ennuyeux qu'il en eſt *infréquentable*. Elle ne peut plus le voir sans dormir immédiatement.

Adieu, pauvre chat. Aƈtive tes préparatifs et viens causer longuement dans le cabinet de

VIEUX.

Julie m'ennuie à force de me demander quand viendra « Mme Commanville ». La voilà rassurée. Ce qui ne l'empêche pas de toujours pousser des soupirs, comme un accompagnement de sa claudication.

À LÉONIE BRAINNE

[Croisset,] 5 heures trois quarts [16 oƈtobre 1874].

Expédiez un domeſtique dès que vous voudrez (tout de suite) à l'Odéon.

Je vous engage même à en envoyer un ce soir même.

La carte ci-incluse suffira.

Mme Laurent[3] que je n'ai pas encore vue a été charmante.

Que le diable emporte votre plume, ma belle amie, elle arrête l'essor de mon génie !

Demain à huit heures du matin, je prends le chemin de fer pour aller visiter une *Ferme modèle*[4].

Quand vous trouver, anges introuvables ?

Si je n'étais attendu par mon chéri Tourgueneff à six heures, je reſterais dans la compagnie peu excitante de votre caméríſte jusqu'à onze heures du soir[5], afin de pouvoir vous contempler une minute et de baiser, ne serait-ce que le bout de vos pieds…

Devant lesquels ou auxquels, je demeure

Votre vieux

SAINT POLYCARPE

Je me débauche, je vais ce soir à *Marion Delorme*[6] ! ! !

À SA NIÈCE CAROLINE

[Croisset,] mardi, 3 heures [20 octobre 1874].

Pauvre Chat,

À quelle heure dois-je t'attendre samedi prochain ? Je dis samedi, puisque tu restes inflexible ?

Tu feras bien de venir. Je ne suis pas très gaillard, ni au moral, ni au physique. Je crois qu'en vieillissant la solitude me devient plus difficile à porter. *Bouvard et Pécuchet* allaient merveilleusement la semaine dernière, mais depuis que je me suis dérangé pour aller à Lisors, il y a une forte baisse. Et dimanche je me suis ennuyé à mourir.

Hier j'ai été voir le sieur Beaucantin[1] qui n'a donné *aucun* renseignement.

Dis-moi comment ton mari a supporté le voyage de Marseille.

Le bon Laporte vient dîner chez moi *jeudi*. Peut-être sera-ce une raison pour t'avoir un peu plus tôt. — Car je sais que ce troubadour te plaît.

Je t'embrasse.

Ton vieux

CRUCHARD.

À GEORGES CHARPENTIER

Croisset, dimanche [25 ? octobre 1874].

Mon cher Ami,

J'*en étais sûr*, moi qui connais les hommes !

Voici ce que j'ai envie de faire :

Quand je serai revenu à Paris, j'irai lui[2] demander mon tas de journaux et lui parlerai de ce qu'il m'avait promis, carrément, sans ambages ni circonlocutions.

Quand sera-ce ? Mon départ dépend de la première de Zola. Son inquiétude m'inquiète. Il me semble pourtant que les acteurs qui jouaient dans *Les Bêtes noires du capitaine*[3] étaient suffisants ? Quand vous verrez ledit Zola, priez-le de m'écrire, s'il a le temps. Je voudrais bien savoir à peu près l'époque de sa première.

À vous, mon bon, et à toute la smalah.

Tendrement vôtre.

Je pioche d'une façon fantastique.

À EDMOND LAPORTE

[Croisset,] mardi soir [27 octobre 1874].

Merci, mon cher vieux. Les notes du docteur[1] sont excellentes. J'en demande beaucoup dans ce genre-là. Donc j'attends la suite avec soif.

J'ai été très souffrant cette semaine. Il paraît que *c'était* la bile. Aujourd'hui, ça va un peu mieux.

Je pars demain pour Paris. La première de Zola[2] est mercredi 4. *Mille 25*[3] veut me donner Frédéric Lemaître. Je crois l'idée mauvaise. Le même Weinschenk me dit ce matin que *Le Sexe faible* entrera en répétition dans quinze jours. Je serai revenu ici samedi soir.

À vous. Votre

À ÉMILE ZOLA

[Croisset,] mercredi, 5 heures [28 octobre 1874].

Votre lettre m'est arrivée ce matin, comme j'allais partir.

Vous ne serez pas joué avant mercredi, sans doute ? Dans ce cas-là, je partirai lundi, et dès le soir j'irai chez vous.

Si vous êtes joué lundi[4], vous me verrez samedi (car je tiens à voir votre répétition générale).

J'attends donc un mot de vous pour me mettre en route.

Donc, à bientôt, mon cher Zola.

Votre.

À SA NIÈCE CAROLINE

[Paris,] mardi, 6 heures [du] soir [3 novembre 1874].

Mon pauvre Chat,

Je tombe sur les bottes. — Car je suis en courses depuis le matin et il faut que je m'habille pour la 1re de Zola qui a lieu ce soir.

Je vais peut-être dîner chez toi, si j'y trouve ton mari que je n'ai pas encore vu. — Demain re-rendez-vous avec Weinschenk[1] et Peragallo[2].

Ma lecture du *Sexe faible* est fixée au 19 prochain (de jeudi en quinze). J'aurai le temps d'avoir fini ma ferme[3]. *W*[einschenk] veut engager Lesueur, du Gymnase, et me paraît toujours enthousiasmé.

Mes maux de ventre ont complètement disparu.

Je serai à Croisset pour dîner jeudi ; c'est-à-dire que j'arriverai par l'express de l'après-midi.

Deux bons bécots de ton vieux

Oncle.

À EDMA ROGER DES GENETTES

Paris, mercredi 4 [novembre 1874].

Vous arriverez à Paris, juste au moment où j'en partirai. *Mais* j'y serai revenu avant quinze jours, les répétitions du *Sexe faible* devant commencer vers le 20. — Ma lecture est fixée au 19. Le succès des *Héritiers Rabourdin* me retardera peut-être ? ce que je souhaite, ou plutôt retardera peut-être *Les Mangeurs de fer*[4] qui doivent précéder *Le Sexe faible.* En tout cas, je vous verrai, ce qui est le principal.

Moi aussi, j'ai eu des crampes d'estomac accompagnées de maux d'entrailles, d'angoisses nerveuses, et d'une humeur, près de laquelle l'ébène est couleur de rose.

Un petit mot, à Croisset, n'est-ce pas, pour me dire que vous êtes arrivée au mont Thabor[5] !

Je vous baise les deux mains, chère Madame.

Votre vieil ami.

À GEORGE SAND

Paris, mercredi 4 [novembre 1874].

Chère bon Maître,

Votre vieux Cruchard n'a pas été crâne, depuis six semaines. Maux d'estomac et de ventre, angoisses nerveuses, et humeur archi-noire, voilà son bilan. Je crois que tout cela n'était pas autre chose que de la fatigue anticipée ? L'affreux bouquin que je commence est si lourd qu'il m'écrase d'avance[1]. Bref, j'ai été dans un état pitoyable. Depuis deux jours seulement ça va mieux. Le changement d'air m'a retapé.

Je suis venu ici pour la 1re de Zola, qui a été un succès[2]. En dépit de tout. Demain je m'en retourne à Croisset, et je reviens à Paris dans une quinzaine, car la lecture du *Sexe faible* est fixée au 19 de ce mois.

Et vous ? quand vous verra-t-on, enfin ? Que de choses n'ai-je pas à vous dire ! et comme j'aurai de plaisir à vous embrasser.

Notre pauvre Moscove[3] est alité.

Amitiés à toute la maison, et à vous, chère Maître, les tendresses de

Gve.

GEORGE SAND À GUSTAVE FLAUBERT

Nohant, 5 novembre [1874].

Comment, mon Cruchard, tu as été malade ? Voilà ce que je craignais, moi qui vis dans les maux d'entrailles et qui pourtant ne travaille guère, je m'inquiète de ton genre de vie, excès de dépense intellectuelle et trop de claustration. Malgré le charme que j'ai constaté et apprécié à Croisset, je crains pour toi cette solitude où tu n'as plus personne pour te rappeler qu'il faut manger, boire et dormir, et surtout marcher. Votre climat pluvieux vous rend casaniers. Ici, où il ne pleut pas assez, on est du moins poussé dehors par le beau et chaud soleil et ce Phébus-là nous ravigote, tandis que Phébus-Apollo nous assassine.

Mais je te parle toujours comme un Cruchard philosophe et revenu de sa personnalité, à un Cruchard fanatique de littérature et ivre de production. Quand donc pourras-tu te dire : « Voici l'heure du repos.

Savourons l'innocent plaisir de vivre pour vivre, de regarder avec étonnement l'agitation des autres et de ne leur donner de soi que l'excédent de son trop-plein ? » Il fait bon remâcher pour soi-même ce qu'on s'est assimilé dans la vie, parfois sans attention et sans discernement.

Les vieilles amitiés nous soutiennent et tout à coup nous désolent. Je viens de perdre mon pauvre aveugle Duvernet[1] que tu as vu chez nous et qui s'est éteint tout doucement sans s'en douter et sans souffrir. C'est encore un vide énorme autour de nous. Et mon neveu le substitut est nommé à Châteauroux. Sa mère l'a suivi. Nous voilà donc tout seuls de notre famille. Heureusement nous nous aimons tant que nous pouvons vivre comme cela, mais non sans regret des absents. Plauchut nous a quittés hier pour revenir à Noël. Maurice est déjà à l'œuvre pour nous préparer une splendide représentation de marionnettes.

Et toi, si tu es à Paris, ne viendras-tu pas faire le réveillon avec nous ? Tu auras fini tes répétitions, tu auras eu un succès, tu seras peut-être en humeur de revenir à la vie matérielle en mangeant des truffes ?

Donne de tes nouvelles, ne sois plus malade, aime toujours ton vieux troubadour et les siens qui t'aiment aussi.

G. SAND.

À ÉMILE ZOLA

Croisset, mardi soir [10 novembre 1874].

Mon cher Ami,

Vous m'oubliez, car vous m'aviez promis de me donner des nouvelles de vos « Héritiers[2] ».

Comment s'est passée la représentation de dimanche ?

Etc., etc. !

Tout à vous.

À SA NIÈCE CAROLINE

[Croisset,] samedi, 3 heures [14 novembre 1874].

Zola m'a écrit, hier, que je ferais bien de venir tout de suite à Paris, pour surveiller les engagements d'acteurs, avant ma lecture[3]. Il me dit de prendre garde à Mlle Kléber, et de ne [pas] faire comme lui, c'est-à-dire de ne pas me laisser leurrer, berner. De plus, Jules Godefroy[1] m'a écrit ce matin qu'il tenait à ma disposition les notes agricoles que je lui avais demandées. Troisièmement Laporte vient tout à l'heure d'envoyer chercher Julio !

Donc, ma chérie, je m'en irai lundi avec un « des chapeaux[2] » et je dînerai chez toi.

Mon intention était de t'écrire une vraie lettre pour répondre aux choses gentilles que contenait la tienne. Mais à peine avais-je la plume en main que Nion[3] est entré. Sa visite a duré près de 3 heures ! Il en est 6 maintenant. Du reste, elle ne m'a pas ennuyé, car il m'a conté des potins de Rouen assez drôles.

J'attends immédiatement le jeune Philippe[4]. Laporte, dînant demain rue de la Ferme, reviendra pour déjeuner. J'emploierai mon après-midi à faire mes paquets. Jamais je n'ai été moins content de partir. Tantôt, quand j'ai vu Julio[5] s'en aller, j'ai été pris d'un mouvement d'amertume inconcevable. Ce trimbalage régulier de Paris à Croisset et de Croisset à Paris me devient lourd ! Et il faisait aujourd'hui un temps splendide. Je me suis promené pendant une heure sur la terrasse. Les feuilles des boules [de] neige étaient absolument pareilles à des feuilles d'or. Elles se détachaient sur le bleu du ciel avec une violence ‖ tistique.

Adieu, pauvre chat, à bientôt.

Je t'embrasse à deux bras bien tendrement.

Ta vieille ganache d'oncle.

À EDMOND LAPORTE

[Croisset, samedi 14 novembre 1874.]

Très bien !

Vous me trouverez sur le bateau, ou plutôt je vous y trouverai à 6 heures et demie.

Julio qui .... ce matin n'a que le temps de .... Présentement on lui passe une ficelle au cou pour que votre larbin l'emmène.

À demain.

Votre

Je pars lundi. Zola m'a écrit hier que je ferais bien de venir promptement[6].

À RAOUL-DUVAL

[Paris,] mardi soir, 11 heures [17 novembre 1874].

Mon cher Ami,

Voici le moment d'agir. Ma pièce *Le Sexe faible* a dû être déposée à la Censure aujourd'hui et j'aurai la réponse dans une huitaine. Je ne crains que la suppression d'un seul mot, le mot *ministre.* Si on l'enlève, la pièce n'existe plus. Bref, j'ai un ministre qui donne des places par l'influence d'une ancienne amie et un vieux *général* qui finit par épouser sa servante. Ce général peut être changé en amiral ? mais pour le Ministre, aucune correction n'est possible.

Donc, il faudrait que votre honorable cousin voulût bien dire à la Censure de me laisser tranquille[1].

Je ne suis nullement disposé à lutter et tout prêt à abandonner la partie devant le premier obstacle.

Voyez ce que vous pouvez faire.

Je compte sur vous, et en vous remerciant d'avance, je suis
Votre

À PHILIPPE LEPARFAIT

[Paris,] mardi soir, minuit, 17 novembre [1874].

Mon cher Ami,

Le Sexe faible a dû, aujourd'hui, être porté à la censure.

Weinschenk a peur pour le *ministre*, mais si on supprime le mot *ministre*[2], le rôle n'existe plus et la pièce devient incompréhensible. Le général peut être un général suisse (suisse — oh très bien !) mais *ministre* est irréductible… c'est à prendre ou à laisser.

Écris à ton père[3] ce que tu jugeras convenable.

Tu connais la question aussi bien que moi, et il s'agit de tes intérêts plus que des miens.

Si ton père et Beauplan[4] nous soutiennent (et ils peuvent nous soutenir puisque les censeurs ne relèvent que d'eux, et d'un seul quoi qu'on en dise) nous sommes sauvés. Sinon, non.

En désespoir de cause, j'écris (encore une fois) à d'Osmoy !

et je préviens R.-Duval pour qu'il parle à son cousin Chabaud-Latour[1]. Je ne puis faire davantage.

Je sais *pertinemment* que Weinschenk compte sur un grand succès d'argent.

Le Sexe faible est son dernier enjeu et il fera tout ce que je voudrai. Mais si là encore on supprime le ministre, bonsoir !

Je ne cache point que je suis gorgé d'amertume et que je commence à en avoir assez et même à en avoir trop !

Il ne serait peut-être pas mal que tu fasses le voyage de Paris, Dimanche. Ça en vaut la peine. Au reste, c'est ton affaire.

Je prévois que ton père ne va pas te répondre, moyen commode de se tirer des pas difficiles, et que *Le Sexe faible* sera arrêté par la censure ; mais *ils* s'en repentiront.

Je t'embrasse, ton

À SA NIÈCE CAROLINE

[Paris, 17-19 novembre 1874.]

Pas de lecture à Cluny par la raison que *j'ai retiré ma pièce*, les acteurs que j'aurais eus étaient trop pitoyables.

Le Sexe faible, à présent, est entre les mains de Peragallo qui va le porter à Montigny[2]. Je n'ai de ce côté qu'un espoir fort médiocre. En tout cas, mieux vaut n'être pas joué du tout que grotesquement.

Oui, ma chérie, j'irai demain dîner chez toi. D'ici là, je ne bouge, et dès ce soir je me remets à *B. et P.*

Je t'embrasse.

ton VIEUX.

À EDMOND LAPORTE

[Paris, 18 ? novembre 1874.]

Re-merci, mon cher vieux, pour les re-notes[3]. Je crois que j'en avais assez quant aux arbres. Il m'en faudrait quelques-unes pour les fleurs !

Le Sexe faible commence à me donner de l'embêtement : 1° Il me faut composer toute une troupe, c'est-à-dire que mes quatre ou cinq personnages principaux me manquent, rien que ça. De plus, j'ai une venette abominable de la censure. Ma lecture aux artistes aura lieu lundi prochain. J'ai bien fait de m'y prendre huit jours d'avance. Weinschenk[1] a l'idée de prendre pour le rôle de la cocotte Mlle Reynolds du Palais-Royal. La connaissez-vous ?

À bientôt, n'est-ce pas. Je vous embrasse.

Votre

À SA NIÈCE CAROLINE

[Paris,] jeudi soir [19 novembre 1874].

Mon Loulou,

Peux-tu me donner à dîner *samedi* ?

Émile portera chez toi des pantoufles neuves pour que tu leur fasses de belles rosettes.

Quel temps ! Je ne bouge pas de mon humble asile ! où je travaille beaucoup. Et je n'en suis pas plus gai.

Le Moscove ne pouvant aller ce soir à la *Boule*[2] (je ne sais pourquoi), cette petite partie est remise à la semaine prochaine.

VIEUX t'embrasse.

À EDMOND LAPORTE

[Paris, 20 novembre 1874.]

Votre ami de Vouges[3] est bien aimable décidément. Quant à lui écrire, que voulez-vous que je lui dise ? Si vous croyez qu'un billet de votre serviteur lui fera plaisir, dictez-le-moi, je ne sais sur quel ton lui parler. En tout cas, lors de votre prochain voyage à Paris, faites-moi faire sa connaissance.

Quant au *Sexe faible*, mon bon, je l'ai retiré de Cluny. La pièce eût été pitoyablement jouée, cela est sûr, et j'aurais eu un échec phénoménal, sans compter que les artistes de ladite boîte ne sont pas assez riches pour avoir les robes qu'il fallait.

Montigny[4] doit avoir maintenant ma pièce et j'attends sa réponse dans très peu de jours. Sur ce, je vous embrasse.

Votre

Dès que la Chambre sera re-ouverte, j'irai voir Nétien[1] et je re-écrirai au Conseil municipal[2].

Vous savez que nous devons festiner ensemble chez Mme Brainne bientôt, n'est-ce pas ?

À PHILIPPE LEPARFAIT

[Paris,] vendredi soir [20 novembre 1874].

Mon Bon,

J'ai retiré ma pièce (ou plutôt notre pièce[3]) de *Cluny*. Le personnel que m'offrait Weinschenk était impossible ! Je me préparais une chute carabinée. Zola, Daudet, Catulle Mendès[4] et Charpentier, auxquels je l'avais lue[5], étaient désespérés de me voir jouer sur de pareils tréteaux. Je me suis entêté, car je n'aime pas à reculer, mais après avoir vu *Le Mangeur de fer*[6], et Montigny refusant de me donner Lesueur, il a fallu se rendre à l'évidence ! De plus W. et moi n'avions pas pensé que cette pièce exige pour les femmes de grands frais de toilette (5 actes, 5 robes). Or, les actrices de l'établissement n'ont pas le sol. Bref, je m'applaudis de ma décision, et tout le monde m'en félicite.

Mais, comme je ne lâche pas le morceau, *Le Sexe faible* est actuellement au Gymnase. J'attends la réponse de Montigny !

Rien de décidé pour la Féerie[7]. Peragallo pense que, si Tischer[8] obtient la direction du Châtelet, il est homme à la prendre. Donc la Féerie reste dans les nuages.

Le *conseil municipal étant renouvelé*, je me propose de renouveler ma demande. — Et je vais immédiatement écrire à Deschamps pour qu'il me conseille sur ce que j'ai à faire.

La censure n'a pas encore rendu le *manuscrit* du *Sexe faible*. R.-Duval a été charmant dans cette affaire-là. Il m'a écrit trois fois, poste par poste, et m'a même envoyé une lettre de Chabaud-Latour[9]. Quant à M. d'Osmoy, aucune nouvelle, bien entendu !...

Embrasse ta mère pour moi et qu'elle te le rende. Ton vieux (qui ose se dire) solide.

À SA NIÈCE CAROLINE

[Paris, 22 novembre 1874.]

Non, mon loulou, je n'irai pas dîner chez toi demain, parce que je ne sais où j'irai en sortant de ma lecture[1] et que d'ailleurs je serai éreinté, mais si tu passes dans mon quartier, vers 6 heures, informe-toi si je suis rentré. — Et daigne monter mes étages.

Aujourd'hui je me repose. Je n'irai pas à Saint-Gratien[2], voulant ménager mon galoubet pour demain.

Je crois que je me suis engagé dans une sotte affaire. Montigny, que j'ai vu hier, m'a refusé Lesueur. C'est le début !

À bientôt, pauvre chat.

Ton

Dimanche 1 h.

Quel dommage que tu ne sois pas venue hier ! Il y avait un petit dîner, bien gentil ! Frais perdus !

À ÉMILE ZOLA

[Paris, 23 novembre 1874.]

Mon cher Ami,

J'ai retiré ma pièce, W[einschenk] ayant lui-même reconnu qu'il ne pouvait la jouer.

Le Sexe faible est maintenant dans les mains de Peragallo, qui va le porter à Montigny, lequel n'en voudra pas.

N'importe ! Je me sens fortement soulagé.

Tout à vous.

À dimanche, n'est-ce pas ?

À GEORGES CHARPENTIER

[Paris,] lundi soir, 5 heures [23 novembre 1874].

Mon cher Ami,

1° *Renan* va se mettre tout de suite à faire l'article. Je lui ai dit que vous prépariez une édition de *Saint Antoine* et que la chose était pressée. Il doit me donner rendez-vous dans une huitaine pour me lire ce qu'il aura fait. Ce sera sous forme de lettre à moi adressée, et je ferai imprimer cela[1] dans le journal qui me, ou plutôt vous conviendra.

La promesse de Renan m'a l'air formelle.

N. B. Je lui ai parlé de *La Conquête de Plassans*[2] ; vous feriez bien de la lui envoyer, de votre part, dans cinq ou six jours, pour lui rafraîchir la mémoire.

2° *Le Sexe faible* est retiré de Cluny et je l'ai porté chez Peragallo, qui va le porter chez Montigny[3].

Pas n'est besoin de vous dire que je n'ai aucun espoir de ce côté. Cependant, qui sait ?

J'aurai probablement une réponse avant la fin de la semaine.

Tout à vous.

Vendredi, nous recauserons de tout cela.

À SA NIÈCE CAROLINE

[Paris, 25 ? novembre 1874.]

Allons-nous vendredi à la *Boule* enfin ? Voilà assez longtemps que je roule ce projet !

Je n'aurai peut-être pas demain le temps d'aller te voir, avant de dîner chez Mme Husson[4] ?

Donne-moi les instructions pour vendredi. Je suis *perdu* dans les arbres fruitiers[5], et j'en ai un fort mal de tête. À part cela, je vais mieux.

Nous ne nous voyons plus du tout, mon pauvre chat.

Je t'embrasse.

VIEUX.

À IVAN TOURGUENEFF

[Paris, 25 novembre 1874.]

Qu'y a-t-il donc ? Êtes-vous plus malade ? Pourquoi ne vous vois-je point ? Pourquoi n'ai-je pas de vos nouvelles ?

Zola et Daudet veulent réorganiser nos agapes[1]. Mais pour cela, il nous faut notre grand Tourgueneff.

J'ai retiré de Cluny *Le Sexe faible* qui eſt maintenant présenté au Gymnase. J'attends la réponse de Montigny.

Dites-moi donc ce que vous devenez.

Votre

Mercredi 3 h.

À SA NIÈCE CAROLINE

[Paris, 2 décembre 1874.]

Mon Loulou,

Le dîner de Mme Brainne n'aura pas lieu demain jeudi, mais lundi. (Elle me paraît avoir bien du mal à l'organiser.) Donc ne compte pas sur moi lundi. Mais si tu es chez toi, vendredi, de 5 à 7, tu auras ma visite. Ce jour-là, je dîne chez le père Hugo.

Un bon bécot de ton

VIEUX.

Mercredi, 3 heures.

À GEORGES CHARPENTIER

[Paris,] mercredi, 4 heures [2 décembre 1874].

Mon cher Ami,

Renan vient de m'apporter son article. C'eſt une lettre, à moi adressée de Venise. Il y soutient avant tout l'Art pour l'Art. En somme, vous ne serez pas mécontent. Renan ne demande pas mieux que de la faire insérer dans *Les Débats*. Si cela vous convient, il en préviendra lui-même les Messieurs de ladite feuille.

Venez demain chercher la chose. Je ne bougerai pas de toute la journée.

Voilà plusieurs fois que Chennevières[1] me demande une *Salammbô* avec dédicace. Comme il a été très gentil dans l'affaire de la Censure[2] (je vous conterai cela), je ne vois pas de raison pour lui refuser cette faveur. Soyez donc assez gentil pour m'apporter un volume. Vous m'éviterez une course.

Rien de neuf du Gymnase[3]. Aucune nouvelle.

Tout à vous, mon bon. Votre.

À GEORGE SAND

[Paris,] mercredi 2 décembre [1874].

J'ai des remords à votre endroit. Laisser si longtemps sans réponse une lettre pareille à votre dernière est un crime. J'attendais pour vous écrire que j'eusse à vous apprendre quelque chose de certain sur *Le Sexe faible.* Ce qu'il y a de certain, c'est que je l'ai retiré de Cluny, il y a huit jours. Le personnel que Weinschenk me proposait était odieux de bêtise. Et les engagements qu'il m'avait promis, il ne les a pas faits. Mais Dieu merci, je me suis retiré à temps. Actuellement ma pièce est présentée au Gymnase. Point de nouvelles, jusqu'à présent, du sieur Montigny.

Je me donne un mal de cinq cents diables pour mon bouquin, me demandant quelquefois si je ne suis pas fou de l'avoir entrepris. Mais comme Thomas Diafoirus, je me roidis contre les difficultés[4], et j'avance, à pas de tortue, il est vrai. Outre les difficultés d'exécution qui sont effroyables il me faut apprendre un tas de choses que j'ignore. Dans un mois j'espère en avoir fini avec l'agriculture et le jardinage. Et je ne serai qu'aux deux tiers de mon premier chapitre !

À propos de livres, lisez donc *Fromont et Risler* de mon ami Daudet, et *Les Diaboliques* de mon ennemi Barbey d'Aurevilly[5]. C'est à se tordre de rire. Cela tient peut-être à la perversité de mon esprit qui aime les choses malsaines, mais cet ouvrage m'a paru extrêmement amusant. On ne va pas plus loin dans le grotesque involontaire.

Calme plat, d'ailleurs. La France s'enfonce doucement comme

un vaisseau pourri. Et l'espoir du sauvetage, même aux plus solides, paraît chimérique. Il faut être ici, à Paris, pour avoir une idée de l'abaissement universel, de la sottise, du *gâtisme* où nous pataugeons.

Le sentiment de cette agonie me pénètre. Et je suis triste à crever. Quand je ne me torture pas sur ma besogne, je gémis sur moi-même. Voilà le vrai. Dans mes loisirs, je ne fais pas autre chose que de songer à ceux qui sont morts. — Et je vais vous dire un mot bien prétentieux, personne ne me comprend ! J'appartiens à un autre monde. Les gens de mon métier sont si peu de mon métier ?

Il n'y a guère qu'avec V. Hugo que je peux causer de ce qui m'intéresse. Avant-hier, il m'a cité par cœur du Boileau et du Tacite. Cela m'a fait l'effet d'un cadeau, tant la chose est rare. D'ailleurs, les jours où il n'y a pas de politiciens chez lui, c'est un homme adorable.

Quant au Moscove, il est continuellement étendu sur son divan, le pauvre garçon ! il souffre beaucoup. — Et n'est pas, non plus, facétieux.

Il y a un homme que j'envie par-dessus tous les autres. C'est votre fils. Que n'ai-je arrangé ma vie comme la sienne. Ah ! si j'avais ses deux amours de petites filles, quel rafraîchissement ! Mais on n'est pas le maître de sa destinée. La force des choses vous pousse tout doucement sans qu'on s'en doute, et puis, un jour, on se trouve seul dans un trou. — En attendant le trou définitif.

Il me semble que je dois vous ennuyer avec mes éternelles jérémiades ? Je les arrête, en vous embrassant tendrement.

Votre vieux

CRUCHARD.

Je ne pourrai pas aller à Nohant pour les fêtes de Noël. Eh bien, et vous ? ne deviez-vous pas venir à Paris, cet hiver ?

GEORGE SAND À GUSTAVE FLAUBERT

Nohant, 8 décembre [18]74.

Pauvre cher ami,

Je t'aime d'autant plus que tu deviens plus malheureux. Comme tu te tourmentes et comme tu t'affectes de la vie ! car tout ce dont tu te plains, c'est la vie. Elle n'a jamais été meilleure pour personne et dans aucun temps. On la sent plus ou moins, on la comprend plus ou moins, et plus on eſt en avant de l'époque où l'on vit, plus on souffre. Nous passons comme des ombres sur un fond de nuages que le soleil perce à peine et rarement, et nous crions sans cesse après ce soleil qui n'en peut mais. C'eſt à nous de déblayer nos nuages.

Tu aimes trop la littérature, elle te tuera et tu ne tueras pas la bêtise humaine. Pauvre chère bêtise, que je ne hais pas, moi, et que je regarde avec des yeux maternels. Car c'eſt une enfance et toute enfance eſt sacrée. Quelle haine tu lui as vouée, quelle guerre tu lui fais ! Tu as trop de savoir et d'intelligence, mon Cruchard, tu oublies qu'il y a quelque chose au-dessus de l'art, à savoir la sagesse, dont l'art, à son apogée, n'eſt jamais que l'expression. La sagesse comprend tout, le beau, le vrai, le bien, l'enthousiasme par conséquent. Elle nous apprend à voir hors de nous quelque chose de plus élevé que ce qui eſt en nous, et à nous l'assimiler peu à peu par la contemplation et l'admiration.

Mais je ne réussirai pas à te changer. Je ne réussirai même pas à te faire comprendre comment j'envisage et saisis le *bonheur* c'eſt-à-dire l'acceptation de la vie, quelle qu'elle soit ! Il y a une personne qui pourrait te modifier et te sauver, c'eſt le père Hugo, car il a un côté par lequel il eſt grand philosophe, tout en étant le grand artiſte qu'il te faut et que je ne suis pas. Il faut le voir souvent. Je crois qu'il te calmera. Moi je n'ai plus assez d'orage en moi pour que tu me comprennes. Lui, je crois qu'il a gardé son foudre et qu'il a tout de même acquis la douceur et la mansuétude de la vieillesse.

Vois-le, vois-le souvent et conte-lui tes peines qui sont grosses, je le vois bien, et qui tournent trop au *spleen*. Tu penses trop aux morts, tu les crois trop arrivés au repos. Ils n'en ont point. Ils sont comme nous, ils cherchent. Ils travaillent à chercher.

Tout mon monde va bien et t'embrasse. Moi, je ne guéris pas, mais j'espère, guérie ou non, marcher encore pour élever mes petites-filles, et pour t'aimer, tant qu'il me reſtera un souffle.

G. SAND.

À LÉONIE BRAINNE

[Paris, 14 décembre 1874.]

Nos deux lettres se croisent, symbolisme !

Oui, je vous attends mercredi à 11 heures et demie.

Votre Excessif,

S'embête excessivement. Il travaille trop et sa vie eſt mal arrangée. Il a eu samedi cinquante-trois ans, c'eſt une consolation et je vous embrasse très fort.

G.

Lundi soir 7 heures.

À GEORGES CHARPENTIER

[Paris,] jeudi soir [1re quinzaine de décembre 1874].

Cher Ami,

Voilà *deux fois* que Renan me demande pourquoi vous n'êtes pas venu lui apporter son article[1]. Après lui avoir témoigné beaucoup d'impatience pour qu'il nous en fasse un, nous semblons maintenant n'en plus vouloir, puisque nous n'en usons pas.

Je serais désolé de le contrarier, même légèrement.

Allez donc chez lui, et faites paraître la chose ; ou donnez-lui une raison quelconque pour excuser ce retard.

Je reste sur ma table à travailler comme plusieurs bœufs.

Mes tendresses à vos deux amours et à leur mère, s. v. p. — et tout à vous.

À GEORGES CHARPENTIER

[Paris, 1re quinzaine de décembre 1874.]

Mon cher Ami,

J'ai vu hier Renan, auquel j'ai parlé de notre idée[2] relativement à la fin de sa lettre.

Il m'a dit qu'il ne vous avait pas encore vu, ce qui m'a étonné. Je croyais la chose faite. Pourquoi ne l'est-elle pas ? Problème.

Demain, je me présenterai chez vous avant cinq heures.

Votre.

Jeudi.

Aucune nouvelle du Gymnase[3]. Autre problème.

À ÉMILE ZOLA

[Paris, 17 décembre 1874.]

Mon cher ami,

Tourgueneff, de Goncourt et Daudet seront dimanche chez moi dans l'après-midi pour s'entendre avec vous sur le jour prochain de notre festival[1].

Donc je vous convoque, et suis

Vôtre

Jeudi. Rien du *Gymnase* ! Problème !

À GEORGES CHARPENTIER

[Paris,] vendredi matin [18 décembre 1874].

Mon cher Georges,

1° Délivrez-moi de l'imbécile dont je vous envoie les autographes ci-joints. Est-il beau, avec « Mme Francheterre, sa parente » ?

2° Nous comptons, Mme Pasca[2] et moi, aller déjeuner chez vous, non pas lundi, mais jeudi. Le moment de mon départ approche et je n'ai guère de libre que cette matinée-là.

3° Moi aussi j'ai eu des embêtements cet hiver. De plus *B. et P.*[3] me conduisent tout doucement, ou plutôt durement, vers le séjour des ombres. J'en crèverai ! Néanmoins depuis quelques jours il y a du revif. Ah ! si j'avais fait les trois chapitres qui sont à venir !

4° Quant à Renan, je ne me souviens plus de ce qui vous[4] contrariait dans la fin de son article. Mais, selon vous, c'était à refaire. Allez donc chez lui et entendez-vous tous les deux. Faites qu'il se dépêche. Quand à moi, vous comprenez que je ne puis insister derechef.

Je compte partir de Paris à la fin de la semaine prochaine, probablement dimanche.

Si jeudi ne convenait pas à Mme Charpentier, voulez-vous vendredi ou samedi ? Réponse s. v. p.

Votre.

À JULES TROUBAT

[Paris, 18 décembre 1874.]

Mon cher ami,

J'ai un *renseignement important et urgent* à vous demander[1].

Comme je ne peux me présenter à votre boutique, voulez-vous venir dimanche (après-demain) déjeuner chez moi ? Vous me rendrez service. Qui ne dit mot consent.

Tout à vous

Vendredi soir.

À GEORGES CHARPENTIER

[Paris, décembre 1874, après le 25.]

Connaissez-vous un raseur plus embêtant que cet animal-là ! J'ai reçu de lui une lettre de trois pages, pour se plaindre de ce que son ami n'avait pas trouvé son volume chez « sa parente, Mme Francheterre ».

Je n'ai pas pu aller aux Alsaciens[2]. J'ai eu peur de la neige. Mais je prie Mme Charpentier de m'inscrire pour 20 francs.

Et Renan ? C'est-à-dire : et l'article ?

Tout à vous, cher ami.

À JEANNE DE LOYNES

Croisset, 28 [décembre 1874 ?].

« […] Je vous souhaite la *Bonne Année*, tout bêtement comme un bourgeois. » Il se plaint « qu'on oublie son vieil ami ». Il est dans le travail « jusque par-dessus la tête. […] et » vu la solennité du Jour de l'An « je baise toutes les places de votre jolie personne que vous abandonnez à mon amitié peu respectueuse… Car vous n'êtes pas encore respectable, ma belle amie, mais toujours enviable et désirée. […] »

À LÉONIE BRAINNE

[Croisset,] mercredi, 5 heures [30 décembre 1874].

Votre lettre de ce matin m'a bouleversé, ma chère amie ! J'ai peur de vous irriter en vous disant qu'il y a peut-être de l'exagération dans vos inquiétudes ? Je voudrais être auprès de vous pour vous remonter un peu[1]. Comme vous devez souffrir, vous ronger, vous embêter, seule dans cet hôtel avec vos tristes pensées ! Un joli Jour de l'An, n'est-ce pas ? Mais rappelez-vous que vous avez déjà passé par des affres semblables suivies de bons moments. Êtes-vous bien sûre que le climat de Nice soit aussi bon qu'on le prétend ? pourquoi pas l'Algérie ? Ce qui a sauvé l'oncle pourrait bien sauver le neveu ?

Je ne sais que vous écrire. Depuis ce matin vous me hantez. Je vous embrasse. Voilà tout.

Il fait ici un froid horrible, atroce. Il a re-gelé par-dessus la neige, et le vent vous coupe en quatre. On n'a pour toute consolation que la Préface faite par Alex. Dumas à *Manon Lescaut* avec portrait de l'auteur. — Pas le portrait de l'abbé Prévost, non ! mais le portrait de Dumas ! *cela est le comble.* — Et on continue à parler d'Halanzier et de l'opéra[2] ! où fuir ?

Votre Excessif ne va pas bien. J'ai supprimé le café, espérant par là me rendre un peu moins nerveux. — De sorte que je passe mon temps à rêver des demi-tasses.

Notre ami R. Deslandes[3] vient d'être nommé directeur du Vaudeville. À propos de Vaudeville, il paraît que le sieur Fontaine[4] a peur de vous ? pour avoir été rembarré de la belle façon par votre joli bec ?

J'écris à Henri, et j'insère dans ma lettre, selon votre désir, un billet de 20 francs.

Donnez-moi de vos nouvelles. Ayez donc de l'espoir. Conservez tout votre courage et croyez bien à l'affection de votre vieux

POLYCARPE.

À HENRI BRAINNE

[Croisset,] 30 décembre [1874], 7 h[eures].

Mon cher Ami,

Tu es bien aimable d'avoir pensé à moi et de me tenir au courant de tes travaux littéraires.

Toutes les fois que tu voudras m'envoyer de semblables épîtres, elles seront les bienvenues. Tu as raison de vouloir connaître les choses avant de les décrire. Cette probité est l'indice d'un bon esprit. La tricherie dans l'Art, comme dans le monde, n'amène que de piètres résultats.

Pour être fort, il faut être honnête. Contemple tout ce qui peut te servir. Lis beaucoup, lis le plus possible. Enthousiasme-toi pour les grands, moque-toi des petits et va de l'avant.

Pense à ta santé. Fais tout ce qu'il faut pour devenir un gaillard robuste. Les lettres exigent un tempérament de forgeron. N'oublie pas ce prétexte *(sic,* pour *précepte)*, mon bonhomme, et embrasse-moi.

Ton vieil ami.

À HIPPOLYTE TAINE

Lundi matin [1875].

Mon cher Taine,

Avez-vous pensé à parler de mon ami Georges Pouchet à M. Bertin[1] ? Vous seriez bien aimable de vous en occuper cette semaine afin de me donner une réponse nette dimanche prochain.

À vous, *ex imo.*

À HIPPOLYTE TAINE

Vendredi [1875].

Mon cher Ami,

N. B. J'ai peur que dans l'ahurissement du départ vous n'oubliiez de recommander G. Pouchet à votre ami *Bertin.*

C'est de lui seul, maintenant, que dépend cette nomination à l'École normale pour la place de professeur d'histoire naturelle[1].

Bonne santé et bonne pioche.

Tout à vous.

À SA NIÈCE CAROLINE

Croisset, dimanche, 2 heures [3 janvier 1875].

Je n'ai pas encore reçu ta lettre de mercredi ! Le télégramme d'Ernest, parti de Paris hier à 3 heures et arrivé à Rouen à 6, ne m'est parvenu qu'à 10 !

L'absence de toute nouvelle m'a bien tourmenté pendant trois jours. Quand on a, comme ton vieil oncle, une sensibilité exaspérée et une imagination déplorable, on va loin dans les hypothèses funèbres. Espérons que demain matin j'aurai de toi une autre lettre !

Il n'y a plus qu'une distribution par jour. Et le Furet ne marchant pas, la levée de la boîte se fait de midi à 4 heures, *ad libitum.*

Je n'ai rien à t'apprendre, bien entendu, vivant toujours dans une *austère* [solitude]. Hier pourtant j'ai eu une visite : celle de Mme Brainne. Elle m'avait écrit mercredi dernier pour me souhaiter la bonne année, et je n'ai pas encore reçu sa lettre ! Jolie administration !

Dans huit ou dix jours je ne serai pas loin d'avoir fini mon chapitre[2] !

Adieu, pauvre chat. Je t'embrasse bien tendrement.

VIEUX.

À LÉONIE BRAINNE

[Paris, 4 janvier 1875.]

Chère Belle,

J'ai reçu de votre môme une lettre inqualifiable de beauté ! Je la garde comme *morceau*[1] !

J'aurais été vous la montrer sans l'horreur des frimas. — Et puis, à quelle heure vous rencontrer ? Vous sortez dès 3 heures et n'êtes jamais chez vous, vers six, qui eſt l'heure honnête.

Pourquoi ne venez-vous pas me faire de visites, puisque votre vie se passe en courses ?

Jeudi vers 6 heures (le jeudi n'eſt-il pas votre jour ?) je me présenterai chez vous.

D'ici là, un large baiser où il vous plaira de le mettre.

POLYCARPE.

Lundi 1 heure.

À GEORGE SAND

[Paris,] mercredi 13 [janvier 1875].

Me pardonnez-vous mon long retard, chère Maître ? Mais il me semble que je dois vous ennuyer avec mes éternelles jérémiades ? Je rabâche comme un sheik ! je deviens trop bête ! j'assomme tout le monde. Bref, votre Cruchard eſt devenu un intolérable coco, à force d'être intolérant. — Et comme je n'y peux rien du tout, je dois par considération pour les autres, leur épargner les expansions de ma bile.

Depuis six mois principalement, je ne sais pas ce que j'ai. Mais je me sens profondément malade, sans pouvoir rien préciser de plus. — Et je connais beaucoup de gens qui sont dans le même état. Pourquoi ? nous souffrons peut-être du Mal de la France. Ici à Paris où bat son cœur, on le sent mieux qu'aux extrémités, en province.

Je vous assure qu'il y a maintenant chez tout le monde quelque chose de trouble et d'incompréhensible. Notre ami Renan eſt un des plus désespérés. Et le prince Napoléon pense exactement comme lui. Ceux-là ont les nerfs solides, voilà tout. — Mais moi, je suis atteint d'une hypocondrie bien caractérisée. Il faudrait se résigner. Et je ne me résigne pas.

Je travaille le plus que je puis, afin de ne pas songer à moi. Mais comme j'ai entrepris un livre absurde par ses difficultés d'exécution, le sentiment de mon impuissance ajoute à mon chagrin.

La seule chose qui m'a soutenu dans ces derniers temps c'est ma colère contre *Halanzier* et contre la *scie* de l'Opéra[1]. Notez que je n'ai jamais vu ledit sieur. N'importe ! L'importance donnée à ce monsieur qui pendant un mois a été le plus grand personnage de l'Europe, m'exaspère. Du reste, l'inauguration de l'Opéra a été quelque chose de sinistre. *Reyer* m'a dit qu'il avait cru voir une seconde entrée des Prussiens à Paris. — Ah ! ça va bien !

Le bon Moscove est toujours souffrant. — Et Mme Plessy[2] se plaint de ce que vous [ne] venez jamais à Paris ! Moi aussi je m'en plains.

Ne me dites plus que « la Bêtise est sacrée comme toutes les enfances ». Car la Bêtise ne contient aucun germe. Et laissez-moi croire que les Morts ne « cherchent » plus et qu'ils se reposent. On est assez tourmenté sur la terre pour qu'on soit tranquille quand on est dessous.

Ah ! que je vous envie ! que je voudrais avoir votre Sérénité ! Sans compter le reste ! et vos deux chères petites que j'embrasse tendrement, ainsi que vous.

Votre vieille bedolle

S[AIN]T POLYCARPE.

À EDMOND DE GONCOURT

[Paris] jeudi matin [14 janvier 1875].

Mon bon,

Je sais que vous allez mieux, puisque ce matin vous déjeuniez chez la Princesse.

Nos associés me demandent si vous pourrez lundi prochain être du banquet[3]. Sinon, on le remettrait à l'autre lundi. Ce qui serait peut être plus prudent pour vous, à cause du retour nocturne.

Un mot de réponse avant dimanche, n'est-ce pas ?

Tout à vous.

GEORGE SAND À GUSTAVE FLAUBERT

Nohant, 16 janvier [18]75.

Moi aussi, cher Cruchard, je t'embrasse au commencement de l'année et te la souhaite tolérable, puisque tu ne veux plus entendre parler du mythe bonheur. Tu admires ma sérénité, elle ne vient pas de mon fonds, mais de la nécessité où je suis de ne plus penser qu'aux autres. Il n'est que temps, la vieillesse marche et la mort me pousse par les épaules. Je suis encore, sinon nécessaire, du moins extrêmement utile aux miens, et j'irai tant que j'aurai un souffle, pensant, parlant, travaillant pour eux. Le devoir est le maître des maîtres. C'est le vrai *Zeus* des temps modernes, fils du Temps et devenu son maître. Il est celui qui vit et agit en dehors de toutes les agitations du monde. Il ne raisonne pas, il ne discute pas. Il examine sans effroi, il marche sans regarder derrière lui. Cronos le stupide avalait des pierres. Zeus les brise avec la foudre, et la foudre, c'est la volonté. Je ne suis donc pas un philosophe. Mais un serviteur de Zeus qui ôte la moitié de leur âme aux esclaves, mais qui la laisse entière aux braves. Je n'ai plus le loisir de penser à moi, de rêver aux choses décourageantes, de désespérer de l'espèce humaine, de regarder mes douleurs et mes joies passées, et d'appeler la mort. Parbleu ! si on était égoïste, on la verrait venir avec joie. C'est si commode de dormir dans le néant, ou de s'éveiller à une vie meilleure ! car elle ouvre ces deux hypothèses ou pour mieux dire cette antithèse.

Mais pour qui doit travailler encore, elle ne doit pas être appelée avant l'heure où l'épuisement ouvrira les portes de la liberté. Il t'a manqué d'avoir des enfants. C'est la punition de ceux qui veulent être trop indépendants ; mais cette souffrance est encore une gloire pour ceux qui se vouent à Apollon. Ne te plains donc pas d'avoir à piocher et peins-nous ton martyre, il y a un beau livre à faire là-dessus.

Renan désespère, dis-tu. Moi je ne crois pas cela. Je crois qu'il souffre, comme tous ceux qui voient haut et loin, mais il doit avoir des forces en proportion de sa vue. Napoléon V partage ses idées. Il fait bien s'il les partage toutes. Il m'a écrit une très sage et bonne lettre[1]. Il voit maintenant le salut relatif dans une république sage, et moi je la crois encore possible. Elle sera très bourgeoise et peu idéale. Mais il faut bien commencer par le commencement. Nous autres artistes nous n'avons point de patience. Nous voulons tout de suite l'abbaye de Thélème. Mais avant de dire : « Fais ce que veux », il faudra passer par « Fais ce que peux ».

Je t'aime et je t'embrasse de tout mon cœur, mon cher Polycarpe. Mes enfants grands et petits se joignent à moi. Pas de faiblesse, allons ! Nous devons tous l'exemple à nos amis, à nos proches, à nos concitoyens. Et moi, crois-tu donc que je n'ai pas besoin d'aide et de soutien dans ma longue tâche qui n'est pas finie ? N'aimes-tu plus personne, pas même ton vieux troubadour, qui toujours chante et pleure souvent, mais qui s'en cache comme font les chats pour mourir ?

À EDMOND DE GONCOURT

[Paris, 17 janvier 1875.]

Mon bon,

Daudet m'a écrit qu'il avait la grippe et ne pourrait se rendre demain à notre agape.

Zola et moi, nous pensons qu'il faut remettre la chose à l'autre lundi. Tourgueneff est prévenu.

Pourquoi ne vous a-t-on pas vu aujourd'hui[1] ?

Tout à vous

Dimanche, 6 heures.

À LÉONIE BRAINNE

[Paris,] mercredi [20 janvier 1875].

Pauvre chère Belle,

Que n'étais-je là-bas, quand vous avez été malade ! Comme je vous aurais soignée ! et vous auriez vu quel joli infirmier je suis. — Comment n'êtes-vous pas morte de désespoir dans cette chambre d'hôtel ! Répondez-moi tout de suite pour me dire que c'est fini. Reposez-vous à Toulon et puis revenez pour qu'on vous embrasse très fort.

Vous devez avoir, pourtant, le cœur desserré puisque votre fils s'en est tiré encore une fois. J'ai reçu ce matin une lettre de lui, fort aimable, mais qui n'atteint pas aux proportions gigantesques de la précédente.

Raymond Deslandes (le nouveau directeur du Vaudeville) a été chez vous pour vous parler de Mme Pasca et vous prier de lui faire entendre raison. Il paraît qu'elle a des exigences terribles ! Raymond la trouve grisée par ses succès pétersbourgeois. — À propos de théâtre, vous êtes bien heureuse de ne pas subir la *scie* de l'Opéra ! dont l'inauguration a été quelque chose de lamentable ! pendant quinze jours Halanzier[1] a été le plus grand personnage de l'Europe. Il me gêne. Et je demande nettement à ce qu'il soit guillotiné. Je ne plaisante pas du tout. Ce monsieur symbolise pour moi la peste moderne, à savoir *le Commun* dont les races latines sont maintenant dévorées jusqu'à la moelle.

Halanzier, la Préface de Dumas[2], et Villemessant[3], sacré nom de dieu ! c'est trop !

Vous avez raison, votre comparaison est juste : je suis constamment sur le point d'éclater, et je crois même qu'il y a de fortes fêlures à la machine ? Tout cela ne dénote pas un grand esprit ! mais qu'y faire ?

Donc je vous bécote fiévreusement pour me calmer,

Et suis votre

G.

À ÉMILE ZOLA

[Paris, 20 janvier 1875.]

Je ne crois pas que ce soit bien grave, mais c'est fort embêtant ! Cent pulsations la minute, quintes de toux fréquentes, mal de tête et abrutissement, avec une grande consommation de mouchoirs de poche. Voilà l'inventaire.

Nos pauvres dîners n'ont pas de chance[4].

Je compte vous voir dimanche. D'ici-là, tout à vous, cher vieux.

Vôtre

Mercredi, 1 heure.

À IVAN TOURGUENEFF

[Paris, janvier 1875 ?]

Mon cher ami,

Cet été Mme Viardot[5] et toute sa famille m'ont exprimé leur amour pour le cidre.

Donc, je me permets de leur en offrir une barrique qui vient de Croisset.

Émile[1], qui accompagne ladite liqueur, vous dira ce que vous devez en faire.

Comment allez-vous ? Moi ça ne va pas : je me sens malade, sans pouvoir accuser aucun organe, et je suis d'une tristesse à crever.

Je vous embrasse.

À ALPHONSE DAUDET

Mardi, 2 heures [9 février 1875].

Comment ! Votre père[2] ! Mon pauvre ami, j'ai passé par là. C'est dur, et je vous plains.

Le billet de faire-part m'arrive à l'instant. Voilà pourquoi vous ne m'avez pas vu à vos côtés.

Je suis très souffrant. Dès que je pourrai sortir j'irai chez vous.

Je vous embrasse très tendrement.

GEORGE SAND À GUSTAVE FLAUBERT

[Nohant,] 20 février [1875].

Te voilà donc tout malade cher vieux ? Je n'en suis pas inquiète puisqu'il ne s'agit que de nerfs et de rhumatismes et que j'ai vécu 70 ans avec toute cette frapouille sur le corps, et que je suis encore valide. Mais je suis triste de te savoir ennuyé, souffrant et l'esprit tourné au noir comme on l'a nécessairement quand on est malade. Je savais bien qu'un moment viendrait où on te prescrirait de marcher. Tout ton mal vient de l'absence d'exercice. Un homme de ta force et de ta complexion aurait dû vivre dans la gymnastique. Ne rechigne donc pas sur l'ordonnance très sage qui te condamne à une heure de promenade chaque jour. Tu t'imagines que le travail de l'esprit n'est que dans le cerveau, tu te trompes joliment. Il est aussi dans les jambes. Dis-moi que 15 jours de ce régime t'ont guéri. Ça va arriver j'en suis sûre.

Je t'aime et je t'embrasse en compagnie de ma nichée.

Ton vieux

Troubadour.

À JULES TROUBAT

[Paris, 22 février 1875.]

Mon cher ami,

Quel jour voulez-vous venir déjeuner chez moi, pour que nous causions de votre affaire ?

Si vous ne pouvez venir le matin, voulez-vous venir le soir ? À quelle heure sortez-vous de votre boutique ?

Tout à vous

Lundi soir.

À EDMOND LAPORTE

[Paris, 24 ? février 1875.]

Merci pour le bouquin, cher ami : je crois qu'il faudra arrêter *B. et P.* à la cristallographie et à la théorie des équivalents ? Reste à trouver une transition naturelle pour les amener à la médecine.

Je n'ai pas vu le jeune Guy[1] dimanche. Il était à Bezons[2] avec *deux* canotières ! qu'il se proposait de godiller fortement. — Ainsi je ne sais rien de sa Priapée[3].

Mon premier chapitre est terminé, et je n'en suis pas mécontent. Je prépare les quatre suivants et surtout le second[4].

À bientôt. Votre

Mercredi soir.

À EDMA ROGER DES GENETTES

[Paris, 25 février 1875.]

Si vous ne me voyez pas, c'est que j'ai une grippe *abominable*. Quand finira-t-elle, je n'en sais rien. Mais comme il m'ennuie de vous, donnez-moi de vos nouvelles.

Voilà juste quinze jours que je n'ai mis le pied dehors.

Que ne suis-je aux vôtres !

GVE.

Jeudi soir.

À LÉONIE BRAINNE

[Paris,] jeudi soir, minuit [25 février 1875].

Eh bien, votre Excessif a été excessivement malade de la grippe. Voilà plus de quinze jours que je n'ai mis les pieds dehors, et ma prostration physique et morale était telle que je n'avais pas la force de vous écrire. Telle est la pure vérité, ma chère belle.

J'ai passé des *nuits entières* à tousser sans relâche. Aujourd'hui seulement, ça va un peu mieux. Cette abominable toux m'ébranle la cervelle et les entrailles. Bref, vous ne pouvez pas imaginer un homme plus embêté, et plus las de sa propre (ou malpropre) personne. Dans tout cela, et c'est le pire, il m'est impossible de travailler, de sorte que je reste au coin de mon feu, solitairement, à gémir et à broyer un noir, près duquel l'ébène est couleur de rose.

Votre lettre m'apporte quelque chose de bon, puisque vous me dites qu'Henri[1] va mieux et vous tout à fait bien. L'hiver n'a pas été gai, n'est-ce pas ? espérons que l'été sera plus jovial ! Mais je me répète comme vous « à quoi bon vivre » et l'existence commence à me peser rudement. Un signe de ma décrépitude, c'est que je me retourne sans cesse vers le passé. Les souvenirs d'enfance me submergent. Et je m'en abreuve avec une joie amère.

L'établissement de la République (car nous y sommes, jusqu'à une nouvelle bêtise qui détruira celle-là), l'établissement de la République, *dis-je*, ne suffit pas à mon bonheur. Pourtant, on parle un peu moins d'Halanzier[2], c'est un soulagement.

Notre ami Deslandes ne veut pas jouer *Le Sexe faible* tel qu'il est. Il m'a demandé de si grands changements qu'il faudrait refaire toute la pièce ! Elle va donc redormir indéfiniment dans mon tiroir. Tout ce qu'il blâme est *justement* ce qui avait enthousiasmé Carvalho. Travaillez donc d'après les idées de pareils polichinelles !!!

Mon petit ami Guy, dont vous me parlez, continue à canoter avec des canotières. La vue de cette vraie jeunesse me fait du bien, tous les dimanches. — Le troubadour nommé Laporte gîte toujours à Grand-Couronne. Je pense le voir dans quelques jours. Car voilà un mois qu'il n'est venu se rafraîchir dans la Capitale.

On y a (dans la Capitale) rencontré votre sœur[1] et son légitime. Pourquoi *jamais* ne viennent-ils me voir, lorsqu'ils y sont ?

Et nous deux ? Combien de temps serons-nous encore loin l'un de l'autre ? ce n'est donc pas à la fin de ce mois que vous reviendrez, puisque vous me dites « peut-être ».

Je vous embrasse à deux bras, très fortement.

Votre GVE.

Une réflexion doit diminuer vos inquiétudes, quant à votre cher enfant. *Il gagne du temps.* Bientôt il sera tout à fait un homme, et le danger sera peut-être passé.

Comme j'ai songé à vous, depuis bientôt deux mois. — Car, moi, je connais votre cœur.

Et la belle Alice[2], quand revient-elle sur nos bords ?

À EDMOND LAPORTE

[Paris,] jeudi [4 mars ? 1875].

Quand nous reverrons-nous, mon cher vieux ?

J'ai eu une grippe abominable et je ne suis pas guéri. D'ailleurs ça ne va pas ! ça ne va pas !

À bientôt, j'espère.

Votre

À EDMOND LAPORTE

[Paris,] samedi, 4 heures et demie [6 ? mars 1875].

Très bien, je me consolerai de l'absence de mon Bardache par l'idée que cette absence lui est utile.

Piochez ferme les Plans, nom de Dieu ! Je vous rendrai la lettre de Devouges qui est un bel autographe[3].

Popelin[4] viendra me voir mardi et il restera, au plus, 24 heures. Je doute même qu'il couche ici ?

Écrivez-moi dès que vous aurez du neuf. Donc, mon bon, à mercredi ou à *jeudi* au plus tard.

Votre

G.

Si vous avez un moment à Rouen, allez donc chez Brière[1] pour son adhésion à [la] « délibération du 24 février[2] ».

À LÉONIE BRAINNE

[Paris,] lundi 8 mars [1875].

Où êtes-vous ? On me dit qu'Henry est plus mal. Je meurs de vos inquiétudes, pauvre chère amie.

Moi je vais mieux physiquement, mais le moral laisse bien à désirer.

Quand nous reverrons-nous ?

Je vous embrasse avec toutes mes tendresses.

GVE.

À JULES TROUBAT

[Paris,] lundi soir [8 mars 1875].

Mon cher Troubat,

La Compagnie transatlantique est une compagnie en désarroi. Tous les jours on supprime des places. On en a refusé une dernièrement à Paul de Cassagnac. Bref, L. Tanval[3] (?) m'a affirmé qu'il ne pouvait absolument rien pour moi, ou plutôt pour vous. Il a ajouté : « Je sais que c'est un homme honorable. » Voilà le résultat de ma visite.

J'en suis sorti *marri*, et j'ai pensé à autre chose. C'est-à-dire à un autre poste. J'ai donc été chez Mme de Tourbey et je l'ai priée de vous recommander dans son monde d'hommes d'affaires, à Girardin, Gentil[4] (?), etc. Ai-je bien fait ? Se donnera-t-elle en tous cas ? *[sic[5]]*. Venez me voir un de ces matins.

Et tout à vous

À EDMA ROGER DES GENETTES

[Paris, 12 mars 1875.]

Le jour de votre départ eſt-il fixé ? dites-le-moi, afin que je sache si je pourrai vous lire mes 40 pages[1] ! Ma voix n'eſt pas revenue et d'ailleurs je suis *malade.* J'ai bel et bien une névrose, accompagnée de rhumatismes. Hier, je me suis fait examiner par *deux* médecins, et je vais prendre du bromure de potassium. C'eſt le commencement !

Depuis que nous nous sommes vus, je n'ai pris l'air que deux fois ; la première, je suis rentré pire qu'auparavant. — Et hier j'étais trop rompu pour aller chez vous.

Il n'eſt pas facile d'être philosophe.

Je vous baise les deux mains tendrement.

GVE.

Et l'Académie[2] ! Ah non ! c'eſt trop.

Vendredi soir.

À SA NIÈCE CAROLINE

[Paris, vers le 15 mars 1875.]

Pauvre Chat !

Tu es dans les *Affres de l'Art* !

Eh bien, voici ce que pense de toi ton professeur Bonnat :

« Elle a du talent,

« Elle sait peindre,

« Oui, elle a du talent, c'eſt drôle ! »

Paroles dites à M. Anatole Delaforge[3] ; qui me les a répétées.

Ah !

De plus, demande à Mme Brainne ce que Bonnat lui a dit de toi.

Enfin, pauvre loulou, il faut imiter Vieux et aller quand même.

Tu ne m'as pas dit ce qu'il en était de l'Opéra pour Frankline[1].

Je suis toujours très laid.

Ton Vieux

Oui ! *lundi* à dîner.

À MONSIEUR X***

Croisset, près Rouen, 17 mars 1875.

Il m'eſt impossible, Monsieur, de vous accorder la permission que vous demandez, parce que j'ai, plusieurs fois déjà, refusé de laisser mettre *Madame Bovary* sur la scène. Je crois, d'ailleurs, l'idée malencontreuse. *Madame Bovary* n'eſt pas un sujet théâtral.

Agréez, je vous prie, toutes mes excuses et recevez une cordiale poignée de main de

Votre tout dévoué.

À IVAN TOURGUENEFF

[Paris,] jeudi [18 mars 1875 ?].

Je croyais que j'allais avoir de *vraies* nouvelles de mon vieux Tourgueneff, c'eſt-à-dire une gigantesque épître, en compensation de son silence prolongé depuis bientôt six mois. Mais non ! il m'oublie, ce n'eſt pas gentil.

Moi, je n'ai rien à lui dire. Ma vie eſt de moins en moins gaie. Elle eſt même abominablement triſte, et je travaille comme trente-six millions de nègres.

Nonobſtant, j'embrasse ledit vieux avec tendresse.

Son

À IVAN TOURGUENEFF

[Paris,] lundi soir [22 mars 1875 ?].

Mon cher ami,

Je crois que demain je dîne chez Mme Commanville. Venez donc m'y prendre à 9 heures pour aller chez le père Hugo[1]. Répondez-moi pour que je sache si je dois vous attendre. Non ! ce n'eſt pas la peine. Je vous attendrai jusqu'à 9 heures et demie.

Votre

À SA NIÈCE CAROLINE

[Paris, 24 mars 1875.]

Mon Loulou,

Le bon Moscove, à qui j'ai dit que je t'avais prêté son Goethe, s'offre à t'aider dans la traduction de *Prométhée*[2], car il paraît que c'eſt difficile. — Arrange-toi avec lui. Il eſt à ta disposition.

2° J'ai rencontré Bonnat[3], et je ne lui ai pas parlé de toi. Mais c'eſt lui qui m'en a parlé *le premier* :

« Dites-donc ! mais vous avez une nièce qui a du talent, vous ! »

Je te rapporterai la suite du dialogue, dont la fin a été celle-ci : « Quand je commence à ne plus pouvoir dormir, c'eſt alors que je commence à bien travailler. » Bref, il m'a parlé de toi avec *de grands éloges*…

Je n'ai soufflé mot de Mme Trelat[4], ni lui non plus.

Le pauvre « Tout-Paris[5] » eſt en train de mourir. J'envoie Émile chercher de ses nouvelles.

Ma tache au front pâlit. — Mais le moral eſt toujours très bas (je n'en parle plus, par égard pour les autres. Voilà tout) ; cet hiver *m'a cassé les reins*. J'ai *deux* idées permanentes, *deux* incertitudes qui me rongent[6].

Demain, je retournerai chez M. Siredey, vendredi à 1 heure, j'aurai la visite du Moscove, et samedi George Pouchet viendra dîner chez moi. J'ai à l'interroger sur la médecine.

Quand verrai-je ma Caro ? En tout cas, à lundi, un festival chez

VIEUX.

Frankline[1] en sera-t-elle ?

À LINA SAND [2]

[Paris,] jeudi soir [25 mars 1875].

Chère Madame,

J'ai envoyé ce matin un télégramme à Maurice pour avoir des nouvelles de Madame Sand. On m'a dit hier qu'elle était très malade. Pourquoi Maurice ne m'a-t-il pas répondu ?

J'ai été ce matin chez Plauchut[3], afin d'avoir des détails. Il est à la campagne, au Mans, de sorte que je reste dans une incertitude cruelle.

Soyez assez bonne pour me répondre immédiatement et me croire, chère Madame, votre très affectionné.

4, rue Murillo, parc Monceau.

GEORGE SAND À GUSTAVE FLAUBERT

[Nohant,] 25 mars [18]75.

Ne t'inquiète pas de moi, mon Polycarpe. Je n'ai rien de grave. Un peu de grippe et ce bras droit qui ne marche guère mais dont l'électricité viendra à bout. On pense que c'est un effort. Je me tourmente de toi davantage, bien que tu sois dix fois fort comme moi, mais tu as le moral affecté tandis que le mien prend son parti de tout, lâchement si tu veux, mais c'est peut-être une philosophie, de savoir être lâche plutôt que fâché. Écris-moi donc, dis-moi que tu sors, que tu marches, que tu vas mieux.

J'ai fini de revoir les épreuves de *flamarande*. C'est le plus ennuyeux de la besogne. Je t'enverrai le livre en volumes[4]. Je sais que tu n'aimes pas à lire par petits morceaux.

Je suis un peu fatiguée, pourtant j'ai envie de recommencer autre chose. Tant qu'il ne fait pas chaud pour sortir, je m'ennuie de n'avoir pas quelque chose en train.

Dans le nid, tout va bien sauf quelques rhumes. Le printemps eſt si grinchu cette année ! Enfin le pâle soleil redeviendra le cher Phébus-Apollo à la brillante crinière et tout ira bien.

Aurore devient si grande qu'on s'étonne de l'entendre rire et jouer comme un enfant. Toujours bonne et tendre, l'autre drôlette et facétieuse toujours.

Parle-nous de toi, et aime-nous toujours comme nous t'aimons.

Ton vieux

troubadour.

À GEORGE SAND

[Paris,] 27 [mars 1875].
Samedi soir.

Chère Maître,

Je maudis une fois de plus la *manie du dramatique* et le plaisir qu'éprouvent certaines gens à annoncer les nouvelles considérables ! On m'avait dit que vous étiez *très* malade. Votre bonne écriture eſt venue me rassurer hier matin. Et ce matin j'ai reçu la lettre de Maurice. Donc, Dieu soit loué.

Que vous dire de moi ? Je ne suis pas roide. J'ai ... je ne sais quoi. Le bromure de potassium m'a calmé, et donné un eczéma au milieu du front. Il se passe dans mon individu des choses anormales. Mon affaissement psychique doit tenir à quelque cause cachée ? Je me sens vieux, usé, écœuré de tout. — Et les autres m'ennuient comme moi-même.

Cependant je travaille, mais sans enthousiasme et comme on fait un pensum. — Et c'eſt peut-être le travail qui me rend malade, car j'ai entrepris un livre insensé ?

Vous me conseillez, dans une de vos dernières lettres, de fréquenter le père Hugo ! Eh bien ! il m'*a désolé* la dernière fois que je l'ai vu. Ce qu'il a dit de sottises sur *Goethe* eſt inimaginable, croyant par exemple qu'il a fait *Le Camp de Walſtein*[1], et attribuant *Les Affinités électives* à Ancillon[2] ! n'ayant jamais entendu parler du *Prométhée* et trouvant *Fauſt* une œuvre faible ! Cette visite m'a rendu littéralement malade !

Si les Forts sont comme ça, que sont les autres ! où trouver motifs à exaltation ?

Voilà pourquoi je me perds dans mes souvenirs d'enfance comme un vieillard. — Je n'attends plus rien de la vie qu'une suite de feuilles de papier à barbouiller de noir. Il me semble que je traverse une solitude sans fin, pour aller je ne sais où, et c'est moi qui suis tout à la fois le désert, le voyageur, et le chameau !

Aujourd'hui, j'ai passé mon après-midi à l'enterrement d'Amédée Achard[1]. Funérailles protestantes aussi bêtes que si elles eussent été catholiques. *Tout Paris !* et des reporters, en masse !

Votre ami *Paul Meurice*[2] est venu il y a huit jours me proposer « de faire le Salon » dans *Le Rappel*. J'ai dénié l'honneur, car je n'admets pas que l'on fasse la critique d'un art dont on ignore la technique ! et puis, à quoi bon tant de critique !

Je suis raisonnable, je sors tous les jours, je fais de l'exercice. Et je rentre chez moi, las et encore plus embêté. Voilà ce que j'y gagne. Enfin votre troubadour (peu troubadouresque) est devenu un triste coco. C'est pour ne pas vous ennuyer de mes plaintes que je vous écris maintenant si rarement. Car personne plus que moi n'a conscience de mon insupportabilité.

Envoyez-moi *flamarande*. Ça me donnera un peu d'air.

Je vous embrasse tous, et vous surtout, chère Maître, si grand, si fort et si doux.

Votre

CRUCHARD
de plus en plus fêlé.

Le fêlé est le mot juste. Car je sens le contenu qui fuit.

À LÉONIE BRAINNE

[Paris,] mardi, 1 heure [mars 1875].

Je serais déjà chez vous, chère belle, si je n'avais une bouteille de Pullna[3] dans le ventre. — J'irai vous voir demain avant 1 heure de l'après-midi.

Un petit billet à votre adresse se précipite maintenant vers Toulon. J'ai dû l'écrire hier, juste au moment où vous m'écriviez le vôtre.

Je vous préviens que je suis hideux. Le bromure de potassium a fait de moi un véritable lépreux de la cité d'Aoste[4].

À vous, chérie.

G.

À LÉONIE BRAINNE

Nuit de dimanche [mars 1875].

J'ai l'estomac chargé de jambon, et le cœur plein de reconnaissance. Voilà tout ce que j'ai à vous dire, ma chère belle.

Qu'est-ce [que] vous osez me soutenir ? « vos yeux n'ont plus d'expression ! » je n'en crois rien, rien du tout.

Je les baise bien tendrement, ces pauvres quinquets, et leur support aussi.

Votre

POLYCARPE.

À ALICE PASCA

[Paris,] lundi matin [5 ? avril 1875].

Ma chère Belle,

Attendez-moi jeudi matin. Je viendrai vous prendre entre dix heures et demie et onze heures pour aller déjeuner chez Charpentier.

Je ne songe pas à autre chose qu'à Fanny Lear[1] !… Ah ! si j'étais jeune, beau, riche, etc !…

Donc, à jeudi, adorable personne.

Votre

À EDMOND LAPORTE

[Paris,] vendredi, midi [9 avril 1875].

Qu'est-ce qu'une conduite pareille ? Plus de Laporte ! pourquoi ?

Répondez-moi un petit mot pour me dire si vous viendrez dimanche prochain déjeuner chez votre

G. FL.

Je vais ce soir à la répétition de la fameuse pièce[2].

Demain à midi je me dirigerai vers la Bibliothèque. Si vous n'avez rien de mieux à faire, visitez-moi matutinalement.

À IVAN TOURGUENEFF

[Paris, 12 avril 1875.]

La chose aura lieu demain à 9 h. 1/4, quai Voltaire 3, chez M. Leloir, peintre. C'est dans un atelier, tout en haut de la maison, dernier étage.

Venez *quand même*. J'ai vu la répétition[1]. Ce sera superbe. Vous vous amuserez énormément.

À demain.

Votre

À GUSTAVE TOUDOUZE

Paris, mardi soir, 13 avril 1875.

Vendredi ou samedi entre 10 et 11 heures, comme il vous plaira, mon cher ami.

Je serai très heureux de vous recevoir et de causer avec vous.

Votre

À EDMA ROGER DES GENETTES

[Paris,] jeudi [15 ? avril 1875].

Deux choses m'ont empêché de vous écrire : 1° la charité chrétienne et 2° la *Vacherie*.

Depuis votre départ j'ai été si las, si souffrant, si découragé que je ne voulais pas vous assommer avec mes jérémiades, et de jour en jour je remettais mon projet de vous écrire. Plusieurs fois, du reste, j'ai eu de vos nouvelles indirectement par Mme Valazé[2]. Elle a dit à ma nièce que vous alliez mieux ; est-ce vrai ?

Moi, je vais *pire* ! Ce que j'ai, je n'en sais rien ! et on n'en sait rien ! Le mot « névrose » exprimant à la fois un ensemble de phénomènes variés, et l'ignorance de messieurs les médecins. — On me conseille de me reposer, mais à quoi se reposer ? de me distraire, d'éviter la solitude, etc., un tas de choses impraticables. Je ne crois qu'à un seul remède : le temps ! et puis je suis ennuyé de penser à moi. Si après un mois de séjour à Croisset je ne me sens pas plus gaillard, j'userai du remède de Charles XII, je resterai six mois dans mon lit[1].

Il est probable que j'ai la tête fortement abîmée ? à en juger d'après mes sommeils. — Car je dors toutes les nuits 10 à 12 heures ! Est-ce un commencement de ramollissement ? *Bouvard et Pécuchet* m'emplissent à un tel point que je suis devenu eux ! Leur bêtise est mienne et j'en crève. Voilà peut-être l'explication.

Il faut être maudit pour avoir l'idée de pareils bouquins ! J'ai enfin terminé le 1er chapitre et préparé le second, qui comprendra la chimie, la médecine, et la géologie, tout cela devant tenir en 30 pages ! et avec des personnages secondaires, car il faut un semblant d'action, une espèce d'histoire continue pour que la chose n'ait pas l'air d'une dissertation philosophique. Ce qui me désespère, c'est que je ne crois plus à mon livre. La perspective de ses difficultés m'écrase d'avance. Il est devenu pour moi un pensum.

Bien que « je sache tout », j'ignore qui est la reine Pécaule[2]. Je demanderai ce renseignement au père Hugo lui-même quand je le verrai. Il est, présentement, à Guernesey. Vous n'imaginez pas les *inepties* dites par ce grand homme sur le compte de Goethe, dans l'avant-dernière visite que je lui ai faite. Je suis sorti de chez lui scandalisé, *malade* !

N'est-ce pas que *L'Abbé Mouret* est curieux ? Mais le *Paradou* est tout simplement raté[3] ! Il aurait fallu pour l'écrire un autre écrivain que mon ami Zola. N'importe ! il y a dans ce livre des parties de génie, d'abord tout le caractère d'Archangias et la fin, le retour au Paradou.

Je serai rentré dans ma solitude vers le 8 ou 10 mai ; écrivez-moi. — Et croyez toujours à l'inaltérable affection de votre vieil ami délabré.

Bons souvenirs à l'homme sage, c'est-à-dire à M. Roger.

À GEORGES CHARPENTIER

[Paris, jeudi soir 15 ? avril 1875.]

Mon cher Ami,

Je m'en retournerai à Croisset vers le 15 du mois prochain. Il faudrait que, d'ici là, j'aie corrigé les épreuves de la 3e édition de *Saint Antoine.* Car la seconde contient encore bien des fautes. Quand paraît-elle enfin, cette 3e édition ? Je vous avouerai, mon bon, que j'ai envie de la voir.

Avez-vous trouvé un logis ?

Venez donc dimanche.

Tout à vous.

À GUY DE MAUPASSANT

[Paris,] jeudi soir [15 avril 1875].

Mon Bon,

La 1re de la *Feuille de rose* n'aura lieu que lundi, peut-être même mardi, donc je n'y assisterai pas.

Je vous donne congé dimanche prochain. Dès que je serai revenu de Chenonceaux[1], je vous écrirai.

Notre dîner aura lieu probablement de vendredi prochain en huit (l'avant-veille de mon départ pour Croisset). Le jour convient à Zola et à moi.

Il s'agit de découvrir un local *aéré.*

Votre vieux vous embrasse.

À EDMA ROGER DES GENETTES

[Paris, 30 avril 1875.]

Il m'est impossible de remettre la main sur vos *patenôtres*[2] ! Il faut que mon domestique ait pris ce volume-là avec les autres ? Dimanche soir, dès que je serai à Croisset, je le chercherai.

Je vous baise les deux mains, pas pendant bien longtemps.

Car je suis harcelé par les courses à faire et les rendez-vous. Comme ma vie eſt mal arrangée !

Tout à vous.

Vendredi matin.

À GUY DE MAUPASSANT

[Paris, 30 avril 1875.]

Lubrique auteur, obscène jeune homme ne venez pas déjeuner dimanche chez moi (je vous en dirai la raison) mais venez, si vous ne canotez pas, vers 2 heures.

C'eſt mon dernier dimanche et Tourgueneff nous a promis de nous traduire enfin le *Satyre* du père Goethe[1].

À vous.

Vendredi soir.

À MARGUERITE CHARPENTIER

Paris [avril 1875].

Chère Madame,

Je serai mercredi à deux heures chez vous, pour enjoliver de ma présence votre fête religieuse[2] et voir la mine de Zola au pied des autels ; puis, le soir, nous rebaptiserons son filleul.

Votre lettre eſt incomparablement aimable ; et je vous en remercie bien fort.

Votre très affectionné.

À ÉMILE ZOLA

[Paris, 1er mai 1875 ?]

C'eſt conclu. On nous confectionnera un dîner pour 20 francs. *Petit et Adolphe*, boulevard Haussmann, 31.

Donc, à lundi prochain, 7 heures, dans l'endroit susdit.

Il faut que je prévienne la veille.

Samedi, 4 heures.

À ADÈLE PERROT

[Croisset, 4 mai 1875.]

La princesse Mathilde a dit vrai. Vous en paraissez surprise ? Doutiez-vous de la chose[1] ?

Eh bien, j'irai la semaine prochaine vous rappeler, chère Madame, que *je vous aime* et recevoir le baiser promis.

En attendant ce plaisir-là, je suis comme toujours votre très affectionné.

P.-S. Je vous prie de présenter à Mme Lepic[2] l'hommage d'une amitié moins pure.

Croisset, mardi 4 mai.

GEORGE SAND À GUSTAVE FLAUBERT

Nohant, 7 mai [18]75.

Tu me laisses donc sans nouvelles de toi ? Tu dis que tu aimes mieux te faire oublier que de te plaindre sans cesse. Comme c'est très inutile et qu'on ne t'oubliera pas, plains-toi donc, mais dis-nous que tu existes et que tu nous aimes toujours.

Comme tu es d'autant meilleur que tu es plus grognon, je sais que tu ne te réjouiras pas de la mort de ce pauvre Michel[3]. Pour moi c'est une grosse perte dans tous les sens, car il m'était absolument dévoué et me le prouvait à toute heure par des soins et des services sans nombre.

On va bien ici. Je suis en bon état depuis qu'il ne fait plus froid et je travaille beaucoup. Je fais aussi beaucoup d'aquarelle *(sic)*, je lis l'*Iliade* avec Aurore qui ne veut pas d'autre traduction que celle de Leconte de Lisle[4], prétendant qu'on lui gâte son Homère avec des à-peu-près. L'enfant est un singulier mélange de précocité et d'enfantillage. Elle a neuf ans et elle est si grande qu'on lui en donne douze. Elle joue à la poupée avec passion, et elle est *littéraire* comme toi et moi, tout en apprenant sa langue qu'elle ne sait pas encore.

Es-tu encore à Paris par ce beau temps ? Nohant est maintenant *ruisselant* de fleurs, de la cime des arbres aux gazons. Croisset doit être encore plus joli car il est frais, et nous, nous nous débattons dans nos cultures ; contre la sécheresse devenue chronique en Berry. Mais si tu es encore à Paris, tu as sous les yeux ce beau parc de Monceaux *[sic]* où tu te promènes j'espère, car il le faut. La vie est à ce prix, marcher !

Ne viendras-tu pas nous voir ? Que tu sois triste ou gai, on t'aime de même ici et on voudrait que l'affection fût pour toi quelque chose. Mais on t'en donnera et on t'en donne sans conditions.

Je pense aller le mois prochain à Paris. Y seras-tu ?

G. SAND.

À EDMOND LAPORTE

Croisset [dimanche soir 9 mai 1875].

Mon Bon,

Julio est tellement hérissé de puces qu'on n'ose y toucher. Elles grouillent sur lui comme le malheur sur le pauvre monde. La peau m'en cuit et je n'ai pas fait hier soir autre chose que de me gratter. Les bains n'y font rien. Donc, envoyez-moi tout de suite par l'*Union*[1] la saponaire magique promis par votre Excellence.

J'attends que Lapierre soit venu ici pour vous écrire un petit mot à seule fin de déjeuner ou dîner. S'il ne se présente pas vers le milieu de la semaine, je vous écrirai pour la fin. (Quel style !)

Tout à vous.

Votre géant (un peu fatigué).

À GEORGE SAND

Croisset près Rouen, 10 mai [1875].

Une goutte errante, des douleurs qui se promènent partout, *une invincible* mélancolie, le sentiment de « l'inutilité universelle » et de grands doutes sur le livre que je fais, voilà ce que j'ai, chère et vaillant maître. — Ajoutez à cela des inquiétudes d'argent, et l'envie permanente de crever avec des retours mélancoliques sur le passé, voilà mon état. — Et je vous assure que je fais de grands efforts pour en sortir. Mais ma volonté est fatiguée. Je ne puis me décider à rien d'effectif. Ah ! j'ai mangé mon pain blanc le premier, et la vieillesse ne s'annonce pas sous des couleurs folichonnes. — Depuis que je fais de l'hydrothérapie, cependant, je me sens un peu moins *vache* et ce soir, je vais me remettre au travail, sans regarder derrière moi.

J'ai quitté mon logement de la rue Murillo et j'en ai pris un plus spacieux, et qui est contigu à celui que ma nièce vient de retenir sur le boulevard de la reine Hortense[1]. Je serai moins seul l'hiver prochain. — Car je ne peux plus supporter la solitude, ce qui est signe que ma tête est vide.

Tourgueneff m'a paru cependant très content des deux premiers chapitres de mon affreux bouquin. Mais Tourgueneff m'aime peut-être trop pour me juger impartialement ?

Je ne vais pas sortir de chez moi, d'ici à longtemps, car je *veux* avancer dans ma besogne, laquelle me pèse sur la poitrine comme un poids de 500 mille kilogrammes. — Ma nièce viendra passer ici tout le mois de juin. Quand elle en sera partie je ferai une petite excursion archéologique et géologique dans le Calvados[2], et ce sera tout.

Non ! je ne me suis pas réjoui de la mort de Michel Lévy, et même j'envie cette mort si douce. Je trouve qu'il ne la méritait pas. N'importe, cet homme-là m'a fait beaucoup de mal. Il m'a blessé profondément. Ma rupture avec lui me revient souvent à la mémoire. — Et j'en souffre toujours. Il est vrai que je suis doué d'une sensibilité absurde. Ce qui érifle les autres me déchire. Que ne suis-je organisé pour la jouissance comme je le suis pour la douleur !

La page que vous m'envoyez sur *Aurore* qui lit Homère m'a fait du bien. Voilà ce qui me manque : une petite-fille comme celle-là ! Mais on n'arrange pas sa destinée. — On la subit. J'ai toujours vécu au jour le jour, sans projets d'avenir, et poursuivant mon but (un seul, la littérature) sans regarder ni à gauche ni à droite. — Tout ce qui était autour de moi a disparu, et maintenant je me trouve dans le désert. Bref, l'élément *distraction* me manque d'une façon absolue.

Pour écrire de bonnes choses, il faut une certaine alacrité ! Que faire pour la r'avoir ? Quels sont les procédés à employer pour ne pas songer sans cesse à sa misérable personne ? Ce qu'il y a de plus malade en moi c'est « l'Humeur ». Le reste, sans elle, irait bien. Vous voyez, chère bon maître, que j'ai raison de vous épargner mes lettres. Rien n'est sot comme les geignards.

Sur ce, je vous embrasse plus tendrement que jamais, vous, et les chères petites.

CRUCHARD.

À SA NIÈCE CAROLINE

[Croisset,] lundi, 3 heures [10 mai 1875].

Pauvre Chat,

Hier, en sortant de chez toi, la grande porte *n'a pas voulu* se fermer derrière moi. Quelque chose retenait le battant ; j'avais beau tirer, il résistait. C'était ta concierge qui voulait sortir en même temps que moi. N'importe ! cette cause toute simple ne m'a pas empêché de voir dans le phénomène une espèce de symbolisme. — Le Passé me retenait.

Le voyage avec mon frère a été des plus silencieux, car nous avons dormi presque tout le temps. — Je l'ai reconduit en fiacre chez lui et, comme j'avais grand soif, je suis entré dans cette maison de ma jeunesse, dont la vue m'est si amère ! Mme Achille et sa fille étaient allées voir Saint-André[1]. Je les ai rencontrées sur le quai de Croisset.

Émile et Julio m'attendaient sur la porte. — J'ai rangé toutes mes affaires ; puis, le mal de tête m'a empêché de dormir. J'ai fait un tour dans le jardin, j'ai dîné, je me suis couché à 9 h 1/2. J'ai été réveillé à 10 par les hurlements lugubres de mon chien, qui regrette ses compagnons de Couronne ; ils étaient d'une douceur et d'une tristesse inexprimables : on aurait dit les sons d'une grosse flûte. Ils ne m'ont pas agacé, mais navré, et comme ils n'ont pas duré longtemps, je me suis endormi.

Ce matin, j'ai fait une visite à Fortin. — J'ai écrit plusieurs billets. La lettre où je donne congé à M. Clausse[2] va partir en même temps que celle-ci. — Et voilà tout, ma chère fille !

Le jardin est charmant et la maison en bon état. — Très propre, et prête à te recevoir (un calme plat sur la rivière, et un grand silence autour de moi). Je n'ai pas encore eu le cœur de faire ma tournée dans les chambres. Hier, je me sentais trop délabré, et aujourd'hui je veux, je veux à toute force travailler. La soirée d'hier n'a pas été précisément folichonne ! Mais il faut être philosophe. J'aimerais mieux être heureux, ce serait plus simple.

Cependant, si ton mari se tire d'affaires, si je le revoyais gagnant de l'argent et confiant dans l'avenir comme autrefois, si je me faisais avec Deauville 10 mille livres de rente, de façon à pouvoir ne plus redouter la misère pour deux, et si *Bouvard et Pécuchet* me satisfaisaient, je crois que je ne me plaindrais plus de la vie.

En attendant, je vais m'y mettre (à mes affreux bonshommes). Je me suis raisonné. Il *faut* que ça marche. Dans quelques jours, je serai peut-être plus gaillard ?

N'oublie pas de me dire dans ta prochaine lettre le résultat de la visite d'Ernest chez M. Dolfus[1].

Mon petit ami Fortin viendra demain dîner chez moi. — Et j'irai dîner à l'Hôtel-Dieu vers la fin de la semaine. Je n'ai pas refusé, parce que j'ai besoin d'emprunter des livres de médecine à Achille et de lui faire plusieurs questions médicales. Mais je me propose de ne pas renouveler d'ici à longtemps cette partie de plaisir.

Mlle Julie n'a pas fait « les délices » du couvent de Sainte-Barbe. Il paraît que les bonnes sœurs se plaignent de ce qu'elle est « portée sur sa bouche ». Elle va revenir ici, ce soir, ou demain.

Je t'embrasse bien tendrement, ma pauvre chère fille.

Ton vieil oncle.

GVE.

À EDMA ROGER DES GENETTES

[Croisset, juin 1875.]

Je ne vous donne pas de mes nouvelles parce qu'elles sont mauvaises. À quoi bon vous affliger ?

Je suis las jusque dans la moelle des os, triste à mourir, éreinté, fourbu.

Il m'est impossible de travailler. — Et je ne sais plus que faire ni que devenir ? ma pauvre cervelle est usée, j'en ai peur ? cela est humiliant à dire, mais cela est !

On me conseille de me reposer, mais *à quoi* se reposer ; de me distraire, mais comment se distraire.

Vous dont la résignation touche à la Sainteté, apprenez-moi donc votre secret pour supporter l'existence.

Ma nièce est ici avec moi. Au mois de juillet, je la suivrai probablement à Dieppe. Peut-être irai-je à Concarneau avec Georges Pouchet, ou bien à Arcachon avec mon frère[2]. — J'aurais besoin de dormir pendant six mois de suite. Il me faudrait un courage profond. J'ai la tête pleine de flegmes et « d'humeurs crasses ».

Est-ce une maladie passagère ? ou le commencement de la

fin ? Avec tout cela, je ne suis pas *physiquement* malade mais, dans quelque temps, je le deviendrai. Car on ne peut pas vivre dans un état pareil. Et puis le *Passé* me dévore, les souvenirs m'assiègent, et m'envahissent. — Et je n'espère plus rien de l'Avenir, rien du tout. Voilà mon bilan !

Plaignez-moi. — Pensez à moi et surtout écrivez-moi, — de bonnes lettres comme la dernière.

Votre vieil ami.

GVE.

AU MAIRE DE ROUEN

Croisset, 27 juin 1875.

Monsieur le Maire,
Messieurs les Adjoints,
Messieurs les Membres du Conseil municipal,

À la mort de Louis Bouilhet, une Commission se forma, dans le but de lui ériger un monument.

Quand les fonds furent trouvés, nous offrîmes à la municipalité de Rouen de faire construire à nos frais, et à son choix, sur une des places ou dans une des rues de la ville, une petite fontaine, surmontée du buste de Louis Bouilhet. Le dessin de cette fontaine eût été soumis au Conseil municipal, et nous nous engagions, quoi qu'il pût advenir, à ne l'entraîner dans aucune dépense.

Tel fut, Messieurs, l'objet d'une requête[1] que j'adressai il y a trois ans à l'Administration qui vous a précédés. Elle méconnut nos intentions et refusa le don gratuit que nous voulions faire à la ville.

Mais confiant en vos lumières, j'ose aujourd'hui, Messieurs, renouveler près de vous notre proposition. Vous comprendrez, nous en sommes sûrs, que les gloires (même secondaires) doivent être honorées et que notre monument, dû tout entier à l'initiative individuelle, ne peut être que d'un bon exemple pour quiconque a souci des lettres.

Je vous prie, Messieurs, de me croire votre très humble et dévoué.

GUSTAVE FLAUBERT,
Président de la Commission.

À IVAN TOURGUENEFF

Croisset, samedi 3 juillet [1875].

Je suis fâché de vous savoir souffrant, mon bon cher vieux ! Quant à moi, ça ne va pas ! Ça ne va pas du tout ! *B. et P.* sont restés en plan. Je me suis lancé dans une entreprise absurde. Je m'en aperçois maintenant, et j'ai peur d'en rester là. Je crois que je suis *vuidé.* Et puis, pour vous dire la vérité, j'ai dans ces moments-ci les plus grands chagrins (dans mon intérieur), des inquiétudes d'argent de la nature la plus grave. Ma pauvre tête est endolorie comme si on m'avait donné des coups de bâton ! Le présent n'est pas drôle, et l'avenir m'effraye.

Comme je suis incapable de tout travail, il est possible que j'aille, vers le milieu d'août, passer deux mois à Concarneau, dans la compagnie de G. Pouchet[1]. Je ferai de la pisciculture et je mangerai des homards !

J'aurais besoin de dormir pendant un an. Je suis harassé de l'existence ! Voilà le fait.

Dès que vous serez à Bougival, envoyez-moi un mot pour me dire comment vous avez supporté le voyage.

Ma nièce, qui est près de moi, vous fait ses amitiés.

Votre vieux
GVE FLAUBERT
vous embrasse.

À LA PRINCESSE MATHILDE

[Croisset,] mardi [6 ? juillet 1875].

Merci de votre bonne lettre, chère Princesse[2]. J'y vois que vous êtes toujours vaillante ! Que n'en puis-je dire autant de moi-même ! Qu'ai-je donc ? Je n'en sais rien. Je crois que c'est une grande fatigue cérébrale. Car le travail m'ennuie énormément, je suis plus paresseux qu'un vieux singe et triste comme un cercueil. J'ai donc résolu de prendre un remède héroïque.

Quand ma nièce ne sera plus ici, dans un mois, vers le milieu d'août, je m'en irai passer deux mois de suite à Concarneau dans la compagnie de G. Pouchet, qui fait des expériences sur les poissons à l'aquarium de Coste. Moi, je ne ferai rien du tout, je n'emporterai ni papier, ni plumes. Espérons que ce long repos absolu me remettra !

Vous me reverrez à Saint-Gratien quand je serai redevenu sociable.

Je n'ai pas lu l'article de Renan sur Mme Cornu[1]. J'ai été chez elle plusieurs fois, je l'ai même fréquentée pendant deux ou trois ans. — Car j'avais des amis intimes qui la chérissaient. — Mais nous ne nous sommes jamais bien *compris*, pour employer un mot prétentieux mais juste. Elle me considérait comme complètement fou, et moi je trouvais qu'elle manquait de discernement. Elle n'aimait que les humbles et se plaisait à protéger les canailles. Aimable personne du reste, mais qui a gaspillé sa vie sottement dans un tas de tripotages inférieurs, et dépensé en pure perte des qualités intellectuelles précieuses. Quant à Mme Rattazzi[2], je ne l'ai vue qu'une fois, à Dieppe. — Et ne la connais nullement. Pas n'est besoin de vous dire que je n'ai aucune envie de la connaître.

La pluie tombe à torrents, on se dirait au mois de novembre. — Et mon esprit est de la couleur du ciel. Savez-vous que j'ai peur de devenir comme Soulié[3] ? Heureux les gens qui restent jeunes, et actifs !

Je ne veux pas vous ennuyer plus longtemps avec mes doléances et je m'arrête.

Vous savez que je suis votre tout dévoué.

Ma lettre est stupide, et je vous en demande bien pardon, Princesse.

À SA NIÈCE CAROLINE

[Croisset,] jeudi, 5 heures [8 juillet 1875].

Ma pauvre chère fille,

J'attends avec impatience ta lettre de demain matin. Pourvu qu'elle ne m'apporte pas une aggravation de mauvaises nouvelles ! Ah ! s'il pouvait y en avoir de bonnes ! Au moins, dis-moi toute la vérité.

Je continue à avoir le cœur comme dans un étau et à ne pouvoir m'occuper de quoi que ce soit, malgré mes efforts.

Hier, à 8 heures du soir, il a fait ici un orage effroyable et tel que les « Anciens » ne se souviennent pas d'en avoir vu. Pendant trois heures, il a plu, et tonné d'une façon prodigieuse. Les plafonds de mon cabinet, de mon cabinet de toilette, et de la chambre de notre pauvre mère ont été traversés. J'ai cru, un moment, que la maison allait crouler sur moi, et j'étais dans un joli état moral ! Le dégât n'est pas grand, seulement il faut tout de suite faire relever les plombs. Senart est venu voir ce qu'il y avait à faire. Le plombier s'y mettra demain. Ce ne sera pas grand-chose, comme frais.

L'orage m'avait agité, et j'ai eu une bien mauvaise nuit. — Un cauchemar dont je sens encore l'influence.

Putzel ne me quitte pas. — Mais la pauvre petite bête a l'air triste.

Et toi, pauvre Caro, comment vas-tu ? Tu dois être énervée par le déménagement[1] ?

Quand finira notre état d'angoisse ? Aurons-nous de meilleurs jours ?

Fais toutes mes amitiés à la bonne Flavie[2], et embrasse pour moi ton pauvre mari.

Adieu, ma chère fille. À bientôt, n'est-ce pas ? Tu as raison. Il faut nous écrire tous les jours pendant ton absence. Donne-moi des détails sur tout.

Ton pauvre Vieux
te bécotte.

À SA NIÈCE CAROLINE

[Croisset,] vendredi, 5 heures [9 juillet 1875].

La vie continue à n'être pas drôle, ma chère Caro ! et je me sens de plus en plus *bas*. Ma seule occupation est de regarder la pendule et d'attendre le lendemain. … Mes nuits les plus longues sont de cinq heures ! Et je ne peux pas dormir le jour !

Ta lettre de ce matin m'a, cependant, un peu rassuré quant à Mme Prieur[3] ! Quel entêté que ce Winter[4] ! Il a sans doute un motif pour rester, une raison qu'il ne veut pas dire ?

Combien de temps tout cela durera-t-il encore ? C'est nous faire mourir à petit feu !

Tu es bien gentille de m'envoyer des tendresses, mais je m'insurge quand tu me dis : « Endurcissons nos cœurs à la vue d'un arbre, d'un appartement, d'un bibelot favori dont la séparation semble vouloir nous ravir le meilleur de nous-même. »

J'ai passé ma vie à priver mon cœur des pâtures les plus légitimes. J'ai mené une existence laborieuse et austère. Eh bien ! je n'en peux plus ! je me sens à bout. Les larmes rentrées m'étouffent et je lâche l'écluse. Et puis, l'idée de n'avoir plus un toit à moi, un *home*, m'est intolérable. Je regarde maintenant Croisset avec l'œil d'une mère qui regarde son enfant phtisique en se disant : « Combien durera-t-il encore ? » Et je ne peux m'habituer à l'hypothèse d'une séparation définitive.

Mais ce n'est pas cela qui m'occupe le plus, actuellement. — Ce qui me navre, pauvre Caro, c'est ta ruine ! ta ruine présente, et l'avenir. Déchoir n'est pas drôle ! Tous ces grands mots de résignation et de sacrifice ne me consolent pas du tout ! mais pas du tout !

Depuis trois jours, il n'a pas paru un rayon de soleil. Le ciel est gris, sans nuages, immobile. La pluie tombe, sans discontinuer. — Un silence absolu. — Pas une seule visite. Cependant Mme Harel[1] est venue pour te voir, tout à l'heure.

Putzel se porte très bien. Émile[2] et moi, nous le comblons de soins. — Mais la pauvre petite bête a l'air de regretter sa maîtresse.

Je [ne] te parle pas du déménagement. Fais comme tu voudras. Tout sera bien fait. Mon égoïsme est tel que je ne te plains pas du mal que tu te donnes pour moi. — Car la fatigue vaut mille fois mieux que l'horrible désœuvrement où je me dissous.

Il serait plus *séant*, pauvre chère fille, de t'envoyer des paroles fortifiantes, mais je n'en trouve pas.

Allons ! à demain ! J'aurai peut-être de bonnes nouvelles.

Ne manque pas de m'écrire en détail tout ce qui se passe.

Je me sens bien seul, et j'ai grande envie de te revoir.

Je t'embrasse.

Ton vieil oncle, écrasé.

Gve.

À SA NIÈCE CAROLINE

[Croisset,] samedi [10 juillet 1875].

Rien de nouveau, ma pauvre chérie !

Les jours se suivent et malheureusement se ressemblent ! Si nous étions des criminels, serions-nous plus tristes ? Tu m'engages à être « sublime » ; je n'en demande pas tant ! Que ne suis-je, seulement, raisonnable !

Le dévouement de Flavie[1] m'attendrit. Je n'en doutais pas, d'ailleurs. Pourvu qu'elle n'en soit pas punie !...

Salander[2] est-il retourné en Suède ? Pourquoi Winter n'y va-t-il pas ? Quand donc arrivera la réponse d'où notre sort dépend ?

J'attends toutes tes lettres avec grande impatience et pourtant je tremble de peur quand je les ouvre.

Il est probable que j'aurai demain à déjeuner le bon Laporte. Tu ne me parles pas des déménagements.

À demain, pauvre chère fille. Je t'embrasse bien fort.

Ton vieil oncle.

À SA NIÈCE CAROLINE

[Croisset,] dimanche, 2 heures [11 juillet 1875].

Je t'adresse ma lettre chez Mme Maréchal, car je ne sais pas le n° de votre nouveau logement. — N'oublie pas de me le dire dans ta réponse. Est-ce fini, l'emménagement[3] ? je m'imagine que non et que je ne verrai pas ma pauvre fille avant la fin de la semaine !

Quant à la porte que réclame M. Clausse, c'est lui qui doit l'avoir, car c'est lui qui l'a fait enlever. Je n'ai pris le logement que lorsque la baie entre les deux appartements a été pratiquée. Ces frais-là ont été à la charge du propriétaire. Il y avait consenti[4].

Laporte n'est pas venu déjeuner aujourd'hui, il ne m'avait pas promis de venir, du reste ! C'est égal, ç'a été une petite déconvenue. — Et mon dimanche n'est pas gai. La Seine est houleuse, le vent souffle, des nuages roulent, Putzel dort sur mon divan. Voilà tout, pauvre chérie.

J'ai fait hier une très longue course, le long de l'eau. — Et je ne m'en suis pas bien trouvé. Car je me suis endormi de bonne heure, et dès cinq heures du matin j'étais réveillé.

Puisqu'il y a un peu de répit du côté de Mme Prieur, nous n'avons plus comme fardeau que la Suède ! Mais si la réponse de ce côté-là est défavorable, la pauvre Flavie pourra en souffrir ? Et quand arrivera-t-elle, cette réponse !...

Comme je suis fatigué de penser à ces maudites affaires, et de ne pouvoir penser à autre chose ! L'expression « je m'ennuie à crever » me paraît faible pour décrire mon état. — Je n'avais pas l'idée d'une situation pareille. — Du matin au soir, je me répète : « que faire ? que faire ? » et je ne trouve rien. J'accepterais tout sans murmure si je pouvais écrire.

Je crois que ces messieurs de la Suède ont pris la résolution de ne pas répondre du tout ! et de laisser les choses, mais à la fin du mois, qu'en sera-t-il ? Ah ! n'en parlons plus !

Il y a eu tant de dégâts aux toits de Rouen que les plombiers ne sont pas encore venus. — J'enverrai demain Émile payer des notes.

Comme tu m'as promis de m'adresser un télégramme en cas de bonne nouvelle, je guette l'homme du télégraphe ! mais il ne vient pas !

Adieu, ma chère Caro ! sois toujours vaillante, et aime ton pauvre

VIEUX

À SA NIÈCE CAROLINE

[Croisset,] lundi, 2 heures [12 juillet 1875].

Ma chère fille,

Me dis-tu bien *toute la vérité* ? Pardonne-moi, mais je suis devenu soupçonneux. J'ai peur que tu ne ménages ma sensibilité et que tu ne veuilles m'apprendre le désastre par transitions.

Comment se fait-il qu'on n'ait pas encore répondu au télégramme de vendredi dernier ?

Salander doit être maintenant à Stockholm ? Et Pinguet[1] ? Réponds, je t'en prie, à toutes ces questions ? Enfin donne-moi le plus de détails possible. Combien de temps encore Ernest peut-il tenir ? Il me semble que la catastrophe finale va arriver. — Et je l'attends de minute en minute. Quelle situation !

Une bonne conscience ne suffit pas pour vivre tranquille, et il y a beaucoup de coquins plus heureux que moi ! Ah ! j'en avale, des coupes d'amertume ! et toi aussi, pauvre loulou que j'avais rêvée plus heureuse !

Que veux-tu faire de l'excédent de ton mobilier ? Je t'engage provisoirement à l'envoyer ici. Il serait à l'abri de l'humidité dans le petit salon. — À moins que vous ne vouliez en vendre une partie ; mais vous en trouverez bien peu d'argent.

L'activité que tu te donnes vaut mieux que ma paresse. Cependant, hier soir, j'ai un peu (je dis un peu) travaillé. Car il y a des moments où, en dépit de tout, je reprends espoir. Puis je retombe ! Je vais encore me forcer à l'ouvrage. Mais comme tout cela m'use ! Je sens que je m'en vais. Je suis trop vieux pour subir impunément des émotions aussi cruelles.

Le bon Laporte m'a écrit qu'il viendrait me voir mercredi. Émile [est] à Rouen. Le jardinier fauche le gazon et Putzel est là, à côté de moi.

Voilà tout.

Moi, je t'embrasse bien tendrement.

Ton pauvre
VIEUX.

À SA NIÈCE CAROLINE

[Croisset,] mercredi [mardi 13 juillet 1875].

Mon Caro,

Le porteur de la lettre ci-incluse m'a dit que je pouvais la lire. — C'est ce que j'ai fait. Tout ce que j'y comprends, c'est que les choses ne sont pas claires du côté de Mme *Prieur* ? Du reste, je renonce à comprendre ! à la grâce de Dieu !

Hier, j'ai eu la visite de Lapierre. Il avait rencontré la veille Nétien[1], qui lui a conté les affaires de Comm[anville]. Il les sait par Laisné qui est son banquier, et les sait très bien. Selon Nétien (qui n'a fait que répéter ce que Laisné ou Faucon[2] lui avait dit) : « Elles s'arrangeront. » Il les croyait même presque arrangées, à 35 pour 100.

J'ai cru, un moment, que c'était le résultat du voyage de Winter à Rouen, dimanche dernier, car Lapierre avait rencontré Nétien la veille au soir, dimanche. — Mais ta lettre de ce matin m'a replongé dans les angoisses. Nétien connaît parfaitement les choses, car Lapierre m'a dit : « L'homme qui est venu de Suède a-t-il les pleins pouvoirs de tous les créanciers ? »

Lapierre m'a affirmé que, sauf Nétien, personne ne lui avait parlé d'Ernest, et que Rouen ne s'en occupait pas.

Un peu avant sa visite, j'avais reçu une lettre de Bataille[1] qui s'invite à déjeuner pour demain chez moi. Afin d'alléger ce fardeau, j'ai prié Lapierre de venir déjeuner aussi.

J'ai trouvé Lapierre très gentil, et plein de cœur.

À 2 heures j'aurai la visite du bon Laporte.

Dans tout cela je ne sais pas si Salander[2] est encore en France, ni sur quelle conclusion il est parti ? Réponds à toutes les questions que je t'adresse, ma chère fille ! ne me cache rien. Tout vaut mieux que l'incertitude.

D'après ton billet de ce matin, je n'attends guère de lettre, demain.

Peut-être ne veux-tu pas me dire ce qu'il en est ? tu as tort !

Comme Putzel était pleine de puces, je l'ai lavée, moi-même, ce matin et séchée au soleil. Elle m'empêche de dormir par ses ronflements, et veut à toutes forces entrer dans mon lit, pour se coller contre mon dos. Sa santé m'a l'air excellente.

Quand penses-tu que ton déménagement sera fini ? avez-vous payé M. Bourrié[3] ?

Ah ! mon Dieu ! mon Dieu ! en être tombé là !

Pourquoi donc Winter ne veut-il pas s'en aller ? qui l'empêche !

Adieu, pauvre chère fille ! À bientôt, j'espère, je t'embrasse.

Ton Vieux.

Et Pinguet ?

À SA NIÈCE CAROLINE

[Croisset,] mercredi, 1 heure [14 juillet 1875].

Chérie,

Mes deux invités Lapierre et Bataille viennent de partir. — Et j'attends Laporte.

Lapierre m'a pris à part et m'a dit que Tavernier[4], hier, lui avait parlé des affaires d'Ernest. — Tavernier lui en a fait l'éloge (d'Ernest), et lui a conté qu'il avait calmé Faucon (avant-hier soir, au cercle). Lapierre doit le revoir après-demain matin.

Je dînerai chez Lapierre vendredi, et je te reverrai donc samedi ou dimanche, ma pauvre fille ! Cette perspective me fait bien plaisir.

Hier, je me suis forcé à travailler. — Mais impossible ! Un mal de tête fou m'a arrêté, et tout a fini par un accès de larmes.

Retrouverai-je jamais ma pauvre cervelle !

Lapierre (d'après ce que lui a dit Tavernier) croit que l'affaire s'arrangera, puisque les créanciers y ont intérêt.

Tu ne me parles pas de Salander ?

Mon Dieu, comme tout cela m'embête ! m'embête ! Quel abrutissement !

Le déjeuner de ce matin, que je redoutais, s'est bien passé ; un peu de distraction m'a soulagé. Bataille nous a conté des anecdotes amusantes. Pendant que je l'écoutais, je ne pensais plus aux trois fois maudites affaires !

Le temps revient à la pluie : le ciel est grisâtre et sans un nuage ! Allons ! encore de la patience !

À bientôt, ma pauvre chère fille.

Je t'embrasse tendrement.

Ton vieux
Gve.

À SA NIÈCE CAROLINE

[Croisset,] jeudi, 6 heures [15 juillet 1875].

J'ai été un peu étonné ce matin, pauvre Caro, de ne pas voir dans ta lettre l'annonce de ton retour. Sera-ce pour samedi ? Je serai plus instruit demain, sans doute ? Mon existence se passe à espérer le lendemain !...

Enfin, puisque Salander s'en est retourné, espérons qu'à la fin de la semaine prochaine les Suédois se décideront à signer un arrangement ! Mais l'arrangement conclu (en admettant qu'il le soit), avec quoi Ernest pourra-t-il travailler ? N'est-ce pas reculer pour mieux sauter ?

Laporte, qui est venu me voir hier, ne doute pas que les créanciers ne consentent à un arrangement, puisqu'il y va de leur intérêt de l'accepter. — Ce brave garçon est bien dévoué. — Je l'ai invité à dîner pour lundi prochain, car tu seras ici, n'est-ce pas, pauvre chérie.

Demain, j'irai dîner à Rouen chez Lapierre, à pied, par le bord de l'eau. Ça me fera une promenade.

Ce M. Sabatier[1], qui doit épouser Frankline[2], est un ami de Georges Pouchet. Tu dois être contente en pensant que ton amie habitera Paris. Que va devenir la pauvre mère Grout ? Comme je la plains.

Enfin, voilà la pluie qui cesse et le soleil se montre ! Il brille sur l'eau, des voiles blanches passent doucement. C'est exquis ! Et songer que bientôt, peut-être, il faudra quitter tout cela ! Je ne peux pas m'habituer à cette idée ! Nous en causerons la semaine prochaine.

Ah ! oui, pauvre fille, *je souffre*, et plus que je ne saurais dire. — Hier au soir, pourtant, j'ai passé deux heures autour de *Bouvard et Pécuchet.* Je n'ai rien fait, mais enfin je me suis occupé d'autre chose que des Affaires.

Tu es bien gentille, toi, pleine de raison et de tendresses. Tu fais bien de m'aimer, du reste. Je mérite de l'être, vrai.

Allons ! à samedi, sans doute. Laisse là ton emménagement et reviens embrasser

VIEUX.

À SA NIÈCE CAROLINE

[Croisset,] vendredi, 5 heures [16 juillet 1875].

Je continue à comprendre de moins en moins ! Tu me dis que Winter doit partir aujourd'hui et tu ajoutes : « L'arrangement, pour moi, n'est plus possible, mais il reste encore la liquidation à tenter. » Je croyais qu'une liquidation valait mieux qu'un arrangement et tu as l'air de dire que c'est pire ! Sans doute, à cause des résultats ? puisqu'Ernest ne pourrait plus rien faire ?

Est-ce demain que tu reviens, pauvre fille ? Tu dois être brisée par le déménagement, et à la fatigue physique s'ajoutent toutes ces angoisses ! Ah ! chère Caro, moi qui aurais tant voulu te voir heureuse ! Quelle blessure à ma tendresse que cette ruine ! Je ne peux pas y croire, je ne peux pas me fourrer ça dans la cruche ! Quelquefois je parviens à l'oublier pendant quelques minutes, puis c'eſt comme un coup de poignard qui revient.

Allons ! ne gémissons plus ! Je vais m'habiller, et m'acheminer tout doucement par le bord de l'eau jusqu'à Saint-Sever. — Demain matin, j'espère avoir une lettre m'annonçant ton arrivée, tout au moins pour dimanche.

Il nous faut attendre encore 8 jours pour savoir le résultat du voyage de Winter. Ce sera juſte la fin du mois. — Sera-t-il encore temps ?

À bientôt, pauvre chère fille. Je t'embrasse très fort.

Ton vieil oncle.

À SA NIÈCE CAROLINE

[Croisset, 17 juillet 1875.]

Je n'ai rien du tout à te dire, ma pauvre fille. Si ce n'eſt que je t'attends demain soir, bien impatiemment, car mes journées sont de plus en plus longues. — Quelle solitude ! et quelle triſtesse ! Enfin, je vais te revoir. L'embrassade sera bonne. Ça sera toujours ça de pris sur l'ennemi, c'eſt-à-dire sur l'ennui.

Et la pluie recommence !

Enfin, dans quelques heures tu seras là.

Ton Vieux.

Samedi 6 heures.

Si quelquefois tu te trouvais retardée, envoie-moi un télégramme. Mais non, ne me fais pas cette fâcheuse surprise.

À LÉONIE BRAINNE

[Croisset,] dimanche 18 [juillet 1875].

Non, ma chère amie, je n'ai pas cru un moment que vous puissiez m'oublier. — Ce qui, pour vous, vaudrait mieux cependant, car je suis un triſte sujet de réflexions. *Les affaires* (!) ne sont pas encore terminées. Et voilà bientôt quatre mois que nous vivons dans ces angoisses infernales ! En admettant les choses au mieux, il nous restera à peine de quoi vivre (pour le moment du moins), et j'ai bien peur que, tôt ou tard, il ne faille quitter le pauvre Croisset. Ce sera pour moi le coup de grâce. À mon âge, on ne refait plus sa vie. Vous savez que je ne suis pas poseur. Eh bien, je me crois un homme perdu, on ne résiste pas à un coup pareil ! Cependant, si Deauville[1] me reste, si Commanville n'est pas mis en faillite, qu'il puisse re-travailler et que nous gardions Croisset, l'existence sera encore possible. Sinon, non.

Quant à gagner de l'argent ? à quoi ? Je ne suis ni un romancier, ni un dramaturge, ni un journaliste, mais un écrivain, or le style, le style en soi, ne se paye pas. Avoir une place ! mais laquelle !

Ah ! la vie est lourde et je souffre horriblement. Tout cela m'a abruti. Je suis même incapable d'une lecture un peu sérieuse.

Quand la grande question sera décidée (celle de la faillite), ce qui aura lieu cette semaine, ou la semaine prochaine, j'irai à Concarneau et j'y resterai le plus de temps possible, pour prendre l'air, pour sortir du milieu où j'agonise.

J'avais cru jusqu'à présent que la Mort était le pire des maux. Eh bien, non ! La douleur la plus poignante c'est de voir l'humiliation de ceux qu'on aime. — Ma pauvre nièce me déchire le cœur, précisément parce qu'elle est très courageuse, très noble. Elle abandonne *tout* ce qu'elle peut donner. Mais cela servira-t-il ?

J'ai tout sacrifié, dans ma vie, à la liberté de mon intelligence ! et elle m'est enlevée par ce revers de fortune. Voilà surtout ce qui me désespère.

Comme je suis égoïste ! Je ne vous parle de vous, ni de votre cher fils. Les nouvelles que vous m'en donnez me semblent satisfaisantes ? mais vous me paraissez bien lasse, bien dolente ?

Quand nous reverrons-nous ?

L'hiver prochain me fait peur d'avance. Il ne sera pas drôle, j'imagine ?

À bientôt, une bonne lettre comme la dernière, n'est-ce pas ? Dès qu'il y aura du nouveau, je vous l'écrirai.

Je vous embrasse tendrement et suis votre

EXCESSIF

excessivement embêté ! Et il y a de quoi l'être, hélas !

À GEORGES CHARPENTIER

[Croisset,] mercredi soir [25 juillet ? 1875].

Moi aussi, mon cher ami, j'ai eu des embêtements, de très graves embêtements que je vous dirai, et qui malheureusement ne sont pas finis ! La littérature en a souffert, car je n'ai rien fait depuis trois mois. Pour bien écrire, il faut une certaine alacrité qui me manque. Quand retrouverai-je l'entière possession de ma pauvre cervelle endolorie ? Il est probable que pour la reposer j'irai passer un ou deux mois à Concarneau, avec notre ami Georges Pouchet. Ainsi nous ne nous reverrons pas avant le mois de novembre, probablement.

Je suis de votre avis. Nous aurions mieux fait de publier *Saint Antoine* en petit format, dès la première édition. C'est une faute, hélas ! irrémédiable. Je n'ai besoin d'aucun exemplaire pour le moment.

J'ai envie de voir votre nouvel héritier. Zola a-t-il été aussi beau que moi dans son rôle de parrain[1] ?

Je me permets d'embrasser toute la famille, y compris le nouveau venu et sa maman, car je suis tout à vous et aux vôtres. *Ex imo.*

Ah ! une idée ! envoyez-moi par la poste (si cela ne vous gêne pas) le *Manuel de phrénologie*[2] dans la collection Roret.

Quel chien de livre j'ai entrepris, mon bon ! Mais il faut le continuer malgré tout.

À LÉONIE BRAINNE

[Croisset,] mercredi [27 juillet 1875].

Je suis attendri jusqu'aux larmes par vos offres de service, ma chère amie. J'en userai peut-être. Mais pour le moment je n'ai besoin que de vous remercier.

Rien de nouveau, rien de décidé. Mais d'ici à huit jours, il y aura une solution quelconque. Ce qu'il y a de sûr, c'est que Commanville est ruiné. La fortune de ma nièce restera à peu près intacte, puisqu'elle a été mariée sous le régime dotal. Quant à moi, j'espère qu'on me servira mes revenus, et que nous [ne] serons pas obligés de vendre Croisset. N'importe ! je suis atteint jusque dans les moelles et je ne me relèverai pas de ce coup-là.

À force de volonté je me suis remis au travail, cependant, mais avec quels dégoûts, ma chère belle ! Les journées sont bien longues, je crève de chagrin. Voilà le vrai.

Dans l'état actuel des choses, il m'est impossible de faire aucun projet, même à courte échéance. Je ne sais donc pas si j'irai à Concarneau (j'en ai pourtant grande envie), ni ce que je deviendrai plus tard. — Une seule chose pourrait me remonter, ce serait une très belle inspiration littéraire, une idée magnifique surgissant tout à coup et qui me ferait oublier la Vie. Mais c'est demander l'oiseau bleu.

Combien de temps restez-vous encore à Royat ? et au retour où irez-vous ? Donnez-moi de vos nouvelles. Vos lettres me font du bien.

Amitiés « à la compagnie » et à vous mes meilleures tendresses.

Gve.

À IVAN TOURGUENEFF

[Croisset,] 30 juillet [1875].

Ma dernière lettre était « lugubre », dites-vous, cher ami. Mais j'ai lieu d'être lugubre, car il faut vous dire la vérité : mon neveu Commanville est *absolument* ruiné !

Et moi-même je vais me trouver très entamé ?

Ce qui me désespère là-dedans, c'est la position de ma pauvre nièce ! Mon cœur (paternel) souffre cruellement. Des jours bien tristes commencent : gêne d'argent, humiliation, existence bouleversée. C'est complet. — Et ma cervelle est anéantie. Je me sens désormais incapable de quoi que ce soit. Je ne m'en relèverai pas, mon cher ami ! Je suis attaqué dans les moelles !

Quelles journées nous passons ! Comme je ne veux pas que vous les partagiez, je remets à plus tard la visite que vous me promettez dans votre lettre d'hier[1]. Nous ne pouvons pas vous recevoir maintenant ! Et Dieu sait pourtant qu'une embrassade de mon vieux Tourgueneff me desserrerait le cœur !

Je ne sais pas encore si j'irai à Concarneau ? En tout cas, ce ne sera pas avant un mois ou six semaines !

Depuis très longtemps je n'écris plus à Mme Sand[1]. Eh bien, dites-lui que je pense à elle plus que jamais. Mais je n'ai pas la force de lui écrire.

Il va falloir rassembler nos épaves. Ce sera long. Que nous restera-t-il ? Pas grand-chose ! Voilà le plus clair. — J'espère pourtant pouvoir garder Croisset. — Mais les beaux jours sont finis, et je n'ai en perspective qu'une vieillesse lamentable.

Ce qui me rendrait le plus grand service, ce serait de crever. — Mon égoïsme est tel que je ne vous parle pas de vous ! Je m'en aperçois. Que n'ai-je vos maux ! Et je ne souhaite les miens à personne.

Donnez-moi de vos nouvelles, et aimez toujours

votre

À EDMOND DE GONCOURT

[Croisset,] lundi 2 août [1875].

Eh bien, mon cher ami, il faut vous dire la vérité. Mon neveu Commanville est *complètement ruiné*, et en passe d'être mis en faillite.

Je vous épargne les détails et causes de l'affaire. Il a été quelque peu imprudent et il a eu beaucoup de malheur.

Ma nièce se trouve réduite à sa fortune personnelle, sur laquelle elle veut payer des amis intimes. — Et moi, entre autres. Je suis gravement écorné. Peut-être, cependant, pourrais-je rentrer dans la totalité de mes revenus ? Mais d'ici à un an ou deux, la position ne sera pas drôle.

Vous avez assez d'imagination pour deviner l'état moral dans lequel je suis ! Je me sens attaqué dans les moelles, mon cher ami. Ma cervelle est écrasée. Je ne m'en relèverai pas.

J'attends avec impatience le premier symptôme d'une maladie mortelle. Vous me connaissez assez pour savoir que je ne pose pas !

J'avais cru jusqu'à présent que la mort de ceux qu'on aime est le pire des maux. Eh bien, non ! mille fois non !

Quelles journées ! et quel désœuvrement !

Il est possible que j'aille passer septembre et octobre avec Georges Pouchet, à Concarneau ? Mais je n'en sais rien. Tout projet, même à courte échéance, m'est interdit.

Communiquez ce que je vous apprends à la Princesse[1]. — Et excusez-moi près d'elle, si je ne lui écris pas. Mais je n'ai pas la force d'assembler deux idées.

Je passe mon temps à me désoler sur le sort de ma pauvre nièce. Je me retourne vers le passé, éperdument. Et l'avenir m'épouvante. Il n'y a rien à faire qu'à courber le dos.

Je vous embrasse.

Votre vieux (pas encore assez vieux)

À IVAN TOURGUENEFF

[Croisset,] mardi soir [10 août 1875].

Non, mon bon vieux, *ne venez pas.* Ce serait trop triste pour vous et pour moi.

Je vous prie de dire à Mme Sand tout ce que vous savez.

La situation est complètement désespérée pour le moment, et je ne vois pas que l'avenir soit beaucoup plus beau !

J'ai reçu un *coup mortel.* Reste à savoir combien de temps je vais être à en crever ?

Je vous embrasse avec toutes les forces qui me restent. Votre

À ÉMILE ZOLA

Croisset, 13 août, vendredi [1875].

Mon cher Ami,

Vous m'avez l'air bien triste ! Mais vous ne vous plaindrez plus quand vous saurez ce qui m'arrive. Mon neveu[2] est *complètement ruiné* et moi, par contrecoup, fortement endommagé. Les choses se remettront-elles ? J'en doute. J'éprouve un grand déchirement de cœur à cause de ma nièce ! Quelle douleur que de voir un enfant qu'on aime humilié !

Mon existence est maintenant bouleversée ; j'aurai toujours de quoi vivre, mais dans d'autres conditions. Quant à la littérature, je suis incapable d'aucun travail. Depuis bientôt quatre mois (que nous sommes dans des angoisses infernales), j'ai écrit, en tout, quatorze pages, et mauvaises ! Ma pauvre cervelle ne résistera pas à un pareil coup. Voilà ce qui me paraît le plus clair.

Comme j'ai besoin de sortir du milieu où j'agonise, dès le commencement de septembre, je m'en irai à Concarneau, près de Georges Pouchet, qui travaille là-bas les poissons. J'y resterai le plus longtemps possible.

Je vous écrirai pour vous donner de mes nouvelles. J'espère que les vôtres seront meilleures que les miennes.

C'est comme ça, mon bon! La vie n'est pas drôle, et je commence une lugubre vieillesse.

Je vous serre la main bien fort. Votre

Vous n'êtes plus inquiet de Mme Zola, j'aime à croire ?

À EDMA ROGER DES GENETTES

[Croisset,] mercredi 18 [août 1875].

C'est très intentionnellement que depuis si longtemps je ne vous écris pas. Je connais votre bonne affection pour moi, et de jour en jour je recule à vous affliger. — Voilà plus d'un an que j'avais le pressentiment d'un grand malheur quelconque, — d'une catastrophe, maintenant c'est fait. Mon neveu Commanville est complètement *ruiné* et moi je suis fort endommagé. À l'heure qu'il est, nous ne savons pas encore si la faillite sera déclarée ? Il ne manque *que* de quinze cent mille francs ! ma pauvre nièce abandonne tout ce qu'elle peut. — En admettant que les choses tournent à bien, c'est à peine s'il nous restera de quoi vivre, chétivement. Le pire c'est que je serai probablement forcé de quitter Croisset, où je vis depuis trente ans, et qui est pour moi plein de souvenirs sacrés. — Depuis le commencement de mai *j'agonise* ! Quelles journées !

Le présent est atroce et l'avenir lamentable. Enfin, c'est un bouleversement complet de mon existence. J'avais cru jusqu'à présent que la mort est le pire des maux ! Eh bien non ! ce qu'on peut endurer de plus affreux, c'est de voir l'humiliation et la décadence de ceux qu'on aime. J'avais tout sacrifié depuis ma jeunesse à la tranquillité de mon esprit. Elle est détruite, à tout jamais. — Et il ne me reste rien, — rien à quoi je puisse me raccrocher. Car je me sens *vidé*, fini. — Et je crois que jamais je ne serai capable d'écrire deux lignes de suite. Je me suis roidi contre le malheur. Tous les jours, je me fais des sermons et je *veux* travailler. Impossible ! et je n'en retombe que plus las et plus meurtri. Ah ! si une bonne attaque pouvait m'emporter, quelle simplification !

Non seulement je suis inquiet de mon avenir matériel, mais ce qui eſt plus important, l'avenir intelleƈtuel me semble impossible !

Dans une quinzaine de jours, il eſt probable que je m'en irai à Concarneau, où je reſterai avec Georges Pouchet le plus longtemps que je le pourrai. Peut-être que le changement de milieu me fera du bien. L'air de la mer rafraîchira peut-être ma pauvre cervelle endommagée. J'ai tant besoin d'une fontaine de jouvence ! rappelez-vous tout ce qui m'a accablé depuis six ans, ajoutez-y ce qui m'arrive, et vous conviendrez qu'il y a de quoi écraser un homme robuſte.

Une seule chose serait capable de me faire du bien. Ce serait de trouver un sujet de livre passionnant. Que ne puis-je m'enthousiasmer pour une idée de roman, quelconque[1]. Mais la *Foi* n'y eſt plus, j'ai reçu un coup mortel. Reſte à savoir combien de temps je vais être à en crever. Voilà le vrai.

Votre vieil ami.

Gve.

Ma seule occupation agréable eſt de me rouler dans mes souvenirs. Je me réfugie dans le Passé et il me submerge.

À GEORGE SAND

[Croisset,] mercredi 18 août [1875].

Chère bon maître,

Je ne vous écrivais pas, parce que j'avais des choses trop triſtes à vous dire ! Depuis un an je sentais venir un grand malheur quelconque. Mon spleen n'avait pas d'autre cause. Maintenant c'eſt fait. — Ma pauvre nièce eſt complètement ruinée, et moi je le suis aux trois quarts. — En admettant les choses au mieux il nous reſtera à peine de quoi vivre, chétivement.

Depuis ma jeunesse j'ai tout sacrifié à ma tranquillité d'esprit. Elle eſt maintenant perdue à tout jamais. Vous savez que je ne suis pas un poseur. Eh bien je souhaite crever le plus vite possible car je suis fini, *vidé* et plus vieux que si j'avais cent ans. Il me faudrait m'enthousiasmer pour une idée, pour un sujet de livre. Mais la *Foi* n'y est plus. Et tout travail m'est devenu impossible.

Ainsi je suis non seulement inquiet de mon avenir matériel, mais l'avenir littéraire me paraît anéanti.

Ce qui serait sage ce serait de chercher, dès maintenant, une place, une occupation lucrative mais à quoi suis-je bon ? Et puis notez que j'ai 54 ans, et qu'à cet âge-là, on ne change pas d'habitudes, on ne refait pas sa vie !

Je me suis roidi contre le malheur. J'ai voulu être stoïque. Tous les jours je fais de grands efforts pour travailler. Impossible ! impossible. Ma pauvre cervelle est broyée.

Comme j'ai besoin de sortir d'ici (car voilà quatre mois, que j'y agonise avec ma pauvre nièce) il est probable que dans une quinzaine, je m'en irai à Concarneau, où je resterai le plus longtemps possible, dans la compagnie de Georges Pouchet[1] qui travaille à la pisciculture de Coste. L'air de la mer me fera peut-être du bien. Et je reviendrai plus fort ?

J'ai peur d'être obligé de quitter Croisset ? ce serait le coup de grâce !

Embrassez pour moi les chères petites, et à vous toutes mes tendresses.

Votre vieux troubadour bien embêté.

GEORGE SAND À AGÉNOR BARDOUX ?

Nohant, 20 août [18]75.
Indre, La Châtre.

Monsieur et cher maître,

L'abattement et la désespérance de notre ami G. Flaubert m'effraient beaucoup. Vous savez peut-être que sa nièce Mme Commanville a éprouvé de grands revers de fortune et, comme leurs intérêts étaient communs à plusieurs égards, la situation de Flaubert se trouve compromise, entamée, menacée très sérieusement. Sans doute il vous a écrit tout cela, mais devant la lettre que je reçois aujourd'hui j'ai besoin de vous demander s'il n'y a pas moyen de le sauver. Je ne suis pas pratique, je n'ai pas la moindre idée de ce que pourrait être pour lui ce qu'il appelle un emploi lucratif. Peut-être aurez-vous dans l'esprit un moyen de lui trouver cet emploi. Malgré le découragement avec lequel il exprime cette velléité, je crois que si l'emploi était trouvé, il regarderait comme un devoir de l'accepter. Et je crois aussi que le salut pour lui, serait dans un travail forcé, dans une obligation à remplir, dans un *devoir* enfin, charge et bienfait qu'il a trop ignorés dans sa vie.

Cher Monsieur, si je puis quelque chose auprès de qui que ce soit, dites-le-moi. Je suis navrée de sa tristesse et l'avenir m'inquiète beaucoup. Quand on voit un homme de sa trempe manquer de courage, on craint un mal profond. Pardonnez[-moi] de vous appeler à son secours, mais il vous aime tant que j'ai naturellement toute confiance en vous et toute espérance.

Croyez à mes sentiments bien profonds de dévouement.

GEORGE SAND.

À RAOUL-DUVAL

Croisset, samedi matin 28 [août 1875].

Mon cher Ami,

Je vous ai écrit mardi dernier pour avoir avec vous une entrevue. Mon billet ne vous sera pas, sans doute, parvenu? Je voulais vous demander un service. Lisez la note ci-incluse et vous comprendrez la chose.

Il s'agit de garantir ma nièce *[illisible]* près Faucon pour une rente de 2 500 francs, soit 25 000 francs. La requête sera présentée au Tribunal le 13 septembre. Donc, si la permission de vendre les biens est accordée, la garantie vous serait rendue immédiatement. Voilà la position, cher ami.

Si vous pouvez nous en tirer, mille remerciements d'avance. Dans le cas contraire, je n'en suis pas moins, et plus que jamais,

Tout à vous.

Je pars dans quelques instants pour Deauville[1]. On me fait, relativement à mon dernier coin de terre, des offres avantageuses.

[La note incluse est ainsi rédigée :]

Pour terminer avec M. Faucon[2], il reste à lui faire un versement de 50 000 francs*, qu'il consent à recevoir par annuités en huit ou dix ans. Mme Commanville se propose de

* La moitié est garantie par le bon Laporte depuis que cette petite note a été rédigée.

demander au Président du Tribunal civil l'autorisation de vendre un titre de rentes de pareille somme. Si cette autorisation lui est refusée, elle peut s'engager à laisser 5 000 francs sur ses revenus chaque année ; le régime dotal ne lui permettant pas de prendre légalement cet engagement, M. Faucon demande une garantie, soit par bonne signature, soit par dépôt de titres, que cet engagement sera respecté.

À AGÉNOR BARDOUX

Croisset, près Rouen, 29 août [1875].

Mon cher Ami,

Je ne saurais te dire combien j'ai été ému jusqu'au fond du cœur par la démarche dont Raoul-Duval m'a parlé, et dont vous êtes tous les deux complices. — On n'est pas meilleur que vous l'êtes ! Avoir pris l'initiative d'un pareil service en redouble le prix.

Mais, mon cher ami, je t'en fais juge toi-même : à ma place, tu ne l'accepterais pas[1]. Le désastre qui m'atteint n'a rien qui intéresse le public. C'était à moi de mieux gérer mes affaires, et je trouve que le budget ne doit pas me nourrir. Pense donc que cette pension serait publiée, imprimée, et peut-être attaquée dans la Presse et à la Tribune ! Qu'aurais-je, qu'aurions-nous à répondre ? D'autres jouissent de la même faveur, c'est vrai, mais ce qu'on passe aux autres m'est interdit. — Et puis, Dieu merci, je n'en suis pas *encore* là !

Cependant, comme ma vie va être très étroite, si tu peux me dénicher dans une bibliothèque une place de 3 ou 4 mille francs avec le logement (comme il y en a à la Mazarine ou à l'Arsenal), je crois que ça me ferait du bien[2] ! Mais une pareille trouvaille me paraît presque impossible ? On peut y songer d'avance, et prendre ses précautions.

Comme je n'en puis plus, comme je crève de chagrin, je vais me réfugier à Concarneau, jusqu'à la fin d'octobre, dans la compagnie de Georges Pouchet, qui fait, là-bas, des expériences sur les poissons.

Depuis quatre mois, moi et ma pauvre nièce, nous avons mené une vie *infernale* ! Je crois que la faillite sera évitée. L'honneur sera sauf. Mais rien de plus.

Ainsi donc, mon cher ami, c'est bien entendu : ne demande

pour moi aucune pension. Car, franchement, je ne *puis* l'accepter. Mais si tu trouvais une sinécure avantageuse, c'est différent.

Merci encore une fois de ce que tu as fait pour moi.

Je t'embrasse
Ton

Je t'aurais écrit immédiatement après la visite de R. Duval, mais je te savais absent de Paris.

À RAOUL-DUVAL

Croisset, 31 août [1875].

Mon cher Ami,

Votre lettre en date du 30 est en réponse à la mienne de mardi dernier, mais samedi je vous en ai écrit une autre, qui (j'en ai peur) est perdue, car il n'y avait personne à votre logement de la rue Verte[1] et mon domestique a été obligé de la laisser à une voisine ; celle-ci vous parviendra-t-elle ?

Dans ma lettre de samedi je vous demandais un service, cher ami, un grand service, comptant sur votre dévouement.

Pour *empêcher la faillite de mon neveu*, pour terminer avec Faucon, il restait, il y a huit jours, à faire un versement de 50 000 francs qu'il consentait à recevoir par annuités en huit ou dix ans.

Mme Commanville a demandé au Président du Tribunal l'autorisation de vendre un titre de rente de pareille somme. Si cette autorisation lui est refusée, elle peut s'engager à laisser 5 000 francs sur ses revenus chaque année. Mais, le régime dotal ne lui permettant pas de prendre légalement cet engagement, M. Faucon demande une garantie sur bonne signature que cet engagement sera respecté.

Notre ami Laporte, vendredi dernier, a garanti ma nièce pour la moitié de la somme — 25 000 —, reste donc à trouver un autre garant pour 25 000 francs. C'est ce service que je vous demande, cher ami.

La requête sera portée au Tribunal le 11 septembre ; si on y fait droit, on vous rendrait immédiatement votre signature. Voilà la situation, cher ami.

Hier, j'ai vendu ma ferme à M. Delahante ; mais vu les circonstances, je ne m'en trouverai guère plus riche qu'avant[2].

Vous comprendrez facilement que j'attends votre réponse avec impatience — et quelle qu'elle soit, soyez-en bien persuadé, cher ami, je suis toujours et plus que jamais

Votre très affectionné et reconnaissant

Vendredi.

Votre cuisinière ayant *affirmé* mardi que la veille elle vous avait envoyé ma lettre de samedi, — et connaissant votre exactitude, j'ai gardé par-devers moi la présente lettre, je la rouvre pour vous dire, cher ami, que j'attends toujours votre réponse…

Re-à vous.

À LÉONIE BRAINNE

[Croisset, 2 ? septembre 1875.]

Non ! je ne suis pas malade ! mais je suis *broyé*. Il m'est impossible de me tenir debout et il me semble que mon crâne est complètement vidé.

Les *affaires* surchargent mon chagrin. — Je crois que je dormirais bien dans le jour. Mais le jour il faut s'occuper de ce que je déteste le plus au monde, les intérêts matériels !

J'espère qu'on verra sa belle amie avant une quinzaine. — Merci de sa gentille lettre.

Le cher petit la serre dans ses bras.

Jeudi, 4 heures.

À EDMOND LAPORTE

[Croisset,] vendredi 3 septembre [1875].

Mon bon Vieux,

Faucon a consenti à ce qu'on lui demandait. *La faillite n'aura pas lieu.* — Grâce à vous.

J'ai vendu à M. Delahante ma ferme de Deauville pour 2 cents mille francs, ce qui me permet de sauver mon pauvre neveu.

Le pire est donc passé ! Il me tarde de vous voir pour vous

donner des explications. Après quoi je partirai vers Concarneau.

Donc, mon bon, dès que vous serez rentré à Couronne, venez ici pour que vous embrasse

Votre

[De la main de Mme Commanville :]

Ne manquez pas de venir à Croisset, lors même que mon oncle serait parti.

J'ai bien envie de vous serrer la main, et suis heureuse de vous compter parmi les *vrais amis.*

Adieu, ou mieux à bientôt.

C[AROLI]NE COMMANVILLE.

À LA PRINCESSE MATHILDE

Croisset, 3 septembre [1875].

Princesse,

Votre aimable billet d'hier m'a fait du bien au cœur. Mais je ne profiterai pas de votre bonne invitation, parce que je suis encore triste et trop souffrant. Il faut épargner ses amis ; je ne veux pas vous infliger la gêne de ma sombre personne.

Je ne sais pas comment je ne suis pas mort de chagrin, depuis quatre mois ! Ce que j'ai souffert est inimaginable ! D'hier seulement les choses sont arrangées. *L'honneur sera sauf.* Quant à la ruine, elle sera pour moi moins considérable que je ne l'avais cru, parce que j'ai vendu très avantageusement ma ferme de Deauville. — L'avenir, malgré cela, est fort triste. Je suis attaqué dans les moelles. J'ai reçu *un coup* dont j'aurai du mal à revenir, si jamais j'en reviens ?

Comme il me faut un grand changement de milieu et d'habitude, dans une dizaine de jours, je m'en irai à Concarneau où je me propose de rester jusqu'au mois de novembre. L'air salé de la mer me redonnera peut-être un peu d'énergie ! J'ai la tête fatiguée comme si l'on m'avait donné dessus des coups de bâton, avec crampes d'estomac, maux de nerfs, et impossibilité radicale d'un travail quelconque.

J'espère que vous me reverrez plus *convenable.* — D'ici là, je vous donnerai de mes nouvelles, afin d'avoir des vôtres, Princesse. Car je suis, vous le savez, votre vieux (bien vieux) fidèle serviteur et dévoué.

À RAOUL-DUVAL

Croisset, lundi 6 septembre [1875].

Mon cher Ami,

À ma place, vous eussiez fait comme moi. J'en suis sûr. Il s'agissait avant tout d'éviter la faillite. Ma nièce et moi, nous prenons les engagements que nous pouvons tenir. Ma situation personnelle est du reste moins mauvaise que vous ne le croyez. Je vous expliquerai tout cela quand vous me ferez le plaisir de venir me voir.

Donc, mon cher ami, je profite de votre dévouement en vous disant un grand merci. Envoyez-moi une lettre, adressée à Faucon et dans laquelle vous vous engagerez à garantir ma nièce pour 25 000 francs, soit 2 500 francs de rente pendant dix ans. Cette lettre, je la remettrai moi-même et je pense qu'elle suffira. Dans le cas contraire je vous enverrais l'acte à signer.

Je n'ai pas besoin de vous prier de vous hâter. Car je suis bien anxieux d'écarter à tout jamais l'horrible poids qui m'oppresse.

Je vous serre la main, en vous remerciant de nouveau, du fond du cœur.

Votre

GEORGE SAND À GUSTAVE FLAUBERT

Nohant, 7 septembre [18]75.

Tu te désoles, tu te décourages. Tu me désoles aussi. C'est égal, j'aime mieux que tu te plaignes que de te taire, cher ami, et je veux que tu ne cesses pas de m'écrire.

J'ai de gros chagrins aussi et souvent. Mes vieux amis meurent avant moi. Un des plus chers, celui qui avait élevé Maurice et que j'attendais pour m'aider à élever mes petites-filles, vient de mourir presque subitement[1]. C'est une douleur profonde. La vie est une suite de coups dans le cœur. Mais le devoir est là, il faut marcher et faire sa tâche sans contrister ceux qui souffrent avec nous.

Je te demande absolument de *vouloir*, et de ne pas être indifférent aux peines que nous partageons avec toi. Dis-nous que le calme s'est fait et que l'horizon s'est éclairci.

Nous t'aimons, triste ou gai. Donne de tes nouvelles.

G. SAND.

À RAOUL-DUVAL

[Croisset,] jeudi matin 9 [septembre 1875].

Mon cher Ami,

J'ai reçu hier au soir, votre lettre pour Faucon[1]. Je ne puis, ou, plutôt, ma nièce et moi, nous ne pouvons que vous en remercier du fond du cœur.

Vous m'avez rendu là un vrai service que je n'oublierai pas. Je suis bien malade, cher ami, et dans deux ou trois jours, je vais me réfugier à Concarneau où je tâcherai de rester le plus longtemps possible.

Je vous embrasse.

Votre

À EDMA ROGER DES GENETTES

[Croisset, 12 septembre 1875.]

Merci pour vos deux dernières lettres. Elles méritaient une réponse plus prompte. Mais la *force physique* me fait défaut et il me semble constamment que je vais mourir. — Il n'en est rien, hélas !

Cependant les affaires semblent s'arranger ? demain, je pars pour Deauville où je vais vendre mon dernier lopin de terre[2] !

Ma nièce et moi, nous avons donné *tout*, — tout ce que nous pouvions donner.

Quant à l'avenir, c'est la nuit noire. À la fin de la semaine, je serai à *Concarneau* et de là, quand je serai un peu remis, je vous écrirai plus longuement.

Remerciez pour moi M. Roger. Il m'a écrit quelques lignes qui m'ont été au cœur.

Tout à vous, chère Madame.

Votre vieil ami.

Croisset, dimanche 12 septembre.

À GEORGE SAND

[Croisset,] 12 [septembre 1875].

Chère bon Maître,

Je ne puis vous écrire longuement, comme je le devrais, mais la *force physique* me manque.

Je pars demain matin pour Deauville où je vais vendre le dernier lopin de terre qui me reste, afin d'éviter la faillite de mon neveu ! De là, j'irai à Concarneau, où je vais tâcher de me ressusciter. Y parviendrai-je, j'en doute.

Dès que je serai un peu remis, je vous enverrai de mes nouvelles.

Vous aussi, vous avez eu de gros chagrins ! je vous plains d'autant plus que j'en suis surchargé !

Ah ! si je pouvais m'en aller de ce monde, quel soulagement !

Je vous embrasse avec ce qui me reste de forces.

Votre

Croisset, dimanche 12 septembre.

À IVAN TOURGUENEFF

[Croisset, 12 septembre 1875.]

Ne m'en voulez pas, mon cher ami, si j'ai été longtemps sans vous écrire. Ma vie est tellement *atroce* que je suis physiquement écrasé.

Demain je pars pour Deauville, où je vais vendre mon dernier lopin de terre. Grâce à cela, la faillite de mon neveu sera, je crois, évitée. — Puis, à la fin de la semaine, je serai à *Concarneau.* Et de là je vous enverrai de mes nouvelles.

Je pense bien à vous et vous embrasse.

Votre vieux.

Dimanche.

À EDMOND LAPORTE

[Croisset,] dimanche soir 12 septembre [1875].

Mon bon cher Vieux,

Demain je repars pour Deauville afin d'y terminer notre affaire.

J'aurais voulu vous embrasser. Mais Delahante[1] en a décidé autrement, puisqu'il m'a donné rendez-vous mardi.

Dès que je serai un peu remis, je vous écrirai de Concarneau.

Ma nièce reste à Croisset jusqu'à la fin du mois. Elle compte bien sur votre visite.

Tout à vous, mon cher Laporte.

Ex imo

Votre

À AGÉNOR BARDOUX

Croisset, 13 septembre [1875].

Comme tu es bon, mon cher Bardoux ! Voilà, premièrement, ce que j'ai à te dire. Ce que tu fais pour moi m'attendrit, mais ne m'étonne pas[2].

Ta lettre m'arrive au moment de mon départ pour Deauville. Je vais y vendre, à de très bonnes conditions, une ferme, dont le prix empêchera la faillite de mon neveu. — Ses affaires prennent une meilleure tournure. De Deauville, j'irai à Concarneau me remettre un peu. Car je suis bien bas, mon pauvre ami ! Puis, dès le commencement de novembre, je serai à Paris.

Mais parlons de ce que tu fais pour moi. *Ne te presse pas.* Car j'ai peur de mal agir envers toi, par la suite.

Si la place que l'on m'offrira était à la Bibliothèque nationale, où le travail est atroce, si elle exigeait ma présence à Paris toute l'année, ou si les émoluments étaient au-dessous de 3 ou 4 mille francs, je n'aurais aucun bénéfice à l'accepter. Car cela n'amènerait pas dans ma position une amélioration suffisante. — Le séjour forcé à Paris toute l'année m'entraînerait à plus de dépenses et je n'y gagnerais rien. En un mot, mon cher ami, ce qui me conviendrait, c'est une sinécure, ou approchant. Tu vois que je te parle carrément. — Tu vas dire que je suis bien difficile. C'est vrai. Mais j'aime mieux ne te rien cacher.

Si quelquefois tu me faisais obtenir une place qui ne me convienne point, je la refuserais, ce qui serait bien mal reconnaître ta bonne amitié.

Comme il n'y a pas « péril dans la demeure », continue à tendre tes filets, observe, informe-toi, guette. — Dans six semaines, je serai à Paris. J'irai te voir et nous causerons sérieusement. Mais d'ici là n'arrête rien. S'il se présentait cependant une circonstance extraordinaire, fais-m'en part tout de suite.

J'aurais voulu te répondre d'une façon plus catégorique. Mais je ne sais pas encore ce qui résultera pour moi, définitivement, du désastre de Commanville, et jusqu'à quel point je serai ruiné ? Ce qu'il y a de sûr, c'est que notre vie à tous les trois va être bien étroite. — Et que trois ou quatre mille francs de rentes, de plus, me feraient du bien, pourvu que je puisse continuer à passer quatre mois de l'année à Croisset. — Et que je n'aie pas des occupations qui m'empêchent de travailler.

Tu vois que je t'ouvre « le fond du sac » comme à un ami, et non à un Protecteur. Tu as assez de cœur pour comprendre tout ce qui se passe dans le mien.

Ma nièce me charge de ses amitiés et moi je t'embrasse.

Je t'écrirai de Concarneau pour te donner mon adresse.

À SA NIÈCE CAROLINE

Concarneau, hôtel Sergent, samedi 3 heures.
[18 septembre 1875.]

Ma chère Fille,

Tu as dû recevoir de moi un télégramme jeudi dès mon arrivée. J'en attends un d'Ernest aujourd'hui. Il m'avait promis de m'en envoyer un pour me dire que la liquidation était déclarée ! ?

La poste arrive ici à 3 h 1/2, et le départ a lieu à 8 heures du matin. Pour que j'aie tes lettres le lendemain, il faut que tu les mettes à la boîte par le bateau de 9 heures ; les miennes ne t'arriveront guère qu'à trois jours de date.

Je voulais t'envoyer une description de l'endroit où je me

trouve, mais je tremble de plus en plus. J'ai beaucoup de mal à écrire, matériellement. Et les sanglots m'étouffent. Il faut que je m'arrête. Quand donc cela finira-t-il ? Ah ! le chagrin me submerge, ma pauvre enfant. — Mon cœur est plein, et pourtant je ne trouve rien à te dire.

Mes compagnons Pennetier[1] et Pouchet[2] sont fort aimables. Nous prenons tous les jours des bains de mer ensemble.

4 heures.

Ta lettre de jeudi m'arrive et me fait beaucoup de bien. Pauvre Caro, comment peux-tu me recommander de ne pas penser à toi ! Je ne fais que ça, malheureusement.

Je crois cependant que Concarneau me fera du bien, ou du moins je veux l'espérer.

Ma faiblesse nerveuse m'étonne moi-même. — Et m'humilie. Mais enfin je ne t'afflige plus par le spectacle de ma tristesse. Tu as assez de la tienne, pauvre enfant.

Oui, les deux jours passés à Deauville ont été *durs*, mais je me suis bien conduit : j'ai eu la force de dissimuler ce que j'éprouvais. — Beaucoup de choses que je revois ici réveillent les souvenirs de mon voyage de Bretagne et ne me rendent pas gai....

Je me fais des raisonnements ; je me dis que l'avenir sera peut-être bon. Mais j'ai un fond de désespoir qui me remonte à la gorge bien vite. — Ah ! que je voudrais écraser mon cœur sous mes talons. — Voyons ! calmons-nous.

Ton époux n'est pas fort sur les itinéraires. Il s'était trompé pour le bateau de Trouville, et il a manqué me faire passer en route, pour venir ici, vingt-quatre heures de plus qu'il [ne] le fallait. J'ai été de Lisieux au Mans où j'ai pris le train de Brest, à 1 heure de nuit. À Redon, j'ai pris le chemin de Lorient, et je me suis arrêté à Rosporden à 10 heures du matin ; j'en suis reparti à 2 heures et à 3 heures j'étais ici. — La vue des bonnets de femmes m'a fait plaisir, et je me suis retrouvé dans une auberge du bon vieux temps avec une sensation de rafraîchissement. Cela vous sort de la banalité des hôtels et de l'éternel garçon en habit noir couvert de taches. — J'ai passé la nuit de mercredi à regarder la lune. Elle courait aussi vite que le wagon, derrière les arbres qui bordaient la route. Heureusement, je n'avais personne à côté de moi. Tout mon voyage s'est passé sans désagrément, mais non sans fatigue, car je suis arrivé ici brisé et crevant de sommeil et de faim.

Mme Sergent[1] eſt au niveau de sa réputation. J'ai une très jolie chambre donnant sur le bassin. Ah ! si je pouvais me remettre au travail ! Mais tant que la liquidation ne sera pas finie, tant que je ne saurai pas à quoi m'en tenir sur ce qui nous reſtera, je n'aurai aucune liberté d'esprit. — Il y a de l'espoir, et un grand espoir, du côté de M. Delahante[2]. Si cette affaire-là réussissait (l'achat de la scierie par une compagnie de chemin de fer), ce serait bien bon !

J'écrirai à Erneſt un de ces jours. — Ne le décourage pas, le pauvre garçon ! Car il n'a pas d'autre conduite à tenir que de remonter son établissement.

Plus tu m'écriras souvent, plus tu me feras plaisir.

Adieu, mon pauvre Caro. Je t'embrasse bien tendrement.

Ton Vieux
Gve.

À SA NIÈCE CAROLINE

[Concarneau,] mardi, 4 heures [21 septembre 1875].

Ta lettre de dimanche m'arrive, mon Caro. Tu vois quel temps il nous faut pour correspondre. Comme je tremble ! Je suis obligé de m'arrêter à chaque lettre : c'eſt le résultat de mes *petites* émotions.

Depuis samedi, j'ai attendu anxieusement le télégramme promis par Erneſt. — Et, si je n'avais pas eu ta lettre de tout à l'heure, je t'en aurais envoyé un. Je ne serai complètement rassuré que lorsque la liquidation sera ouverte. — Encore une semaine à attendre ! J'ai beau faire de grands efforts pour ne pas songer à l'avenir, cela m'eſt impossible. Je me demande sans cesse : « Comment vivrons-nous ? puisque tous nos revenus, et au-delà, sont engagés ? » Cette préoccupation me ronge comme un cancer. Tu me dis de ne pas songer au Passé. À quoi veux-tu que je songe ? À l'Avenir ! Il eſt si triſte qu'il m'épouvante.

Ah ! si la liquidation pouvait se faire vivement et que mon ami Delahante se montât le bourrichon pour la scierie et qu'il l'achetât un bon prix, quel soulagement ! Enfin je sens que je reſterai dans un triſte état tant que nous n'aurons pas de solution.

Relativement, cependant, je me sens beaucoup mieux, je n'ai

plus d'étouffements et les accès de larmes sont plus rares. — Je dors et mange bien. Mes compagnons (qui sont fort aimables) prétendent que j'ai déjà engraissé. Tous les jours, je prends un bain de mer. — Hier nous avons été voir un Pardon aux environs (à Pont-Aven). Aujourd'hui j'ai passé tout l'après-midi au Vivier, où j'ai vu deux homards changer de carapace.

Mais je ne serai tranquille que quand Pourpoint[1] aura donné sa signature. D'ici là il m'eѕt impossible de penser à quoi que ce soit d'un peu mieux.

Pauvre Laporte ! Comme il eѕt gentil ! quel bon ami ! Je suis fâché que tu aies bousculé Fortin. Je ne voudrais pas que tu l'aies blessé. Si tu juges que tu as été trop loin, je t'engage à réparer ta rudesse. Tu en as quelquefois, mon loulou. Prends garde, « tu es sur une pente ».

Tantôt, à midi, Pouchet et moi, nous avons envoyé à M. et Mme Sabatier[2] un petit mot d'affection par le télégraphe. — Il leur sera parvenu avant la visite que tu dois leur avoir faite. — Et de cette manière-là tu auras su de mes nouvelles.

Concarneau eѕt un charmant pays. Quelles bonnes vacances j'y passerais si j'avais l'esprit libre et le cœur desserré ! Tout m'y rappelle le Trouville du bon vieux temps.

Si je n'avais pas de difficulté matérielle à écrire, je t'en ferais une description. Quand mes pauvres nerfs seront-ils un peu raffermis ? Ah ! ton pauvre vieux bonhomme d'oncle eѕt bien démoli, ma chère enfant. Ma lettre ne partira que demain matin, à 8 heures, et ne doit pas t'arriver avant après-demain jeudi, dans l'après-midi ? Ainsi je ne puis avoir de réponse à cette lettre avant dimanche, à 4 heures du soir ! Dis-moi si je ne me trompe pas dans mon calcul.

Julio s'eѕt-il consolé de mon absence ? Donne-lui un baiser sur le front, de ma part.

As-tu repris la peinture ?

J'ai rêvé de Croisset toute la nuit dernière.

Ma pensée ne vous quitte pas.

Adieu, pauvre chat, je t'embrasse tendrement.

ton Vieux

Dès que Pourpoint aura signé, un télégramme !

À SA NIÈCE CAROLINE

[Concarneau,] samedi, 3 heures [25 septembre 1875].

Sera-ce aujourd'hui que je vais avoir une lettre de ma pauvre fille ? Et ce soir ou demain aurai-je un télégramme m'annonçant qu'on en a fini avec Pourpoint ?

J'ai beau regarder les poissons du Vivier, puis la mer, et me promener, et me baigner tous les jours, la préoccupation de l'avenir ne me quitte pas ! Quel cauchemar. Ah ! ton pauvre mari n'était pas né pour faire mon bonheur. Mais n'en parlons plus : à quoi bon ? Je t'assure que je suis bien raisonnable. J'ai même essayé de commencer quelque chose, de court, car j'ai écrit (en trois jours !) une demi-page *du* plan *de La Légende de saint Julien l'Hospitalier*. Si tu veux la connaître, prends l'*Essai sur la peinture sur verre*, de Langlois[1]. — Enfin je me calme, à la surface du moins. Mais le fond reste bien noir.

Je mène une petite vie douce et abrutissante. Coucher avant 10 heures, lever vers 8 ou 9. — Je ne fais rien du tout, et mon oisiveté ne me pèse plus. J'arrive souvent à ne plus songer à rien. Ce sont les meilleurs moments.

Mes fenêtres donnent sur une place au-delà de laquelle se trouve le bassin. Les fortifications du vieux Concarneau (un mur crénelé avec deux tours et un pont-levis) s'étendent par-derrière. — Je vois tout le quai en enfilade, et les petits bateaux qui pêchent la sardine. Tantôt, j'ai passé une heure à les regarder rentrer, puis j'ai fait un somme sur mon lit. Le réveil n'est jamais gai. Quand la réalité me reprend, quel pincement !

Pennetier nous a quittés avant-hier et je reste seul avec le bon Pouchet, que j'envie profondément. Comme il est d'aplomb ! Moi, je me sens déraciné et roulant au hasard comme une algue morte.

Mais je *veux* me forcer à écrire *Saint Julien*. Je ferai cela comme un pensum, pour voir ce qui en résultera.

Le séjour de Concarneau a pour moi deux inconvénients : l'odeur de la sardine qui vous empoisonne, et la toux, le graillonnement horrible d'un voisin qui habite une chambre près de la mienne. — Quant à ma santé physique, elle est très bonne. — J'ai cependant eu, pendant deux jours, la semaine dernière, une violente colique. — C'était une petite épidémie qui régnait dans le pays.

Il va être bientôt 4 heures. J'attends la poste pour continuer mon épître.

5 heures.

Ta lettre de jeudi m'arrive à l'instant. Tu as bien fait de garder celle de Guyot[1]. Je te remercie même de ne pas me l'avoir envoyée.

Pauvre loulou, tu m'as l'air bien dolente et fatiguée ? C'est le résultat de la jolie vie que nous avons menée depuis cinq mois ! Tu as raison, je crois que tu seras moins triste à Paris. Mais comment va se passer l'hiver ? Problème.

Que dis-tu d'un M. Spoll, qui me croit *propriétaire* ! du château d'Ouville et qui m'y a adressé une lettre pour me demander de collaborer au *Tour de France*, publication qui doit faire pendant à celle du *Tour du Monde* ? Une autre lettre que tu m'as renvoyée, et que j'ai reçue hier, était de Burty[2]. Je te dis cela pour continuer notre communisme, pauvre chérie.

Mon compagnon vient me chercher pour prendre notre bain : c'est l'heure. Mais le temps me semble bien rafraîchi, et la marée est trop basse. Je crois que je vais *caler*.

6 heures et demie.

En effet, j'ai calé. Il faisait trop frais. Mais j'ai joui d'un coucher de soleil splendide. Un vrai Claude Lorrain. Que n'étais-tu là, pauvre fille, toi qui admires tant la nature ! Je me figurais ta gentille personne installée, près de moi, sur la plage, devant un chevalet et barbouillant bien vite les nuages, pour les saisir dans leur bon moment.

J'espère avoir demain un télégramme, ou peut-être mardi une lettre. En tout cas je compte sur la réponse de celle-ci mercredi.

M. Delahante a-t-il écrit à ton mari ? Quand viendra-t-il [voir] la scierie ? Embrasse Ernest pour moi. — Et Julio aussi. — Et toi aussi, ou plutôt et toi d'abord.

Adieu, ma pauvre enfant.

Ton vieux qui te chérit.

À SA NIÈCE CAROLINE

Concarneau, dimanche, 5 heures
[26 septembre 1875].

Ta lettre d'hier (samedi matin) ne m'étonne pas trop. — Mais je la voudrais plus explicite. *Qu'y a-t-il donc ?* depuis 8 jours je me doutais bien qu'une anicroche était survenue ? Je me rassure par cette ligne : « il n'y a pas d'inquiétude à avoir ». N'importe ! je voudrais bien savoir *quand ce sera fini ?* donne-moi des détails.

Je te remercie bien de ton petit mot, car j'étais dans l'inquiétude.

Voilà la pluie qui tombe, et je reste seul dans ma petite chambre d'auberge à tâcher de rêvasser l'histoire de saint Julien l'Hospitalier. Ce n'est pas à lui que je pense, mais à ma pauvre fille que j'embrasse tendrement.

Ton vieil oncle.

À SA NIÈCE CAROLINE

[Concarneau,] jeudi, 6 heures du soir
[30 septembre 1875].

Pas de lettre ? J'en attendais une en réponse de la mienne de dimanche, qui demandait des explications sur Pourpoint. Est-ce demain ou samedi que j'aurai un télégramme m'annonçant que c'est fini ? Voilà 15 jours que je l'attends !

Mon compagnon Pouchet m'a quitté depuis lundi matin et ne reviendra que ce soir. — De sorte que je me suis passablement ennuyé pendant 4 jours. Cette solitude ne m'a pas été bonne. Je viens même de déchirer une lettre à toi où je m'épanchais trop.

Aujourd'hui, d'ailleurs, il fait de l'orage et j'ai mal à la tête. Enfin, *ça ne va pas.*

Lis dans la *Légende dorée*[1] l'histoire de saint Julien l'Hospitalier. Tu l'as mal comprise dans Langlois (où elle est pourtant bien racontée) ?

Tu peux reprendre les Buffon. Mets aussi de côté pour l'emporter à Paris les *Légendes pieuses du Moyen Âge* de Maury[2]. C'est un petit in-8° broché en bleu qui se trouve en face des Buffon.

Malgré tes conseils, je ne peux pas arriver à l'« endurcissement », ma chère fille. Ma sensibilité est surexcitée ; j'ai les nerfs et le cerveau malades, très malades, je le sens… Allons ! bon ! voilà que je vais recommencer à me plaindre, bien que je ne veuille pas t'affliger. — Je me borne à relever ta comparaison du « rocher ». Apprends donc que les vieux granits deviennent quelquefois des couches d'argile. J'en ai vu ici des exemples que Pouchet m'a montrés. — Mais tu es jeune, tu as de la force, et tu ne peux me comprendre, malgré toute ta tendresse.

Tu ne m'as pas parlé du mariage de Frankline[1] ?

Ma lettre est-elle assez bête, hein ? Elle me ressemble. « Le style, c'est l'homme même. » Mais je t'écris aujourd'hui parce que, autrement, tu n'aurais pas de mes nouvelles avant lundi. — Comme aujourd'hui je suis très noir, je m'arrête là, me bornant à t'embrasser bien tendrement.

Ton Vieux.

Comment va Ernest ? sa toux ?

À LÉONIE BRAINNE

Concarneau, hôtel Sergent.
Samedi, 6 heures, 2 octobre [1875].

Et d'abord, ma chère belle, *je n'ai pas été à Paris.* Ainsi je ne mérite aucun reproche, car je suis venu ici directement de Deauville par Lisieux et Le Mans.

Vous ne me parlez pas de vous, dans votre lettre ? Lapierre m'a dit que vous étiez *très* triste ; est-ce vrai ? Il a été excellent pour nous ce bon Lapierre. Il s'est montré un véritable ami[2].

Quant à moi, que voulez-vous que je vous dise, ma chère amie ? Je suis un « homme de la décadence », ni chrétien, ni stoïque et nullement fait pour les luttes de l'existence. J'avais arrangé ma vie pour avoir la tranquillité d'esprit, sacrifiant tout dans ce but-là, refoulant mes sens, et faisant taire mon cœur. Je reconnais maintenant que je me suis trompé ; les prévisions les plus sages n'ont servi à rien et je me trouve ruiné, écrasé, abruti.

Et puis, notez que j'ai bientôt 54 ans. À cet âge-là, les habitudes sont tyranniques et on ne refait pas sa vie.

Pour faire de l'art, il faut avoir un insouci des choses matérielles, qui va me manquer désormais ! Mon cerveau est surchargé par des préoccupations basses. Je me sens déchu ! enfin, votre ami est un homme fini !

Et je vous assure que je fais des efforts pour sortir de là ! La semaine prochaine je me mettrai même à écrire un petit conte[1]. Mais la Foi n'y est plus. On ne résiste pas à des coups pareils.

Ici, cependant, je vais mieux qu'à Croisset. Savez-vous que ma pauvre nièce et moi nous avons passé *cinq* mois, dans l'état des gens qui sont traduits en cour d'assises, c'est-à-dire dans une angoisse mortelle et incessante. Chaque jour n'était qu'un long supplice. Enfin, hier seulement, la liquidation est signée. L'honneur sera sauf, mais rien que cela. Votre ami Delahante a été très gentil avec moi. Ce ménage est fort aimable.

Mes jours sont employés à manger et à dormir. Je me gorge de homards et de salicoques[2]. — Je fais de petites promenades au bord de la mer, en devisant avec l'ami Georges[3] qui me donne des leçons d'histoire naturelle, — et nous ne nous disputons pas sur la politique. Quel piocheur ! comme je l'envie !

Vous m'avez fait une surprise bien aimable en m'envoyant votre portrait. Il est là, devant moi, et je le contemple. Ce sont bien vos yeux, spirituels et doux, cette fière chevelure relevée sur les tempes, et ces belles grasses épaules qui donnent envie d'en manger. La dentelle qui est du côté droit ressemble à une fleur noire tombée sur du marbre. Cependant, comme il faut toujours faire des critiques, je trouve que la figure est un peu plus ronde que dans le modèle ? N'importe ! cette petite carte-là est faite pour inspirer les sentiments les plus vifs, et en la considérant derechef, ce matin, dans mon lit, je me suis aperçu que j'étais encore un homme.

À quelle époque du mois de novembre pensez-vous partir pour Alger ? Nous autres nous ne serons guère à Paris avant le 8 ou le 10 novembre. Je redoute ce séjour, cet hiver ! qu'y vais-je faire ? que deviendrai-je ? À la grâce de Dieu, après tout ! que ne suis-je insouciant, égoïste, léger ! Le fardeau de l'existence serait moins lourd.

Je voudrais bien vous embrasser avant votre départ. Amitiés à votre fils[4]. — Et à Mme Pasca[5], et à vous mes tendresses.

GVE.

À SA NIÈCE CAROLINE

[Concarneau,] samedi, 6 heures, 2 octobre [1875].

Le télégramme d'Ernest m'a fait grand plaisir, comme tu peux le croire, ma chère Caro ! Les retards (jusqu'à présent inexpliqués) de Pourpoint[1] m'avaient mis « martel en tête ». J'avais peur encore de la faillite ! Elle est donc évitée, Dieu soit loué. Maintenant il faut attendre pour savoir ce que la liquidation donnera ! Mais en attendant comment pourrons-nous vivre, tous nos revenus étant engagés ? N'importe ! nous pouvons respirer. Le plus grand malheur (dans notre malheur) est évité.

Je m'étonne de n'avoir pas reçu de lettre de toi, aujourd'hui. Probablement que j'en aurai une longue demain.

Pouchet est revenu hier. — Et aujourd'hui il m'a donné deux leçons d'histoire naturelle en disséquant devant moi, avant le déjeuner, une raie et, après le déjeuner, un mollusque hideux qu'on appelle « lièvre de mer ». Après quoi, j'ai fait un somme de deux heures sur mon lit, car je m'étais fort empiffré avec du tourteau, et Monsieur était complètement abruti. L'ordinaire de l'auberge Sergent est surabondant : il y a à tous les repas 7 ou 8 plats, parmi lesquels figurent toujours de la salicoque et du homard. Si ton pauvre mari était ici, comme il se régalerait !

Le temps est devenu froid. Il faut mettre les habits d'hiver, et nous ne nous baignons plus.

Et toi, pauvre fille, comment vas-tu ? Tu m'écris des lettres tendres et morales, mais sans aucun détail sur ton existence. As-tu repris ta chère peinture ? etc.

Demain, j'écrirai plusieurs lettres ; puis, lundi, je veux me mettre à écrire *Saint Julien l'Hospitalier*.

Que va faire Ernest, maintenant ? Il ferait bien de se reposer un peu. — Pourvu qu'aucun de vous deux ne tombe malade, après toutes ces émotions ! Je ne t'ai pas dit que je suis un traitement pour mon front. Mais, jusqu'à présent, je ne m'aperçois pas qu'il y ait grand changement.

Je t'embrasse bien fort.

Ton vieil oncle qui t'aime.

À EDMOND LAPORTE

Concarneau, hôtel Sergent.
Samedi, 6 heures, 2 octobre [1875].

Comment allez-vous, mon bon cher vieux ? Pensez-vous à votre géant, qui pense à vous ?

Bien que plus calme, je ne suis pas encore fort gai.

D'hier seulement la liquidation est signée, et jusque-là je n'étais pas sans inquiétude. Enfin c'est fini, reste à savoir comment vivre ? Mais vous connaissez aussi bien mes chagrins puisque vous les avez partagés. Il est donc inutile que je vous en re-embête de nouveau.

Je mène ici une petite existence paisible et idiote. Je me gorge de salicoques et de homards, je me promène au bord de la mer, je pionce sur mon lit après le déjeuner, je me couche dès neuf heures du soir, et je devise avec le bon Pouchet qui dissèque devant moi pour mon instruction des poissons et des mollusques. Il m'a montré aujourd'hui les organes génitaux d'une raie.

Mes travaux littéraires se bornent à la lecture du *Siècle* et du *Temps.* La semaine prochaine cependant, je veux me mettre à écrire un petit conte pour voir si je suis encore capable de faire une phrase ? Sérieusement, j'en doute. Je crois vous avoir parlé de saint Julien l'Hospitalier. C'est cette histoire-là que je me propose de coucher par écrit. Ce n'est rien du tout et je n'y attache aucune importance.

Vous qui goûtez les bonnes conversations de table d'hôte, si vous étiez ici, vous pourriez vous satisfaire. J'ai des voisins qui ne parlent absolument que chasses et sardines. Ces conversations se continuent dans le café et durent jusqu'à dix heures du soir. Avant-hier, j'ai vu durer l'examen d'un fusil pendant *deux* heures. Un de ces messieurs venait de l'acheter, et tout le monde l'a manié et épaulé. À un moment la servante est entrée. Alors on l'a couchée en joue. « Je vais te tuer. » C'était charmant.

Ils sont ici une société de sardineurs qui passent régulièrement au moins six heures par jour au café. La bêtise humaine est un gouffre sans fond, et l'océan que j'aperçois de ma fenêtre me paraît bien petit à côté.

Renseignement sur le cimetière de Concarneau :

Les gens pieux déposent au bord des tombes des vases d'eau bénite que l'on recouvre avec des coquilles. J'ai vu parmi ces vases, un pot à l'eau, un bol à café au lait et un moutardier. C'est derrière le cimetière qu'ont lieu les rencontres obscènes. On ne m'y rencontrera pas, pour bien des raisons. Les femmes sont atroces, et mon Laporte serait obligé de...............[1] ! Cependant les grands bonnets et les collerettes plissées, donnent à quelques-unes un aspect monacal qui ne manque pas de grâce.

Votre patriotisme apprendra avec plaisir que sur « ces bords » on est, contrairement aux idées reçues, libre-penseur et républicain. On y déteste « Badinguet[2] ». À propos, vous avez vu de près notre « Bayard[3] ». Est-il vrai que R.-Duval se fâche avec les Bonapartistes[4] ?

Voilà l'automne arrivé, c'est-à-dire le vent et la pluie. Les baignades dans l'eau salée sont finies. Seriez-vous un homme assez brave pour venir jusqu'ici me faire une visite ? Je n'ose pas vous en prier et je n'y compte pas, car le voyage est bien long ? Cependant ?...

Nous comptons rester ici jusqu'au 8 ou 10 novembre. Rien ne m'appelle à Paris, et d'avance je redoute l'hiver que je vais y passer.

Écrivez-moi.

Je vous embrasse bien fort. Votre géant qui vous aime.

À LA PRINCESSE MATHILDE

Dimanche 3 octobre [1875].
Concarneau, Finistère,
hôtel Sergent.

Vous ne croyez pas que je puisse vous oublier, Princesse ? Mais, à présent, j'hésite toujours à vous écrire. Car j'ai peur de vous ennuyer par mes chagrins. Je ne veux pas vous en donner le détail. Sachez seulement qu'ils sont considérables. Je ne m'en relèverai pas. Je me sens atteint presque dans les moelles et je me regarde comme un homme mort. Voilà le vrai. *L'honneur est sauf*, mais c'est tout, et l'honneur ne suffit pas pour vivre !

Ici, cependant, je vais mieux qu'à Croisset, je suis plus calme. La vie que je mène est celle d'une brute. Je dors, je mange, je me promène au bord de la mer, j'écoute les discours idiots de mes compagnons de table d'hôte. G. Pouchet dissèque devant moi des mollusques et me donne des explications auxquelles je tâche de m'intéresser... et puis, je rêvasse, je rumine mes souvenirs et mes chagrins, et la journée se passe !

Avant-hier, j'ai rencontré ici M. Armand Baschet[1], qui faisait son petit tour de Bretagne. Il venait de passer quelques jours chez ses amis les Panckoucke[2]. Naturellement, nous avons parlé de la Princesse Mathilde.

Si je n'ai pas accepté votre bonne invitation d'aller à Saint-Gratien, c'est que j'avais peur d'y être trop triste, et d'assombrir vous et les vôtres par ma fâcheuse figure. Quand on est malheureux, il faut être pudique et ne pas se montrer. — Popelin[3] m'a écrit une bonne lettre. Voulez-vous le remercier pour moi ? Je ne sais pas où se trouve maintenant de Goncourt ? Il m'a dit qu'il s'était remis à la besogne, qu'il avait commencé un grand roman[4]. Heureux est-il, s'il peut travailler !

Connaissez-vous un certain *M. Chauveau*[5], qui habite un château dans les environs, et qui a épousé une dame russe fort riche ? On prétend (ou il prétend) qu'il a été employé aux Tuileries ?

J'aime à croire que vous allez bien, Princesse, et que vous êtes heureuse. Tel est le souhait de votre très affectionné et fidèle

qui vous baise les mains.

À EDMA ROGER DES GENETTES

Concarneau, Finistère, dimanche 3 octobre [1875].

Voilà 15 jours que je suis ici et, sans être d'une gaieté folâtre, je me calme un peu. Le pire de la situation, c'est que je me sens mortellement atteint. Pour faire de l'Art, il faut un insouci que je n'ai plus. Je ne suis ni chrétien, ni stoïque. J'ai bientôt 54 ans. À cet âge-là on ne refait pas sa vie, on ne change pas d'habitudes. L'Avenir ne m'offre rien de bon et le Passé me dévore, et je ne pense qu'aux jours écoulés et aux gens qui ne peuvent revenir. Signe de vieillesse et de décadence. Quant à la littérature, je ne crois plus en moi, je me trouve vide, ce qui est une découverte peu consolante. — *Bouvard et Pécuchet* étaient trop difficiles, j'y renonce ; je cherche un autre roman, sans rien découvrir. En attendant, je vais me mettre à écrire la légende de *Saint Julien l'Hospitalier*, uniquement pour m'occuper à quelque chose, pour voir si je peux faire encore une phrase, ce dont je doute. Ce sera très court, une trentaine de pages peut-être. Puis, si je n'ai rien trouvé, et que j'aille mieux, je reprendrai *Bouvard et Pécuchet.*

Je me lève à 9 heures, je me couche à 10, je m'empiffre de homard, je fais la sieste sur mon lit, et je me promène au bord de la mer en roulant mes souvenirs. De temps à autre, mon compagnon, Georges Pouchet, dissèque devant moi un poisson ou un mollusque. Aujourd'hui il m'a fait l'autopsie d'un serpent à sonnettes. Heureux les gens qui s'occupent des sciences ! Cela ne vous lâche pas son homme comme la littérature. Ah ! saprelotte, la vie est lourde !

En d'autres circonstances, ce pays m'aurait charmé, mais la nature n'est pas toujours bonne à contempler. Elle nous renfonce dans le sentiment de notre néant et de notre impuissance. J'ai des voisins de table qui sont des mortels heureux, de petits bourgeois du pays se livrant à la pêche de la sardine ; ils ne parlent absolument que chasse et sardines ! et passent tous les jours au moins six heures au café ! Ce qu'ils disent est inénarrable !

Quel gouffre que la bêtise humaine !

Que lisez-vous ? Comment supportez-vous vos tristes journées ? Quand viendrez-vous à Paris ? Moi, je n'y serai pas avant le 8 ou 10 novembre probablement.

Présentez mes bonnes amitiés à M. Roger et recevez un baiser sur chaque main de la part de votre vieil ami.

G.

À GEORGE SAND

Concarneau (Finistère), hôtel Sergent.
Dimanche 3 octobre [1875].

Chère Maître,

J'hésite toujours à vous écrire, maintenant. Car j'ai peur de vous fatiguer avec mes plaintes. Un homme qui pleure son argent n'ayant rien d'intéressant. Mais que vous dire ? je ne suis ni stoïque, ni chrétien. Et je me sens profondément bouleversé ! J'ai reçu sur la tête un coup, dont je ne reviendrai pas.

Le malheur n'est bon à rien, bien que les hypocrites prétendent le contraire.

Mon neveu a mangé la moitié de ma petite fortune. Pour l'empêcher de faire faillite j'ai compromis tout le reste. Et je ne sais pas maintenant comment je vais vivre ? on ne peut rien me demander de plus.

Quant à faire le fier, après cela, et à me consoler avec les mots « dévouement », « devoir », « sacrifice », non ! non ! J'ai été habitué à une grande indépendance d'esprit, à une insouciance complète de la vie matérielle. — Or à mon âge on ne refait pas sa vie. On ne change pas d'habitudes. J'ai le cœur broyé et l'imagination aplatie. Voilà mon bilan.

Je cherche un sujet de roman, sans rien découvrir qui me plaise. Car j'ai abandonné mes deux bonshommes. Les reprendrai-je ? j'en doute. Je suis devenu très timide, très paresseux, une vache stérile, une brute. Cependant, pour m'occuper à quelque chose, je vais tâcher de « coucher par écrit » la légende de saint Julien l'Hospitalier. Ce sera très court, une trentaine de pages, peut-être ?

Je me couche à 10 heures, je me lève à 9. Je me gorge de homards et je me promène au bord de la mer, en ruminant mes souvenirs et mes chagrins, en déplorant ma vie gâchée, puis le lendemain, ça recommence ! Mon compagnon G. Pouchet dissèque devant moi des mollusques, et me donne des explications auxquelles je tâche de m'intéresser. — Je mange à table d'hôte et j'écoute les bourgeois du pays parler chasse et sardines. Ces messieurs passent régulièrement six heures par jour au café. Je les envie, car ils ont l'air heureux. Je lis régulièrement *Le Siècle* et *Le Temps* ! fortes lectures. Mais tout cela ne fait pas mon bonheur.

J'ai lu dans une feuille qu'on va reprendre aux Français, une pièce de vous[1]. Est-ce vrai ? Dans ce cas-là viendrez-vous à Paris, cet hiver ? quand serait-ce ? Moi, je n'y serai pas avant le milieu de novembre. Rien ne m'y appelle, au contraire. Je redoute l'hiver prochain, qui ne sera pas drôle pour ma nièce et pour moi. Peut-être sera-t-elle obligée de vendre Croisset ? peut-être serai-je forcé de chercher *une place !* oui, une place pour vivre. Il faut voir ce que la liquidation donnera. — Allons ! voilà que je vous reparle de ces maudites affaires ! Pardonnez-moi cette inconvenance. Et aimez toujours

votre vieux troubadour
bien démoli

Embrassez bien fort pour moi les chères petites. — Ah ! si j'avais une petite-fille (à moi) à embrasser ! Maurice[1] eſt dans le vrai. Il a bien arrangé sa vie. Que n'ai-je fait comme lui !

À IVAN TOURGUENEFF

Concarneau (Finiſtère). Hôtel Sergent.
Dimanche 3 octobre [1875].

Comment allez-vous, mon grand Tourgueneff ? Et comment va-t-on autour de vous ?

Moi, je me calme un peu. Ce n'eſt pas dire que je sois gai, mais mon chagrin eſt moins aigu ; et comme la faillite de mon pauvre neveu eſt définitivement évitée, j'ai le cœur moins serré. Reſte à savoir comment nous allons vivre maintenant, et si je pourrai sauver quelques épaves de ma fortune. Malgré tous les raisonnements que je me suis faits et les résolutions que je veux prendre, je sens que je suis un homme fini, mon bon ! J'ai reçu sur la tête un coup violent qui m'a écrasé la cervelle, voilà la vérité.

J'ai abandonné *B. et P*[2], dont je ne pouvais plus me tirer (le reprendrai-je plus tard ? problème) ; et pour m'occuper à quelque chose, je vais tâcher d'écrire un petit conte, une légende qui se trouve peinte sur les vitraux de la cathédrale de Rouen[3]. Ce sera très court, une trentaine de pages tout au plus. Ça ne monte [pas] du tout le coco, mais c'eſt pour m'occuper et pour voir si je peux encore faire une phrase, — ce dont je doute.

Je me lève à neuf heures, je m'empiffre de homard, je fais la sieſte sur mon lit, je me promène au bord de la mer, et je me couche à dix heures. Je ne lis rien. Je vis comme une huître. De temps à autre, mon compagnon, Georges Pouchet, dissèque devant moi un poisson ou un mollusque. Et puis c'eſt tout. Et je songe au passé, à mon enfance, à ma jeunesse, à tout ce qui ne reviendra plus. Je me roule dans une mélancolie sans bornes ; et le lendemain, ça recommence. Quand l'esprit ne se tourne plus naturellement vers l'avenir, on eſt devenu un vieux. C'eſt là que j'en suis.

En d'autres temps, le pays où je me trouve m'eût charmé. Mais le spectacle de la nature n'eſt pas si bon qu'on le dit pour les agités. Il ne fait que vous renfoncer dans la conviction de votre néant et de votre impuissance.

Je m'aperçois que ma lettre n'est pas folâtre. N'importe, elle vous prouvera que je pense à vous.

Comment va la santé ? Et cette goutte ? Vous devez être revenu à Paris, maintenant ? Écrivez-moi longuement. Vous me ferez plaisir.

Je vous embrasse.

Votre vieux démoli

À JEANNE DE LOYNES

Concarneau, Finistère, mardi 5 [octobre 1875].
Hôtel Sergent.

Mais oui, ma chère amie. C'est vrai. Daudet ne vous a pas trompée.

J'ai fait une très grande perte d'argent. Peut-être retrouverais-je plus tard quelques épaves ? Mais actuellement, la situation n'est pas drôle. — Et je ne la supporte pas avec le stoïcisme que vous m'attribuez.

J'avais tout sacrifié dans la vie à ma tranquillité d'esprit. Cette sagesse a été vaine. C'est là surtout ce qui m'afflige.

J'espère qu'avec le temps le coup que j'ai reçu se fera moins sentir ? N'importe. J'ai le cœur rempli d'une amertume infinie et dont le goût ne s'en ira pas. — Et puis, je ne suis plus jeune, ma chère belle. À mon âge, on ne refait pas sa vie. Les habitudes sont tyranniques, et on souffre terriblement par une foule de choses médiocres.

Je vous raconterai tout cela, dans un mois, quand je serai revenu à Paris.

Pour me calmer un peu, je me suis réfugié au fond de la Bretagne. Où je ne fais rien, bien entendu ! Mais je me promène sur la plage, en rêvassant, et je me couche de bonne heure.

Comment vous remercier de votre lettre, ma chère, ma bien chère amie ! Des paroles aussi tendres que celles-là sont une espèce de bienfait, un vrai service, savez-vous ! Je vous en suis reconnaissant, jusqu'au fond de ma sensibilité, laquelle est grande, hélas !

Et je vous embrasse, à deux bras, fortement, comme je vous aime.

Votre vieux fidèle
Gve.

À SA NIÈCE CAROLINE

[Concarneau,] jeudi, 2 heures [7 octobre 1875].

Mon pauvre Loulou,

Si je n'avais pas eu peur de t'ennuyer par la fréquence de mes épîtres, je t'aurais répondu tout de suite dimanche soir, pour te remercier du petit brin de clématite. Cette attention m'a été au cœur, et j'ai pleuré bien doucement en songeant à notre pauvre vieille[1]. Tu ne pouvais pas imaginer quelque chose qui me fût plus agréable.

Tu me parais « sublime » de résolution et de sagesse. J'approuve tes beaux plans de travail. Que ne puis-je t'imiter ! Cependant j'ai écrit à peu près une page de *Saint Julien l'Hospitalier* ; mais le fond du bonhomme continue à n'être pas gai.

Je vais vous envoyer, tantôt ou demain, une lettre à ton mari, pour lui adresser quelques questions d'*affaires.* — Car tu ne m'en parles jamais, et l'avenir, quoi que je fasse, me tourmente. Ça me revient de temps à autre, comme un mal de dents.

Croirais-tu que, presque toutes les nuits, je rêve Croisset, ou quelques-uns de mes amis morts ? Cette nuit, ç'a été Feydeau[2]. Le passé me dévore, et tu me parles de « vie nouvelle » à commencer. Mais, ma pauvre enfant, à mon âge, on ne recommence pas : on achève, ou plutôt on dégringole.

Hier, j'ai fait une promenade en bateau, charmante. La mer était comme un lac, la température chaude et le soleil splendide. Pendant deux heures de suite, je me suis oublié, Dieu merci ! J'ai passé beaucoup de temps, couché à plat ventre sur l'herbe d'un îlot, à regarder les vagues rebondir dans les rochers, et les mouettes voler dans le ciel. La rade était couverte de petits bateaux qui s'en revenaient de pêcher des sardines et le croissant de la lune est apparu, blanchissant tout un côté de l'horizon. — Comme cela te ferait (ou plutôt vous ferait) du bien (à tous les deux) de venir passer ici quelques jours ? On n'y a jamais froid ; c'est un climat méridional, sans doute à cause du Gulf stream qui chauffe le rivage ? Les grenadiers et les camélias poussent en pleine terre, comme aux îles Borromées. — Et on porte encore les vêtements d'été !

Ce doit être lundi que vous vendez le mobilier de Pissy[3] ? Après quoi, vous ne serez pas longtemps, sans doute, à vous diriger sur Paris ? Comment l'hiver va-t-il se passer ? Dis à Émile[1] qu'il n'oublie pas de remporter ma pelisse.

Pouchet ne s'en ira pas d'ici avant le 8 ou le 10 novembre. S'il y passait un mois de plus ou tout l'hiver, je resterais avec lui, car je redoute le séjour de la capitale.

Tu as donc toujours tes affreuses migraines, ma pauvre Caro !

Je ne fermerai ma lettre qu'à 5 heures, après la poste. — Car peut-être en aurai-je une de toi.

Un bon baiser sur chaque joue.

ton vieux
GVE.

5 heures.

Il faut que je t'embrasse bien fort pour la bonne lettre que je reçois. Elle est bien *intime*, charmante et douce. Enfin, elle te ressemble.

Tâchons de nous habituer à notre sort, sans perdre l'espoir qu'il changera.

Encore un bon baiser, pauvre chère fille.

À ERNEST COMMANVILLE

[Concarneau,] jeudi [7 octobre 1875].

Mon cher Ernest,

Je n'ai pas besoin de vous féliciter sur la nomination d'un liquidateur. Elle m'a fait autant de plaisir qu'à vous, vous pensez bien. Maintenant, qu'allons-nous devenir ? Voilà la question que je me pose sans cesse.

Tous nos revenus (c'est-à-dire ceux de votre femme et les miens) sont engagés, et présentement il ne nous reste pas un sou de rente. Loin de là ! Ce que nous devons payer annuellement (selon mes petits calculs) dépasse de 4 mille francs ce que nous avons à recevoir. Il fallait éviter la faillite, avant tout. Très bien ! Mais nous avons promis plus que nous ne pouvons tenir. — Je n'avais pas songé que Faucon toucherait l'intérêt de son hypothèque sur Deauville[2] !

Il ne nous reste donc que votre travail pour subvenir à nos dépenses communes ! sera-t-il suffisant ? voilà le problème. Enfin, que dois-je faire vis-à-vis de Bardoux[3] ?

J'ai une répugnance *extrême* à accepter une place, à n'être plus indépendant. Une fonction rétribuée me semble (quelle qu'elle soit) une déchéance. — Cependant, il faut vivre, hélas ! et peut-être me repentirai-je plus tard de l'occasion manquée. Bardoux peut quitter le ministère avec son patron, peu de temps après la rentrée des Chambres. — Jamais je ne retrouverai un protecteur pareil. Que dois-je faire ? je suis bien perplexe.

Que me conseillez-vous ?

Notre seul espoir d'avenir consiste dans ce bon Delahante[1] ? mais avant que son chemin de fer soit concédé et qu'il vous ait acheté vos terrains, il se passera du temps. D'ici là que devenir ?

Enfin, dites-moi vos projets, quelle tournure prend la liquidation, etc. ?

Il me semble bien difficile de garder le pauvre Croisset ? Sa vente serait pour moi le coup de grâce.

Je ferais peut-être mieux de me préparer à le recevoir ?

Votre femme m'écrit des lettres très gentilles et pleines de moralité, mais je ne sais rien de ce qui s'est passé, relativement à vos affaires, depuis notre séparation. J'imagine que vous avez eu encore des angoisses dues à Pourpoint ? pourquoi cela ?

Dites-moi combien me doit l'*Espagnol*[2], ou plutôt faites-moi une petite note que je lui enverrai, après l'avoir transcrite en beau style.

Réfléchissez bien à tout ce que je vous demande, et répondez-moi, d'une manière positive s'il est possible, c'est-à-dire sans vous monter, ni sans vous dévisser le coco.

Et cette gorge ? Comment va-t-elle ? Pouchet a la plus grande confiance en M. Guéneau de Mussy[3]. Allez le voir dès que vous serez à Paris.

Je vous embrasse.

Votre

GVE.

GEORGE SAND À GUSTAVE FLAUBERT

Nohant, 8 octobre [18]75.

Allons, allons ! la santé revient malgré toi puisque tu dors de longues nuits. L'air de la mer te force à vivre et tu as fait un progrès, tu as renoncé à un sujet de travail qui n'aurait pas eu de succès. Fais quelque chose de plus terre à terre et qui aille à tout le monde.

Dis-moi donc ce que l'on vendrait Croisset si on était obligé de le vendre. Est-ce une maison et jardin, ou y a-t-il une ferme, des terres ? Si ce n'était pas au-dessus de mes moyens, je l'achèterais et tu y passerais ta vie durant. Je n'ai pas d'argent, mais je tâcherais de déplacer un petit capital. Réponds-moi sérieusement je t'en prie ; si je puis le faire, ce sera fait.

J'ai été malade tout l'été, c'est-à-dire que j'ai toujours souffert, mais j'ai travaillé d'autant plus pour n'y pas songer. On doit reprendre en effet *Villemer* et *Victorine*[1] au Théâtre-Français. Mais il n'y a encore rien à l'étude, j'ignore à quel moment de l'automne ou de l'hiver je devrai aller à Paris. Je t'y trouverai dispos et courageux, n'est-ce pas ? Si tu as fait par bonté et dévouement, comme je le crois, un grand sacrifice à ta nièce qui, en somme, est ta véritable fille, tu n'en sauras plus rien et tu recommenceras ta vie comme un jeune homme. Est-ce qu'on est vieux quand on ne veut pas l'être ? Reste à la mer, le plus longtemps possible. L'important c'est de recrépir la machine corporelle.

Il fait chez nous chaud comme en plein été. J'espère que tu auras encore du soleil là-bas. Apprends la vie, du mollusque ! ce sont des êtres mieux doués qu'on ne pense et j'aimerais bien à me promener avec Georges Pouchet, moi ! L'histoire naturelle est la source inépuisable des occupations agréables pour ceux même qui n'y cherchent que l'agrément et si tu y mordais, tu serais sauvé. Mais de toutes façons, tu te sauveras, car tu es quelqu'un et tu ne peux pas te détraquer comme un simple épicier ruiné.

Nous t'embrassons tous du meilleur de nos cœurs.

G. SAND.

À GEORGE SAND

[Concarneau,] lundi [11 octobre 1875].

Ah ! chère maître ! quel cœur est le vôtre ! votre lettre m'a attendri jusqu'aux larmes. Vous êtes adorable, tout bonnement ! Quel remerciement vous envoyer ? J'ai envie de vous embrasser bien fort. Voilà tout.

Eh bien, voici où en sont les choses. Mon neveu m'a mangé la moitié de ma fortune et avec le reste, j'ai acheté à un de ses créanciers qui voulait le mettre en faillite une créance qui peut, après la liquidation, me redonner à peu près ce que j'ai risqué. D'ici là, nous pouvons vivre.

Croisset appartient à ma nièce. Nous sommes bien décidés à ne le vendre qu'à la dernière extrémité. Cela vaut cent mille francs (soit 5 mille fr. de rentes), et ne rapporte rien du tout, car l'entretien en est dispendieux. Ce qui peut revenir des cours et des jardins est contrebalancé par les gages du jardinier et les réparations des murs.

Ma nièce qui est mariée sous le régime dotal ne peut vendre aucune terre, sans la remplacer immédiatement par un autre bien foncier, ou meuble. — Ainsi, dans le cas échéant elle ne peut me donner Croisset.

Pour secourir son mari, elle a engagé tous ses revenus, seul moyen qui fût à sa disposition.

Vous voyez que la question est compliquée. Car j'ai besoin pour vivre de 6 ou 7 mille fr. par an (au plus bas), *et* de Croisset.

Les six ou sept mille fr. je les rattraperai peut-être, à la fin de l'hiver. — Quant à Croisset, nous verrons à nous décider plus tard. Tel est l'état des choses. Ce sera un gros chagrin pour moi s'il faut quitter cette vieille maison où j'ai de si tendres souvenirs. Et votre bonne volonté sera impuissante, j'en ai peur. — Comme rien ne presse maintenant, j'aime mieux n'y pas songer. — J'écarte lâchement ou plutôt je voudrais écarter de ma pensée toute idée d'avenir ! et « d'affaires » ! En ai-je eu par-dessus le dos, depuis cinq mois, mon dieu ! mon dieu !

Je continue à travailler un peu, et je me promène, mais voilà le froid et la pluie. Cependant je ne serai pas rentré à Paris avant le 8 ou le 10 novembre.

Vous m'approuvez d'avoir abandonné mon chien de roman[1]. Il était au-dessus de mes forces, je le reconnais. Et cette découverte me donne un renfoncement de plus. — J'ai beau me roidir contre le sort, je me sens très faible.

Merci encore une fois, chère bon maître, je vous aime bien, vous le savez.

Votre vieux

CRUCHARD
de plus en plus bedolle.

À SA NIÈCE CAROLINE

[Concarneau,] lundi soir [11 octobre 1875].

Un mot seulement, pauvre loulou. J'ignore ton adresse, ou plutôt notre adresse à Paris. *Quel est le numéro ?* Mais tu seras sans doute partie quand cette lettre arrivera au pauvre Croisset.

Lis ce que la mère Sand m'écrit sur *lui* (Croisset) : « Si ce n'était pas au-dessus de mes moyens, je l'achèterais et tu y passerais ta vie durant. Je n'ai pas d'argent, mais je tâcherais de placer un petit capital. Réponds-moi sérieusement, je t'en prie ; si je puis le faire, ce sera fait. »

Hein ? Qu'en dis-tu ?

Ça m'ennuie de te savoir toujours assaillie de migraines ! Il faut aller voir un médecin ; mais je crois que le seul[a] remède serait une meilleure fortune.

Je me suis hier promené pendant *3* heures. Aujourd'hui, il pleut et il fait froid. — J'ai travaillé tout l'après-midi, pour faire six lignes ! Mais je n'en suis plus à me désespérer ! Espérons que la « surface » (comme tu dis) deviendra décente.

Un bon baiser sur chaque joue.

VIEUX.

IVAN TOURGUENEFF À GUSTAVE FLAUBERT

Bougival, Les Frênes.
Lundi, 11 oct[obre 18]75.

La vue de votre écriture, mon bon vieux Flaubert, m'a fait le plus grand plaisir, et la lecture de votre lettre encore plus : vous revenez sur l'eau, et vous faites — j'allais dire des plans littéraires ! ! — enfin, vous vous amusez à penser que vous allez travailler. — C'est bien, ça, et je suis sûr que vous nous donnerez *trente* pages[1].

Les Frênes.
Vendredi, 15 oct[obre 18]75

J'en étais là de ma lettre, mon bon ami, quand quelque chose est venu l'interrompre, et voilà que je la retrouve dans mon buvard à ma grande surprise : je la croyais partie depuis longtemps. Je me traite de grand imbécile, et je reprends.

Je dis donc que je suis très content de l'idée des *trente* pages ! Je viens aussi de promettre à mon éditeur russe un récit de 30 pages[2] (2 feuilles d'impression) pour le 26 novembre — dernière date ! — et je n'ai pas encore le premier mot dans la tête. — Mon grand roman[3] étant un peu renvoyé aux calendes grecques — plus encore que *B. et P.* — mon éditeur me demande avec des cris d'aigle quelque chose ! — et me voilà engagé. — Voyons qui de nous deux arrivera premier.

Hélas oui ! Nous sommes vieux tous les deux, mon bon ami ; c'est indiscutable. Tâchons au moins de nous amuser comme des vieux. — À propos, avez-vous lu dans *La République française* (du 10 et du 11) un feuilleton intitulé « Le Suicide d'un enfant » — et signé : X.[1] ? — Cela m'a frappé. Il est évident que l'homme qui a écrit cela appartient à votre école ; s'il est jeune, il a de l'avenir. Tâchez de vous procurer cette chose et dites-moi votre avis.

Ici tout le monde va bien. — Moi, j'ai été assez violemment pincé par une cystite — c'est ainsi, je crois, que cela s'appelle — une inflammation de la vessie ; j'ai eu deux vilaines nuits, je suis resté trois jours dans mon lit, enfin cela s'est à peu près dissipé. — Ce sont là de ces petits « memento », de ces cartes de visite que Mme La Mort nous envoie, pour que nous ne l'oubliions pas.

Nous restons ici encore jusqu'au 1er novembre ; le temps est doux, gris, humide, — pas désagréable. — Je ne pourrai pas habiter ma nouvelle maison cette année-ci, mais j'y viens de temps en temps, j'y écris mes lettres, comme celle-ci p[ar] e[xemple]. — Il fait un bon feu dans la cheminée, et pourtant j'ai froid dans le dos.

Il y a eu aussi un bien joli feuilleton de Mme Sand dans *Le Temps* (écrit en 1829 ! quand elle avait 25 ans) — vous devez l'avoir lu. — Zola a fait dans sa revue russe un magnifique article sur les Goncourt[2]. — Cela va faire traduire leurs romans.

Écrivez-moi la date — probable — de votre retour à Croisset. — Vous ne resterez plus longtemps au bord de la mer, j'imagine ? et vous viendrez à Paris, malgré tout ? Vos amis se proposent de se grouper autour de vous, de façon à vous tenir chaud.

En attendant, faites mes meilleures amitiés à Mme Commanville. — Vous, je vous embrasse, et je suis

votre vieux fidèle
IV. TOURGUENEFF.

À ERNEST COMMANVILLE

[Concarneau,] jeudi matin [14 octobre 1875].

Mon cher Ami,

Voici le papier pour Prieur[3]. Je n'y comprends goutte. N'importe !

Ce que vous me dites me rassure, pour le présent, mais l'avenir est encore bien ténébreux et je suis comme vous, il m'inquiète.

Quant à Bardoux, avant de lui répondre d'une manière décisive, je veux savoir ce qu'il me propose[4]. Pour prendre une résolution quelconque, j'attends donc que je l'aie vu, moi-même, à Paris, où je serai rentré vers le 7 ou le 8 novembre.

Je me promets dès mon retour de talonner vertement l'*Espagnol*[1].

Êtes-vous débarrassé de Guyot[2] ?

Bon courage, mon pauvre ami. Il va vous en falloir pour faire la commission. Soignez votre santé ! Vous avez besoin d'être fort physiquement, afin de pouvoir porter la vie.

J'ai recommencé à travailler. J'ai même écrit trois pages de ma petite historiette[3]. J'ai appris, hier, l'anatomie du homard, mais tout cela ne suffit pas à mon bonheur !…

Embrassez votre femme pour moi.

(Et Putzel[4] aussi, dont je n'ai eu aucune nouvelle.)

Votre vieil oncle qui vous aime.

J'aurai besoin d'argent dans une quinzaine. 500 francs.

À EDMA ROGER DES GENETTES

Concarneau [14 octobre 1875].

Merci pour votre charmante petite (trop petite) lettre du 9 courant, chère Madame ou plutôt chère amie. Vous avez de bonnes paroles qui m'ont été au fond du cœur. — Et je redoute moins l'hiver qui va venir, puisque je sais que je vous verrai.

Quand arrivez-vous à Paris ? Moi, j'y serai sans doute vers le 8 ou 10 novembre[5]. Mon adresse est rue du Faubourg-Saint-Honoré, 240.

Malgré toutes mes résolutions, ma *Légende* n'est guère avancée. Il me prend de temps à autre des prostrations, où je me sens si anéanti qu'il me semble que je vais crever. C'est la digestion de toutes les coupes d'amertume avalées depuis six mois ! La fin de ma vie n'est pas drôle.

Dans mes moments de désœuvrement (et ils sont nombreux) je lis quelques passages d'un Saint-Simon qu'on m'a prêté et, pour la millième fois, les contes de ce polisson de Voltaire, et puis régulièrement *Le Siècle* (!), *Le Temps* et *Le Phare de la Loire*. — Car ici, contrairement aux idées reçues sur la catholique Bretagne, on est très radical et libre penseur.

Des deux sonnets de Mme Colet[6], celui que je trouve le meilleur, c'est le premier ; les quatre derniers vers me semblent même fort bons.

La pluie tombe à vrac et je reste au coin de mon feu, dans ma chambre d'auberge, à rêvasser pendant que mon compagnon dissèque des petites bêtes dans son laboratoire. Il m'a montré l'intérieur de plusieurs poissons et mollusques ; c'est curieux, mais insuffisant à ma félicité. Quelle bonne existence que celle des savants et comme je les envie !

Amitiés à M. Roger. Je vous baise les deux mains.

Votre vieux fidèle et affectionné

Écrivez-moi, hein ?

À CLAUDIUS POPELIN

[Concarneau, mi-octobre 1875.]

Mon cher Popelin,

J'ai reçu ici votre somptueux volume[1], un peu abîmé sur la couverture par son voyage de Croisset à Concarneau. — N'importe ! rien de grave dans l'accident. Et je me suis rué dessus. Je l'ai lu, immédiatement, ce qui n'est pas long. Puis je l'ai relu.

J'y admire surtout la Préface, la pièce sur César Borgia[2] et cette autre ayant pour titre « Au bois ». Et tout le texte m'a été fort agréable, vous devez en être sûr, puisque nous sentons et pensons de même.

J'aurais dû vous remercier pour votre bonne lettre, d'il y a un mois, et plus ? Mais que vous dire, mon cher ami ? Je suis bien triste, bien brisé. Mon meilleur espoir est de parvenir à garder les apparences. Y arriverai-je ?

Nous nous verrons dans un mois. Car je serai revenu à Paris vers le milieu de novembre. Pensez à moi, quelquefois.

Votre vieux qui vous aime.

Mettez-moi aux pieds de la Princesse[3]. La place est bonne.

À SA NIÈCE CAROLINE

[Concarneau,] dimanche, 5 heures [17 octobre 1875].

Eh bien ! ma pauvre fille, commences-tu à te reconnaître un peu dans ton logement[4] ? Combien de kilogrammes de poussière as-tu avalés ? Il me semble que tu dois te donner bien du mal, avec un personnel aussi restreint et voulant faire des économies sur l'emménagement ? C'est tout au plus si mon appartement sera prêt quand j'arriverai ? ce qui aura lieu vers le 6 ou le 8 novembre. — Car mon compagnon[1] quittera Concarneau vers cette date. — J'ai peur de m'ennuyer en restant seul, si bien que je partirai avec lui.

Il a plu beaucoup cette semaine ; aussi les promenades n'ont pas été nombreuses. Cependant j'en ai fait une, jeudi, que j'ose qualifier de gigantesque, car j'ai marché pendant quatre heures.

Le petit *Julien l'Hospitalier* n'avance guère. Il m'occupe un peu ; c'est là le principal. Enfin je ne croupis plus dans l'oisiveté qui me dévorait ; mais j'aurais besoin de quelques livres sur le Moyen Âge ! Et puis, ce n'est pas commode à écrire, cette histoire-là ! Je persévère néanmoins, je suis vertueux.

J'ai reçu hier une bonne lettre du vieux Tourgueneff, qui me charge de te faire ses compliments. Quel charmant homme ! Lui et la mère Sand m'ont écrit, depuis six mois, des phrases qui m'ont touché.

Comme j'envie G. Pouchet ! En voilà un qui travaille et qui est heureux ! Tandis qu'il passe ses journées, courbé sur son microscope, dans son laboratoire, ton Vieux rêvasse tristement au coin du feu, dans une chambre d'auberge. À l'heure qu'il est, les gamins jouent aux billes sous mes fenêtres, et un bruit de sabots retentit. Le ciel est grisâtre ; la nuit peu à peu descend. Mlle Charlotte m'apporte deux bougies.

Un mot m'a fait bien plaisir dans ta lettre d'hier, pauvre chat : « J'ai confiance dans l'avenir. » Ah ! si tu pouvais me communiquer un peu de cet espoir ! Car j'ai beau faire, je retombe toujours sur des idées tristes. — Et je me sens le cœur serré. Comment dépouiller le vieil homme ? Comment rajeunir ? Quelle boisson prendre pour se fortifier ?

N'importe ! je crois que tu me trouveras moins accablant que cet été ! Le contretemps de ton départ, mercredi, a été le couronnement de la saison, n'est-ce pas ? L'inexactitude des cochers de Rouen est un problème.

Tu ne me dis pas dans quels termes tu as quitté Fortin[2] ?

Où gîte Mlle Julie ? etc., etc ? Enfin, chère fille, si tu n'es pas trop fatiguée par le remuement de tes meubles, écris-moi le plus prolixement possible. — Quand se remet-on à la peinture ?

Je t'embrasse bien fort.

VIEUX.

À EDMOND LAPORTE

Concarneau [mardi 19 octobre 1875].

Mon bon cher Vieux,

Comme mon compagnon[1] doit être à Paris vers le 5 ou le 6 novembre et que, lui parti, je n'aurais plus personne à qui parler, et que présentement la solitude ne me vaut rien, je ne resterai pas à Concarneau au-delà des premiers jours du mois prochain. Donc, mon bon, tâchez d'être dans la capitale vers cette époque-là, pour qu'on s'embrasse. Et puis, j'ai besoin de vous pour vous demander un conseil sur ma conduite à tenir. Je vous dirai ça. Ce n'est pas pressé, mais je serai bien aise d'avoir votre avis.

Je vais mieux, bien que je ne sois pas encore très crâne. Quelquefois des prostrations me surviennent où il me semble que je vais crever, tant je me sens anéanti. C'est la digestion de toutes les coupes d'amertume que j'ai avalées cet été. Cependant j'ai écrit à peu près dix pages de mon *Saint Julien.* Je lis un peu de Saint-Simon et je relis pour la millième fois les *Contes* de M. de Voltaire ! Et puis je fais à mon compagnon des conférences sur le *Vieux*[2]. Il y mord et se propose de se lancer dans cette lecture.

Le temps devient abominable, et les grains se succèdent si fréquemment que je suis obligé de rester presque toute la journée dans ma chambre d'auberge au coin du feu. Hier nous avons voulu faire une promenade en mer et nous avons été saucés.

Vous ai-je dit que, contrairement aux idées reçues, la catholique Bretagne ne me semble pas du tout catholique. Ici, à Concarneau, les pêcheurs vont à la mer le dimanche.

Détail de mœurs : un citoyen vient d'être condamné par la cour de Quimper aux travaux forcés pour avoir violé ses trois filles et son fils âgé de seize ans. Quel tempérament, hein ! Ce n'est pas nous qui ferions ça ! Du moins ce n'est pas moi !

Merci de vos détails sur notre Bayard[3], et merci pour votre lettre tout entière. Elle m'a fait bien plaisir, mon cher vieux.

L'adresse de notre nouveau logement est 240, rue du Faubourg-Saint-Honoré. On vous y verra bientôt, n'est-ce pas. D'ici là, comme toujours

Tout à vous.

À SA NIÈCE CAROLINE

[Concarneau,] jeudi [21 octobre 1875].

La pluie tombe à seaux ! Décidément, Concarneau n'est pas l'Égypte. Voilà quinze jours que je suis très souvent obligé de garder le logis, à cause du mauvais temps. — Nous n'avons pu faire qu'une promenade cette semaine. Hier, nous en avons essayé d'une en mer, et nous avons été trempés. Cette mouillade, jointe à un mal de ventre, m'avait assombri et je suis resté pendant tout le reste de la journée couché sur mon lit et dans un piètre état nervoso-moral. Mais ce matin, après une nuit de 9 heures, me revoilà retapé, provisoirement. Car j'ai souvent des rechutes, pauvre loulou. C'est à cela que je m'aperçois de mon âge. L'énergie du *fond* me manque.

N'importe ! le séjour de Concarneau m'aura été bon ; et puis la société de G. Pouchet est très saine : tu n'imagines pas quel bon garçon ça fait ! S'il restait ici tout l'hiver, j'y resterais. Mais, lui parti, je n'aurais plus personne à qui causer. Or je redoute la solitude. Elle m'est bien funeste, maintenant. Tu me reverras donc vers le 5 ou le 6 de novembre. Je ne sais pas encore le jour fixe.

Pour me consoler de mon prochain départ, je me dis que j'ai besoin de quelques livres sur le Moyen Âge[1] — ce qui est vrai, — et qu'il m'ennuie de ma pauvre fille, ce qui est encore plus vrai.

Je suis ravi que tu te plaises dans ton nouveau logement. Serai-je comme toi ? Tu ne me dis pas si l'on entend trop le bruit des voitures ? Voilà ce que je redoute par-dessus tout ! Et j'ai peur de regretter le parc Monceau. Mais qu'est-ce que je ne regrette pas !

Je comprends le mal que Julie[2] a eu à quitter Croisset ! Quand on devient vieux, les habitudes sont d'une tyrannie dont tu n'as pas l'idée, pauvre enfant. Tout ce qui s'en va, tout ce que l'on quitte a le caractère de l'irrévocable ! Et on sent la mort marcher sur vous. Si à la ruine intérieure, que l'on sent très bien, des ruines du dehors s'ajoutent, on est tout simplement écrasé.

Malgré mes résolutions, *Saint Julien* n'avance pas vite. Dans mes moments de désœuvrement je lis quelques passages d'un Saint-Simon qu'on m'a prêté. — Et je relis pour la centième fois les contes de M. de Voltaire et puis *Le Siècle, Le Temps*, et *Le Phare de la Loire* régulièrement. Ici, on est très radical et libre penseur (ce qui contrarie les idées reçues sur la Bretagne). Quand je dis « on est », j'entends parler de cinq ou six petits bourgeois qui viennent au café. Quels paresseux ! quelles existences ! Je finirai peut-être par les imiter. Ce serait peut-être ce qui serait le plus sage. Avec six mille livres de rentes, on peut vivre, ici, toute l'année, très bien ! Mais les aurai-je, ces 6 mille francs de rentes ? Attendons la fin de la liquidation ! Et espérons en Delahante[1].

Lapierre a écrit à Pouchet que Girard était réconcilié avec la Compagnie de l'Ouest[2].

Ernest a-t-il été voir M. Guéneau de Mussy[3] ? Et toi, es-tu retournée chez M. Blot[4] ? À quand le bon atelier, consolateur ?

Je ne vois plus rien à te dire, pauvre loup. Je vais écrire quelques petites lettres, une entre autres à Mme Régnier, de Mantes[5], qui m'en a adressé une, charmante et très cordiale. — Et une autre au bon Laporte. Je suivrai ton conseil. Je lui demanderai son avis relativement à La Place[6] ! Mais cette perspective me répugne bien ! Moi, qui suis né si fier, recevoir de l'argent du public, être commandé, avoir un maître ! Enfin nous verrons.

Je t'embrasse bien tendrement.

ton pauvre
VIEUX.

À IVAN TOURGUENEFF

[Concarneau,] jeudi [21 octobre 1875].

Parbleu ! c'est vous qui aurez fini vos trente pages avant que je ne sois à la dixième. Car, malgré mes résolutions et des efforts de volonté inouïs, je n'avance guère. J'ai des rechutes de découragement, mon bon vieux, des accès de fatigue, où il me semble que je vais crever. C'est la digestion de toutes les coupes d'amertume que j'ai avalées depuis six mois. Ah ! j'en ai eu ! j'en ai eu ! Quant à l'avenir, je n'y veux plus penser (mais j'y pense). Peut-être sera-t-il moins mauvais que je crois ? En tout cas, on ne revient pas de si loin ; et au fond, je suis bien malade. J'espère parvenir à la décence, c'est-à-dire à ne pas être intolérable aux autres ; mais voilà tout.

J'ai lu, sur votre recommandation, « Le Suicide d'un enfant[1] ». Je ne sais qu'en penser. Évidemment, c'est puissant, mais l'écriture est bien insuffisante. Quoique les touches énergiques soient accumulées, je trouve qu'on ne voit pas nettement les personnages. Le héros, le suicidé, est trop grotesque. L'auteur a oublié une chose capitale, à savoir la peur qu'un cadavre cause aux enfants. Tout cela n'empêche pas que cette petite œuvre ne soit très remarquable. Ça ressemble à du Zola.

Dans mes moments de désœuvrement, et ils sont nombreux (car la pluie étant fréquente il me faut passer des jours entiers dans ma chambre d'auberge, au coin de mon feu), je lis du Saint-Simon et relis les contes de M. de Voltaire, puis *Le Siècle* et *Le Temps* et *Le Phare de la Loire*; car ici on est radical et libre penseur. Je regarde mon compagnon[2] disséquer des poissons. Tout cela me fait passer le temps, mais ne m'emplit point le cœur d'une joie délirante. Ah ! qu'un peu de bonheur me ferait du bien !

Il y a pourtant des choses qui consolent. L'autre jour, à Quimper, on a condamné aux travaux forcés un particulier de Brest qui avait violé ses trois filles et son fils âgé de seize ans. Quel tempérament ! Ce n'est pas nous qui sommes capables de ces traits de santé.

Je m'en retournerai d'ici à Paris directement, dans la première semaine de novembre.

Ma nièce est installée dans notre nouveau logement (car maintenant je vais vivre avec elle) 240, rue du Faubourg-Saint-Honoré.

Donc, à bientôt, mon très cher vieux.

Votre G. F. qui vous embrasse.

À SA NIÈCE CAROLINE

[Concarneau,] lundi matin, 8 heures.
[25 octobre 1875.]

Chère Fille,

Voici du nouveau : Pouchet est obligé d'être à Paris le 3 ou le 5, c'est-à-dire mercredi ou vendredi de la semaine prochaine.

J'ai peur de m'ennuyer en restant seul ici. Donc je partirai avec lui. *Mais*, comme je vois que tu te donnes beaucoup de mal pour arranger mon gîte[3], si j'arrive avant qu'il ne soit tout à fait prêt, tu ne jouiras pas de la surprise que tu voulais me faire, et peut-être, d'autre part, serais-je pendant quelques jours mal installé. Dans ce cas-là, j'aimerais mieux rester ici quelques jours de plus. Je trouverais bien à m'occuper. Réponds-moi donc ce qu'il faut que je fasse.

Ta lettre de jeudi est charmante, mon Caro. Je suis bien content de voir que tu te plais dans ton nouveau logement et que tu ne regrettes pas la rue de Clichy. — Et que tout y est bien, depuis l'humeur du portier jusqu'aux W.-C. de miss Putzel.

Malgré les migraines, ton moral est vaillant. Je tâcherai de t'imiter !

À peine si j'ai le temps de porter cette lettre à la poste.

Comme il faisait très beau, hier, nous avons fait une longue excursion et sommes rentrés tard. — Mais aujourd'hui la pluie va recommencer.

Un bon baiser de ta pauvre vieille

NOUNOU.

À SA NIÈCE CAROLINE

[Concarneau,] jeudi matin, 8 heures
[28 octobre 1875].

Eh bien, mon loulou, tu me verras plus tôt que nous ne le croyions. Pouchet doit être à Paris le 2 au matin. Pour ne pas faire tout seul un autre long voyage (et passant par-dessus le manque de rideaux), je partirai avec lui. — Nous serons à Paris le lundi 1er vers 11 heures du soir. Mais comme il y a loin de la gare au logis ne compte pas sur moi avant minuit. — Au reste, nous ne savons pas encore très bien comment nous nous en irons. — Garde-moi quelque chose à manger.

La poste me presse, et mon ventre aussi, car monsieur s'est purgé ce matin, n'étant pas très content de sa santé physique. Mais ta vue me fera du bien, chère fille. — Cette courte phrase de ta dernière lettre : « mon mari a de l'espoir », m'en donne à moi-même.

Allons adieu, à bientôt. Je t'embrasse très fort.

NOUNOU.

À AGÉNOR BARDOUX

[Paris,] 240 rue du Faubourg-Saint-Honoré,
mercredi matin [3 novembre 1875].

Me voilà revenu, mon cher ami[1] !

Comment nous voir ? Tu dois être bien occupé. Donne-moi un rendez-vous où et quand tu voudras.

Ma nièce m'a dit que tu pouvais venir à Paris le soir.

Si tu veux te risquer à prendre un mauvais dîner, arrive vers 7 heures le jour qu'il te plaira. — D'ici à trois ou quatre jours, je ne bougerai pas.

Je t'embrasse.

Ton

À GUY DE MAUPASSANT

[Paris,] jeudi soir [4 novembre 1875].

Mon petit Père,

Il eſt bien convenu, n'eſt-ce pas, que vous déjeunez chez moi TOUS LES DIMANCHES de cet hiver.

Donc à dimanche et à vous.

À HENRI DE BORNIER

[Paris, 6 novembre 1875.]

Mon cher poète,

Voici ma liſte (avec prière de ne pas l'égarer).

Voyez, je vous prie, si vous avez quelques-unes de ces pièces, et d'autres d'*ejusdem farinae* ? L'idéal serait de faire une hiſtoire de France d'après les données de la Porte-Saint-Martin[2] !

À mercredi prochain, vers midi. — Si vous ne pouviez pas me recevoir ce jour-là, soyez assez bon pour m'en prévenir.

Merci d'avance,

et tout à vous

240, rue du Faubourg-Saint-Honoré.
Samedi matin.

À EDMOND DE GONCOURT

[Paris,] samedi [6 novembre 1875].

Me voilà revenu, mon cher ami.

Si vous voulez venir me voir demain dans l'après-midi, vous me feriez plaisir.

Je loge maintenant *rue du Faubourg-Saint-Honoré, 240*.

Tout à vous.

À ÉMILE ZOLA

[Paris, 6 novembre 1875.]

Me voilà revenu, mon cher ami !

Si vous voulez venir me voir demain dans l'après-midi, vous me ferez plaisir.

Je loge maintenant dans le faubourg Saint-Honoré, 240.

Tout à vous

À AGÉNOR BARDOUX

[Paris,] dimanche, 2 heures [7 novembre 1875].

Mon cher ami,

Si quelquefois tu devais venir chez moi demain soir, aie l'obligeance de m'en prévenir par un mot. Je suis obligé de sortir. Mais je lâcherais tout pour toi, bien entendu.

En tout cas, je te prie de me dire où et quand nous pourrons nous voir prochainement.

Tout à toi.

240, rue du Faubourg-Saint-Honoré.

À GEORGE SAND

[Paris,] 240 rue du Faubourg-Saint-Honoré,
dimanche [14 novembre 1875].

Chère Maître,

J'ai lu hier, dans un journal, que l'on répétait ou allait répéter aux Français, *Victorine*[1].

Vous allez donc venir à Paris ? comme il me tarde de vous embrasser !

Je suis ici depuis huit jours, et j'ai recommencé à travailler. Je n'en suis pas plus gai. Cependant les jours s'écoulent d'une façon moins douloureuse. Mais le bonhomme est fini, j'en ai peur.

Un petit mot de réponse pour me dire quand on se verra.

Votre vieux

CRUCHARD.

GEORGE SAND À GUSTAVE FLAUBERT

Nohant, 15 novembre [18]75.

Te voilà donc à Paris et tu as quitté le logement de la rue *Murillo* ? Tu travailles ? bon espoir et bon courage, le bonhomme se relèvera.

Je sais qu'on répète *Victorine* aux Français, mais j'ignore si j'irai voir cette reprise. J'ai été si malade tout l'été et je souffre encore si souvent des entrailles que je ne sais pas si la force de me déplacer en hiver me reviendra à point. Nous verrons bien. L'espoir de te trouver là-bas me donnera du courage, ce n'est pas là ce qui me manquera. Mais je suis bien détraquée depuis que j'ai passé ma septantaine, et je ne sais pas encore si je prendrai le dessus. Je ne peux plus marcher, moi qui aimais tant à me servir de mes pattes, sans risquer d'atroces douleurs. Je patiente avec ces misères. Je travaille d'autant plus et je fais de l'aquarelle à mes heures de récréation. Aurore me console et me charme. J'aurais bien voulu vivre assez pour la marier. Mais Dieu dispose et il faut accepter la mort et la vie comme il l'entend.

Enfin, c'est pour te dire que j'irai t'embrasser si la chose n'est pas *absolument* impossible. Tu me liras ce que tu as commencé. En attendant donne-moi de tes nouvelles car je ne me déplacerai que pour les dernières répétitions. Je connais mon personnel, je sais qu'ils feront tous bien, selon leurs moyens, et que d'ailleurs Perrin les surveillera.

Nous te *bigeons* tous bien tendrement et nous t'aimons, Cruchard ou non.

GEORGE SAND.

À EDMA ROGER DES GENETTES

[Paris,] 240, rue du Faubourg-Saint-Honoré.
[28 novembre 1875.]

« Je n'arriverai à Paris que dans les premiers jours de décembre. »

Nous y voilà bientôt. Quand vous verrai-je ? un mot et je me précipite vers votre logis.

Ah ! j'en ai à vous conter, et de pas drôles !

D'ici là, je vous baise les mains,

Et suis votre

GVE.

Dimanche soir.

À X***

[Paris, 30 novembre 1875.]

Mon cher ami,

Je profite sans vergogne de votre bonne volonté. Pouvez-vous m'envoyer pour dimanche prochain une loge aux *Italiens* afin de voir Rossi dans *Othello*[1].

Je dis une loge, car nous sommes trois. — À défaut de loge, trois balcons ?

Un petit mot de réponse, n'est-ce pas ?

Et tout à vous

Mardi 30 novembre.

À X***

[Paris,] mardi soir, 30 [novembre 1875 ?].
240, rue du Faubourg-Saint-Honoré.

Mon cher Ami,

Seriez-vous assez bon pour me donner l'adresse de M. de Pauville[1] ?

C'eſt avenue de Wagram ? mais impossible de trouver le numéro ! et son nom n'eſt pas dans le *Bottin*.

Merci d'avance et tout à vous.

À LÉONIE BRAINNE

[Paris,] jeudi, 9 décembre [1875].

Ah ! enfin voilà une lettre de vous, chère belle ! du reſte j'avais eu, par Mme Raoul-Duval, des nouvelles de votre grâce. Et je savais qu'elle avait été fortement secouée sur le paquebot, puis que les autans avaient disparu et que, dans tout le reſte du voyage, Amphitrite s'était montrée clémente[2]. Quel ſtyle ! mais je voudrais vous amuser un peu, car vous m'avez l'air bien ennuyée, ma pauvre amie !

Je ne suis pas plus gai que vous, encore moins, j'imagine ? ce n'eſt rien à côté de ce que j'étais il y a quelques mois. L'apparence vaut mieux, je suis moins lamentable à voir ! mais le fond manque d'azur. Toutes les fois que je me couche, je fais cette courte prière à la grande Force qui nous régit : « Ah ! si je pouvais ne pas me réveiller ! et crever tout doucement sans m'en apercevoir, quelle chance », voilà le vrai.

Et au milieu de tout cela, je travaille ! mon petit conte moyenâgeux[3] avance, *piano*, et dans une quinzaine j'espère être arrivé à la fin de la 1re partie. Mes amis ornent mes salons, le dimanche, et Daudet[4], particulièrement, continue à en faire les délices. Tous les mercredis je dîne chez la bonne Princesse[5]. Je devise avec les autres comme par le passé et on me « trouve bien ». Amen !

Quoi qu'il advienne par la suite, je n'*en* reviendrai pas. Je me sens irrémédiablement usé. — J'ai beau ne pas vouloir songer à l'avenir, j'y songe sans cesse. C'est comme un aimable cancer qui me ronge sans relâche. — Les plaintes ne servent à rien ; n'importe, ça soulage, et dans le silence du cabinet je m'y livre abondamment.

Parlons d'autre chose, n'est-ce pas ? mais que vous dirais-je ? J'ai été voir M. et Mme Delahante que j'ai trouvés plus aimables que jamais. Il en est de même pour les Duval[1]. Mais leur fille aînée devient gênante d'affabilité. — Quelle drôle de jeune personne.

Malgré mon amour pour le père Hugo, j'ajourne de jour en jour à retourner chez lui, tant sa manie de politique m'écœure, — et puis, il faut sortir le soir, ce qui me coûte beaucoup, maintenant. La moindre action me répugne et le peu d'énergie qui me reste, je l'emploie : 1° à vivre et 2° à écrire. Au-delà, je ne puis plus rien. — Nous avons eu pendant quinze jours un froid horrible, agrémenté d'un vent du Nord qui vous cassait la gueule en quatre. Depuis que la neige est fondue, ma poitrine se desserre, et l'humeur est moins sombre.

Comme il faut se distraire, j'ai été voir Rossi dans *Othello.* Mais on a trop éreinté le texte. Les Italiens ont autant que les Français de ce prétendu bon goût qui est de l'idiotisme. Ah ! la bêtise, quel gouffre ! ce qui n'empêche pas Rossi d'être un grand comédien. Nous n'avons pas à Paris son équivalent. À propos de cabots, on a fait à Déjazet des funérailles inouïes[2] ! La foule « encombrait les portiques », comme on dit en tragédie. Mais j'imagine que vous lisez *Le Figaro* jusque sur « le rivage du Maure » (Béranger) et que vous savez mieux que moi, ce qui se passe dans nos murs.

La nomination des 75 sénateurs par eux-mêmes amuse beaucoup le public. Ces gaillards-là ne se doutent pas, dans leur cynisme, qu'ils instituent l'anarchie. — Au reste, je m'en moque profondément, mais nous reverrons des choses… graves, comptez là-dessus.

Le bruit court que *L'Étrangère* de l'immense Dumas pourrait bien remporter une veste, et que la réception d'icelle n'a pas eu lieu comme on le prétend[3].

Savez-vous qui va être Secrétaire perpétuel de l'Académie française, quand le père Patin[4] va avoir dévissé son billard ? qui ? Camille Doucet[5] ! Celle-là est roide ! et on me re-fait la *Scie* commencée l'hiver dernier par M. de Sacy[6]. C'est-à-dire que plusieurs (Zola et Daudet, entre autres) me prêchent pour que je me présente à l'Académie ! Mais j'ai des principes, moi, et je ne m'exposerai pas à un pareil ridicule.

Je voudrais être à votre place, sous un ciel bleu, au bord de la mer, avec la vue des maisons blanches et des palmiers. Il me semble que cela me rajeunirait ? Tout m'assomme tellement que je voudrais m'enfuir bien loin, oublier tout et recommencer une autre vie ! vous n'imaginez pas comme je me sens l'esprit dégradé par la préoccupation des Affaires ! Quelque chose de sale pesant sur moi, m'humilie.

Que ne suis-je couché la tête à l'ombre et les pieds au soleil sur un bon lit de sable !... et si votre belle personne se trouvait là près de moi... quel complément au paysage.

Une chose m'a fait plaisir dans votre lettre, c'est que vous êtes contente de la santé d'Henry. Soignez la vôtre et prenez votre exil en patience, si vous le pouvez.

Le 12 de ce présent mois, dans trois jours, j'aurai 54 ans ! sujet de rêverie.

Allons, adieu ! je vous baise sur les deux lustres que vous appelez vos yeux, et puis, ailleurs, parbleu (avec votre permission) et suis très fortement votre

GVE.

Ma nièce vous écrira très prochainement.

Votre lettre datée du 2 ne m'est arrivée que le 8 (hier au soir).

À EDMOND LAPORTE

[Paris,] samedi soir, 11 décembre [1875].

Ça m'embête ce que vous me dites de votre santé, mon pauvre vieux.

Anémique ? Pas possible ! Le mot est à la mode, ne le prenez pas trop au sérieux ! Malgré cela, soignez-vous, et dès que vous le pourrez, venez passer à Paris le plus de temps qu'il vous sera possible. Le séjour continuel de Grand-Couronne doit finir par vous étioler ?

L'abstention du tabac me paraît une imbécillité, quoi qu'on die. À en croire nos Diafoirus modernes, l'humanité était exempte de maladies avant l'alcool et le tabac. Et toutes les infirmités proviennent de ces deux consolateurs.

Quant aux Dames... là-dessus consultez vos reins. La consultation que vous donnerait *le Garçon* serait bien différente !

Je vais tâcher d'y rêver.

Tout cela eſt pour vous dire qu'il faut me donner de vos nouvelles, dans quelques jours, avant votre voyage de Noël.

Ma nièce, mon neveu et mon serviteur Émile ont été peinés en apprenant que M. Laporte n'allait pas bien.

À bientôt mon cher ami.

Je vous embrasse.

Votre

C'eſt demain matin que votre Géant prend 54 ans !!!!

Les Affaires[1] me semblent (je dis me semblent ?) prendre une assez bonne tournure.

À GEORGE SAND

[Paris,] 240, rue du Faubourg-Saint-Honoré,
jeudi, 16 décembre [1875].

Ça va un peu mieux ; et j'en profite pour vous écrire, chère bon maître, adorable.

Mettons de l'ordre dans notre causerie. 1° *les affaires* (les exécrables affaires) ne prennent pas une mauvaise tournure. Le liquidateur de Commanville va arrêter la liquidation, et proposer un arrangement à ses créanciers. Il eſt probable que ceux-ci l'accepteront (?). Si on lui laisse son usine et ses terrains qui ont une grande valeur, il pourra se remettre à travailler. — Mais pour cela il faut qu'il trouve des capitaux. Son intention eſt de former une société par actions. Toute la difficulté consiſte à avoir un Président. Le reſte viendrait de soi-même. C'eſt très facile, ou très difficile à faire. Il suffit de connaître quelqu'un dans la haute finance. L'affaire peut être résolue et arrangée en 24 heures. Mais nous ne connaissons personne dans ce monde-là ? et vous ?

L'avenir reſte donc bien incertain. Mais je *n'y veux pas* songer. Car j'en deviendrais fou, j'ai manqué de l'être, cet été. Je vous parle très sérieusement.

Ma pauvre nièce qui avait été la plus vaillante de nous trois eſt maintenant comme saignée à blanc. Son état anémique m'inquiète. Je secoue tant que je peux les idées noires, et je travaille, quand même.

Vous savez que j'ai quitté mon grand roman, pour écrire une petite bêtise *moyenâgeuse*[1], qui n'aura pas plus de 30 pages ! Cela me met dans un milieu plus propre que le monde moderne et me fait du bien. — Puis, je cherche un roman contemporain, mais je balance entre plusieurs embryons d'idées[2]. Je voudrais faire quelque chose de serré et de violent. Le fil du collier (c'est-à-dire le principal) me manque encore.

Extérieurement, mon existence n'est guère changée. Je vois les mêmes gens. Je reçois les mêmes visites. Mes fidèles du dimanche sont d'abord le grand Tourgueneff qui est plus gentil que jamais, Zola, Alph. Daudet et Goncourt. Vous ne m'avez jamais parlé des deux premiers. Que pensez-vous de leurs livres ?

Je ne lis rien du tout, sauf Shakespeare que j'ai repris d'un bout à l'autre. Cela vous retrempe, et vous remet de l'air dans les poumons comme si on était sur une haute montagne. Tout paraît médiocre à côté de ce prodigieux bonhomme.

Comme je sors très peu, je n'ai pas encore vu le père Hugo. Ce soir pourtant je vais me résigner à passer des bottes, pour aller lui présenter mes hommages. Sa personne me plaît infiniment, mais sa Cour !… miséricorde !

On parle beaucoup du livre de *Taine* qui vient de paraître et que je ne connais pas encore[3]. Les élections sénatoriales sont un sujet de divertissement pour le public — dont je fais partie. Il a dû se passer dans les couloirs de l'Assemblée des dialogues inouïs, de grotesque et de bassesse[4]. Le XIXe siècle est destiné à voir périr toutes les religions. Amen ! Je n'en pleure aucune.

Pas de nouvelles de votre *Victorine* ? Il court sur *L'Étrangère* les bruits les plus contradictoires. La réception n'a pas été enthousiaste, comme l'ont prétendu les feuilles ; auteur : Delaunay[5]. Augier s'est fâché avec la Comédie-Française[6]. À l'Odéon, un ours vivant va paraître sur les planches[7]. Voilà tout ce que je sais de la littérature.

Quand nous verrons-nous ? Moi, je ne peux pas aller à Nohant ! Mais, vous, avez-vous donc abandonné Paris pour toujours ?

Amitiés à tous les vôtres. Embrassez bien pour moi vos chères petites, et à vous

votre vieux troubadour
qui vous aime

GEORGE SAND À GUSTAVE FLAUBERT

[Nohant,] 18 et 19 décembre [18]75.

Enfin, je retrouve mon vieux troubadour qui m'était un sujet de chagrin et d'inquiétude sérieuse. Te voilà sur pied, espérant dans les chances toutes naturelles des événements extérieurs et retrouvant en toi-même la force de les conjurer quels qu'ils soient, par le travail.

Qu'est-ce que tu appelles quelqu'un dans la *haute finance* ? Je n'en sais rien, moi, je suis liée avec Victor Borie[1]. Il me rendra service s'il y voit son intérêt. Faut-il lui écrire ?

Tu vas donc te remettre à la pioche ? Moi aussi, car depuis *Flamarande*, je n'ai fait que peloter en attendant partie. J'ai été si malade tout l'été. Mais mon bizarre et excellent ami Favre m'a guérie merveilleusement et je renouvelle mon bail.

Que ferons-nous ? Toi à coup sûr, tu vas faire de la *désolation* et moi de la *consolation*. Je ne sais à quoi tiennent nos destinées. Tu les regardes passer, tu les critiques, tu t'abstiens littérairement de les apprécier. Tu te bornes à les peindre en cachant ton sentiment personnel avec grand soin, par système. Pourtant on le voit bien à travers ton récit et tu rends plus tristes les gens qui te lisent. Moi je voudrais les rendre moins malheureux. Je ne puis oublier que ma victoire personnelle sur le désespoir a été l'ouvrage de ma volonté et d'une nouvelle manière de comprendre qui est tout l'opposé de celle que j'avais autrefois.

Je sais que tu blâmes l'intervention de la doctrine personnelle dans la littérature. As-tu raison ? N'est-ce pas plutôt manque de conviction que principe d'esthétique ? On ne peut pas avoir une philosophie dans l'âme sans qu'elle se fasse jour. Je n'ai pas de conseils littéraires à te donner, je n'ai pas de jugement à formuler sur les écrivains tes amis dont tu me parles. J'ai dit moi-même aux Goncourt toute ma pensée. Quant aux autres, je crois fermement qu'ils ont plus d'étude et de talent que moi. Seulement je crois qu'il leur manque et à toi surtout, une vue bien arrêtée et bien étendue sur la vie. L'art n'est pas seulement de la peinture. La vraie peinture est, d'ailleurs, pleine de l'âme qui pousse la brosse. L'art n'est pas seulement de la critique et de la satire. Critique et satire ne peignent qu'une face du vrai. Je veux voir l'homme tel qu'il est. Il n'est pas bon ou mauvais. Il est bon et mauvais. Mais il est quelque chose encore, la nuance, la nuance qui est pour moi le but de l'art. Étant bon et mauvais, il a une force intérieure qui le conduit à être très mauvais et peu bon, ou très bon et peu mauvais.

Il me semble que ton école ne se préoccupe pas du fond des choses et qu'elle s'arrête trop à la surface. À force de chercher la forme, elle fait trop bon marché du fond. Elle s'adresse aux lettrés. Mais il n'y a pas de lettrés proprement dits. On est homme avant tout. On veut trouver l'homme au fond de toute histoire et de tout fait. Ç'a été le défaut de *L'Éducation sentimentale*, à laquelle j'ai tant réfléchi depuis, me demandant pourquoi tant d'humeur contre un ouvrage si bien fait et si solide. Ce défaut c'était l'absence *d'action* des personnages sur eux-mêmes. Ils subissaient le fait et ne s'en emparaient jamais. Eh bien, je crois que le principal intérêt d'une histoire, c'est ce que tu n'as pas voulu faire. À ta place j'essaierais le contraire. Tu te *renourris* pour le moment de Shakespeare et bien tu fais. C'est celui-là qui met des hommes aux prises avec les faits, remarque que par eux, soit en bien, soit en mal, le fait est toujours vaincu. Ils l'écrasent, ou ils s'écrasent avec lui.

La politique est une comédie en ce moment, nous avions eu la tragédie, finirons-nous par l'opéra ou par l'opérette ? Je lis consciencieusement mon journal tous les matins, mais hors ce moment-là, il m'est impossible d'y penser et de m'y intéresser. C'est que tout cela est absolument vide d'un idéal quelconque et que je ne puis m'intéresser à aucun des personnages qui font cette cuisine. Tous sont esclaves du fait, parce qu'ils sont nés esclaves d'eux-mêmes.

Mes chères petites vont bien. Aurore est un brin de fille superbe, une belle âme droite dans un corps solide. L'autre[1] est la grâce et la gentillesse. Je suis toujours un précepteur assidu et patient et il me reste peu de temps pour écrire *de mon état*, vu que je ne peux plus veiller après minuit, et que je veux passer toute ma soirée en famille. Mais ce manque de temps me stimule et me fait trouver un vrai plaisir à piocher. C'est comme un fruit défendu que je savoure en cachette.

Tout mon cher monde t'embrasse et se réjouit d'apprendre que tu vas mieux. T'ai-je envoyé *Flamarande* et les photographies de mes fillettes ? sinon un mot et je t'envoie le tout.

Ton vieux troubadour qui t'aime,

G. SAND.

Embrasse pour moi ta charmante nièce. Quelle bonne et jolie lettre elle m'a écrite ! Dis-lui que je la supplie de se soigner et de vouloir vite guérir.

Comment ! Littré est sénateur ? c'est à n'y pas croire quand on sait ce que c'est que la Chambre. Il faut tout de même la féliciter pour cet essai de respect d'elle-même.

À GEORGE SAND

[Paris, fin décembre 1875.]

Chère Maître,

Votre bonne lettre, du 18, si tendrement maternelle, m'a fait beaucoup réfléchir. — Je l'ai bien relue dix fois et je vous avouerai que je ne suis pas sûr de la comprendre ? En un mot, que voulez-vous que je fasse ? précisez vos enseignements.

Je fais tout ce que je peux continuellement pour élargir ma cervelle et je travaille dans la sincérité de mon cœur. Le reste ne dépend pas de moi.

Je ne fais pas « de la désolation » à plaisir ! croyez-le bien ! mais je ne peux pas changer mes yeux ! Quant à mes « manques de conviction », hélas ! les convictions m'étouffent. J'éclate de colères et d'indignations rentrées. Mais dans l'idéal que j'ai de l'Art, je crois qu'on ne doit rien montrer, des siennes, et que l'Artiste ne doit pas plus apparaître dans son œuvre que Dieu dans la nature. L'homme n'est rien, l'œuvre tout ! Cette discipline qui peut partir d'un point de vue faux, n'est pas facile à observer, et pour moi, du moins, c'est une sorte de sacrifice permanent que je fais au Bon Goût. Il me serait bien agréable de dire ce que je pense, et de soulager le sieur Gustave Flaubert, par des phrases. Mais quelle est l'importance dudit sieur ?

Je pense comme vous, mon maître, que l'Art n'est pas seulement de la critique et de la satire. Aussi n'ai-je jamais essayé de faire, intentionnellement, ni de l'un ni de l'autre. Je me suis toujours efforcé d'aller dans l'âme des choses, et de m'arrêter aux généralités les plus grandes, et je me suis détourné, exprès, de l'Accidentel et du dramatique. Pas de monstres, et pas de Héros !

Vous me dites : « Je n'ai pas de conseils littéraires à te donner, je n'ai pas de jugements à formuler sur les écrivains tes amis, etc. » Ah ! par exemple ! mais je réclame des conseils ! et j'attends vos jugements. Qui donc en donnerait, qui donc en formulerait, si ce n'est vous ?

À propos de mes amis, vous ajoutez « mon école ». Mais je m'abîme le tempérament à tâcher de n'avoir pas d'école ! *A priori*, je les repousse, toutes. Ceux que je vois souvent, et que vous désignez, recherchent tout ce que je méprise, et s'inquiètent médiocrement de ce qui me tourmente. Je regarde comme très secondaire le détail technique, le renseignement local, enfin le côté historique et exact des choses. Je recherche par-dessus tout, *la Beauté*, dont mes compagnons sont médiocrement en quête. Je les vois insensibles, quand je suis ravagé d'admiration ou d'horreur. Des phrases me font pâmer qui leur paraissent fort ordinaires. Goncourt, par exemple, est très heureux quand il a saisi dans la rue un mot qu'il peut coller dans un livre. — Et moi très satisfait quand j'ai écrit une page sans assonances ni répétitions. — Je donnerais toutes les légendes de Gavarni pour certaines expressions et coupes des maîtres comme « l'ombre était *nuptiale*, auguste et solennelle » du père Hugo, ou ceci du Président de Montesquieu : « Les vices d'Alexandre étaient extrêmes comme ses vertus. Il était terrible dans sa colère. Elle le rendait cruel. »

Enfin, je tâche de bien penser *pour* bien écrire. Mais c'est bien écrire qui est mon but, je ne le cache pas.

Il me manque « une vue bien arrêtée et bien étendue sur la vie ». Vous avez mille fois raison ! mais le moyen qu'il en soit autrement ? je vous le demande. Vous n'éclairerez pas mes ténèbres avec de la Métaphysique, ni les miennes ni celles des autres. Les mots Religion ou Catholicisme d'une part, Progrès, Fraternité, Démocratie de l'autre, ne répondent plus aux exigences spirituelles du moment. Le dogme tout nouveau de l'Égalité que prône le Radicalisme, est démenti expérimentalement par la Physiologie et par l'Histoire. Je ne vois pas le moyen d'établir, aujourd'hui, un Principe nouveau, pas plus que de respecter les anciens. Donc je cherche, sans la trouver, cette Idée d'où doit dépendre tout le reste.

En attendant, je me répète le mot que le père Littré m'a dit un jour : « Ah ! mon ami, l'Homme est un composé instable, et la terre une planète bien inférieure. »

Rien ne m'y soutient plus que l'espoir d'en sortir prochainement, et de ne pas aller dans une autre, qui pourrait être pire. « J'aimerais mieux ne pas mourir », comme disait Marat. Ah ! non ! assez ! assez de fatigue !

J'écris maintenant une petite niaiserie dont la mère pourra permettre la lecture à sa fille. Le tout aura une trentaine de pages. J'en ai encore pour deux mois. Telle est ma Verve ! Je vous l'enverrai dès qu'elle sera parue (pas la verve, l'historiette).

Je possède les deux photographies de vos chères petites. — Mais je n'ai pas *Flamarande*.

Allons ! que 1876 vous soit léger, à tous.

Je vous embrasse tendrement, chère bon maître adorable.

Votre

CRUCHARD

de plus en plus rébarba*ra*tif.

APPENDICES

Appendice I

LETTRES ET EXTRAITS DE LETTRES DE MAXIME DU CAMP À GUSTAVE FLAUBERT [1869]

[Paris,] 19 février 1869.

Néant, mon bon vieux. J'ai passé hier ma journée à la police et n'ai rien trouvé, ni dans les souvenirs des agents, ni dans les rapports de l'époque, qui pût éclaircir « ce point obscur de nos annales ». Mais il m'a été dit que rien n'était plus possible, ni plus logique. Je regrette de ne t'être bon à rien, mais je suis à toi. [...]

*

[Paris,] 23 avril 1869.

J'ai interrogé aujourd'hui deux pédérastes, *Chinchilla* et *La-Pompe-funèbre*. J'ai demandé à ce dernier pourquoi on le nommait ainsi et il m'a répondu : « Parce que je suce à mort. »

Si tu racontes l'anecdote, ne dis pas que tu la tiens de moi.

*

[Paris,] 29 mai 1869.

Frédéric[1] trouve ton appartement trop cher et ne peut rien obtenir en fait de diminution. Il t'engage à aller voir, au plus vite, un appartement qu'il trouve très bien, 1 500 francs, rue Murillo, 4, donnant aussi sur le parc Monceau[2]. Tu as oublié tes jolis gants chez le tabellion ; je les ai pris pour te les rendre. À toi.

*

[Paris,] 30 mai 1869.

Cher vieux,

Le petit Duplan[1] vient de me parler de ton roman. Sera-t-il en un ou deux volumes[2] ? Fais-moi le plaisir de m'envoyer *ton traité avec les Lévy*, afin que je puisse le lire et en causer avec toi. *Tibi.*

*

[Paris,] 8 juin 1869, 3 h 1/2.

Cher Vieux,

Je me suis mis dimanche à ton roman, je ne l'ai pas quitté et je viens de le finir à l'instant. Je ne te parle pas des détails sur lesquels je t'ai fait 12 pages d'annotations avec renvois au texte[3]. Voici maintenant mon impression, très nettement.

Tu as fait une sorte de tour de force en écrivant un livre pareil, sur un sujet qui n'en est pas un, sans intrigue aucune et sans caractère pour tes personnages. C'est intéressant. Quelques scènes sont très bonnes ; la meilleure, à mon avis, est l'avant-dernière, la visite de Mme Arnoux à Frédéric. Schlésinger, la Présidente, Nadar et Claudin[4] sont bien réussis. Tout ce qui touche à 48, bon, sauf quelques détails inexacts assez insignifiants et que j'ai signalés. Toute la première partie, trop, trop longue. C'est à la 399e page que Frédéric dit à Mme Arnoux qu'il l'aime ; ça te fait, pour les 2 tiers du livre, une unité de situation qui est très monotone. Je crois que tu feras bien de faire de bonnes coupures là-dedans. Le bal costumé est beaucoup, beaucoup trop long ; il sert de contrepoids à celui de Mme Dambreuse, je le sais, mais il faut raccourcir le premier, enlever les descriptions de danseurs et de danseuses. C'est archi rebattu et a été fait par tout le monde, spécialement plus de 10 fois par Paul de Kock[5]. Ton duel m'a révolté ! tes héros n'y sont pas seulement comiques, ils sont ridicules et odieux. Reprends cela, je t'y engage beaucoup ; on jettera le livre à cet endroit si tu n'arranges la situation autrement. La scène qui suit la mort de M. Dambreuse est excessive. La femme n'arrache pas ainsi son masque d'un seul coup ; tu peux facilement la reporter au lendemain matin, quand Mme Dambreuse découvre que le testament est brûlé. Voilà les grosses observations.

Quant au style, à côté de placards forts beaux, tu en as qui *sont si incorrects que j'en ai rugi*. Tu prends très souvent le régime d'une phrase pour le sujet de l'autre, ce qui amène des amphibologies perpétuelles et déroute le lecteur. Ainsi tu écrirais, en paragraphes séparés :

Maxime, quoique fort embêté de quitter sa besogne, a été dîner chez Frédéric.

Il faisait cependant ce qu'il pouvait pour ne pas l'ennuyer des affaires de son étude.

Comprends-tu ? C'est du charabia. Dans ta pensée *il* se rapporte à *Frédéric*, et, grammaticalement, *il* désigne *Maxime*. Tu feras bien de veiller à cela avec le plus grand soin, car c'est non seulement incorrect, mais très souvent incompréhensible. La crainte de répéter les noms propres ou les sujets de tes phrases les rend inintelligibles dans bien des endroits. Tu sais très bien, toi, auteur, à qui tu penses et de qui tu parles, mais le public ne s'en doute guère, et il faut sans cesse le lui répéter. Tu emploies aussi beaucoup trop de termes incomplets, sortes de diminutifs de conversation entre cabotins : *les Provençaux*, *le Provisoire*, *le Bordeaux*, pour *les Trois Frères Provençaux*, *le Gouvernement provisoire*, *le vin de Bordeaux*. Je regarde cela comme fort important, car c'est non seulement une question de bon français, mais aussi une affaire d'éducation. Mets ces termes-là dans la bouche de tes personnages s'ils sont vulgaires ou bourgeois, mais toi, écrivant, ne les emploie jamais. Beaucoup de termes impropres : *concierge* au lieu de *portier*. Le concierge est le chef des portiers d'un palais ou d'une prison. C'est une douce vanité des portiers de prendre un tel titre, et il faut la leur laisser. C'est comme les aubergistes qui d'hôtellerie ont fini par faire hôtel. Enfin tu verras mes notes. Je te recommande bien aussi les mots *monsieur*, *madame*, que tu emploies, toi, auteur, au lieu d'appeler les gens par leur nom, ce qui donne à ton style un petit *cachet* antichambre qui n'est point plaisant.

Quant au titre, ce n'est point commode, le sujet étant absent. Ce serait plutôt : *histoire d'un niais* que *histoire d'un jeune homme*. À ta place, et carrément, pour qu'on ne vînt pas me jeter à la tête la mollacité [1] de tous les personnages, mollacité voulue par toi, j'appellerais mon bouquin : *Les Gens médiocres*.

Voilà, cher vieux ; je vais remettre cette forte nourriture au Mouton [2] qui l'attend pour la brouter et je vais à la Roquette voir un départ de 17 forçats pour Toulon. À toi.

*

[Paris,] 9 juin 1869.

Un scrupule me prend, car je sais que tu tiens minutieusement à l'exactitude historique.

Le goût des faïences d'art n'a pris en France qu'en 1855, après l'Exposition universelle où l'on avait vu les produits de Minton.

Autre observation, les femelles ne portent des fleurs sur leur voiture que depuis six ans environ ; c'est la Deslions [3] qui a mis cela à la mode à une course de Longchamp. À toi.

Et ce bon Pouyer-Quertier [4], ça, c'est farce.

*

[Paris,] 10 juin 1869.

Entendons-nous bien, cher vieux, et ne va pas t'imaginer que je te cherche une querelle de pédant. Point du tout. Je ne te reproche ni les ellipses ni tout ce qui peut donner une couleur quelconque à ton style. Je te reproche d'employer *machinalement* des expressions absolument vicieuses, usitées dans les conversations entre camarades et qui donnent à ton bouquin une certaine vulgarité.

Voici ce qui me revient à la mémoire :

Provençaux, pour les *trois frères provençaux*.

Provisoire, pour *gouvernement provisoire*.

Mylord, pour *cabriolet-mylord*.

C'est de l'argot conventionnel, sois-en convaincu, et si bien que tu ne serais compris que difficilement par un étranger sachant le français et tombant sur ces mots-là. Dire du *Bordeaux*, du *Champagne*, n'est point une figure de style, comme tu me l'écris, c'est simplement obéir à une mauvaise habitude. Tu peux mettre dans la bouche de tes personnages tout ce que tu veux, c'est ton droit absolu ; mais toi, lorsque tu écris, tu dois *écrire* et non point *parler*. Ton exemple du *Palais-Royal* est mal choisi : il n'y a qu'un Palais qu'on nomme ainsi, par excellence ; si tu vas au théâtre du *Palais-Royal*, tu dis : « Je vais au *Palais-Royal* », mais tu le dis à un interlocuteur qui te comprend, dont tu peux immédiatement relever l'erreur, s'il la commet. En écrivant tu diras : « Je vais au théâtre du Palais-Royal », parce que tu n'es pas là pour donner des explications à tes lecteurs. Le style n'a rien à faire en tout ceci. C'est de la simple logique. Je persiste donc à croire que tu feras très bien de surveiller cela avec grand soin et ton bouquin gagnera beaucoup, à mon avis, s'il est débarrassé de toutes ces petites taches.

Il est aussi une expression que tu emploies 3 ou 4 fois, dont j'ai hésité à te parler quoiqu'elle m'ait bien choqué, et que, même en causant, tu n'emploierais pas si tu t'adressais à des femmes avec qui tu ne serais pas intime : c'est *coucher avec*[1], pour dire être l'amant de. Je crois que si tu maintiens cela tu exaspéreras, fort inutilement, bien du monde. C'est brutal, grossier, de plus c'est la locution vulgaire des hommes entre eux et je ne vois pas pourquoi, ni dans quelle intention de style, tu t'es servi de cette phrase.

Quant au duel, fais que ton Cisy ne s'évanouisse pas. Arnoux peut arriver au moment où on va croiser le fer, mais alors qu'il dise quelque chose qui empêche réellement le duel. Tel qu'il est, je le crois dangereux, parce qu'il rend tes personnages tellement répulsifs qu'on n'en voudra plus entendre parler. Telles sont mes rengaines ; j'insiste parce que je les crois justes et je crois que tu feras bien d'en tenir compte.

Ton idée d'un divan-lit n'est pas mauvaise, mais je ne sais trop si tu y serais bien couché, ce qui commence à devenir important à nos âges.

Guéris ton rhume et prends de la codéine, pâte ou sirop, c'est bon. [...]

Le Mouton a commencer à te lire.

*

[Paris,] 4 juillet 1869.

Cher vieux,

Duplan[1] que j'ai vu hier au soir me dit qu'il te renvoie ton roman dont le vrai titre pourrait bien être tout simplement : *Madame Arnoux*. J'y ai beaucoup pensé et voilà encore des observations dont je voudrais te voir tenir compte.

Tu emploies souvent, très souvent, le pronom possessif, *son*, *sa*, *ses*, pour des objets inanimés, ce qui est absolument contraire à la grammaire, à moins que les susdits objets ne puissent être personnifiés :

Exemples : *l'homme et son cheval*, *le droit a ses principes*, *la loi a ses rigueurs*, tout cela va bien ; mais tu ne peux dire : *cet habit est vieux*, SES *manches sont déchirées* ; il faut dire : *cet habit est vieux, les manches* EN *sont déchirées*. Cette faute revient très fréquemment dans ton bouquin ; je ne l'ai signalée qu'une fois ou deux et je crois bien que tu feras bien de la surveiller attentivement.

Autre farce qui me revient et qui va te faire bondir. Lorsque, sur le bateau à vapeur, Frédéric descend aux premières, il aperçoit Mme Arnoux. Nul ne la connaît, ni Frédéric, ni le lecteur, et tu en commences la description par : Elle. Ce qui est d'un romantisme tellement transcendant et baroque que tu es absolument inintelligible. Elle employé ainsi fait allusion à une personne aimée ou désignée ; ce n'est point le cas : trouve une phrase quelconque, mais supprime cet elle qui n'a aucune raison d'être.

Quant au mot *coucher avec* qui revient 7 à 8 fois, tu le maintiens et tu as le plus grand tort. On parle ainsi entre hommes, c'est vrai, mais c'est toi, auteur, qui fais le récit de ce que tes héros ont dit. C'est ce que tu perds de vue. Dans *Madame Bovary* tu étais fier d'avoir fait parler des paysans en français tout en les laissant paysans. Ici tu fais tout le contraire et si la littérature est la reproduction littérale de ce qui se dit, il est inutile d'écrire. Je persiste absolument et je crois que tu ferais une sottise de laisser subsister toutes ces vulgarités inutiles.

Et puis, quitte à t'exaspérer, je te recommande de veiller bien sérieusement à ton argot : *Provençaux*, *Hôtel-Drouot*, *Mylord*, *Provisoire*, etc., etc. Là c'est toi qui écris et ce ne sont plus des bourgeois illettrés qui parlent. [...]

*

[Paris,] 7 juillet 1869.

Sois bien certain, cher vieux, que si ta gloire ne m'était pas beaucoup plus chère que la mienne à laquelle je ne crois guère, si je ne te voyais pas prêter le flanc, avec imprudence, à des critiques fondées qu'on t'épargnera d'autant moins que tu as fait la *Bovary* et *Salammbô*, si je ne pensais que les corrections que je te demande sont indispensables, je ne t'assommerais pas ainsi et te laisserais courir tous les hasards.

L'exemple que tu prends pour *Garde national* eſt exécrable, puisque *la garde nationale* eſt formée de la réunion des *Gardes nationaux* et qu'on dit *un* garde national, comme on dit un garde-côte, un garde-chasse, et que le mot *garde* varie de signification, se généralise ou se spécifie, selon qu'il eſt féminin ou masculin. Malgré tous les exemples que tu me donnes et qui sont dans Littré, dans Bescherelle, dans Poittevin[1], mais qui *tous* sont pris à des vers où la mesure a des rigueurs dont il faut tenir compte, je continue à affirmer qu'il faut, *pour bien parler*, dire du vin de Tokay et du vin de Bordeaux, parce que, si la rapidité du langage amène à des élisions forcées, il ne faut les employer en écriture que si elles sont indispensables, ce qui n'eſt pas ton cas. De même il faut dire *un cabriolet-mylord* (et tu as tort d'y mettre Mme Arnoux qui serait à sa place bien mieux dans un fiacre), *le gouvernement provisoire*, *les Trois frères provençaux*, *le Théâtre-Français* et ainsi de suite. Laisse ces façons de parler aux chroniqueurs qui en abusent et supprime-les chez toi pour éviter une vulgarité désolante.

Même observation pour *coucher avec* que tu ne peux, ni ne dois laisser sous aucun prétexte. J'aime bien mieux la sotte expression « être bien avec une femme ». Je ne vois qu'un cas où tu peux le maintenir, c'eſt à Fontainebleau quand Rosanette, *faisant l'enfant*, dit : « avons couché avec sa femme », et encore, je mettrais : « avons fait dodo avec sa femme ».

Quant à la forme générale de ton dialogue qui toujours finit en récit repris par l'auteur, je ne t'en ai rien dit, parce que j'ai cru à un parti pris et que j'ai évité les observations d'ensemble qui me semblaient inutiles.

Je sais bien que je t'embête, et ça m'embête de t'embêter, mais si tu publies ton livre tel quel, et si tu le relis dans deux ans, tu seras encore bien plus embêté d'avoir laissé subsiſter toutes ces machines. Tu ris de ma manie de correction et tu me demandes ce qu'avec une telle manie, deviennent le ſtyle, le mouvement, etc. Il n'y a pas de ſtyle *sans correction*. Il eſt bon d'éviter les assonances et les répétitions ; mais, dans l'espèce, *vin de Bordeaux*, *cabriolet-mylord*, *gouvernement provisoire*, etc. ne nuisent ni à ton mouvement, ni à ton ſtyle ; tu me la fous belle si tu crois me mettre dedans avec de telles raisons. Non, non, tu n'as pas le droit d'être incorrect, sous prétexte de ſtyle, et je ne puis te dire combien je rage de te voir te payer de tels motifs pour ne pas te purger de toutes ces crottes. Aie donc du courage, chameau, et sarcle ton champ ; il n'en sera que plus beau quand tu auras retiré les mauvaises herbes.

Je reçois ta lettre et celle de la Bosquet[2] : quelle grue, pourquoi a-t-elle été fourrer son manuscrit aux *Débats* ? Le père Bertin a lu son livre et l'a trouvé exécrable, voilà la vérité. Quant au manuscrit, il ne l'a même pas regardé. Je dirai aux *Débats* qu'on le conserve, car il y a forte chance pour qu'on le jette au feu.

Nous partons dans 8 jours[3]. À toi.

Quant aux faits matériels de 1848 sur lesquels je me suis trompé, c'est possible ; mais lesquels ? Ma manie de notes m'a bien servi et j'ai ces souvenirs présents à l'esprit comme s'ils étaient d'hier.

*

[Paris, 8 juillet 1869.]

Cher vieux,

Voilà sur l'hôtel des Ventes tous les renseignements possibles. C'est Pillet[1] qui me les envoie. Ce que tu m'écris de Bouilhet est bien embêtant. C'est grave, une albuminurie, mais non seulement on n'en meurt pas, on peut vivre avec. Vois Badinguet[2]. C'est égal, ça me tourmente et quant tu auras de vraies nouvelles, tu seras gentil de m'en donner. À toi. [...]

*

[Baden-Baden,] 14 août 1869.

Cher vieux,

Garnier-Pagès[3] a confondu deux faits distincts : le poste de la place de la Concorde plein de municipaux tués et brûlés ;

le poste du Château-d'Eau (Palais-Royal) occupé par les soldats du 14e de ligne tués et brûlés.

Je suis certain du dernier fait et ce qu'il y a de curieux, c'est que ce sont ces mêmes soldats du 14e qui la veille avaient fait la fusillade du boulevard des Capucines[4].

Quant au jeudi 4 décembre : je suis arrivé à 5 h 1/2 du soir rue de Richelieu, venant de Passy ; pour rentrer chez moi, rue Saint-Lazare, j'ai voulu traverser le boulevard, *les lanciers* s'y sont opposés ; j'ai pris le bras de Rochefort, le colonel, et j'ai pu passer ainsi. Je n'insiste que parce que je te sais fort amoureux d'exactitude et de précision dans les faits.

Nous allons tous bien et t'embrassons. À toi.

*

Baden-Baden, 3 octobre 1869.

[...]

Je ne serais pas étonné que la Hussonnerie[5] retournât à Paris avant moi ; Émile ne se supporte plus ici quand le casino est fermé et quand vient le mois de novembre ; ne serait-ce que pour le principe, je ne reviendrai pas avant le 1er décembre, à moins toutefois que l'exécution du sieur Troppmann[1] ne me force à revenir avant. Nous causerons des affaires de Bouilhet à mon retour. Où en est-tu pour *Mademoiselle Aïssé*[2] ? Est-ce l'Odéon qui la joue et quand ? Laute, qui est venu ici jouer le rôle de Monte-Prade dans *L'Aventurière*[3] — et fort convenablement —, m'a dit qu'il espérait y avoir un rôle et que Bouilhet le lui avait promis. C'est un cabot fort consciencieux et très tolérable, malgré une certaine lourdeur essentielle.

Je m'étonne que le tirage exceptionnel des journaux ait pu t'atteindre, car je croyais que Claye n'imprimait point ces sortes de choses. [...]

*

[Baden-Baden,] 4 novembre 1869.

Cher vieux,

Je n'ai rien à te dire, sinon qu'il y a précisément vingt ans, par un temps de pluie pareil à celui d'aujourd'hui, que nous nous sommes embarqués pour notre voyage[4] ; je suis irrité de voir que cette pauvre Égypte va être chroniquée toute vive par un tas d'imbéciles[5] ; cela me semble une injure personnelle à nous deux. [...]

*

[Paris,] 62 rue de Rome, 4 avril 1870.

J'ai passé ma journée sur les cahiers de Bouilhet. À mon avis il a fait très judicieusement le choix des vers à publier ; il a reporté dans le cahier intitulé *Poésies nouvelles* les rares pièces qu'on aurait pu prendre ailleurs. Dans les rognures j'avais indiqué : *Rosette* et *Imité du chinois*, qui se trouvent recopiées dans le cahier définitif.

Dans les autres cahiers, rien, dans les quatrains, rien. Je crois que tu feras bien de citer dans la notice biographique la pièce *Imité du chinois*, elle résume toutes les opinions de Bouilhet. Dans les *Poésies nouvelles* je supprimerais quatre pièces que je trouve mauvaises et singulièrement prétentieuses : 1° *L'oiseau Gertrude* ; 2° *Chanson des brises* ; 3° *Chanson des mouches* ; 4° *Première ride*.

Dans différentes pièces il y a quelques vers biens hasardés :

— dans *Sombre églogue*, p. 48 :

Leur nombre échappe à mes regards PERDUS ;

— dans *Berceuse philosophique*, je supprimerais la strophe :

Et, même en ce sombre appareil
Qu'étale aux yeux la nuit farouche
Plus d'un astre naîtra, pareil
Aux deux figés sur votre couche[6]

qui est tellement alambiquée qu'elle en devient incompréhensible pour la plupart des lecteurs ;

— dans *L'Abbaye,*

Un grand Christ oublié DES MASSES ;

— *dans* L'Oiseleur,

Je rentre au logis plus fier QU'UN *renard*

ne signifie absolument rien du tout.

Je crois que si tu veux faire quelque chose de bon et avoir un ou deux volumes respectables[1], il faut condenser beaucoup. Tout à toi.

Dans l'*Amour noir* — qui est bien long —, il y a un emploi bien embêtant du mot *amour* (affection, tendresse) adressé au dieu *Amour.*

Vénus lui dit : « *Mon Amour* t'y suivra », mais *son* amour, c'est lui-même.

*

[Paris,] 19 septembre 1870.

Tu veux savoir ce que je pense de tout ceci ? C'est bien simple, je ne pense plus rien, car jamais pareil effondrement ne s'est vu. Dès le principe, cette guerre m'a fait horreur et m'a causé plus que de l'inquiétude, car je savais à quelle puissance formidable nous allions avoir affaire ; je croyais à des combats douteux qui pourraient se terminer par notre défaite, mais je n'imaginais pas que nous allions entrer en dissolution. Jamais, du reste, on n'a fait la partie plus belle à un adversaire. La journée du 4 septembre est plus qu'un crime, c'est une bêtise sans nom ; la République endossera la honte de la paix — qui sera onéreuse — qu'il fallait laisser à l'Empire, que l'on eût balayé tout de suite après sans difficulté, car il était devenu impossible. [...] C'est la nuit et le chaos. Cette guerre, entreprise par un fantôme, est continuée par des ombres. Crémieux succède à Napoléon III, un vieillard tombé en enfance se substitue à un somnambule. La nation crie, pleure, se désespère, déclare qu'elle est innocente et que l'Empire seul est coupable. La nation a tort ; elle a eu ses destinées entre les mains, qu'en a-t-elle fait ? Nous mourrons par hypertrophie d'ignorance et de présomption. La France a cherché les réformes politiques : néant ; elle a cherché les réformes sociales : néant ; mais les réformes morales qui seules peuvent la sauver, elle n'y pense même pas. [...] Tout est faux, tout est théâtral, nous sommes des Latins ; chez nous, comme pour le baron de Fœneste, tout est « pour paraître[2] ». [...] Je ne crois pas au siège de Paris. Les Prussiens n'ont pas encore commis une faute militaire ; ils ne feront pas celle d'attaquer de vive force une ville immense qui patriotiquement a laissé proclamer par les journaux qu'elle a trois mois de vivres. [...] Lorsque la ville aura mangé son dernier morceau de pain, lorsque le dernier ouvrier aura tué le dernier bourgeois ou que le dernier bourgeois aura tué le dernier ouvrier, on battra la chamade et l'on capitulera. Perdrons-nous l'Alsace et la Lorraine ? Oui, si nous n'avons pas un homme d'État sérieux ; non, si un homme connaissant bien l'Allemagne prend la négociation en mains. Démanteler Metz, Strasbourg et le chapelet de forteresses que nous avons sur la frontière et sauver les provinces, c'est là le résultat que l'on doit poursuivre. Au lieu de ces territoires, offrir nos colonies [...].

En 1875, Flaubert me parla de cette lettre, que j'avais oubliée, en termes qui me firent désirer de la lire ; il me l'envoya, je l'ai gardée, et c'est ainsi que je puis la reproduire.

*

Paris, 15 mars 1871.

Frédéric vient de m'envoyer une lettre qu'il a reçue de toi[1] ; j'y vois que tu ne vas pas mal et que tu as failli mourir de chagrin ; je n'en suis pas trop surpris, car la dernière lettre de toi qui m'est parvenue, à Pallanza[2], accusait des illusions bien profondes sur le résultat final de cette guerre imbécile. Tu l'as vue de près, et moi aussi, presque à ta porte, sans que j'aie pu te prévenir, tant à cause des difficultés matérielles qui m'empêchèrent de t'expédier un exprès, qu'à cause de l'épouvantable désastre qui s'est abattu sur moi et de l'horrible aventure dans laquelle je suis saisi depuis les premiers jours du mois d'octobre. Ta pauvre jumelle est folle. [...]

[...]

Je ne te dis rien de ce qui se passe ; comme je ne mets point le nez dehors et que je ne vois âme qui vive (car la pauvre femme est cloîtrée chez elle et je m'y suis cloîtré aussi), je ne suis guère au courant que par les journaux. Tout ce que je sais me paraît bête et idiot ; les élections ont mis en présence l'inquisition et le comité de salut public ; le bûcher fait face à la guillotine ; de tout cela, je le crains, il ne sortira rien de bon. Il n'y a en France que deux forces organisées : l'internationale et la société de Saint-Vincent-de-Paul ; si la lutte s'engage, elle sera cocasse. En 1850 nous aurions dû, tous les deux, acheter l'île d'Éléphantine et y vivre ; c'eût été plus spirituel que tout ce que nous avons vu et fait [...].

*

[Paris,] 31 mai 1871.

Je t'ai écrit pour te dire que nous étions sains et saufs. Le Mouton[1] a traversé héroïquement ces mauvais jours, mais elle a été triste et sombre, elle a pleuré en vertu de la réaction. Je pense que nous touchons à l'heure de la guérison : il est temps. Je vais bien, quoique je souffre de la main droite que la pauvre femme m'a cassée au mois de décembre.

Je te remercie de ce que tu as pu faire pour mon domestique ; s'il t'a demandé de l'argent, c'est raide, je lui avais remis 300 francs pour sa route 4 jours auparavant.

Ta lettre du 31 mars[2] m'a été apportée hier. À toi. [...]

Appendice II

EXTRAITS DU *JOURNAL* DES FRÈRES GONCOURT [1869]

[Entre le 20 et le 31 janvier 1869.]

[...] Après dîner [chez Jeanne de Tourbey], il y a une lutte grossière entre Gautier et Flaubert, le premier étalant une monstrueuse, brutale et répugnante vanité d'avoir battu les femmes ; et l'autre, l'orgueil d'en avoir été battu en éprouvant toujours l'énorme désir de les tuer, en sentant, comme il finit par dire à propos de Mme Colet, craquer sous lui les bancs de la Cour d'Assises ! [...] *[T. II, p. 487.]*

*

23 mai [1869].

Le livre de Flaubert, son roman parisien, est terminé. Nous en voyons le manuscrit sur sa table à tapis vert, dans un carton fabriqué spécialement *ad hoc* et portant le titre auquel il s'entête : *L'Éducation sentimentale*, et en sous-titre : *L'Histoire d'un jeune homme.*

Il va l'envoyer au copiste ; car avec une sorte de religion, il garde devers lui, depuis qu'il écrit, le monument immortel de sa copie chirographe. [...] *[T. II, p. 524-525.]*

*

17 juillet [1869].

Flaubert est venu nous voir ce soir, florissant de force, de santé, plus exubérant que jamais. Il nous parle de la maladie mortelle de Bouilhet avec une insouciance de pléthorique, nous blessant par la manière leste et détachée dont il nous console et nous réconforte. Et en s'en allant, le gros homme s'écrie : « C'est étonnant : moi, il me semble, dans ce moment, que j'hérite de la *vigousse* de tous mes amis malades ! » [...] *[T. II, p. 533.]*

☆

EXTRAITS DU *JOURNAL* D'EDMOND DE GONCOURT [1871-1875]

18 octobre [1871].

Je tombe sur Flaubert, au moment où il part pour Rouen. Il a sous le bras, fermé à triple serrure, un portefeuille de ministre, dans lequel est enfermée sa *Tentation*. En fiacre, il me parle de son livre, de toutes les épreuves qu'il fait subir au solitaire de la Thébaïde et dont il sort victorieux. Puis, à la rue d'Amsterdam, il me confie que la défaite finale du saint est due à la *cellule*, la cellule scientifique[1]. Le curieux, c'est qu'il semble s'étonner de mon étonnement. *[T. II, p. 838-839.]*

*

Dimanche 9 novembre [1871].

Je trouve, chez Flaubert, Ramelli[2], qu'il veut faire engager par l'Odéon dans la pièce de Bouilhet. [...] Enfin, elle part, et nous voilà seuls. Flaubert me conte l'inespérée fortune de la *Présidente*, qui a reçu un titre de 50000 francs de rente, deux jours avant l'investissement, un envoi de Richard Wallace, qui avait couché avec elle dans le passé et lui avait dit : « Tu verras, si je deviens jamais riche, je penserai à toi. »

Il me parle de cette ambassade chinoise, tombée dans notre Siège et notre Commune, dans notre cataclysme, et à laquelle on disait : « Ça doit bien vous étonner ce qui se passe ici dans le moment ? »

— Mais non, mais non ! Vous êtes jeunes, vous Occidentaux, vous n'avez presque pas d'histoire... C'est toujours comme ça... Le Siège, la Commune, c'est l'histoire normale de l'humanité... »

Il me retient à dîner ; et après dîner, il me lit de sa *Tentation de saint Antoine*. Première impression : la Bible, le passé chrétien remis à neuf par le procédé d'Horace Vernet, avec de la bédouinerie, de la turquerie. Deuxième impression : un immense cahier de notes sur l'Antiquité, condamné à passer par les trucs niais d'une féerie, avec un tas de feuillets de la compilation *érupés*[3] et se refusant à passer dans le laminoir de la chose.

Ce qu'il y a de plus grave là-dedans, c'est que je ne trouve pas d'originalité dans cette œuvre, qui va être trouvée si originale. Flaubert, en malin qu'il est, a choisi, depuis quelques années, les milieux les plus colorés, les plus excentriques, les plus carthaginois, les plus épatants pour les bourgeois. Mais sous le décor et le costume, son humanité est diantrement poncive. Il n'y a pas chez lui la fantaisie abracadabrante d'un poète *haschiché* ou la retrouvaille psychologique d'un *voyant* dans les humanités mortes. En un mot, il n'y a pas d'invention personnelle, mais une appropriation intelligente, réfléchie. De l'originalité, non, encore une fois non ! L'originalité ne consiste pas à faire du commun avec de l'original, mais de l'original avec du commun. De l'originalité dans l'orientalisme de Flaubert, encore non ! Tout au plus de l'ingéniosité laborieuse et appliquée. *[T. II, p. 844-845.]*

*

17 janvier [1872].

[...] Flaubert est si grincheux, si cassant, si irascible, si érupé à propos de tout et de rien, que je crains que mon pauvre ami ne soit atteint de l'irritabilité maladive des maladies nerveuses à leur germe. *[T. II, p. 869.]*

*

15 février [1872].

[...] Flaubert me disait que sa mère, après la mort de son mari et de sa fille, était tout à coup devenue athée. *[T. II, p. 874.]*

*

Samedi 2 mars [1872].

Il y a à dîner chez Flaubert aujourd'hui : Théo, Tourguéneff et moi. [...] Il [Tourguéneff] reprend, après un silence : « L'explication de cela [« il y a comme autour de moi et toujours une odeur de mort, de néant, de dissolution »], je crois la trouver dans un fait, dans l'impuissance — pour une foule de motifs, pour mes cheveux blancs, etc. — dans l'impuissance absolue, maintenant, d'aimer. Je n'en suis plus capable. Alors, vous comprenez, c'est la mort ! »

Et comme Flaubert et moi contestons pour des lettrés l'importance de l'amour, le romancier russe s'écrie [...]. *[T. II, p. 879-880.]*

*

Samedi 16 mars [1872].

[...] Au fond, tout le monde sent un peu de son dévouement, de son affection, de son cœur s'en aller de la Princesse[1], tant il y a chez elle, en ce moment, d'agressivité bête et irréfléchie pour tout ce que chacun de nous pense, énonce, formule. Flaubert en est très blessé et ne le cache pas. *[T. II, p. 883.]*

*

Vendredi 22 mars [1872].

Tourguéneff dîne chez moi avec Flaubert. [...] *[T. II, p. 884.]*

*

Vendredi 21 juin [1872].

Je dîne ce soir chez Riche avec Flaubert, qui passe à Paris pour se rendre à l'inauguration de la statue de Ronsard à Vendôme.

Nous dînons, bien entendu, dans un cabinet, parce que Flaubert ne veut pas de bruit, ne veut pas d'individu à côté de lui et qu'il veut encore, pour manger, ôter son habit et ses bottines.

Nous causons de Ronsard. Puis, tout de suite, lui se met à hurler, moi à gémir sur la politique, la littérature, les embêtements de la vie.

En sortant, nous tombons sur Aubryet, qui nous apprend que Saint-Victor est de l'inauguration[1] : « Eh bien, je n'irai pas à Vendôme, me dit Flaubert. Non, vraiment, la sensibilité est arrivée chez moi à un état maladif tel, je suis entamé à ce point, que l'idée d'avoir la figure d'un monsieur désagréable en chemin de fer, devant moi, ça m'est odieux, insupportable ! Autrefois ça m'aurait été égal. Je me serais dit : « Je m'arrangerai pour être dans un autre compartiment. » Puis si, à la rigueur, je n'avais pu éviter mon monsieur désagréable, je me serais soulagé en l'engueulant. Maintenant, ce n'est plus cela... Rien que l'appréhension de la chose, ça me donne un battement de cœur... Tenez, entrons dans un café, je vais écrire à mon domestique que je reviens demain. »

Et là, devant la paille d'un soyer[2] : « Non, je ne suis plus susceptible de supporter un embêtement quelconque... Les notaires de Rouen me regardent comme un toqué ! Vous concevez, pour les affaires du partage, je leur disais qu'ils prennent tout ce qu'ils veulent, mais qu'on ne me parle de rien : j'aime mieux être volé que d'être agacé ! Et c'est comme cela pour tout, pour les éditeurs... L'action, maintenant, j'ai pour l'action une paresse qui n'a pas de nom. Il n'y a absolument que l'action du travail qui me reste. »

La lettre écrite et cachetée, il s'écrie : « Je suis heureux comme un homme qui a fait une couillonnade ! Pourquoi ? Dites, le savez-vous ? »

Puis, il me ramène au chemin de fer et accoudé sur la traverse, où on fait queue pour prendre les billets, il me parle de son profond ennui, de son découragement de tout, de son aspiration à être mort, — et mort sans métempsychose, sans survie, sans résurrection, à être à tout jamais dépouillé de son *moi*. [...] *[T. II, p. 902-903.]*

*

Dimanche 5 janvier [1873].

Flaubert m'a écrit : « Ça ne va pas du tout ! » C'est parfaitement vrai. Cet homme de talent meurt de l'enragement des succès d'argent de Droz et de Belot[1], de la jalousie des gros sous, de la basse envie du gros bruit de la basse littérature. *[T. II, p. 925.]*

*

26 février [1873].

Flaubert disait aujourd'hui assez pittoresquement : « Non, c'est l'indignation seule qui me soutient ! L'indignation pour moi, c'est la broche qu'ont dans le cul les poupées, la broche qui les fait tenir debout. Quand je ne serai plus indigné, je tomberai à plat ! » Et il dessine la silhouette d'un polichinelle échoué sur un parquet. *[T. II, p. 927.]*

*

Samedi 3 mai [1873].

Chez Véfour, dans le salon de la Renaissance, où j'ai abouché Sainte-Beuve avec Lagier[2], je dîne ce soir avec Tourgueneff, Flaubert, Mme Sand. [...]

Flaubert conte un drame sur Louis XI, qu'il dit avoir fait au collège, drame où il avait ainsi fait parler la misère des populations : « Monseigneur, nous sommes obligés d'assaisonner nos légumes avec le sel de nos larmes[3]. » [...]

Flaubert, ces jours-ci, à propos de la pièce de Bouilhet[4] qu'il rapetasse, me dit : « Vous concevez, c'est l'affaire d'un mois : c'est à écrire au plus simple ; et puis, moi, je déteste les *mots* ! »

Le mépris, qu'il y a chez lui pour les qualités qu'il n'a pas, est amusant. Merci ! l'esprit et la langue parlée, cette langue écrite sans en avoir l'air, la chose la plus rare au théâtre, voici comment il les traite !

Plus Flaubert avance en âge, plus il se provincialise. Puis vraiment, à retirer de mon ami le bœuf, l'animal travailleur et besognant, le fabricateur de bouquins à un mot par heure, on se trouve en tête-à-tête avec un être si *ordinairement* doué, si peu doté d'une originalité ! Et je ne parle pas ici seulement de l'originalité des idées et des concepts, je parle de l'originalité des actes, des goûts de la vie ; je parle d'une originalité particulière, qui est toujours le cachet d'un homme supérieur. Par Dieu ! cette ressemblance bourgeoise de sa cervelle avec la cervelle de tout le monde — ce dont il enrage, je suis sûr, au fond —, cette ressemblance, il la dissimule par des paradoxes truculents, des axiomes dépopulateurs, des beuglements révolutionnaires, un contre-pied brutal, mal élevé même, de toutes les idées reçues et acceptées. Cela lui réussit même quelquefois. Mais auprès de qui ? La violence de l'exagération avoue et confesse bien vite, près des fins observateurs, la blague du verbe.

En un mot, Flaubert se proclame pour l'homme le plus passionné du monde ; or, la succession de ses amis a su et sait que la femme ne joue qu'un rôle assez secondaire dans sa vie. Flaubert se proclame l'homme le plus déraisonnable dans le maniement de l'argent ; or, Flaubert n'a de goût pour rien, n'achète quoi que ce soit et jamais aucune fantaisie n'a fait un trou dans sa bourse. Flaubert se proclame comme l'imaginateur le plus extraordinaire dans le confort et l'élégance d'un intérieur ; or, Flaubert jusqu'ici n'a encore inventé que de faire des vases à fleurs dans des pots de confiture de gingembre, création, du reste, dont il se montre assez fier. Et tout est de même... L'auteur de *Madame Bovary* n'a que les idées, les goûts, les habitudes, les préjugés, les qualités, les vices du commun des martyrs.

Maintenant, ment-il absolument, quand il est en si complète contradiction avec son for intérieur ? Non, et le phénomène qui se passe en lui est assez complexe. D'abord, qui dit normand dit un peu gascon. En outre, notre Normand est très logomachique de sa nature. Enfin, le pauvre garçon a le sang qui se porte avec violence à sa tête, quand il parle. Cela fait, je crois qu'avec un tiers de gasconnade, un tiers de logomachie, un tiers de congestion, mon ami Flaubert arrive à se griser presque sincèrement des contre-vérités qu'il débite. *[T. II, p. 930-933.]*

*

Mercredi 17 décembre [1873].

La toquade de Flaubert, d'avoir toujours fait et enduré des choses plus énormes que les autres, a été, ce soir, de la dernière bouffonnerie. Il a bataillé violemment et s'est presque chamaillé avec le sculpteur Jacquemart, pour prouver qu'il avait eu plus de poux en Égypte que lui, qu'il lui avait été supérieur en vermine.

Il a bien dîné. Il est enfantinement gonflé de sa lecture au Vaudeville[1]. Il est grossièrement heureux ; et presque affalé sur moi, avec des coups de doigts sur la poitrine qui me font l'effet de coups de boutons de fleuret, il cherche à me prouver que personne au monde n'a été amoureux comme il l'a été une fois. C'est l'occasion pour lui de me rabâcher une histoire qu'il m'a déjà contée, histoire dans laquelle il risquait sa vie au milieu des précipices d'une falaise, pour embrasser un chien de Terre-Neuve, nommé Thabor, à une certaine place, où sa maîtresse avait l'habitude de déposer un baiser... Une passion qui l'avait empoigné en quatrième et qu'il garda au fond de lui, en dépit du bordel et des amours banales, jusqu'à 32 ans. La passion eut un dénouement qui revient assez souvent dans la vie tragi-comique de mon ami. Un certain jour, au moment où il sentait que la femme, depuis si longtemps adorée, mollissait, qu'elle était à lui, dans ce moment même, il eut l'envie d'aller aux lieux...

Il se dégage de Flaubert tant de nervosité, tant de violence batailleuse, que les milieux dans lesquels il se trouve deviennent bientôt orageux, qu'une certaine agressivité gagne chacun. C'est ce qui est arrivé ce soir. Je voyais, devant l'exagération fausse et la gasconnade de ses paroles, le bon sens bourgeois se monter, se monter, se monter. Cela a fini comme un coup de tonnerre sur la tête de Popelin, à l'occasion d'une innocente contradiction. [...] *[T. II, p. 955-956.]*

*

Mercredi 28 janvier [1874].

Le dîner de la Princesse était, ce soir, bondé de médecins. Il y avait Tardieu, Demarquay[1]... [...]

Flaubert s'écrie : « Il n'y a pas de caste que je méprise comme celle des médecins, moi qui suis d'une famille de médecins, de père en fils, y compris les cousins, car je suis le seul Flaubert qui ne soit pas médecin... Mais quand je parle de mon mépris pour la caste, j'excepte mon papa. Je l'ai vu, lui, dire dans le dos de mon frère, en lui montrant le poing, quand il a été reçu docteur : « Si j'avais été à sa place, à son âge, avec l'argent qu'il a, quel homme j'aurais été ! » Vous comprenez par cela son dédain pour la pratique rapace de la médecine. »

Et Flaubert continue, nous peignant son père à soixante ans, les beaux dimanches de l'été, disant à sa femme qu'il allait se promener à la campagne et s'échappant par une porte de derrière, pour courir à l'*ensevelissoir* et disséquer comme un carabin. Il nous le montre encore, payant deux cents francs de frais de poste pour aller faire, dans quelque coin du département, une opération à une poissonnière, qui le payait avec une douzaine de harengs. [...] *[T. II, p. 964.]*

*

Mardi 10 mars [1874].

Quelle faute, quand on est si peu auteur dramatique et que son autre talent est accepté comme article de foi, quelle faute de tuer le respect et la religiosité de la critique en dévoilant, sans y être forcé, son infirmité ! Le bon Dieu qu'était Flaubert en littérature, est mort. On va le lire comme tout le monde, sans intimidation et il sera jugé dorénavant comme un simple et gros mortel qu'il est. *[T. II, p. 972.]*

*

Jeudi 12 mars [1874].

Hier, c'était funèbre, l'espèce de glace tombant peu à peu à la représentation du *Candidat* [...].

En m'apercevant, Flaubert a un sursaut comme s'il se réveillait, comme s'il voulait rappeler à lui sa figure officielle d'homme fort :

« Eh bien, voilà ! » me dit-il avec de grands mouvements de bras colères et un rire méprisant, qui joue mal le *Je m'en fous*. Et comme je lui dis que la pièce se relèvera à la seconde, il s'emporte contre la salle, contre le public blagueur des premières, etc. [...] *[T. II, p. 972-973.]*

*

Dimanche 15 mars [1874].

Je trouve Flaubert assez philosophe à la surface, mais avec les coins de la bouche tombants ; et sa voix tonitruante est basse, par moments, comme une voix qui parlerait dans une chambre de malade.

Après le départ de Zola, il s'est échappé à me dire avec une amertume concentrée : « Mon cher Edmond, il n'y a pas à dire, c'est le four le plus carabiné... » Et après un long silence, il a terminé sa phrase par un : « Il y a des écroulements comme cela ! » *[T. II, p. 973.]*

*

Mercredi 1er avril [1874].

La Tentation de saint Antoine. De l'imagination faite avec des notes. De l'originalité toujours réminiscente de Goethe [...] *[T. II, p. 974.]*

*

Vendredi 13 novembre [1874].

« Ah ! Princesse [dit Edmond de Goncourt à la princesse Mathilde], vous ne savez pas quel service vous avez rendu aux Tuileries, combien votre salon a désarmé de haines et de colères, quel tampon vous avez été entre le gouvernement et ceux qui tiennent une plume... Mais Flaubert et moi, si vous ne nous aviez pas achetés, pour ainsi dire, avec votre grâce, vos attentions, vos amitiés, nous aurions été, tous deux, des éreinteurs de l'Empereur et de l'Impératrice. » *[T. II, p. 1013.]*

*

Mercredi 2 décembre [1874].

Ce soir, chez la Princesse, en mangeant ma soupe, je dis à Flaubert : « Je vous fais mon compliment d'avoir retiré votre pièce[1]. Quand on a eu un échec, comme nous en avons eu tous les deux, il faut, pour la revanche, être sûr d'être joués par de vrais acteurs. » Il me paraît un peu embarrassé ; puis, après un silence, il accouche de : « Je suis au Gymnase, maintenant... Ce n'est pas moi, c'est Peragallo qui a voulu la présenter... » Et il ajoute : « Il y a cinq robes dans ma pièce, et là, les femmes peuvent en acheter... »

Il y a cinq robes dans ma pièce... Flaubert dit cela ! *[T. II, p. 1025.]*

*

Mercredi 9 décembre [1874].

[...] Y a-t-il une notabilité en quoi que ce soit, quelque part où se trouve Flaubert, il faut que le Normand se précipite en sa connaissance, viole son intimité. La notabilité a beau faire, elle ne peut se dérober à la pression de ses attentions, à la violence de ses amabilités, à l'enveloppement impérieux de sa parole, à l'*entrance* de toute sa grasse personne... Et tout cela est pour pouvoir dire, à quelque nom, petit ou grand, qu'on nomme dans une société : « Moi, je le connais beaucoup, c'est un ami ! » *[T. II, p. 1028.]*

*

Mercredi 16 décembre [1874].

[...] Ceci est Flaubert, tout Flaubert. On causait dans le fumoir [chez la Princesse] de livres qui excitent les jeunes sens et on citait *Faublas*[1] entre autres : Flaubert de déclarer qu'il n'a jamais pu le terminer et qu'un seul livre a eu de l'action érective sur lui, l'*Aloysia*[2] de Meursius... L'homme est d'une nature si supérieure, si particulière, entendez-le bien ! qu'il n'y a qu'un livre latin capable de le faire b... *[T. II, p. 1030.]*

*

Dimanche 7 mars [1875].

Zola, en entrant chez Flaubert, se laisse tomber dans un fauteuil et murmure d'une voix désespérée : « Que ça me donne de mal, ce Compiègne[3], que ça me donne de mal ! »

Alors Zola demande à Flaubert combien il y avait de lustres éclairant la table du dîner, si la causerie faisait beaucoup de bruit, et de quoi on causait, et qu'est-ce que disait l'Empereur [...].

Cependant, Flaubert, moitié pitié de son ignorance, moitié satisfaction d'apprendre à deux ou trois visiteurs qui sont là, qu'il a passé quinze jours à Compiègne, joue à Zola, dans sa robe de chambre, un Empereur classique, au pas traînant, une main derrière son dos ployé, tortillant sa moustache avec des phrases idiotes de son cru.

« Oui », fait-il, après qu'il a vu que Zola a pris son croquis dans sa tête, « cet homme était la bêtise, la bêtise toute pure ! [...] »

Puis Flaubert raconte un curieux épisode des amours de l'Empereur avec Bellanger[1] à Montretout : l'Empereur, le chapeau de papier sur la tête, collant de son impériale main le papier d'un petit salon et des *water-closets* de sa maîtresse... « Et je le sais bien, ajoute Flaubert, c'était un papier bleu à petites croix blanches... » *[T. II, p. 1048.]*

*

Dimanche 18 avril [1875].

En sortant de chez Flaubert, Zola et moi nous nous entretenions de l'état de notre ami, — état, il vient de l'avouer, qui, à la suite de noires mélancolies, éclate dans des accès de larmes. Et tout en causant des raisons littéraires qui sont la cause de cet état et qui nous tuent les uns après les autres, nous nous étonnons du *manque de rayonnement* autour de cet homme célèbre. Il est célèbre, et il a du talent, et il est très bon garçon, et il est très accueillant : pourquoi donc, à l'exception de Tourguéneff, de Daudet, de Zola, de moi, à ces dimanches ouverts à tout le monde, n'y a-t-il personne. Pourquoi ? *[T. II, p. 1060.]*

*

Dimanche 25 avril [1875].

Chez Flaubert. Les uns et les autres se confient les hallucinations de leur mauvais état nerveux. [...]

Flaubert dit qu'après une complète absorption et un long penchement de tête sur sa table de travail, il éprouve, au moment de se redresser, comme une peur de retrouver quelqu'un derrière lui. *[T. II, p. 1062.]*

*

Mercredi 5 mai [1875].

J'apprends à Flaubert que Michel Lévy[2] est mort. À cette nouvelle, je vois le doigt de Flaubert faire repasser par sa boutonnière la décoration qu'il ne portait plus apparente, depuis que Lévy avait été décoré. *[T. II, p. 1063.]*

*

Lundi 8 novembre [1875].

« En trois mots — c'est Flaubert qui parle —, je vais vous dire ce qu'il en est... Je suis ruiné ! Il y a eu tout à coup sur les bois une baisse comme jamais on n'en a vu. Ce qui valait 100 francs n'en a plus valu que 60. D'abord, j'ai fait des prêts à mon neveu ; puis quand la faillite a été menaçante, j'ai racheté, à bas pris s'entend, des créances... Tout mon avoir y a passé. Mais s'il se relève — il est resté à la tête de ses affaires —, je ne perdrai rien, il me doit aujourd'hui plus d'un million. »

Et Flaubert me laisse incertain si je dois le plaindre ou lui faire compliment sur cette ruine, qu'il ne semble pas trop fâché d'avoir vu trompettée par les journaux. *[T. II, p. 1088.]*

*

Mardi 16 novembre [1875].

[...] Après [une anecdote racontée par Berthelot], on causa des conférences qui avaient lieu ces jours-ci entre Dupanloup et Dumas fils — tous deux enfants naturels —, pour faire introduire la recherche de la paternité dans le Code ; et l'on ne doutait pas que si la Chambre actuelle s'était perpétuée, une proposition *ad hoc* n'eût été soumise à ses délibérations.

Un mot de Dupanloup à Dumas :

« Comment trouvez-vous *Madame Bovary* ?

— Un joli livre...

— Un chef-d'œuvre, Monsieur !... Oui, un chef-d'œuvre pour ceux qui ont confessé en province ! » *[T. II, p. 1089.]*

Appendice III

LETTRES ET EXTRAITS DE LETTRES DE LOUIS BOUILHET À GUSTAVE FLAUBERT [1869]

Rouen, 11 janvier [18]69.

Mon cher vieux,

Nous n'avons pas ton affaire à la bibliothèque, mais j'ai demandé la chose à un vicaire de Saint-Romain, qui se trouvait précisément là. Il peut me prêter *Le Rituel de Paris*, pour 3 ou 4 jours. Tâche de le faire reporter à la bibliothèque *vendredi* ou *samedi*. Envoie ton serviteur *demain mardi* à la bibliothèque. Il reviendra avec le livre.

Du reste, *Paris n'est pas encore soumis au rite romain*. Mais tu verras, au moins, l'ordre des cérémonies, et des prières. [...][1]

Adieu, Karaphong[2], je te la serre. À dimanche.

Ton vieux

MONSEIGNEUR.

*

Rouen, 3 février 1869.

Cher vieux, c'est convenu : à dimanche, 11 heures. [...]

As-tu toujours la haine de Messieurs les ecclésiastiques ? Moi, je commence à en être sérieusement inquiet : j'écume !

Adieu, à dimanche.

Je t'embrasse.

MONSEIGNEUR.

*

Rouen, 12 février 1869.

Mon cher vieux,

Ne compte pas sur moi dimanche : j'ai gagné, pour la seconde fois, sur le sacré bateau de [la] Bouille, un rhume que j'ai pris, pendant trois jours, pour une pleurésie. [...]

*

Rouen, 18 février 1869.

Mon cher ami, je ne vois guère, pour moi, la possibilité d'aller à Croisset dimanche. La moindre sensation de froid m'eſt défendue, non seulement pour ma toux, mais encore et surtout, pour l'incroyable perturbation nerveuse à laquelle je suis en proie. [...]

Cela dit, si tu as absolument besoin de moi, viens déjeuner, par le 1er bateau, dimanche, rue Bihorel. Nous travaillerons et tu seras tout arrivé pour le dîner de ta maman. *Si tu prends ce parti, préviens-moi.* Si je ne reçois pas d'avis, c'eſt que tu ne viendras pas.

[...]

*

Rouen, 27 février 1869.

Mon cher ami,

Je regrette bien de ne pas avoir été à la maison, quand tu es venu, hier au soir. [...]

Je ne te servirais pas à grand-chose, en allant à Croisset demain. Je ne peux pas dire dix paroles, sans m'attirer une quinte de coqueluche. C'eſt absurde.

Nous nous verrons demain, à 6h 1/2, rue Verte, chez M. Raoul-Duval[1] ; je n'ai pas cru pouvoir refuser.

Si le temps le permet, j'irai te voir jeudi matin, et je me ferai reprendre à 5 heures, par une voiture. Du reſte, nous en causerons demain.

J'ai fini ma pièce[2], et j'ai, tu le conçois, grande envie de te lire tout le dernier acte. Comme aussi de connaître ton nouveau travail[3], puisque la grippe ne t'empêche pas d'aller de l'avant.

[...]

*

Paris, lundi [15 mars 1869].

Mon cher vieux,

Je suis très embêté. Chilly[1] est au lit, très brisé, le pauvre homme ; après avoir perdu sa fille, en huit jours, voilà sa nièce au plus mal. [...] Cependant j'espère pouvoir lire ma pièce[2], mercredi ou jeudi. [...] Je ne quitterai pas Paris sans une solution. Voilà où j'en suis. J'ai été chez Duplan[3], avant 10 heures, il était parti. Je lui ai laissé un mot, et l'ai prié d'activer son frère[4] pour toi, mais enfin je ne l'ai pas vu. Je tenterai encore.

J'ai été, dimanche, chez la Princesse[5], toujours très aimable — s'est informée de toi, ainsi que tout le monde. On t'attend. J'ai aperçu Théo[6], déplorable, physiquement !

Tu me demandes si je suis sûr de venir à Croisset le dimanche des Rameaux ? *C'est mon vœu le plus ardent.* J'ai besoin à Rouen pour cette fin de mars, mais je ne peux, vu les circonstances imprévues, *t'affirmer* que je serai de retour. Donc, fais ce que tu crois le mieux. Si tu es réellement arrêté court, faute de renseignements, tu gagneras du temps en venant vite. Enfin, voilà. Est-ce assez embêtant, les affaires !

[...]

*

[Paris,] jeudi 18 [mars 1869].

J'ai enfin trouvé Chilly. Lecture. Je suis, à la fois, enchanté et très emmerdé. J'ai rudement à travailler dans les 3 premiers actes, surtout dans le 3e, mais il trouve le 4e acte beaucoup plus beau que *La Conjuration*[7]. [...]

Je suis sur les dents, pris d'une grippe épouvantable, sous la neige qui tombe. J'ai la tête jaune comme un citron. Je n'en peux plus !... Et il faut aller dîner, ce soir, chez la Princesse[8] !... Joli convive !... Je ne peux rien te dire de positif pour dimanche. D'abord, y serai-je ? Ensuite, arrivé la veille au soir ou le matin, serai-je capable de lever un pied, ou d'assembler deux idées ? J'en doute.

Tu sais, dans tous les cas, que nous nous verrons le *Jeudi saint*[9]. Nous abattrons toute la besogne.

[...]

*

Rouen, 22 mars 1869.

Mon cher ami,

D'après ma dernière lettre de Paris, je ne pense pas que tu aies dû m'attendre bien certainement pour hier, dimanche.

[...]

Je serai, à Croisset, jeudi, à 11 heures du matin.

Et je t'embrasse, en attendant.

Lundi.

Je déchire mon enveloppe, au moment de t'envoyer cette lettre. Tu me proposes de venir jeudi. Très bien. Tu vois par la susdite lettre que j'avais l'intention d'aller te voir, jeudi, de bonne heure. Donc, fais comme tu aimeras le mieux : viens à Rouen, ou attends-moi à Croisset. *Je me règlerai sur ta lettre. Écris-moi.* J'ai vu, là-bas, peu de monde. Nous en causerons.

Allons, bon ! Je n'avais pas lu ta 4e page !...

Si tu t'engages à me reconduire à Rouen *pour une heure d'après-midi* vendredi prochain, je coucherai *jeudi* à Croisset.

Réponds-moi, j'accepte ce dernier cas, s'il te va mieux que les autres.

J'irai voir, demain, Caroline[1] et Mme Flaubert.

*

Cany, 3 avril 1869.

Mon cher vieux,

Je te remercie de ton exactitude ; c'est encore à Cany que j'ai reçu ta lettre [...].

Je n'ai guère pu travailler, abruti par le temps et par la nouveauté des lieux, car je suis devenu une bête d'habitude. Il me faut ma table et mon encrier à la même place. Où est le temps où je faisais *Melaenis*[2] en courant, dans la boue, d'une pension à l'autre... Je prends ton refrain : triste ! triste ! Si je n'ai pas écrit, j'ai beaucoup réfléchi, et mardi prochain je serai sérieusement à l'œuvre. Je suis toujours un peu grippé, mais je vais beaucoup mieux. Toi, tu vas aussi te remettre au travail, bravo ! ... [...]

*

Rouen, 17 avril 1869.

Mon cher vieux,

Oui, je vais mieux, grâce au Printemps, si l'on peut décorer de ce nom la pluie, le froid et la boue. Mais je vais mieux, physiquement ! ... [...]

Je vois que toi, tu avances, et que, en plus, tu fous comme un gendarme. Bravo, Karaphon[3] ! Il y a longtemps que j'ai écrit aux de Goncourt. Quant à Feydeau, je viens seulement de lire son bouquin[4]. Quelle machine ! Je t'avoue que je n'ai pas encore eu le courage de le féliciter !

Ce que je t'envie bassement, c'est ta présence à la vente de Marc Fournier. Je sens que ça m'aurait remis du baume dans le sang. C'est à cette crapule que je fais remonter toutes les douleurs que j'éprouve.

J'en ai connu d'autres, mais c'est lui seul qui m'a fait *pleurer*, tout seul, dans un coin, derrière un pilier, au café de la Porte-Saint-Martin. Oh ! le cochon[1] !

[...]

*

Rouen, 24 avril 1869.

Mon cher vieux,

Tu as bien raison, pour ce qui regarde mon premier acte[2] [...].

Quant à ma santé, il m'arrive dans le corps des choses bizarres. Mais j'ai pris le parti de ne plus m'en occuper du tout.

J'ai lu, comme toi, les fragments publiés de *L'Homme qui rit*[3]. J'aime mieux ne pas en parler. L'important, c'est que tu vas arriver à la fin de ton chapitre[4], voilà tout.

Ce que tu me dis de Mme Flaubert m'inquiète beaucoup. Je la trouve, en effet, très changée depuis quelque temps. Comment supportera-t-elle l'absence de Caroline[5], si cette dernière effectue son voyage en Norvège ? J'ai peur que la chose ne retombe beaucoup sur toi, à un moment où tu pourras avoir bien à faire.

Moi, je n'irai pas à Paris, avant l'époque indiquée par Chilly[6]. C'est à peine si je serai en mesure vers le 15 juin, comme il a toujours été dit.

[...]

Ton histoire du Coup d'État[7] est graviuscule. Il faut une grande prudence. Ça n'est pas facile, mais il en faut !

Tu me parles de printemps. Il fait, ici, depuis ce matin, un froid de loup. Je crois qu'il va pleuvoir, comme ça, jusqu'à la fin du monde — sans compter tout ce qu'il pleut encore, par surcroît !... *homo*, c'était le loup ; *ursus*, c'était l'homme[8]. *Emmerdatus*, c'est

ton MONSEIGNEUR.

*

Rouen, 1er mai 1869.

Mon cher vieux,

Ce que tu me dis de ce pauvre Feydeau me navre. [...]

Je ne suis pas étonné que *L'Homme qui rit* soit un four. Ça le mérite, du moins ce que j'en ai lu, de droite et de gauche.

Je travaille toujours. C'est fort embêtant, mais c'est une médecine à avaler. Pourvu que ça ne fasse pas le même effet au public ! il ne tarderait pas à évacuer... la salle et moi, à vider les lieux[9] !... [...]

Nous verrons à régler ton « Coup d'État[10] », quand tout sera terminé.

[...]

*

Rouen, 8 mai 1869.

Mon cher vieux,

J'ai reçu ta lettre, avec l'invitation de Mme Espinasse[1]. Je lui ai, tout de suite, écrit une petite lettre pour m'excuser.

[...]

J'ai vu ta maman. Je l'ai trouvée, comme tu m'avais dit, très faible. Mais, au demeurant, l'état général de la santé m'a paru satisfaisant. Je retournerai la voir, d'ici à peu.

[...]

Je vois que tu avances bravement dans ton affaire. Tu finiras, décidément, au temps voulu[2].

[...]

*

Rouen, 15 mai 1869.

Mon cher vieux,

Bravo !... te voilà donc à la fin de la fin[3] ! J'envie ton bonheur, car je n'aurai certainement pas fini mes corrections[4] la semaine prochaine.

[...]

L'avocat Delattre[5] est commanditaire de Rochefort[6]. Il prêche, pour lui, dans les clubs !... Il y a encore de beaux jours pour la France !

[...]

*

Rouen, 22 mai 1869.

Bravo ! mon cher Karaphon ! Tu as été raide, et, comme disait M. Jourdain[7] :

Finis claudit opus
(vel elegantius)
Finis coronat opus !...

Il est vrai, comme il le disait lui-même, qu'il était encore tout parfumé des fleurs de la rhétorique !

Tu dois être bougrement content, et je partage ta joie ! Nous reverrons tout cela, à loisir.

[...]

Oui, Delattre est beau ! Rochefort[8] aussi, d'ailleurs... « Mon Dieu ! mon Dieu ! dans quel siècle m'avez-vous fait naître[9] ! » Tu sais que le pape va canoniser Jeanne d'Arc[10] ? Est-ce assez joli, après l'avoir brûlée !...

Quel beau printemps nous avons ! Je n'ai pas encore de rhume, mais je l'attends.

Adieu, mon cher vieux, j'écrirai à Feydeau[1], et je te souhaite bonne continuation de travail pour tes corrections. Je t'embrasse.

Ton vieux
MONSEIGNEUR.

*

Rouen, 29 mai 1869.

Tant mieux, Karaphon, s'il y a une haine gigantesque contre les *Rouges*. Je t'avoue que j'ai les nerfs agacés par *Le Rappel*, et les jolis cons qui le dirigent ! Sont-ils assez à claquer, ces imbéciles !...

Notre Pouyer-Quertier[2] a été battu par le républicain Dessaux, *dans l'enceinte de nos murs*, mais il s'est un peu relevé grâce à l'appui de « nos campagnes ». Bref, il a 200 voix de plus que Desseaux, mais il n'a pas obtenu la majorité absolue. Donc, il y aura ballotage et nouveau vote le dimanche 6 et le lundi 7 juin[3].

C'est, je crois, vers cette époque que tu dois revenir. C'est quelques jours plus tard, que nous pourrons nous occuper sérieusement du *roman*[4], car je n'ai pas encore fini, hélas !... En supposant que tout marche comme je voudrais, je compte avoir fini pour le 10 juin, et aller à Paris vers le 12.

[...]

À propos, tu as, sans doute, lu que ton *roman* a pour titre :

Le Cœur à droite[5]

c'est dans *Le Figaro*, et, par suite, dans *Le Nouvelliste de Rouen*. L'aimable Blavet ajoute : « Ah ! ces médecins !... » Comment a-t-on pu trouver celle-là ? Toujours la ressemblance !... ça devient fantastique !...

Adieu, Karaphon, je t'embrasse, et à bientôt, maintenant.

Ton vieux
MONSEIGNEUR.

*

Rouen, 30 mai 1869.

Mon cher ami,

Je reçois tes deux lettres[6], à l'instant seulement. Je te remercie, avant tout, de ta vigilance et de ta promptitude. J'allais partir tout de suite, à la lecture de la première. La 2e m'annonçant que tout est consommé, je pense, comme toi, que le plus urgent est de finir vite et d'aller *presto* à Paris.

[...]

Aujourd'hui tout eſt changé brusquement. Pourquoi ? Comment ? Chilly[1] sait fort bien que je travaille, ce travail eſt convenu, arrêté d'avance. Je lui ai fait donner de mes nouvelles, plusieurs fois. D'ailleurs, il m'a donné *jusqu'au 20 juin*. [...] De quel droit, avant le 15 ou le 20 juin, peut-il dire que je n'aurai pas fini ? que... que... que... Ces points de suspension m'épouvantent. Que veulent-ils dire ? Qu'ils ne comptent plus sur ma pièce ? ... [...]

Ô Karaphon !... tout cela eſt très trouble ; je ne suis pas assez jeune pour mettre en doute la canaillerie de ces messieurs, mais... mais... mais... C'eſt comme les que... que... que... Sache, seulement, que mon opinion eſt bien faite, et inébranlable ! Je n'ai le droit d'en vouloir à personne. Chacun fait ses affaires, comme il l'entend. Mais il ne faudrait pas jouer à la fraternité littéraire : c'eſt du vieux jeu.

Quant à moi, j'en suis malade, et retravailler, dans de pareilles conditions !... J'espère qu'une juſtice quelconque me vengera. C'eſt cette conviction qui m'empêche aujourd'hui de pleurer.

Je te remettrai ici l'autographe qui eſt très bon, et je t'embrasse, mon cher ami. Dans une autre époque de ma vie, cette petite espièglerie m'aurait fait crever de faim. Ça ne me brise que le cœur, aujourd'hui. Il n'y a pas de mal[2].

Tout à toi.
MONSEIGNEUR.

*

Rouen, 2 juin 1869.

Merci, mon cher Karaphon, pour ta démarche et ta lettre. J'avoue que je suis, ce matin, plus tranquille. C'eſt pour avoir passé par La Rounat et M[arc] Fournier[3] que je suis devenu cacochyme et défiant. Oui, je l'avoue, je ne deviens pas un aimable coco, et je suis aussi emmerdant pour les autres que pour moi.

Il y a vraiment une cause physique. Je t'assure que je suis très malade, par moments, et que je me sens écorché par des choses qui, jadis, m'auraient effleuré l'épiderme.

Ma lettre dernière, écrite sous une influence pénible, n'était pas plutôt partie, que j'aurais mis des bottes de sept lieues, pour la reprendre.

Je vais achever promptement la pièce[4]. Chilly m'a écrit, ce matin. La fin janvier me va très bien[5], du moment que je ne suis plus dans l'incertitude.

Caroline a dû partir pour la Norvège, hier mardi[6]. [...]

Je ne vois pas que tu aies aucune course à faire, pour moi, d'ici à ton retour. Je serai le 14 juin à Paris, et j'espère bien avoir tout fini le 10. Je partirai le dimanche 13.

Adieu, cher ami, et merci encore mille fois.

Ton vieux
MONSEIGNEUR.

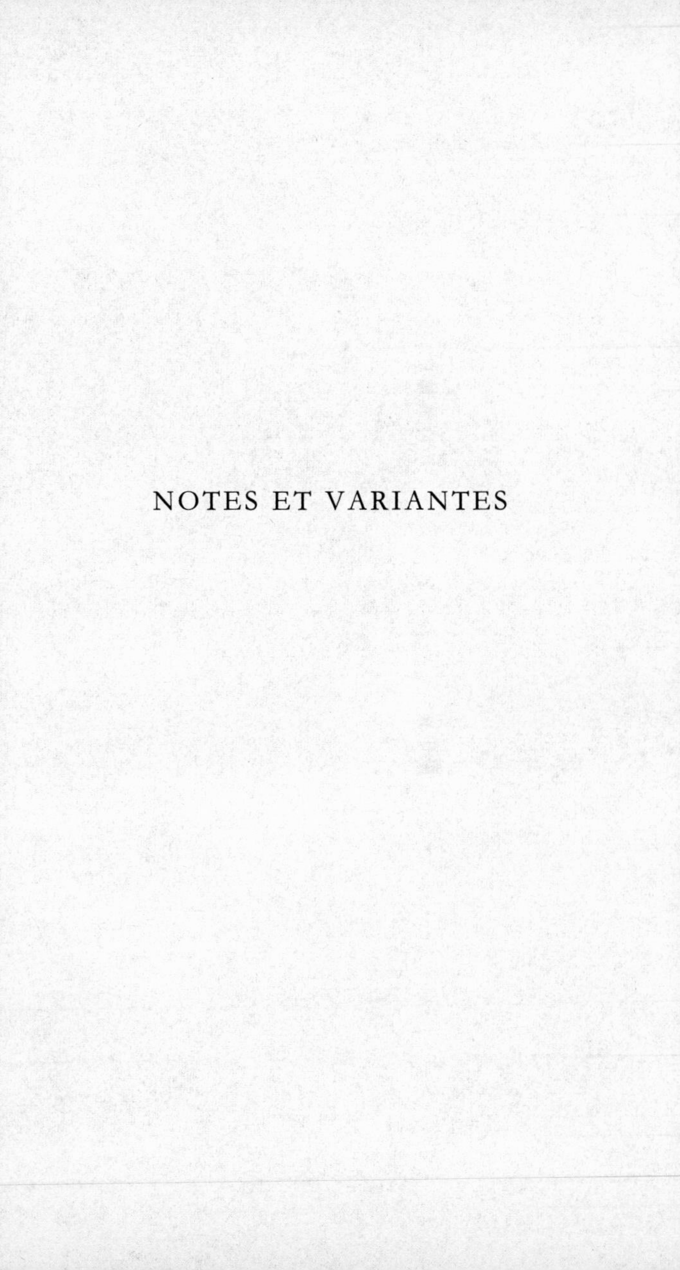

NOTES ET VARIANTES

NOTE SUR L'APPAREIL CRITIQUE DE CETTE ÉDITION

Les notes appelées par une lettre mentionnent les principales corrections de Flaubert figurant sur l'autographe. Les suppressions sont entre crochets droits […], les additions entre crochets obliques <…>. Ce relevé de variantes ne concerne que les lettres dont l'autographe ou la photocopie ont pu être consultés.

Abréviations :

AFl.	*Bulletin des Amis de Flaubert.*
B. H. V. P.	Bibliothèque historique de la Ville de Paris.
B. M. Rouen	Bibliothèque municipale de la ville de Rouen.
B. N.	Bibliothèque nationale.
C. H. H.	*Œuvres complètes illustrées de Gustave Flaubert*, édition du Club de l'Honnête Homme, 16 vol., Paris, 1971-1975. *Correspondance :* vol. 12 à 16 numérotés I à V.
Conard	*Correspondance*, Nouvelle édition augmentée, 9 vol. in-8° (1926-1933), in *Œuvres complètes de Gustave Flaubert* (éd. Louis Conard, Jacques Lambert, libraire-éditeur).
C. P.	Cachet de la poste.
Lovenjoul	Bibliothèque Spoelberch de Lovenjoul. Le fonds Flaubert légué à l'Institut de France par Caroline Franklin-Grout, nièce de Flaubert, est déposé à la bibliothèque de l'Institut, Paris, quai Conti.
musée Calvet	Bibliothèque du musée Calvet, Avignon (Paul Mariéton lui a légué le fonds Louise Colet).
R. H. L. F.	*Revue d'histoire littéraire de la France.*
R. L. C.	*Revue de littérature comparée.*
Supplément	*Correspondance. Supplément.* Recueillie, classée et annotée par René Dumesnil, Jean Pommier et Claude Digeon. 4 vol. in-8° (1954), in *Œuvres complètes de Gustave Flaubert.*

NOTES ET VARIANTES

Page 3.

À GEORGE SAND

[1er janvier 1869]

Autographe Lovenjoul, A IV, ffos 130-131 ; incomplète dans Conard, t. VI, p. 1-3.

a. en criant. [Ça me fait] <c'est> *(ajouté dans la marge de gauche)* à la fois

1. Voir la lettre de George Sand du 21 décembre [18]68, t. III, p. 831.

Page 4.

a. « celle qui [unirait] <aurait à la fois> la flèche

1. Joseph Prudhomme, professeur d'écriture, élève de Brard et Saint-Omer, personnage créé par Henri Monnier.

2. *L'Éducation sentimentale.*

3. « Nous étions, surtout l'un d'entre nous, assez injustes pour le talent de Mme Sand. Nous avons lu les vingt volumes de l'*Histoire de ma vie.* Au milieu du fatras d'une publication de spéculation, il y a d'admirables tableaux, des renseignements sans prix sur la formation d'une imagination d'écrivain, des portraits de caractères saisissants, des scènes simplement dites, comme la mort XVIIIe siècle de sa grand-mère, la mort de Parisienne de sa mère, qui arrachent l'admiration et les larmes ! » (*Journal* des frères Goncourt, éd. Robert Ricatte, Imprimerie nationale de Monaco, 1956, t. VIII, p. 151). L'*Histoire de ma vie* avait d'abord paru en feuilleton dans *La Presse,* du 5 octobre 1854 au 17 juin 1855. C'est alors que Flaubert l'a lue, au moins en partie ; il écrit à Louis Bouilhet le [30 mai 1855] : « Tous les jours, je lis du G. Sand et je m'indigne régulièrement pendant un bon quart d'heure.

Aujourd'hui, pour changer, j'ai lu (toujours dans *La Presse*) du Paulin Limayrac » (t. II, p. 576-577). Voir aussi la lettre de Flaubert à George Sand du [22 septembre 1866], t. III, p. 531-532.

4. Sur Henry Harrisse, voir la lettre de Flaubert à George Sand du 2 [mars 1867], t. III, n. 2, p. 611.

5. *Le Lépreux de la cité d'Aoste*, nouvelle de Xavier de Maistre, publiée en Russie en 1811. Je trouve Flaubert bien sévère pour ce texte très émouvant et très beau.

Page 5.

1. C'est déjà ce qu'écrivait Sainte-Beuve à la princesse Mathilde le 23 décembre [1866] : « Je ne suis qu'infirme et point positivement malade » (*Correspondance générale,* éd. Jean et Alain Bonnerot, 1867, t. XV, p. 419).

2. Le prince Napoléon.

3. Cette expression se retrouve fréquemment dans les œuvres de Brantôme.

4. Flaubert n'ira pas à Nohant durant l'été de 1869. Voir sa lettre à George Sand du 6 août [1869], p. 81.

GEORGE SAND À GUSTAVE FLAUBERT

1er janvier [18]69

Autographe collection Marc Loliée ; *Correspondance Flaubert-Sand*, éd. Alphonse Jacobs, Flammarion, 1981, p. 211.

À EDMOND LAPORTE

[Janvier-mars 1869 ?]

Autographe non retrouvé ; catalogue G. Andrieux, hôtel Drouot, vente du 20 au 28 mars 1933, sans doute la troisième lettre du numéro 78 ; extraits dans René Dumesnil, « Essai de nomenclature et de classement des lettres inédites de Gustave Flaubert à Edmond Laporte », *Bulletin du bibliophile*, 1936, p. 215.

Page 6.

À EDMOND ET JULES DE GONCOURT

[7 janvier 1869]

Autographe B.N., N.A.F. 22462, f° 332 ; lettre publiée dans C.H.H., *Correspondance*, t. III, p. 463. Je mentionne pour mémoire la lettre de Jules de Goncourt à Flaubert du 1er janvier 1869, où il remercie Flaubert de l'envoi d'une « bonne petite boîte » contenant de la crème de Sotteville (Lovenjoul, B III, ffos 383-384 ; lettre publiée dans les *Lettres de Jules de Goncourt*, p. 297).

1. Voici la réponse des Goncourt, datée du [9 janvier 1869] (Lovenjoul, B III, ffos 385-386) : « Samedi. / Mon cher ami, / Les détails demandés. Nous avions trouvé S[ainte-]B[euve] mardi, fatigué, préoccupé. La p[rincesse], le mercredi, nous entraînant, après dîner, dans un salon, où nous n'étions que nous trois, s'est épanchée, a éclaté, le cœur

gros, des larmes dans la voix, une colère de cœur terrible, admirable, palpitante et brisée. L'éloquence indignée de la scène qu'elle avait eue avec lui lui revenait avec des : "Je ne le verrai plus, plus jamais !" Elle nous secouait par nos boutons d'habit, elle nous disait : "Moi, qui me suis brouillée pour lui avec l'i[mpératrice], au *Temps* ! nos ennemis personnels ! Et c'est lui qui a écrit à N[efftzer], c'est lui ! Ah ! je lui ai dit : 'M. S[ainte-]B[euve], tenez, je suis fâchée que vous ne soyez pas mort l'an dernier... Au moins, j'aurais gardé la mémoire d'un ami !'" Elle étouffe, elle suffoque, elle bat sa gorge sur le haut de sa robe : "Oh ! j'ai été dure !" Superbe, dramatique, moderne, ç'a été une scène admirable que son récit de ce déchirement et de cette rupture. — Mais la plume dit mal combien elle était belle de passion... Voilà, mon vieux. / Bien à vous. / JULES DE GONCOURT » (Edmond de Goncourt, *Lettres de Jules de Goncourt*, Paris, Charpentier, 1885, p. 301-302). Comparer avec le *Journal* du mercredi 6 janvier 1869, éd. Robert Ricatte, t. VIII, p. 160-163.

Sainte-Beuve, qui était en désaccord avec la politique cléricale de l'Empire, avait écrit un article sur l'ouvrage de Paul Albert, *La Poésie, leçons faites à la Sorbonne pour l'enseignement secondaire des jeunes filles* (Paris, Hachette ; annoncé dans la *Bibliographie de la France* du 6 février 1869). Cet article, destiné au *Moniteur*, avait déplu à Dalloz et Pointel, qui avaient demandé des corrections. Sainte-Beuve avait alors porté les épreuves de son article au *Temps*, journal fondé en 1861 par Nefftzer et Dolfuss, qui était dans l'opposition. L'affaire est ébruitée par Sainte-Beuve lui-même dans la « Chronique » du *Temps* du 1er janvier, et Nefftzer, dans *Le Temps* du 2-3 janvier, annonce l'entrée au journal de Sainte-Beuve. La princesse Mathilde rend visite à Sainte-Beuve le dimanche 3 janvier, « charmante », et revient le lendemain, après la publication de l'article, « mécontente et courroucée » (lettre de Sainte-Beuve à de Lescure du 6 janvier 1869, *Correspondance générale*, éd. Jean et Alain Bonnerot, t. XVIII, p. 340). La rupture est totale. Pourtant, apprenant la mort prochaine de Sainte-Beuve, la princesse lui enverra une lettre non retrouvée ; en réponse, Sainte-Beuve dicte une de ses toutes dernières lettres, où on peut lire : « ... toujours souffrant ; mais une satisfaction profonde est d'avoir retrouvé ce à quoi on avait cessé de croire. Respect et attachement » (*Ibid.*, t. XIX, p. 280).

À LA PRINCESSE MATHILDE
[7 janvier 1869]

Autographe Archivio Campello, n° Inv. 971 ; Conard, t. VI, p. 4-6, à la date de [janvier 1869] et avec des erreurs. Lettre bien datée par Gérard-Gailly (*Bulletin du bibliophile*, « Datation des lettres de Flaubert », août-septembre 1947, p. 398) et Marcello Spaziani (*Gli Amici della principessa Matilde*, Rome, Edizioni di Storia e Letteratura, 1960, p. 75).

2. Sur le baron Leroy, préfet de la Seine-Inférieure, voir la lettre de Flaubert à sa nièce Caroline du [5 février 1865], t. III, n. 2, p. 423.

3. Voir la note 1 dans la lettre précédente.

Page 7.

1. Flaubert exagère : il a seulement eu l'intention d'intenter un procès à la *Revue de Paris* pour les coupures opérées dans le texte de *Madame Bovary.* Voir la note bibliographique de la lettre de Flaubert à Me Senard [entre le 7 et le 11 décembre 1856], t. II, p. 650.

2. L'édition Conard imprime « conviait » ; erreur relevée par Marcello Spaziani (*Gli Amici della principessa Matilde*, p. 72).

À JULES DUPLAN
[10 janvier 1869]

Autographe Lovenjoul, A V, ffos 597-598 ; *Supplément*, t. II, p. 164.

3. Il s'agit de l'accouchement de Rosanette Bron, enceinte des œuvres de Frédéric (*L'Éducation sentimentale*, éd. Claudine Gothot-Mersch, Garnier-Flammarion, 1985, p. 463-465).

Page 8.

a. c'est encore 60 pages [qui me restent !] que j'ai à écrire

1. Dans sa lettre du [14 janvier 1869], Flaubert rappelle à Jules Duplan sa demande de renseignements, mais le [18 janvier], il lui dit de ne pas s'en embarrasser, car il va venir à Paris (voir p. 11) la semaine suivante. Il visite lui-même une maison d'accouchement à Chaillot et une maison de nourrice à Andilly, près de Montmorency. Ces notes se trouvent dans le carnet 12 de la bibliothèque historique de la Ville de Paris et reproduites dans Pierre-Marc de Biasi, Gustave Flaubert, *Carnets de travail*, éd. critique et génétique, Balland, 1988, p. 410-414.

2. Les chapitres v et vi de la troisième partie. Dans le roman publié, l'« épilogue » devient le chapitre vii et dernier de l'œuvre.

À MICHEL LÉVY
[10 janvier 1869]

Autographe maison Calmann-Lévy ; lettre publiée par Jacques Suffel dans *Lettres inédites de Gustave Flaubert à son éditeur Michel Lévy*, Calmann-Lévy, 1965, p. 151-152.

À JULES DUPLAN
[14 janvier 1869]

Autographe Lovenjoul, A V, ffos 599-600 ; *Supplément*, t. II, p. 165.

3. Flaubert a hésité entre *Matnas* et *Vatnas.* Dans le roman publié, le nom s'écrit : *Vatnaz.*

4. Voir la lettre de Flaubert à Jules Duplan du [10 janvier 1869], p. 7 et n. 3 ; et p. 8 et n. 1.

5. Voir la lettre de Flaubert à Jules Duplan du [18 janvier 1869], p. 11.

6. Flaubert arrivera à Paris le samedi 23 janvier au plus tard, pour repartir à Croisset le lundi 1er février 1869.

Page 9.

À LA PRINCESSE MATHILDE
[14 janvier 1869]

Autographe Archivio Campello, n° Inv. 972 ; Conard, t. VI, p. 9-10, placée fin janvier-début février. Comme l'a montré Gérard-Gailly dans le *Bulletin du bibliophile* (« Datation des lettres de Flaubert », p. 398-399), cette lettre est du jeudi [14 janvier 1869].

1. Voir la lettre de Flaubert à la princesse du [7 janvier 1869], p. 6-7.
2. Il s'agit de Sainte-Beuve.
3. Marcel-Victor-Paul-Camille Ferri-Pisani (1819-1893), vicomte, était le fils cadet du comte de Saint-Anastase (Ajaccio, 1770-Paris, 1846, anobli par Napoléon Ier). Il devient en 1852 l'aide de camp du prince Jérôme, sera nommé général de brigade en 1870 et deviendra commandant de la subdivision de l'Indre en 1871, où il se liera avec George Sand.
4. Le prince Jérôme, appelé aussi prince Napoléon.

À GEORGE SAND
[14 janvier 1869]

Autographe Lovenjoul, A IV, ffos 132-133 ; incomplète dans Conard, t. VI, p. 3-4, à la date erronée du [7 janvier 1869] ; *Correspondance Flaubert-Sand*, éd. Alphonse Jacobs, p. 211-212.

5. Flaubert reçoit le même jour une invitation à dîner de Laure de Maupassant (Lovenjoul, B IV, ffos 407-408). Bien qu'elle ait été publiée par M. Jacques Suffel (Guy de Maupassant, *Correspondance*, Genève, Édito-Service, 1973, t. I, p. 15-16), je la reproduis *in extenso*, car cette invitation me paraît à l'origine des rapports entre Flaubert et son « disciple », qui avait alors 18 ans : « Rouen, le 14 janvier 1869. / Veux-tu, mon cher Gustave, venir dîner avec nous jeudi prochain 21 janvier, tout à fait sans cérémonie ? Tu vas me répondre oui, j'en suis sûre d'avance ; car tu ne peux me refuser sans me faire un vrai chagrin et tu n'es pas capable d'affliger ainsi ta vieille camarade. J'ai de bonnes promesses de ta mère, de Caroline et de son mari ; et Guy est en ce moment chez M. Bouilhet, pour le prier de se joindre à nous. Tu vois bien que tu ne peux nous manquer. / Adieu, ami, je te serre bien affectueusement la main. / LE P. DE MAUPASSANT. » Devant une telle invitation, Flaubert ne pouvait pas se récuser, je crois.
6. Marie Leroy, fille du préfet de la Seine-Inférieure, s'était mariée le 7 janvier 1869. Sur les rapports de Caroline, la nièce de Flaubert, avec le baron Leroy, voir surtout la lettre de Flaubert à Caroline du [5 février 1865], t. III, n. 2, p. 423.
7. Voir la lettre de George Sand à Flaubert du 1er janvier [18]69, p. 5.

Page 10.

1. Voir la lettre de Flaubert aux frères Goncourt du [7 janvier 1869], p. 6.

GEORGE SAND À GUSTAVE FLAUBERT

17 janvier [18]69

Autographe collection Alfred Dupont ; *Correspondance Flaubert-Sand*, éd. Alphonse Jacobs, p. 212-213.

2. Allusion à la botanique.

3. Il s'agit de *L'Autre*, dont la première aura lieu le 25 février 1870 à l'Odéon.

4. *Pierre qui roule*, qui paraîtra dans la *Revue des Deux Mondes* du 15 juin au 1er septembre 1869.

Page 11.

1. Napoléon III.

À JULES DUPLAN

[18 janvier 1869]

Autographe Lovenjoul, A V, ff^os^ 601-602 ; *Supplément*, t. II, p. 165.

2. Voir les lettres de Flaubert à Jules Duplan des [10] et [14 janvier 1869], p. 7-8 et p. 8.

À EDMOND ET JULES DE GONCOURT

[23 janvier 1869]

Autographe B.N., N.A.F. 22462, f° 333 ; lettre publiée dans C.H.H., *Correspondance*, t. III, p. 465, à la date erronée du [30 janvier 1869].

3. Sur Jeanne de Tourbey, voir surtout t. II, p. 791.

4. La visite aura bien lieu le vendredi 29 janvier 1869 ; voir la lettre de Flaubert à Jeanne de Tourbey du [2 février 1869], p. 16, et le *Journal* des frères Goncourt [entre le 20 et le 31 janvier 1869], Appendice II, p. 1017.

5. La princesse Mathilde.

Page 12.

À HENRY HARRISSE

[24 janvier 1869]

Inédite. Autographe B.N., N.A.F. 11206, f° 173.

1. Voir la lettre de Flaubert à Harrisse du [12 décembre 1868], t. III, p. 828.

IVAN TOURGUENEFF À GUSTAVE FLAUBERT

25 janvier 1869

Autographe Lovenjoul, B VI, ff^os^ 101-102 ; lettre publiée dans les *Œuvres complètes d'Ivan Turgenev, Correspondance*, édition de l'Académie des sciences de l'U.R.S.S., Moscou-Leningrad (1960-1968), t. VII, p. 286.

2. *L'Éducation sentimentale.*

3. Il existe deux photographies de Flaubert, l'une de Nadar, l'autre

de Carjat (*Album Flaubert*, p. 133 et 134). La seconde me semble plus « militaire ».

4. Je ne sais si ces fragments ont été publiés en France.

Page 13.

1. Tourgueneff était venu à Croisset le dimanche 22 novembre 1868 (voir sa lettre à Flaubert du 24 novembre 1868, t. III, p. 826).

2. La première mention de Pauline Viardot, née García, se trouve dans la lettre de Flaubert à Alfred Le Poittevin du 26 mai [1845], t. I, p. 233. Il entendra la cantatrice pour la première fois, je crois, durant l'hiver 1859-1860, dans l'*Orphée* de Gluck (lettre à Mlle Leroyer de Chantepie du [30 mars 1860], t. III, p. 84), et fera la connaissance de la famille Viardot dans les années 1870. Pauline Viardot (1821-1910) était la sœur cadette de Marie-Félicité Malibran (1808-1836), chantée par Alfred de Musset ; les deux cantatrices ont fait l'objet de nombreuses études : je me contente de renvoyer aux *Cahiers Ivan Tourguéniev, Pauline Viardot et Maria Malibran*, publiés depuis octobre 1977 (dix *Cahiers* à ce jour). Quant à Louis Viardot (1800-1883), d'abord avocat, puis journaliste républicain, et dans l'opposition pendant le Second Empire, il est surtout connu, d'une part, par ses études sur la littérature espagnole (*Études sur l'histoire des institutions et de la littérature espagnoles* (1831), traduction de *Don Quichotte* (1836), *Histoire des Arabes et des Maures d'Espagne* (1851) et, d'autre part, ses travaux sur l'histoire de l'art (*Merveilles de la peinture* [1868], *Les Musées d'Europe*, etc.). Louis Viardot a aussi collaboré avec Ivan Tourgueneff pour des traductions de Pouchkine, Gogol et Tourgueneff lui-même. Voir Michel Cadot, « Le Rôle de Tourguéniev et de Louis Viardot dans la diffusion de la littérature russe en France », *Cahiers Ivan Tourguéniev*, n° 5, 1981, p. 51-62 ; et Alexandre Zviguilski, « Louis Viardot », *ibid.*, n° 8, 1984, p. 5-14.

À FRÉDÉRIC FOVARD
2 février [1869]

Autographe bibliothèque de l'Institut, fonds Du Camp, n° 3751, pièce 59 ; lettre publiée par Auriant dans *Lettres inédites à Maxime Du Camp, Me Frédéric Fovard, Mme Adèle Husson et « L'excellent M. Baudry »*, Sceaux, Palimugre, 1948, p. 93, et reproduite par le *Supplément* (t. II, p. 168, bien datée, et t. III, p. 158, à la date erronée « novembre [1874 ?] »). Sur Frédéric Fovard, ami et notaire de Flaubert, voir surtout Jacques Suffel et Jean Ziegler, « Gustave Flaubert, Maxime Du Camp et Adèle Husson », *Bulletin du bibliophile*, 1978, t. III, p. 397.

À JULES MICHELET
2 février 1869

Autographe non retrouvé ; Conard, t. VI, p. 10-11.

3. *Histoire de la Révolution française*, nouvelle édition revue et augmentée, Paris, Marpon et Flammarion, 1880, t. VII, p. I-XXXVIII ; la

préface de *La Terreur* est datée du 1er janvier 1869. En voici le début : « Le temps porte son fruit. Regrettons moins la vie. Elle avance, mais elle profite. Les quinze années passées depuis que j'ai donné l'histoire de la Terreur me l'éclaircissent à moi-même. [...] Je sentais, et je sais. Je juge aujourd'hui et je vois. / Et voici mon verdict de juré : sous sa forme si trouble, *ce temps fut une dictature* » (p. 1).

4. *L'Éducation sentimentale.*

5. Il s'agit du comte Henri de Saint-Simon (1760-1825). Flaubert avait lu les 13 volumes des *Œuvres de Saint-Simon et d'Enfantin*, Paris, Dentu, 1865-1866 ; voir Alberto Cento, *Il realismo documentario nell' « Éducation sentimentale »*, Naples, Liguori Editore, 1967, p. 85.

Page 14.

1. *Histoire parlementaire de la Révolution française ou Journal des Assemblées nationales depuis 1789 jusqu'en 1815*, par Buchez et Roux (voir la lettre de Flaubert à George Sand du [18 décembre 1867], t. III, p. 711-712 et n. 1, p. 712). Ne faudrait-il pas lire : « la *Préface* » ?

2. Il s'agit sans doute des *Mémoires pour servir à l'histoire de mon temps* (8 vol., Paris, Michel Lévy, 1858-1867) que Flaubert a lus pour *L'Éducation sentimentale* (voir Alberto Cento, *Il realismo [...]*, p. 87).

3. Voir la note 1.

4. L'*Histoire de la Révolution française* de Michelet avait paru de 1847 à 1853, en 7 volumes.

À GEORGE SAND

2 février [1869]

Autographe Lovenjoul, A IV, ffos 134-135 ; incomplète dans Conard, t. VI, p. 6-9 ; *Correspondance Flaubert-Sand*, éd. Alphonse Jacobs, p. 214-216.

5. Voir *L'Éducation sentimentale*, éd. Claudine Gothot-Mersch : « pioche » pour la mort et l'enterrement au Père-Lachaise de M. Dambreuse, p. 457-461 ; pour choisir la localité — Andilly, commune limitrophe de Montmorency — où le fils de Frédéric et Rosanette sera mis en nourrice, p. 466 ; pour décrire la boutique d'objets religieux d'Arnoux, p. 474.

Page 15.

1. Sur la rupture de Sainte-Beuve et de la princesse Mathilde, voir la lettre de Flaubert aux Goncourt du [7 janvier 1869], p. 6 et n. 1.

2. Le traitement des sénateurs de l'Empire était de trente mille francs par an.

3. Voir la lettre de Flaubert à la princesse Mathilde du [7 janvier 1869], p. 6-7.

4. « Isidore », comme plus haut « Badinguet », est un surnom de Napoléon III.

5. Béranger, opposant à l'Empire, mort en 1857, avait eú des funérailles nationales, auxquelles tout Paris assista ; Victor Hugo

symbolisait le refus du régime impérial. Flaubert veut dire que Sainte-Beuve passait à l'opposition.

6. Voir la lettre de George Sand à Flaubert du 17 janvier [18]69, p. 11.

Page 16.

1. Expression fréquente dans les œuvres de Brantôme.

2. L'actrice Sylvanie Arnould-Plessy, grande amie de George Sand, était devenue mystique. Voir la lettre de George Sand à Flaubert du 18 septembre [1868], t. III, p. 803.

3. Ernest Hamel (1826-1898), avocat, publiciste et historien républicain. Son *Histoire de Robespierre* a paru en trois volumes de 1865 à 1867.

4. Flaubert ne se rendra à Nohant qu'à la fin de 1869, du 23 au 28 décembre.

À JEANNE DE TOURBEY

[2 février 1869]

Inédite. Autographe collection particulière ; lettre passée en vente à l'hôtel Drouot le 17 juin 1980 (collection du docteur Besançon).

5. Voir la lettre de Flaubert aux Goncourt du [23 janvier 1869], p. 11 et n. 4.

Page 17.

À IVAN TOURGUENEFF

2 février [1869]

Autographe collection particulière ; *Lettres inédites à Tourgueneff*, éd. Gérard-Gailly, Monaco, Le Rocher, 1946, p. 14-15 ; *Supplément*, t. II, p. 167-168.

1. Flaubert avait fait des recherches pour les quatrième et cinquième chapitres de la troisième partie de *L'Éducation sentimentale* (éd. Claudine Gothot-Mersch, p. 449-499).

2. Voir la lettre de Tourgueneff à Flaubert du 25 janvier 1869, p. 12.

3. Voir la lettre du même à Flaubert du 24 novembre 1868, t. III, p. 826.

À SA NIÈCE CAROLINE

[9 février 1869]

Autographe Lovenjoul, A II, ffos 255-256 ; *Supplément*, t. II, p. 169, à la date de [février-mars 1869 ?]. Cette lettre est du [9 février 1869] (voir la lettre de Louis Bouilhet à Flaubert du 3 février 1869, Appendice III, p. 1029).

Page 18.

a. faire [un] deux gros bécots.

1. Sur le sens flaubertien du mot *sheik*, voir t. I, p. 641.

2. Ernest Commanville préparait un long voyage avec sa femme au Danemark, en Suède et en Norvège (voir Lucie Chevalley-Sabatier, *Gustave Flaubert et sa nièce Caroline*; La Pensée universelle, 1971, p. 69-77).

3. Monseigneur : Louis Bouilhet.

4. Surnom que se donne parfois Flaubert.

GEORGE SAND À GUSTAVE FLAUBERT
11 février [18]69

Autographe collection Alfred Dupont; *Correspondance Flaubert-Sand*, éd. Alphonse Jacobs, p. 216-217.

5. *Pierre qui roule.*

6. D'après Alphonse Jacobs (*Correspondance Flaubert-Sand*, n. 16, p. 216), George Sand fait allusion à une lecture de *El Condenado por Desconfianza*, drame de Tirso de Molina (vers 1625); George Sand en tirera un petit roman dialogué, *Lupo Liverani*, paru dans la *Revue des Deux Mondes* le 1er décembre 1869. L'œuvre de Tirso est contemporaine du *Burlador de Sevilla*, et pose le même problème théologique, celui de l'« impénitence finale ».

7. Il s'agit de Sainte-Beuve et de la princesse Mathilde. Voir la lettre de Flaubert aux Goncourt du [7 janvier 1869], p. 6 et n. 1.

Page 19.

À EDMOND ET JULES DE GONCOURT
[14 février 1869]

Autographe B.N., N.A.F. 22462, ffos 396-397; lettre publiée dans C.H.H., *Correspondance*, t. V, p. 376-377, à la date du [21 février 1869]. Elle est en fait du 14 février (voir les lettres suivantes).

1. *Madame Gervaisais*, Paris, Lacroix, 1869, 381 p.

2. Mme Gervaisais a voulu apprendre à lire à son fils Pierre-Charles, qui est pris de convulsions. Deux Italiennes la conduisent à l'église San Agostino, où se trouve la statue miraculeuse de la Madonna del Parto. Pierre-Charles guérit (*Madame Gervaisais*, chap. XLII, c'est-à-dire au milieu du roman).

3. Mme Gervaisais, convertie, entraîne son fils au confessionnal, et comme il lui dit « qu'il ne savait pas ce qu'il fallait dire : "Eh bien ! tu diras ce que font les domestiques" » (*ibid.*, p. 257).

4. La « pâte des martyrs » est ordonnée à Pierre-Charles Gervaisais, pour le guérir de ses crachements de sang, par le médecin romain Pacifico Scarafoni, affilié aux jésuites, et recommandé par le père Trinitaire Sibilla (*ibid.*, p. 309).

Page 20.

1. Rabelais emploie souvent la forme savante *stomach*, mais le verbe s'écrit au XVIe siècle *stomaquer* ou *stomacquer*, dans le sens de « s'affliger » ou « s'irriter ». Flaubert veut dire « émerveillé ».

2. Le chapitre LXXX de *Madame Gervaisais*, intitulé « L'Imitation » (p. 292-294).

3. M. Flamen de Gerbois, gallican, ancien ami de La Mennais (*Madame Gervaisais*, p. 87-88) ; le père jésuite indulgent Giansanti ; le frère trinitaire Sibilla, qui force Mme Gervaisais à quitter le monde et son fils.

À EDMOND ET JULES DE GONCOURT

[16 février 1869]

Autographe B.N., N.A.F. 22462, f° 334 ; lettre publiée dans C.H.H., *Correspondance*, t. III, p. 470-471, à la date de [février 1869]. Cette lettre eſt du mardi 16 février, car elle répond à celle des Goncourt que voici : « Dimanche 14 février 1869. / Mon cher ami, / Vous devez avoir reçu notre bouquin [...]. Comme nouvelles de nos deux personnes, je vous apprendrai que nous avons failli être tués — *tués* — tous les deux dans un fiacre qui nous menait dîner chez la Princesse mercredi dernier, par un cocher ivre, lequel nous a jetés, lancés à toute bride, dans un camion énorme à la hauteur du quai de Passy. Le choc fut terrible : nous nous regardâmes, vous savez, d'un regard où l'on se tâte l'un l'autre ; mon pauvre frère avait le visage plein de sang ! En brisant avec sa figure la vitre du fiacre, il avait été blessé juſte au-dessous de l'œil ! Il ne savait pas s'il avait l'œil crevé ! Un moment dur ! Nous avons remonté toute la montée de Passy, sacrée montée. Il marchait fermement. Le pharmacien. Une autre vilaine minute. On fouillait l'œil. Rien ! peu de verre dedans ! pas atteint. Un vrai miracle ! Pour moi, je n'ai reçu que comme un immense coup de bâton sur le front, mais sans aucune suite ni marque [...] » (Lovenjoul, B III, f° 387 ; incomplète dans *Lettres de Jules de Goncourt*, p. 304-305). Presque toutes les lettres des frères Goncourt à Flaubert sont de la main de Jules. Sur cet accident, survenu le mercredi 10 février 1869, voir *Journal*, éd. Robert Ricatte, t. VIII, p. 172.

4. Voir la note bibliographique de la lettre.

5. Voir la lettre de Flaubert aux Goncourt du [14 février 1869], p. 19-20.

Page 21.

1. Sur Du Cantal, voir t. II, n. 3, p. 679.

À LA PRINCESSE MATHILDE

[16 février 1869]

Autographe Archivio Campello, n° Inv. 974 ; Conard, t. VI, p. 15, à la date de [1869]. Gérard-Gailly (*Bulletin du bibliophile*, « Datation [...] », p. 399-400), suivi par Marcello Spaziani (*Gli Amici della principessa Matilde*, p. 75), propose d'abord [mars 1869], puis [16 ou 23 février 1869] (*AFl.*, n° 27, décembre 1965, p. 35). Je crois cette lettre du 16 février, à cause de l'allusion à la lettre des Goncourt du 14 (voir n. 2).

2. Dans leur lettre à Flaubert du 14 février 1869, les Goncourt écrivaient : « La Princesse me semble plus tranquille et plus sereine que jamais » (B.N., N.A.F. 22462, f° 387 r°).

3. *On* serait-il Sainte-Beuve ?
4. *L'Éducation sentimentale.*

À LA PRINCESSE MATHILDE
[18 février 1869]

Autographe Archivio Campello, n° Inv. 937 ; Conard, t. V, p. 199-200, à la date de [février 1866], acceptée par Marcello Spaziani (*Gli Amici della principessa Matilde*, p. 72). Gérard-Gailly propose le jeudi [18 ou 25 février 1869] (*AFl.*, n° 26, mai 1965, p. 33). Je crois cette lettre du [18 février 1869] (voir la lettre précédente). Depuis 1864, l'année 1869 est la première durant laquelle Flaubert passe le mois de février à Croisset.

Page 22.

a. donnant [une] la preuve nouvelle

1. Flaubert arrivera à Paris le 27 mars 1869, veille de Pâques.

GEORGE SAND À GUSTAVE FLAUBERT
21 février [1869]

Autographe collection Jean Depruneaux ; *Correspondance Flaubert-Sand*, éd. Alphonse Jacobs, p. 217-218.

2. Le graveur italien Luigi Calamatta, père de Lina Sand, qui mourra le 9 mars 1869.

Page 23.

1. Le sens de cette pensée de Pascal s'explique par les exemples donnés ensuite : « Le flux de la mer se fait ainsi, le soleil semble marcher ainsi » (*Pensées*, éd. Lafuma, Delmas, 1952, p. 415). George Sand paraît se méprendre sur la signification du mot *progrès*, et l'apologie pascalienne n'a rien de « fataliste ».

À GEORGE SAND
[23 février 1869]

Autographe Lovenjoul, A IV, ffos 136-137 ; incomplète dans Conard, t. VI, p. 11-13.

Page 24.

a. dans la [grande] <bonne> acception ♦♦ *b.* éducation [permanente] <incessante>. Il faut ♦♦ *c.* l'origine des [religions] <Dieux>, la Sève...

1. Flaubert recopie un passage de la lettre précédente.
2. Voir la lettre de Flaubert à George Sand du [1er janvier 1869], p. 4 et n. 3.

Page 25.

1. Sans doute le 29 avril 1859 (*Correspondance Flaubert-Sand*, éd. Alphonse Jacobs, p. 51 et n. 6).

2. Le premier livre qui ait été lu à Flaubert, d'après les *Souvenirs intimes* de sa nièce Caroline (t. I, n. 3 et 4, p. 5).

À CLAUDIUS POPELIN
[Février 1869]

Autographe non retrouvé ; lettre publiée par Joanna Richardson dans « Claudius Popelin and his Correspondents, I », *French Studies*, avril 1969, p. 152. Miss Richardson écrit : « During my research for my *Life of Princess Mathilde* [*Princess Mathilde*, Londres, Weidenfeld and Nicolson, 1969], I was given access to the papers of Claudius Popelin » (p. 145). Miss Richardson a publié les lettres de Flaubert à Popelin dans le *Times Literary Supplement* du 13 juin 1968 (18 lettres) et dans l'article cité ci-dessus (9 lettres). Aucune référence n'est donnée quant au détenteur actuel des autographes. « Claudius Popelin and his Correspondents, I » contient les lettres à Popelin de Dumas fils, Flaubert, Maupassant, Mallarmé, Leconte de Lisle, Charles Asselineau, Anatole France, Th. de Banville, Taine et Renan ; le second article (*French Studies*, juillet 1969, p. 248-263) reproduit les lettres à Popelin de Préault, Gustave Moreau, comte de Montesquiou, Edmond de Goncourt et François Coppée. Deux lettres de Flaubert à Popelin étaient déjà publiées (Conard, t. VI, p. 179-181, et *Supplément*, t. IV, p. 185).

3. Sur Claudius Popelin (1825-1892), voir *L'Illustration* du 21 mai 1892, et Joanna Richardson, « Claudius Popelin and his Correspondants », *French Studies*, avril 1969, p. 145. Fils d'un commerçant fortuné, fondateur du *Charbon de Paris*, et d'une grande couturière, Popelin avait été l'élève de François-Édouard Picot et d'Ary Scheffer. Il se spécialise dans l'émail (*L'Émail des peintres*, 1866 ; *Les Vieux Arts du feu*, 1869). Il était aussi poète, et huit de ses poèmes ont été publiés dans *Le Parnasse contemporain* (Paris, Lemerre, 1869 ; p. 347-358). Il a enfin traduit *De la statuaire et de la peinture* d'Alberti, et l'*Hypnerotomachia* de Francesco Colonna. Il s'était marié en 1858, avait eu un fils, Gustave, qui sera peintre ; sa femme est morte en février 1869 (Joanna Richardson, art. cité, p. 145) et il sera l'amant « officiel » de la princesse Mathilde jusqu'en 1888.

Voici deux strophes d'un de ses sonnets intitulé « Théo » : « Plus grave qu'un Sachem, Théo, dans sa demeure, / Fume avec ses amis le calumet de paix. / Un nuage azuré, suspendu comme un dais, / Se balance léger sur les fronts qu'il effleure. / […] / Et moi, son hôte, alors, j'ai coutume de voir / Dans la pénombre, autour du cercle des convives, / Les Grâces souriant aux Muses attentives » (*Le Parnasse contemporain*, p. 351).

Page 26.

À EDMOND ET JULES DE GONCOURT

[5 mars 1869]

Autographe B.N., N.A.F. 22462, ffos 335-336 ; lettre publiée dans C.H.H., *Correspondance*, t. III, p. 473, à la date du [12 mars 1869]. Cette lettre répond à celle des frères Goncourt du 2 mars [1869] (Lovenjoul, B III, ffos 388-389). Voici les passages essentiels de cette lettre : « 2 mars. / Mon cher ami, / Vous nous comblez. Nous avons reçu hier votre excellente crème. Merci du souvenir. Vous êtes le seul homme dans le monde ! *dans le monde !*, vous savez, qui nous aimiez et nous gâtiez ! La publication de *Madame Gervaisais* a jeté autour de nous et parmi toutes nos relations un froid et un silence dont rien ne peut vous donner l'idée. [...] Nous sommes bien patraques, surtout moi [Jules de Goncourt], depuis tous ces temps-ci. Dépêchez-vous de nous revenir, car nous sommes diantrement isolés. / Avez-vous ces tempêtes-là, par chez vous ? Le vent a manqué d'enlever notre maison cette nuit. / À vous, de tout notre cœur. / JULES DE GONCOURT / Bon ! Encore une crème de Sotteville ! Envoi de la princesse... » (*Lettres de Jules de Goncourt*, p. 306).

1. Voir la note bibliographique de la lettre.

2. Voir la lettre de Flaubert aux Goncourt du [14 février 1869], p. 19-20.

3. Voir la lettre de Flaubert aux Goncourt du [16 février 1869], p. 20-21.

4. La princesse Mathilde.

5. Sur Du Cantal, voir t. II, n. 3, p. 679.

6. *L'Éducation sentimentale.*

À LA PRINCESSE MATHILDE

[6 mars ? 1869]

Autographe Archivio Campello, n° Inv. 959 ; Conard, t. V, p. 368-369, à la date de [mars 1868]. Gérard-Gailly fait justement remarquer que Flaubert était à Paris en mars 1868, et propose la date du [6 ou 13 mars 1869] (*AFl.*, n° 27, décembre 1965, p. 34). J'opte pour le 6, plus éloigné de la fête de Pâques, le 28 mars 1869.

7. Je rappelle qu'aucune lettre de la princesse à Flaubert n'a été publiée ; j'ignore où elles se trouvent, si elles ont été conservées.

8. Lecture certaine.

Page 27.

À JULES DUPLAN

[7 mars 1869]

Autographe Lovenjoul, A V, ffos 603-604 ; *Supplément*, t. II, p. 169-170.

1. Le notaire Ernest Duplan ; cette note n'a pas été retrouvée.

2. Comme Flaubert écrit aux frères Goncourt le [13 mars 1869], p. 30, pour se renseigner sur les portraits d'enfants, et qu'il s'adresse à un notaire, cet « effet » doit concerner le problème légal qui précède

immédiatement la mort du bébé de Rosanette, c'est-à-dire l'affaire des actions de Kaolin, où Rosanette gagne son procès contre Arnoux (*L'Éducation sentimentale*, éd. Claudine Gothot-Mersch, p. 479-480, et n. 127).

Page 28.

1. « Duplan va cahin-caha [...] » (lettre de Maxime Du Camp à Flaubert du [19 février 1869], *Lettres inédites à Gustave Flaubert*, Messine, Edas, 1978, p. 309).

2. « Les journaux de février-mars 1869 s'étendent longuement sur le procès de cette "ogresse" accusée de nombreux avortements, assassinats d'enfants, etc. » (*Supplément*, t. II, n. 1, p. 170).

3. Le marquis de Sade.

GEORGE SAND À GUSTAVE FLAUBERT

7 mars [1869]

Autographe Mme Vandendriessche ; *Correspondance Flaubert-Sand*, éd. Alphonse Jacobs, p. 220.

4. Voir la lettre suivante.

À GEORGE SAND

8 [mars 1869]

Autographe Lovenjoul, A IV, f° 138 ; *Supplément*, t. II, p. 170-171.

Page 29.

1. Voir la lettre de George Sand à Flaubert du 1er janvier [18]69, p. 5.

GEORGE SAND À GUSTAVE FLAUBERT

12 mars [1869]

Autographe Mme Vandendriessche ; *Correspondance Flaubert-Sand*, éd. Alphonse Jacobs, p. 221.

2. Luigi Calamatta, dont la fille, Lina, avait épousé Maurice Sand.

À GEORGE SAND

[13 mars 1869]

Autographe Lovenjoul, A IV, ffos 139-140 ; *Supplément*, t. II, p. 171-172.

3. Maurice et Lina Sand étaient allés à Milan au chevet de Luigi Calamatta, le père de Lina ; puis à Rome, après sa mort, pour s'occuper de sa succession (voir la lettre de George Sand à Flaubert du 21 février [1869], p. 22-23).

4. Rossini, mort le 13 novembre 1868 ; Berryer, le 29 novembre 1868 ; Lamartine, le 28 février 1869 ; Mérimée, très malade, mourra le 23 septembre 1870.

Page 30.

À EDMOND ET JULES DE GONCOURT
[13 mars 1869]

Autographe non retrouvé ; *Supplément*, t. II, p. 172-173.

1. Voici la réponse des Goncourt : « Mardi 16 mars [1869]. / Mon cher vieux, / Je n'avais [pas] compris dans votre dernière *Et ma peinture* ? Vous aviez cru nous en avoir déjà parlé, mais non[1]. / 1° Nous ne connaissons nulle théorie spéciale sur les portraits d'enfants ; et ne croyons pas qu'il en existe. / 2° Les plus beaux portraits d'enfants, ce sont les portraits d'enfants de Reynolds, desquels on peut dire qu'il a su y rendre la chair lactée de l'enfance ; il y a encore les portraits de Greuze, où il y a l'humidité du regard enfantin ; il y a de plus les enfants de van Dick *[sic]* à la main de ses portraits d'hommes et de femmes, les enfants, infants et infantes de Velasquez — les *bambini* de Raphaël, les petits Saint-Jean du Corrège, les enfants ensoleillés de Rubens, Salon carré, famille de Rubens et dans sa chapelle à Bruxelles. Et puis voilà. Du reste, votre question est d'une complexité terrible. Il en faudrait causer. Maintenant la petite tartine artistique de votre débagouleur peut se faire, mais il faudrait que vous nous donniez un *la* plus détaillé. Je crois que pour tout cela, il vaut mieux l'*inter pocula*, ou dans la fumée de nos trois cigares, puisque nous vous reposséderons à la fin du mois. / Santé un peu meilleure. On retravaille à des choses douces. / Bien à vous. / Cordialement. » En post-scriptum : « Je mets le Zola à la poste » (Lovenjoul, B III, ff^os 390-391 ; lettre incomplète et texte légèrement changé dans *Lettres de Jules de Goncourt*, p. 310 ; par exemple : « Les plus vivants portraits d'enfants », au lieu de « Les plus beaux [...] »).

2. Flaubert s'était aussi renseigné auprès de son vieil ami le peintre Johanny Maisiat, mais pour lui poser des questions bien plus proches de son but artistique. La lettre de Flaubert à Maisiat n'a pas été retrouvée ; Maisiat répond d'abord, le « mardi 16 [février ou mars 1869] » (je penche pour mars) : « Votre lettre, mon cher Flaubert, me prend un peu au dépourvu de ce que vous désirez. [...] Vous seriez un bien gentil, mais là, bien gentil ami, d'attendre quelques jours pendant lesquels je pourrai songer à votre affaire et dimanche prochain je vous écrirai sur le sujet indiqué tout ce que je pourrai imaginer en situation. Je me réjouis fort à la pensée de votre prochaine arrivée [...] » (Lovenjoul, B IV, ff^os 274-275). La seconde lettre, non datée, pourrait bien être du [dimanche 21 mars 1869] ; je la donne *in extenso*, car elle me paraît importante : « Mon bon vieux, / Voici ce qui me semble possible d'après votre programme. À la vue de l'enfant, il dirait : "C'est mort sans avoir vécu ! y a-t-il là les éléments d'un portrait ? Ça a bien été un être, ça a-t-il été une personne ?..." Ce qui fait la personnalité, ce n'est pas seulement une conformation donnée,

1. Voir la lettre suivante, du [14 mars 1869], sans doute parvenue aux Goncourt avant celle-ci.

c'est en même temps l'emploi, l'exercice de cette conformation dans un certain milieu et dans de certaines conditions. Celui-ci n'a pas eu le temps de devenir quelqu'un — maintenant ce n'est plus qu'une chose. Disons le mot qui se présente, une *nature morte.* Que faire là ? copier cette figure convulsée *[add. marg. illisible]* au besoin il peut présenter l'image en ajoutant : comme un hareng saur ou une botte de radis et développer la comparaison en style de Saint-Victor. (S'adressant à la mère) : ce n'est pas ce qu'il vous faut, n'est-ce pas ? Vous ne voulez pas avoir toujours sous les yeux l'enfant défiguré. C'est votre mioche vivant, caressant, avec des yeux gais et brillants qu'il vous faut. Pas commode, ça. Cette tête est affreuse. De la couleur ! faire un pastel, non, c'est vouloir rendre la difficulté insurmontable ; que voulez-vous que je fasse de ces yeux bistrés, de ces lèvres noires, de cette face livide ? Un dessin, une mine de plomb, c'est tout ce qu'on peut tenter. Parviendrai-je à retrouver la rondeur de ces traits maintenant contractés, à détirer ces lignes minces, à les faire mouvoir ; à deviner les courbes et les grâces de la vie. Pauvre petite figure vidée, il nous faut remplir ça de sang et trouver la ressemblance !... Peut-être. C'est une chance. Avoir du talent tous les jours, c'est bien, mais ici ça ne saurait suffire, c'est encore autre chose. Il faut, là, au commandement, à un moment donné, au savoir de l'expérience, ajouter tous les entrains ; appeler à son aide toutes les excitations nerveuses au moyen desquelles on perçoit les choses absentes pour y découvrir la beauté de la vie, la plénitude des formes disparues. Un enfant !... mais c'est absolument le contraire de ça !... C'est frais, rond, c'est ferme et tendre... Un agrément, c'est qu'il est solide à la pose, celui-là, mais tout n'est pas là enfin... pas commode !... pas commode... Hum... cette femme avait peut-être raison avec son pastel, de la couleur aurait tout animé et l'affaire était enlevée. Avec de belles demi-teintes colorées passées presque à plat, un beau modelé sur les bords seulement, et ça y était. Quoi, les enfants au chien de Véronèse, l'infante rose de Velasquez. Mais non !... l'idiot va prendre ça au sérieux et le voilà qui s'enfile, qui s'enfile... Ah ! tu veux chercher la ligne, celle d'Ingres, n'est-ce pas ? parbleu ! Eh bien, pourquoi pas ? C'est une idée et un conseil. Simplifions, simplifions... mais ça commence à aller, il vient, il rajeunit, etc.

Voilà, mon bon vieux, ce que je vous offre, c'est tout ce que j'ai pu tirer de ma pauvre cervelle, sur votre Thème. Si ça fait votre affaire, tant mieux. Sinon, je me mets à votre disposition pour en causer à votre arrivée ici. Peut-être pourrons-nous mieux trouver de vive voix. En attendant le plaisir de vous embrasser, je vous serre la main bien amicalement. / Bien à vous. / J. MAISIAT » (collection Lucien Andrieu). Comparer avec *L'Éducation sentimentale*, éd. Claudine Gothot-Mersch, p. 481-482.

Flaubert avait déjà consulté Johanny Maisiat pour le portrait de Rosanette par Pellerin. La réponse de Johanny Maisiat, datée du « samedi 14 [septembre 1867] », à qui Flaubert avait envoyé son texte écrit, appartient aussi à la collection Lucien Andrieu. Je n'en cite pas la première partie, qui concerne la Maison d'or, et dont Flaubert ne s'est pas servi. Voici la suite : « [...]. Maintenant, au portrait ! J'ai fait de vains efforts pour imaginer des accessoires cocasses, stérilité absolue, je n'ai pu entrer dans votre idée ; mais il me semble que vous n'avez pas besoin d'un peintre pour cela, c'est une chose que vous avez rêvée, vous seul pouvez lui donner réalité. / Quant à l'aspect du portrait, c'est différent. Je vais tenter de déduire, des mauvaises conditions dans lesquelles il a été conçu et exécuté, le mauvais résultat obtenu. Mais auparavant et pour ne pas intervertir l'ordre des matières, quelques mots sur le texte que vous me donnez ; je n'en ai pas été complètement satisfait. Il n'est pas assez compréhensible pour le lecteur qui ne connaît pas mes notes [antérieurement fournies à Flaubert]. Moi qui les avais un peu oubliées, j'ai eu de la peine à suivre la filiation des idées, leur enchaînement. / J'ai repris votre texte et tout en restant le plus possible dans sa forme, dans son mot à mot, j'ai tâché de donner à la description technique la clarté qui à mon sens lui manque. Vous en ferez l'emploi que vous jugerez bon. / "Sa première intention avait été d'en faire un Titien." (Si vous pouvez trouver une phrase qui avoue moins ouvertement cette intention, peut-être serait-elle préférable, un artiste n'abdique pas toute sa personnalité, il veut bien faire un Titien, mais, secrètement, il pense le corriger ou tout au moins lui prendre ses qualités pour son œuvre à *lui*.) Mais insensiblement la fraîche nature de son modèle l'avait séduit et se laissant charmer par [la coloration variée *addition marginale*]. Ces deux mots sont insuffisants et à chercher encore. Il faut absolument faire comprendre que c'est une peau semblable à celle des Flamandes peintes par Rubens, sans le nommer *la variété de la coloration*, il avait oublié son parti pris et copiant avec sincérité, avait multiplié les tons, accumulant pâte sur pâte et lumière sur lumière. Rosanette était enchantée, etc. Puis l'admiration se calmant, il avait pensé au maître, s'était demandé si sa peinture ne manquait pas de simplicité, de grandeur. Il était retourné au Louvre, avait constaté son oubli du maître, reconnu son hérésie, et il avait repris son modelé en l'unifiant par de larges demi-pâtes, ses contours en les affermissant d'un trait simple. Ensuite il avait cherché en les caressant à les ronger, à y mêler et à y perdre alternativement les tons de la tête et ceux du fond. La figure avait pris de la consistance, les ombres de la vigueur ; tout paraissait plus ferme. Enfin la maréchale était revenue, mais cette peinture malpropre et sans brio l'avait terrifiée... (Ne craignez-vous pas que la trop brusque transition entre le contentement du peintre et [l'opinion] la stupéfaction de la maréchale ne soit incomprise ? En infirmant aussi carrément l'opinion du peintre sur son œuvre par celle d'une personne quelconque, n'en faites-vous pas un être trop idiot ? Peut-être serait-il mieux de remplacer la maréchale par un connaisseur à votre choix, vous conserveriez ainsi la vigueur de la transition et vous guéririez le pauvre Pellerin de la méningite qui le tient déjà fortement.) Elle s'était permis des objections, l'artiste naturellement avait persévéré. Après de grandes fureurs contre son ineptie, il s'était dit cependant qu'elle pouvait avoir raison. (Je verrais dans ce dernier membre de phrase un motif de plus à ce que je vous disais plus haut. Les objections venant d'Arnoux, par exemple, auraient plus de portée.) Alors avait commencé l'ère des doutes, tiraillements de la pensée qui provoquent ceux de l'estomac, amènent les insomnies, la fièvre, le dégoût de soi-même. Après un repos, il avait eu le courage d'y faire de nouvelles retouches, mais sans cœur, *dans un espoir de marchand* plus que d'artiste, et sentant bien que sa besogne était mauvaise. / En effet, c'est une peinture lourde et discordante ; les demi-teintes et les ombres se sont plombées sous les retouches successives. Elles sont devenues trop foncées pour les lumières qui, plus ménagées, sont restées brillantes par places et qui détonnent dans cet accord enfumé, sans tournure et banal. Les contours simplifiés après coup n'ont ni la grâce féminine de Rosanette, ni la simplicité voulue des figures du maître. C'est raide, triste et malheureux ; pour les amis de l'artiste, c'est un spectacle navrant. Voilà, mon vieux, tout ce que je puis vous détailler en fait de description technique. Heureux si c'est à peu près ce que vous désirez et dans tous les cas toujours à votre disposition [...] ». Comparer au texte de *L'Éducation sentimentale*, 2e partie, chap. IV, éd. Claudine Gothot-Mersch, p. 278-279.

3. L'article de Zola sur *Madame Gervaisais* a paru dans *Le Gaulois* du 9 mars 1869 ; il s'y pose la question : « Comment Mme Gervaisais, partie des négations de la philosophie, en est-elle arrivée à l'extase de Sainte Thérèse ? » et admire la « suprême logique » dont font preuve les romanciers artistes. Voir l'excellent chapitre de Robert Ricatte sur *Madame Gervaisais* dans *La Création romanesque chez les Goncourt*, Colin, 1953, p. 379-452, et particulièrement n. 19, p. 386.

À EDMOND ET JULES DE GONCOURT
[14 mars 1869]

Autographe B.N., N.A.F. 22462, f° 338 ; publiée dans C.H.H., *Correspondance*, t. III, p. 474. Pour la date, voir la note 1 de la lettre précédente.

4. L'article de Barbey d'Aurevilly avait paru dans *Le Nain jaune* du 7 mars 1869. Barbey y écrit que les Goncourt ont enfoncé « entre les deux épaules » de « l'idée catholique » « le tranquille couteau » qui servait à la table de Magny (R. Ricatte, *La Création romanesque chez les Goncourt*, p. 430). Pour l'article de Zola, voir la lettre précédente, n. 3.

5. Voir la lettre précédente, n. 1.

Page 31.

À IVAN TOURGUENEFF
17 mars [1869]

Autographe J. Lambert, non collationné ; *Supplément*, t. II, p. 173 ; lettre publiée par Gérard-Gailly dans *Lettres inédites à Tourgueneff*, p. 16.

IVAN TOURGUENEFF À GUSTAVE FLAUBERT

21 mars 1869

Autographe Lovenjoul, B VI, ff[os] 103-104 ; lettre publiée dans l'édition de l'Académie des sciences de l'U.R.S.S. des *Œuvres complètes d'Ivan Turgenev, Correspondance*, t. VII, p. 340.

À IVAN TOURGUENEFF

[25 mars 1869]

Autographe J. Lambert, non collationné ; *Supplément*, t. II, p. 174 ; lettre publiée par Gérard-Gailly dans *Lettres inédites à Tourgueneff*, p. 17.

1. Sur le ménage Husson, voir la lettre de Flaubert à Jules Duplan du [20 juin 1865], t. III, n. 1, p. 445. Les Husson et les Viardot-Tourgueneff se voyaient chaque année à Baden-Baden. Voir aussi Jean Bruneau, « Sur Ivan Tourguéniev et Gustave Flaubert », *Cahiers Ivan Tourguéniev, Pauline Viardot et Maria Malibran*, n° 5, 1981, p. 80-85.

Page 32.

IVAN TOURGUENEFF À GUSTAVE FLAUBERT

[26 mars 1869]

Autographe Lovenjoul, B VI, ff[os] 93-94 ; lettre publiée dans l'édition de l'Académie des sciences de l'U.R.S.S. des *Œuvres complètes d'Ivan Turgenev, Correspondance*, t. VII, p. 343.

IVAN TOURGUENEFF À GUSTAVE FLAUBERT

[27 mars 1869]

Autographe Lovenjoul, B VI, ff[os] 95-96 ; lettre publiée dans l'édition de l'Académie des sciences de l'U.R.S.S. des *Œuvres complètes d'Ivan Turgenev, Correspondance*, t. VII, p. 343.

MADEMOISELLE LEROYER DE CHANTEPIE
À GUSTAVE FLAUBERT

29 mars 1869

Autographe non retrouvé ; copie René Descharmes, B.N., N.A.F. 23825, ff[os] 374 (erreur de pagination pour 374-375).

Page 33.

1. S'agirait-il du roman d'Edmond About intitulé *Le Fellah. Souvenirs d'Égypte* (Paris, Hachette, 1869) ?

2. Voir la lettre de Flaubert à Mlle de Chantepie du [28 décembre 1868], t. III, p. 832.

3. Sur le système de Jean Reynaud (dans *Terre et ciel*, 1854), voir t. II, n. 2, p 785.

Page 34.

À GEORGE SAND

[31 mars 1869]

Autographe Lovenjoul, A IV, ff^os 141-142 ; incomplète et mal datée [du début de novembre 1866] dans Conard, t. V, p. 244 ; *Correspondance Flaubert-Sand*, éd. Alphonse Jacobs, p. 221-222.

1. Sainte-Beuve mourra le 13 octobre 1869.

2. Tourgueneff avait rencontré et aimé la grande cantatrice Pauline Viardot à Saint-Pétersbourg en 1843. George Sand était déjà une amie intime de Pauline García, avant son mariage avec Louis Viardot en 1840. C'est en 1844, semble-t-il, que les Viardot ont acheté le domaine de Courtavenel, près de Rozay-en-Brie (Flaubert écrit : *Rosay*). Sur les rapports complexes entre les Viardot, George Sand et Tourgueneff, voir Gustave Dulong, « Une biographie de Pauline Viardot », *Cahiers Ivan Tourguéniev, Pauline Viardot et Maria Malibran*, n°s 8 à 10 (1984-1986).

3. Flaubert devait dîner avec Maxime Du Camp chez les Husson le lundi 29 mars 1869. Tourgueneff connaissait bien le ménage Husson ; le trio Husson-Du Camp et le trio Viardot-Tourgueneff passaient tous leurs étés à Baden-Baden.

4. La princesse Mathilde recevait le mercredi. Flaubert a-t-il vu le prince Napoléon le mercredi 31 mars 1869 ? Les Viardot, républicains, étaient très opposés au Second Empire ; je serais surpris que Tourgueneff soit allé à une soirée chez la princesse. Quand Flaubert écrit : « Du Camp et le Prince Napoléon », il fait allusion à trois soirées différentes : le lundi chez les Husson, le mardi avec Tourgueneff, et le mercredi avec la princesse Mathilde et son frère le prince Jérôme.

À HENRY HARRISSE

[1er avril 1869]

Autographe B.N., N.A.F. 112206, f° 166 ; *Supplément*, t. II, p. 174-175. Enveloppe : Monsieur Henry Harrisse, rue Lavoisier, 21, Paris ; C.P. : Paris, 1er avril 186 ?.

5. Il s'agit du dernier chapitre de *L'Éducation sentimentale*, 3e partie, chap. VI : la dernière entrevue de Frédéric et de Mme Arnoux. Flaubert ne compte pas comme chapitre ce qu'il appelle « l'Épilogue » (lettre à George Sand du [29 avril 1869], p. 40).

6. Mme Flaubert et sa petite-fille Caroline Commanville. Mme Flaubert partira pour Rouen le 27 avril (voir la lettre de Flaubert à Jules Duplan du [27 avril 1869], p. 39).

Page 35.

1. Quand il était à Paris, Flaubert recevait ses amis le dimanche après-midi.

2. La princesse Mathilde.

À LA PRINCESSE MATHILDE
[1er avril 1869]

Autographe Archivio Campello, n° Inv. 985 ; Conard, t. VI, p. 90-91, placée en novembre 1869. Gérard-Gailly propose le [4 novembre 1869] (A*Fl.*, n° 28, mai 1966, p. 43). Comme Marcello Spaziani, qui date cette lettre d'[avril-mai ? 1869] (*Gli Amici della principessa Matilde* (p. 76), je crois cette lettre du printemps 1869, et, plus précisément, du jeudi [1er avril 1869]. Mme Flaubert arrive à Paris le samedi 3.

3. Je n'ai pu identifier M. de Solms, qui porte le nom d'une des plus grandes familles de l'aristocratie allemande. S'agirait-il d'un service rendu par lui à Ernest Commanville, le neveu de Flaubert ? peut-être une nomination de consul ?

4. La princesse Charlotte Bonaparte, petite-fille de Lucien, avait épousé le comte Primoli en 1848.

GEORGE SAND À GUSTAVE FLAUBERT
2 avril [18]69

Autographe collection Alfred Dupont ; *Correspondance Flaubert-Sand*, éd. Alphonse Jacobs, p. 222-223.

5. Mme Calamatta, la belle-mère de Maurice Sand.

Page 36.

1. *Pierre qui roule.*
2. Allusion au *Roman comique* de Scarron (1651-1657).

À GEORGE SAND
[3 avril 1869]

Autographe Lovenjoul, A IV, ffos 143-144 ; *Supplément*, t. II, p. 175-176.

3. Le roman de George Sand sur les gens de théâtre, intitulé *Pierre qui roule*, paraîtra dans la *Revue des Deux Mondes* du 15 juin au 1er septembre 1869, et en volume en mai 1870.

Page 37.

a. me fait [penser] <croire> que *l'idée* [du livre] <de l'œuvre> (ou plutôt

À JULES DUPLAN
[16 avril 1869]

Autographe Lovenjoul, A V, ffos 605-606 ; *Supplément*, t. II, p. 176. Flaubert signe : « GFl ».

1. Allusion à la comédie de Lesage, *Turcaret ou le Financier* (Théâtre-Français, 1er février 1709).

2. « Il est probable que Flaubert fait ici allusion à un emprunt espagnol pris par des banques allemandes et françaises (Banque de Paris,

Société générale, etc.), et annoncé par une dépêche financière du 14 avril 1869 » (*Supplément*, t. II, n. 1, p. 176).

3. Surnom souvent donné à Jules Duplan, né à Lyon, comme Saint-Florent dans *Justine ou les Malheurs de la vertu* du marquis de Sade.

À GEORGE SAND
[16 avril 1869]

Autographe Lovenjoul, A IV, f° 93 ; *Supplément*, t. II, p. 178, à la date erronée du [23 avril 1869]. La réponse de George Sand est sûrement datée du 17 avril [1869] ; voir p. 38.

4. La lettre de Flaubert à George Sand du [3 avril 1869], p. 36-37.

Page 38.

À JULES DUPLAN
[16 avril 1869]

Autographe Lovenjoul, A V, ff^{os} 607-608 ; *Supplément*, t. II, p. 177.

1. S'agirait-il déjà du changement de domicile de Flaubert ? Pour ses raisons, voir sa lettre à sa nièce Caroline du [23 mai 1869], p. 46-47.

GEORGE SAND À GUSTAVE FLAUBERT
17 avril [1869]

Autographe collection Vandendriessche ; *Correspondance Flaubert-Sand*, éd. Alphonse Jacobs, p. 224.

À GEORGE SAND
[18 avril 1869]

Autographe Lovenjoul, A IV, f° 145 ; *Supplément*, t. II, p. 177-178. Alphonse Jacobs a peut-être raison de dater cette lettre, avec prudence, de [vers le 19 avril 1869] (*Correspondance Flaubert-Sand*, éd. Alphonse Jacobs, p. 225).

a. Chère [Madam] <Maître>,

Page 39.

1. *L'Éducation sentimentale.*

GEORGE SAND À GUSTAVE FLAUBERT
[26 avril 1869]

Autographe collection Vandendriessche ; *Correspondance Flaubert-Sand*, éd. Alphonse Jacobs, p. 225.

À JULES DUPLAN
[27 avril 1869]

Autographe Lovenjoul, A V, ff^{os} 609-610 ; *Supplément*, t. II, p. 183, à la date erronée, je crois, de [mai 1869 ?]. Caroline Commanville est de retour à Dieppe avant le [5 mai 1869]. Voir la lettre de Flaubert à sa nièce, p. 42-43.

2. Henri Cernuschi, l'un des directeurs de la Banque de Paris, était l'employeur et l'ami de Jules Duplan (voir la lettre de Flaubert à Jules Duplan de la [seconde quinzaine de novembre 1866 ?], t. III, n. 4, p. 557). J'ignore ce que contient « l'énorme pli ».

À GEORGE SAND
[29 avril 1869]

Autographe Lovenjoul, A IV, ffos 146-147 ; *Supplément*, t. II, p. 178-179.

3. Edmond Plauchut (1824-1909), journaliste, était depuis 1865 « l'hôte assidu et l'ami le plus fidèle de la châtelaine de Nohant » (Alphonse Jacobs, *Correspondance Flaubert-Sand*, p. 574).

Page 40.

1. Il s'agit sans doute de Martine, ouvreuse à l'Odéon et femme de confiance de George Sand (voir *Correspondance Flaubert-Sand*, éd. Alphonse Jacobs, n. 33, p. 231).
2. L'épilogue deviendra le chapitre VII et dernier de la troisième partie de *L'Éducation sentimentale*.
3. Flaubert écrit ce post-scriptum dans la marge de gauche du folio 146 r°.

GEORGE SAND À GUSTAVE FLAUBERT
[29 avril 1869]

Autographe collection Vandendriessche ; *Correspondance Flaubert-Sand*, éd. Alphonse Jacobs, p. 226-227.

4. George Sand avait acheté une petite maison à Palaiseau en 1864, pour y séjourner avec son ami Alexandre Manceau. Il était mort le 21 août 1865.
5. Il s'agit sans doute d'une reprise remaniée de *Mauprat* (Odéon, 1853), qui n'aura lieu qu'après la mort de George Sand (voir *Correspondance Flaubert-Sand*, éd. Alphonse Jacobs, n. 27, p. 224). Chilly était alors le directeur de l'Odéon.
6. *Schuhmacher*, en allemand, signifie « cordonnier » ; George Sand écrit *« Schumachre »*.

Page 41.

GEORGE SAND À GUSTAVE FLAUBERT
[30 avril 1869]

Autographe collection Vandendriessche ; *Correspondance Flaubert-Sand*, éd. Alphonse Jacobs, p. 227.

À SA COUSINE CAROLINE LAURENT

[3 mai 1869]

Inédite. Autographe collection particulière. La lettre est datée par le départ de Paris de Mme Flaubert le 27 avril 1869. Caroline Laurent, née Bonenfant, fille de Louis Bonenfant et d'Olympe Parain, cousine germaine de Flaubert.

1. *L'Éducation sentimentale* sera terminée le dimanche 16 mai 1869.

GEORGE SAND À GUSTAVE FLAUBERT

[3 mai 1869]

Autographe collection Marc Loliée ; *Correspondance Flaubert-Sand*, éd. Alphonse Jacobs, p. 227.

Page 42.

À GEORGE SAND

[4 mai 1869]

Autographe Lovenjoul, A IV, fº 148 ; *Supplément*, t. II, p. 179-180.

1. Addition au bas de la page.

GEORGE SAND À GUSTAVE FLAUBERT

[4 mai 1869]

Autographe collection Marc Loliée ; *Correspondance Flaubert-Sand*, éd. Alphonse Jacobs, p. 228.

2. *Galoubet* : petite flûte à trois trous qu'utilisaient les troubadours. George Sand veut dire par là le manuscrit de *L'Éducation sentimentale.*

À SA NIÈCE CAROLINE

[5 mai 1869]

Autographe Lovenjoul, A II, ffos 258-259 ; incomplète dans Conard, t. VI, p. 18-19. Enveloppe, fº 257 : Madame Commanville, à Neuville, Dieppe (Seine-Inférieure) ; C. P. : Paris, 5 mai (?) ; Dieppe, 6 (?).

Page 43.

a. avoir enfin [fini] <terminé> mon roman !

1. Sur le professeur Jules Cloquet, voir t. I, n. 2, p. 21.

2. Le voyage des Commanville en Scandinavie avait pour but principal l'entreprise d'Ernest, qui était marchand de bois. Mais il n'exigeait pas la présence de Caroline. D'après une tradition familiale, ce long voyage devait lui permettre de ne plus voir, et peut-être d'oublier, le baron Leroy, préfet de la Seine-Inférieure, qui aimait Caroline et était payé de retour : « N'ayant que de vagues soupçons, M. Commanville sentait pourtant qu'il fallait chercher remède à cet état de choses. Il décida qu'il était indispensable de rompre avec le genre d'existence menée à Rouen, qu'un dépaysement s'imposait, et puisque sa situation

financière le lui permettait, il pensa qu'une installation à Paris donnerait à sa femme de nouveaux centres d'intérêt, un champ plus vaste pour ses activités artistiques et mondaines. […] En attendant, et pour l'immédiat, un voyage d'affaires en pays étranger serait la meilleure solution, aussi profitable au négoce de M. Commanville qu'à la paix de son ménage » (Lucie Chevalley-Sabatier, *Gustave Flaubert et sa nièce Caroline*, p. 66-67). Sur les amours de Caroline et du baron Leroy, voir la lettre de Flaubert à sa nièce du [5 février 1865], t. III, p. 423, n. 2. Caroline a longuement raconté son voyage (juin 1969-juillet 1870) dans *Heures d'autrefois*, ff^os^ 17-24 ; voir des extraits de ce récit dans l'ouvrage cité de Mme Chevalley-Sabatier, p. 69-76.

3. *L'Éducation sentimentale*, terminée le 16 mai 1869.

4. L'hôtel particulier, rue de Clichy, que les Commanville venaient d'acheter (voir Lucie Chevalley-Sabatier, p. 67).

5. Achille Dupont, grand-oncle par alliance de Caroline ; il était très mondain.

6. La baronne Levavasseur ? Achille Dupont était de ses intimes.

7. Napoléon III.

8. Pauline Sandor (1836-1921) avait épousé en 1856 Richard, prince de Metternich (1829-1895), fils du ministre et ambassadeur d'Autriche à Paris de 1859 à 1870. Tous les Mémoires de l'époque font l'éloge de son charme et de son esprit.

9. Le général Esprit-Charles-Marie Espinasse (1815-1859), ministre de l'Intérieur en 1858, puis sénateur, tué à Magenta le 4 juin 1859, avait épousé, en 1853, Marie-Anatole-Élisabeth Festugière, de Bordeaux. J'ignore qui est la cantatrice bordelaise.

10. Ernest Commanville.

Page 44.

À LA PRINCESSE MATHILDE

[13 mai 1869]

Autographe Archivio Campello, n° Inv. 976 ; incomplète dans Conard, t. VI, p. 16-17, et datée [1869]. Cette lettre serait du [13 mai], car Flaubert est arrivé à Paris la veille de Pâques, le 27 mars 1869.

1. Ernest Commanville.

2. Il s'agit sans doute de « la belle visite » ; je n'ai pu l'identifier.

À GEORGE SAND

[13 mai 1869]

Autographe Lovenjoul, A IV, f° 149 ; *Supplément*, t. II, p. 180-181, à la date du [6 mai 1869]. Comme Alphonse Jacobs (*Correspondance Flaubert-Sand*, p. 228), je crois cette lettre du 13.

3. Je n'ai pu consulter le traité complet conclu entre Flaubert et Michel Lévy ; dans la note 1 de la lettre de Flaubert à Ernest Duplan du [24 août 1862], voir t. III, p. 241, je cite seulement la lettre du notaire. Jacques Suffel donne le fac-similé de la première page du contrat dans *Lettres inédites de Gustave Flaubert à son éditeur Michel Lévy*,

entre les pages 63 et 64, mais cette page ne concerne que *Madame Bovary* et *Salammbô.* M. Suffel résume ainsi le problème que soulevait Flaubert : « Les volumes [de *L'Éducation sentimentale*] comptaient respectivement 427 et 331 pages, soit au total 758. Il avait été prévu, dans le traité, que si la longueur de *Salammbô* était dépassée, le romancier recevrait une rémunération proportionnellement supérieure. Comme *L'Éducation* comportait 284 pages de plus que *Salammbô*, Michel Lévy versa à Flaubert un supplément de 6 000 francs, qui s'ajoutèrent aux 10 000 du forfait initial » (*ibid.*, p. 146-147).

4. Racine, *Athalie*, acte V, sc. VI.

5. *L'Éducation sentimentale.*

Page 45.

À JULES DUPLAN

[16 mai 1869]

Autographe B. M. Rouen (anciennement Pavillon de Croisset) ; Conard, t. VI, p. 20. Flaubert signe : « Gve ».

1. *L'Éducation sentimentale.*

GEORGE SAND À GUSTAVE FLAUBERT

[18 mai 1869]

Autographe collection Alfred Dupont ; *Correspondance Flaubert-Sand*, éd. Alphonse Jacobs, p. 229.

2. *L'Éducation sentimentale* est en deux volumes, mais Michel Lévy veut dire : deux volumes de la longueur de *Salammbô.* Voir la lettre de Flaubert à George Sand du [13 mai 1869], p. 44 et n. 3.

3. George Sand aura terminé la vente et le déménagement de sa maison de Palaiseau. Voir sa lettre à Flaubert du [29 avril 1869], p. 40 et n. 4.

Page 46.

GEORGE SAND À GUSTAVE FLAUBERT

[20 mai 1869]

Autographe collection Vandendriessche ; *Correspondance Flaubert-Sand*, éd. Alphonse Jacobs, p. 230.

1. Le billet de Flaubert où il proposait lundi au lieu de dimanche n'a pas été retrouvé.

GEORGE SAND À GUSTAVE FLAUBERT

[20 mai 1869]

Autographe collection Vandendriessche ; *Correspondance Flaubert-Sand*, éd. Alphonse Jacobs, p. 230.

2. Flaubert avait commencé sa lecture de *L'Éducation sentimentale* à George Sand le lundi 10 mai 1869 (voir sa lettre à George Sand du [4 mai 1869] et la réponse de celle-ci, p. 42).

À SA NIÈCE CAROLINE

[23 mai 1869]

Autographe Lovenjoul, A II, ffos 261-262 ; Conard, t. VI, p. 20-22.

3. *L'Éducation sentimentale.*

4. Flaubert reviendra à Croisset le lundi 7 juin 1869.

Page 47.

a. aréopage [difficile] impossible à décrire ♦♦ *b.* Ce qui va [me faire] <me demander> (au milieu

1. En fait, 6000 francs ; ce « supplément » n'est pas dû à George Sand, mais était prévu dans le contrat de *Salammbô.* Voir la lettre de Flaubert à George Sand du [13 mai 1869], p. 44 et n. 3.

À SA NIÈCE CAROLINE

[25 mai 1869]

Autographe Lovenjoul, A II, ffos 263-264 ; *Supplément*, t. II, p. 181-183. L'enveloppe foliotée 260 (mal classée) porte : Madame Commanville, villa Neuville, Dieppe (Seine-Inférieure) ; C. P. : Paris, 25 mai 1869 ; Paris au Havre, 25 mai 1869 (troisième cachet illisible).

2. Flaubert obtiendra 16 000 francs. Voir sa lettre à George Sand du [13 mai 1869], p. 44 et n. 3.

Page 48.

1. Voir la lettre précédente.

2. Coralie Vasse de Saint-Ouen avait épousé un militaire de carrière, de La Chaussée. Sa mère était une amie de Mme Flaubert. Voir t. I, n. 2, p. 23, et la lettre de Flaubert à sa nièce Caroline du [15 novembre 1864], t. III, p. 412 et n. 1.

3. Les élections pour le renouvellement du Corps législatif ont eu lieu les 23 et 24 mai 1869 ; elles furent favorables à l'opposition à l'Empire.

À GEORGE SAND

[26-27 mai 1869]

Autographe Lovenjoul, A IV, ffos 150-151 ; *Correspondance Flaubert-Sand*, éd. Alphonse Jacobs, p. 231 ; lettre publiée pour la première fois par Alphonse Jacobs dans « Flaubert et George Sand, documents inédits », *R.H.L.F.*, janvier-mars 1957, p. 21.

4. Le prince Napoléon.

GEORGE SAND À GUSTAVE FLAUBERT

[29 mai 1869]

Autographe B. M. Rouen, fonds Letellier ; *Correspondance Flaubert-Sand*, éd. Alphonse Jacobs, 2e édition, p. 559 (n° 174 *bis*).

5. *L'Autre*, après beaucoup de vicissitudes, ne sera joué à l'Odéon que le 25 février 1870.

Page 49.

1. Il s'agit de *Mademoiselle Aïssé*, qui sera jouée à l'Odéon, bien après la mort de Louis Bouilhet, le 6 janvier 1872.

2. Édouard Fournier, *Gutenberg*, drame en 5 actes et en vers, Odéon, 8 avril 1869.

3. La Rounat avait été directeur de l'Odéon de 1856 à 1867 (voir t. II, n. 1, p. 609). Charles de Chilly lui avait succédé.

4. Le prince Napoléon, avec qui George Sand et Flaubert avaient dîné chez Magny ; la soirée s'était terminée chez George Sand.

À FRÉDÉRIC FOVARD

[30 mai 1869]

Autographe bibliothèque de l'Institut, fonds Du Camp, n° 3751, pièce 56 ; lettre publiée par Auriant dans *Lettres inédites à Maxime Du Camp [...]*, p. 88 ; *Supplément*, t. II, p. 183.

5. C'est Maxime Du Camp qui avait prévenu Flaubert du conseil du notaire Fovard. Voir sa lettre du 29 mai 1869, Appendice I, p. 1005.

Sur le nouveau logis de Flaubert, comme d'ailleurs pour tous ceux de Paris, voir Auriant, « Les Logis de Flaubert », *Koutchouk-Hanem, l'Almée de Flaubert, suivi de onze essais sur la vie de Flaubert et de son œuvre, sur Maxime Du Camp et Louise Colet, les sources de* MADAME BOVARY, *Des notes sur* SALAMMBÔ *et* L'ÉDUCATION SENTIMENTALE, *Les Logis de Flaubert, avec un portrait de l'Almée*, Mercure de France, 1942, p. 146-149. La rue Murillo (entre la rue de Courcelles, où habitait la princesse Mathilde, et l'avenue Ruysdael) avait été percée en 1867 sur des terrains appartenant au banquier Pereire. L'immeuble du 4, rue Murillo, avait été construit en 1868 ; Flaubert habitait au quatrième étage, avec vue sur le parc. La rue Murillo n'est pas très éloignée de la rue de Clichy, où allaient habiter les Commanville, à leur retour de Scandinavie, au numéro 77.

À GEORGE SAND

[4 juin 1869]

Autographe Lovenjoul, A IV, f° 152 ; *Supplément*, t. II, p. 184.

6. *L'Éducation sentimentale.*

Page 50.

1. Flaubert avait invité George Sand à Croisset, mais elle n'ira pas.

À LA PRINCESSE MATHILDE

[8 juin 1869]

Autographe Archivio Campello, n° Inv. 975 ; Conard, t. VI, p. 15-16, placée durant l'hiver 1868-1869. Je crois cette lettre du [8 juin 1869], car Flaubert revient à Croisset le lundi 7 juin. Voir aussi la lettre suivante à Caroline Commanville.

2. J'ignore de quel « *homme* » il s'agit.

À SA NIÈCE CAROLINE
[9 juin 1869]

Autographe Lovenjoul, A II, ff[os] 265-266 ; incomplète dans Conard, t. VI, p. 24-26.

3. Flavie Vasse de Saint-Ouen, amie intime de Caroline, et fille d'une des meilleures amies de Mme Flaubert. Voir surtout t. II, n. 3, p. 249.

4. Les Commanville étaient partis pour la Scandinavie, *via* Hambourg, le 1er juin 1869 (voir la lettre de Louis Bouilhet à Flaubert du 2 juin 1869, Appendice III, p. 1036).

Page 51.

a. les [dernières] <suprêmes> limites

1. Coralie Vasse de Saint-Ouen, qui avait épousé M. de La Chaussée, sœur de Flavie.

2. C'est en effet la première œuvre romanesque que Flaubert publiera après *L'Éducation sentimentale*, en avril 1874.

3. Louis Bouilhet.

4. La princesse Mathilde, chez qui Flaubert avait lu *L'Éducation sentimentale* (voir la lettre précédente).

5. Sur Achille Dupont, voir la lettre de Flaubert à sa nièce du [5 mai 1869], n. 5, p. 43.

6. L'hôtel particulier, rue de Clichy, que les Commanville venaient d'acheter.

7. Augustin-Thomas Pouyer-Quertier, né à Estouteville-en-Caux en 1820, mort à Rouen en 1891. Grand industriel dans les cotonnades, il avait été élu au Corps législatif en 1857, réélu en 1863, et battu en 1869. Il défendra l'ancien préfet de l'Eure, Janvier de La Motte, en 1872, et sera élu le 30 janvier 1876 sénateur de la Seine-Inférieure : « L'œil fin, la face épanouie, l'embonpoint d'un homme heureux, Normand depuis la tête jusqu'aux pieds, grand parleur, grand mangeur, grand buveur et grand parieur, il passait à juste titre pour un sceptique en politique et pour un très habile homme en affaires », d'après Jules Simon (Grande Encyclopédie).

Sur la famille Pouyer-Quertier, voir Jean-Pierre Chaline, « À la recherche de la bourgeoisie rouennaise du XIXe siècle », *AFl.*, n° 35, décembre 1969, p. 25-27. Flaubert a songé à ce personnage haut en couleur pour ses romans sur le Second Empire (voir Marie-Jeanne Durry, *Flaubert et ses projets inédits*, Nizet, 1950, p. 328).

8. Ledier, député au Corps législatif, avait été battu aux élections.

9. Henri Barbet (1789-1875), d'opinion libérale, avait été élu maire de Rouen et député en 1830, puis nommé pair de France en 1846. Il avait été élu au Corps législatif en 1863, et non réélu en 1869.

10. Mme Vasse de Saint-Ouen et sa fille Flavie venaient relayer leur fille et sœur Coralie auprès de Mme Flaubert.

Page 52.

1. La princesse Mathilde.

2. Ernest Commanville, le neveu de Flaubert, marchand de bois, briguait les fonctions honorifiques, mais utiles, de consul. Voir la fin de la lettre.

3. Il s'agit peut-être de Mme de Pourtalès, veuve d'Albert-Alexandre de Pourtalès (1812-1861), ministre plénipotentiaire de Prusse à Constantinople (1850), puis à Paris (1859). Cette famille protestante française s'était réfugiée après la révocation de l'édit de Nantes dans la principauté de Neuchâtel, qui appartenait au roi de Prusse. Elle lui était restée fidèle après la proclamation de la République à Neuchâtel en 1848. Voir plus loin n. 2, p. 231.

4. Louis Bonenfant, qui avait épousé Olympe Parain, cousine germaine de Flaubert, et qui était avoué à Nogent-sur-Seine, s'occupait des fermes qu'y possédait Mme Flaubert.

5. Ernest Commanville, le neveu de Flaubert.

6. Je n'ai pas trouvé trace de cette nomination dans le *Journal de Rouen* du 9 juin 1869. Aurait-elle paru dans une autre feuille rouennaise ?

À JULES DUPLAN

[13 juin 1869]

Autographe Lovenjoul, A V, ffos 611-612 ; *Supplément*, t. II, p. 185.

7. Flaubert avait communiqué le manuscrit de *L'Éducation sentimentale* à Maxime Du Camp qui commence à le lire le dimanche 6 juin 1869. Dans sa lettre à Flaubert du 8 juin 1869, Du Camp écrit qu'il va « remettre cette forte nourriture au Mouton [Mme Husson] » (Appendice I, p. 1007). Voici la lettre de Mme Husson à Flaubert concernant *L'Éducation sentimentale* : « Jeudi matin [17 juin 1869]. / Et tout d'abord, cher ami, grand merci du plaisir que je vous dois : revu et corrigé par l'auteur, ceci deviendra parfait ; en attendant, et tel que, de moins difficiles que vous, Monsieur, s'en contenteraient avec raison. / Maintenant, pour vous mettre en joie, mon cher jumeau, voici les quelques folies que vous m'avez autorisées à vous débiter. / Comme presque toujours les 100 premières pages semblent aller un peu lentement : / Page 7, ligne 26 : Puis il se dirigea pour fermer derrière son cou… Se diriger exige, ce me semble, un point vers lequel… [*L'Éducation sentimentale*, éd. Claudine Gothot-Mersch, p. 53.] / Page 22, ligne 27 : Le verbe coucher dans le sens présent a la propriété de faire bondir toute femme. Il n'en est pas une (au moins parmi celles dites honnêtes) qui vous pardonnera cette expression employée à propos d'elle. Quand il sera question de la Maréchale, ce sera peut-être moins choquant et encore… Vous seriez bien gentil de dire la chose autrement [*ibid.*, p. 65 : "Devient son amant."] / Page 53, ligne 10 : Mouchoir de poche. Pourquoi "de poche". Cette locution est devenue, je crois, très commune. / Page 65, ligne 16 : "quatre-vingts

années". Désagréable à l'oreille [*ibid.*, p. 96]. / Page 365, ligne 3 : Eh ! M. Moreau ne me fait rien du tout, je vous l'ai dit. Phrase vulgaire. Que voudrait-elle qu'il lui fît ? Mme Arnoux, quoique simple, doit mieux trouver [*ibid.*, p. 313 : "Eh ! M. Moreau m'inquiète peu, je vous l'ai déjà dit."]. / Page 416 : Trop longue l'attente de Mme Arnoux, près de quatre heures, je crois. On en ressent comme une fatigue personnelle [*ibid.*, p. 346-348]. / Page 476, ligne 6 : Vive l'Empereur. Je ne crois pas que ce cri ait été poussé si tôt. Dans notre quartier, au centre de la révolution, nous ne l'avons pas entendu [*ibid.*, p. 390 : "Vive Napoléon."]. / Page 538, ligne 28 : Au milieu de cette scène *charmante*, la Maréchale entre un peu comme dans la rue et met un froid désagréable [*ibid.*, p. 434]. / Page 566, ligne 16 : Une robe noire sur un couvre-pieds rose et tout ce qui suit froisse très désagréablement et fait à l'instant prendre en dégoût Mme Dambreuse. Elle exprime sa joie d'une façon blessante et en femme mal élevée [*ibid.*, p. 454 : "Au milieu du lit, une robe noire s'étalait, tranchant sur le couvre-pieds rose [...] Tu souffres ? Moi ? non, pas du tout [...] Ah ! sainte Vierge ! Quel débarras !"]. Flaubert n'aime pas Mme Dambreuse. / Page 637, ligne 12 : Le mariage de Louise fait un peu l'effet d'une fin de conte de fées... [*ibid.*, p. 498-499]. / Page 646, ligne 18 : Une seule crainte l'arrêta : celle d'en avoir dégoût plus tard. Quel embarras ce serait et tout à la fois par prudence [...] Quel singulier héros qui peut ressentir cela pour la seule femme qu'il ait vraiment aimée et après les *magnifiques* instants qu'il vient de traverser avec elle. Cette visite est saisissante, d'une grande simplicité et donne une émotion véritable [*ibid.*, éd. citée, p. 504]. Et enfin page 654, ligne 7 : C'est là ce que nous avons eu de meilleur ! dit Frédéric. C'est-à-dire la négation que Frédéric ait trouvé plus de joie dans son amour non satisfait pour Mme Arnoux que dans toutes ses affections satisfaites. Cela pourrait nous être agréable et l'idéaliser à nos yeux. Mais qu'il ait fait un jour une démarche sans résultat dans une maison innommable et qu'il appelle cela le plus beau jour de sa vie, voilà ce que nous ne pourrons concevoir, nous autres femmes, et cette fin ne saurait nous le rendre aimable. / [*ibid.*, p. 510] : La quantité de billets protestés offre parfois quelque monotonie, et souvent le sujet de la phrase reste un peu trop sous-entendu, ce qui cause au lecteur un moment d'hésitation et ralentit l'intérêt. / Toutes ces sottises, débitées par votre stupide jumeau, méritent les honneurs du feu. Maintenant, s'il fallait indiquer tout ce qui m'a été agréable, dans cette lecture, la tâche serait trop longue. D'ailleurs il a été convenu que vous n'auriez quant à présent que les impressions mauvaises. Les bravos viendront à leur tour. / À Bade, avez-vous dit. Nous causerons alors plus d'une fois de tout ce monde que vous nous avez fait connaître. / Je vous prie bien, cher ami, de me pardonner tout ce bavardage, vous souvenant que : vous l'avez voulu. / Je serre vos deux mains bien affectueusement, et reste / Bien à vous de tout cœur. / ADÈLE. » Autographe Lovenjoul, B IV, ffos 76-81 ; enveloppe, fo 75 : Monsieur Gustave Flaubert, à Croisset, près et par Rouen, Seine-Inférieure ; C.P. : Paris, 17 juin (?) ; Paris au

Havre, 17 juin 1869 ; Rouen, 18 juin 1869. Cette lettre a été publiée par Jacques Suffel et Jean Ziegler dans « Gustave Flaubert, Maxime Du Camp et Adèle Husson », *Bulletin du bibliophile*, 1978, n° 3, p. 392-393. Voir l'excellent article de Benjamin Bart, « An Unsuspected Adviser on Flaubert's *Éducation sentimentale* : Adèle Husson », *French Review*, XXXVI (1862), p. 37-43.

8. Surnom du notaire Ernest Duplan. Le Président de Blamont est le père d'Aline dans *Aline et Valcour ou le Roman philosophique* du marquis de Sade.

Page 53.

À FRÉDÉRIC FOVARD

[13 juin 1869]

Autographe bibliothèque de l'Institut, fonds Du Camp, n° 3751, pièce 58 ; lettre publiée dans C.H.H., *Correspondance*, t. V, Appendice, p. 377.

1. Le propriétaire de Flaubert, 42, boulevard du Temple. Voir la lettre de Flaubert à Frédéric Fovard du 13 [décembre 1867], t. III, p. 707.

À LA PRINCESSE MATHILDE

[15 juin 1869]

Autographe Archivio Campello, n° Inv. 983 ; Conard, t. VI, p. 48-49, à la date d'« été 1869 ». Gérard-Gailly (*Bulletin du bibliophile*, « Datation [...] », p. 402) et Marcello Spaziani (*Gli Amici della principessa Matilde*, p. 76) proposent la date du [8 juin 1869]. La lettre est datée par l'expression : « l'autre dimanche soir », c'est-à-dire le dimanche 6 juin, veille du départ de Flaubert pour Croisset. Cette lettre est donc du mardi 15 juin 1869.

2. Il s'agit sans doute de *La Tentation de saint Antoine*.

Page 54.

1. *L'Éducation sentimentale.*

2. Les troubles qui avaient suivi les élections des 23-24 mai 1869.

3. Les *Nouvelles moscovites* d'Ivan Tourgueneff ont paru à Paris, chez Hetzel, en 1869, in-12, 337 p. L'ouvrage n'est pas annoncé dans la *Bibliographie de la France.*

À LA PRINCESSE MATHILDE

[17 juin 1869]

Autographe Archivio Campello, n° Inv. 973 ; Conard, t. VI, p. 13-14, à la date erronée de [février 1869]. Comme Gérard-Gailly (*Bulletin du bibliophile*, « Datation [...] », p. 399, et Marcello Spaziani (*Gli Amici della principessa Matilde*, p. 75), je propose la date du [17 juin 1869].

4. Voir la lettre de Flaubert à la princesse Mathilde du [15 juin 1869], p. 53-54 ; aucune lettre de la princesse à Flaubert n'a été retrouvée.

5. L'hôtel de la princesse était situé rue de Courcelles.

6. *L'Éducation sentimentale.*

Page 55.

a. le soleil va [venir] enfin briller !

1. La dame de compagnie de la princesse.

2. La résidence d'été de la princesse.

3. Sur la rupture de la princesse et de Sainte-Beuve, voir la lettre de Flaubert aux Goncourt du [7 janvier 1869], p. 6 et n. 1. La princesse commence, semble-t-il, à regretter sa colère.

À SA NIÈCE CAROLINE
19 [juin 1869]

Autographe Lovenjoul, A II, ff^{os} 267-268 ; incomplète dans Conard, t. VI, p. 26-28.

b. dépêche télégraphique [à peine] <dès ton> arrivée

4. Flaubert écrit : *Strockholm.*

5. Flavie Vasse de Saint-Ouen. Voir la lettre de Flaubert à Caroline du [9 juin 1869], n. 3, p. 50.

6. Coralie de La Chaussée ; Flavie, sa sœur, et Mme Vasse de Saint-Ouen, leur mère.

Page 56.

a. messieurs les [ouvriers] <maçons>. La porte ♦♦ *b.* que c'est [comme une] <une sorte de> vie nouvelle

1. Juliette Roquigny, fille du docteur Achille Flaubert, et cousine germaine de Caroline.

2. Gustave Roquigny, le beau-frère de Juliette (voir la lettre de Louis Bouilhet à Flaubert du [26 ? mai 1860], t. III, Appendice III, p. 906). Il s'agit de la naissance d'une petite fille.

3. Mme Achille est la belle-sœur de Flaubert. Pourquoi Ernest Commanville ne doit-il « pas trop s'en inquiéter » ? de peur qu'il n'écourte le voyage ?

4. *L'Éducation sentimentale.*

5. Sur Achille Dupont, voir la lettre de Flaubert à sa nièce du [5 mai 1869], n. 5, p. 43.

6. J'ignore qui sont les demoiselles de Triquerville, qui est une commune de l'arrondissement du Havre.

Page 57.

1. Ernest Commanville, mari de Caroline.

À SA NIÈCE CAROLINE

[20 juin ? 1869]

Autographe Lovenjoul, A II, ffos 269-270 ; incomplète dans Conard, t. VI, p. 28-30, datée « entre le 20 et le 30 juin 1869 ». Je la crois du 20.

2. Flaubert écrit : *Strockholm.*

3. Louis Bouilhet.

4. La lecture de *Mademoiselle Aïssé* a eu lieu le 12 juin à l'Odéon, dont Chilly était le directeur.

5. Voir la lettre de George Sand à Flaubert du [29 mai 1869], n. 5, p. 48 et n. 1, p. 49.

6. L'expression « ton ami » est peut-être ironique. Voir la lettre de Flaubert à Caroline du [19 juin 1869], p. 50-51 et n. 1 et 2, p. 56.

7. J'ignore qui sont les Séréville ; Censier était conseiller à la cour d'appel de Rouen.

8. Flaubert écrit : *Bautot.* Les Lormier, beaux-parents du docteur Achille Flaubert, y possédaient une propriété.

9. Sur Eugène Bataille, voir la lettre de Flaubert à Edmond Laporte du [2 octobre 1866], t. III, n. 4, p. 540.

Page 58.

1. Ernest Renan, *Saint Paul*, Paris, Lévy, 1869, LXXVII-578 p. ; annoncé dans la *Bibliographie de la France* le 19 juin 1869.

2. Juliette Roquigny, fille du docteur Achille Flaubert, y possédait une propriété.

3. Louis Bouilhet.

4. Louis-Henri Brévière, dessinateur et graveur, né à Forges-les-Eaux en 1897, mort à Hyères en juin 1869. Élève de l'École de dessin de Rouen, il travaillera pour l'Imprimerie royale, nationale, impériale de 1834 à 1855 (Bénézit). Flaubert écrit : *Bréviaire.*

5. Sur Frédéric et son frère cadet Alfred Baudry, voir t. I, n. 6, p. 230 et n. 4, p. 510 ; t. II, n. 1, p. 280. Il s'agirait plutôt d'Alfred, qui habitait Rouen ?

6. Je n'ai pu identifier Harlofsen.

À MADAME ERNEST FEYDEAU

[24 juin 1869]

Inédite. Autographe docteur Jean (Rouen), que je remercie de son obligeance.

7. Le billet de Mme Feydeau et la page d'Ernest Feydeau n'ont pas été retrouvés. Sur la maladie de Feydeau, voir le *Journal* des frères Goncourt du 22 avril 1869 (éd. Robert Ricatte, t. VIII, p. 197).

Page 59.

1. Louis Bouilhet part pour Vichy le 29 juin 1869.

2. Flaubert fait allusion à ses crises nerveuses, diagnostiquées

comme épileptiques, dont la première a lieu au début de janvier 1844, peut-être le 2. Voir t. I, n. 2, p. 202.

3. Ernest-Nicolas-Joseph Onimus, né à Mulhouse en 1840 ; il avait publié en 1868 un ouvrage intitulé *Emploi de l'électricité dans les maladies nerveuses.*

4. Le professeur Charles Robin (1821-1885), anatomiste, professeur d'histologie à la Faculté de médecine de Paris (1862), était l'un des commensaux les plus fidèles des dîners Magny. Flaubert avait pour lui la plus grande estime.

5. Les Feydeau habitaient alors 42, rue de Monceau, donc tout près du 4, rue Murillo, où allait emménager Flaubert.

À GEORGE SAND
24 [juin 1869]

Autographe Lovenjoul, A IV, ffos 153-154; incomplète dans Conard, t. VI, p. 30-32 datée de [fin juin 1869].

6. George Sand ne viendra plus à Croisset, après ses trois séjours des 28-30 août 1866, 3-10 novembre 1866, et 24-26 mai 1868.

7. Mme Vasse de Saint-Ouen et sa fille Flavie. Voir la lettre de Flaubert à sa nièce Caroline du 19 [juin 1869], p. 55-56.

Page 60.

a. J'espère [arriver] <parvenir> à trouver

1. Je n'ai trouvé aucune trace d'une brouille entre George Sand et Renan.

2. Le prince Napoléon.

3. Ernest Renan s'était présenté aux élections du Corps législatif, en Seine-et-Marne, sans succès.

4. La théologie ne connaît pas de « grâce efficiente » ; Flaubert veut dire sans doute : « grâce suffisante ». Voir la deuxième *Provinciale* de Pascal.

5. Sous l'influence du père Hyacinthe, Sylvanie Arnould-Plessy était devenue mystique. Voir la lettre de Flaubert à George Sand du [2 septembre 1868], t. III, p. 795 et n. 4, 5, 6.

6. Autant que je sache, Alexandre Dumas fils ne s'est jamais converti au christianisme, mais son œuvre se fait de plus en plus morale et conservatrice. Il affirmera plus tard sa foi en Dieu. Voir plus loin la lettre de Flaubert à George Sand du [14 avril 1870], n. 3, p. 179.

7. Flaubert se réfère à l'édition du *Théâtre complet* d'Alexandre Dumas fils, avec des préfaces nouvelles, commencée chez Lévy en 1868.

8. Le Nain de Tillemont, *Mémoires pour servir à l'histoire ecclésiastique des six premiers siècles*, 16 vol., Paris, 1693-1712 ; les tomes VII et VIII traitent des « Pères du désert ».

9. Louis Bouilhet mourra le 18 juillet 1869.

10. Caroline Commanville, qui accompagnait son mari Ernest dans un voyage d'affaires en Scandinavie.

11. Hippolyte-Félicité-Paul de Jouvencel (1817-1897), commissaire du département de la Seine-et-Oise en 1848, proscrit en 1852, amnistié en 1859, élu député contre Renan en 1869.

Page 61.

1. Fanjat, ou Fangeat, républicain exilé depuis le Coup d'État. Voir *Correspondance Flaubert-Sand*, éd. Alphonse Jacobs, n. 46, p. 234.

À JULES DUPLAN
[27 juin 1869]

Autographe Lovenjoul, A V, ffos 615-616 ; *Supplément*, t. II, p. 186-187, à la date du [4 juillet 1869]. La lettre est du [27 juin 1869], car le notaire Ernest Duplan envoie à son frère Jules la cassette contenant le manuscrit de *L'Éducation sentimentale* le 3 juillet 1869. Voir la note 3.

2. Le « pli de Du Camp » contient les nombreuses observations critiques qu'il fait à Flaubert à propos de *L'Éducation sentimentale* (voir sa lettre à Flaubert du 8 juin 1869, Appendice I, p. 1006-1007). Ces critiques ont été publiées par P. M. Wetherill dans son important article, « Le Dernier Stade de la composition de *L'Éducation sentimentale* », *Zeitschrift für Französische Sprache und Literatur*, Band LXXVIII, Heft 3, Juli 1968, p. 233-252. Sur le dialogue entre Flaubert et Du Camp à ce sujet, voir les pages amusantes et, je crois, très justes, des *Souvenirs littéraires*, 3e édition, Hachette, 1906, t. II, p. 338-341.

3. Ernest Duplan écrit à son frère le 3 juillet 1869 : « Mon cher Jules, / Je t'envoie la cassette diabolique du géant. J'ai fait 3 corrections dont : 1° l'une de droit, à la page 319 ; 2° l'autre à une page 600 et quelques pour substituer les mots *hôtel Bouillon, place de la Bourse*, aux mots *hôtel Drouot, rue Drouot*, cet hôtel n'ayant été construit qu'en 1852, un an après la vente du mobilier Arnoux[1] ; 3° à la dernière page 631 pour supprimer un passage de droit qui est erroné. / L'œuvre de Minski est sublime pour les disciples du scepticisme ; mais elle est abominable pour les béats de la politique, du sentiment et des autres idées reçues. La sensibilité du père Roque[2], les bredailleries du brave Arnoux, etc., etc., sont des merveilles [...] » (Lovenjoul, B VI, ffos 401-402)[3].

À JULES DUPLAN
[Avant le 30 juin 1869]

Autographe Lovenjoul, A V, ffos 639-640 ; C.H.H., *Correspondance*, t. V, Appendice, p. 394, sans date. Je date cette lettre d'[avant le 30 juin 1869], car je pense qu'elle concerne Louis Bouilhet, qui part pour Vichy le 29 (voir la lettre suivante).

4. Flaubert et Bouilhet ?

1. « L'hôtel des commissaires-priseurs » (*L'Éducation sentimentale*, éd. Claudine Gothot-Mersch, p. 493).

2. Voir *ibid.*, p. 413.

3. Minski est un personnage de l'*Histoire de Juliette, ou les Prospérités du vice* de Sade. Je n'ai trouvé le mot *bredaillerie* dans aucun dictionnaire.

Page 62.

À JULES DUPLAN
[30 juin 1869]

Autographe Lovenjoul, A V, ffos 613-614 ; *Supplément*, t. II, p. 186.

1. La cassette contenant le manuscrit de *L'Éducation sentimentale* ; Flaubert l'avait envoyée à Maxime Du Camp et Adèle Husson, qui devaient la transmettre au notaire Ernest Duplan (voir la lettre de Flaubert à Jules Duplan du [13 juin 1869], p. 52).

2. Surnom d'Ernest Duplan ; voir la lettre de Flaubert à Jules Duplan du [13 juin 1869], n. 8, p. 52.

3. Louis Bouilhet.

À MADAME DE VOISINS D'AMBRE
3 juillet [1869]

Autographe non retrouvé ; Conard, t. VI, p. 34-35. Cette lettre a été publiée par Mme de Voisins (ou Devoisin) dans la préface de son livre *Les Borgia d'Afrique*, 3e édition, Paris, Dentu, 1887, p. VIII-IX. Je donne le texte de la préface :

Anne-Caroline-Joséphine Husson, dite Anna, née à Montagney-les-Forges (Doubs), avait été élevée en Algérie et avait épousé le fonctionnaire Joseph Devoisin. Elle avait débuté dans les lettres sous le patronage de George Sand en 1866, avec le pseudonyme de Pierre Cœur (voir Georges Lubin, *Correspondance de George Sand*, t. X, p. 858, et *Supplément*, t. III, n. 1, p. 40). Après des *Lettres sur l'Algérie* parues dans *La France* d'Emile de Girardin, elle venait de publier *Contes algériens* « Le Chevalier Ali », « La Fille du capitaine » [rien à voir avec le roman inachevé de Pouchkine] et « Fils d'Adam et filles d'Eve », Paris, Michel Lévy, 1869). Elle a raconté elle-même sa rencontre avec Flaubert dans la préface des *Borgia d'Afrique* : « [...] c'est à Saint-Gratien, dans la maison si hospitalière aux lettres et aux arts de Son Altesse Impériale Madame la princesse Mathilde, que je vis Flaubert pour la première fois ; nous y déjeunions tous deux, et fûmes présentés l'un à l'autre par la princesse elle-même : / "Ainsi vous écrivez ?" me dit un instant après Flaubert. / "J'essaie, répondis-je. / — Avez-vous publié quelque chose ? / — Oui, des romans et des nouvelles. / — Où avez-vous débuté ? / — Au journal *Le Siècle*, et c'est à la princesse que je dois d'y être entrée avant la République. / — D'y être entrée..., je ne dis pas non ; mais d'y être restée, vous ne le devez qu'à vous-même. *Il n'y a pas de princesse qui tienne*, si vous étiez sans talent, on vous eût accueillie une fois, pour lui être agréable, et après... Où travaillez-vous maintenant ?" / Je le lui dis et lui demandai s'il voulait lire un de mes romans. / "Certainement, reprit-il ; envoyez-moi cela au Croisset *[sic]*, je vous promets de le voir avec soin ; mais n'attendez pas de compliments, si je n'en suis pas satisfait." / Une semaine après je recevais, en réponse à mon envoi, la lettre suivante [suit la lettre, p. VIII-IX]. / Mes relations avec Flaubert continuèrent. Je le revis chez la princesse, chez lui et chez moi, et un jour, sur sa demande, je lui adressai, en feuilleton, *Les Borgia* [...] » (p. IX-X).

Avant ce récit, Mme de Voisins écrit ces lignes : « Flaubert ne prodiguait ni ses conseils, ni sa critique toujours sincères ; avoir reçu les uns, éveillé les autres, est une faveur et une preuve d'estime auxquelles, modestie mise à part, on peut être sensible. Ce n'est point que le maître illustre ait loué sans restrictions les 2 volumes qu'il a lus de moi. Ce n'est point non plus que son jugement me paraisse sans appel, et il y a quelque crânerie à l'avouer, car pour une certaine église, Flaubert fut infaillible et impeccable, et c'est amusant à une époque où toutes ces infaillibilités sont discutées » (*ibid.*, p. VI).

4. Voir quelques beaux paysages, par exemple dans « Le Chevalier Ali », p. 25 et dans « Fils d'Adam et filles d'Ève ».

5. Le chevalier Ali est un noble Arabe adopté par le général M ***. Il épouse sa cousine Fatmah, une blonde aux yeux bleus, et fait le pèlerinage de La Mecque. Son cousin Mustapha dissimule ses lettres à sa femme et fait courir le bruit de sa mort. À son retour, il trouve Fatmah mariée avec Mustapha, et mère d'un enfant. Il part pour la guerre de Crimée sans se venger. Un article de journal termine le conte : le général est grièvement blessé ; « son fils adoptif, le brillant chevalier Ali, récemment promu au grade d'officier de la Légion d'honneur, a succombé devant Sébastopol, après des prodiges de valeur. Ce n'était plus un homme, c'était le dieu des combats lui-même. On ne voyait que lui partout, bravant la mort avec un dédain superbe » (*ibid.*, p. 173).

Page 63.

1. Sidonie, fille du capitaine Morin, aime Charles Desvaux, qu'elle reçoit dans sa chambre. Une nuit, il renverse une chaise, et pour sauver l'honneur de Sidonie prétend qu'il a voulu voler le capitaine, alors qu'il est plus riche que lui. Il est condamné à sept ans de travaux forcés, et Sidonie se tait. Gracié, il devient « l'un de nos publicistes les plus compétents et les plus distingués » (p. 282). Quant à Sidonie, elle épouse le lieutenant Finda, devient veuve et se jette dans « une dévotion exagérée » (*ibid.*, p. 282).

2. « Fils d'Adam et filles d'Ève » : histoire tragique d'amour qui débouche sur trois cadavres, avec quelque couleur locale et même des mots arabes traduits et commentés dans les notes. Mme de Voisins d'Ambre était protégée de la princesse Mathilde, comme l'indique le texte de la préface reproduite ci-dessus.

À JULES DUPLAN

[5 juillet 1869]

Autographe Lovenjoul, A V, ffos 617-618 ; *Supplément*, t. II, p. 187.

3. La « boîte » qui contient le manuscrit de *L'Éducation sentimentale*.

4. Les notes de Maxime Du Camp sur *L'Éducation sentimentale* se trouvent dans le manuscrit autographe de *L'Éducation* (B.H.V.P., ffos 486-497) ; elles ont été publiées par P. M. Wetherill (voir la lettre de Flaubert à Jules Duplan du [27 juin 1869], p. 61 et n. 2).

5. Le notaire Ernest Duplan, frère de Jules ; voir la lettre de Flaubert à Jules Duplan du [27 juin 1869], n. 3, p. 61.

À GEORGE SAND
[5 juillet 1869]

Autographe Lovenjoul, A IV, ff[os] 155-157 ; incomplète dans Conard, t. VI, p. 32-33, datée de [fin juin-début juillet 1869]. Comme Alphonse Jacobs (*Correspondance Flaubert-Sand*, p. 234), je crois cette lettre du [5 juillet 1869] ; Flaubert répond à une lettre non retrouvée de George Sand du 30 juin 1869.

6. Mme Vasse de Saint-Ouen et sa fille Flavie, qui étaient venues tenir compagnie à Mme Flaubert, et qui habitaient Verneuil-sur-Avre (Eure).

Page 64.

a. il n'a fait en cela que suivre sa nature [qui] <laquelle> est toute

1. Le *Dictionnaire universel d'histoire et de géographie* (1842) de Bouillet, que Flaubert possédait, donne les deux orthographes : *Mont d'Or, Mont Dore.*

2. Cette lettre n'a pas été retrouvée.

3. Les principaux traités philosophiques conservés de Cicéron sont les suivants, dans l'ordre chronologique : *De legibus* (52-46 avant J.-C.), *De finibus bonarum et malorum* (45), *Tusculanae disputationes* (45-44), *De natura deorum* (44), auxquels il faut ajouter de nombreux fragments d'autres ouvrages, dont *Le Songe de Scipion*, annoté par Macrobe. S'agirait-il surtout du *De natura deorum* ?

4. La *Vie de Jésus*, ouvrage annoncé dans la *Bibliographie de la France* du 27 juin 1863. C'est le premier volume de l'*Histoire critique des origines du christianisme*, suivi par *Les Apôtres* (1866), *Saint Paul* (1869), *L'Antéchrist* (1873), *Les Évangiles et la deuxième génération chrétienne* (1877), *L'Église chrétienne* (1879), *Marc-Aurèle et la fin du monde antique* (1881).

5. *Saint Paul*, annoncé dans la *Bibliographie de la France* le 19 juin 1869).

6. Sur la candidature malheureuse de Renan au Corps législatif, voir la lettre de Flaubert à George Sand du 24 [juin 1869], n. 3, p. 60.

7. Voir la lettre de Flaubert à George Sand du 24 [juin 1869], p. 60.

Page 65.

a. Science. [L'administration] <Le gouvernement> d'un pays ♦♦ *b.* je suis déjà [enterré] <sous terre>, et que

1. Flaubert veut dire : la dernière en conséquence.

2. Jean-Eugène Robert-Houdin (1805-1871), le plus célèbre prestidigitateur de son temps ; il avait été envoyé en Algérie par le gouvernement français pour combattre l'influence des sorciers arabes.

3. Napoléon III.

4. Maurice Sand.

5. Un bélier acheté le 17 juin par Maurice Sand.

À SA NIÈCE CAROLINE
7 juillet [1869]

Autographe Lovenjoul, A II, ff^os^ 271-272 ; incomplète dans Conard, t. VI, p. 35-37.

6. Je rappelle que seules deux lettres de Caroline ont été conservées ; pour la première, du [24 décembre 1863], voir t. III, p. 367. La seconde est datée du 2 février 1880 (Lovenjoul, B I, ff^os^ 400-401).

Page 66.

1. Louis Bouilhet.
2. Parmi ces projets figure peut-être celui d'aller revoir Juliet Herbert en Angleterre ; « It seems probable that he [Flaubert] thought of visiting Juliet […] » (Hermia Oliver, *Flaubert and an English Governess*, Oxford, Clarendon Press, 1980, p. 102).
3. *L'Éducation sentimentale.*
4. Voir t. I, n. 1, p. 43, et la lettre de Flaubert à Alfred Darcel de [mai ? 1860], t. III, n. 2, p. 92.
5. Sur Raoul-Duval, voir la lettre de Flaubert à sa nièce Caroline du [17 septembre 1868], t. III, n. 5, p. 802.
6. Sur Charles Lapierre, voir la lettre de Flaubert à sa nièce Caroline du [30 juin 1868], t. III, n. 5, p. 766.
7. L'épouse du général Auguste-Adolphe-Napoléon Chauchard (1801-1880) ?
8. Pour Gérard-Gailly, cette Mme Mazeline serait celle que Flaubert fréquentera plus tard à Paris (voir la lettre de Flaubert à Tourgueneff de [1878], *Supplément*, t. IV, p. 78) : « Elle écrivait et rimait quelque peu ; elle peignait et l'on a d'elle un portrait réjouissant de "l'abbé Constantin", autrement dit de l'abbé Bertot, curé de Pennepie, qui servit de modèle à Ludovic Halévy » (*Lettres inédites à Tourgueneff*, n. 2, p. 162).
9. Sans doute un descendant de Mme Delamare du Nid-de-Chien (voir t. I, n. 4, p. 27).
10. Ernest Commanville.
11. Juliette Roquigny, fille du docteur Achille Flaubert, frère de Gustave. J'ignore qui sont « ses amis les Lambert ».

Page 67.

1. À Verneuil-sur-Avre. Voir la lettre de Flaubert à George Sand du [5 juillet 1869], p. 63.
2. Le docteur Alfred Hardy (1811-1893) ; il devint, en 1851, médecin à l'hôpital Saint-Louis et se spécialisa dans la dermatologie. Il était devenu en 1867 professeur de pathologie interne à la Faculté de médecine de Paris.
3. Voir *Madame Bovary*, éd. Claudine Gothot-Mersch, p. 30. J'ignore qui est Mlle Hardel.

À LA PRINCESSE MATHILDE

[8 juillet 1869]

Autographe Archivio Campello, n° Inv. 978 ; Conard, t. VI, p. 22-23, datée de [juin 1869]. Dans le *Bulletin du bibliophile*, « Datation [...] », p. 401, Gérard-Gailly propose le [1er juillet], mais Flaubert reçoit la boîte contenant le manuscrit de *L'Éducation sentimentale* le 5 juillet (voir sa lettre à Jules Duplan du [5 juillet 1869], p. 63).

Page 68.

1. Chez Mme Vasse de Saint-Ouen.

2. Flaubert ira chercher sa mère à Verneuil le 21 juillet 1869, mais Louis Bouilhet étant mort le 18, il ne se rendra à Saint-Gratien que le 1er septembre. Voir ses lettres à Frédéric Fovard du [21 juillet 1869], p. 69 et à sa nièce Caroline du [31 août 1869], p. 95.

3. *L'Éducation sentimentale.*

4. *Ces noms de Roi des rois et de chef de la Grèce / Chatouillaient de mon cœur l'orgueilleuse faiblesse* (*Iphigénie*, acte I, sc. 1).

5. *La Tentation de saint Antoine.*

À LA PRINCESSE MATHILDE

[20 juillet 1869]

Autographe Archivio Campello, n° Inv. 981 ; Conard, t. VI, p. 38-39, à la date de [juillet 1869]. Elle est du [20 juillet 1869], puisque Louis Bouilhet est mort le dimanche 18, comme l'ont bien vu Gérard-Gailly (*Bulletin du bibliophile*, « Datation [...] », p. 401), et Marcello Spaziani (*Gli Amici della principessa Matilde*, p. 76).

6. Flaubert était parti pour Paris le 17 juillet, car l'état de Louis Bouilhet semblait s'améliorer. Il apprendra sa mort par une dépêche le lundi 19 au matin et reviendra à Croisset. Voir sa lettre à Maxime Du Camp du [23 juillet 1869], p. 71-73.

Page 69.

À GEORGE SAND

[20 juillet 1869]

Autographe Lovenjoul, A IV, ffos 158-159 ; *Supplément*, t. II, p. 188.

1. Louis Bouilhet est mort le 18 juillet, et enterré le 20.

À FRÉDÉRIC FOVARD

[21 juillet 1869]

Autographe bibliothèque de l'Institut, fonds Du Camp, n° 3751, pièce 61 ; *Supplément*, t. II, p. 188. Lettre publiée par Auriant dans *Lettres inédites à Maxime Du Camp [...]*, p. 89-90.

À ERNEST FEYDEAU

[22 juillet 1869]

Autographe non retrouvé ; Conard, t. VI, p. 50, datée de [juillet 1869] ; catalogue G. Andrieux (hôtel Drouot, vente des 30-31 mai et 1er-2 juin 1928), n° 257. Comme Gérard-Gailly l'a montré, cette lettre est du [22 juillet 1869] (*AFl.*, n° 27, décembre 1965, p. 35).

2. Cette lettre n'a pas été retrouvée.

3. Louis Bouilhet.

Page 70.

1. Les deux sœurs de Louis Bouilhet n'étaient pas mariées : Marie-Sidonie (1823-1884) et Claire-Amélie-Esther (1830-1901). Voir B.N., fonds R. Descharmes, N.A.F. 23841, ffos 113-114.

2. Il s'agit de M. de Bandole, personnage de *La Nouvelle Justine ou les Malheurs de la vertu*, du marquis de Sade.

À FRÉDÉRIC FOVARD

[22 juillet 1869]

Autographe bibliothèque de l'Institut, fonds Du Camp, n° 3751, pièce 62 ; *Supplément*, t. II, p. 189 ; lettre publiée par Auriant, avec des fautes (*Lettres inédites à Maxime Du Camp […]*, p. 90-91).

Page 71.

1. Caroline Commanville, qui faisait avec son mari Ernest un voyage d'affaires en Scandinavie.

2. Voir la lettre de Flaubert à Frédéric Fovard du [21 juillet 1869], p. 69.

À MAXIME DU CAMP

[23 juillet 1869]

Autographe bibliothèque de l'Institut, fonds Du Camp, n° 3751, pièce 22 ; Conard, t. VI, p. 40-44, qui reproduit le texte des *Souvenirs littéraires* de Du Camp (3e édition, t. II, p. 326-338). Du Camp a pris beaucoup de libertés avec ce texte, comme l'a montré Auriant (*Lettres inédites à Maxime Du Camp […]*, p. 44-49 et les notes). Je reproduis le texte de l'autographe, sur lequel Du Camp a écrit : « vendredi soir, 10 heures, reçue le 25 juillet 1869 ».

3. Félix Duquesnel, codirecteur avec Chilly du théâtre de l'Odéon, écrit à Flaubert vers le 21-23 juillet 1869 ; sa lettre éclaire les vicissitudes de *Mademoiselle Aïssé* : « Mon cher monsieur Flaubert, / Je n'ai pas besoin de vous dire quel chagrin nous fait éprouver la mort de notre pauvre ami Louis Bouilhet. Vous savez quelles bonnes et affectueuses relations nous unissaient à lui[1] et combien l'Odéon était sa maison. […] Il nous reste aujourd'hui un devoir à remplir envers

1. Voir la lettre de Bouilhet à Flaubert du 30 mai 1869, Appendice III, p. 1035-1036.

sa mémoire, et nous comptons sur vous pour nous aider dans cette tâche délicate. — Bouilhet, comme vous le savez sans doute, a laissé une pièce en quatre actes et en vers — *Mademoiselle Aïssé* — terminée depuis longtemps et reçue à l'Odéon, pour être jouée cette année. Cette pièce nous a été lue trois fois déjà. — Une première fois au mois de novembre 1868, à l'état de scénario, une seconde fois, tout à fait achevée, au mois de mars, si je ne me trompe ; sur nos observations Bouilhet remporta le manuscrit pour refaire le troisième acte [...]. La troisième lecture eut lieu dans les premiers jours de juin dernier. Là nous convînmes de tout, distribution, mise en scène, etc., etc. La pièce était complète, terminée, le troisième acte refait de fond en comble. [...] Toutefois, comme rien ne pressait, l'Odéon étant en vacances, il remporta son manuscrit pour faire quelques retouches, avant de le donner à copier. [...] Nous devions nous revoir au mois de septembre ou dans les premiers jours d'octobre, avant de le donner à copier, après une quatrième et dernière lecture. Voici l'état des choses, cher Monsieur, et nous voudrions pouvoir conférer avec vous [...]. Il faudrait, avant toute chose, réunir tous les feuillets épars de *Mademoiselle Aïssé*, les corrections, les ajouts, etc., etc., veiller enfin à ce que rien n'en soit égaré, et pour cela nous comptons sur vous. [...] Je ne savais où vous écrire, c'est mon bon ami M. Sainte-Beuve qui m'a donné votre adresse au Croisset *[sic]* [...] » (Lovenjoul, B III, ffos 61-63).

La réponse de Flaubert est perdue, mais Duquesnel lui répond à son tour le 26 juillet 1869 : « Cher monsieur Flaubert, / Merci de votre bonne lettre, qui m'a fait bien plaisir, car au milieu de notre chagrin, j'ai éprouvé comme un soulagement de savoir que c'est à vos mains amies qu'est confié le sort des œuvres dernières de notre pauvre Bouilhet. Toutes questions d'intérêt à part — nous avons le cœur assez bien placé pour savoir les mépriser quand il le faut — nous voulons que *Mademoiselle Aïssé* ait un succès digne de la mémoire de notre ami ; nous ferons de notre mieux pour cela, nous n'épargnerons rien, et nous comptons sur vous pour nous aider dans l'accomplissement de cette tâche. [...] Quant à la souscription ouverte à Rouen pour élever un monument à Bouilhet [...], nous ne voulons pas nous borner à vous envoyer une souscription banale, nous voulons faire mieux, pour un homme à qui l'Odéon doit tant de belles choses, et c'est l'Odéon tout entier qui souscrira ; peut-être même verrons-nous à consacrer à cette souscription le produit d'une représentation spéciale, ainsi que nous avons fait pour Ponsard — l'Odéon doit bien autant à Bouilhet qu'à Ponsard. » Duquesnel apprend ensuite à Flaubert que le sculpteur Mathieu-Meusnier avait « commencé le buste de Bouilhet pendant les répétitions de *La Conjuration d'Amboise*. [...] Je crois, d'ailleurs, que Sainte-Beuve (qui par parenthèses va un peu mieux) doit vous écrire deux mots sur ce sujet [...] » (Lovenjoul, B III, ffos 63-64).

4. Jules-Émile Péan, chirurgien (1830-1898).

5. Je n'ai trouvé aucune information sur le docteur Leroy.

6. Auguste-Bénédict Morel (1809-1873). Spécialisé dans les maladies

mentales, il était alors médecin en chef de l'asile de Saint-Yon, à Rouen.

7. Le pharmacien Dupré était un ami de Louis Bouilhet. Voir t. II, p. 410. Il était membre de la commission créée pour l'érection du monument de Bouilhet (Conard, t. VII, p. 3).

8. Le docteur Achille Flaubert.

9. Sur le docteur Willemin, voir t. I, n. 1, p. 530.

10. Cette lettre n'a pas été retrouvée.

11. Mme Vasse de Saint-Ouen et sa fille Flavie. Voir la lettre de Flaubert à sa nièce Caroline du [9 juin 1869], p. 51.

12. Ernest et Caroline Commanville étaient partis en Scandinavie pour un voyage d'affaires.

Page 72.

1. Sur les deux sœurs de Louis Bouilhet, voir la lettre de Flaubert à Ernest Feydeau du [22 juillet 1869], p. 70 et n. 1. Elles habitaient Cany, à vingt kilomètres de Fécamp.

2. Il s'agit sans doute d'un volume des *Œuvres philosophiques* de La Mettrie (1709-1751), publiées en 3 volumes (Amsterdam, 1774 ; Berlin, 1796). Son ouvrage le plus célèbre, *L'Homme machine*, avait paru en Hollande en 1747.

3. Voir t. I, p. 495.

4. Léonie Leparfait, la compagne de Louis Bouilhet.

5. Jules Duplan (voir t. II, p. 25).

6. Louis Bouilhet a habité Mantes de 1857 à 1867. Flaubert ne pense certainement pas aux rendez-vous de Mantes avec Louise Colet, antérieurs à l'installation à Mantes de Louis Bouilhet.

7. Sur la traversée du désert de Kosseir ou Quosseir, voir t. I, p. 635, et Maxime Du Camp, *Souvenirs littéraires*, 3e édition, t. I, p. 358-361.

8. Philippe Leparfait, fils de Léonie Leparfait et du marquis de Chennevières, adopté par Louis Bouilhet.

9. Sur le comte d'Osmoy, voir t. II, n. 8, p. 621.

Page 73.

1. « Caudron, ami de Louis Bouilhet, et l'un de ses exécuteurs testamentaires » (*Supplément*, t. IV, p. 336).

2. Maire de Rouen, à cette époque.

3. Flaubert est sans doute allé chercher sa mère à la gare de chemin de fer de Serquigny, à dix kilomètres de Bernay, à mi-chemin environ de Verneuil-sur-Avre à Rouen.

4. Les *Dernières chansons* de Louis Bouilhet paraîtront en 1872, avec une préface de Flaubert.

5. Flaubert tentera de faire jouer, après l'avoir « recalée », l'une de ces pièces, *Le Sexe faible*, sans succès.

6. *Mademoiselle Aïssé* sera jouée, après bien des atermoiements, à l'Odéon, le 6 janvier 1872.

7. Adèle Husson, amie intime de Maxime Du Camp et de Flaubert.

8. Virgile, *Énéide*, chant I, v. 462 : « Il y a des larmes pour l'infortune » (« Sunt lacrimae rerum »).

Page 74.

À SAINTE-BEUVE
[23 juillet 1869]

Autographe Lovenjoul, D 601, ff^os 522-523 ; Conard, t. VI, p. 45-46, avec des erreurs de lecture.

1. Cette lettre n'a pas été retrouvée. Voir Jean et Alain Bonnerot, *Correspondance générale* de Sainte-Beuve, t. XIX, p. 176-177.
2. Charles Monselet (1825-1888). Journaliste, romancier, dramaturge, il avait collaboré à la *Revue de Paris*, où ont paru *Melaenis*, de Louis Bouilhet, et *Madame Bovary*.
3. Sur Frédéric Baudry, voir t. I, n. 4, p. 510.

Page 75.

À SA NIÈCE CAROLINE
[24 juillet 1869]

Autographe Lovenjoul, A II, ff^os 273-274 ; *Supplément*, t. II, p. 190.

1. Flaubert et les Commanville projetaient de convaincre Mme Flaubert de passer l'hiver à Paris, dans l'hôtel particulier, rue de Clichy, que ses petits-enfants avaient acheté.
2. Ernest Commanville.
3. Voir la lettre de Flaubert à Caroline du 7 juillet [1869], p. 67.

À SA COUSINE OLYMPE BONENFANT
[26 juillet 1869]

Inédite. Autographe collection particulière. Enveloppe : Madame Olympe Bonenfant, Nogent-sur-Seine (Aube) ; C. P. : Rouen, (?) juillet (?) ; Nogent, 27 juillet (?) 9 ; Ligne de Troyes, (?) (?) 69.

4. Caroline Commanville, la nièce de Flaubert.
5. Les affaires de Louis Bouilhet : sa succession, la publication des derniers poèmes de Bouilhet et la représentation de *Mademoiselle Aïssé*.
6. L'un des gendres des Bonenfant.

Page 76.

À AGÉNOR BARDOUX
26 juillet [1869]

Autographe collection particulière ; *Supplément*, t. II, p. 190-191 ; lettre publiée par Jacques Bardoux dans « Un ami de Flaubert (Agénor Bardoux) », *Revue des Deux Mondes*, 1er avril 1937, p. 606.

1. Cette lettre n'a pas été retrouvée.
2. *Mademoiselle Aïssé* ne sera jouée que le 6 janvier 1872.
3. *Dernières chansons*, avec une préface de Flaubert (1872).

À LA COMTESSE PRIMOLI
[27 juillet 1869]

Autographe Archivio Campello, n° Inv. 1065 ; lettre publiée par Marcello Spaziani dans *Gli Amici della principessa Matilde*, p. 95.

4. Voici la lettre de la princesse Charlotte Bonaparte, comtesse Primoli : « Paris, le 26 juillet 1869. / Mon cher M. Flaubert, / J'ai appris par les journaux la triste mort de votre ami Bouilhet. Je savais votre affection et je me doute de votre douleur ; aussi je tiens à vous donner une marque de ma sympathie et à vous dire combien j'ai pensé à vous en cette triste circonstance. / C'est à vous que revient tout naturellement le devoir de nous donner une édition *complète* des œuvres de ce grand poète, en la faisant précéder de son histoire, que vous seul êtes à même de connaître et de bien raconter. / J'espère avoir bientôt de vos précieuses nouvelles qui me manquent depuis longtemps. / Mon mari et mon fils me chargent de vous offrir leurs affectueux compliments, et moi, je vous assure ici de ma sincère amitié. / Votre bien affectionnée. / CHARLOTTE BONAPARTE PRIMOLI » (Lovenjoul, B V, ffos 273-274).

L'idée de la « Préface » aux *Dernières chansons* de Louis Bouilhet viendrait-elle de la comtesse ? En ont-ils parlé chez la princesse Mathilde le 18 juillet ? Je ne sais.

Page 77.

1. La résidence d'été de la princesse Mathilde.

À FRÉDÉRIC BAUDRY
[29 juillet 1869]

Inédite. Autographe Nicole Magnan de Bornier, que je remercie de son obligeance.

2. J'ignore comment est mort le baron d'Holbach (1723-1789) ; il a, en tout cas, attaqué la religion chrétienne dans plusieurs de ses ouvrages, dont le plus célèbre est *Le Christianisme dévoilé* (1767 ; sous le nom de Boulanger). Dans un conte de jeunesse, daté du 30 août 1839, *Les Funérailles du docteur Mathurin*, Flaubert avait déjà représenté une mort sans prêtre (*Œuvres complètes*, Le Seuil, 1964, t. I, p. 220-227).

3. Conservateur à la bibliothèque municipale de Rouen, dont Louis Bouilhet avait été conservateur en chef.

4. La place de Louis Bouilhet. Voir plus loin la lettre de Flaubert à Charles Monselet du [29 juillet 1869], p. 78-79.

5. Voir la lettre de Flaubert à Ernest Feydeau du [22 juillet 1869], p. 70 et n. 2.

À JULES DUPLAN
[29 juillet 1869]

Autographe Lovenjoul, A V, ffos 619-620 ; incomplète dans Conard, t. VI, p. 39-40, datée du [22 juillet 1869]. Elle est du [29] puisque la commission pour le monument de Louis Bouilhet a été créée le 25. Flaubert avait annoncé la mort de Bouilhet à Jules Duplan le jour même où il l'avait apprise, le 19 juillet (voir sa lettre à Maxime Du Camp du [23 juillet 1869], p. 71-73).

Page 78.

1. Voir la lettre de Flaubert à Ernest Feydeau du [22 juillet 1869], n. 2, p. 70.

2. Voir la lettre de Flaubert à Agénor Bardoux du 26 juillet [1869], p. 76.

3. Dans sa lettre à Flaubert du 26 juillet 1869, Félix Duquesnel écrit seulement : « Il n'y a pas péril en la demeure, et si vous devez être à Paris du 12 au 15 août, cela suffira parfaitement » (Lovenjoul, B III, fo 63 vo). Mais il dit à Flaubert dans sa lettre du 7 août 1869 (B III, ffos 67-68) : « Chilly, qui est en ce moment à la campagne, doit revenir à Paris, le 11 au soir. Prenons donc, si vous le voulez bien, rendez-vous chez lui, 46, rue des Marais-Saint-Martin, pour le jeudi 12, à 10 heures et demie du matin. » Il semble pourtant que Flaubert ait rencontré les deux directeurs de l'Odéon le 8 août 1869 ; voir sa seconde lettre à Philippe Leparfait du [9 août 1869], p. 83. J'ai quelques doutes sur les dates des lettres de Flaubert pour ce début du mois d'août 1869.

4. *Dernières chansons* et *Mademoiselle Aïssé* paraîtront le 20 janvier 1872 ; la première de *Mademoiselle Aïssé* avait eu lieu à l'Odéon le 6 janvier 1872.

5. *L'Éducation sentimentale.*

6. Sur les observations de Maxime Du Camp, voir la lettre de Flaubert à Jules Duplan du [27 juin 1869], n. 2, p. 61.

7. Jules Duplan mourra le 1er mars 1870.

À CHARLES MONSELET
[29 juillet 1869]

Autographe non retrouvé ; *Supplément*, t. II, p. 191-192 ; lettre publiée dans A. Monselet, *Charles Monselet*, Paris, Testard, 1892, p. 254, à la date du 20 juillet 1869. Elle est très probablement du jeudi 29 ; et sans doute la seconde lettre de Flaubert à Monselet. Voici les deux lettres de Monselet à Flaubert :

« Paris, 22 juillet 1869. / Mon cher Flaubert, / Je sors de chez Sainte-Beuve, qui doit vous écrire à mon sujet. Je ne sais comment vous dire cela, car je ne voudrais pas trop ressembler à un corbeau. Il s'agit de la bibliothèque de Rouen, aujourd'hui sans bibliothécaire. Je suis pauvre, et j'aime les livres, autant que les aimait notre ami parti. Dites-moi à qui je dois et je peux m'adresser pour demander cette survivance. Je sais que vous avez pour moi une estime littéraire ; il ne me manque que d'être Rouennais, et je voudrais le devenir. Employez-vous-y, mon cher Flaubert, à moins que vous n'ayez des préférences locales. J'attends un mot de vous, et je vous serre cordialement la main » (Lovenjoul, B V, ffos 32-33).

« Paris, 1er août 1869. / Mon cher Flaubert, / J'ai reçu vos deux bonnes lettres. Merci de votre empressement. J'ai vu Sainte-Beuve, qui venait de voir M. Frédéric Baudry, lequel lui avait annoncé avec une douce certitude qu'il allait s'installer dans la bibliothèque de notre cher Bouilhet, qu'il regardait la chose comme naturelle, logique, résolue en un mot. Il est impossible que M. Baudry soit votre *ancien libraire*. Éclaircissez ma religion à cet endroit. Je vous tracasse bien, vous qui avez eu tant de tracas à supporter depuis quelque temps en dehors des grandes douleurs ! Mais je ne vous demande qu'un mot. M. Baudry allant à Rouen, laisserait un trou à l'Arsenal de Paris, où il est déjà bibliothécaire ; vous voyez d'ici le joint. Pourtant, vous me parlez d'un drôle, d'une vadrouille. Un mot, de grâce [...] » (Lovenjoul, B V, ffos 34-35). Je n'ai pas retrouvé ce « mot » de Flaubert, s'il a été écrit.

D'après la lettre de Louis Bouilhet à Flaubert du [20 avril 1867] (t. III, Appendice III, p. 1016) le candidat à la place de bibliothécaire de Rouen n'était pas Frédéric Baudry, mais son frère cadet Alfred. Je ne sais.

8. Le successeur de Louis Bouilhet sera l'érudit Rouennais Édouard Frère (voir t. I, p. 1162).

Page 79.

1. Henri-Marie-Gaston Boisnormand de Bonnechose (1800-1883), archevêque de Rouen en 1858, cardinal en 1863.

À LA PRINCESSE MATHILDE

[30 juillet 1869]

Autographe Archivio Campello, n° 982 ; Conard, t. VI, p. 44-45, à la date de [juillet 1869]. Contrairement à Gérard-Gailly (*Bulletin du bibliophile*, « Datation [...] », p. 402) et Marcello Spaziani (*Gli Amici della principessa Matilde*, p. 76), qui datent cette lettre du [23 juillet 1869], je la crois du 30 : elle est postérieure aux lettres de Félix Duquesnel (voir n. 3, p. 78).

2. *Mademoiselle Aïssé.*

3. Le recueil *Dernières chansons*, de Louis Bouilhet, ne sera publié qu'en janvier 1872.

4. *L'Éducation sentimentale.*

5. Lise Cloquet, la sœur du professeur Jules Cloquet, avait acheté le « Prieuré Lamalgue » en 1842, qu'elle vendra à son frère en 1849 ; Alexandre Dumas, Michelet, Augustin Thierry y seront les hôtes des Cloquet. Jules Cloquet vendra cette bastide en 1873. Je remercie M. Jacques Papin pour ces renseignements aimablement communiqués.

Page 80.

À MICHEL LÉVY

[5 août 1869]

Autographe maison Calmann-Lévy ; *Lettres inédites de Gustave Flaubert à son éditeur Michel Lévy*, éd. Jacques Suffel, p. 153-154. La lettre est datée par Flaubert lui-même.

1. *L'Éducation sentimentale, histoire d'un jeune homme.* Flaubert confirme son titre, devant les réticences de son éditeur.

À PHILIPPE LEPARFAIT

[6 août 1869]

Autographe Jacques Lambert ; Conard, t. VI, p. 55.

2. Sur Agénor Bardoux, voir t. II, n. 5, p. 978.
3. Sur le comte Charles d'Osmoy, voir t. II, n. 8, p. 621.

À EDMOND ET JULES DE GONCOURT

[6 août 1869]

Autographe B.N., N.A.F. 22462, f° 340 ; C.H.H., *Correspondance*, t. III, p. 504.

4. La lettre des Goncourt n'a pas été retrouvée ; s'agit-il du notaire Ernest Duplan, ou de son frère Jules ?
5. Sur le docteur Charles Robin, voir la lettre de Flaubert à Mme Feydeau du [24 juin 1869], p. 59 et n. 4.
6. Sur le docteur Onimus, et non *Ominus*, comme l'écrit Flaubert, voir n. 3, p. 59.
7. La princesse Mathilde.

Page 81.

À GEORGE SAND

6 août [1869]

Autographe Lovenjoul, A IV, ff^os 160-161 ; *Supplément*, t. II, p. 192.

1. *L'Éducation sentimentale.*

GEORGE SAND À GUSTAVE FLAUBERT

6 août [1869]

Autographe collection Mme Vandendriessche ; *Correspondance Flaubert-Sand*, éd. Alphonse Jacobs, p. 238-239. Cette lettre a croisé la précédente.

Page 82.

À PHILIPPE LEPARFAIT

[7 août 1869]

Autographe non retrouvé ; Conard, t. VI, p. 55-56. La date est très vraisemblable.

1. Voici des extraits du brouillon de lettre que Philippe Leparfait écrit au nom de Flaubert et lui envoie (Lovenjoul, B IV, ff^os 220-221) : « "Je sors à l'instant de l'Odéon, où j'ai enfin fini par mettre la main sur les directeurs. Ils ont paru fort désappointés, lorsque je leur ai fait voir le second acte ; ces idiots ne se figuraient-ils pas que notre pauvre ami avait pu terminer les corrections convenues et refaire un acte

entier, du 12 juin, jour de la dernière lecture, au 18 juillet. On n'est pas bête comme ça. Lorsque je vais être installé dans mon nouveau logement, il faudra que tu viennes ici pour que nous rétablissions cet acte, et ce ne sera pas chose facile, et j'aurai absolument besoin de toi pour amener à bien cette besogne. / S'ils ne veulent pas la jouer, ou ne consentent à le faire qu'avec une mise en scène insuffisante, le mieux sera de la publier dans un journal ou en volume. [...] / Où en sont actuellement tes affaires ? tout est-il terminé, et comment ? Si les sœurs t'embêtaient, envoie-les *faire foutre*. Nous sommes les maîtres, etc., etc." / Copiez, arrangez, adressez-moi diverses demandes, telles que nouvelles de la souscription, de d'Osmoy, de Guérard, tout ce que vous voudrez enfin pour que cette lettre n'ait pas l'air d'avoir été écrite spécialement pour leur être montrée. / Nous vous embrassons. / LÉ[ONIE], PHILIPPE. » « Ils » et « leur » se réfèrent aux directeurs de l'Odéon, Chilly et Duquesnel. Voir la seconde lettre de Flaubert à Philippe Leparfait du [9 août 1869], p. 83.

2. *Le Château des cœurs*, féerie que Flaubert avait écrite en 1863, en collaboration avec le comte d'Osmoy et Louis Bouilhet. Voir sa lettre à Jules Duplan du [3 novembre 1863], t. III, p. 356.

3. L. Peragallo, agent général de la Société des auteurs dramatiques.

4. Raymond Deslandes (1825-1890), auteur dramatique, et, en 1875, directeur du théâtre du Vaudeville.

5. Après la mort de Louis Bouilhet, Léonie Leparfait était allée vivre à Dieppe.

À EUGÈNE NOËL
[8 août 1869]

Autographe B. M. Rouen, m m 3 ; *Supplément*, t. II, p. 193.

6. Eugène Noël avait consacré un article dans sa rubrique « Champs et jardins, chronique villageoise » (*L'Univers illustré*, 7 août 1869) à la petite ville de Boisguillaume et à Louis Bouilhet, qui y était mort. L'article est très élogieux, et Noël cite deux poèmes de jeunesse de Bouilhet : *Ma gloire* (juin 1841) et *Les Échos de l'âme* (février 1841). Eugène Noël, Rouennais (1816-1899), a collaboré à de nombreux journaux, et écrit des ouvrages sur la littérature, la pisciculture et les questions agricoles. Il dirigera la bibliothèque municipale de Rouen de 1879 à 1898. Ses *Mémoires d'un imbécile* (1875) ont eu du succès.

À PHILIPPE LEPARFAIT
[9 août 1869]

Autographe Jacques Lambert ; Conard, t. VI, p. 51, placée en fin juillet 1869. Comme Gérard-Gailly (*AFl.*, n° 27, décembre 1965, p. 36), je crois cette lettre du [9 août 1869].

Page 83.

1. Les sœurs de Louis Bouilhet. Voir la lettre de Flaubert à Philippe Leparfait du [7 août 1869], n. 1, p. 82, et la lettre suivante.

2. Il s'agit d'argent, j'imagine ; Flaubert croit au succès de *Mademoiselle Aïssé* et de *Dernières chansons* de Louis Bouilhet.

3. *Le Château des cœurs*, de Flaubert, Bouilhet et d'Osmoy. Voir la lettre de Flaubert à Jules Duplan du [3 novembre 1863], t. III, p. 356.

4. Sur Raymond Deslandes, voir la lettre de Flaubert à Philippe Leparfait du [7 août 1869], n. 4, p. 82.

5. Sur le comte d'Osmoy, voir t. II, n. 8, p. 621.

6. Achille Dupont, l'un des grands-oncles de Caroline Hamard, et son subrogé tuteur.

7. Il s'agit des listes de souscription pour le monument de Louis Bouilhet.

8. Pour le recueil *Dernières chansons* de Louis Bouilhet.

À PHILIPPE LEPARFAIT

[9 août 1869]

Autographe non retrouvé ; Conard, t. VI, p. 68-70, placée en septembre 1869. Je la crois du même jour que la précédente.

9. Ch.-M. de Chilly et Félix Duquesnel. Le théâtre de l'Odéon avait accepté de jouer *Mademoiselle Aïssé*, pièce de Louis Bouilhet.

10. Flaubert allait quitter le 42, boulevard du Temple, pour le 4, rue Murillo, donnant sur le parc Monceau.

Page 84.

1. Louis Bouilhet, *Dernières chansons.*

2. Il s'agit de la souscription pour le monument de Louis Bouilhet.

3. Sur d'Osmoy, voir t. II, n. 8, p. 621 ; sur Guérard, voir *ibid.*, n. 3, p. 475. Pour Caudron, voir la lettre de Flaubert à Maxime Du Camp du [23 juillet 1869], n. 1, p. 73.

4. Les deux sœurs célibataires de Louis Bouilhet.

5. Flaubert ne semble pas avoir donné suite à ce projet. Voir plus loin sa lettre à Philippe Leparfait du [12 août 1869], p. 85.

6. Léonie Leparfait.

À PHILIPPE LEPARFAIT

[10 août 1869]

Autographe J. Lambert ; Conard, t. VI, p. 61-62, placée en août 1869.

7. Sur Pascal-Désiré Mulot, voir t. I, n. 3, p. 576 et t. II, n. 3, p. 769.

8. Le *Journal de Rouen* du dimanche 8 août 1869, dans un article non signé, donne le compte rendu d'un concert donné à l'*Eldorado*, café-concert, au bénéfice de la souscription pour élever un monument à Louis Bouilhet, le samedi 7 : « Mme Simiane, ex-premier rôle du Théâtre-Français de Rouen, engagée à l'*Eldorado* de Paris, avait prêté son concours, lu *Ma dernière chanson* de Louis Bouilhet et chanté plusieurs romances de son répertoire [...]. Ceux qui ont entendu Suzanne Lagier trouveront qu'elle se rapproche par plusieurs côtés de

l'excellente comédienne devenue chanteuse fantaisiste. » Tous frais déduits, la soirée avait rapporté 221,60 francs au comité Louis-Bouilhet.

9. Le compte rendu est anonyme.

10. L'édition Conard imprime à tort « Argenson ».

11. Sur Juliet Herbert, voir t. II, n. 2, p. 574.

12. Les listes de souscription pour le monument de Louis Bouilhet.

Page 85.

À MICHEL LÉVY

[12 août 1869]

Autographe maison Calmann-Lévy ; *Lettres inédites de Gustave Flaubert à son éditeur Michel Lévy*, éd. Jacques Suffel, p. 155.

1. *L'Éducation sentimentale.*

À PHILIPPE LEPARFAIT

[12 août 1869]

Autographe J. Lambert ; Conard, t. VI, p. 56-57.

2. L'un des directeurs du théâtre de l'Odéon. *Le National* du lundi 9 août 1869 annonçait dans la rubrique « Théâtres » que *Mademoiselle Aïssé* était achevée, que le manuscrit était chez Gustave Flaubert et que la distribution n'était pas encore faite, sauf pour Sarah Bernhardt, suivant le désir exprimé par l'auteur.

3. Voir plus loin la lettre de Flaubert à George Sand du [15 août 1869], p. 89, et la réponse de George Sand du 17 août [1869], p. 90.

4. Sur *Le Cœur à droite*, comédie en prose de Louis Bouilhet, voir t. II, n. 4, p. 592. Le théâtre de Cluny, boulevard Saint-Germain, construit en 1863, avait été racheté en 1866 par Henri-Julien Boulanger, dit Larochelle (1827-1884), qui le quittera en 1872 pour le théâtre de la Porte-Saint-Martin. Il jouait le vaudeville, l'opérette et surtout la comédie bouffe. *Le Cœur à droite* ne sera jamais joué.

5. La souscription pour l'érection à Rouen d'un monument à Louis Bouilhet.

6. Paul Dalloz (1829-1887), neveu de Panckoucke, était le propriétaire-directeur du *Moniteur universel.* Ce journal avait publié le 21 juillet 1869 un article nécrologique sur Bouilhet, dû au docteur Péan, et reproduit du *Nouvelliste de Rouen.*

7. Les sœurs de Louis Bouilhet.

8. Sur d'Osmoy, voir t. II, n. 8, p. 621.

Page 86.

1. Camille Doucet était directeur général du Bureau des théâtres au ministère de l'Intérieur. Flaubert et Bouilhet étaient très liés avec lui. Flaubert allait le voir pour régler les problèmes qui se posaient lors de

la représentation d'une pièce de théâtre, dont la censure. Il s'agit de *Mademoiselle Aïssé.*

2. Les épreuves de *L'Éducation sentimentale.*

3. Voici des extraits de la réponse de Philippe Leparfait (Lovenjoul, B IV, ff^os 210-211) : « Rouen, 13 août 1869. / Mon cher Flaubert, / Je reçois votre lettre, je savais que Bouilhet devait à Mme Porcher une somme de mille francs, depuis février 1868. Ce que je voulais, c'était une lettre d'elle me réclamant ces mille francs. [...] L'idée du théâtre de Cluny est une heureuse trouvaille. Je crois en effet que Larochelle est le seul directeur qui oserait monter une machine comme cela et qui en saura faire de l'argent. Nous reparlerons en temps et lieu de la proposition du *Moniteur.* [...] Je vous écrirai vous envoyant ma procuration [pour faire jouer *Le Château des cœurs* ?]. / PHILIPPE. »

À EUGÈNE DELATTRE

13 août [18]69

Autographe non retrouvé ; Conard, t. VI, p. 54.

4. *Le Cœur à droite* avait paru dans *L'Audience*, le journal d'Eugène Delattre du 26 janvier au 23 février 1859. Sur Eugène Delattre, voir t. II, n. 6, p. 978.

À SA MÈRE

14 [août 1869]

Autographe Lovenjoul, A I, f° 160 ; *Supplément*, t. II, p. 193-194.

5. Flaubert semble avoir joué sur les deux tableaux : le Théâtre-Français et l'Odéon. Voir plus loin, par exemple, sa lettre à Philippe Leparfait du [2 septembre 1869], p. 98.

Page 87.

1. Caroline Commanville.

GEORGE SAND À GUSTAVE FLAUBERT

14 août [18]69

Autographe collection Jean Depruneaux ; *Correspondance Flaubert-Sand*, éd. Alphonse Jacobs, 1981, p. 239-240. George Sand répond à la lettre de Flaubert du 6 août [1869] ; voir p. 81.

Page 88.

À SA NIÈCE CAROLINE

[15 août 1869]

Autographe Lovenjoul, A II, ff^os 276-277 ; Conard, t. VI, p. 52, à la date du 1er août 1869. Cette date est impossible, puisque Flaubert arrive à Paris le 7 août, et remet son manuscrit à Michel Lévy le 14. Je la crois donc du [15 août 1869].

1. Les Commanville avaient acheté un hôtel particulier, rue de Clichy, à Paris.

2. Auguste-Charles-Joseph, comte de Flahaut (1785-1870). Émigré sous la Révolution, il se rallia à l'Empire, devint général, puis, sous Louis-Philippe, pair de France et ambassadeur à Londres, et, sous Napoléon III, sénateur et grand chancelier de la Légion d'honneur. Il avait eu de la reine Hortense (de Beauharnais, épouse de Louis Bonaparte, roi de Hollande) un fils naturel, le duc de Morny. C'est à lui, sans doute, qu'Ernest Commanville avait acheté son hôtel.

3. *L'Éducation sentimentale.*

4. La résidence d'été de la princesse Mathilde.

À GEORGE SAND
[15 août 1869]

Autographe Lovenjoul, A IV, ffos 162-163 ; incomplète dans Conard, t. VI, p. 58-59, datée trop vaguement de la [deuxième quinzaine d'août 1869].

5. *L'Éducation sentimentale.*

Page 89.

1. *L'Autre*, comédie en 4 actes et un prologue, jouée à l'Odéon le 25 février 1870.

2. Les deux directeurs de l'Odéon.

3. *La Petite Fadette* sera jouée à l'Opéra-Comique le 11 septembre 1869.

4. Napoléon III ; saint Napoléon est fêté le 15 août, d'où le prénom de Napoléon Ier, né ce jour-là !

Page 90.

GEORGE SAND À GUSTAVE FLAUBERT
17 août [1869]

Autographe Lovenjoul, B VI, ffos 3-4 ; *Correspondance Flaubert-Sand*, éd. Alphonse Jacobs, p. 241-242.

1. Louis Bouilhet, l'auteur de *Mademoiselle Aïssé.*

À SA NIÈCE CAROLINE
[18 août 1869]

Autographe Lovenjoul, A II, ffos 279-280 ; incomplète dans Conard, t. VI, p. 53, à la date du [4 août 1869]. Enveloppe, fo 278 : Madame Commanville, villa Neuville, Neuville, *Dieppe*, Seine-Inférieure ; C. P. : Paris, 18 août 1869 ; Paris au Havre, 18 août 1869 ; Dieppe, 19 août 1869.

2. *L'Éducation sentimentale.*

Page 91.

1. L'hôtel particulier que les Commanville avaient acheté à Paris, rue de Clichy.

2. Flaubert allait y voir son ami Camille Doucet, directeur général du Bureau des théâtres, qui lui avait envoyé la lettre suivante (Lovenjoul, B II, ff[os] 104-105) : « Ministère de la Maison de l'Empereur et des Beaux-Arts, Direction générale des Théâtres, Palais des Tuileries, le 16 août 1869. / Mon cher ami, / J'ai lu *Aïssé.* C'est superbe. Il y a des scènes de 1er ordre. Le succès est certain. Je suis à vos ordres pour en causer avec vous quand vous voudrez. Mercredi ou vendredi de 1 heure à 5. / Tout à vous. »

3. Les épreuves de *L'Éducation sentimentale.*

4. Neuville, près Dieppe, où habitaient les Commanville.

5. Ernest Commanville.

À JEAN CLOGENSON

[18 août 1869]

Autographe colonel Georges Clogenson ; lettre publiée par l'abbé Léon Letellier dans « Lettres de Flaubert à Clogenson », *R.H.L.F.*, janvier-mars 1957, p. 17. Sur l'autographe, de la main de Clogenson : « 18 août 1869 ».

6. Il s'agit sans doute des vers sur la mort de Louis Bouilhet que Clogenson dédie et envoie à Flaubert. En voici la première et la dernière strophe (B.N., N.A.F. 23842, fonds René Descharmes, ff[os] 50-51) : « À Gustave Flaubert, Argentan et Falaise, 22 juillet 1869. / Absent, j'apprends l'événement / Que Rouen avec vous déplore. / Bouilhet mort et si promptement ! / Mort jeune quand je vis encore. / [...] / Regrets amers, sombres départs, / Perte inégalable, imprévue ! / À Bouilhet, mort vingt ans plus tard, / Rouen votait une statue. » Sur Jean Clogenson, voir t. II, p. 644.

7. *Dernières chansons*, de Louis Bouilhet ; le volume ne paraîtra qu'en janvier 1872.

Page 92.

À SA NIÈCE CAROLINE

[19 août 1869]

Autographe Lovenjoul, A II, ff[os] 281-282 ; Conard, t. VI, p. 54-55, datée d'[août 1869 ?]. Je crois cette lettre du [19 août 1869], car, d'après la lettre de Flaubert à sa mère du 14 [août 1869] (p. 87), Caroline devait quitter sa grand-mère le jeudi suivant, donc le 19.

1. « Ton hôtel » ne signifie pas l'hôtel particulier que les Commanville avaient acheté rue de Clichy et qu'ils étaient en train d'aménager, mais un hôtel situé rue du Helder, où ils étaient descendus.

À PHILIPPE LEPARFAIT

[19 août 1869]

Autographe non retrouvé ; Conard, t. VI, p. 62, placée en [août 1869]. Comme Gérard-Gailly (*AFl.*, n° 27, décembre 1965, p. 36), je crois cette lettre du [19 août 1869].

2. Voir la lettre de Flaubert à Eugène Delattre du 13 août 1869, p. 86 et n. 4.

3. Voir la lettre de Flaubert à Eugène Delattre de l'[hiver 1869-1870], p. 149. Bien après la mort de Bouilhet, Eugène Delattre, qui était franc-maçon, lira un de ses poèmes, « Le Tung-whang-fung (la Fleur Inva) », le 23 février 1878 à la loge de la Bonne-Foi, à Saint-Germain-en-Laye (voir René Descharmes, B.N., N.A.F. 23842, f° 130). Ce poème avait paru dans *Dernières chansons* (Paris, Lévy, 1872, p. 267-268) ; il s'agit des amours de l'oiseau Tung-whang-fung et de la fleur Ing-wha ; le poème est beau.

4. Léonie Leparfait, la compagne de Louis Bouilhet.

À PHILIPPE LEPARFAIT
[20 août 1869]

Autographe J. Lambert ; Conard, t. VI, p. 60-61. Sur l'autographe, de la main de Leparfait : « Rép[onse] 20 août 69. »

5. Il s'agit des listes de souscription pour le monument Bouilhet.

6. Sur le peintre Johanny Maisiat, voir t. II, n. 3, p. 741.

Page 93.

1. Les sœurs de Louis Bouilhet, qui habitaient Cany, étaient en contestation avec son fils adoptif, Philippe Leparfait.

2. Voir la lettre de Flaubert à sa nièce Caroline du [18 août 1869], n. 2, p. 91.

3. Voir la distribution provisoire de *Mademoiselle Aïssé* dans la lettre de Flaubert à Philippe Leparfait du [5 septembre 1869], p. 100.

4. À ma connaissance, durant le second semestre de 1869, *Le Moniteur* n'a publié qu'un seul poème de Louis Bouilhet, « L'Amant de la fille du fossoyeur », dans son numéro du 11 septembre 1869, avec la présentation suivante : « Une bonne fortune nous permet d'offrir à nos lecteurs une pièce de vers complètement inédite extraite du volume des œuvres posthumes de M. L. Bouilhet, qui doit paraître cet hiver. » Ce poème figurera dans *Dernières chansons*, n° 56.

5. Voir la lettre de Flaubert à Philippe Leparfait du [12 août 1869], p. 85-86 et n. 3, p. 86.

MADEMOISELLE LEROYER DE CHANTEPIE
À GUSTAVE FLAUBERT
22 août 1869

Autographe non retrouvé ; copie René Descharmes, B.N., N.A.F. 23825, ff^os 376-377.

6. Flaubert a-t-il écrit à Mlle de Chantepie pour lui annoncer la mort de Louis Bouilhet, ou l'a-t-elle apprise par la presse ?

Page 94.

1. *Le Phare de la Loire.*
2. *L'Éducation sentimentale* ne sera mise en vente que le 17 novembre 1869.

À PHILIPPE LEPARFAIT
[23 ou 24 août 1869]

Autographe non retrouvé ; Conard, t. VI, p. 323, placée en décembre 1871. Comme Gérard-Gailly (« Datation des lettres de Flaubert », *Bulletin du bibliophile*, août-septembre 1947, p. 410), je crois cette lettre du [23 ou 24 août 1869].

3. Voir la lettre de Flaubert à Eugène Delattre du 13 août [18]69, p. 86 et n. 4.
4. Il s'agit de poèmes inédits de Louis Bouilhet, destinés aux journaux ou au recueil *Dernières chansons.*
5. Sur Jeanne de Tourbey, voir t. II, p. 791.
6. Sans doute les démêlés entre les sœurs Bouilhet et Philippe Leparfait.

À JEAN CLOGENSON
[24 août 1869]

Inédite. Autographe Georges Clogenson. Sur l'autographe, de la main de Jean Clogenson : « 24 août 69 (mon ami Flaubert a quitté son ancien logement, du boulevard [Monceau] du Temple, 42, et s'est installé récemment, rue Murillo, 4, près du parc de Mo *[sic]* et dans les environs de l'Arc de Triomphe). »

7. Voir la lettre de Flaubert à Jean Clogenson du [18 août 1869], n. 6, p. 91.

Page 95.

1. Cette lettre n'a pas été retrouvée.

À MICHEL LÉVY
[28 août 1869 ?]

Autographe maison Calmann-Lévy ; *Lettres inédites de Gustave Flaubert à son éditeur Michel Lévy*, éd. Jacques Suffel, p. 156.

2. Flaubert se plaint de ce que « depuis 15 jours » il n'a reçu qu'« *une* 1re épreuve ».

À MICHEL LÉVY
[Fin août 1869]

Autographe maison Calmann-Lévy ; *Lettres inédites de Gustave Flaubert à son éditeur Michel Lévy*, éd. Jacques Suffel, p. 157.

À SA NIÈCE CAROLINE
[31 août 1869]

Autographe Lovenjoul, A II, ff^os 288-289 ; incomplète dans Conard, t. VI, p. 64-65. Enveloppe (f° 285) : Madame Commanville, Neuville, Dieppe ; C. P. : Paris, 31 août 1869 ; Paris au Havre *(illisible)* ; Dieppe, 1er septembre 1869.

3. Saint-Gratien, où se trouvait la résidence d'été de la princesse Mathilde. Ernest Commanville voulait être nommé consul de Prusse. Voir la lettre de Flaubert à Caroline du [9 juin 1869], p. 52.

4. Neuville, près Dieppe, où habitaient les Commanville.

Page 96.

À GEORGE SAND
[31 août ou 1er septembre 1869]

Autographe Lovenjoul, A IV, f° 164 ; *Supplément*, t. II, p. 194-195.

1. Voir la lettre de Flaubert à George Sand du [15 août 1869], p. 89.

2. *La Petite Fadette*, opéra-comique de George Sand et Michel Carré, sera joué le 11 septembre 1869.

Page 97.

À SON COUSIN LOUIS BONENFANT
[1er septembre 1869 ?]

Inédite. Autographe collection docteur Besançon, vente hôtel Drouot, 17 juin 1980.

1. La résidence d'été de la princesse Mathilde.

À LAURE DE MAUPASSANT
2 septembre [1869]

Autographe Gaston Bosquet ; lettre publiée par lui-même dans *AFl.*, n° 7, 1955, p. 44-45, à la date erronée du 27 septembre [1869]. Sur l'autographe : « 27bre », d'où l'erreur.

2. Je n'ai pu identifier M. Danton ou Dantan.

3. Georges Pouchet était aide-naturaliste au Muséum d'histoire naturelle de Paris depuis 1865. Il sera rétabli, puisqu'il continue sa carrière au Muséum (voir t. II, n. 1, p. 841).

4. Maxime Du Camp était alors à Baden-Baden avec le ménage Husson. Voir Appendice I, p. 1011.

5. Flaubert avait promis aux Cloquet d'aller leur rendre visite à Lamalgue (voir la lettre de Flaubert à la princesse Mathilde du [30 juillet 1869], p. 79 et n. 5).

6. Voir la lettre de Flaubert à George Sand du 6 août [1869], p. 81.

7. Alfred Le Poittevin, le frère de Laure. Voir t. I, p. 493, la très belle lettre de Flaubert à Maxime Du Camp sur la mort d'Alfred.

Page 98.

À PHILIPPE LEPARFAIT

[2 septembre 1869]

Autographe J. Lambert ; Conard, t. VI, p. 65-66, placée début de septembre 1869. Sur l'autographe, de la main de Leparfait : « R[épondu] 6/9/69. »

1. Pour les poèmes inédits de Louis Bouilhet, que Flaubert voulait publier dans les journaux, voir sa lettre à Philippe Leparfait du [20 août 1869], p. 93 et n. 4.

2. Louis Bouilhet, l'auteur de *Mademoiselle Aïssé.*

3. Un ami de Louis Bouilhet, sans doute ; je n'ai pu l'identifier plus précisément.

4. Sur Pascal Mulot, voir t. II, n. 3, p. 769.

5. Sur Gabriel Caudron, voir t. II, n. 1, p. 844.

6. Ch.-M. de Chilly, l'un des directeurs de l'Odéon.

Page 99.

GEORGE SAND À GUSTAVE FLAUBERT

[2-4 septembre 1869]

Autographe collection Alfred Dupont ; *Correspondance Flaubert-Sand*, éd. Alphonse Jacobs, p. 242-243.

À PHILIPPE LEPARFAIT

[5 septembre 1869]

Autographe J. Lambert ; Conard, t. VI, p. 70-71, placée en septembre 1869. Sur l'autographe, de la main de Leparfait : « 7 septembre », la date de sa réponse à Flaubert, qui n'a pas été retrouvée.

Page 100.

1. Comédie de Louis Bouilhet, que Flaubert a cherché à faire jouer, sans succès. Voir t. II, n. 4, p. 592.

2. *Le Château des cœurs*, féerie de Louis Bouilhet, Flaubert et le comte d'Osmoy. Elle ne sera jamais jouée.

3. Voir la lettre de Flaubert à Philippe Leparfait du [19 août 1869], p. 92 et n. 3.

4. L'un des directeurs de l'Odéon.

5. Sur Agénor Bardoux, voir t. II, n. 5, p. 978.

À GEORGE SAND

[5 septembre 1869]

Autographe Lovenjoul, A IV, f° 165 ; *Supplément*, t. II, p. 195.

6. L'un des directeurs de l'Odéon. *L'Autre*, drame de George Sand, sera joué le 25 février 1870.

Page 101.

GEORGE SAND À GUSTAVE FLAUBERT
[6 septembre 1869]

Autographe collection Vandendriessche ; *Correspondance Flaubert-Sand*, éd. Alphonse Jacobs, p. 244.

À PHILIPPE LEPARFAIT
[7 septembre 1869]

Autographe J. Lambert ; Conard, t. VI, lettre placée en septembre-octobre 1869.

1. « Parmi les fraîches impostures / Des vermillons et des orpins, / Sur le ciel verni des tentures / Voltigent des papillons peints » (Louis Bouilhet, *Dernières chansons*, Paris, Lévy, 1872, p. 262).

2. « Et pour voir ce pays des sages, / Où les grands vieillards sont cachés, / Je suis, sur le courant des âges, / La feuille rose des pêchers » (*ibid.*, p. 263).

3. Eugène Delattre. Voir t. II, n. 6, p. 978.

À SA NIÈCE CAROLINE
[8 septembre 1869]

Autographe Lovenjoul, A II, ff^os 291-292 ; incomplète dans Conard, t. VI, p. 67-68. Enveloppe, f° 290 : Madame Commanville, villa Neuville, *Dieppe* (Seine-Inférieure) ; C. P. : Paris, 8 septembre 1869 ; Paris au Havre, 8 septembre 1869 ; Dieppe, 9 septembre 1869.

Page 102.

1. Le professeur Jules Cloquet (voir t. I, n. 2, p. 21).

2. Félix-Hippolyte, baron Larrey (1808-1895), chirurgien, professeur de pathologie chirurgicale à l'École de perfectionnement du Val-de-Grâce (1841), membre de l'Académie de médecine (1850) et de l'Institut (1867). Il était le fils du baron Dominique Larrey (1766-1842), le chirurgien en chef de la Grande Armée. Caroline l'aurait-elle connu par le baron Leroy, préfet de la Seine-Inférieure ?

3. Sur Agénor Bardoux, voir t. II, n. 5, p. 978.

4. Le manuscrit de *L'Éducation sentimentale.* Barbey d'Aurevilly écrira dans *Le Constitutionnel* du 19 novembre 1869 : « Ils [les badauds de la plume] se sont mis à genoux — comme les Rois Mages devant la crèche de l'Enfant Jésus — devant la boîte qui renfermait le manuscrit de Flaubert. Car Flaubert a inventé une boîte pour son manuscrit, et, par ce temps de bibelots niais, c'était là une idée. À défaut d'un autre, il aura toujours eu ce génie. On l'appellera désormais "l'homme à la boîte" en littérature, et ce sera une distinction. »

5. Ernest Commanville.

6. « Une de mes amies, Maria Du Paty, parente de Chateaubriand » (note de Caroline Franklin-Grout, *Lettres à sa nièce Caroline*, n. 1, p. 104).

Page 103.

GEORGE SAND À GUSTAVE FLAUBERT

[8 septembre 1869]

Autographe non retrouvé ; *Correspondance Flaubert-Sand*, éd. Alphonse Jacobs, p. 244.

1. « Terme familier. Voiture de place, fiacre » (Littré).
2. Charles Marchal (1825-1877), peintre.

À PHILIPPE LEPARFAIT

[9 septembre 1869]

Autographe J. Lambert ; Conard, t. VI, p. 66-67, placée début septembre 1869. Dans le *Bulletin du bibliophile*, « Datation [...] », p. 403, Gérard-Gailly propose à tort le [2 septembre]. Sur l'autographe, de la main de Leparfait : « répondu 11/9/69 ».

3. Saint-Gratien : la résidence d'été de la princesse Mathilde.
4. Le sculpteur Auguste Préault (voir t. II, n. 1, p. 354). Le sens de cette phrase m'échappe.
5. Ce poème de Louis Bouilhet n'a pas paru dans *Le Moniteur* (voir la lettre de Flaubert à Philippe Leparfait du [20 août 1869], n. 4, p. 93).

À GEORGE SAND

[12 septembre 1869]

Autographe Lovenjoul, A IV, f° 166 ; *Supplément*, t. II, p. 217, à la date erronée de [fin janvier 1870]. Comme Alphonse Jacobs (*Correspondance Flaubert-Sand*, p. 245), je crois cette lettre du [12 septembre 1869].

6. Sur Mme Espinasse, voir la lettre de Flaubert à Caroline du [5 mai 1869], n. 9, p. 43. Elle faisait partie de la maison de la princesse Mathilde.
7. À la suite de la première de *La Petite Fadette* à l'Opéra-Comique, George Sand et ses amis avaient passé la soirée chez Edmond Plauchut.

Page 104.

À SA NIÈCE CAROLINE

[18 septembre 1869]

Autographe Lovenjoul, A II, ff^os 294-295 ; *Supplément*, t. II, p. 196-197. L'enveloppe (f° 293) : Madame Commanville, Neuville, *Dieppe*, Seine-Inférieure ; C.P. : Paris, 18 septembre (?) ; Paris au Havre (?) 1869 ; Dieppe *(illisible)*.

1. Je rappelle qu'à ma connaissance, n'ont été conservées que deux lettres de Caroline Hamard, puis Commanville, à son oncle.
2. Juliette Roquigny, la fille du docteur Achille Flaubert, l'autre nièce de Gustave.

À SA NIÈCE CAROLINE

[21 septembre 1869]

Autographe Lovenjoul, A II, f° 297 ; *Supplément*, t. II, p. 197. Enveloppe (f° 296) : Madame Commanville, Neuville, *Dieppe* ; C.P. : Paris (?) septembre (?) ; Ligne de Paris au Havre, 2 (?) 69 (?) 22 septembre 69.

3. Flaubert passerait par Croisset pour emmener sa mère à Neuville.
4. L'hôtel particulier qu'avaient acheté les Commanville.
5. Ernest Commanville.

À SA NIÈCE CAROLINE

[24 septembre 1869]

Autographe Lovenjoul, A II, ff^os 298-299 ; *Supplément*, t. II, p. 197-198.

6. Juliette Roquigny habitait Ouville avec son fils Gustave.

Page 105.

1. Les Bonenfant étaient cousins de Gustave Flaubert du côté de son père ; ils habitaient Nogent-sur-Seine, le berceau de la famille Flaubert.

À JEAN CLOGENSON

[24 septembre 1869]

Autographe Georges Clogenson ; lettre publiée par l'abbé Léon Letellier dans « Lettres de Flaubert à Clogenson », *R.H.L.F.*, janvier-mars 1957, p. 17. Sur l'autographe, de la main de Clogenson : « du vendredi 24 septembre 1869 ».

2. Nom latin de Rouen.
3. S'agirait-il d'un poème sur Aïssé ?
4. Dans la marge, de la main de Clogenson : « Les 9 quatrains adressés, de Falaise, le 28 juillet 69, à M. Gustave Flaubert. » Voir la lettre de Flaubert à Clogenson du [18 août 1869], n. 6, p. 91.

À NOËL PARFAIT

[Septembre 1869]

Autographe maison Calmann-Lévy ; *Lettres inédites de Gustave Flaubert à son éditeur Michel Lévy*, éd. Jacques Suffel, p. 158-159. Noël Parfait était l'adjoint de Michel Lévy.

5. Voir les notes excellentes de Jacques Suffel (p. 159-160).

À MICHEL LÉVY

[Septembre 1869]

Autographe maison Calmann-Lévy ; *Lettres inédites de Gustave Flaubert à son éditeur Michel Lévy*, éd. Jacques Suffel, p. 161-163.

Page 106.

À MICHEL LÉVY

[Septembre 1869]

Autographe maison Calmann-Lévy, lettre collationnée; *Lettres inédites de Gustave Flaubert à son éditeur Michel Lévy*, éd. Jacques Suffel, p. 164-166.

1. Il s'agit de Louise Roque: « Et il l'apercevait debout sur un monticule, contemplant un paysage, ou bien appuyée à son bras dans une galerie florentine, s'arrêtant devant les tableaux » (*L'Éducation sentimentale*, éd. Claudine Gothot-Mersch, p. 321).

2. « Il [Deslauriers] était d'ailleurs plus sombre, malveillant et irascible que jamais » (*ibid.*, p. 328). Flaubert a allégé sa phrase.

3. « On apporta du feu; le tombac s'allumant difficilement [...] » (*ibid.*, p. 325).

4. « Deslauriers, à ce propos, lui apprit qu'il [Sénécal] était sorti de Sainte-Pélagie, l'instruction n'ayant point fourni assez de preuves [...] » (*ibid.*, p. 329).

À MICHEL LÉVY

[Septembre 1869]

Autographe maison Calmann-Lévy; *Lettres inédites de Gustave Flaubert à son éditeur Michel Lévy*, éd. Jacques Suffel, p. 167.

Page 107.

À MICHEL LÉVY

[Septembre 1869]

Autographe maison Calmann-Lévy; *Lettres inédites de Gustave Flaubert à son éditeur Michel Lévy*, éd. Jacques Suffel, p. 169-170.

À JULES TROUBAT

[25 septembre? 1869]

Autographe non retrouvé; Conard, t. VI, p. 76, à la date de [septembre-octobre 1869]. Mais cette lettre, ainsi que celle du [3 octobre? 1869], peut dater de janvier 1867. Voir la lettre de Flaubert à Jules Troubat du [12 janvier 1867], t. III, p. 590. La collection Lovenjoul ne possède aucune lettre de Troubat à Flaubert avant 1870 (A VI, ff^os 255-260). D'autre part, la copie de cette lettre ne figure pas dans le fonds René Descharmes de la Bibliothèque nationale (N.A.F. 23827, ff^os 71 et suiv.).

1. Sainte-Beuve.

À IVAN TOURGUENEFF

[Septembre-octobre 1869?]

Autographe J. Lambert, non collationnée; *Supplément*, t. II, p. 207 (automne 1869?). Gérard-Gailly (*Lettres inédites à Tourgueneff*, p. 17) avait assigné à cette lettre la même date d'automne 1869 (?). Je crois cette lettre de septembre-octobre, quand Flaubert est dans le feu de ses corrections d'épreuves. Je n'ai pas retrouvé de lettres de Tourgueneff à Flaubert entre mars 1869 et janvier 1870.

Page 108.

AU DOCTEUR JULES CLOQUET
2 octobre [1869]

Inédite. Autographe Charles H. Livingston (Bowdoin College Library, Brunswick, Maine, U.S.A.).

1. *L'Éducation sentimentale.*

2. Le 20 septembre 1869, Troppmann avait assassiné Gustave Kinck, sa femme et ses cinq enfants. Il sera exécuté le 19 janvier 1870.

3. Le quatrième étage de l'immeuble neuf, 4, rue Murillo, était en effet « légèrement mansardé » (Auriant, *Koutchouk-Hanem [...]*, « Les Logis de Flaubert », p. 149). Mais ce n'était pas, loin de là ! une « mansarde ».

4. Sa nièce Caroline Commanville.

À JULES TROUBAT
[3 octobre ? 1869]

Autographe non retrouvé ; Conard, t. VI, p. 77. Dans le catalogue Charavay, n° 57, sont mis en vente vingt et une lettres ou billets de Flaubert à Jules Troubat (1867-1879). René Descharmes en a relevé les *incipit* (B.N., N.A.F. 23827, ff^os 50 v° et suiv.). Cette lettre n'y figure pas.

5. Le docteur Philipps, chirurgien urologue. Voir Jean et Alain Bonnerot, *Correspondance générale de Sainte-Beuve*, 1867, t. XVI, n. 1, p. 249.

Page 109.

À EUGÈNE CRÉPET
[5 octobre 1869]

Inédite. Autographe collection particulière.

1. Le père d'Eugène Crépet est mort le 1er octobre 1869.

GEORGE SAND À GUSTAVE FLAUBERT
[5 octobre 1869]

Autographe collection Vandendriessche ; *Correspondance Flaubert-Sand*, éd. Alphonse Jacobs, p. 245-246.

2. George Sand préparait son roman *Malgrétout*, qui paraîtra dans la *Revue des Deux Mondes* du 1er février au 15 mars 1870. Sur ce roman, voir *Malgrétout*, préface d'André Maurois, avant-propos de Christophe Ryelandt, photos de Lucien de Meyer, Mézières, Éditions de la Société des écrivains ardennais, 1953, 207 p.

3. *Sfogata* : le verbe italien *sfogare* signifie : « donner libre cours à ». George Sand semble lui attribuer le sens de : « rassasier ».

4. D'après Alphonse Jacobs, Flaubert dînera chez Magny le 7 octobre avec George Sand et Plauchut (éd. citée, p. 246).

À JULES TROUBAT
[10 octobre 1869]

Inédite. Autographe non retrouvé ; copie René Descharmes, B.N., N.A.F. 23827, f° 73.

5. Sainte-Beuve mourra le 13 octobre 1869.

Page 110.

GEORGE SAND À GUSTAVE FLAUBERT
[11 octobre 1869]

Autographe Lovenjoul, B VI, ff^os^ 5-6 ; *Correspondance Flaubert-Sand*, éd. Alphonse Jacobs, p. 246-247.

1. Alfred Touroude, *Le Bâtard*, drame en 4 actes ; il sera joué du 18 septembre 1869 au 11 janvier 1870.
2. Isidore de Latour, dit Latour de Saint-Ybars (né à Saint-Ybars, Ariège, en 1807, mort en 1891), avait tenté de ressusciter la tragédie classique (*Vallia*, Théâtre-Français, 1841). *L'Affranchi*, drame en vers, sera joué à l'Odéon du 19 au 27 janvier 1870.

Page 111.

À MAXIME DU CAMP
13 [octobre 1869]

Autographe non retrouvé ; copie de main inconnue dans la collection Lovenjoul, A V, f° 308 ; Conard, t. VI, p. 77-78. D'après René Descharmes (*Correspondance*, éd. du Centenaire, t. III, n. 1, p. 223), cette lettre a été publiée par Émile Henriot dans la *Revue de France* du 15 mars 1921. Je donne le texte de la copie Lovenjoul, pour ce qu'il vaut…

1. Maxime Du Camp avait ainsi surnommé Flaubert durant leur voyage en Orient (voir t. I, p. 641).
2. Voir les notes 1 et 2 de la lettre précédente.
3. Philippe Leparfait, le fils adoptif et héritier de Louis Bouilhet.
4. *Dernières chansons* de Louis Bouilhet.
5. Le Major : Émile Husson ; le Mouton : Adèle Husson, les grands amis de Maxime Du Camp. Voir Jacques Suffel et Jean Ziegler, « Gustave Flaubert, Maxime Du Camp et Adèle Husson », *Bulletin du bibliophile*, 1978, n° 3, p. 388-398.

GEORGE SAND À GUSTAVE FLAUBERT
[13 octobre 1869]

Autographe Marc Loliée ; *Correspondance Flaubert-Sand*, éd. Alphonse Jacobs, p. 248-249.

6. Sainte-Beuve.

Page 112.

À SA NIÈCE CAROLINE

[14 octobre 1869]

Autographe Lovenjoul, A II, ffos 300-301 ; incomplète dans Conard, t. VI, p. 82-83.

a. Bouilhet n'en a pas [connu] <entendu> les deux

1. Je n'ai pu identifier les amis ou parents de Caroline Commanville qui habitaient Saint-Martin. Voir la lettre de Flaubert à Caroline du [12 septembre 1866], t. III, p. 527.

2. Flaubert était allé rendre visite à sa nièce à Neuville, près Dieppe.

Page 113.

1. *L'Éducation sentimentale.*

2. La princesse Mathilde.

3. Ernest Commanville.

À JULES CLAYE

[14 octobre 1869]

Autographe O. Dusenschön (Genève) ; fac-similé dans René Dumesnil, *Flaubert et « L'Éducation sentimentale »* Les Belles-Lettres, 1943, p. 67 ; *Lettres inédites de Gustave Flaubert à son éditeur Michel Lévy*, éd. Jacques Suffel, p. 145-146. Jules Claye était l'imprimeur de Michel Lévy.

Page 114.

À GEORGE SAND

[14 octobre 1869]

Autographe Lovenjoul, A IV, ffos 169-170 ; incomplète dans Conard, t. VI, p. 78-79.

1. *Le Château des cœurs*, féerie qui ne sera jamais jouée.

2. *Dernières chansons* de Louis Bouilhet.

3. *L'Affranchi*, de Latour-Saint-Ybars, sera joué à l'Odéon du 19 au 27 janvier 1870. Flaubert écrit : *L'Affranchie.*

Page 115.

À PHILIPPE LEPARFAIT

[14 ou 15 octobre 1869]

Autographe non retrouvé ; Conard, t. VI, p. 79-82, à la date d'[octobre 1869]. Cette lettre serait du [14 ou du 15 octobre 1869], puisque Flaubert répond le 16 à Philippe Leparfait (p. 116-117). Dans *AFl.*, n° 28, mai 1966, p. 43, Gérard-Gailly a interverti les notices des lettres numérotées dans l'édition Conard 1065 et 1072.

1. Voir la lettre de George Sand à Flaubert du [13 octobre 1869], p. 111-112.

2. *Idem.*

3. Flaubert écrit : *L'Affranchie.*

4. *L'Affranchi* sera joué du 19 au 27 janvier 1870.

5. Camille Doucet, directeur du Bureau des théâtres au ministère d'État.

6. Sur Raymond Deslandes, voir la lettre de Flaubert à Philippe Leparfait du [7 août 1869], n. 4, p. 82.

7. Voici cette lettre (Lovenjoul, B I, ffos 342-343) ; Flaubert l'a recopiée pour l'envoyer à Philippe Leparfait (autographe J. Lambert) ; je donne le texte recopié par Flaubert : « 14 octobre 1869. / Mon cher Flaubert, / Dans l'intérêt même de la réussite de *Mademoiselle Aïssé*, voici ce que je viens vous proposer. Au cas où, par suite du succès de la pièce de Mme Sand, qui doit précéder *Mademoiselle Aïssé*, il y aurait impossibilité de faire passer la pièce de B[ouilhet] du 25 février au 10 mars prochain, vous aurez le droit d'exiger qu'elle soit reportée à la prochaine saison théâtrale, c'est-à-dire que la première représentation devrait en être donnée sur la scène de l'Odéon du 20 octobre au 20 novembre 1870. / Il est bien [entendu (?)] que, bien que *Mademoiselle A[ïssé]* ne soit qu'en quatre actes et que par suite il y ait peut-être nécessité de l'accompagner d'un lever de rideau, les droits afférents à la pièce de B[ouilhet] ne pourront en aucun cas être diminués et seront, quand même, de douze pour cent. / Si *Mademoiselle Aïssé* se trouvait remise du 20 octobre au 20 novembre 70, comme nous l'avons dit plus haut, et si les ayants droit ou représentants de B[ouilhet] désiraient quelques avances sur leurs droits d'auteur, la direction de l'Odéon, dans les limites du possible et du raisonnable, acquiescerait aux demandes qui lui seraient faites à ce sujet. / Veuillez, mon cher Flaubert, m'accuser réception de la présente lettre, en en confirmant les termes, et agréer l'expression de mes meilleurs et plus affectueux souvenirs. »

Page 116.

1. *L'Autre*, drame de George Sand, sera joué à l'Odéon du 25 février au 19 mai 1870.

2. Cette « représentation pour le monument » de Louis Bouilhet aura lieu le 12 février 1870, à l'Odéon.

3. Il s'agit sans doute de Lia Félix (1828-1908), l'une des sœurs de Rachel. J'ignore pourquoi Flaubert la préférait à Sarah Bernhardt, l'étoile montante du théâtre français et qui, d'ailleurs, créera le rôle d'Aïssé.

4. Raphaël Félix (1825-1872), frère de Rachel. Il dirigeait alors le théâtre de la Porte-Saint-Martin.

5. Louis Bouilhet.

À PHILIPPE LEPARFAIT

[16 octobre 1869]

Autographe non retrouvé ; Conard, t. VI, p. 87-88. La lettre est datée par l'enterrement de Sainte-Beuve le 16 octobre 1869.

6. Voir la lettre précédente, p. 115-116.

Page 117.

1. Directeur, avec Chilly, du théâtre de l'Odéon.

2. Voir la lettre précédente, n. 1, p. 116.

3. Berton père, comédien célèbre, et qui jouera en effet dans *Mademoiselle Aïssé.*

4. Voici la réponse de Philippe Leparfait (Lovenjoul, B IV, f° 212) : « Vous m'ordonnez de couvrir d'injures M. Duquesnel, et de les emmerder. Je vous envoie du reste votre lettre, jugez vous-même, et voyez ce que vous me demandez. / Si cette lettre ne vous semble pas suffisante, envoyez-moi une dépêche, j'irai moi-même à Paris, et nous verrons ensemble ces messieurs-là. Il est malheureux que nous n'ayons pas de traité, mais si la pièce reste, nous ne tomberons pas dans la même erreur. / Quant au *Cœur à droite*, nous en reparlerons. Ne le poussez pas tant à l'Odéon. / PHILIPPE. »

À JEANNE DE TOURBEY

[16 octobre 1869]

Autographe passé en vente (catalogue G. Andrieux, 28 juin 1937, n° 14, p. 11-12, 2 p.) ; je reproduis les extraits du catalogue.

5. D'après le catalogue Andrieux, Jeanne de Tourbey se trouvait à Arcachon lors de la mort de Sainte-Beuve. Elle envoya à Jules Troubat un énorme bouquet de violettes de Parme, le priant de les déposer sur le cercueil, dont ce fut le seul ornement.

Page 118.

1. Sainte-Beuve habitait rue du Montparnasse.

2. *L'Éducation sentimentale.*

À SA NIÈCE CAROLINE

[17 octobre 1869]

Autographe Lovenjoul, A II, ff^os 302-303 ; *Supplément*, t. II, p. 199.

3. Le « sand-man », l'être mystérieux qui endort les enfants. Pourquoi cette demande de Flaubert ?

4. Voir la lettre de Flaubert à Caroline du [14 octobre 1869], p. 113.

À PHILIPPE LEPARFAIT

[19 octobre 1869]

Autographe non retrouvé ; Conard, t. VI, p. 325 (rangée en décembre 1871). Comme le montre Gérard-Gailly (*AFl.*, n° 30, mai 1967, p. 28), cette lettre est du [19 octobre 1869].

5. Voir la lettre de Flaubert à Philippe Leparfait du [16 octobre 1869], p. 116-117.

Page 119.

GEORGE SAND À GUSTAVE FLAUBERT

[21 octobre 1869]

Autographe collection Vandendriessche; *Correspondance Flaubert-Sand*, éd. Alphonse Jacobs, p. 250.

À GEORGE SAND

[21 octobre 1869]

Autographe Lovenjoul, A IV, f° 171; *Supplément*, t. II, p. 8-9, à la date erronée du [1er avril 1864 ?]. La lettre est datée par la précédente.

1. Comme le remarque Alphonse Jacobs, la suite de cette lettre devait proposer le restaurant Brébant, boulevard Poissonnière. Voir la lettre de George Sand à Flaubert du [22 octobre 1869], p. 120.

Page 120.

À PHILIPPE LEPARFAIT

[22 octobre 1869]

Autographe non retrouvé; Conard, t. VI, p. 325-326, rangée en décembre 1871. Après l'avoir datée du [15 octobre 1869] (*Bulletin du bibliophile*, « Datation [...] », p. 410), Gérard-Gailly s'est ravisé et propose la date, que je crois exacte (dans *AFl.*, n° 30, mai 1967, p. 28) du 22 octobre 1869.

1. Dans *Le Figaro* du mardi 19 octobre 1869, au « Courrier des théâtres », on lit : « Après *L'Affranchi* de Latour de Saint-Ybars, comme il serait fâcheux de donner sans désemparer deux pièces en vers, ce n'est pas le drame de Louis Bouilhet, mais la comédie sociale de George Sand qui succédera à *L'Affranchi.* » Dans *Le Figaro* du 21 octobre 1869, au « Courrier des théâtres », à propos de la représentation à l'Odéon au bénéfice de Mlle Sarah Bernhardt, fixée au 5 novembre 1869, il est écrit : « L'Odéon jouera le cinquième acte de *La Conjuration d'Amboise* [de Louis Bouilhet] avec M. Berton. »

2. Les directeurs de l'Odéon : Chilly et Duquesnel.

3. L'auteur de *L'Affranchi de Pompée*, drame qui sera joué à l'Odéon le 19 janvier 1870.

GEORGE SAND À GUSTAVE FLAUBERT

[22 octobre 1869]

Autographe collection Vandendriessche; *Correspondance Flaubert-Sand*, éd. Alphonse Jacobs, p. 251.

4. Le peintre Charles Marchal et le comédien Berton aîné, qui devait jouer dans *L'Autre*, drame de George Sand (Odéon, 25 février 1870).

À PHILIPPE LEPARFAIT

[26 octobre 1869]

Autographe J. Lambert ; Conard, t. VI, p. 85-87, placée entre le 14 et le 16 octobre. Gérard-Gailly date cette lettre du [19 octobre 1869] (*Bulletin du bibliophile*, « Datation [...] », p. 405). Je la crois du [26 octobre 1869], puisque Flaubert a reçu la lettre de Leparfait destinée aux directeurs de l'Odéon.

5. *Gaëtana*, drame en 5 actes et en prose, d'Edmond About, joué à l'Odéon le 3 janvier 1862. Voir la lettre de Flaubert à Jules Duplan du [18 janvier 1862], t. III, n. 1 et 2, p. 199.

6. Le concile du Vatican sera ouvert le 8 décembre 1869 et ajourné le 20 octobre 1870.

7. Sur Eugène Delattre, ancien élève de Louis Bouilhet, et franc-maçon, voir t. II, n. 6, p. 978 et la lettre de Flaubert à Philippe Leparfait du [19 août 1869], p. 92 et n. 3.

8. Pour *Mademoiselle Aïssé*, Flaubert jouait double jeu avec le Théâtre-Français et l'Odéon. Si *Mademoiselle Aïssé* passait au Français, il espérait faire jouer *Le Cœur à droite* à l'Odéon. Voir les lettres précédentes.

9. Raphaël Félix dirigeait alors le théâtre de la Porte-Saint-Martin. La « Féerie » est *Le Château des cœurs*.

Page 121.

1. *Le Château des cœurs* avait été écrit par Flaubert en collaboration avec Louis Bouilhet et le comte Charles d'Osmoy.

2. Les deux directeurs de l'Odéon.

3. Flaubert se fait des illusions : *Le Bâtard*, d'Alfred Touroude, sera joué jusqu'au 11 janvier 1870, *L'Affranchi de Pompée*, de Latour-Saint-Ybars, du 19 au 27 janvier 1870, et *L'Autre*, de George Sand, du 25 février au 19 mai 1870.

4. Cette « représentation pour le monument » de Louis Bouilhet à Rouen aura lieu à l'Odéon le 12 février 1870.

5. Le docteur Achille Flaubert, frère aîné de Gustave.

Page 122.

1. Sarah Bernhardt tenait le rôle de la comtesse de Brisson. Le cinquième acte de *La Conjuration d'Amboise* est très dramatique. Le prince de Condé, en prison, attend la mort. Celle qu'il aime et dont il est aimé, Mme de Brisson, vient lui apporter du poison pour lui éviter la mort sur l'échafaud ; elle en a déjà bu la moitié. Il refuse, ils s'embrassent. Arrive Catherine de Médicis, qui annonce la mort de François II, et que le prince est libre. La comtesse meurt.

2. Voici des extraits de la réponse de Philippe Leparfait (Lovenjoul, B IV, ffos 215-216) : « Rouen, le 31 octobre 1869. / Mon cher Gustave, / J'étais à la campagne lorsque votre lettre est venue à Rouen [...]. Elle m'a foudroyé [...]. Le manque de parole de ces messieurs [les directeurs de l'Odéon] me porte un préjudice considérable [...]. Voici

ce que je propose dans le cas où la pièce ne pourrait passer qu'après le 5 ou le 10 mars 1870 au plus tard : ces messieurs me verseront à titre d'indemnité une somme de *deux mille francs*. En cas de refus, reprenez la pièce [...]. Tant qu'à être joué l'année prochaine sans compensation, j'aime mieux les Français. »

À MICHEL LÉVY
[Octobre 1869]

Autographe maison Calmann-Lévy ; *Lettres inédites de Gustave Flaubert à son éditeur Michel Lévy*, éd. Jacques Suffel, p. 171-172.

À MICHEL LÉVY
[Octobre 1869]

Autographe maison Calmann-Lévy ; *Lettres inédites de Gustave Flaubert à son éditeur Michel Lévy*, éd. Jacques Suffel, p. 173.

À MICHEL LÉVY
[Octobre 1869]

Autographe maison Calmann-Lévy ; *Lettres inédites de Gustave Flaubert à son éditeur Michel Lévy*, éd. Jacques Suffel, p. 174.

À MICHEL LÉVY
[Octobre 1869]

Autographe maison Calmann-Lévy ; *Lettres inédites de Gustave Flaubert à son éditeur Michel Lévy*, éd. Jacques Suffel, p. 175.

3. Il s'agit du *Château des cœurs*.

À MICHEL LÉVY
[Fin d'octobre 1869]

Autographe maison Calmann-Lévy ; *Lettres inédites de Gustave Flaubert à son éditeur Michel Lévy*, éd. Jacques Suffel, p. 176.

Page 123.

À MICHEL LÉVY
[Fin d'octobre 1869]

Autographe maison Calmann-Lévy ; *Lettres inédites de Gustave Flaubert à son éditeur Michel Lévy*, éd. Jacques Suffel, p. 178-180.

1. Cette liste comprend les « gens de presse » à qui Flaubert enverra son « bouquin ». La voici : « Théophile Gautier, Paul de Saint-Victor, Dalloz, Lavoix, Vacquerie, Zola, Taine, Renan, Chesneau, Cuvillier-Fleury, Amédée Achard, Nefftzer, George Sand, X. Aubryet, Jules Janin. »

À RAOUL-DUVAL

[4 novembre 1869]

Autographe collection particulière ; *Supplément*, t. II, p. 200. Cette lettre a été publiée par Georges Normandy dans *Lettres inédites à Raoul-Duval*, Albin Michel, 1950, p. 105.

2. Émile Deschanel (1819-1904), ancien élève de l'École normale supérieure, destitué en 1850, exilé en Belgique en 1851, revient en France à la faveur de l'amnistie et collabore au *Journal des débats* et au *National*. Son ouvrage le plus célèbre est *Le Romantisme des classiques* (1882). Je ne sais si cette conférence a eu lieu ; elle avait pour but d'aider à financer l'érection à Rouen d'un monument à Louis Bouilhet.

À SA NIÈCE CAROLINE

6 novembre [1869]

Autographe Lovenjoul, A II, ffos 304-305 ; Conard, t. VI, p. 89-90.

3. *Le Château des cœurs.*

4. *L'Éducation sentimentale.*

5. L'hôtel particulier que les Commanville avaient acheté 77, rue de Clichy.

Page 124.

1. « J'étais en Prusse où j'avais accompagné mon mari dans un voyage d'affaires » (*Lettres à sa nièce Caroline*, Paris, Charpentier-Fasquelle, 1906, n. 1, p. 132).

2. Le gala de Sarah Bernhardt — Flaubert écrit : *Bernardt* — à l'Odéon. Flaubert avait écrit à Félix Duquesnel, l'un des directeurs de l'Odéon, pour lui demander des places ; Duquesnel répond le 4 novembre 1869 : « Mon cher ami, / Vous en parlez bien à votre aise. Deux fauteuils d'orchestre, il y a plus de huit jours que *toute la salle est louée*, et l'on a refusé plus de mille personnes ! À l'heure qu'il est, le chiffre de la location dépasse 14 000 francs. Sarah, à qui je fais part de ma détresse, et qui veut quand même vous avoir à son bénéfice — faiblesse que je partage avec elle —, me prie de vous offrir deux strapontins d'orchestre, c'est aussi bien que deux fauteuils [...] » (Lovenjoul, B III, ffos 69-70).

Félix Duquesnel écrira de nouveau à Flaubert le 11 novembre 1869 : « Cher ami, / Vous seriez bien aimable de m'obtenir, de qui de droit, la remise des droits d'auteur du cinquième acte de *La Conjuration d'Amboise*, au profit de notre petite amie Sarah Bernhardt. [...] Autre chose, venez donc au théâtre un de ces jours, le plus tôt possible, par exemple samedi de 2 à 3 heures [...]. Il me semble que l'affaire *Aïssé* n'est pas perdue sans ressources, il y a peut-être un joint, et ce serait l'heure d'y porter le marteau. [...] » (Lovenjoul, B III, ffos 71-72).

3. Adelina Patti, cantatrice italienne née à Madrid en 1843. Elle faisait fureur à Londres et à Paris depuis dix ans.

4. Mme Winter.

À SA NIÈCE CAROLINE

[10 novembre 1869]

Autographe Lovenjoul, A II, ffos 306-307 ; incomplète dans Conard, t. VI, p. 91-92.

5. Caroline Laurent, née Bonenfant, petite-nièce de Mme Flaubert.

6. L'hôtel particulier qu'avaient acheté les Commanville ; *elle* se rapporte à Mme Flaubert, non à Caroline Laurent.

7. Le canal de Suez a été inauguré le 17 novembre 1869, par l'impératrice Eugénie. Parmi les journalistes présents figurait Louise Colet. Voir t. II, p. 1273.

Page 125.

a. dans une huitaine [avoir la fin] <posséder le complément> de mon mobilier,

1. La princesse Mathilde ; le couple impérial recevait au château de Compiègne des « séries » d'invités. Flaubert y était allé en novembre 1864. Voir t. III, p. 411 et suiv.

2. *Le Château des cœurs*, féerie de Flaubert, Bouilhet et d'Osmoy.

3. Ernest Commanville.

4. Mme Winter.

À NOËL PARFAIT

[12 novembre 1869]

Autographe maison Calmann-Lévy ; *Lettres inédites de Gustave Flaubert à son éditeur Michel Lévy*, éd. Jacques Suffel, p. 181-182.

5. Il s'agit de fragments de *L'Éducation sentimentale* communiqués aux journaux pour la publicité.

À NOËL PARFAIT

[12 novembre 1869]

Autographe maison Calmann-Lévy ; *Lettres inédites de Gustave Flaubert à son éditeur Michel Lévy*, éd. Jacques Suffel, p. 183.

6. Alfred Darcel voulait publier un fragment de *L'Éducation sentimentale* dans le *Journal de Rouen.* Sur Alfred Darcel, voir la note bibliographique de la lettre de Flaubert à lui adressée de [mai ? 1860], t. III, p. 92.

Page 126.

À ALFRED DARCEL

[13 novembre 1869]

Autographe B.M. Rouen, m m 238, pièce 107 ; *Supplément*, t. II, p. 201-202.

1. La lettre d'Alfred Darcel n'a pas été retrouvée.

GEORGE SAND À GUSTAVE FLAUBERT

15 novembre [1869]

Autographe collection Alfred Dupont ; *Correspondance Flaubert-Sand*, éd. Alphonse Jacobs, p. 251-252.

2. Le républicain Regimbard, surnommé le « Citoyen » (*L'Éducation sentimentale*, éd. Claudine Gothot-Mersch, p. 84 et *passim*). Par l'expression « en ce moment de *Regimbards* », George Sand fait allusion aux succès de l'opposition au Second Empire : quarante républicains élus en mai 1869 ; le sénatus-consulte du 6 septembre 1869, qui établissait l'*Empire parlementaire*.

3. *Malgrétout*, publié dans la *Revue des Deux Mondes* du 1er février au 15 mars 1870.

Page 127.

À SA NIÈCE CAROLINE

15 [novembre 1869]

Autographe Lovenjoul, A II, ffos 308-309 ; incomplète dans Conard, t. VI, p. 92-94.

1. « Ma grand-mère n'avait pas attendu mon retour de Prusse pour s'installer chez moi, 77, rue de Clichy » (Gustave Flaubert, *Lettres à sa nièce Caroline*, n. 1, p. 134). C'est là que Mme Flaubert avait invité le comte d'Osmoy et Flaubert. Mais il semble que Mme Flaubert logeait encore à l'hôtel du Helder (voir la lettre suivante).

2. *L'Éducation sentimentale* paraîtra le 17 novembre 1869.

3. *Le Château des cœurs.*

4. Henri Rochefort était revenu de Belgique après l'amnistie du 15 août 1869, et sera élu député aux élections complémentaires de Paris (21-22 novembre 1869), bien qu'il n'ait pas prêté serment.

5. Dans *Heures d'autrefois*, Caroline raconte rapidement son voyage en Prusse avec son mari : « Je l'accompagnai donc lorsqu'il alla en Prusse, voyage d'affaires entrepris avec un ménage ami, Mme et M. Winter. Nous allâmes à Francfort dont je me rappelle le quartier juif, à Berlin, qui me parut une grande ville sans intérêt sauf son musée de peinture, à Potsdam où l'on me montra les fauteuils où les chiens du grand Frédéric se blottissaient, les pavillons occupés par Humboldt et Voltaire, l'emplacement du moulin "Sans-Souci", et nous montâmes jusqu'à Stettin, où d'autres femmes, Maria Winter et moi restions enfermées à l'hôtel pendant que nos maris couraient les chantiers et les scieries. D'ailleurs rien à voir à Stettin. [...] À Dantzig, qui fut notre dernière étape, je m'amusai à dessiner de vieilles maisons germain-gothique ; l'immense poêle en faïence de l'hôtel de ville me semble fort curieux, mais en somme ce voyage n'eut pas un intérêt comparable à ceux que je fis en Suède et en Norvège à deux reprises différentes [été 1869 et hiver 1872]. »

Page 128.

1. La princesse Mathilde.

2. « J'en rapporte [de Stettin] néanmoins un souvenir très cher et vivant consistant en une petite chienne de la race Blénem *[sic pour* Blenheim*]* — mélange d'épagneul et de King Charles —, Putzel, que j'ai conservée 14 ans, et qui est devenue célèbre, car mon oncle souvent parle d'elle dans ses lettres » (Caroline Franklin-Grout, *Heures d'autrefois*).

À GEORGE SAND
[16 novembre 1869]

Autographe Lovenjoul, A IV, ffos 172-173 ; *Supplément*, t. II, p. 202-203.

3. Les épreuves de *L'Éducation sentimentale.*

4. *Le Château des cœurs.*

5. Voir la lettre précédente, n. 4, p. 127.

6. Adaptation du roman du même titre d'Alexandre Dumas père et Auguste Maquet (1847) ; il s'agit d'une reprise.

7. Raphaël Félix, directeur du théâtre de la Porte-Saint-Martin ; la « grosse machine » est *Le Château des cœurs.*

Page 129.

À LA PRINCESSE MATHILDE
[17 novembre 1869]

Autographe Archivio Campello, Inv. n° 986 ; Conard, t. VI, p. 94, à la date de [fin novembre 1869]. *L'Éducation sentimentale* a paru le mercredi 17 novembre 1869.

1. Voir la lettre de Flaubert à sa nièce Caroline du [23 mai 1869], p. 47.

À JULES DUPLAN
[24 novembre 1869]

Autographe Lovenjoul, A V, ffos 621-622 ; *Supplément*, t. II, p. 203-204.

2. Sur Hortense Cornu, voir t. II, n. 4, p. 767, et la lettre de Flaubert à Mlle de Chantepie du 24 avril 1862, t. III, n. 1, p. 212. Flaubert reprochait à Mme Cornu de n'avoir pas aidé Louis Bouilhet.

3. Flaubert distribuait généreusement des exemplaires de ses œuvres à ses amis. Voici d'abord la liste des lettres de remerciement qui se trouvent dans la collection Lovenjoul, et qui ne présentent que peu d'intérêt : le comte Vincent Benedetti, ambassadeur en Prusse (B I, ffos 165-166) ; François Coppée (B I, ffos 410-411) ; Eugène Crépet (B I, ffos 466-467) ; Camille Doucet (B II, ffos 106-107) ; Alexandre Dumas fils (B II, ffos 450-451) ; Achille Flaubert (B III, ffos 185-186) ; Albert

Glatigny (B III, ff^os 250-251) ; Louise Heuzé, une amie de Mme Flaubert (B III, ff^os 456-457) ; Jules Janin, qui nomme *L'Éducation* le Nouvel *Émile* (B IV, ff^os 92-93) ; Louise de Maupassant (lettre publiée par Jacques Suffel dans *Œuvres complètes* de Guy de Maupassant, Genève, Édito-Service, 1973, *Correspondance*, t. I, p. 16-17 ; B IV, ff^os 409-410) ; Alfred Maury : « J'ajouterai en finissant [...] que je soupçonne fort que votre propre individualité a fourni plus d'un trait à la figure de Frédéric, mais vous valez mieux que lui [...] » (B IV, f° 427 v°) ; Jules Michelet, qui n'a pas encore lu le roman (B V, ff^os 24-25) ; le prince Napoléon (B V, ff^os 57-58) ; Émile Perrin, le directeur de l'Opéra (B V, ff^os 184-185) ; Edgar Raoul-Duval (B V, ff^os 291-292) ; Marie Régnier (Daniel Darc ; B V, ff^os 309-311) ; Jules Troubat (B VI, ff^os 255-256).

Voici maintenant des lettres ou des extraits de lettres qui me semblent présenter un intérêt particulier ; je les donne dans l'ordre alphabétique de leurs auteurs :

Louis Boivin-Champeaux : « [...] Ton héros n'en est pas un. C'est un homme né, vers 1820, dans le juste milieu de la société. C'est notre génération. Nous avons tous éprouvé les sensations, les passions, les influences, les déceptions intérieures et extérieures que tu as décrites, prononcé les paroles que tu as retenues, entendu les sottises que tu as notées. Qui voudra connaître, sans être surfaite ni maquillée, l'histoire morale et assez triste dans les dernières cinquante années n'aura qu'à lire ton livre. [...] / Quatre épisodes m'ont frappé particulièrement. Le duel m'a rappelé certains souvenirs de la rue des Beaux-Arts, auxquels tu auras certainement pensé en écrivant. La révolution de Février et les événements qui l'ont suivie ont été pris, sur le fait, en-dessous, magistralement. [...] » (B I, ff^os 228-229).

Ernest Chesneau : « Mon cher Flaubert, / Me permettez-vous d'être sincère ? Oui, n'est-ce pas ? Eh bien, j'admire beaucoup, mais beaucoup votre livre. Jamais l'ironie n'a été maniée avec une puissance plus constamment égale à elle-même et à la fois plus implacable ; jamais société n'a été plus cruellement flagellée. Mais que vous êtes dur ! [...] Que voulez-vous ? (vous allez vous moquer), on ne se refait guère et je vois plus en beau que ça. [...] / Savez-vous maintenant, mon cher ami, le grand prudhommisme du jour ? Vous en faites les frais : on dit : "LA DERNIÈRE PAGE DE 'L'ÉDUCATION SENTIMENTALE' !" et on se voile la face avec les mains. / Voilà, mon cher, une dernière page que vous retrouverez partout [...]. Vous aviez pourtant déjà fourni aux magasins d'accessoires de l'envie le *Fiacre* de *Madame Bovary* et les *Mangeurs de choses immondes. La dernière page.* Et de trois. [...] » (B I, ff^os 336-337).

Paul Chéron : Chéron, un ami et une amie ont fait une lecture à trois de *L'Éducation sentimentale* : « Unanimité. » Mme Arnoux est « adorable », la dernière entrevue de Frédéric et de Mme Arnoux « magnifique ». « Il semble que le récit [des événements de 48] ait été d'abord beaucoup plus long et qu'on n'ait là qu'un abrégé. [...] J'ai deux ou trois petites observations archéologiques à vous faire : tome I, page 42, vous parlez de *macadam.* On est en 1841 et le macadam fit sa première apparition à Paris à la fin de 1849. Même page : dîner à

43 sous : il y avait des dîners à 32 ou à 40 sous, mais pour des richards et Frédéric ne l'eſt pas encore. [...] Même volume, page 180 : vous parlez de gros cigares rouges comme enseigne des marchands de tabac. C'eſt une *carotte.* Cette enseigne date de l'époque où l'on vendait le tabac en paquets ainsi faits[1] nommés carottes. [...] Tome II, page 130, vous envoyez Arnoux et Frédéric dîner chez Parly : or Parly a cessé d'être avec le théâtre du Vaudeville brûlé à la fin de 1839. Vous pourriez les faire dîner chez Paſtel. [...] » (B I, ffos 318-319).

Alphonse Cordier : « [...] tes personnages sont si vivants qu'il me semble être entré dans leur peau, avoir vécu leur exiſtence, et pensé leurs idées. Ils sont tellement vrais que je pourrais leur donner leur véritable nom ; car je les connais, ce sont bien mes contemporains. Appétits et défaillances, voilà les deux termes de leur vie. / Dans cinquante ans, il suffira de lire ton livre pour avoir une idée, plus qu'une idée, une évocation de cette génération sortie des rêvasseries de Chateaubriand et de Lamartine, génération bâtarde, aplatie, qui n'a pas su vouloir et qui n'a rien produit. [...] » (B I, ffos 426-427).

Edmond et Jules de Goncourt : après une courte lettre de Jules, du 18 novembre, qui voit dans les extraits publiés dans les journaux des « morceaux de main de maître » (B III, ffos 392-393), Edmond écrit longuement à Flaubert le 24 novembre : « Cher Vieux, / Je finis à l'inſtant votre bouquin, vos huit cents pages que j'ai savourées à petites gorgées et j'ai hâte de vous dire tout le plaisir, toute l'*exaltation* que m'a donnée cette lecture. / Madame Arnoux eſt suavement bandante. Monsieur Arnoux eſt bien l'artiſte mâtiné d'induſtrialisme. Deslauriers, avec son fond envieux, ses intermittences de perfidie et d'amitié, son tempérament d'avoué, voilà un type parfaitement dessiné de la vraie vilaine humanité la plus répandue. Frédéric, votre fruit sec de l'amour, eſt tenu admirablement dans la moyenne des passions, d'intelligence, d'énergie, que vous lui vouliez ; il a dans votre livre toutes les qualités et les défauts avec lesquels on manque sa vie ; mais le type, il faut vous y attendre, ne plaira pas aux femmes ; elles trouveront qu'il ne leur prend pas assez vite le cul, et par contrecoup cela nuira à Guſtave près des cocottes honnêtes ou déshonnêtes. Je ne vous fais pas l'injure de vous faire des compliments sur les paysages et les descriptions ; on sait que vous avez le gaufrier de la chose. Je me contente de vous dire que c'eſt toujours mâlement écrit et très élevé de pensée. L'opposition de Rosanette et de Mme Dambreuse charmante ; la figure de pénombre et de clair-obscur de la Vatnaz parfaite. Vive Dussardier ! à bas Sénécal ! Pellerin en dit de bonnes. Avez-vous bien blagué à la Prudhomme toutes les blagues révolutionnaires et toutes les blagues conservatrices ! Au fait, quel goût avez-vous pour le verbe *saillir* à l'imparfait ? Ce verbe me semble jouir d'un vilain imparfait. Toutes les scènes où le populaire eſt en scène, ça grouille tumultueusement. En somme foutez-vous des critiques, des criailleries. Vous avez commis un fort livre, un roman qui raconte, dans une

1. Texte illuſtré d'un dessin de la main de Chéron.

sacrée nom de Dieu de belle langue, l'histoire d'une génération. Une scène *bijou*, est la scène où la petite Louise, une de vos créations les plus délicieuses, envie la caresse que les poissons ressentent partout, on n'est pas plus cochonnement et plus enfantinement sensuelle, et le *cri suave* (voilà une épithète que je vous envie) qui jaillit comme *un roucoulement de sa gorge*, c'est du sublime de nature. Mais la scène pour moi suprêmement chef-d'œuvreuse, comme dirait Gautier, est la dernière visite à Frédéric. Je ne connais dans aucun livre rien de plus délicat, de plus touchant, de plus tendre, de plus triste et sans ficelle aucune. Le retrait du pied, quelle trouvaille ! et tout, tout ce qu'ils font, tout ce qu'ils disent, tout ce qu'ils entendent, là-dedans... Mon vieux, vous avez décroché la timbale. / Nous vous embrassons bien cordialement et irons vous voir au premier jour que Jules aura un peu retrouvé sa jambe. / EDMOND DE GONCOURT. / Je ne vous tiens pas quitte du papier de Hollande. Et Zoraïde Turc... quel accueil lui aurait fait notre pauvre Sainte-Beuve ! » (B III, ffos 270-271 ; lettre publiée incomplètement et avec des erreurs par Antoine Albalat, *Gustave Flaubert et ses amis*, Paris, Plon, 1927, p. 188-190).

Victor Hugo : « H. H.[1], 20 déc[embre] 1869. / Je suis un solitaire et j'aime vos livres. Je vous remercie de me les envoyer. Ils sont profonds et puissants. Ceux qui peignent la vie actuelle ont un arrière-goût doux et amer. Votre dernier livre me charme et m'attriste. Je le relirai comme je relis, en ouvrant au hasard, çà et là. Il n'y a que les écrivains penseurs qui résistent à cette façon de lire. Vous êtes de cette forte race. Vous avez la pénétration comme Balzac, et le style de plus. / Quand vous verrai-je ? Je vous serre la main » (B IV, ffos 65-66).

Louise Pradier. Voir t. I, n. 2, p. 221 (B V, ffos 266-267).

Jeanne de Tourbey : « Merci, mon Flaubert, merci ! Depuis hier je suis *empoignée*. Ce livre est certainement l'un des plus beaux qu'on puisse lire. Animée, comme vous savez maintenant que je peux l'être, j'ai déclaré hier que c'était l'œuvre la plus remarquable qui ait paru, paraisse et paraîtra de ce temps-ci. / C'est fait, je le répète, je suis très empoignée. Nous allons voir. / Encore merci de la parure de mes deux derniers volumes. / J. DE TOURBEY. / Malgré mes airs démocratiques, je n'aime pas beaucoup Sénécal et j'ai fait au nom du Juste ce que vous souhaitiez » (B VI, ffos 77-78).

J'ajoute pour mémoire que Flaubert a tenu la comptabilité des réponses à ses envois de *L'Éducation sentimentale* : une centaine de noms. Comme cette liste a été publiée dans *Le Manuscrit autographe* de 1932, n° 37, je ne juge pas utile de la reproduire. En voici trois exemples : « Paul de Saint-Victor : a refusé à Lévy de faire un article trouvant le livre trop mauvais ; Vacquerie : muet ; Zola : article splendide dans *La Tribune*. »

La bibliographie concernant *L'Éducation sentimentale* est considérable et je me limite à quelques titres. Les meilleures éditions du roman sont les trois dernières : A. W. Raitt (2 vol., Paris, Imprimerie nationale,

1. Hauteville House [Guernesey].

1979) ; P. M. Wetherill (Garnier, 1984-1985 ; le second volume, intitulé *Images et documents* contient une iconographie remarquable), et Claudine Gothot-Mersch (Garnier-Flammarion, 1985). Seules les éditions de P. M. Wetherill et de Claudine Gothot-Mersch ont pu utiliser les brouillons de *L'Éducation sentimentale* achetés par la Bibliothèque nationale en 1975, et classés par Madeleine Cottin de 1976 à 1980 (voir son article dans le *Bulletin de la Bibliothèque nationale*, 1re année, n° 3, décembre 1976, p. 99-108).

L'interprétation totalement autobiographique de l'intrigue d'amour du roman (Gérard-Gailly, *Flaubert et les « Fantômes de Trouville »*, Paris, La Renaissance du livre, 1930, René Dumesnil, Édouard Maynial, Marie-Jeanne Durry) a été remise en cause par la critique récente ; voir une mise au point dans Jean Bruneau, « *L'Éducation sentimentale*, roman autobiographique ». *Essais sur Flaubert*, éd. Michel Issacharoff, Nizet, 1979, p. 313-329. En ce qui concerne la documentation historique, l'ouvrage fondamental est celui d'Alberto Cento, *Il Realismo documentario nell' « Éducation sentimentale »* (Naples, Liguori, 1967). Pour des approches différentes du roman, voir Marie-Jeanne Durry, *Flaubert et ses projets inédits* (Nizet, 1950, chap. III) ; Victor Brombert, *Flaubert par lui-même* (Le Seuil, 1971) ; Jean-Pierre Duquette, *Flaubert ou l'Architecture du vide* (Montréal, Presses universitaires, 1972) ; Jeanne Bem, *Clefs pour « L'Éducation sentimentale »* (Jean-Michel Place, 1981). Consulter aussi les ouvrages généraux sur l'œuvre de Flaubert, surtout Albert Thibaudet (*Gustave Flaubert*, N.R.F., 1935) et Claude Mouchard et Jacques Neefs, *Flaubert* (Balland, 1986).

4. Frédéric Baudry (voir t. I, n. 6, p. 230 et n. 4, p. 510).

5. « Terme obscène signifiant mignon, giton » (Littré). Flaubert avait trouvé ce mot dans la littérature du XVIe siècle, où il est fréquent (voir Edmond Huguet, *Dictionnaire de la langue française du seizième siècle*).

À JEAN CLOGENSON

25 novembre [1869]

Inédite. Autographe Georges Clogenson ; en face de la date, de la main de Jean Clogenson : « *Jeudi, 25 novembre* 1869. »

Page 130.

1. De la main de Clogenson, sous l'adresse : « Arrivé, par la poste, à Rouen, le 28 novembre 69. »

2. Dans la marge de gauche, de la main de Clogenson : « Excuses ».

À JULES DUPLAN

[25 novembre 1869]

Autographe Lovenjoul, A V, ffos 623-624 ; *Supplément*, t. II, p. 204.

3. Sur Johanny Maisiat, voir t. II, n. 3, p. 741. Maisiat avait été absent de Paris ; il écrit à Flaubert le 11 décembre 1869 : « Je suis arrivé

depuis le milieu de la semaine et je me faisais une fête de vous voir demain et de pouvoir le même jour fourrer mon nez dans votre livre, dont je comptais vous réclamer l'exemplaire que vous me destinez [il n'est pas libre et demande un rendez-vous pour un jour de cette semaine] » (Lovenjoul, B IV, ff[os] 270-271). Maisiat écrit de nouveau à Flaubert, après avoir lu le roman, peut-être le « mercredi » [15 décembre 1869] : « Mon bon vieux, / Je suis bien stupéfait du peu d'intelligence du public d'élite, et j'ai eu de fortes émotions. C'est riche et touffu et bien fort, peut-être trop pour des esprits au régime du banal convenu. [...] » (B IV, ff[os] 272-273).

4. Voir la lettre de Flaubert à Jules Duplan du [24 novembre 1869], p. 129 et n. 4.

MADEMOISELLE LEROYER DE CHANTEPIE À GUSTAVE FLAUBERT 26 novembre 1869

Autographe non retrouvé ; copie fonds René Descharmes, B.N., N.A.F. 23825, ff[os] 378-379.

Page 131.

1. *Pierre qui roule* avait paru dans la *Revue des Deux Mondes* du 15 juin au 1er septembre 1869. Le roman mettait en scène le monde du théâtre.

2. Charles Loyson, dit le père Hyacinthe (1827-1912). Dominicain, puis carme, il avait prêché depuis 1865 des conférences très suivies à Notre-Dame de Paris, où il tentait de concilier le christianisme avec certaines idées modernes. Il se brouilla définitivement avec l'Église en cette année 1869, se maria en 1872 et rejoignit l'Église catholique gallicane.

3. Charles Loyson, né à Château-Gontier en 1791, mort à Paris en 1820. Il a publié en 1819 un volume d'*Épitres et élégies.*

4. Arsène Houssaye, *Les Grandes Dames*, 4 vol. in-8°, Paris, Dentu, 1868-1869 ; *Les Parisiennes*, 4 vol. in-8°, Paris, Dentu, 1869.

À PAUL DE SAINT-VICTOR [27 novembre 1869]

Autographe Association des amis d'Ivan Tourgueneff, Pauline Viardot et Maria Malibran ; je remercie M. Alexandre Zviguilski de m'en avoir obligeamment communiqué la photocopie ; *Supplément*, t. II, p. 205. Enveloppe : Monsieur Paul de Saint-Victor, rue de Furstenberg, Paris ; C.P. : Paris, 27 novembre 1869.

5. *L'Éducation sentimentale.*

6. Saint-Victor n'a pas aimé *L'Éducation sentimentale.* Voir la lettre de Flaubert à Jules Duplan du [24 novembre 1869], n. 3, p. 129.

À JULES DUPLAN

[29 novembre 1869]

Autographe Lovenjoul, A V, ff^os 625-626 ; *Supplément*, t. II, p. 205-206.

Page 132.

1. Sur le traité de Flaubert avec Michel Lévy concernant *L'Éducation sentimentale*, voir la lettre de Flaubert à George Sand du [13 mai 1869], p. 44 et n. 3.

2. Comme l'écrit Jacques Suffel, le roman « se vendit mal. [...] Le premier et unique tirage de l'édition in-octavo avait été fixé à 3 000 exemplaires (plus 50 sur papier de Hollande). Il n'était pas encore épuisé en 1873 » (*Lettres inédites de Gustave Flaubert à son éditeur Michel Lévy*, p. 148-149).

3. Voici un extrait de l'article de Barbey d'Aurevilly dans *Le Constitutionnel* du 29 novembre 1869 : Flaubert « est un homme à pensées rares, qui, quand il en a une, la cuit et la recuit, et non pas dans son jus ; car elle n'en a pas. C'est un esprit de sécheresse supérieure parmi les Secs, une intelligence toute en surface, n'ayant ni sentiment ni passion, ni enthousiasme, ni idéal, ni aperçu, ni réflexion, ni profondeur [...]. Nous pouvons bien le dire maintenant : Flaubert n'est ni un inventeur, ni un observateur, comme tout romancier est tenu de l'être [...] » (cité par René Dumesnil, *« L'Éducation sentimentale » de Gustave Flaubert*, Paris, S.F.E.L.T., 1935, p. 180).

À THÉODORE DE BANVILLE

[30 novembre 1869]

Autographe non retrouvé ; *Supplément*, t. II, p. 206.

4. Théodore de Banville tenait le feuilleton dramatique du *National* ; dans celui du 29 novembre 1869, il s'arrange pour faire l'éloge de *L'Éducation sentimentale* en des termes très généraux : « Quand la platitude nous écrase, quand la banalité universelle nous écœure, quand il semble que nous sommes résignés tout à fait à notre abaissement, tout à coup quelque grande manifestation du génie humain se produit, nous éclaire, nous brûle et nous sauve en nous rendant la conscience de nous-mêmes. [Banville rapproche la publication de *L'Éducation sentimentale* de la reprise de l'opéra de Beethoven *Fidelio*.] Oui, tant que notre oreille charmée écoutera la lyre du divin symphoniste et aussi longtemps que nous serons occupés à lire avec admiration le livre nouveau du puissant romancier [...], il n'est pas possible que nous soyons ensevelis tout à fait sous ce tas de cendre inerte et sourde que pousse sur nous le vent toujours plus acharné de la Bêtise humaine ! » (cité par René Dumesnil, *« L'Éducation sentimentale » de Gustave Flaubert*, p. 196).

5. Théodore de Banville n'a jamais été membre de l'Académie française.

6. Flaubert a sans doute « remercié » Banville en lui envoyant son roman. En tout cas, Banville lui écrit le 15 décembre 1869 la lettre suivante (l'autographe n'a pas été retrouvé dans la collection Lovenjoul) : « Mon cher ami, / Je viens seulement de pouvoir me procurer votre adresse actuelle, et je m'empresse de vous exprimer tout mon enthousiasme pour votre livre. Avant que vous m'eussiez donné la grande joie de le recevoir de vous, je l'avais déjà lu avec l'admiration que j'ai pour votre génie toujours grandissant et j'en avais parlé dans le feuilleton des théâtres du *National*, mais avec bien moins de développements que je ne l'aurais désiré, car, officiellement, je n'ai le droit que de raconter les vaudevilles. Si *L'Éducation sentimentale* est, pour tout le monde, un beau livre, il faut avoir vécu, comme nous, en 1840, pour savoir avec quelle puissance d'évocation vous avez ressuscité cette époque de transition avec ses défaillances et avec ses aspirations impuissantes. Tout cela est vrai jusque dans la moelle des os, et exprimé dans une forme immortelle. / À vous, mon cher ami, bien fidèlement » (*L'Éducation sentimentale*, éd. Conard, p. 702). Voir aussi l'article nécrologique de Flaubert par Banville (*Le National*, 17 mai 1880) : « [...] il [Flaubert] devait, dans *L'Éducation sentimentale*, montrer par avance ce qui n'existera que dans bien longtemps ; je veux dire le roman *non romancé*, triste, indécis, mystérieux comme la vie elle-même et se contentant, comme elle, de dénouements d'autant plus terribles qu'ils ne sont pas *matériellement* dramatiques. »

GEORGE SAND À GUSTAVE FLAUBERT

30 novembre [1869]

Autographe collection Alfred Dupont ; *Correspondance Flaubert-Sand*, éd. Alphonse Jacobs, p. 253-254.

Page 133.

À NOËL PARFAIT

[Novembre 1869]

Autographe maison Calmann-Lévy ; *Lettres inédites de Gustave Flaubert à son éditeur Michel Lévy*, éd. Jacques Suffel, p. 184.

À NOËL PARFAIT

[Novembre 1869]

Autographe maison Calmann-Lévy ; *Lettres inédites de Gustave Flaubert à son éditeur Michel Lévy*, éd. Jacques Suffel, p. 185.

À RAOUL-DUVAL

[1er décembre 1869]

Inédite. Autographe famille Raoul-Duval ; je remercie de leur extrême obligeance les descendants de l'ami de Flaubert : Mmes Nadine Nimier et Guy Raoul-Duval, M. Claude Raoul-Duval. Cette lettre répond à celle de Raoul-Duval, datée du « 30 novembre 1869 » (Lovenjoul, B V, ffos 291-292), où Raoul-Duval remercie Flaubert de l'envoi de *L'Éducation sentimentale*, et en fait l'éloge.

Page 134.

À MICHEL LÉVY
[2 décembre 1869]

Autographe maison Calmann-Lévy ; *Lettres inédites de Gustave Flaubert à son éditeur Michel Lévy*, éd. Jacques Suffel, p. 190-191.

À NOËL PARFAIT
[Début de décembre 1869]

Autographe maison Calmann-Lévy ; *Lettres inédites de Gustave Flaubert à son éditeur Michel Lévy*, éd. Jacques Suffel, p. 186-187.

À GEORGE SAND
[3 décembre 1869]

Autographe Lovenjoul, A IV, ff^{os} 174-175 ; incomplète dans Conard, t. VI, p. 95-96.

a. par [cette] <tant de> haine.

1. Voir la lettre de Flaubert à Jules Duplan du [29 novembre 1869], n. 3, p. 132.

2. Article de Francisque Sarcey dans *Le Gaulois* du 3 décembre 1869 ; cet article conclut ainsi : « Quel abus misérable du talent. »

3. Amédée de Cesena, dans *Le Figaro* du 20 novembre 1869, reprochait à Flaubert « ses fréquentes excursions dans le domaine de la politique » et concluait : « Ce n'est pas pour y retrouver les déclamations des réunions publiques que les femmes ouvrent un roman » (voir *L'Éducation sentimentale*, éd. Conard, p. 614).

4. Dans l'édition du Centenaire, René Descharmes écrit : « Je n'ai trouvé dans cette feuille *(Paris)*, entre le 17 novembre et le 3 décembre 1869, aucun article de fond, signé Duranty, relatif à *L'Éducation sentimentale.* Mais Duranty y faisait « Les Échos », et à plusieurs reprises, notamment le 23 et le 27 novembre, il consacre à Flaubert quelques lignes toujours défavorables, allant jusqu'à lui reprocher de n'écrire qu'en vue des « bénéfices littéraires ». Le 6 décembre, ce même Duranty raconte ce qui suit : « *Le Gaulois* cite deux lettres significatives adressées à M. André Gill, le caricaturiste à tête de faune. 1° : "Illustre maître, vous ne pouvez que m'embellir, tirez de moi ma meilleure énergie : me grandir en me réduisant. Donc, je vous donne ma tête. Salut et admiration. / *Signé* MICHELET. / P.-S. Toutes les photographies sont déplorables, hormis celles de Carjat." / 2° : Michelet "donne sa tête" ; Flaubert refuse "son visage" en ces termes : "Monsieur, / Je ne puis vous accorder la permission que vous me demandez, l'ayant déjà refusée à plusieurs autres. Je tâche, autant qu'il m'est possible, d'amuser le public par mes livres. C'est bien le moins que je réserve pour moi mon visage. / Je suis fâché de vous désobliger et je vous prie, Monsieur, d'agréer mes excuses avec toute l'assurance de ma considération. G. F." / Amuser le public ? heu ! — Ne vouloir être contemplé que par soi-même ? je l'admets davantage. Mais M. Flau-

bert est comme l'écrin, bien dur et bien rêche » (*Correspondance*, t. III, n. 4, p. 229). René Descharmes commente : « [...] je fais toutes réserves quant à l'authenticité des billets [...]. » Je ne sais.

Cet article, publié dans *Le Gaulois* du 5 décembre 1869, est également repris dans *La Liberté* d'Émile de Girardin du 6 décembre. Le 28 février 1858, Dell'Bricht, directeur du *Gaulois*, avait demandé l'autorisation de faire la charge de Flaubert (Lovenjoul, B II, ffos 66-67). La réponse de Flaubert a dû être négative, car cette charge n'a pas paru dans *Le Gaulois.*

5. Voici des extraits de l'article d'Émile Zola dans *La Tribune* du 28 novembre 1869 : « L'ouvrage est le seul roman vraiment historique que je connaisse, le seul, véridique, exact, complet, où la résurrection des heures mortes soit absolue, sans aucune ficelle de métier. [...] C'est un temple de marbre magnifique élevé à l'impuissance. »

6. Paul de Léoni écrit dans *Le Pays* du 26 novembre 1869 : « Les points de contact que nous trouvons à M. Flaubert sont bien moins avec Balzac qu'avec Charles Baudelaire. Ce qui relève encore les qualités de fond chez l'un comme chez l'autre, ce sont d'étonnants et presque identiques procédés de forme. [...] Il n'est pas un mot qui n'ait sa valeur juste, qui n'exprime un sentiment exact et qui n'ait été savamment ajusté et fondu dans l'harmonie générale de l'œuvre [...]. »

7. Jules Levallois, *L'Opinion nationale*, 22 novembre 1869.

8. Voir la lettre de Flaubert à Jules Duplan du [29 novembre 1869], n. 2, p. 132.

Page 135.

1. Voir *L'Éducation sentimentale*, éd. Claudine Gothot-Mersch, p. 410-413.

2. *Le Château des cœurs.*

3. Je n'ai pas retrouvé ce « *tableau des courses* » dans le texte publié du *Château des cœurs.*

4. Raphaël Félix, directeur du théâtre de la Porte-Saint-Martin.

5. Voir *L'Éducation sentimentale*, dernier chapitre.

6. « Tant de mysticisme dans les mots et de brutalité dans les faits ! Mais c'est le marivaudage du marquis de Sade. Et encore non ! car je suppose qu'il y a chez ce marquis de Sade, que je n'ai pas lu, un certain échauffement du sang qui se communique de ses peintures lascives aux imprudents lecteurs. Mais ici, l'auteur reste froid en vous contant les nuits de fièvres » (Francisque Sarcey, cité par Alphonse Jacobs, *Correspondance Flaubert-Sand*, n. 92, p. 255).

À MICHEL LÉVY

[Vers le 4 décembre 1869]

Autographe maison Calmann-Lévy ; *Lettres inédites de Gustave Flaubert à son éditeur Michel Lévy*, éd. Jacques Suffel, p. 203, à la date de [1870 ?]. Cette lettre pourrait être postérieure à celle à Michel Lévy du [2 décembre 1869], p. 134, et à la lettre suivante ?

À NOËL PARFAIT

[6 décembre 1869]

Autographe maison Calmann-Lévy ; *Lettres inédites de Gustave Flaubert à son éditeur Michel Lévy*, éd. Jacques Suffel, p. 188.

Page 136.

À GEORGE SAND

[7 décembre 1869]

Autographe Lovenjoul, A IV, ff^{os} 176-177 ; incomplète dans Conard, t. VI, p. 96-97.

1. Voir la lettre de Flaubert à Jules Duplan du [24 novembre 1869], n. 3, p. 129.

2. Théophile Gautier n'était pas encore revenu d'Égypte, où il avait couvert, pour *Le Journal officiel*, l'inauguration du canal de Suez (17 novembre 1869).

3. Voici l'essentiel de la lettre à Flaubert de Raphaël Félix, directeur du théâtre de la Porte-Saint-Martin (Lovenjoul, B III, ff^{os} 127-128) : « Paris, 7 décembre 1869. / [...] Après avoir minutieusement tout pesé, j'ai dû reconnaître que, pour la mise en œuvre de votre belle pièce, je n'ai, musicalement, aucun des éléments qu'elle comporte. Il en est de même en ce qui concerne sa partie comique et satirique. Vous avez dû reconnaître avec moi que les interprètes me manquent absolument. Au point de vue du drame, je suis surchargé d'une troupe d'artistes dont le budget s'élève mensuellement à la somme de 40 000 francs [...]. Enfin, la dernière raison, et celle-là n'est pas la moins importante, c'est que je suis trop nouveau directeur à Paris, trop peu riche en un mot, pour que j'ose tenter une aussi luxueuse mise en scène. Merci de la bonne journée que j'ai passée avec vous [...]. »

4. Le théâtre de l'Odéon avait reçu, mais non encore programmé, la pièce posthume de Louis Bouilhet, *Mademoiselle Aïssé*.

5. Le second article de Francisque Sarcey, dans *Le Gaulois* du 4 décembre 1869, se terminait ainsi : « Oh ! quel ennui, quel ennui ! »

6. Dans son article du *Constitutionnel* du 29 novembre 1869, Barbey d'Aurevilly avait écrit : « Flaubert n'a ni grâce ni mélancolie, c'est un robuste dans le genre du Courbet des *Baigneuses*, qui se lavent au ruisseau et qui le salissent. »

Page 137.

À JULES DUPLAN

[9 décembre 1869]

Autographe Lovenjoul, A V, ff^{os} 627-628 ; incomplète dans Conard, t. VI, p. 98.

a. tout[e] [espérance] <espoir> ? Je

1. Voir la lettre précédente, n. 3, p. 136.

2. Je n'ai pu identifier cet alexandrin.

3. Si Paule Sandeau et Maxime Du Camp ont écrit leur compassion à Flaubert, ces lettres n'ont pas été retrouvées. Mais il peut s'agir de conversations.

4. « Fovard, rien » ; « Mme Cornu, néant » ; « Renan, néant <mais admiratif en paroles> ». Voir *Le Manuscrit autographe*, janvier-février-mars 1932, n° 37, p. 32-33, fac-similé).

5. « *La Gironde*, 27 novembre 1869. L'article, signé Adrien Desprez, nettement défavorable, après avoir reproché à Flaubert la fréquence de ses descriptions, ajoutait que cette abondance, "loin de passer à nos yeux pour un procédé littéraire, nous semble au contraire une naïveté de Prudhomme qui va jusqu'au ridicule." » (René Descharmes, *Correspondance*, édition du Centenaire, t. III, n. 1, p. 232).

6. Edmond Scherer, *Le Temps*, 7 décembre 1869 : « Son livre n'est pas un roman ; c'est un récit d'aventures, ce sont des Mémoires. À force d'être réaliste, il est réel, sans doute, mais à force d'être réel, il cesse de nous intéresser. [...] En somme, nous avons devant nous un homme qui sait son métier et qui a un métier. [...] On sent partout chez lui le souci de la ligne, le sentiment de la couleur, le besoin de lumière. C'est quelque chose, c'est beaucoup. Prenez garde ; pour peu que vous me poussiez, je dirais que c'est tout ! » Article recueilli dans *Études contemporaines*, Paris, Lévy, 1874, p. 291-303.

7. *Le Château des cœurs* n'a jamais été joué, et sera publié par Flaubert dans *La Vie moderne*, du 24 janvier au 8 mai 1880, avec des illustrations.

8. Sur la princesse de Metternich, voir la lettre de Flaubert à Caroline du [5 mai 1869], n. 8, p. 43.

9. Eugène-Emmanuel Viollet-le-Duc (1814-1879), le très célèbre et très controversé restaurateur de monuments historiques. Je n'ai pas retrouvé de lettres de lui à Flaubert. Dans *Le Manuscrit autographe* (janvier-mars 1932, n° 37, p. 32-33) : « Viollet Leduc, très admirateur. »

GEORGE SAND À GUSTAVE FLAUBERT
[9 décembre 1869]

Autographe collection Marc Loliée ; *Correspondance Flaubert-Sand*, éd. Alphonse Jacobs, p. 257.

10. L'article de George Sand sur *L'Éducation sentimentale* paraîtra dans *La Liberté*, journal dirigé par Émile de Girardin, le 22 décembre 1869.

Page 138.

À NOËL PARFAIT
[10 décembre 1869]

Autographe maison Calmann-Lévy ; *Lettres inédites de Gustave Flaubert à son éditeur Michel Lévy*, éd. Jacques Suffel, p. 189.

À GEORGE SAND
[10 décembre 1869]

Autographe Lovenjoul, A IV, ffos 178-179 ; incomplète dans Conard, t. VI, p. 99-100.

1. Cet article paraîtra en fait dans *La Liberté* du 22 décembre 1869.

2. Voir la lettre de Flaubert à Jules Duplan du [24 novembre 1869], n. 3, p. 129.

3. Voir la lettre de Flaubert à Jules Duplan du [9 décembre 1869], n. 5, p. 137.

GEORGE SAND À GUSTAVE FLAUBERT
[10-11 décembre 1869]

Autographe collection Alfred Dupont ; *Correspondance Flaubert-Sand*, éd. Alphonse Jacobs, p. 258.

Page 139.

À ALFRED DARCEL
[14 décembre 1869]

Autographe B. M. Rouen, m m 238, pièce 106 ; *Supplément*, t. II, p. 207-209. Enveloppe (pièce 107) : Monsieur Alfred Darcel, homme de lettres, rue de la Chaussée-d'Antin, 27 *bis* ou au musée impérial du Louvre ; C.P. : Paris, 15 décembre 1869.

1. Article d'Alfred Darcel dans le *Journal de Rouen* du 3 décembre 1869.

2. Il s'agit des descriptions du roman : « Là, M. G. Flaubert excelle, donnant plus de précision à l'ensemble par quelques touches de détail [...]. Mais la répétition du même procédé sent un peu le système, et plus d'art à dissimuler l'artifice de la composition serait parfois à désirer [...] » (Alfred Darcel, art. cité).

3. Après une longue citation du roman concernant la Vatnaz, Alfred Darcel écrit : « Tout ceci est un peu poussé à la charge ; mais on y sent un certain dépit contre le bas-bleu [...]. »

Page 140.

1. Eugénie Mouchon, dame Niboyet (1797-1883) ; elle avait publié en 1862 *Le Vrai Livre des femmes.*

2. Il s'agit d'Amélie Bosquet. Je donne d'abord les trois dernières lettres d'Amélie Bosquet à Flaubert, puis de larges extraits de ses deux articles sur *L'Éducation sentimentale.* Je ne commente pas : le lecteur jugera sur pièces.

[Fin février-début mars 1869] : « [...] Pour en revenir à cette question qui terminait votre dernière lettre et qui était celle-ci : "Est-il vrai que vous ayez parlé dans les réunions publiques ?" / Oui, j'ai parlé, sans préméditation, c'est-à-dire qu'un orateur m'impatientant, je lui ai lancé une interruption qui courut tous les journaux et qui m'a valu des applaudissements comme si j'eusse été Adelina Patti. Alors on m'a crié comme à M. Glain-Bizoin : "À la tribune !" [...]. [À la séance suivante, elle fait un discours.] « Je n'ai parlé qu'une seule fois : pour la liberté du travail des femmes. » [À la fin de la lettre, Amélie Bosquet demande à Flaubert de lui prêter *Madame Gervaisais*, des frères Goncourt, annoncé dans la *Bibliographie de la France* le 27 février 1869 ; d'où la date de cette lettre] » (Lovenjoul, B I, ff^os 254-255).

« Paris, 23 novembre 1869. / Mon cher ami, / Je viens d'achever la lecture de *L'Éducation sentimentale.* J'ai retrouvé là tout ce que je connais et que j'aime de votre talent et même de votre caractère. Je vous avoue, cependant, que je préfère de beaucoup le second volume au premier. Quant à votre système littéraire, je crois qu'il est bon pour vous parce qu'il convient à votre nature intime, mais je ne conseillerais à personne de l'imiter : je suis persuadée qu'avec tout autre que vous, il n'aurait pas le moindre succès : il faut pour le faire valoir votre supériorité d'écrivain et d'observateur. / Vous avez donné un rôle bien humilié à la femme qui défend ses droits [la Vatnaz] ; mais nous le relèverons, il est déjà relevé. / Mille remerciements, mon cher ami, pour ces deux beaux volumes et la dédicace qui en doublait le prix. Mes félicitations affectueuses » (Lovenjoul, B I, ff^os 258-259).

« Paris, 11 décembre 1869. / Mon cher ami, / Je vous envoie le numéro du *Droit des Femmes* où paraît mon premier article sur *L'Éducation sentimentale.* Cet article n'est pas aimable, je l'avoue ; mais je n'ai pu le faire autrement : ma pensée en se développant s'est imposée à moi. Par devoir d'amitié, j'aurais dû m'abstenir, d'ailleurs personne n'y aurait perdu. Mais j'ai pensé que vous me taxeriez d'ingratitude si j'écrivais cette critique, et de lâcheté si je ne l'écrivais pas. L'alternative était embarrassante. À vous de dire si j'ai bien ou mal choisi. Mille amitiés » (Lovenjoul, B I, ff^os 260-261).

Amélie Bosquet, « Gustave Flaubert. *L'Éducation sentimentale* », *Le Droit des Femmes,* 11 décembre 1869 ; ce premier article, qui concerne la première partie du roman, est précédé d'une présentation du directeur du journal, Léon Richer, que voici : « On accorde aux femmes le brillant de la forme, l'élégance du style, mais la solidité du fond est contestée. Eh bien, à compter d'aujourd'hui [le premier numéro du *Droit des Femmes* datait du samedi 10 avril 1869], en dehors de nos articles bibliographiques ordinaires, les rédactrices du *Droit des Femmes* examineront à leur tour et disséqueront [...] les grandes œuvres des écrivains les plus en renom [...]. Cet examen critique est inauguré aujourd'hui par Mme Bosquet à l'occasion du nouvel ouvrage de M. Gustave Flaubert. » Amélie Bosquet commence par analyser le « système » de Flaubert : « l'importance considérable accordée à la description », « le dédain des combinaisons dramatiques », « la suppression de l'analyse, comme méthode d'exposition des passions et des caractères », « la neutralité absolue que l'auteur prétend garder entre chacun de ses personnages ». L'intérêt de cette première partie du roman « est celui qui résulte d'une succession de tableaux et de scènes de mœurs retracées avec un art parfait par un maître qui est aussi savant observateur qu'excellent écrivain. [...] Cependant, malgré cette prodigieuse dépense de talent, l'abus du style descriptif se fait sentir. Chacune de ces scènes ou de ces tableaux est un chef-d'œuvre ; mais leur assemblage dans le livre forme un amoncellement de superfluités. Leur diversité même n'exclut pas la monotonie. Ils produisent sur le lecteur une sorte d'engourdissement agréable, mais qui n'est pas précisément le genre d'attrait que l'on cherche dans un roman. »

Amélie Bosquet écrit dans le deuxième article (*Le Droit des Femmes*, 18 décembre 1869) : « […] La dédaigneuse impartialité de M. Gustave Flaubert […], ne mettant en relief que le ridicule et l'ignoble […] établit, entre les représentants de toutes les opinions l'égalité dans la sottise, la bassesse et le crime. […] L'organe de la revendication des droits de la femme, c'est Mlle Vatnoz *[sic]*, entremetteuse et voleuse. […] / En faisant la critique de tous ces personnages, accusons-nous le talent de M. Gustave Flaubert ? Non, puisque chaque scène de son roman où il les fait agir, est supérieurement juste et réussie. Faisons-nous le procès à ses opinions ? Nullement, puisqu'il n'en adopte aucune et n'en épargne aucune. Il prétend planer au-dessus de son œuvre comme le Dieu des spiritualistes au-dessus de la création. Mais ce Dieu aperçoit au moins le bien comme le mal […]. / [En conclusion] Nous jugeons l'auteur de *L'Éducation sentimentale*, non en le comparant à autrui, mais à lui-même, à l'idée qu'il nous donne, par ce qu'il fait, de ce qu'il pourrait faire ; et c'est de là que nous vient la conviction qu'il stérilise son talent par l'orgueil d'un faux système qui n'est peut-être au fond que le système de l'orgueil. »

3. Boileau, *Art poétique*, chant IV, vers 74.

À JULES DUPLAN
[14 décembre 1869]

Autographe Lovenjoul, A V, ff^os^ 629-630 ; *Supplément*, t. II, p. 209.

4. Personnage du marquis de Sade.

5. Je n'ai pu retrouver cette « note » du *Gaulois*.

6. Le comte d'Osmoy.

7. L'espoir de Flaubert prendra fin avec cette lettre que lui adresse Michel Lévy le 16 décembre 1869 : « […] J'ai vu hier Raphaël. Il m'a dit qu'il avait espéré d'abord pouvoir monter votre pièce promptement et sans beaucoup de frais, aussitôt après *Le Chevalier de Maison-Rouge*. Mais les frais à faire l'épouvantent aussi bien que les délais qu'exigeraient les répétitions et la mise en scène. Il s'est engagé pour la reprise de *Lucrèce Borgia* [de Victor Hugo] dans le courant même de cet hiver (c'est la question qu'il nous disait en suspens). Quant à la saison 1870-1871, elle sera défrayée, m'a-t-il dit, par les reprises de *Ruy Blas* et de *Marie Tudor* [toujours de Victor Hugo]. En résumé, je crains que l'affaire ne puisse s'arranger » (*Lettres inédites de Gustave Flaubert à son éditeur Michel Lévy*, éd. Jacques Suffel, p. 194).

8. Surnom d'Adèle Husson. Voir la lettre de Flaubert à Jules Duplan du [20 juin 1865], t. III, n. 1, p. 445.

GEORGE SAND À GUSTAVE FLAUBERT
14 décembre [1869]

Autographe collection Alfred Dupont ; *Correspondance Flaubert-Sand*, éd. Alphonse Jacobs, p. 259.

9. L'article de George Sand sur *L'Éducation sentimentale* paraîtra dans *La Liberté* du 22 décembre 1869, dont le directeur était Émile de Girardin.

Page 141.

À GEORGE SAND
[17 décembre 1869]

Autographe Lovenjoul, A IV, ffos 180-181 ; *Supplément*, t. II, p. 210-211.

1. Voir la lettre précédente, n. 9, p. 140.
2. Jean-Jacques Rousseau se sert de l'expression « coterie holbachique » (*Les Confessions*, Bibl. de la Pléiade, p. 428, 433...). Sur le « complot » tramé — d'après Rousseau — contre sa personne et son œuvre, voir *Les Confessions*, p. 492 et suiv. ; plus que Diderot ou le baron d'Holbach, c'est Melchior Grimm qui est visé.
3. Voir la lettre de Flaubert à Jules Duplan du [14 décembre 1869], n. 7, p. 140.
4. L'article de Saint-René-Taillandier a paru dans la *Revue des Deux Mondes* du 15 décembre 1869 ; en voici des extraits : « [...] Au lieu de travailler à l'éducation sentimentale du héros, il montre que cette éducation est une chimère. Au lieu d'élever ce cœur, de l'épurer et de l'affermir, il le dégrade ; c'est une éducation à rebours. [...] Oui, certes, M. Flaubert est un artiste [...], mais il écrit bien comme ceux qui possèdent le don du style sans en connaître suffisamment les lois. [...] Le satirique le plus amer, en dévoilant les misères de l'homme, a en lui l'idéal d'une humanité meilleure ; la satire misanthropique et inhumaine est un acte contre nature, un cas illogique et monstrueux. »

Page 142.

1. Sur le cas d'Amélie Bosquet, voir la lettre de Flaubert à Alfred Darcel du [14 décembre 1869], n. 2, p. 140.
2. Saint-Victor n'a pas écrit d'article sur *L'Éducation sentimentale.* Voir la lettre de Flaubert à Jules Duplan du [24 novembre 1869], n. 3, p. 129.

À EUGÈNE DELATTRE
[17 décembre 1869]

Autographe non retrouvé ; Conard, t. VI, p. 99-100.

3. Je n'ai pas trouvé trace d'un article d'Eugène Delattre sur *L'Éducation sentimentale.*

GEORGE SAND À GUSTAVE FLAUBERT
17 décembre [1869]

Autographe collection Alfred Dupont ; *Correspondance Flaubert-Sand*, éd. Alphonse Jacobs, p. 261.

Page 143.

1. Voir la lettre de Flaubert à George Sand du [17 décembre 1869], n. 4, p. 141.

À JULES DUPLAN
[18 décembre 1869]

Autographe Lovenjoul, A V, ff[os] 633-634 ; lettre publiée dans C.H.H., *Correspondance*, t. III, p. 540.

À RAOUL-DUVAL
[18 décembre 1869]

Autographe famille Raoul-Duval ; *Supplément*, t. II, p. 201, à la date erronée du [13 novembre 1869]. Flaubert répond à une lettre de Raoul-Duval datée du 17 décembre 1869, dans laquelle il lui envoie un billet (5 francs) pour la conférence d'Émile Deschanel : « manifestation sympathique à la mémoire du pauvre Bouilhet ». Il lui apprend que le docteur Achille Flaubert a refusé d'acheter des billets (Lovenjoul, B V, ff[os] 293-294).

2. Voir la note bibliographique de la lettre.

3. Georges Normandy dit que ce nom est « indéchiffrable. Peut-être pourrait-on lire *Dent* ou *Dant* » et je propose l'hypothèse du sculpteur Danton (*Lettres inédites à Raoul-Duval*, n. 1, p. 107). L'autographe porte clairement : *Desch.*

Page 144.

À JEANNE DE TOURBEY
[19 décembre 1869]

Inédite. Autographe collection particulière. La date est certaine.

1. Voir la lettre de George Sand à Flaubert du 17 décembre [1869], p. 143.

2. L'article de George Sand sur *L'Éducation sentimentale* paraîtra dans *La Liberté* du 22 décembre 1869.

GEORGE SAND À GUSTAVE FLAUBERT
[19 décembre 1869]

Autographe Mme Simone André-Maurois ; *Correspondance Flaubert-Sand*, éd. Alphonse Jacobs, p. 261-262.

3. Amélie Bosquet. Voir la lettre de Flaubert à George Sand du [17 décembre 1869], p. 142.

Page 145.

À GEORGE SAND
[20 décembre 1869]

Autographe Lovenjoul, A IV, f° 182 ; *Supplément*, t. II, p. 211-212.

1. *Le Château des cœurs.*

2. Flaubert et Plauchut partiront ensemble pour Nohant. Sur le séjour de Flaubert chez George Sand, voir l'agenda de la romancière dans *Correspondance Flaubert-Sand*, éd. Alphonse Jacobs, p. 263-264.

À EDMA ROGER DES GENETTES
[22 décembre 1869]

Autographe Lovenjoul, A VI, ff^os 86-87 ; *Supplément*, t. II, p. 212.

3. Sur Edma Roger des Genettes et son mari, voir t. II, n. 3, p. 57 et *passim.*

À MADEMOISELLE LEROYER DE CHANTEPIE
22 décembre [1869]

Autographe non retrouvé ; Conard, t. VI, p. 100.

4. L'article de Mlle de Chantepie sur *L'Éducation sentimentale* a paru dans *La Comédie* (voir sa lettre à Flaubert du 10 janvier 1870, p. 153). Je n'ai pu identifier cette publication.

Page 146.

À JULES DUPLAN
[28 décembre 1869]

Autographe Lovenjoul, A V, ff^os 631-632 ; *Supplément*, t. II, p. 213.

1. Cette lettre ne se trouve pas dans la collection Lovenjoul.

À HIPPOLYTE TAINE
[28 décembre 1869]

Autographe non retrouvé ; *Supplément*, t. II, p. 213-214.

2. Aucune lettre de Taine à Flaubert ne figure dans la collection Lovenjoul.

3. Hippolyte Taine, *Philosophie de l'art en Grèce*, in-18, Paris, Germer-Baillière, 1869, 208 p. (ouvrage annoncé dans la *Bibliographie de la France*, 18 décembre 1869).

Page 147.

À ERNEST FEYDEAU
[28-29 décembre 1869]

Inédite. Autographe non retrouvé ; copie Lucie Chevalley-Sabatier ; catalogue G. Andrieux (vente à l'hôtel Drouot des 30-31 mai et 1er-2 juin 1928), n° 186².

1. *Le Château des cœurs.*
2. *L'Éducation sentimentale.*
3. Flaubert est revenu de Nohant le mardi 28 décembre 1869.

À GEORGE SAND
[30 décembre 1869]

Autographe Lovenjoul, A IV, ffos 183-184 ; *Supplément*, t. II, p. 214.

4. Aurore Sand, née en 1866, fille de Maurice Sand et de Lina Calamatta.
5. Une marionnette du théâtre de Nohant.
6. Pour une liste de ces jeunes amis de George Sand, voir *Correspondance Flaubert-Sand*, éd. Alphonse Jacobs, n. 131, p. 166.

Page 148.

À LA PRINCESSE MATHILDE
[31 décembre 1869]

Autographe Archivio Campello, n° Inv. 987 ; Conard, t. VI, p. 100-101.

GEORGE SAND À GUSTAVE FLAUBERT
31 décembre [18]69

Autographe collection Vandendriessche ; *Correspondance Flaubert-Sand*, éd. Alphonse Jacobs, p. 264-265.

Page 149.

À UNE ACTRICE
[1869-1870]

Inédite. Autographe collection docteur Besançon, hôtel Drouot, 17 juin 1980. J'ignore le nom de la destinataire.

1. Nestor Roqueplan (1804-1870), directeur du théâtre du Châtelet en 1869-1870.
2. Esther Guimont était alors la maîtresse de Nestor Roqueplan. Flaubert la connaissait depuis 1859, au moins ; elle mourra en 1879. Elle est l'héroïne du roman d'Émile Bergerat, *Les Drames de l'honneur, le chèque* (in-18, Paris, Ollendorff, 1893, 376 p.) : Jean Donadieu, Louis Barbane et Élias Marlette sont condisciples ; Donadieu ruine Barbane, qui se suicide. André Barbane tombe amoureux d'Éliane Donadieu ; elle le gifle, lui et sa mère. Quand Éliane apprend la vérité, elle envoie à André un carnet de 25 chèques signés ; il le lui renvoie après l'avoir rempli avec les 25 « trésors d'une femme » : n° 1, les mains…, n° 12, les lèvres, etc. Elle fait venir André et lui dit : « Bien, fit-elle, prenez-moi » et se donne à lui. Elle épouse ensuite le prince de Talagne, et élève son fils Andrélices en Amérique. André se marie de son côté. Le chapitre où Éliane lit le carnet de chèques est intitulé « Le Cantique des Cantiques ».

Gérard-Gailly, dans un article intitulé « Le Chèque » (*AFl*, n° 37, décembre 1970, p. 37-38), raconte cette aventure d'après Francis Ambrière et suggère qu'il s'agit d'une gouvernante anglaise des Flaubert. Consulté par Hermia Oliver, Francis Ambrière précise que le chèque était signé d'Esther Guimont, et qu'il l'a publié dans *L'Intransigeant* du 2 mars 1939 intitulé « Quand Flaubert prenait livraison de la Guimont » ; en voici le texte : « Je m'engage, quand la salle de bains de la maison que je fais construire rue de Chateaubriand sera prête, à livrer ma personne au sieur Gustave Flaubert qui en usera et en abusera selon son plaisir. 23 mars 1859. » Je n'ai pas retrouvé l'autographe. Sur cet épisode, voir Hermia Oliver, *Flaubert and an English Governess*, Appendix II, « Gérard-Gailly's note on Bergerat's *Le Chèque* », p. 151-155.

À EUGÈNE DELATTRE

[Hiver 1869-1870]

Autographe non retrouvé ; copie René Descharmes, B.N., N.A.F. 23827, f° 89 ; lettre publiée dans C.H.H., *Correspondance*, t. V, p. 379.

3. D'après la lettre de Flaubert à Philippe Leparfait du [19 août 1869], p. 92, Eugène Delattre devait faire « cet hiver » une conférence sur Louis Bouilhet. Delattre y avait-il joint l'étude d'une page de *L'Éducation sentimentale* de Flaubert ?

À FRÉDÉRIC FOVARD

[Hiver 1869-1870 ?]

Autographe bibliothèque de l'Institut, fonds Du Camp, n° 3751, pièce 64 ; lettre publiée par Auriant dans *Lettres inédites à Maxime Du Camp [...]*, p. 92 (placée entre 1869 et 1871) ; C.H.H., *Correspondance*, t. V, p. 386 (donnée à tort comme inédite).

Page 150.

À GEORGE SAND

[3 janvier 1870]

Autographe Lovenjoul, A IV, ff^os 185-186 ; *Supplément*, t. II, p. 215-216.

1. *L'Autre*, drame de George Sand, sera joué à l'Odéon du 25 février au 19 mai 1870.

2. *L'Affranchi de Pompée*, de Latour-Saint-Ybars, sera joué à l'Odéon du 19 au 27 janvier 1870. Flaubert écrit toujours : *L'Affranchie*, ce qui prouve qu'il ne connaissait pas la pièce.

3. Félix Duquesnel, l'un des directeurs du théâtre de l'Odéon.

4. Troppmann avait été condamné à mort le 29 décembre 1869, pour avoir assassiné une famille de sept personnes. Il sera exécuté le 19 janvier 1870.

5. Le ministère parlementaire dirigé par Émile Ollivier entre en fonctions le 2 janvier 1869.

6. *Le Château des cœurs.*

7. Aurore Sand, petite-fille de George.
8. Le chien de Nohant.

À GEORGE SAND

[6 janvier 1870]

Autographe Lovenjoul, A IV, f° 187; *Supplément*, t. II, p. 216-217.

9. Les deux directeurs de l'Odéon.

Page 151.

GEORGE SAND À GUSTAVE FLAUBERT

9 janvier [18]70

Autographe collection Alfred Dupont; *Correspondance Flaubert-Sand*, éd. Alphonse Jacobs, p. 268-269.

1. Edmond Plauchut.
2. La princesse Mathilde (voir plus loin la lettre de Flaubert à George Sand du [12 janvier 1870], p. 153).
3. *L'Éducation sentimentale.*

Page 152.

1. Francis Berton (1820-1874), l'un des meilleurs acteurs de l'Odéon.

MADEMOISELLE LEROYER DE CHANTEPIE

À GUSTAVE FLAUBERT

10 janvier 1870

Autographe non retrouvé; copie René Descharmes (B.N., N.A.F. 23825, f° 380).

2. Ce roman de George Sand avait paru dans la *Revue des Deux Mondes* du 15 juin au 1er septembre 1869.

Page 153.

1. Mme Flaubert était née le 7 septembre 1793.
2. Je n'ai pu identifier ce journal ou cette revue. Cet article n'a pas été recueilli dans *Souvenirs et impressions littéraires* (Paris, Perrin, 1892).

GEORGE SAND À GUSTAVE FLAUBERT

11 janvier [1870]

Autographe passé en vente (catalogue Morssen, hiver 1970-1971); *Correspondance Flaubert-Sand*, éd. Alphonse Jacobs, p. 270.

À GEORGE SAND

[12 janvier 1870]

Autographe Lovenjoul, A IV, ff^os 188-189; incomplète dans Conard, t. VI, p. 101-102.

3. Voir la lettre de George Sand à Flaubert du 9 janvier [18]70, p. 151.

4. Le prince Pierre-Napoléon Bonaparte (1815-1881) était le sixième enfant du second mariage de Lucien. Il avait pris part à l'insurrection des Romagnes en 1831 et combattu en Colombie aux côtés de Bolivar. Élu député de la Corse à la Constituante, puis à la Législative, il avait siégé à la Montagne et désapprouvé le Coup d'État. Il s'était alors retiré de la politique. Le 10 janvier 1870, il tuait d'un coup de pistolet Yves Salmon, dit Victor Noir (né en 1841), journaliste à *La Marseillaise*, venu chez lui, avec Ulrich de Fonvielle, comme témoins de Paschal Grousset, pour une affaire d'honneur. Les funérailles de Victor Noir ont eu lieu le 12 janvier, devant plus de 100 000 personnes.

Page 154.

1. Voir la lettre de Flaubert à George Sand du 30 décembre [1869], n. 6, p. 147.

2. Aurore (née le 10 janvier 1866) et Gabrielle (née le 12 mars 1867), les petites-filles de George Sand.

À LÉON DE SAINT-VALÉRY

15 janvier [18]70

Autographe Académie du Var, don de M. Delplace, maire de La Garde, près de Toulon ; incomplète dans Conard, t. VI, p. 102-105. Je remercie MM. Delplace et Papin de leur obligeance. Cette lettre avait été d'abord publiée dans *Le Nouvelliste de Rouen* du 8 novembre 1890. M. Jacques Papin m'écrit que Léon de Saint-Valéry est un pseudonyme : aucune mention de ses ouvrages dans le catalogue des imprimés de la Bibliothèque nationale, ni dans Lorenz.

a. Quant au succès <matériel> (grand ♦♦ *b.* esthétique. [on peut] <ici les> préjuger *[refait en]* préjugés ont une base.

3. Je n'ai pas trouvé trace d'un roman publié sous le titre *L'Âge de cuivre.* Sans doute s'agit-il d'un manuscrit ? Dans ce cas, Léon de Saint-Valéry aurait été recommandé par un ami de Flaubert ; je ne vois guère que le docteur Jules Cloquet qui puisse remplir ce rôle ?

Page 155.

a. ce qui se [passe] <dit> chez ♦♦ *b.* Une réflexion <morale> [n'est] ne vaut pas

Page 156.

GEORGE SAND À GUSTAVE FLAUBERT

15 janvier [18]70

Autographe collection Vandendriessche ; *Correspondance Flaubert-Sand*, éd. Alphonse Jacobs, p. 271.

1. Edme Simonnet. Voir la lettre de George Sand à Flaubert du 9 janvier [18]70, p. 151, et la réponse de Flaubert du [12 janvier 1870], p. 153.

À GEORGE SAND
[17 janvier 1870]

Autographe Lovenjoul, A IV, ffos 190-191 ; *Supplément*, t. II, p. 196, à la date erronée du [6 septembre 1869].

2. Tourgueneff a certainement vu Flaubert durant son court séjour à Paris. Il rendra visite à George Sand le 19 janvier (*Correspondance Flaubert-Sand*, éd. Alphonse Jacobs, n. 11, p. 273).

À GEORGE SAND
[19 janvier 1870]

Autographe Lovenjoul, A IV, ffos 191-192 ; *Supplément*, t. II, p. 157, à la date erronée du [30 septembre 1868].

Page 157.

GEORGE SAND À GUSTAVE FLAUBERT
[19 janvier 1870]

Autographe non retrouvé ; *Correspondance Flaubert-Sand*, éd. Alphonse Jacobs, p. 272-273.

1. Sarah Bernhardt.
2. Théophile Gautier.

IVAN TOURGUENEFF À GUSTAVE FLAUBERT
30 janv[ier 18]70

Autographe Lovenjoul, B VI, ffos 105-106 ; lettre publiée dans *Œuvres complètes d'Ivan Turguenev, Correspondance,* éd. de l'Académie des sciences de l'U.R.S.S., t. VIII, p. 174.

3. *La Tentation de saint Antoine.*
4. *L'Éducation sentimentale*, éd. Claudine Gothot-Mersch, p. 373 et suiv.

Page 158.

GEORGE SAND À GUSTAVE FLAUBERT
[5 février 1870]

Autographe Alfred Dupont ; *Correspondance Flaubert-Sand*, éd. Alphonse Jacobs, p. 274.

À NOËL PARFAIT
[7 février 1870]

Autographe maison Calmann-Lévy ; *Lettres inédites de Gustave Flaubert à son éditeur Michel Lévy*, éd. Jacques Suffel, p. 195-196, à la date de [février 1870].

À GEORGE SAND

[12 février 1870]

Autographe Lovenjoul, A IV, f° 207 ; *Supplément*, t. II, p. 228-229, mal datée du [20 mars 1870].

1. Il s'agit d'une représentation au bénéfice du monument de Louis Bouilhet, à laquelle participaient des artistes des grands théâtres parisiens. Voici trois lettres adressées à Flaubert, qui éclairent le fonctionnement de ce type de représentation :

Émile Perrin, directeur de l'Opéra de Paris : « Le 1er février 1870. / Mon cher Flaubert, / M. Camille Doucet m'a demandé le concours de quelques artistes de l'Opéra pour une représentation qui doit être donnée à l'Odéon, pour le monument de Louis Bouilhet. Il m'a dit en même temps que c'était par vos soins et grâce à votre initiative que cette représentation s'organisait. Vous pouvez compter que j'y contribuerai avec empressement et autant qu'il me sera possible. Je voudrais seulement causer un moment avec vous, afin que nous puissions aviser au mieux. Les théâtres lyriques ont toujours leurs difficultés et leurs embarras spéciaux. Nous verrons ensemble comment on peut les lever. [...] Je suis bien en retard avec vous de vous remercier de l'envoi que vous m'avez bien voulu faire de votre dernier livre. [...] » (Lovenjoul, B V, ffos 182-183).

Édouard Thierry, administrateur général de la Comédie-Française : « Cher Monsieur Flaubert, / J'ai dit un mot à Mme Favard. Mme Favard n'a pas oublié qu'elle a joué Dolorès [dans le drame de Louis Bouilhet] et qu'elle doit à notre ami l'un de ses premiers succès. Elle se met, comme Mme Plessy, à votre disposition. Donnez-lui seulement le plus tôt que vous pourrez les vers qu'elle doit lire ou dire. [...] / 2 février 1870 » (Lovenjoul, B VI, ffos 58-59).

Jean-Baptiste Faure (célèbre baryton né à Moulins en 1830, entré à l'Opéra en 1861) : « 6 février 1870. / Cher Maître, / J'ai l'intention de chanter *Les Hameaux*, avec accompagnement d'orgue et de piano, avec Mlle Nillson, un duo dont je lui laisse le choix. Je refuse carrément la loge, dans l'espoir qu'elle sera louée, ce qui vaut mille fois mieux, mais j'accepte avec joie l'œuvre et sa dédicace que vous avez la gentillesse de m'offrir [...] » (Lovenjoul, B III, ffos 97-98). Christine Nillson, née en Suède en 1843, était une célèbre soprano entrée à l'Opéra en 1868.

2. Saint Épiphane, docteur de l'Église grecque (310 ?-403 ? apr. J.-C.), surtout connu pour son ouvrage *Panarion* ou *Antidote contre les hérésies*, où il donne l'histoire et la réfutation d'un grand nombre d'hérésies.

À JULES TROUBAT

[12 février 1870]

Autographe non retrouvé ; copie René Descharmes, B.N., N.A.F. 23827, f° 85 ; lettre publiée dans C.H.H., *Correspondance*, t. V, p. 379.

Page 159.

1. Jules Troubat avait invité Flaubert à son mariage le samedi 19 février, et ensuite à un banquet, où devaient se trouver Chéron, Champfleury, Monselet, Scherer et peut-être Nefftzer, dans la maison de Sainte-Beuve (Lovenjoul, B VI, ff[os] 257-258).

À IVAN TOURGUENEFF
14 février [1870]

Autographe non retrouvé ; *Supplément*, t. II, p. 218-220.

2. *Le Messager russe* (voir la lettre de Tourgueneff à Flaubert du 30 janv[ier 18]70, p. 157).
3. Voir plus loin la lettre de Tourgueneff à Flaubert du 20 février [18]70, p. 163.
4. « Les livres ont leur destinée. » Aphorisme attribué à Horace, mais qui serait de Terentianus Maurus (1er siècle apr. J.-C.), auteur d'un traité didactique intitulé *De litteris, syllabis, pedibus et metris.*
5. *La Tentation de saint Antoine.* Faudrait-il lire « le bon S[aint] Antoine » ?
6. Sur cette lecture, voir les lettres suivantes.

Page 160.

À MONSIEUR HUBERT ?
15 [février 1870]

Inédite. Autographe J.-L. Debouve, que je remercie de sa grande obligeance. La date est certaine, le destinataire, non. Voir les notes de la lettre.

1. Boulet était alors directeur du théâtre de la Gaîté, qu'il avait remis sur pied avec deux féeries, *La Chatte blanche* et *Le Roi Carotte.*
2. Alexandre Dumas fils écrit à Flaubert à cette occasion (s.l.n.d. ; Lovenjoul, B II, ff[os] 448-449) : « Mon cher ami, / Le sieur Hubert s'est trompé. Non seulement je ne lui ai pas dit que je voulais entendre votre féerie, mais je lui ai dit que je ne voulais rien connaître *avant qu'elle* fût reçue. J'ai horreur d'être posé en juge et surtout avec un homme de votre mérite. Les observations que ces messieurs feraient, ils me les mettraient sur le dos, et déclareraient, en cas de refus, que c'est moi-même qui ai trouvé la chose impossible. Je connais messieurs les directeurs de théâtre et c'est pourquoi je me suis toujours tenu au seul qui m'ait paru dénué de leurs artifices. Donc, de vous à moi et tous nos amis autour de nous, je serais enchanté d'entendre votre pièce, mais avec ces entrepreneurs, non. J'ai été le lien, je ne veux pas devenir la pomme. Bien à vous. »
3. Émile Taigny à Gustave Flaubert : « Théâtre de la Gaîté, cabinet de l'administrateur et du directeur de la scène, 21 février 1870. / Monsieur, / J'ai fait part à M. Boulet de mes impressions et du plaisir que j'avais éprouvé à entendre votre œuvre. Il serait à son tour désireux de la connaître, s'il pouvait immédiatement donner une solution à

ses désirs et aux vôtres. Mais ne pouvant prendre d'engagement définitif qu'au mois de mars 1871, pour [que] l'ouvrage [puisse] être joué au mois de septembre de la même année, il ne veut pas en entendre la lecture avant le mois de février prochain [...]. » Encore un échec de Flaubert !

À GEORGE SAND

[15 février 1870]

Autographe Lovenjoul, A IV, ff^os 210-211 ; *Supplément*, t. II, p. 229, mal datée du [22 mars 1870].

Page 161.

GEORGE SAND À GUSTAVE FLAUBERT

[15 février 1870]

Autographe collection Vandendriessche ; *Correspondance Flaubert-Sand*, éd. Alphonse Jacobs, p. 275.

1. La première n'aura lieu que le vendredi 25 février 1870.

À GEORGE SAND

[17 février 1870]

Autographe Lovenjoul, A IV, f° 194 ; *Supplément*, t. II, p. 221.

2. Pour *La Tentation de saint Antoine.*

3. Voici la liste des grands malheurs de Flaubert jusqu'en février 1870 : le docteur Flaubert est mort le jeudi 15 janvier 1846 ; Caroline est morte le dimanche 22 mars 1846, enterrée le mardi 24 ; Alfred Le Poittevin s'est marié le lundi 6 juillet 1846, et il est mort le lundi 3 avril 1848 ; Louis Bouilhet est mort le lundi 18 juillet 1869. Le seul mardi est celui de l'enterrement de Caroline, qui me semble moins important que sa mort. De plus, Flaubert dit « mauvais jour », c'est-à-dire : qui porte malheur, non pas un événement tragique. Peut-être s'agit-il de la date de la première crise nerveuse ? Flaubert écrit à sa sœur le [3 décembre 1843] qu'il a été invité par Mme Maurice [Schlésinger] « à aller souper à Vernon le jour de la Saint-Silvestre, ce que je me suis engagé à exécuter sur l'honneur » (t. I, p. 196). Il n'a donc pu arriver à Croisset que le lundi 1er janvier, après une nuit blanche. La première crise aurait donc eu lieu le mardi 2 janvier 1844 ?

À PHILIPPE LEPARFAIT

[17 février 1870]

Autographe Lovenjoul, A VI, ff^os 4-5 ; *Supplément*, t. II, p. 220.

4. Amis de Louis Bouilhet.

5. Le comte d'Osmoy était l'un des auteurs du *Château des cœurs,* avec Flaubert et Bouilhet.

Page 162.

1. La lecture a eu lieu sans doute le samedi 19 février, mais en l'absence de Boulet, le directeur du théâtre de la Gaîté, qui ne désire l'entendre qu'en février 1871. Voir la lettre de Flaubert à M. Hubert du 15 [février 1870], n. 3, p. 160.

À JULES TROUBAT
[17 février 1870]

Autographe non retrouvé ; copie René Descharmes (B.N., N.A.F. 23827, f° 83) ; C.H.H., *Correspondance*, t. V, p. 379.

2. Jules Troubat avait invité Flaubert à son mariage. Voir la lettre de Flaubert à Jules Troubat du [12 février 1870], p. 159 et n. 1.

À SA NIÈCE CAROLINE
[19 février 1870]

Autographe Lovenjoul, A II, ff^os 312-313 ; Conard, t. VI, p. 338-339, mal datée de [janvier 1872].

3. D'après l'inventaire fait à la mort de Flaubert par le notaire Bidault, Flaubert possédait trois éditions de la Bible : *Biblia sacra*, in-4°, Lyon, Bruyset, 1727 ; la Bible en 12 volumes d'Isaac Le Maistre de Sacy (éd. de 1789) ; et la Bible de Samuel Cahen (avec l'hébreu en regard), en 18 volumes (1831-1851) (voir René Rouault de La Vigne, « L'Inventaire après décès de la bibliothèque de Flaubert », *Revue des sociétés savantes de Haute-Normandie*, 1957, 3e trimestre, n° 7, p. 77-78 ; et Georges Dubosc, « La Bibliothèque de Flaubert », *Journal de Rouen*, 28 décembre 1902).

4. *Le Château des cœurs.*

5. Le docteur Jules Cloquet (voir t. I, n. 2, p. 21).

6. La princesse Mathilde.

7. Voir la lettre de Flaubert à Louis Bouilhet du [1er avril 1867], t. III, p. 624, et celle aux frères Goncourt du [13 avril 1867], *ibid.*, p. 624 et p. 632.

8. La première de *L'Autre* aura lieu à l'Odéon, le 25 février 1870.

9. Sur Charles Abbatucci, voir t. II, n. 3, p. 676. Le « billet ci-joint » n'a pas été retrouvé, et j'ignore de quoi il s'agissait.

Page 163.

À JULES TROUBAT
[19 février 1870]

Autographe non retrouvé ; copie René Descharmes (B.N., N.A.F. 23827, f° 84) ; C.H.H., *Correspondance*, t. V, p. 380.

1. Voir les lettres de Flaubert à Jules Troubat des [12] et [17 février 1870], p. 159 et 162.

IVAN TOURGUENEFF À GUSTAVE FLAUBERT
20 février [18]70

Autographe Lovenjoul, B VI, ff[os] 107-108 ; lettre publiée dans l'édition de l'Académie des sciences de l'U.R.S.S., *Œuvres complètes d'Ivan Turgenev*, *Correspondance*, t. VIII, p. 189-190.

2. Voir la lettre de Tourgueneff à Flaubert du 30 janv[ier 18]70, p. 157, et celle de Flaubert à Tourgueneff du 14 février [1870], p. 159.
3. *La Tentation de saint Antoine.*
4. « Histoire étrange », *Revue des Deux Mondes*, 1er mars 1870.

Page 164.

GEORGE SAND À GUSTAVE FLAUBERT
[20 février 1870]

Autographe collection Marc Loliée ; *Correspondance Flaubert-Sand*, éd. Alphonse Jacobs, p. 276.

1. *Le Château des cœurs.*
2. Voir la lettre suivante.

À GEORGE SAND
[21 février 1870]

Autographe Lovenjoul, A IV, ff[os] 195-196 ; *Supplément*, t. II, p. 221-222.

a. (mon plus intime [apr] avec Bouilhet),

3. Jules Duplan mourra le 1er mars 1870.
4. Voir la lettre d'Émile Taigny à Flaubert du 21 février 1870, n. 3, p. 160.

Page 165.

1. Félix Duquesnel, l'un des directeurs du théâtre de l'Odéon, avait écrit à Flaubert le 20 février 1870 : « Mon cher ami, / [...]. Venez nous voir, dans les premiers jours du mois prochain, vers le 6 ou le 8 mars, et nous réglerons les comptes de la représentation de notre pauvre Bouilhet [...] » (Lovenjoul, B III, ff[os] 75-76). Cette représentation avait eu lieu le 12 février 1870.

À GEORGE SAND
[22 février 1870]

Autographe Lovenjoul, A IV, f° 197 ; *Supplément*, t. II, p. 222-223.

2. Jules Duplan.

GEORGE SAND À GUSTAVE FLAUBERT
[22 février 1870]

Autographe collection Vandendriessche ; *Correspondance Flaubert-Sand*, éd. Alphonse Jacobs, p. 278.

Page 166.

À GEORGE SAND

[24 février 1870]

Autographe Lovenjoul, A IV, ff^os^ 198-199 ; *Supplément*, t. II, p. 223.

1. La première de *L'Autre*, à l'Odéon.

2. Edmond Plauchut (1824-1909), l'ami le plus fidèle de George Sand après la mort d'Alexandre Manceau en 1865.

À JULES DUPLAN

[1870 ?]

Autographe Lovenjoul, A V, ff^os^ 641-642 ; lettre publiée dans C.H.H., *Correspondance*, t. V, p. 394, non datée. La première lettre dans laquelle Flaubert tutoie Jules Duplan date du [22 mars 1858] (voir t. II, p. 802).

À JULES DUPLAN

[1870 ?]

Autographe Lovenjoul, A V, ff^os^ 641-642 ; lettre publiée dans C.H.H., *Correspondance*, t. V, p. 394, non datée.

Page 167.

À GEORGE SAND

[1er mars 1870]

Autographe Lovenjoul, A IV, f° 200 ; *Supplément*, t. II, p. 224.

1. Flaubert avait rendu visite à George Sand dans la matinée du 28 février et ils avaient pris rendez-vous pour le jeudi suivant 2 mars. Voir *Correspondance Flaubert-Sand*, éd. Alphonse Jacobs, p. 279 et n. 20.

GEORGE SAND À GUSTAVE FLAUBERT

[2 mars 1870]

Autographe collection Vandendriessche ; *Correspondance Flaubert-Sand*, éd. Alphonse Jacobs, p. 279.

2. « Mme Chatiron, belle-sœur de George Sand, morte le 20 février 1870 » (note d'Alphonse Jacobs dans *Correspondance Flaubert-Sand*, n. 21, p. 279).

À GEORGE SAND

[3 mars 1870]

Autographe Lovenjoul, A IV, ff^os^ 201-202 ; *Supplément*, t. II, p. 224-225.

Page 168.

1. Voir la lettre précédente, n. 2, p. 167.

2. L'aînée des petites-filles de George Sand.

À EDMOND DE GONCOURT

[4 mars 1870]

Autographe B.N., N.A.F. 22462, f° 341 ; C.H.H., *Correspondance*, t. III, p. 550.

3. Edmond de Goncourt était venu à l'enterrement de Jules Duplan, le 3 mars 1870.

4. Jules de Goncourt, très malade, mourra le 20 juin 1870.

À ERNEST FEYDEAU

[4 mars 1870]

Inédite. Autographe docteur Jean, que je remercie de son obligeance.

Page 169.

1. Alfred Feydeau, architecte de la ville de Paris. Voir la note bibliographique de la lettre de Flaubert à Ernest Feydeau du [5 avril 1857], t. II, p. 702.

AU DOCTEUR DUMONT

6 mars [1870]

Autographe non retrouvé ; copie envoyée par Édouard Maynial, qui possédait l'autographe, à René Descharmes (B.N., N.A.F. 23827, ff[os] 26-27) ; *Supplément*, t. II, p. 225. Maynial explique à Descharmes que le docteur Dumont est le « mari d'une lointaine cousine de la famille de ma femme ». Je donne la copie de Maynial, qui me paraît plus conforme aux habitudes de Flaubert, à cette époque, en matière d'alinéas, que le texte publié dans le *Supplément*. Sur le docteur Dumont, voir t. I, n. 7, p. 102.

GEORGE SAND À GUSTAVE FLAUBERT

11 mars [18]70

Autographe collection Vandendriessche ; *Correspondance Flaubert-Sand*, éd. Alphonse Jacobs, p. 280.

Page 170.

À CHARLES-FRANCISQUE BERTON

[15 mars 1870]

Inédite. Autographe collection particulière.

1. Sylvanie Arnould-Plessy (1819-1897), sociétaire de la Comédie-Française, grande amie de George Sand.

2. *Festons et astragales*, Paris, Librairie nouvelle, 1859, p. 24-28.

3. Il s'agit de la représentation au bénéfice du monument de Louis Bouilhet, donnée au théâtre de l'Odéon le 12 février 1870. Voir la lettre de Flaubert à George Sand du [12 février 1870], n. 1, p. 158.

4. Surtout la mort de Jules Duplan, le 1er mars 1870.

5. *L'Autre*, pièce de George Sand, se jouait depuis le 25 février 1870 à l'Odéon. Malade, Flaubert n'avait pu aller à la première. Berton jouait dans cette pièce, et Flaubert et Bouilhet le connaissaient depuis 1866, puisqu'il jouait le rôle du prince de Condé dans *La Conjuration d'Amboise* de Bouilhet, à l'Odéon. Ils étaient devenus amis.

6. Flaubert ira voir *L'Autre* le 19 mars 1870, ce qui permet de dater cette lettre.

7. Ce poème ne figure, ni dans *Festons et astragales* (Flaubert écrit : astralages), ni dans *Dernières chansons.*

8. Ces deux phrases sont une addition à la lettre dans la marge de gauche et suivant la longueur du papier.

À GEORGE SAND

[15 mars 1870]

Autographe Lovenjoul, A IV, ff[os] 203-204 ; *Supplément*, t. II, p. 226-227.

9. Plotin (205-270 apr. J.-C.), le plus grand des philosophes néoplatoniciens, auteur des *Ennéades*, ouvrage composé de six sections divisées en *neuf* parties, d'où le titre de l'ouvrage. La pensée de Plotin a profondément influencé la théologie et la philosophie chrétiennes. Flaubert pouvait lire les *Ennéades* dans l'édition de Frédéric Creuzer (3 vol. in-8°, Oxford, 1835 ; texte grec et traduction latine de Marsile Ficin ; Flaubert possédait *Les Religions de l'Antiquité* du même Creuzer dans l'adaptation de Guigniault), ou dans la traduction française de M. N. Bouillet (3 vol. in-8°, 1857-1861), l'auteur du *Dictionnaire d'histoire et de géographie*, qui figurait aussi dans sa bibliothèque.

Page 171.

1. Flaubert ira voir la pièce de George Sand à l'Odéon le 19 mars 1870. Voir sa lettre à George Sand du [20 mars 1870], p. 176.

À ALFRED MAURY

17 mars [1870]

Autographe non retrouvé ; *Supplément*, t. II, p. 227-228.

2. Sur Alfred Maury, membre de l'Académie des inscriptions et belles-lettres (1857), voir la lettre de Flaubert à Mlle Leroyer de Chantepie du [18 février 1859], t. III, n. 3, p. 17.

3. Édouard Dulaurier (1807-1881), professeur à l'École des langues orientales, élu à l'Académie des inscriptions et belles-lettres en 1864. L'ouvrage de Dulaurier concernant saint Pacôme (276 ?-349 ?, instituteur de la vie cénobitique dans la Haute-Thébaïde) est intitulé : *Fragments des révélations apocryphes de saint Barthélemy et de l'histoire des communautés fondées par saint Pakhome* (1835).

4. Édouard Dulaurier, « Notice sur le manuscrit copte-thébain intitulé *La Fidèle Sagesse* », suivie de fragments du manuscrit, *Journal asiatique*, juin 1847. *Pistis Sophia* signifie : « Foi Sagesse ».

Page 172.

À GEORGE SAND

[17 mars 1870]

Autographe Lovenjoul, A IV, ffos 205-206 ; incomplète dans Conard, t. VI, p. 105-106, à la date erronée du [15 mars 1870].

a. qu'elle [se rétracte] <vous le dise>.

1. *Malgrétout* a été publié dans la *Revue des Deux Mondes* du 1er février au 15 mars 1870 ; il paraîtra en volume le 3 septembre 1870 (*Bibliographie de la France*). Comme cette publication a suscité un petit scandale, je résume le roman et cite les passages essentiels concernant Carmen d'Ortosa. Un Anglais, M. Owen, s'est établi en France avec ses deux filles, Sarah et Adda. Adda épouse M. de Rémonville, qui la trompe et se ruine. Sarah achète une maison près des Dames-de-Meuse, entre Revin et Fumay, où elle vit avec son père, Adda et ses enfants. Sarah rencontre le grand violoniste Abel, et Lady Hosborn, qui habite dans un château des environs avec son fils Richard et Mlle Carmen d'Ortosa. Après quelques péripéties, Rémonville se suicide, Carmen d'Ortosa tombe malade et Sarah épouse Abel. Les citations qui suivent sont tirées de l'édition de la Société des Écrivains ardennais, préface d'André Maurois, Mézières, 1953.

« [Mlle Carmen d'Ortosa] était belle, et ses toilettes exquises eussent pu servir de modèle aux plus habiles. C'était une fille de grande maison sans fortune, qui vivait depuis deux ou trois ans en villégiature chez Lady Hosborn ; elle était fort remarquée dans le pays pour sa beauté, son esprit et ses habitudes d'indépendance. [...] Les pauvres gens la disaient très généreuse » (*Malgrétout*, p. 85-86).

Carmen à Sarah : « [...] Je ne dépense pas plus de 25 000 francs par an pour soutenir ma réputation [de femme élégante] ; je donne le reste aux laquais et aux pauvres. Ces deux classes de mendiants sont les plus nécessaires dans ma position. En payant bien les valets des maisons où l'on vit, on est mieux servi que les maîtres de la maison et l'on n'est jamais calomnié. En donnant aux misérables, on pourrait commettre impunément toutes les rapines et affronter tous les scandales. Il y a toujours des voix pour dire : "Elle fait tant de bien ! elle est bonne, elle soigne les malades, elle s'expose à prendre leur mal, c'est une grande âme ! Qu'importe le reste ?" Vous paraissez épouvantée, chère Miss Owen ? [...]. J'ai *résolu* de faire le bien » (*ibid.*, p. 136).

Carmen à Sarah : « J'ai toujours cherché et produit l'éclat ; je veux le fixer, le posséder, le produire sans effort, le manifester sans limites. Je veux donc tout ce qui le procure et l'assure. Je veux épouser un homme riche, beau, jeune, éperdument épris de moi, à jamais soumis à moi, et portant avec éclat dans le monde un nom très illustre. Je veux aussi qu'il ait la puissance, je veux qu'il soit roi, empereur [*inde ira*], tout au moins héritier présomptif ou prince régnant » (*ibid.*, p. 139).

L'impératrice Eugénie s'était reconnue dans ce portrait peu flatté. Si George Sand avait choisi un nom italien, allemand ou russe, il n'y aurait pas eu de scandale.

Page 173.

1. « Lettre datée de "Nohant, 3 octobre 1868 *[sic, pour* novembre*]*" (Lovenjoul, E 912, ff^os^ 550-554). » (*Correspondance Flaubert-Sand*, éd. Alphonse Jacobs, n. 27, p. 284).

2. Voir la lettre de Flaubert à George Sand du [20 mars 1870], p. 176.

GEORGE SAND À GUSTAVE FLAUBERT
17 mars [1870]

Autographe collection Alfred Dupont ; *Correspondance Flaubert-Sand*, éd. Alphonse Jacobs, p. 281-282.

Page 174.

À RAOUL-DUVAL
[19 mars 1870]

Inédite. Autographe archives Raoul-Duval, n° 44.

1. Il s'agit de billets de théâtre pour *L'Autre*, pièce de George Sand, dont la première avait eu lieu à l'Odéon le 25 février 1870, avec grand succès. Flaubert n'avait pu y assister, à cause de la grave maladie de Jules Duplan, qui mourra le 1er mars 1870. Flaubert va voir *L'Autre* le soir même avec sa nièce Caroline. Voir ses lettres à George Sand des [17] et [20 mars 1870], p. 173 et 176.

2. Raoul-Duval démissionnera de sa fonction d'avocat général le 22 septembre 1870.

3. La lettre a été pliée, puis portée par le domestique de Flaubert. Elle est signée « Gve », au lieu de l'habituel « Gve Flaubert ».

GEORGE SAND À GUSTAVE FLAUBERT
19 mars [1870]

Autographe Lovenjoul, E 913, ff^os^ 286-287 ; *Correspondance Flaubert-Sand*, éd. Alphonse Jacobs, p. 284. Cette lettre avait pour destinataire réelle l'impératrice Eugénie, *via* Flaubert et Hortense Cornu. Voir les lettres suivantes.

Page 175.

À HORTENSE CORNU
[20 mars 1870]

Autographe non retrouvé ; Conard, t. VI, p. 107-108. La lettre a été publiée dans *L'Intermédiaire des chercheurs et des curieux* du 20 novembre 1904, colonnes 775-776.

1. Voir la lettre précédente.

2. Alfred Maury, directeur des Archives nationales, et qui avait collaboré à l'*Histoire de César* de Napoléon III. Voir la lettre de Flaubert à Mlle Leroyer de Chantepie du 18 février 1859, t. III, p. 17.

Page 176.

À GEORGE SAND

[20 mars 1870]

Autographe Lovenjoul, A IV, ff^{os} 208-209 ; incomplète dans Conard, t. VI, p. 108-109.

1. Comédie de George Sand jouée à l'Odéon.
2. Aurore, petite-fille de George Sand.

À NOËL PARFAIT

[29 mars 1870]

Autographe maison Calmann-Lévy ; *Lettres inédites de Gustave Flaubert à son éditeur Michel Lévy*, éd. Jacques Suffel, p. 199.

Page 177.

À SA NIÈCE CAROLINE

[3 avril 1870 ?]

Autographe Lovenjoul, A II, f° 115 ; C.H.H., *Correspondance*, t. V, p. 392, sans date.

GEORGE SAND À GUSTAVE FLAUBERT

3 avril [1870]

Autographe collection Vandendriessche ; *Correspondance Flaubert-Sand*, éd. Alphonse Jacobs, p. 286.

1. Le docteur Henri Favre (1827-1916), médecin et ami de George Sand.

Page 178.

À GEORGE SAND

[4 avril 1870]

Autographe Lovenjoul, A IV, ff^{os} 212-213 ; incomplète dans Conard, t. VI, p. 109-110.

1. Aurore Sand, petite-fille de George Sand.
2. Flaubert aurait-il vu lui-même l'impératrice Eugénie, ou ses excuses lui auraient-elles été transmises par Hortense Cornu ? Je pencherais pour la première hypothèse.
3. Voir la lettre précédente.

Page 179.

À GEORGE SAND

[14 avril 1870]

Autographe Lovenjoul, A IV, ff^{os} 214-215 ; incomplète dans Conard, t. VI, p. 111-112, datée à tort de la [deuxième quinzaine d'avril 1870].

1. Voir les deux lettres précédentes.

2. Hippolyte Taine, *De l'intelligence*, 2 vol. in-8°, Paris, Hachette, 1870 (ouvrage annoncé dans la *Bibliographie de la France*, le 30 avril 1870).

3. Alexandre Dumas fils, *Théâtre complet*, t. IV, p. 205-211 ; la préface à la pièce *Les Idées de Mme Aubray* est datée de janvier 1870 : « Je crois en Dieu, moi [...]. J'ai eu beau faire, j'ai eu beau chercher, c'est toujours là que je suis revenu, en me disant : "Si je ne crois pas en Dieu, il faut que je croie en moi, et, me connaissant comme je me connais, j'aime mieux croire en Dieu" » (p. 209). L'ouvrage est annoncé dans la *Bibliographie de la France* du 9 avril 1870. Christianisme ou déisme ? la phrase suivante implique « dans le sein de l'Église ! »

4. Voir la lettre suivante.

GEORGE SAND À GUSTAVE FLAUBERT
16 avril [18]70

Autographe Bernard Le Dosseur ; *Correspondance Flaubert-Sand*, éd. Alphonse Jacobs, p. 288.

5. Voir la lettre de Flaubert à George Sand du [13 mai 1869], n. 3, p. 44.

Page 180.

À GEORGE SAND
[19 avril 1870]

Autographe Lovenjoul, A IV, ffos 216-217 ; incomplète dans Conard, t. VI, p. 110-111.

1. Il s'agit de la « Préface » aux *Dernières chansons* de Louis Bouilhet, qui paraîtra le 20 janvier 1872.

2. Sur les tractations de Flaubert avec Michel Lévy pour le traité concernant *Salammbô*, voir la lettre de Flaubert au notaire Ernest Duplan du [23 août 1862], t. III, p. 239 et n. 1, celle à Michel Lévy du 25 août [1862], *ibid.*, p. 241, et n. 4, et celle à George Sand du [13 mai 1869], p. 44 et n. 3 de ce tome.

Page 181.

1. De jeunes amis de George Sand, que Flaubert avait rencontrés à Nohant à la Noël 1869. Voir sa lettre à George Sand du [30 décembre 1869], n. 6, p. 147.

2. Aurore Sand, petite-fille de George.

AU DOCTEUR JULES CLOQUET
[23 avril 1870]

Autographe Lovenjoul, A V, ffos 298-299 ; C.H.H., *Correspondance*, t. V, p. 386, sans date. La lettre est datée par le retour de Flaubert à Croisset le vendredi 6 mai 1870 (voir sa lettre au docteur Fortin du [27 avril 1870], p. 182).

3. Flaubert avait sans doute demandé au docteur Jules Cloquet de lui prêter 3 ou 4 000 francs. Voir les lettres de Flaubert à George Sand du [29 avril 1870], p. 183 et du [4 mai 1870], p. 188.

Page 182.

GEORGE SAND À GUSTAVE FLAUBERT

26 [avril 1870]

Autographe non retrouvé ; fac-similé dans René Descharmes, *Correspondance*, éd. du Centenaire, t. III, p. 245 ; *Correspondance Flaubert-Sand*, éd. Alphonse Jacobs, p. 290.

AU DOCTEUR CHARLES FORTIN

[27 avril 1870]

Autographe B. M. de Rouen, m m 8, pièce 53 ; *Supplément*, t. II, p. 232-233, à la date d'[avril 1870]. Flaubert revient à Croisset le 6 mai 1870. Sur le docteur Fortin, voir la lettre à Caroline du [14 août 1865], t. III, n. 2, p. 454.

1. Le domestique de Flaubert était à la Maison Dubois depuis deux mois (voir la lettre de Flaubert à George Sand du [4 avril 1870], p. 178). Il faut admettre que Flaubert l'a fait rapatrier à Rouen.
2. Je n'ai pu identifier ce médecin parisien.
3. Sur le docteur Robin, voir la lettre de Flaubert aux frères Goncourt du 6 août [1869], n. 5, p. 80.

À GEORGE SAND

[29 avril 1870]

Autographe Lovenjoul, A IV, ff[os] 218-219 ; incomplète dans Conard, t. VI, p. 112-114.

Page 183.

1. La maison Lévy quittait la rue Vivienne pour s'installer 3, rue Auber, place de l'Opéra.
2. Racine, *Athalie*, acte V, sc. VI.
3. Les discussions concernant *Dernières Chansons* de Louis Bouilhet et la préface de Flaubert mèneront à une brouille totale entre Flaubert et Michel Lévy. Voir la lettre de Flaubert à Philippe Leparfait de [mars 1872], Conard, t. VI, p. 359.

Page 184.

1. Alexandre Dumas fils. Le docteur Henri Favre était le médecin et l'ami de George Sand.
2. Maurice Sand, qui avait eu la diphtérie.
3. *De l'intelligence.* Voir la lettre suivante.
4. Flaubert possédait les *Œuvres complètes* de Spinoza en latin (éd. Paulus, 2 vol. in-8°, Iéna, 1802-1803). Mais il a pu utiliser la traduction française d'Émile Saisset (1842, rééditée en 1861). Le *Tractatus* est un

texte fondamental pour l'histoire des idées. Spinoza y montre que la Bible est une compilation d'Esdras durant la captivité de Babylone, et que son but est d'abord de frapper l'imagination de ses auditeurs et lecteurs. Il conclut en séparant la théologie de la politique, qui doit être fondée sur la liberté de penser. Sur Spinoza et Flaubert, voir Jean Bruneau, *Les Débuts littéraires de Gustave Flaubert*, Colin, 1962, p. 444-454.

5. Elme Caro (1826-1887), nommé en 1864 professeur de philosophie à la Sorbonne, élu en 1869 à l'Académie des sciences morales et politiques et en 1871 à l'Académie française. Il avait publié dans la *Revue des Deux Mondes* (15 octobre 1865-15 mars 1866) une série d'articles sur « La Philosophie de Goethe », où il traite de l'influence de Spinoza sur la philosophie de la nature « romantique ». Édouard Pailleron, le gendre de François Buloz, passe pour l'avoir mis en scène dans *Le Monde où l'on s'ennuie* (Théâtre-Français, 1881).

6. Le plébiscite portait sur la formule suivante : « Le peuple approuve [ou non] les réformes libérales opérées dans la Constitution depuis 1860 par l'Empereur. » Il a eu lieu le 8 mai 1870 : 7 350 000 oui, 1 538 000 non.

7. Aurore Sand, petite-fille de George Sand.

8. *La Tentation de saint Antoine* et *Le Sexe faible*, comédie de Louis Bouilhet, que Flaubert voulait finir et mettre au point ?

À HIPPOLYTE TAINE

[29 avril 1870]

Autographe non retrouvé ; *Supplément*, t. II, p. 229-230.

9. Hippolyte Taine, *De l'intelligence*.

10. Par exemple, « "Mes personnages imaginaires", m'écrit le plus exact et le plus lucide des romanciers modernes [...] » (*De l'intelligence*, t. I, p. 94). La bibliothèque de Flaubert à la mairie de Canteleu-Croisset possède l'exemplaire envoyé par Taine à Flaubert avec cette dédicace : « À mon ami Flaubert » (Lucien Andrieu, « Les Dédicaces des livres envoyés à Flaubert et conservés à l'hôtel de ville de Canteleu », *AFl.*, n° 24, mai 1964, p. 23.

11. Alfred Maury, le directeur général des Archives. Flaubert pense sans doute à l'ouvrage de Maury intitulé *Le Sommeil et les rêves, études psychologiques* (Paris, 1861).

Page 185.

À IVAN TOURGUENEFF

30 [avril 1870]

Autographe B.N., N.A.F. 16275, ff[os] 220-221 ; *Supplément*, t. II, p. 230-232 ; lettre publiée par Gérard-Gailly dans *Lettres inédites à Tourgueneff*, p. 19-22. L'autographe porte par erreur « 30 mai ».

1. Cette lettre ne se retrouve pas dans la collection Lovenjoul.

2. Jules Duplan est mort le 1er mars 1870, Louis Bouilhet le 18 juillet 1869.

3. Ernest Feydeau était paralysé depuis plusieurs semaines. Voir la lettre de Flaubert à Ernest Feydeau du [4 mars 1870], p. 169.

4. Jules de Goncourt était atteint d'une affection nerveuse, que les médecins tentaient de guérir par l'hydrothérapie. Le *Journal,* qu'il tenait, s'arrête le 19 janvier 1870 ; il sera repris par Edmond (voir *Journal,* éd. Robert Ricatte, t. VIII, p. 230-231) ; le 8 avril, Edmond écrit : « Dans cette figure aimée, où il y avait l'intelligence, l'ironie, cette fine et joliment méchante mine de l'esprit, je vois se glisser, minute par minute, le masque hagard de l'imbécillité » (p. 234). Jules de Goncourt mourra le 20 juin 1870.

5. Sainte-Beuve est mort le 13 octobre 1869.

6. *L'Éducation sentimentale.*

7. « Sans doute l'acteur Lassouche (1828-1915) » (*Supplément,* t. II, p. 231).

8. Le plébiscite du 8 mai 1870. Voir la lettre à George Sand du [29 avril 1870], n. 6, p. 184.

9. *Dernières chansons* de Louis Bouilhet, avec la préface de Flaubert, ne paraîtront qu'en janvier 1872.

Page 186.

1. Les répétitions de *Mademoiselle Aïssé* ne commenceront que le samedi 2 décembre 1871 (*Supplément,* t. II, p. 297).

GEORGE SAND À GUSTAVE FLAUBERT

1er mai [1870]

Autographe B.H.V.P., G 2428 ; *Correspondance Flaubert-Sand,* éd. Alphonse Jacobs, p. 292-294.

Page 187.

1. Voir le nouveau contrat de George Sand avec Michel Lévy, à titre de comparaison, dans *Correspondance Flaubert-Sand,* éd. Alphonse Jacobs, Flammarion, 1981, n. 44, p. 293.

Page 188.

À GEORGE SAND

[4 mai 1870]

Autographe Lovenjoul, A IV, ffos 220-221 ; *Supplément,* t. II, p. 233-234.

1. Voir la lettre précédente.

2. Ernest Commanville, qui était le « banquier » de Flaubert. Mais je ne suis pas sûr que Flaubert dise la vérité.

3. La pièce de George Sand, *L'Autre,* sera jouée jusqu'au 19 mai 1870.

GEORGE SAND À GUSTAVE FLAUBERT
20 mai [18]70

Autographe collection Alfred Dupont ; *Correspondance Flaubert-Sand*, éd. Alphonse Jacobs, p. 295-296.

Page 189.

1. Voir la lettre de Flaubert à George Sand du 19 [août 1867], t. III, p. 673 et n. 3.

Page 190.

À GEORGE SAND
[21 mai 1870]

Autographe Lovenjoul, A IV, ffos 222-223 ; incomplète dans Conard, t. VI, p. 114-117.

a. a été [malade] <fortement indisposée>. ♦♦ *b.* sur [la litt] l'art d'écrire.

1. Cette « notice » deviendra la Préface aux *Dernières chansons* de Louis Bouilhet (janvier 1872).
2. Louis Bouilhet.

Page 191.

1. « [...] le 23 février 1831, revenant sur les détails de la mort de son fils [le 28 octobre 1830], il [Goethe] finissait brusquement sa lettre [à August Kestner] par ce cri, d'une si admirable beauté : "Allons !... par-dessus les tombeaux, en avant" » (*Conversations de Goethe pendant les dernières années de sa vie (1822-1832), recueillies par Eckermann*, traduites par Émile Délerot, introduction de Sainte-Beuve, Paris, Charpentier, t. II, 1863, n. 1, p. 237).
2. Michel Lévy, l'éditeur de George Sand et de Flaubert.
3. Flaubert écrit : *Spinosa.*
4. « Fille du bibliothécaire de Sainte-Geneviève, Mlle Borel d'Hauterive habitait Nice, dans la même maison qu'un jeune homme nommé Morpain. Une intrigue s'était nouée entre eux ; mais ils étaient pauvres, et la vie commune devint impossible. Le dimanche 15 mai 1870, des paysans trouvèrent, aux environs de la vallée de la Mantegat, Mlle d'Hauterive, grièvement blessée. Elle raconta que son ami et elle, à bout de ressources, s'étaient d'accord suicidés ; que le cadavre de Morpain gisait un peu plus loin, qu'elle-même, souffrant beaucoup, s'était traînée. Elle expira peu après. La version du double suicide fut généralement admise. Toutefois, le journal *Les Alpes-Maritimes*, relatant le fait divers, à quelques jours de là, émit l'hypothèse d'un crime. Ce fait divers, qui fut un gros scandale, est resté assez mystérieux » (René Descharmes, *Correspondance*, éd. du Centenaire, 1924, t. III, n. 2, p. 244).

Mlle Borel d'Hauterive était la nièce de Petrus Borel d'Hauterive, le Lycanthrope, mort en 1859. Sur le suicide à deux de jeunes gens qui s'aiment, voir Alfred de Vigny, *Les Amants de Montmorency, élévation* (27 avril 1830), et la belle nouvelle de Gottfried Keller, *Romeo und Julia auf dem Dorf* (publiée en janvier 1856 dans le premier volume de *Die Leute von Seldwyla*). Dans *Le Disciple* de Paul Bourget (1889), Charlotte de Jussat se suicide seule, par la lâcheté de Robert Greslou. Quant au suicide d'Axel et de Sara (Villiers de l'Isle-Adam, *Axel*, 1890), il a lieu avant l'acte d'amour, ce qui permet aux deux amants d'atteindre l'absolu.

5. À cette époque, pour Flaubert et bien d'autres, les États-Unis d'Amérique symbolisaient la religion de l'argent.

6. *Galoubet* : sorte d'instrument à vent à trois trous, qui se jouait de la main gauche, la droite frappant du tambourin, dans les fêtes populaires. Flaubert semble désigner par là l'appareil respiratoire (voir la lettre de George Sand à Flaubert du 1er mai [1870], p. 187).

7. De jeunes amis de George Sand, à Nohant. Voir la lettre de Flaubert à George Sand du [30 décembre 1869], n. 6, p. 147.

À SA NIÈCE CAROLINE

[Mai 1870 ?]

Autographe Lovenjoul, A II, f° 318 ; *Supplément*, t. II, p. 237, à la date de [juin-juillet 1870]. Je crois cette lettre de mai 1870, parce que Caroline doit passer par Croisset avant de rentrer à Neuville, près Dieppe, puis de repartir pour Paris et Luchon.

Page 192.

1. Ernest Commanville, le mari de Caroline.

2. Émile Collange (1843-1919), qui avait remplacé Narcisse comme domestique de Flaubert. Voir Lucien Andrieu, « Les Domestiques de la famille Flaubert », *AFl.*, n° 44, mai 1974, p. 5-6.

3. Les « dames Vasse » arriveront plus tôt que prévu. Voir la lettre de Flaubert à Caroline du [15 juin 1870], p. 194.

À PHILIPPE LEPARFAIT

[7 juin ? 1870]

Autographe J. Lambert ; Conard, t. VI, p. 386, mal datée de [1872]. Gérard-Gailly propose la date de mercredi [8] juin [1870], le chiffre ayant été mal écrit. L'autographe est formel : Flaubert marque très lisiblement au bas de sa lettre : « mardi soir 6 juin ». Or le 6 juin 1870 est un lundi, et le 6 juin 1871 un mardi. J'avais d'abord pensé que cette lettre était du mardi 6 juin 1871, mais Flaubert ne s'occupe pas de la préface aux *Dernières chansons* de Louis Bouilhet à cette époque, mais bien en juin 1870. La lettre serait donc du lundi 6 ou du mardi 7 juin. Je penche pour la seconde hypothèse.

4. Dans la pièce jouée et imprimée, le comte de Roxas n'apparaît pas au cinquième acte ; c'est un ami de don Fernand de Torrès qui

vient annoncer que le marquis d'Avila a été assassiné par un sbire du comte de Roxas. *Dolorès* avait été reçue à corrections par le comité de lecture du Théâtre-Français le 24 mai 1861. Parmi ces corrections demandées figurait la refonte du cinquième acte (voir la lettre de Louis Bouilhet à Flaubert du [3 août 1861], t. III, Appendice III, p. 924).

5. Sur Gabriel Caudron, voir t. II, n. 1, p. 844.

6. Flaubert pense certainement à l'article nécrologique de Barbey d'Aurevilly sur Louis Bouilhet : « M. Louis Bouilhet, qui vient de mourir, va occuper l'attention, cette semaine ; mais je ne crois pas que le Bruit lui donne plus que *ses huit jours*, comme aux domestiques qu'on renvoie… » (*Le Gaulois*, 31 juillet 1869 ; cité par Jacques Petit, *Barbey d'Aurevilly critique*, Les Belles Lettres, 1963, p. 300). Voir la Préface aux *Dernières chansons* de Louis Bouilhet : « La presse parisienne tout entière s'associa à cette douleur ; les plus hostiles même n'épargnèrent pas les regrets ; ce fut comme une couronne envoyée de loin sur son tombeau. Un écrivain catholique y jeta de la fange » (Paris, Michel Lévy, 1872, p. 16).

7. Philippe Leparfait devait recopier les poèmes de Louis Bouilhet, qui paraîtront en janvier 1872 sous le titre de *Dernières chansons*.

À SA NIÈCE CAROLINE
[8 juin 1870]

Autographe Lovenjoul, A II, f° 314 ; incomplète dans Conard, t. VI, p. 117-118, à la date de [début de juin 1870]. Je penche pour le mercredi 8 juin.

Page 193.

1. Le général Letellier-Valazé (1812-1876) était le frère aîné d'Edma Roger des Genettes (voir t. II, n. 3, p. 57). Sorti de Saint-Cyr, il avait été sous-secrétaire d'État au ministère de la Guerre, en 1840, et avait collaboré, pour la partie militaire, à l'*Histoire du Consulat et de l'Empire* d'Adolphe Thiers. Il est nommé colonel le 24 mars 1856, général de brigade le 14 mars 1863 et général de division le 27 octobre 1870. Après la guerre de 1870, il sera élu député de la Seine-Inférieure, au centre gauche, puis sénateur inamovible. Louise Colet le connaissait et le colonel Letellier-Valazé figure dans *L'Italie des Italiens* (Paris, Dentu, t. I, 1862, p. 122) : « La place de Pavie était commandée par M. Letellier-Valazé, colonel d'état-major, petit-fils de ce grand Girondin qui se donna la mort en souriant, et frère d'une de mes amies parisiennes, Mme Roger Desgenettes, femme passionnée pour la poésie et la littérature, qui lit les vers avec la diction pure et parfois les inflexions profondes de Rachel. J'avais prévenu le colonel Valazé de ma visite, et, le vendredi 25 novembre (1859), malgré le temps pluvieux qui obscurcissait la campagne, je partis à midi accompagnée du capitaine Yung. » Sur *L'Italie des Italiens*, voir Jean Bruneau, « Louise Colet, Maxime Du Camp, Gustave Flaubert… et Garibaldi », *Mélanges offerts à la mémoire de Franco Simone*, Genève, Slatkine, 1984, t. IV, p. 469-483.

2. Le comte Charles d'Osmoy n'arrivera en effet à Croisset que le lundi 4 juillet 1870. Voir la lettre de Flaubert à Caroline du 8 [juillet 1870], p. 207.

3. La princesse Mathilde.

À MAXIME DU CAMP

9 juin [1870]

Autographe bibliothèque de l'Institut, fonds Du Camp, n° 3751, pièce 23 ; *Supplément*, t. II, p. 234-235. La date, 1870, est de la main de Du Camp. Cette lettre a été publiée par Auriant, *Lettres inédites à Maxime Du Camp, Me Frédéric Fovard, Mme Adèle Husson et « L'Excellent M. Baudry »*, Sceaux, Palimugre, 1948, p. 58. La lettre de Du Camp à Flaubert n'a pas été retrouvée.

4. Adèle Husson, surnommée le Mouton. Voir la lettre de Flaubert à Jules Duplan du [20 juin 1865], t. III, n. 1, p. 445. Céline était sa femme de chambre.

5. Flaubert écrivait la préface aux *Dernières chansons* de Louis Bouilhet.

Page 194.

À SA NIÈCE CAROLINE

[15 juin 1870]

Autographe Lovenjoul, A II, ffos 316-317. Enveloppe (fo 315) : Madame Commanville, rue de Clichy 77, Paris ; C. P. : ? juin 1870 ; incomplète dans Conard, t. VI, p. 118-119, à la date de [juin 1870]. Cette lettre ne peut être que du mercredi 15 juin.

1. Coralie Vasse de Saint-Ouen avait épousé le capitaine de La Chaussée.

2. Neuville près Dieppe, où résidaient les Commanville, quand ils n'étaient pas à Paris, rue de Clichy.

3. Censier était conseiller à la cour de Rouen.

4. Flaubert travaille à la préface aux *Dernières Chansons* de Louis Bouilhet.

5. *Conversations de Goethe pendant les dernières années de sa vie (1822-1832).* Voir la lettre de Flaubert à George Sand du [21 mai 1870], n. 1, p. 191.

6. Ernest Commanville.

Page 195.

1. Flaubert écrit *Puzzle.*

À EDMOND LAPORTE

[15 juin 1870]

Autographe non retrouvé ; *Supplément*, t. II, p. 235. La lettre ne figure pas dans le catalogue G. Andrieux, vente à l'hôtel Drouot des 20-28 mars 1933 des lettres de Flaubert à Edmond Laporte.

2. Jules Duplan, mort le 1er mars 1870, par qui Flaubert avait connu Edmond Laporte.

À RAOUL-DUVAL

[22 juin 1870]

Autographe B.N., N.A.F., fonds Hetzel, f° 311 ; *Supplément*, t. II, p. 12-13 ; le destinataire n'est pas Charles-Edmond, mais Raoul-Duval, et la date, [août 1864 ?], est erronée. Voici des extraits de la réponse de Mme Régnier à une lettre de Flaubert non retrouvée : « 5 juillet 1870. / Que vous êtes bon, Monsieur, de m'avoir répondu avec cet empressement et combien je vous en remercie ! Votre lettre, pourtant, m'a fait autant de peine que de plaisir ; je vous y sens si triste, et surtout découragé — si découragé que je vous gronderais, si je l'osais, de vous laisser ainsi dominer par le chagrin. On n'a pas le droit, quand on s'appelle Gustave Flaubert, et que l'œuvre n'est pas achevée, de se laisser abattre comme le premier inutile venu… Vous dites qu'il faut une certaine gaieté pour produire, c'est possible. Mais pensez-vous que la souffrance morale n'ait pas aussi sa fécondité ? […]. Pour ce qui est d'Hachette et d'Hetzel, je suis trop heureuse que vous vous chargiez des négociations et je m'en remets absolument à votre obligeance. Mais si c'est à Hetzel que vous avez donné le conte, j'ai peu d'espoir. Ne vous ai-je pas dit qu'il me l'avait déjà refusé une fois sous le fallacieux prétexte qu'on ne veut plus de contes de fées […] » (Lovenjoul, B V, ffos 312-313).

3. *Un duel de salon*, publié dans *La Liberté* à partir du 11 février 1870. Voir la lettre de Flaubert à Louis Bouilhet du [1er avril 1867], t. III, p. 625 (n. 2) et suiv.

4. *Brillante et solide.*

5. Raoul-Duval a écrit à Hetzel, comme il l'avait promis, en joignant la lettre de Flaubert (B.N., N.A.F., fonds Hetzel, f° 312, non datée) : « Ci-contre une lettre de Gustave Flaubert […]. » En voici le résumé : Raoul-Duval dit à Hetzel de renvoyer les deux manuscrits sans les lire, pas plus qu'il ne les a lus lui-même, et qu'il fera savoir à Flaubert qu'Hetzel lui écrira à loisir. Il n'y a pas de lettres de Hetzel à Flaubert dans la collection Lovenjoul. S'il a écrit, Hetzel se sera adressé à Mme Régnier ?

À EDMA ROGER DES GENETTES

[23 juin 1870]

Autographe Lovenjoul, A VI, ffos 88-89 ; *Supplément*, t. II, p. 236-237.

Page 196.

1. L'enterrement de Jules de Goncourt, le 22 juin 1870.

2. Sur la fondation des dîners Magny, voir la lettre de Flaubert à Edmond et Jules de Goncourt du [3 décembre 1862], t. III, n. 2, p. 266. Flaubert a été invité au second dîner Magny, le 6 décembre 1862. Le premier, le 22 novembre 1862, réunissait Gavarni, le docteur Veyne, Chennevières, Sainte-Beuve et les frères Goncourt.

3. *Dernières chansons*, recueil paru en janvier 1872.

4. « On se sert [...] de l'eau de goudron contre les bronchites chroniques, les flux muqueux, dans la première période de la phtisie, etc. » (Bouillet, *Dictionnaire universel des sciences, des lettres et des arts*, 1854).

5. Villenauxe-la-Grande, à quinze kilomètres au nord de Nogent-sur-Seine (Aube).

6. M. Roger des Genettes avait été longtemps percepteur à Saint-Maur.

À GEORGE SAND
26 juin [1870]

Autographe Lovenjoul, A IV, ffos 224-225 ; incomplète dans Conard, t. VI, p. 121-122.

7. Voir la lettre précédente, n. 2.

8. La Préface aux *Dernières chansons* de Louis Bouilhet.

9. *Le Sexe faible*. Ce projet n'aboutira pas.

Page 197.

1. Les répétitions de *Mademoiselle Aïssé*, comédie de Louis Bouilhet, ne commenceront qu'en décembre 1871.

2. Chez sa nièce Caroline.

3. Théophile Gautier.

À EDMOND DE GONCOURT
[26 juin 1870]

Autographe non retrouvé ; Conard, t. VI, p. 119-121.

4. Flaubert avait assisté à l'enterrement de Jules de Goncourt le 22 juin 1870. Edmond l'avait prévenu par la lettre que voici, écrite le jour même de la mort de son frère : « Ce 20 juin 1870. / Cher vieil ami, / Je viens d'ensevelir mon frère ; il est mort après une douloureuse agonie commencée jeudi dernier. Je serais bien heureux d'avoir derrière son cercueil, l'homme dont il estimait tant le talent, dont il aimait tant la personne. Je vous enverrai une dépêche qui vous dira le jour et l'heure du convoi. / Je vous embrasse seul maintenant dans la maison d'Auteuil » (Lovenjoul, B III, ffos 272-273 ; l'autographe montre des mots effacés, je crois, par les larmes.) La « confidence personnelle » a été faite oralement.

5. Ernest Feydeau était très malade, et mourra le 29 octobre 1873.

6. La Préface aux *Dernières chansons* de Louis Bouilhet correspond parfaitement à cette description de Flaubert. C'est aussi le seul texte de critique littéraire qu'il ait jamais publié.

7. Bouilhet et Flaubert se seraient donc connus durant leur année de sixième au collège royal de Rouen.

Page 198.

GEORGE SAND À GUSTAVE FLAUBERT
27 juin [18]70

Autographe collection Alfred Dupont ; *Correspondance Flaubert-Sand*, éd. Alphonse Jacobs, p. 299.

1. Armand Barbès était mort à La Haye le 26 juin 1870.

À SA NIÈCE CAROLINE
[28 juin 1870]

Autographe Lovenjoul, A II, ffos 319-320 ; incomplète dans Conard, t. VI, p. 122-123.

2. Ernest Commanville.

Page 199.

1. Ni Flaubert, ni Gautier n'ont été *fondateurs* du dîner Magny. Voir la lettre de Flaubert aux frères Goncourt du [3 décembre 1862], t. III, n. 2, p. 266.

2. Louis Bouilhet, comme Théophile Gautier, sera invité aux dîners Magny au cours de l'année 1863.

3. Sur le sens du mot *sheik*, voir t. I, p. 641.

4. Flaubert écrit : *Puzzle.*

5. Sur le ménage Lapierre, voir la lettre de Flaubert à sa nièce Caroline du [30 juin 1868], t. III n. 5, p. 766. Sur Raoul-Duval, voir sa lettre à la même du [17 septembre 1868], *Ibid.*, n. 5, p. 802.

6. Mme Achille Flaubert, la belle-sœur de Gustave.

7. Sur le docteur Fortin et sa famille, voir la lettre de Flaubert à sa nièce Caroline du [14 août 1865], t. III, n. 2, p. 454. Le docteur Fortin avait fait un beau mariage ; voir Lucien Andrieu, « Le Médecin de Flaubert : Charles-André Fortin », *Les Rouennais et la Famille Flaubert*, éd. des Amis de Flaubert, p. 49-51.

8. Je n'ai pu identifier Saint-André, un grand propriétaire de la région.

À NOËL PARFAIT
[29 juin 1870]

Autographe maison Calmann-Lévy ; *Lettres inédites de Gustave Flaubert à son éditeur Michel Lévy*, éd. Jacques Suffel, p. 200-201.

9. Beauvilliers avait écrit un article élogieux sur *L'Éducation sentimentale* ; dans la suite de la lettre, Flaubert mentionne Samuel David, compositeur de musique, qui voulait transformer *Salammbô* en opéra ; l'affaire n'aura pas de suite. Voir Jacques Suffel, *Lettres inédites de Gustave Flaubert à son éditeur Michel Lévy*, Calmann-Lévy, 1965, p. 200-202 et les notes des pages 201 et 202.

Page 200.

GEORGE SAND À GUSTAVE FLAUBERT
29 juin [1870]

Autographe collection Alfred Dupont ; *Correspondance Flaubert-Sand*, éd. Alphonse Jacobs, p. 299-300.

1. La Fontaine, *Fables*, livre VIII, fable II, « Les Deux Amis ».

2. Voir la lettre de George Sand à Flaubert du [10 novembre 1866], t. III, n. 1, p. 551.

3. Charles Buloz, le fils aîné du directeur de la *Revue des Deux Mondes*.

Page 201.

À SA NIÈCE CAROLINE
[1er juillet 1870]

Autographe Lovenjoul, A II, ffos 321-322 ; incomplète dans Conard, t. VI, p. 123-125.

a. Gavarni, [en revenant] <et revenir> par le port ♦♦ *b.* et <d'ailleurs> il avait la cervelle remplie <naturellement> par des images ♦♦ *c.* crâne, [on] <ces messieurs> le respectent

1. Dans son voyage aux Pyrénées et en Corse (août-octobre 1840), Flaubert écrit : « Jusqu'à présent ce que j'ai vu de plus beau, c'est Gavarnie. [Suit une belle description] » (*Voyages*, éd. René Dumesnil, Les Belles Lettres, t. I, 1948, p. 28). Plus loin : « Bagnères-de-Luchon, 15 septembre, temps de pluie. Aujourd'hui je devais aller au port de Venasque et revenir par le port de la Picade, aller en Espagne encore une fois ! Le projet est avorté [...] » (*ibid.*, p. 32). Flaubert ira au port de Venasque (*ibid.*, p. 35-38), mais non au port de la Picade, si l'on en juge par son récit de voyage. Sur ce « voyage », voir Jean Bruneau, *Les Débuts littéraires de Gustave Flaubert*, p. 293-305. Flaubert écrit : *Gavarni.*

2. S'agirait-il des quatre premiers vers de l'« Épitre à Depange aîné » ? « Heureux qui, se livrant aux sages disciplines, / Nourri du lait sacré des antiques doctrines, / Ainsi que de talents a jadis hérité / D'un bien modique et sûr qui fait la liberté ! »

3. Voir la lettre de Flaubert à Caroline du [15 juin 1870], p. 194.

4. Sur le cousinage éloigné de la famille Heuzey avec la belle-sœur de Flaubert, voir t. I, n. 1, p. 43 ; sur son fils Léon Heuzey, voir la lettre de Flaubert à Alfred Darcel de [mai ? 1860], t. III, p. 92-93 et les notes. Peut-être Mme Heuzey apportait-elle à Flaubert une lettre de son fils, dont voici l'essentiel : « Paris, 29 juin 1870. / Mon cher ami, / Nous combattons en ce moment dans le brouillard et sur le terrain le plus glissant, contre l'ignoble Froehner, qui va peut-être un de ces jours devenir conservateur en chef des Antiques [au Louvre], au grand scandale des savants français et de tous les honnêtes gens. J'ai pour moi les forces morales et les appuis scientifiques les plus considé-

rables, mais cela ne suffit pas. Maury me dit que, par la Princesse [Mathilde], on arriverait peut-être à secouer l'apathie qui règne à Saint-Cloud, malgré les anciennes amitiés du Louvre. Revenez-vous ces jours-ci à Paris ? je vous demanderais de me présenter à Saint-Gratien et d'agir en ma faveur énergiquement ? Viendriez-vous même exprès, si la chose pressait ? […] Si vous ne pouviez, croiriez-vous pouvoir réussir par une lettre de bonne encre, où vous demanderiez audience pour moi en plaidant d'avance ma cause comme vous savez le faire, en me présentant comme dégagé des personnalités et soucieux seulement de faire enfin quelque chose de français dans cette malheureuse administration du Louvre ? Dans ce cas, comme il vous faudrait des détails qui se donnent difficilement par lettre, je viendrais vous voir dimanche prochain à Croisset. […] » (Lovenjoul, B III, ffos 458-459).

Le 6 juillet 1870, Léon Heuzey écrit de nouveau à Flaubert : « Mon cher ami, / La crise paraît imminente. Sans avoir encore aucun détail précis sur la manière dont les choses se sont passées, je suis persuadé que la puissante intervention que vous avez provoquée en notre faveur [la princesse Mathilde] y aura contribué pour beaucoup. Le premier point acquis et le principal, c'est que Froehner sort du Louvre et trouve une compensation pécuniaire dans une autre branche de la liste civile. Bien du plaisir à ses nouveaux collègues ! […] Je serais bien curieux de connaître surtout les incidents produits par votre lettre. […] » (Lovenjoul, B III, ffos 460-461).

5. Déjà membre du conseil municipal de Rouen, Raoul-Duval était candidat au conseil général de la Seine-Inférieure. Ses témoins étaient Charles Lapierre et le général de Geslin ; son adversaire, C. Riduet, rédacteur au *Progrès de Rouen*, journal qui soutenait un autre candidat. S'estimant diffamé par un article de Riduet, Raoul-Duval l'avait provoqué en duel. Le procès-verbal de la rencontre se termine ainsi : « Après un premier coup de feu sans résultat, M. Raoul-Duval a demandé qu'une seconde balle fût échangée. Les témoins de M. C. Riduet ont déclaré l'honneur satisfait. Rouen, 12 juin 1870 » (*Lettres inédites de Flaubert à Raoul-Duval*, préface d'Edgar Raoul-Duval, p. 25 ; le préfacier raconte que, quelques années plus tard, Riduet, tombé dans la misère, demanda et obtint de Raoul-Duval une recommandation pour un bureau de tabac). Pour la petite histoire, Cordhomme, oncle de Guy de Maupassant, passait pour avoir raconté à son neveu l'histoire de Boule-de-Suif, où il jouerait le rôle de Cornudet, homme de gauche comme Riduet.

6. Raoul-Duval fut élu conseiller général.

7. Duval, l'horloger des Flaubert. Voir t. II, n. 3, p. 841.

Page 202.

1. Ernest Commanville.

À GEORGE SAND

2 juillet [1870]

Autographe Lovenjoul, A IV, ff[os] 226-227 ; incomplète dans Conard, t. VI, p. 125-127.

2. Je n'ai pu identifier cette citation.

3. De « Elle va très bien » à « les bourgeois », addition marginale au feuillet blanc 226 v°. Flaubert ne voulait pas inquiéter George Sand sur sa santé physique.

Page 203.

1. Ces répétitions ne commenceront qu'en décembre 1871.

2. Flaubert écrit : *Spinosa.*

3. Voir la lettre de George Sand à Flaubert du 27 juin [18]70, p. 198.

4. Voir les lettres de Flaubert à George Sand du [21 mai 1870], p. 191, et à sa nièce Caroline du [15 juin 1870], p. 194.

MADEMOISELLE LEROYER DE CHANTEPIE
À GUSTAVE FLAUBERT

2 juillet 1870

Autographe non retrouvé ; copie René Descharmes, B.N., N.A.F. 23825, f° 381.

5. Il s'agit de *Chroniques et légendes*, publiées à compte d'auteur en 1869 à Château-Gontier, la ville natale de Mlle de Chantepie. Voir l'excellent article de Hermia Oliver, « Nouveaux aperçus sur Marie-Sophie Leroyer de Chantepie », *AFl.*, n° 61, décembre 1982, p. 11.

Page 204.

GEORGE SAND À GUSTAVE FLAUBERT

3 juillet [18]70

Autographe collection Mme Simone André-Maurois ; *Correspondance Flaubert-Sand*, éd. Alphonse Jacobs, p. 302.

1. Sur Carmen d'Ortosa, personnage de *Malgrétout*, roman de George Sand, voir la lettre de Flaubert à George Sand du [17 mars 1870], n. 1, p. 172.

2. Voir la lettre de George Sand à Flaubert du 19 mars [1870], p. 174.

3. Pseudonyme du journaliste qui, dans *La Liberté* du 25 juin 1870, avait de nouveau accusé George Sand d'avoir peint l'impératrice Eugénie sous les traits de Carmen d'Ortosa.

À SA NIÈCE CAROLINE

[4 juillet 1870]

Autographe Lovenjoul, A II, ff[os] 323-324 ; incomplète dans Conard, t. VI, p. 128-130.

Page 205.

a. tout au moins [la] <l'espèce de> gaîté

1. Je rappelle que, sauf deux, toutes les lettres de Caroline Commanville à son oncle Gustave ont disparu. Elles ont certainement été détruites par Caroline elle-même, par une pudeur familiale bien compréhensible.

2. Charles d'Osmoy arrivera à Croisset le lundi 4 juillet au soir (voir la lettre de Flaubert à Caroline du 8 [juillet 1870], p. 207).

3. Je n'ai pu identifier les Maletra ou Malestroit ?

4. Flaubert écrit : *Braine.* Les deux sœurs Rivoire avaient épousé Charles Brainne et Charles Lapierre.

5. Sur Ernest Chevalier, voir t. I, n. 2, p. 3 ; n. 2, p. 5 et n. 2, p. 239 et *passim.*

6. *Peut-être on t'a conté la fameuse disgrâce / De l'altière Vasthi, dont j'occupe la place / [...]* (Racine, *Esther,* acte I, sc. 1). Voir le Livre d'Esther, chap. I et II.

Page 206.

À EDMOND DE GONCOURT
[4 juillet 1870]

Autographe non retrouvé ; Conard, t. VI, p. 127-128, à la date de [début de juillet 1870].

1. Flaubert répondait sans doute à la lettre d'Edmond de Goncourt, dont voici l'essentiel : « [...] Tout ceci est bien douloureux et cependant je le trouve par moments presque doux, et je commence à n'avoir plus pour le retour dans la maison d'Auteuil la même horreur que j'avais en revenant du cimetière. Il me semble que je vivrais là plus rapproché de son souvenir. Tout ce que [je] vous écris me semble bien absurde et bien contradictoire, mais tant pis, vous excuserez le détraquage de votre ami. Je veux vous voir, je veux passer un jour ou deux avec vous, j'ai besoin, mon cher Gustave, de me répandre et de me désoler en vous [...] » (Lovenjoul, B III, ffos 276-277).

2. Voir les lettres de Flaubert à George Sand du [21 mai 1870], p. 191, et à sa nièce Caroline du [15 juin 1870], p. 194.

À SA NIÈCE CAROLINE
8 [juillet 1870]

Autographe Lovenjoul, A II, ffos 325-326 ; Conard, t. VI, p. 130-131.

Page 207.

a. qu'il aime [bien] <fortement> sa petite femme

1. Ernest Commanville.

2. Il s'agit du *Sexe faible,* comédie laissée en chantier par Louis Bouilhet, que Flaubert terminera et remaniera, et qui ne sera jamais jouée.

3. Raoul-Duval avait épousé à la fin de 1856 Catherine Foerster, fille d'un négociant du Havre (*Lettres inédites à Raoul-Duval*, p. 14).

4. Mme Achille Flaubert, belle-sœur de Flaubert.

5. J'ignore qui est Grimbert. Les logements en question sont ceux des Commanville, rue de Clichy, 77, et de Flaubert lui-même, rue Murillo, 4.

6. Flaubert ne savait pas encore l'amour que se portaient le baron Leroy, préfet de la Seine-Inférieure, et sa nièce Caroline. Il l'apprendra en 1872, à Luchon, après la mort du baron. Peut-être s'en doutait-il déjà ?

À MADEMOISELLE LEROYER DE CHANTEPIE
8 juillet 1870

Autographe non retrouvé ; Conard, t. VI, p. 131-132.

7. Voir la lettre de Mlle de Chantepie à Flaubert du 2 juillet 1870, p. 203.

Page 208.

1. Les *Dernières chansons* de Louis Bouilhet ne seront publiées qu'en janvier 1872, quand sera jouée *Mademoiselle Aïssé*.

2. Bouilhet, mort le 18 juillet 1869 ; Sainte-Beuve, le 13 octobre 1869 ; Jules Duplan, le 1er mars 1870 ; Jules de Goncourt, le 20 juin 1870.

3. Voir la lettre de Flaubert à George Sand du [21 mai 1870], n. 1, p. 191.

MADEMOISELLE LEROYER DE CHANTEPIE À GUSTAVE FLAUBERT
10 juillet 1870

Autographe non retrouvé ; copie René Descharmes, B.N., N.A.F. 23825, f° 382.

Page 209.

1. Flaubert a-t-il répondu à cette lettre ? Je n'en suis pas sûr. En tout cas, sa réponse n'a pas été retrouvée. La lettre suivante de Flaubert à Mlle de Chantepie est du 5 juin 1872 (Conard, t. VI, p. 384-385).

À SA NIÈCE CAROLINE
[14 juillet 1870]

Autographe Lovenjoul, A II, ffos 327-328 ; incomplète dans Conard, t. VI, p. 133-134.

2. Caroline et Ernest Commanville prenaient les eaux de Luchon.

3. La Préface aux *Dernières chansons* de Louis Bouilhet (janvier 1872).

4. Sur Raoul-Duval, voir la lettre de Flaubert à sa nièce Caroline du [17 septembre 1868], t. III, n. 5, p. 802. Les « deux jeunes filles » sont sans doute Marianne et Valentine Raoul-Duval.

5. Sur Charles Lapierre, voir la lettre de Flaubert à sa nièce Caroline du [30 juin 1868], t. III, n. 5, p. 766.

6. Je n'ai pu identifier le « sieur Desprez ».

7. Mme Lebret, voisine des Flaubert à Croisset, et tante d'Édouard Lebarbier.

8. Voir n. 7, p. 201.

Page 210.

1. Le journal qui avait diffamé Raoul-Duval, d'où son duel avec le rédacteur Riduet. Voir la lettre de Flaubert à sa nièce Caroline du [1er juillet 1870], n. 5, p. 201.

2. Ernest Commanville.

3. Sur Grimbert, que je n'ai pu identifier, voir aussi la lettre de Flaubert à sa nièce Caroline du 8 [juillet 1870], n. 5, p. 207.

À FRÉDÉRIC BAUDRY
[22 juillet 1870]

Inédite. Autographe Nicole Magnan de Bornier, que je remercie de son obligeance, ainsi que M. Dominique Denis.

4. Le 18 juillet 1870, la France avait déclaré la guerre à la Prusse.

5. Dans sa réponse (Lovenjoul, B I, ffos 137-138), datée du lundi 25 [juillet 1870], Frédéric Baudry renvoie Flaubert à l'ouvrage de Géraud, *Essai sur les livres dans l'Antiquité, particulièrement chez les Romains*, Paris, Téchener, 1840.

Page 211.

1. Voici la réponse de Frédéric Baudry (Lovenjoul, B I, ffos 137-138) : « Je pioche toujours ma grammaire et m'y enfonce de toutes mes forces, pour éviter d'entendre toutes les divagations belliqueuses ou pacifiques, auxquelles on se livre passionnément partout où je mets le pied. Mais je ne suis pas si convaincu que vous paraissez l'être que les torts soient du côté du *coco envieux*. Ce coco ne fait, je crois, que prendre ses précautions, peut-être tardives et maladroites, contre un autre coco trop entreprenant. »

2. *Homo homini lupus* (Plaute, *Asinaria*, acte II, sc. IV) : pensée reprise par Bacon et Hobbes.

3. Le dernier Congrès de la paix et de la liberté avait été tenu à Lausanne du 14 au 18 septembre 1869, avec pour thème : « déterminer les bases d'une organisation fédérale de l'Europe ».

4. La Neuville-Champ-d'Oissel, près de Rouen. Baudry répond à Flaubert (Lovenjoul, B I, ffos 137-138) : « J'espère que nous serons à La Neuville pour le 1er septembre. Ne vous y verrons-nous pas ? » Il termine sa lettre ainsi : « Bornier, qui voit que je vous écris, me charge de vous faire passer ses compliments. » Henri de Bornier et Frédéric Baudry étaient tous deux bibliothécaires à l'Arsenal.

À GEORGE SAND

[22 juillet 1870]

Autographe Lovenjoul, A IV, ff[os] 228-229 ; incomplète dans Conard, t. VI, p. 134-135, et mal datée du mercredi soir [20 juillet 1870]. L'autographe porte clairement : « vendredi soir ».

a. l'état naturel <de l'homme> est la sauvagerie ;

5. Voir la lettre précédente, n. 3.
6. Voir *ibid.*, n. 2.

Page 212.

1. Il s'agit du comte Émile de Kératry, membre du Corps législatif.

À JEANNE DE TOURBEY

[22 juillet ? 1870]

Inédite. Autographe collection particulière ; extraits dans le catalogue G. Andrieux, hôtel Drouot, vente du 28 juin 1937, n° 16, p. 12. Cette lettre pourrait être aussi du [29 juillet 1870].

2. Prévost-Paradol (1829-1870), ancien élève de l'École normale supérieure, s'était lancé dans le journalisme. D'abord dans l'opposition à l'Empire, il s'y rallia à la formation du gouvernement d'Émile Ollivier, et fut envoyé à Washington comme ministre plénipotentiaire, avec des lettres de créance de Napoléon III, où l'empereur affirmait sa volonté de paix en Europe. Il se tua en juillet 1870. Il fallait au moins dix jours à cette époque pour traverser l'Atlantique.

Page 213.

À ERNEST COMMANVILLE

[24 juillet 1870]

Autographe Lovenjoul, A III, ff[os] 498-499 ; *Supplément*, t. II, p. 238.

1. Ne pas confondre avec Ernest ou Jules Duplan, amis de Flaubert.
2. Flaubert écrit : *Puzzle.*
3. À cette lettre est jointe une page d'Ernest Commanville à Caroline (Lovenjoul, A III, f° 500) ; la voici : « Réponds à ton oncle que l'argent qu'il me demande lui sera remis s'il le faut, mais qu'actuellement l'habileté du commerçant consiste à se faire payer ce qui lui est dû et à éloigner ses propres paiements. C'est-à-dire à ne payer absolument que ce qu'il faut. Connaissant Duplan, auquel je ne dois plus rien, qu'il veuille bien me confier ce qu'il lui doit, je m'en chargerai. / Au surplus, dis-lui tout simplement que partant pour Rouen, je n'ai pu lui répondre et je le ferai demain après nous être concertés. »

GEORGE SAND À GUSTAVE FLAUBERT

26 juillet [1870]

Autographe collection Alfred Dupont ; *Correspondance Flaubert-Sand*, éd. Alphonse Jacobs, p. 304-305.

4. Le 14 juillet au soir, après avoir reçu la célèbre dépêche d'Ems, Napoléon III avait autorisé la cantatrice Marie Sasse à chanter *La Marseillaise* à l'Opéra, enveloppée du drapeau français.

5. Voir la lettre de George Sand à Flaubert du 21 février [1869], n. 1, p. 23.

Page 214.

1. Le fils, la belle-fille et les petites-filles de George Sand.

À ERNEST COMMANVILLE

[27 juillet 1870]

Autographe Lovenjoul, A III, ffos 501-502 ; *Supplément*, t. II, p. 239.

À SA NIÈCE CAROLINE

[28 juillet 1870]

Autographe Lovenjoul, A II, ffos 327-328 ; incomplète dans Conard, t. VI, p. 135-137.

2. Sur le conseiller d'État Eugène Bataille, voir la lettre de Flaubert à Edmond Laporte du [2 octobre 1866], t. III, n. 4, p. 540.

Page 215.

1. Voir la lettre de George Sand à Flaubert du 26 juillet [1870], p. 213-214.

2. Voir n. 7, p. 201.

3. Ernest Commanville.

À EDMA ROGER DES GENETTES

[31 juillet 1870]

Autographe non retrouvé ; lettre publiée par Georges d'Heilly (pseudonyme d'Antoine-Edmond Poinsot), dans la *Gazette anecdotique, littéraire, artistique et bibliographique*, 9e année, n° 22, 30 novembre 1884, p. 308-309, « adressée à une dame avec laquelle Flaubert était en correspondance régulière », et reproduite dans *La Justice* du 7 décembre 1884. Je remercie mon collègue et ami Zygmunt Markiewicz de m'avoir signalé l'existence de cette lettre. Sur Edma Roger des Genettes et Georges d'Heilly, voir t. II, n. 3, p. 57 (rectifier l'orthographe d'Heilly et le prénom de Poinsot).

4. Voir t. II, n. 4, p. 626 et la lettre de Flaubert à sa nièce Caroline du [8 juin 1870], n. 1, p. 193.

Page 216.

À SA NIÈCE CAROLINE

[1er août 1870]

Autographe Lovenjoul, A II, ffos 331-332 ; Conard, t. VI, p. 139-140, datée du [8 août 1870] ; comme l'a montré Gérard-Gailly, cette lettre est du lundi [1er août 1870] (*AFl.*, n° 29, décembre 1966, p. 39).

1. « L'employé principal de mon mari » (Flaubert, *Lettres à sa nièce Caroline*, n. 1, p. 148).

2. La famille Bonenfant, cousine des Flaubert. De fait, ils se replieront sur Croisset le 27 août 1870.

3. Surnom donné à un voisin.

4. Alfred Baudry et Philippe Leparfait, le fils adoptif de Louis Bouilhet.

Page 217.

À SA NIÈCE CAROLINE

[2 août 1870]

Autographe Lovenjoul, A II, ffos 335-336 ; incomplète dans Conard, t. VI, p. 140-141, datée du [9 août 1870]. Cette lettre est en réalité du mardi [2 août 1870] (voir la note bibliographique de la lettre précédente).

1. Il s'agit sans doute de la prise de Sarrebruck par l'armée française, le 1er août 1870.

2. Alfred Baudry. Voir t. II, n. 1, p. 280.

3. Sur le docteur Fortin, voir la lettre de Flaubert à sa nièce Caroline du [14 août 1865], t. III, n. 2, p. 454.

4. Ernest Commanville.

5. Sans doute un voisin des Flaubert.

6. Sur le docteur Morel, voir la lettre de Flaubert à Maxime Du Camp du [23 juillet 1869], n. 6, p. 71.

Page 218.

À GEORGE SAND

[3 août 1870]

Autographe Lovenjoul, A IV, ffos 230-231 ; incomplète dans Conard, t. VI, p. 137-139.

1. Le concile du Vatican avait été ouvert à Rome le 8 décembre 1869, et l'infaillibilité du pape proclamée le 18 juillet 1870.

Page 219.

1. Voir la lettre de Flaubert à George Sand du [22 juillet 1870], n. 1, p. 212.

2. *Le Rhin allemand* d'Alfred de Musset, daté du 1er juin 1841, répondait au *Rhin allemand* du poète Becker, écrit en 1840, au moment où la France, qui soutenait Méhémet-Ali, s'opposait aux grandes puissances. Voici la première strophe de la traduction française du poème de Becker : *Ils ne l'auront pas, le libre Rhin allemand, quoiqu'ils / le demandent dans leurs cris comme des corbeaux avides ;* et voici le début de la réponse de Musset : *Nous l'avons eu, votre Rhin allemand : / Il a tenu dans notre verre. / Un couplet qu'on s'en va chantant / Efface-t-il la trace altière / Du pied de nos chevaux marqué dans votre sang ?*

3. Caroline Commanville.

4. *Dernières chansons* de Louis Bouilhet (1872).

5. L'éditeur de Flaubert.

GEORGE SAND À GUSTAVE FLAUBERT

[7 août 1870]

Autographe collection Alfred Dupont ; *Correspondance Flaubert-Sand*, éd. Alphonse Jacobs, p. 307-308.

Page 220.

À SA NIÈCE CAROLINE

[9 août 1870]

Autographe Lovenjoul, A II, ff^os 333-334 ; *Supplément*, t. II, p. 239-240.

Page 221.

GEORGE SAND À GUSTAVE FLAUBERT

15 août [1870]

Autographe collection Alfred Dupont ; *Correspondance Flaubert-Sand*, éd. Alphonse Jacobs, p. 308-309.

1. Voir la lettre de George Sand à Flaubert du 21 février [1869], n. 1, p. 23.

2. *Césarine Dietrich* paraîtra dans la *Revue des Deux Mondes* du 15 août au 1er octobre 1870.

3. La Saint-Napoléon est fêtée le 15 août.

À EDMA ROGER DES GENETTES

[17 août 1870]

Autographe Lovenjoul, A VI, ff^os 90-91 ; *Supplément*, t. II, p. 240-241.

4. Le général Letellier-Valazé, frère d'Edma Roger des Genettes. Voir la lettre de Flaubert à Caroline du [8 juin 1870], n. 1, p. 193.

Page 222.

1. Surnom de Napoléon III.

2. Le mari d'Edma Roger des Genettes.

À GEORGE SAND

[17 août 1870]

Autographe Lovenjoul, A IV, ff^os 232-233 ; incomplète dans Conard, t. VI, p. 142.

3. Surnom de Napoléon III.

Page 223.

a. impossible [d'aller] d'avancer.

1. La Garde nationale mobile avait été réorganisée par la loi du 1er février 1868, due au maréchal Niel. Elle comprenait tous les jeunes gens valides qui ne faisaient pas partie de l'armée active, par suite de dispense, remplacement, etc. Elle devait servir d'auxiliaire de l'armée active pour la défense du territoire et le maintien de l'ordre.

2. Maurice Sand, fils de George Sand.

À SA NIÈCE CAROLINE
[17 août 1870]

Autographe Lovenjoul, A II, ff[os] 337-338 ; incomplète dans Conard, t. VI, p. 141-142.

3. Juliette Roquigny, fille d'Achille Flaubert.
4. Gustave Roquigny, beau-frère de Juliette Roquigny.
5. Ernest Commanville.
6. Voir la lettre de Flaubert à sa nièce Caroline du [4 juillet 1870], n. 3, p. 205.
7. J'ignore qui est le beau F. Delamarre.
8. Sur Cordhomme, voir la lettre de Flaubert à sa nièce Caroline du [1er juillet 1870], n. 5, p. 201.

Page 224.

À ERNEST COMMANVILLE
[18 août 1870 ?]

Autographe Lovenjoul, A III, ff[os] 503-504 ; *Supplément*, t. II, p. 241.

À CLAUDIUS POPELIN
[19 août 1870]

Autographe Gaston Bosquet ; lettre publiée dans *AFl.*, n° 7, 1955, p. 45, sans indication de destinataire.

1. Claudius Popelin était l'ami intime de la princesse Mathilde. Voir la lettre de Flaubert à Caroline du [31 août 1870], p. 229.
2. La famille Bonenfant, de Nogent-sur-Seine, cousine des Flaubert.
3. Le docteur Achille Flaubert avait été élu le 10 août au conseil municipal de Rouen, où il rejoignait Raoul-Duval.

Page 225.

À MAXIME DU CAMP
[24 août 1870]

Autographe collection bibliothèque de l'Institut, fonds Du Camp, n° 3751, pièce 24 ; *Supplément*, t. II, p. 242.

1. Sur le comte Charles d'Osmoy, voir t. II, n. 8, p. 621.
2. Émile Husson, ami de Maxime Du Camp.
3. Adèle Husson, épouse du précédent.

À SA NIÈCE CAROLINE
[26 août 1870]

Autographe Lovenjoul, A II, ff[os] 339-340 ; incomplète dans Conard, t. VI, p. 143-144.

Page 226.

1. Le dentiste des Flaubert à Rouen.

2. Voisine des Flaubert à Croisset.

3. L'épouse du docteur Fortin. Voir la lettre de Flaubert à sa nièce Caroline du [14 août 1865], t. III, n. 2, p. 454.

4. La famille Bonenfant, cousine de Gustave Flaubert, qui habitait Nogent-sur-Seine.

À JEANNE DE TOURBEY ?

26 août [1870]

Inédite. Autographe non retrouvé ; lettre reliée dans l'exemplaire de *La Tentation de saint Antoine* de Henry Houssaye ; extraits dans le catalogue établi par Mme Vidal-Mégret pour la vente à l'hôtel Drouot Rive gauche du 1er juin 1979, n° 168.

5. Le prince Napoléon avait quitté Paris. Voir la lettre de Flaubert à sa nièce Caroline du [31 août 1870], n. 1, p. 229.

Page 227.

À CLAUDIUS POPELIN

[27 août 1870]

Autographe collection Gaston Bosquet ; C.H.H., *Correspondance*, t. III, p. 583. Cette lettre a été publiée pour la première fois par Joanna Richardson, dans le *Times Literary Supplement* du 13 juin 1968.

1. Les Bonenfant, cousins de Flaubert, habitaient Nogent-sur-Seine.

À EDMOND DE GONCOURT

[29 août 1870]

Autographe non retrouvé ; Conard, t. VI, p. 146-147, à la date de [début de septembre 1870]. Cette lettre doit être du [29 août 1870], d'après la lettre précédente.

2. La famille Bonenfant, de Nogent-sur-Seine (Aube).

3. Sur l'ascendance indienne de Flaubert, voir sa lettre à Mme Sandeau du [28 novembre 1861], t. III, n. 7, p. 186.

Page 228.

À CLAUDIUS POPELIN

[29 août 1870]

Autographe non retrouvé ; lettre publiée par Joanna Richardson dans le *Times Literary Supplement* du 13 juin 1968 ; extraits dans C.H.H., *Correspondance*, t. III, p. 583.

À SA NIÈCE CAROLINE

[31 août 1870]

Autographe Lovenjoul, A II, ffos 342-343 ; incomplète dans Conard, t. VI, p. 144-146. Enveloppe, f° 341 : Madame Commanville, Neuville, près *Dieppe* ; C.P. : Rouen, 31 août (?) ; Dieppe, 1er septembre (?).

1. Village où habitait Juliette Roquigny, cousine germaine de Caroline Commanville.

2. « Hyacinthe, femme de chambre » (*Lettres à sa nièce Caroline*, n. 1, p. 152).

Page 229.

1. Je ne sais si ce renseignement est exact. En Norvège au moment de la déclaration de guerre, le prince Napoléon était revenu à Paris, et avait participé à Florence aux pourparlers avec le roi Victor-Emmanuel.

2. La princesse Mathilde.

3. « La Princesse avait donné à garder à mon oncle des caisses d'argenterie et d'objets précieux » (*Lettres à sa nièce Caroline*, n. 2, p. 152).

4. « Fille du musicien » (*ibid.*, n. 1, p. 153).

5. « Pour être lu à part et ne pas inquiéter ma grand-mère » (*ibid.*, n. 2, p. 153).

À CLAUDIUS POPELIN

[31 août 1870]

Autographe collection particulière ; lettre publiée par Joanna Richardson dans le *Times Literary Supplement* du 13 juin 1968, et passée en vente à l'hôtel Drouot le 6 décembre 1984, n° 122, et le 1er juillet 1986, n° 78.

Page 230.

1. Alexandre Dumas fils.

À ALFRED BAUDRY

[3 septembre 1870 ?]

Inédite. Autographe maître Max Brière, que je remercie de son aimable obligeance.

2. Mme Flaubert et les Bonenfant.

À LA PRINCESSE MATHILDE

[7 septembre 1870]

Autographe non retrouvé ; lettre publiée par Joanna Richardson dans le *Times Literary Supplement* du 13 juin 1968 ; extraits dans C.H.H., *Correspondance*, t. III, p. 582, mal datée de [vers le 20 août 1870].

3. Cette lettre n'a pas été retrouvée.

Page 231.

À CLAUDIUS POPELIN

[7 septembre 1870]

Autographe collection particulière ; lettre publiée par Joanna Richardson dans le *Times Literary Supplement* du 13 juin 1968, et passée en vente à l'hôtel Drouot le 6 décembre 1984 et le 1er juillet 1986.

1. La princesse Mathilde. Voir la lettre précédente.

2. Je n'ai pu identifier l'« histoire de Mme Pourtalès ». La famille de Pourtalès, protestante, avait émigré à Neuchâtel à la révocation de l'édit de Nantes. Après le rattachement de la principauté prussienne de Neufchâtel à la Confédération helvétique, elle était restée au service de la Prusse.

3. Théophile Gautier avait conduit sa fille Estelle à Montreux auprès de Carlotta Grisi et rentra à Paris le 9 septembre.

4. Sur l'ascendance indienne de Flaubert, voir sa lettre à Mme Sandeau du [28 novembre 1861], t. III, n. 7, p. 186.

À GEORGE SAND
[7 septembre 1870]

Autographe Lovenjoul, A IV, ffos 236-273 ; incomplète dans Conard, t. VI, p. 151-152, à la date de [milieu de septembre 1870]. La *Correspondance Flaubert-Sand*, éditée par Alphonse Jacobs, propose la date du [28 septembre 1870] (voir p. 314). Comme Miss Joanna Richardson (*Times Literary Supplement*, 13 juin 1968, p. 615), je crois cette lettre du [7 septembre 1870]. Il suffit de comparer le texte de cette lettre avec celui des lettres précédentes, sans parler des circonstances historiques.

a. l'état [normal] <naturel> de l'homme,

Page 232.

1. Voir la lettre précédente, n. 4, p. 231.

2. Voir *ibid.*, n. 2, p. 231.

3. Ce sont les jeunes gens, amis de George Sand, que Flaubert avait rencontrés durant son séjour à Nohant, à la Noël 1869.

À GEORGE SAND
[10 septembre 1870]

Autographe Lovenjoul, A IV, ffos 234-235 ; incomplète dans Conard, t. VI, p. 147-148.

Page 233.

a. Notre <seul> espoir <raisonnable> est

1. Flaubert pense certainement au Comité scientifique de défense, institué le 2 septembre 1870 et présidé par Marcelin Berthelot, ami de Flaubert.

2. L'investissement de Paris par les Prussiens sera terminé le 18 septembre 1870.

3. Voir un portrait de Flaubert en lieutenant de la garde nationale dans l'*Album Flaubert*, p. 160.

4. La famille Bonenfant, de Nogent-sur-Seine, s'était réfugiée à Croisset.

5. Alexandre Dumas fils.

6. La princesse Mathilde avait quitté Paris à la proclamation de la

République et s'était embarquée à Dieppe pour l'Angleterre. Le maire avait fait ouvrir ses bagages sous la pression de la foule.

7. Le prince Napoléon.

8. Napoléon III.

9. Le prince impérial mourra en 1879, au Zoulouland.

10. L'épouse du général Trochu, gouverneur de Paris.

Page 234.

À SA NIÈCE CAROLINE

[12 septembre 1870]

Autographe Lovenjoul, A II, ffos 344-345 ; incomplète dans Conard, t. VI, p. 149.

1. Gaston de Pressac publie dans « Les Nouvelles » du *Gaulois* du 12 septembre 1870 l'article suivant, dont je me demande s'il n'est pas un peu ironique : « Gustave Flaubert habite, dans les environs de Rouen, un petit pays dont toute la surface serait tout entière recouverte par les pages de *L'Éducation sentimentale*, détachées et mises bout à bout. / Or, notre illustre romancier s'est fait incorporer dans la garde nationale et se montre d'une énergie merveilleuse. C'est ainsi qu'il a réuni, l'autre jour, le personnel de sa maison pour lui tenir ce langage : “Que ceux qui ont peur s'en aillent. Car, je le déclare, si un Prussien s'avise jamais de vouloir passer le seuil de cette maison, je la fais sauter !” / Sa vieille mère et son domestique particulier sont seuls restés. Mme Flaubert, impotente et septuagénaire, dispute à son fils l'honneur de mettre, le cas échéant, le feu aux poudres. / Ah ! si tous les Français étaient coulés dans ce moule-là ! »

Comme *Le Nouvelliste de Rouen*, le journal de Charles Lapierre, publie cet entrefilet le même jour que *Le Gaulois*, journal parisien, il se pourrait bien que Lapierre soit à l'origine de cette « plaisanterie » qui a dû plaire à Flaubert.

2. Mme Laurent, née Bonenfant, cousine de Caroline, s'était réfugiée à Croisset avec sa famille.

3. Son mari Ernest Commanville.

Page 235.

1. Le comte Charles d'Osmoy, né en 1827, s'était engagé à la déclaration de guerre ; il gagna les galons de capitaine et fut décoré de la Légion d'honneur.

2. Il s'agit certainement d'un membre de la famille Delamare (ou Delamarre), amie des Flaubert (voir t. I, n. 4, p. 27), et non d'un parent — s'il en eut — d'Eugène Delamare, officier de santé à Ry, et qui a donné quelques traits à Charles Bovary.

3. Je ne sais rien du voisin Hubain.

À EDMA ROGER DES GENETTES

[14 septembre 1870]

Autographe Lovenjoul, A VI, ffos 92-93 ; *Supplément*, t. II, p. 243.

4. Le général Letellier-Valazé était le frère aîné d'Edma Roger des Genettes.

5. Mme Flaubert, Olympe Bonenfant et ses trois filles, sans parler des domestiques.

Page 236.

À SA NIÈCE CAROLINE

[15 septembre 1870]

Autographe Lovenjoul, A II, ffos 346-347 ; incomplète dans Conard, t. VI, p. 150. Sur l'autographe, à l'encre, de la main de Caroline : « 16 septembre 1870 » (cachet postal).

1. Sur Eugène Bataille, voir la lettre de Flaubert à Edmond Laporte du [2 octobre 1866], t. III, n. 4, p. 540.

2. Ernest Commanville.

3. Le départ de Caroline pour l'Angleterre avait deux causes : la première, officielle, était la peur des Prussiens, surtout pour les jeunes personnes ; la seconde, tenue secrète par Caroline, était son amour pour le baron Ernest Le Roy : « La guerre de 1870 éclata, M. X s'engagea, il fut capitaine de mobiles, décoré sur le champ de bataille de Patay [2 et 4 décembre 1870]. Quelques mois après il mourait par suite des fatigues endurées [le baron Le Roy est mort le 8 juillet 1872]. Nous ne nous étions revus qu'une fois à mon retour d'Angleterre. Ce séjour en Angleterre, c'est pour lui que je consentis à le faire. C'était une lâcheté et j'aurais dû résister aux ordres de mon mari, qui redoutait pour moi les Prussiens. Je n'aurais pas dû m'éloigner des miens, mais je voyais, en acceptant d'aller à l'étranger, la possibilité d'avoir des nouvelles de celui qui se battait pour la France, et je fis comme les autres femmes, j'allai grossir une petite colonie de Normandes installées à Londres » (Caroline Commanville, *Heures d'autrefois*, p. 25 *bis* ; manuscrit communiqué par Lucie Chevalley-Sabatier). Sur ce voyage en Angleterre, voir Lucie Chevalley-Sabatier, *Gustave Flaubert et sa nièce Caroline*, p. 85-89, et surtout Hermia Oliver, *Flaubert and an English Governess, The Quest for Juliet Herbert*, Oxford, Clarendon Press, 1980, p. 107-113. Les notes des lettres suivantes devront beaucoup à cet excellent ouvrage.

4. Flaubert avait été élu lieutenant de la garde nationale.

5. Sur l'entrefilet du *Gaulois* et du *Nouvelliste*, voir la lettre de Flaubert à sa nièce Caroline du [12 septembre 1870], n. 1, p. 234.

À SA NIÈCE CAROLINE

[22 septembre 1870]

Autographe Lovenjoul, A II, ffos 348-349 ; incomplète dans Conard, t. VI, p. 152-154.

Page 237.

1. Léonie Brainne et Valérie Lapierre, deux sœurs qui, avec Mme Alice Pasca, formeront « les trois anges » de Flaubert.

2. Je n'ai pas réussi à débrouiller la généalogie des familles Janvier de La Motte, Perrot et Lepic. Voir la lettre de Mlle de Chantepie à Flaubert du 10 juillet 1868, t. III, p. 775 et n. 1. D'après Eugène Normandy, « La baronne Lepic [...] était la fille du préfet de l'Eure, Janvier de La Motte, fils lui-même de Mme Perrot » (*Lettres inédites à Raoul-Duval*, p. 140).

3. Je n'ai pu identifier la colonelle de Gantès.

4. Badinguet : Napoléon III. Pierre-Louis-Charles de Failly (1810-1892), général de corps d'armée, avait été fait prisonnier à Sedan avec Napoléon III.

5. Sur Eugène Bataille, voir la lettre de Flaubert à Edmond Laporte du [2 octobre 1866], t. III, n. 4, p. 540.

6. Juliet Herbert (1829-1909) avait été l'institutrice de Caroline Hamard de mai 1855, au plus tard, jusqu'à mai 1857. Voir t. II, n. 2, p. 574 et surtout Hermia Oliver, *Flaubert and an English Governess, The Quest for Juliet Herbert.* Miss Oliver met en relief, très justement, le rôle qu'a joué Juliet dans la vie sentimentale de Flaubert. Voir aussi Jacques-Louis Douchin, *La Vie érotique de Flaubert*, Pauvert, 1984, p. 241-264.

Lyndon Hall était la résidence de la famille Conant, dont Juliet Herbert élevait alors les filles ; elle se trouve dans le comté de Rutland, au nord de Londres. Juliet y invitera Caroline, qui garde le meilleur souvenir de « l'existence anglaise à la campagne ». Elle écrit dans *Heures d'autrefois* : « Lyndon Hall est une vaste demeure construite au temps de la reine Elisabeth. Le personnel en était très nombreux, une trentaine de domestiques divisés en trois catégories. La table n° 1, "*upper servants*", était composée du *butler*, de la femme de charge et des *ladies-maids.* À la grande satisfaction de ma femme de chambre, ce fut à cette table qu'elle prit place, et le premier soir, quel ne fut pas son étonnement, en apprenant qu'elle devait faire toilette pour y venir. / Si les *ladies-maids* s'habillaient de robes de soie avec larges ceintures de ruban, il va sans dire que leurs maîtresses se mettaient en robe décolletée ; mais sauf l'étiquette exigée pour le dîner, qui veut qu'en famille les hommes soient en frac et les femmes en peau, quelle absolue et agréable liberté tout le long de la journée. Au sortir du déjeuner du matin et après le lunch, on faisait ce que l'on voulait — voitures attelées à l'heure qui convenait, promenades à pied, à cheval, parties de ceci ou de cela organisées avec celle-ci ou celle-là. / Chez les Conant les vieilles habitudes anglaises de la prière en commun s'étaient conservées matin et soir. J'assistais rarement aux exercices religieux du matin, prenant mon déjeuner à part dans ma chambre, mais le soir, à 9 h 1/2, quand nous étions tous réunis au salon, M. Conant se levait et passait gravement dans la Bibliothèque, où, alignés contre les murs, se trouvaient la plupart des serviteurs, et, ouvrant alors une Bible posée sur un pupitre, il en lisait quelques passages à haute voix ; puis nous récitions tous le *Pater* en anglais, et de rentrer ensuite au salon reprendre conversations, musique et jeux avec le même entrain qu'auparavant » (p. 25 *ter*).

Caroline a beaucoup aimé la vie de château anglaise ; elle s'est toujours voulue une grande dame et ses nièces Sabatier l'avaient surnommée « la Princesse ». Voir le bel article de la grande romancière Willa Cather sur sa rencontre avec Caroline intitulé *A Chance Meeting* (« *Une rencontre* »), traduit par Françoise Livingston, *AFl.*, n° 44, mai 1974, p. 19-30.

7. La femme de chambre de Caroline.

Page 238.

1. Voir la lettre suivante.

2. Pour Montaigne, comme pour son siècle, le mot *gentillesse* a le sens de noblesse (voir Edmond Huguet, *Dictionnaire de la langue française du XVIe siècle*, article « gentillesse »).

À ERNEST FEYDEAU
[22 septembre 1870]

Autographe non retrouvé ; Conard, t. VI, p. 155-156 ; catalogue G. Andrieux (vente à l'hôtel Drouot des 30-31 mai et 1er-2 juin 1928, n° 262, s.d. [1871], 3 p. in-8°) ; collection Alfred Dupont, vente à l'hôtel Drouot des 11-12 décembre 1956, n° 114 ; catalogue Charavay, n° 701, mai 1959, n° 27175.

Page 239.

1. Napoléon III.

2. La famille Bonenfant, de Nogent-sur-Seine.

3. Serait-ce une allusion à l'impératrice Eugénie, qui passait pour avoir joué un rôle néfaste dans la conduite de la guerre franco-prussienne ?

À SA NIÈCE CAROLINE
[27 septembre 1870]

Autographe Lovenjoul, A II, ff^os 350-351 ; incomplète dans Conard, t. VI, p. 156-158.

4. Lors de son entrevue avec Jules Favre à Ferrières (18-20 septembre 1870), Bismarck avait exigé, pour un armistice, la remise aux Prussiens du fort du Mont-Valérien, à Paris.

Page 240.

1. Le général Auguste-Alexandre Ducrot (1817-1882), qui avait rejoint le général Trochu à Paris, avait tenté une sortie du côté de Châtillon le 19 septembre 1870, sans succès.

2. Caroline avait un autre oncle appelé Achille Dupont.

3. Je n'ai pu identifier Édouard Peley.

4. Juliet Herbert.

5. Le British Museum, la plus grande bibliothèque anglaise de l'époque, et qui comprend aussi un musée, où se trouvent, entre autres, les frises du Parthénon d'Athènes ; la — et non le — National Gallery, le plus grand des musées de peinture de Londres ; Kew, sur la rive droite de la Tamise, célèbre pour son jardin botanique ; Kensington, sur la rive gauche de la Tamise, qui possède un beau musée de peinture.

6. Flaubert écrit : *Puzzle*.

Page 241.

1. La domestique des Flaubert. Voir t. II, n. 8, p. 780.
2. Voir t. III, n. 3, p. 189.

À MAXIME DU CAMP
29 septembre [1870]

Autographe bibliothèque de l'Institut, fonds Du Camp, 3751, pièce 25 ; l'édition Conard (t. VI, p. 159-162) reproduit le texte remanié par Maxime Du Camp dans ses *Souvenirs littéraires* (3e édition, 1906, t. II, p. 365-367) ; lettre publiée par Auriant dans *Lettres inédites [...]*, p. 51-55.

a. voici un <e> [exemple] <preuve>.

3. Voir la lettre de Du Camp à Flaubert, Appendice I, p. 1013-1014.
4. Adèle Husson.

Page 242.

1. Depuis « Il n'y aura » (p. 241) jusqu'à « ajournée », dans la marge gauche du folio 1 r°.
2. Voir la lettre de Flaubert à Caroline du [22 septembre 1870], n. 2, p. 238.

Page 243.

1. Le duc Jean-Gilbert-Victor Fialin de Persigny (1808-1872), l'un des fidèles de Napoléon III.
2. Napoléon III.
3. Émile Fleury, général-comte (1815-1884), reçut de Napoléon III d'importantes missions politiques. Il avait été nommé ambassadeur à Saint-Pétersbourg en 1867.
4. Ce général de division était un très proche parent de Maxime Du Camp (*Souvenirs littéraires*, 3e édition, t. II, p. 360).
5. Depuis « Ah ! s'il » jusqu'à « coup de main ! », dans la marge gauche du folio 2 v°.

À ERNEST COMMANVILLE
[4 octobre 1870]

Autographe Lovenjoul, A III, ffos 505-506 ; *Supplément*, t. II, p. 244.

6. Mme Flaubert avait loué un appartement au 7e, quai du Havre, à Rouen, après le mariage de Caroline, pour y passer l'hiver près de sa petite-fille qui habitait avec son mari au 9[a]. Mais les Commanville et Mme Flaubert abandonnent ces deux appartements en 1869. Il pourrait s'agir de l'appartement de Juliette Roquigny, fille d'Achille Flaubert, au 12[a], quai du Havre ? Voir Lucien Andrieu, « Les Maisons de la famille Flaubert dans la région rouennaise », *AFl.*, n° 30, mai 1967, p. 12-13. Voir pourtant la lettre de Flaubert à Edmond de Goncourt du [1er février 1871], p. 277, mais l'autographe manque.

Page 244.

1. Cette lettre n'a pas été retrouvée.

2. Les élections de l'Assemblée nationale n'auront lieu que le 8 février 1871.

À SA NIÈCE CAROLINE
[5 octobre 1870]

Autographe Lovenjoul, A II, ff[os] 352-353 ; incomplète dans Conard, t. VI, p. 162-164.

3. Ces élections auront lieu le 8 février 1871.

Page 245.

1. Le 4 septembre 1870, Gambetta, Jules Favre et Jules Ferry, députés au Corps législatif, avaient proclamé à l'Hôtel de Ville la République, et formé un Gouvernement de la Défense nationale, dont le général Trochu était président, et Jules Favre, délégué aux Affaires étrangères. Dans sa circulaire, Jules Favre avait affirmé la continuation de la guerre : « Nous ne sommes pas au pouvoir, mais au combat, [...]. La République, gardienne de l'intégrité nationale, ne cédera ni un pouce du territoire de la France, ni une pierre de ses forteresses. »

2. Alexandre II, tsar de Russie.

3. Voir la lettre précédente, n. 5, p. 243.

4. Sur le sens du mot *sheik*, voir t. I, p. 641.

5. Émile Collange, le domestique de Flaubert.

6. Miss Jane avait été l'institutrice de Caroline Flaubert, la sœur de Flaubert (voir t. I, *passim*). Elle avait épousé Richard Farmer, un marchand de Londres, et était restée en relation avec les Flaubert (voir t. II, n. 5, p. 280). Les Farmer étaient d'un niveau social inférieur à celui des Herbert, ce qui a dû déplaire à Caroline. Sur les Farmer, voir Hermia Oliver, *Flaubert and an English Governess*, p. 49-54.

7. Juliet Herbert.

Page 246.

1. De « Fais bien » (p. 245) jusqu'à « monde) ? », addition marginale de Flaubert. — Sur les sœurs de Juliet Herbert, voir Lucie Chevalley-Sabatier, *Gustave Flaubert et sa nièce Caroline*, p. 85-86, et surtout Hermia Oliver, *Flaubert and an English Governess*, p. 66 et suiv.

À GEORGE SAND

11 octobre [1870]

Autographe Lovenjoul, A IV, ffos 238-239 ; incomplète dans Conard, t. VI, p. 164-165.

2. Voir les lettres précédentes.

3. Depuis le 10 août 1870, le docteur Achille Flaubert était conseiller municipal de Rouen.

Page 247.

À SA NIÈCE CAROLINE

13 [octobre 1870]

Autographe Lovenjoul, A II, ffos 354-355 ; incomplète dans Conard, t. VI, p. 167-170.

1. Émile Collange.

2. La famille Bonenfant, de Nogent-sur-Seine.

3. C'est-à-dire à Croisset.

4. Charles-Denis Sauter Bourbaki (1816-1897), l'un des grands généraux de l'Empire. Prisonnier dans Metz, il avait bénéficié d'un laissez-passer allemand, le 26 septembre 1870, pour remplir une mission secrète auprès de l'ex-impératrice Eugénie, en Angleterre. N'ayant pu rentrer dans Metz, il se mit au service du gouvernement de la Défense nationale à Tours, et deviendra le chef de l'armée de l'Est.

5. Le général Cousin-Montauban (1796-1878), créé comte de Palikao après l'expédition de Chine en 1860, avait formé le 11 août 1870 le dernier ministère de l'Empire, à la demande de l'impératrice Eugénie. Le 20 septembre, il avait offert ses services à la délégation du gouvernement de la Défense nationale à Tours, qui les avait refusés.

6. Frédéric Baudry. Voir t. I, n. 6, p. 230.

Page 248.

1. Frankline Grout. Sur cette famille rouennaise, voir t. I, n. 5, p. 70. Elle épousera en 1875 le pasteur et théologien Auguste Sabatier et aura pour fille Lucie Chevalley-Sabatier, que je mentionne souvent dans mes notes. Après la mort d'Ernest Commanville en 1890, Caroline épousera en 1900 le docteur Franklin Grout (frère de Frankline), qui mourra en 1924.

2. Sur l'horloger, voir n. 2, p. 215.

3. Flaubert écrit : *Puzzle.*

Page 249.

GEORGE SAND À GUSTAVE FLAUBERT

[14 octobre 1870]

Autographe collection Alfred Dupont ; *Correspondance Flaubert-Sand*, éd. Alphonse Jacobs, p. 317.

À MICHEL LÉVY

15 octobre [1870]

Autographe non retrouvé ; extraits dans le catalogue d'Alain Nicolas, *Les Neuf Muses*, automne 1985, n° 88, à la date du 15 octobre [1862]. Cette date est impossible, car Michel Lévy n'a publié de Louis Bouilhet que les *Dernières chansons.* Or Flaubert écrit à Noël Parfait le 29 juin [1870] : « Je verrai vos patrons au mois d'août pour leur apporter le volume de vers de Bouilhet. — J'ai fini, avant-hier, la notice qui doit servir de Préface » (*Lettres inédites de Gustave Flaubert à son éditeur Michel Lévy*, éd. Jacques Suffel, p. 201). Je remercie mon ami Harry Redman de m'avoir signalé cette lettre.

1. Il s'agit d'une réédition.

2. Les *Dernières chansons* ne paraîtront qu'en janvier 1872.

Page 250.

À ERNEST FEYDEAU

17 [octobre 1870]

Autographe collection particulière ; Conard, t. VI, p. 170 ; catalogue G. Andrieux (vente à l'hôtel Drouot des 30-31 mai et 1er-2 juin 1928, n° 261, 1, 1 p. in-8° [octobre 1870]).

AU DOCTEUR JULES CLOQUET

17 [octobre 1870]

Autographe Lovenjoul, A V, ffos 288-289 ; *Supplément*, t. II, p. 245-246.

1. Boulogne-sur-Mer.

2. Achille Flaubert avait été élu au conseil municipal de Rouen.

Page 251.

À LA PRINCESSE MATHILDE

[23 octobre 1870]

Autographe non retrouvé ; Conard, t. VI, p. 171-173 ; l'original ne se trouve pas dans l'Archivio Campello (Marcello Spaziani, *Gli Amici della principessa Matilde*, p. 76).

1. Cette lettre n'a pas été retrouvée.

2. Cette lettre ne se trouve pas dans la collection Lovenjoul. La princesse Mathilde était alors à Mons, en Belgique.

3. Flaubert avait été élu lieutenant de la garde nationale sédentaire de Croisset le 4 septembre 1870 (voir sa lettre à George Sand du [10 septembre 1870], p. 233).

4. Le maréchal Bazaine, assiégé dans Metz, capitulera le 27 octobre 1870.

Page 252.

1. La princesse Mathilde possédait un hôtel, rue de Courcelles, à Paris. Elle y recevait les mercredis et les dimanches, durant la saison d'hiver.

2. Bouilhet, mort le 18 juillet 1869 ; Sainte-Beuve, le 13 octobre 1869 ; Jules Duplan, le 1er mars 1870 ; Jules de Goncourt, le 20 juin 1870.

3. Eugène Giraud (1806-1881), grand prix de Rome de peinture en 1826, familier de la princesse Mathilde. Voir le portrait de Flaubert par Giraud (*Album Flaubert*, p. 143), et sa charge (*ibid.*, p. 144).

4. Claudius Popelin, peintre et émailleur, qui avait succédé au comte de Nieuwerkerke dans les bonnes grâces de la princesse Mathilde. Voir le *Journal* des Goncourt, éd. de Monaco, t. IX, p. 27.

Page 253.

À SA NIÈCE CAROLINE

24 octobre [1870]

Autographe Lovenjoul, A II, ff[os] 356-357 ; incomplète dans Conard, t. VI, p. 173-176.

1. Voir la lettre précédente, n. 1, p. 252.

2. Voir *ibid.*, n. 3, p. 251.

Page 254.

1. Voir la lettre précédente, n. 4, p. 251.

2. Cette lettre d'Ernest Feydeau à Flaubert n'a pas été retrouvée.

3. Alexandre Dumas père mourra le 5 décembre 1870, chez son fils, à Puys, près de Dieppe.

4. M. de La Chaussée, officier de carrière, avait épousé Coralie Vasse de Saint-Ouen. Voir la lettre de Flaubert à sa nièce Caroline du [15 novembre 1864], t. III, n. 1, p. 412 et *passim.*

5. La famille Bonenfant, réfugiée à Croisset, était retournée à Nogent-sur-Seine.

6. Pour que Mme Flaubert n'en prenne pas connaissance.

Page 255.

À SA NIÈCE CAROLINE

[28 octobre 1870]

Autographe Lovenjoul, A II, ff[os] 358-359 ; incomplète dans Conard, t. VI, p. 176-178.

1. Lyndon Hall, dans le comté de Rutland ; c'était la résidence de la famille Conant, où Caroline avait été invitée. Voir la lettre de Flaubert à Caroline du [22 septembre 1870], n. 6, p. 237.

2. La mère de Juliet Herbert.

3. Les Prussiens.

4. Sur le ménage Lapierre, voir la lettre de Flaubert à Caroline du [30 juin 1868], t. III, n. 5, p. 766.

Page 256.

1. Juliet Herbert.
2. Le comte d'Osmoy. Voir la lettre de Flaubert à Caroline du [12 septembre 1870], n. 1, p. 235.
3. Philippe Leparfait, le fils adoptif de Louis Bouilhet.
4. Sur le docteur Parfait Grout et sa fille Frankline, voir t. I, n. 5, p. 70.
5. Flavie Vasse de Saint-Ouen (voir t. II, n. 3, p. 249).
6. Voir la lettre précédente, n. 4, p. 254.
7. J'ignore qui est Ferdinand. Flaubert pose ces trois questions, parce que le courrier fonctionnait mieux entre la France et l'étranger qu'en France même.

Page 257.

À CLAUDIUS POPELIN
[28 octobre 1870]

Autographe B. M. Rouen, m m 8, pièce 73 ; Conard, t. VI, p. 179-181.

1. Cette lettre de Popelin à Flaubert ne se trouve pas dans la collection Lovenjoul.

Page 258.

1. L'hôtel de la princesse Mathilde à Paris.
2. La princesse Mathilde était alors à Mons (Belgique).
3. Gustave Popelin, né en 1859, qui deviendra peintre comme son père. Partant pour la Belgique, Popelin avait confié son fils — il était veuf depuis 1869 — à Alexandre Dumas fils, qui s'était réfugié à Puys, près de Dieppe. Voir Joanna Richardson, « Claudius Popelin and his Correspondents », *French Studies*, avril 1969, n° 2, p. 145 et suiv.
4. Théophile Gautier. Voir *Journal* des Goncourt, éd. Robert Ricatte, t. IX, p. 89-91, 26 octobre 1870, pour les impressions de Gautier sur la situation de la France.
5. La princesse Mathilde.
6. Eugène Giraud. Voir la lettre de Flaubert à la princesse Mathilde du [23 octobre 1870], n. 3, p. 252.
7. Mme de Galbois était la lectrice de la princesse Mathilde.
8. Je crois la signature volontairement illisible.

À SA NIÈCE CAROLINE
[29 octobre 1870]

Autographe Lovenjoul, A II, ffos 360-361 ; incomplète dans Conard, t. VI, p. 181-183.

9. Le 27 octobre 1870, le maréchal Bazaine rendit la place de Metz, avec plus de 170 000 hommes. Le roi de Prusse Guillaume Ier (élu empereur à Versailles le 18 janvier 1871) n'exigeait que « les cessions

de territoire [l'Alsace-Lorraine] » ; son fils, le prince Frédéric-Charles, une capitulation totale : ce qui eut lieu.

Page 259.

1. Ernest Commanville.

2. « Concierge de la maison de Mme Flaubert à Rouen » (Conard, t. VI, n. 1, p. 182). Mais Mme Flaubert n'avait plus d'appartement à Rouen ? Il s'agit peut-être de l'appartement de Juliette Roquigny, l'autre nièce de Flaubert. Voir la lettre de Flaubert à Ernest Commanville du [4 octobre 1870], n. 5, p. 243.

3. Voir la lettre de Flaubert à sa nièce Caroline du [30 juin 1868], t. III, n. 5, p. 766.

4. La famille Bonenfant, de Nogent-sur-Seine, cousine des Flaubert.

À JEANNE DE TOURBEY

[29 octobre 1870]

Autographe docteur Jean Heitz, que je remercie de son aimable obligeance ; *Supplément*, t. II, p. 246-247, adressée à « Madame… ». Les éditeurs du *Supplément* estiment que cette lettre n'est pas destinée à Jeanne de Tourbey « en raison des termes mêmes employés par Flaubert » (*ibid.*, n. 1, p. 246) ! Elle est mentionnée dans le catalogue G. Andrieux, *Correspondances inédites […] adressées à Jeanne de Tourbey, comtesse de Loynes*, vente à l'hôtel Drouot du 28 juin 1937, n° 17, p. 13.

Page 260.

a. si [Bazaine] <Trochu> faisait

À ERNEST COMMANVILLE

[8 novembre 1870]

Autographe Lovenjoul, A III, ff^os 507-508 ; *Supplément*, t. II, p. 247-248.

1. Sur l'avocat Frédéric Deschamps, voir la lettre de Flaubert à Louis Bouilhet du [1er octobre 1860], t. III, n. 9, p. 117.

2. Flaubert craignait un projet de route de Croisset à Canteleu, qui devait traverser la propriété des Flaubert. Voir la lettre suivante.

3. « Hôtel-Dieu », « Hôpital » désignent le logement de fonction du docteur Achille Flaubert ; « sur le Port » signifie, peut-être, l'appartement de Juliette Roquigny, petite-fille de Mme Flaubert (voir la lettre de Flaubert à Ernest Commanville du [4 octobre 1870], n. 5, p. 243).

4. Sur les Lapierre, voir la lettre de Flaubert à sa nièce Caroline du [30 juin 1868], t. III, n. 5, p. 766.

Page 261.

À ERNEST COMMANVILLE

[9 novembre 1870]

Autographe Lovenjoul, A III, ff^os 509-510 ; *Supplément*, t. II, p. 248.

1. Bapeaume : commune située entre Canteleu et Déville.

À SA NIÈCE CAROLINE

[10 novembre 1870]

Autographe Lovenjoul, A II, ff^os 362-363 ; incomplète dans Conard, t. VI, p. 185-186.

Page 262.

1. Sans doute l'appartement de Juliette Roquigny ? Voir la lettre de Flaubert à Ernest Commanville du [4 octobre 1870], n. 5, p. 243.

2. Le docteur Achille Flaubert habitait l'hôtel-Dieu de Rouen, dont il était chirurgien en chef.

3. D'après la notice nécrologique d'Ernest Commanville (*Le Nouvelliste de Rouen*, lundi 10 mars 1890), ce dernier mourra le samedi 8 mars « dans sa cinquante-cinquième année ». Il avait donc environ trente-cinq ans.

À LA PRINCESSE MATHILDE

13 [novembre 1870]

Autographe Archivio Campello, n° Inv. 988 ; Conard, t. VI, p. 165-167, avec des erreurs de lecture, et datée à tort du [13 octobre 1870]. Comme Marcello Spaziani (*Gli Amici della principessa Matilde*, p. 76), je crois cette lettre du 13 [novembre 1870], qui est un dimanche.

Page 263.

1. Claudius Popelin.

2. Aucune lettre de la princesse Mathilde à Flaubert n'a été retrouvée.

À GEORGE SAND

27 [novembre 1870]

Autographe Lovenjoul, A IV, ff^os 240-241 ; incomplète dans Conard, t. VI, p. 183-185.

Page 265.

À SA NIÈCE CAROLINE

18 [décembre 1870]

Autographe pavillon de Croisset, en dépôt à la bibliothèque municipale de Rouen ; incomplète dans Conard, t. VI, p. 187-190.

1. Chez le docteur Achille Flaubert.

2. Dans l'appartement de Juliette Roquigny, où descendaient les Commanville, quand ils venaient à Rouen ? Pourtant, voir plus loin : « ton ancienne chambre ». Les Commanville avaient habité 9^{a}, quai du Havre, sur le port.

Page 267.

a. la pluie [tombe] <fouette les vitres>, ♦♦ *b.* tant de [douleurs] <souffrances>

1. Voir la lettre de Flaubert à Caroline du [22 septembre 1870], n. 6, p. 237.
2. Flaubert fait ainsi passer des nouvelles de sa famille à Frankline Grout, amie de Caroline qu'elle avait retrouvée à Londres. Voir la lettre de Flaubert à sa nièce Caroline du 13 [octobre 1870], n. 1, p. 248.

À ERNEST COMMANVILLE
[20 décembre 1870]

Autographe Lovenjoul, A III, ff^{os} 511-512 ; *Supplément*, t. II, p. 249-250.

Page 268.

1. Caroline Commanville, la nièce de Flaubert.

À ERNEST COMMANVILLE
12 janvier [1871]

Autographe Lovenjoul, A III, f° 513 ; *Supplément*, t. II, p. 250-251.

a. S'ils [sont] <restent>

2. Addition dans la marge gauche du feuillet.

Page 269.

À SA NIÈCE CAROLINE
16 [janvier 1871]

Autographe Lovenjoul, A II, f° 367 ; Conard, t. VI, p. 195-196, à la date de [janvier 1870].

1. Émile Collange.

Page 270.

À ERNEST COMMANVILLE
[22 janvier 1871]

Autographe Lovenjoul, A III, f° 514 ; *Supplément*, t. II, p. 251-252.

1. Caroline Commanville.
2. L'épouse du docteur Achille Flaubert.
3. Sur Raoul-Duval, voir la lettre de Flaubert à sa nièce Caroline du [17 septembre 1868], t. III, n. 5, p. 802.

4. Sur Charles Lapierre, voir la lettre de Flaubert à sa nièce Caroline du [30 juin 1868], t. III, n. 5, p. 766.

À SA NIÈCE CAROLINE

[23 janvier 1871]

Autographe Lovenjoul, A II, ffos 364-365 ; incomplète dans Conard, t. VI, p. 190-193, et mal datée du [19 décembre 1870]. Le grand-duc de Mecklembourg-Schwerin fera son entrée à Rouen le 25 janvier 1871.

5. Je ne crois pas qu'il s'agisse du chimiste Marcelin Berthelot, ami de Flaubert.

Page 271.

1. Voir la lettre de Flaubert à sa nièce Caroline du [22 septembre 1870], n. 6, p. 237.
2. Le docteur Achille Flaubert était le chirurgien en chef de l'hôtel-Dieu de Rouen.
3. Il s'agit probablement d'Alfred Baudry. Voir t. II, n. 1, p. 280.
4. Valérie Lapierre et sa sœur Léonie Brainne.
5. L'épouse du docteur Achille Flaubert.
6. Sur Raoul-Duval, voir la lettre de Flaubert à sa nièce Caroline du [17 septembre 1868], t. III, n. 5, p. 802.
7. Voir n. 3, p. 236.
8. Le général de Manteuffel commandait le 1er corps de la Ire armée allemande ; le grand-duc de Mecklembourg-Schwerin, le 13e corps de la IIe armée allemande. Le grand-duc fit son entrée à Rouen le 25 janvier 1871.

Page 272.

1. La fidèle servante des Flaubert.
2. Alexandre Dumas fils, réfugié à Puys, près de Dieppe.

À SA NIÈCE CAROLINE

28 [janvier 1871]

Autographe Lovenjoul, A II, fo 366 ; Conard, t. VI, p. 193-194, mal datée du [24 décembre 1870]. Comme la précédente, cette lettre est datée par l'entrée à Rouen, le 25 janvier 1871, du grand-duc de Mecklembourg-Schwerin. Voir aussi la lettre suivante.

Page 273.

1. « Voisin de Flaubert à Croisset et conseiller municipal de Canteleu » (*Supplément*, t. II, p. 253).
2. Hameau immédiatement en aval de Croisset.
3. Émile Collange, le domestique de Flaubert.
4. « Ici » : c'est-à-dire dans l'appartement de Juliette Roquigny, sur le port de Rouen ? Voir la lettre de Flaubert à Edmond de Goncourt du [1er février 1871], n. 2, p. 277.

À ERNEST COMMANVILLE
28 [janvier 1871]

Autographe Lovenjoul, A III, f° 515 ; *Supplément*, t. II, p. 252-253.

Page 274.

1. Voir les lettres précédentes.
2. Voir la lettre précédente, n. 1, p. 273.
3. Voir *ibid.*, n. 2, p. 273.
4. À l'imprimerie du *Nouvelliste de Rouen*, dont le directeur était Charles Lapierre.
5. Le docteur Achille Flaubert, frère aîné de Gustave.

À SA NIÈCE CAROLINE
1er février [1871]

Autographe Lovenjoul, A II, f° 368 ; Conard, t. VI, p. 196-198.

6. Le paquebot qui reliait Newhaven à Dieppe. Flaubert écrit : *New-Heaven.*

Page 275.

1. Le 29 janvier 1871.
2. Sur Raoul-Duval, voir la lettre de Flaubert à sa nièce Caroline du [17 septembre 1868], t. III, n. 5, p. 802.
3. Jérémie, XXXI, 15.
4. À Neuville, près Dieppe, où habitaient les Commanville.
5. Depuis « Ton mari », addition dans la marge de gauche, suivant la longueur du papier.

Page 276.

À ERNEST COMMANVILLE
1er février [1871]

Autographe Lovenjoul, A III, f° 516 ; *Supplément*, t. II, p. 254-255.

1. Flaubert écrit : *New-Heaven.*
2. J'ignore qui est M. Chouillon.
3. Hameau en aval de Croisset.

Page 277.

À EDMOND DE GONCOURT
[1er février 1871]

Autographe non retrouvé ; Conard, t. VI, p. 198.

1. Théophile Gautier.
2. Les Commanville avaient habité à cette adresse après leur mariage en 1864. Dans un article très documenté intitulé « Les Maisons de la famille Flaubert dans la région rouennaise » (*AFl.*, n° 30, mai 1967,

p. 11-14), Lucien Andrieu affirme que les Flaubert et les Commanville n'habitaient plus sur le Port depuis 1869, et formule l'hypothèse qu'ils utilisaient à l'occasion l'appartement de Juliette Roquigny (*ibid.*, p. 13). Il n'est pas impossible que les Commanville aient conservé ou loué l'appartement du 9ª, quai du Havre.

À EDMA ROGER DES GENETTES
1er [février 1871]

Autographe non retrouvé ; *Supplément*, t. II, p. 255.

3. Les Roger des Genettes habitaient Villenauxe, près de Nogent-sur-Seine.

À ERNEST COMMANVILLE
3 février [1871]

Autographe Lovenjoul, A III, f° 517 ; *Supplément*, t. II, p. 256-257.

4. Sans doute Désiré Brière, directeur du *Journal de Rouen*.

5. L'armistice de trois semaines (28 janvier 1871) ne commençait que le 31 janvier à midi pour les armées de province. Dieppe fut occupée le jour même, et l'occupation dura jusqu'au 3 juin 1871 (voir la longue note du *Supplément*, t. II, p. 256).

Page 278.

1. Neuville, près de Dieppe, où habitaient les Commanville.

2. Il doit s'agir de Georges Pouchet et de son frère. Sur Georges Pouchet, voir t. II, n. 1, p. 841.

3. « Charles Lapierre, qui avait suspendu la publication du *Nouvelliste de Rouen*, fut en réalité condamné à cinq mille francs d'amende, assure Georges Dubosc (*Guerre de 1870 en Normandie*, p. 126, colonne 1) » (*Supplément*, t. II, n. 1, p. 257).

GEORGE SAND À GUSTAVE FLAUBERT
4 février [18]71

Autographe collection Alfred Dupont ; *Correspondance Flaubert-Sand*, éd. Alphonse Jacobs, p. 322.

Page 279.

À RAOUL-DUVAL
[7 février 1871]

Autographe famille Raoul-Duval ; *Supplément*, t. II, p. 258-259. Cette lettre a d'abord été publiée par Georges Normandy dans *Lettres inédites à Raoul-Duval*, p. 111-112.

1. Raoul-Duval, déjà conseiller municipal et conseiller régional, avait posé sa candidature aux élections législatives du 8 février 1871. Mais il se retire : « Les cléricaux s'étant refusés à toute fusion sur mon nom, adopté à l'unanimité par le comité dit conservateur, j'ai pris l'initiative

de me retirer pour ne laisser en ce moment aucun prétexte à discussion parmi les gens d'ordre » (lettre à son père, citée par son petit-fils Edgar Raoul-Duval, dans *Lettres inédites à Raoul-Duval*, p. 42). Raoul-Duval sera élu député de la Seine-Inférieure dans les élections partielles du 2 juillet 1871.

Page 280.

À GEORGE SAND
15 février [1871]

Autographe Lovenjoul, A IV, f° 242 ; *Supplément*, t. II, p. 260.

À LÉONIE BRAINNE
18 [février 1871]

Autographe B. M. Rouen, m m 265, pièce 53 ; *Supplément*, t. II, p. 260-262.

1. Léonie Rivoire (1836-1883), fille d'Henri Rivoire, ancien directeur du *Mémorial de Rouen*, avait épousé Charles Brainne (1825-1864), né à Givors, ancien élève de l'École normale supérieure, professeur d'histoire, puis journaliste à *La Presse* et à *L'Opinion nationale*, avant d'être appelé par Charles Lapierre, qui avait épousé Valérie Rivoire, sœur de Léonie, à entrer au *Nouvelliste de Rouen*. D'après la *Grande Encyclopédie*, il est « l'un des créateurs du reportage français alors naissant » ; par exemple, pour couvrir l'enterrement de Béranger, surveillé par la police, il s'était déguisé en croque-mort. Les Brainne avaient un fils unique, Henri ou Ary, qui épousa une Américaine, et émigra. L'une de ses filles épousa J. P. Sullivan, consul des États-Unis à Tananarive ; elle envoya le 21 janvier 1966 une lettre au musée de Rouen, qui se trouve dans les archives d'André Dubuc ; je le remercie de son aimable obligeance. Les cent vingt-trois lettres conservées de Flaubert à Léonie Brainne se trouvent à la bibliothèque municipale de Rouen (ms. 265), et ont été publiées dans le *Supplément*.

Que s'est-il passé entre Flaubert et Léonie Brainne, trente-cinq ans, veuve depuis sept ans, jolie et cultivée ? Je ne sais : une amitié amoureuse, sans aucun doute ; plus, peut-être ? Une seule lettre de Léonie à Flaubert a subsisté : la voici, bien qu'elle soit de 1874 : « Dimanche, 5 heures. / Mon très grand, mon illustre ami. / Votre *Saint Antoine* est une merveille, je n'ai pas encore fini de le lire complètement et j'en ai déjà le vertige ; que d'érudition, que de puissance de style, et quelle imagination !... / Vous avez perdu à ne pas venir me voir ces jours-ci[a], on ne sait pas jusqu'où peut mener l'admiration !... mais non, on délaisse la femme que l'on prétend aimer et, si elle était jalouse, que de griefs sérieux n'aurait-elle pas envers *son Excessif.* On va souvent place d'Eylau, ce n'est pourtant pas plus près, mais c'est à l'entresol, voilà l'unique circonstance atténuante. / Je ne suis pas allée vous embrasser

a. me [serrer] voir ces jours-ci,

tantôt, de crainte de tomber au milieu d'un cercle masculin par trop nombreux. Dites-moi quand j'aurai la chance de vous trouver et de vous dire l'*immensité* de mon affection. / Comment allez-vous ?... Quoi que vous en pensiez, ma sollicitude pour vous est extrême, et je vous aime aussi d'une tendresse infinie. / Votre dédicace est une gloire pour mon amour-propre et une grande satisfaction pour mon cœur qui vous appartient depuis longtemps. / Je vous embrasse autant que je le puis, mais pas autant que vous le méritez. / Votre meilleure et plus dévouée. / LÉONIE B » (Lovenjoul, B I, ffos 266-267). Cette lettre a été publiée par Jacques-Louis Douchin dans *La Vie érotique de Flaubert* (p. 229-230). Qui habitait place d'Eylau ? Je l'ignore : Jeanne de Tourbey, comtesse de Loynes ? Et je laisse aux lecteurs et aux lectrices le soin d'interpréter la lettre de Léonie Brainne.

Page 281.

1. Le grand-duc de Mecklembourg avait fixé à six millions cinq cent mille francs, le 10 février, la contribution de guerre due par Rouen. La ville envoya une délégation au gouvernement de la Défense nationale, et le cardinal de Bonnechose, archevêque de Rouen, alla à Versailles. La contribution fut réduite à deux millions, et ne fut jamais versée (voir *Supplément*, t. II, n. 1, p. 261).

2. Caroline Commanville, qui était rentrée d'Angleterre : « Dès que l'armistice fut signé [28 janvier 1871], je revins à Dieppe, où m'attendaient ma grand-mère et mon oncle. Ils étaient installés dans ma petite maison de Neuville ; je les trouvai très changés, mon oncle encore plus que sa vieille maman. Je m'efforçai de lui faire reprendre goût au travail, et sur mes instances, il se remit à *La Tentation de saint Antoine* » (Caroline Commanville, *Heures d'autrefois*, p. 26).

3. Les Lapierre habitaient rue de la Ferme, à Rouen.

4. Valérie Lapierre, sœur de Léonie Brainne.

À LA PRINCESSE MATHILDE
[18 février 1871]

Autographe Archivio Campello, n° Inv. 989 ; Conard, t. VI, p. 198-200.

5. Le docteur Achille Flaubert.

Page 282.

1. Cette lettre ne se trouve pas dans la collection Lovenjoul.

2. Théophile Gautier.

3. Alexandre Dumas fils, retiré à Puys, près de Dieppe.

4. Thiers avait été nommé chef du pouvoir exécutif de la République par l'Assemblée nationale, dont le président était Jules Grévy. Il sera élu président de la République en août 1871.

5. L'hôtel de la princesse Mathilde à Paris était situé rue de Courcelles.

GEORGE SAND À GUSTAVE FLAUBERT

22 février [1871]

Autographe non retrouvé ; *Correspondance Flaubert-Sand*, éd. Alphonse Jacobs, p. 322-323.

Page 283.

À LÉONIE BRAINNE

27 février [1871]

Autographe B. M. Rouen, m m 265, pièce 65 ; *Supplément*, t. II, p. 262-263.

1. Je rappelle que, sauf une seule, que j'ai citée, n. 1, p. 280, les lettres de Léonie Brainne à Flaubert ont disparu, comme l'immense majorité des lettres de femmes à lui adressées ; je crains qu'il ne faille y voir la main de Caroline.

2. Thiers avait négocié avec Bismarck, à Versailles, du 22 au 25 février ; la France perdait l'Alsace-Lorraine, gardait Belfort et ne payait qu'une indemnité de cinq milliards au lieu de six.

3. L'Assemblée nationale, qui siégeait à Bordeaux, ratifiera ces préliminaires de traité le 1er mars 1871, par cinq cent quarante-six voix contre cent sept — les Alsaciens-Lorrains, l'extrême-gauche, Hugo, Gambetta, Chanzy…

4. Durant la campagne électorale pour les élections à l'Assemblée nationale, le *Journal du Havre* avait qualifié de Prussiens « les seize noms d'une liste où s'inscrivaient en tête Thiers, Raoul-Duval, Pouyer-Quertier » (Edgar Raoul-Duval, *Lettres inédites à Raoul-Duval*, p. 42). Ce plaidoyer de Raoul-Duval est sans doute sa réponse aux accusations de ce journal favorable à la résistance.

5. Cette lettre de Charles Lapierre à Flaubert n'a pas été retrouvée.

Page 284.

1. Les Lapierre habitaient rue de la Ferme à Rouen.

À LÉONIE BRAINNE

[4 mars 1871]

Autographe B. M. Rouen, m m 265, pièce 114 ; *Supplément*, t. II, p. 263-264.

À LA PRINCESSE MATHILDE

4 mars [1871]

Autographe Archivio Campello, n° Inv. 990 ; Conard, t. VI, p. 206-207.

2. Le mercredi 1er mars, l'Assemblée nationale, à Bordeaux, avait ratifié les préliminaires de paix.

3. L'entrée triomphale de l'empereur Guillaume Ier à Paris, par l'Arc de Triomphe et les Champs-Élysées, prévue par les préliminaires de paix, aura lieu le dimanche 5 mars 1871.

4. Alexandre Dumas fils.

Page 285.

1. Jérémie, XXXI, 15.

2. Victor Giraud (1840-1871), peintre comme son père Eugène Giraud, venait de mourir durant le siège de Paris.

À CLAUDIUS POPELIN

[4 mars 1871]

Autographe non retrouvé ; lettre publiée par Joanna Richardson, *Times Literary Supplement*, 13 juin 1968 ; extraits dans C.H.H., *Correspondance*, t. III, p. 623, donnés comme inédits.

3. Ces lettres ne se trouvent pas dans la collection Lovenjoul.

4. Alexandre Dumas fils.

5. Voir la lettre précédente, n. 2 de cette page.

6. La lettre précédente.

À FRÉDÉRIC FOVARD

10 mars [1871]

Autographe bibliothèque de l'Institut, fonds Du Camp, n° 3751, pièce 66 ; *Supplément*, t. III, p. 246-247, à la date erronée du 10 mars [1876], que reprend C.H.H., *Correspondance*, t. III, p. 443. Auriant (voir *Lettres inédites à Maxime Du Camp [...]*, p. 91) plaçait cette lettre entre 1869 et novembre 1871. Giovanni Bonaccorso et Rosa Maria di Stefano donnent la date exacte (voir Maxime Du Camp, *Lettres inédites à Gustave Flaubert*, Messine, E.D.A.S., 1978, n. 2, p. 335).

7. Maxime Du Camp. Voir la lettre de Du Camp à Flaubert du 15 mars 1871, Appendice I, p. 1014.

Page 286.

À EDMA ROGER DES GENETTES

10 mars [1871]

Autographe non retrouvé ; extrait publié dans C.H.H., *Correspondance*, t. III, p. 624 (début d'une lettre encartée dans un exemplaire des *Lettres de Gustave Flaubert à George Sand*, précédées d'une étude par Guy de Maupassant, Paris, Charpentier, 1884, collection Christian Lazare, vente à l'hôtel Drouot du 19 mai 1967, catalogue Cornuau).

1. Comparer avec le début de la lettre de Flaubert à la princesse Mathilde du 4 mars [1871], p. 284.

À ALEXANDRE DUMAS FILS

[10 mars 1871]

Autographe non retrouvé ; *Supplément*, t. II, p. 249, à la date de [seconde quinzaine de novembre 1870]. La lettre est datée par les suivantes.

2. Flaubert devait se rendre à Bruxelles — où résidait la princesse Mathilde depuis le début de novembre 1870 — avec Alexandre

Dumas fils. Le départ était fixé pour le samedi 11 mars 1871. Dumas écrit à Claudius Popelin : « Cher ami, / Très probablement je partirai samedi pour Bruxelles [...]. Flaubert m'accompagnera très probablement » (lettre publiée par Joanna Richardson dans « Claudius Popelin and his Correspondents, I », *French Studies*, avril 1969, p. 151-152). Miss Richardson dit de cette lettre qu'elle a été « probablement écrite au milieu de mars 1871 » ; elle me semble antérieure d'une semaine.

À MARIE RÉGNIER
11 mars 1871

Autographe non retrouvé ; Conard, t. VI, p. 200-202.

3. Cette lettre ne se trouve pas dans la collection Lovenjoul. Marie Serrure, en littérature Daniel Darc (1840-1887). Elle avait épousé le docteur Raoul Régnier, et a longtemps habité Mantes, où elle a fait la connaissance de Louis Bouilhet, puis de Flaubert.

Page 287.

1. Jérémie, XXXI 15.

À GEORGE SAND
11 mars [1871]

Autographe Lovenjoul, A IV, f° 243 ; incomplète dans Conard, t. VI, p. 202-203.

Page 288.

a. l'Europe [va être en] <portera> l'uniforme.

Page 289.

À JEANNE DE TOURBEY
12 mars [1871]

Autographe non retrouvé ; extraits dans le catalogue G. Andrieux, vente à l'hôtel Drouot du 29 juin 1937, n° 17, p. 13 (la lettre comporte une page et demie). Auriant donne un extrait de ces extraits dans *Les Secrets de la comtesse de Castiglione*, Paris, éd. G.-L., 1942, p. 104-105.

1. Ernest Baroche, fils du ministre de Napoléon III, était l'amant aimé de Jeanne de Tourbey ; il lui a légué sa fortune, après sa mort, le 30 octobre 1870, dans les combats du Bourget, pendant le siège de Paris.

À SA MÈRE
[15 mars 1871]

Autographe Lovenjoul, A I, ffos 152-153 ; *Supplément*, t. II, p. 264-265, à la date de [mars 1871].

2. Le prince Frédéric-Charles de Prusse était venu à Rouen le dimanche 12 mars 1871 pour passer en revue les troupes d'occupation. Les habitants avaient pavoisé les maisons de drapeaux noirs.

3. Alexandre Dumas fils. Il arrivera à Rouen le jeudi 16 mars à midi ; Flaubert et lui partiront pour Paris le soir même, et pour Bruxelles le lendemain.

4. Le docteur Félix-Archimède Pouchet. Voir t. I, n. 3, p. 148 et *passim.*

Page 290.

1. Georges Pouchet, fils de Félix-Archimède. Voir t. II, n. 1, p. 841.
2. Voir la lettre de Maxime Du Camp à Flaubert du 15 mars 1871, Appendice I, n. 5, p. 1014.
3. Sur le sens du mot *sheik*, voir t. I, p. 641.
4. Ernest Commanville, le mari de Caroline.
5. Flaubert écrit : *Puzzle.*

À ALFRED MAURY ?
[16 mars 1871]

Autographe non retrouvé ; Conard, t. VI, p. 204-205, adressée « probablement à Goncourt ». Je croirais plutôt qu'il s'agit d'Alfred Maury, grand ami de Frédéric Baudry, et que Flaubert verra à Paris (voir sa lettre à Caroline du [8 juin 1871], p. 329).

6. Voir la lettre précédente, n. 2, p. 289.

Page 291.

1. Frédéric Baudry (voir t. I, n. 4, p. 510).
2. Flaubert n'ira à Paris qu'au début de juin 1871, à cause de la Commune.

À SA NIÈCE CAROLINE
[16 mars 1871]

Autographe Lovenjoul, A II, ffos 369-370 ; incomplète dans Conard, t. VI, p. 205-206.

a. remettre à M. g.) [fl]. Je suis

3. Alexandre Dumas fils.
4. Émile Collange, le domestique de Flaubert.
5. Eugène Giraud avait rejoint la princesse Mathilde en Belgique. Voir la lettre de Flaubert à la princesse du [23 octobre 1870], n. 3, p. 252.
6. Sur le sens du mot *sheik*, voir t. I, p. 641.

Page 292.

À FRÉDÉRIC FOVARD
[16 ? mars 1871]

Autographe bibliothèque de l'Institut, fonds Du Camp, n° 3751, pièce 63 ; C.H.H., *Correspondance*, t. V, p. 387, s. d. Cette lettre a été publiée par Auriant (*Lettres inédites à Maxime Du Camp [...]*, p. 91-92, placée entre 1869 et 1871). D'après la lettre précédente, Flaubert a quitté Rouen pour Paris le jeudi 16 mars au soir, pour repartir le lendemain pour Bruxelles. Je suppose qu'il a écrit « vendredi » au lieu de « jeudi », et qu'il n'avait pas encore reçu la lettre de Du Camp du 15 mars 1871 (voir Appendice I, p. 1014).

1. Voir la note bibliographique de la lettre.

GEORGE SAND À GUSTAVE FLAUBERT

17 mars [1871]

Autographe collection Alfred Dupont ; *Correspondance Flaubert-Sand*, éd. Alphonse Jacobs, p. 324-326.

2. « Journal d'un voyageur pendant la guerre », paru dans la *Revue des Deux Mondes* les 1er, 15 mars et 1er avril 1871.

Page 293.

1. La famille d'Eugène Lambert, peintre et camarade de Maurice Sand.

À SA MÈRE

[18 mars 1871]

Autographe Lovenjoul, A I, ffos 154-155 ; *Supplément*, t. II, p. 265-266.

2. Le peintre Eugène Giraud. Voir la lettre de Flaubert à la princesse Mathilde du [23 octobre 1870], n. 3, p. 252.

Page 294.

À SA NIÈCE CAROLINE

[19 mars 1871]

Autographe Lovenjoul, A II, fo 371 ; incomplète dans Conard, t. VI, p. 208.

1. L'insurrection de la Commune avait commencé le 18 mars 1871 sur la butte Montmartre.

À SA NIÈCE CAROLINE

[19 mars 1871]

Autographe musée de Croisset, en dépôt à la bibliothèque municipale de Rouen ; Conard, t. VI, p. 208-209, avec pour destinataire « Madame Charles Lapierre ou la nièce de Flaubert ». Voir la discussion de René Descharmes dans l'édition du Centenaire, *Correspondance*, t. III, n. 1, p. 307 : au musée de Croisset, la lettre était présentée comme adressée à Valérie Lapierre, alors que dans les *Lettres à sa nièce Caroline* (p. 183-184), elle est destinée à Caroline : d'où les hésitations de René Descharmes. Je rappelle que René Descharmes n'avait pas accès aux archives Flaubert de la villa Tanit de Caroline à Antibes, parce qu'il était l'ami de René Dumesnil, qui avait épousé la fille d'Edmond Laporte, avec lequel les Commanville s'étaient brouillés pour des questions d'argent (voir le cinquième volume à paraître de cette édition). Cette lettre est certainement adressée à la nièce Caroline. Il n'est pas impossible que la lettre précédente ait été envoyée à Rouen, et celle-ci à Paris.

Page 295.

À SA NIÈCE CAROLINE
20 [mars 1871]

Autographe Lovenjoul, A II, f° 372 ; incomplète dans Conard, t. VI, p. 209.

1. Charles Lapierre, le directeur du *Nouvelliste de Rouen*, ami de la famille Flaubert.

À SA NIÈCE CAROLINE
[21 mars 1871]

Autographe Lovenjoul, A II, f° 373 ; incomplète dans Conard, t. VI, p. 210-211.

2. Cette fois, Flaubert écrit *New-Haven*.

Page 296.

1. Ernest Commanville possédait une scierie et était marchand de bois. À son retour d'Angleterre, Caroline écrit dans les *Heures d'autrefois* : « C'est alors que les affaires de mon mari commencèrent à s'embrouiller. Il avait cru à la hausse des bois, avait acheté d'énormes forêts au nord du golfe de Bothnie. La guerre fit baisser les marchandises. Avec des capitaux plus nombreux, peut-être il eût pu attendre, mais, obligé de réaliser, il dut vendre en subissant de grosses pertes et après avoir lutté deux ans, fut obligé de déposer son bilan en 1873 » (p. 26).
2. Les éditions antérieures portent : « d'aller en Angleterre » (Conard, t. VI, p. 210, par exemple).
3. Sur le sens du mot *sheik*, voir t. I, p. 641.
4. Ce post-scriptum a été censuré dans les éditions antérieures. Il en est de même pour l'immense majorité des allusions à Juliet Herbert dans les lettres de Flaubert.

À SA NIÈCE CAROLINE
[23 mars 1871]

Autographe Lovenjoul, A II, ff^os^ 374-375 ; incomplète dans Conard, t. VI, p. 211.

5. Juliet Herbert.
6. Mme Flaubert et sa petite-fille avaient eu l'intention d'aller à Paris. J'ignore si elles l'ont réalisée.
7. Miss Hermia Oliver commente : « This must have been a very expensive visit » (*Flaubert and an English Governess*, p. 113).
8. Sur le sens du mot *sheik*, voir t. I, p. 641.
9. Juliet Herbert.

Page 297.

À SA NIÈCE CAROLINE
[25 mars 1871]

Autographe Lovenjoul, A II, ff^os 376-377 ; incomplète dans Conard, t. VI, p. 212.

1. Le groom des Commanville.
2. Le 18 mars 1871, Thiers avait envoyé deux régiments pour reprendre les canons parqués sur la butte Montmartre, sans succès. Les généraux Lecomte et Clément Thomas avaient été fusillés. Thiers et son gouvernement étaient partis pour Versailles avec les troupes. La guerre civile reprendra le 3 avril, quand les « Fédérés » ou « Communards » tenteront de prendre Versailles.
3. Les insurgés de la Commune.
4. Voir t. I, p. 641.
5. Juliet Herbert.
6. Flaubert écrit : *Puzzle.*

Page 298.

À MADAME JULES CLOQUET
[30 mars 1871]

Autographe Lovenjoul, A V, ff^os 290-291 ; Conard, t. VI, p. 217, à la date du [31 mars 1871] ; serait-ce le cachet postal ? Le 30 mars est un jeudi.

1. Une « bonne femme » protégée par Flaubert. Voir sa lettre à Mme Cloquet du [16 ? mai 1871], p. 322.
2. Juliette Roquigny, l'autre petite-fille de Mme Flaubert, possédait une propriété à Ouville.
3. Le docteur Achille Flaubert.

À EDMA ROGER DES GENETTES
30 mars 1871

Autographe non retrouvé ; Conard, t. VI, p. 213-214.

4. Les Communards.
5. Le général Letellier-Valazé, frère de Mme Roger des Genettes. Voir la lettre de Flaubert à Caroline du [8 juin 1870], n. 1, p. 193.

Page 299.

À LA PRINCESSE MATHILDE
31 mars [1871]

Autographe Archivio Campello, n° Inv. 991 ; Conard, t. VI, p. 214-215.

1. Croisset.
2. La Commune.
3. Du 18 au 22 mars 1871.

4. Flaubert ne signe pas de son nom, par crainte de surveillance policière.

Page 300.

À GEORGE SAND
31 mars [1871]

Autographe Lovenjoul, A IV, ff[os] 244-245 ; incomplète dans Conard, t. VI, p. 215-217.

1. Alexandre Dumas fils. Voir la lettre de Flaubert à Caroline du [16 mars 1871], p. 291.
2. Napoléon III.
3. François-Joseph Westermann (1751-1794). Ce général était sous les ordres de Dumouriez lors de la bataille de Valmy (20 septembre 1792), et sera guillotiné avec Danton. J'ignore de qui Flaubert tient cette interprétation de la bataille de Valmy, à laquelle il croit ; en tout cas, elle n'est pas favorable aux soldats de l'an II.
4. La Commune avait autorisé les locataires à ne pas payer les termes d'octobre 1870 à avril 1871.

Page 301.

1. Comparer la lettre de Maxime Du Camp à Flaubert du 15 mars 1871, Appendice I, p. 1014. La formule de Du Camp était bien belle !
2. L'insurrection des Polonais à Varsovie est écrasée le 8 septembre 1831. C'est à ce sujet que le général Sébastiani, ministre des Affaires étrangères et partisan de la non-intervention, a prononcé les paroles célèbres : « L'ordre règne à Varsovie. »
3. Guillaume Ier, empereur d'Allemagne.

À SA MÈRE
[1er avril 1871]

Autographe Lovenjoul, A I, ff[os] 156-157 ; *Supplément*, t. II, p. 266-267.

4. Le docteur Achille Flaubert et sa femme habitaient l'hôtel-Dieu de Rouen.
5. Le docteur Fortin. Voir la lettre de Flaubert à sa nièce Caroline du [14 août 1865], t. III, n. 2, p. 454.

Page 302.

1. Flaubert écrit : *Puzzle*.
2. Sur le sens du mot *sheik*, voir t. I, p. 641.

À SA NIÈCE CAROLINE
[5 avril 1871]

Autographe Lovenjoul, A II, ff[os] 378-379 ; incomplète dans Conard, t. VI, p. 219-221.

a. j'aime, [au nombre de] <petit groupe> où ♦♦ *b.* entrait, <le dimanche matin>, ♦♦ *c.* tu courais [dans le jardin] au milieu

3. Le chapitre IV de *La Tentation de saint Antoine.*

4. À Dieppe, au retour d'Angleterre de Caroline Commanville, avant le 15 février 1871.

5. Louis Bouilhet. Flaubert remonte dans ses souvenirs aux années qui ont suivi son retour d'Orient en 1851, et qui sont celles où il a écrit *Madame Bovary.*

6. Sur l'oncle Parain, voir t. I, n. 1, p. 3 et *passim.*

7. Le 3 avril, les Communards avaient tenté de prendre Versailles ; l'affaire avait été sanglante.

8. « Chirurgien militaire fusillé par les insurgés » (*Lettres à sa nièce Caroline*, n. 2, p. 189).

9. Sur Florimont, voir t. I, n. 6, p. 86 et n. 2, p. 148.

Page 303.

1. La baronne ou vicomtesse Lepic. Voir la lettre de Flaubert à Caroline du [22 septembre 1870], n. 2, p. 237.

2. Émile Collange, le domestique de Flaubert.

3. Depuis « Puisque » jusqu'à « lièvres », addition dans la marge de gauche (f° 379).

4. Flaubert écrit : *Puzzle.*

À SA MÈRE
[6 avril 1871]

Autographe Lovenjoul, A I, f° 161 ; *Supplément*, t. II, p. 270-272, à la date de [mai 1871]. Cette lettre ne peut être que du jeudi 6 avril 1871 (voir la lettre précédente et la lettre suivante).

5. Émile Collange, le domestique de Flaubert.

Page 304.

1. Le docteur Achille Flaubert et sa femme.

2. Juliette Roquigny, fille unique des Achille Flaubert.

3. Sur Mmes Perrot et Lepic, voir la lettre de Flaubert à sa nièce Caroline du [22 septembre 1870], n. 2, p. 237.

4. Frédéric Baudry. Voir t. I, n. 6, p. 230.

5. Une voisine des Flaubert à Croisset ; pour se rendre à Rouen, Flaubert prenait « la vapeur » qui reliait La Bouille à Rouen.

À SA NIÈCE CAROLINE
[9 avril 1871]

Autographe Lovenjoul, A II, ffos 380-381 ; incomplète dans Conard, t. VI, p. 221-222.

6. Mme Flaubert reviendra à Croisset le vendredi 21 avril 1871.

Page 305.

a. ses dents lui [fassent] <font> trop <de> mal,

1. Dans l'appartement des Commanville, 9ª, quai du Havre ? Voir la lettre de Flaubert à Edmond de Goncourt du [1er février 1871], n. 2, p. 277.

2. Sur le ménage Lapierre, voir la lettre de Flaubert à Caroline du [30 juin 1868], t. III, n. 5, p. 766.

3. Le comte d'Osmoy s'était engagé à la déclaration de guerre ; voir la lettre de Flaubert à sa nièce Caroline du [12 septembre 1870], n. 1, p. 235.

4. « Nos frères » : c'est ainsi que Flaubert nomme les Communards, qu'il appelle plus haut « communaux ».

5. De « Adieu » à « Gve » : dans la marge de gauche (fº 381 vº) ; de « Décide » à « rien ? » : dans la marge de gauche (fº 380 vº).

6. Ernest Commanville ; il s'agit sans doute de réparations, après le séjour des troupes allemandes en Normandie.

À SA MÈRE

[15 avril 1871]

Autographe Lovenjoul, A I, fº 158 ; *Supplément*, t. II, p. 267-268, à la date d'[avril 1871].

7. Mme Lebret était une amie de Mme Flaubert ; elle était la tante de l'archéologue Édouard Lebarbier. Voir la lettre de Flaubert à Caroline du [4 décembre 1861], t. III, n. 3, p. 189.

Page 306.

1. Un propriétaire, ou fermier, de Quevilly.

2. Voir la lettre de Flaubert à Caroline du [30 juin 1868], t. III, n. 5, p. 766.

3. Mme Perrot et Mme Lepic. Voir la lettre de Flaubert à Caroline du [22 septembre 1870], n. 2, p. 237.

4. Flaubert avait sans doute vu Guy de Maupassant quand il était pensionnaire au lycée impérial de Rouen (son correspondant était Louis Bouilhet). Né le 5 août 1850, Maupassant était alors à l'armée, et, j'imagine, en permission. Il sera libéré en novembre 1871.

5. Frédéric Baudry. Voir t. I, n. 6, p. 230.

6. Le menuisier de Croisset.

7. Voir n. 7, p. 201.

À SA NIÈCE CAROLINE

[18 avril 1871]

Autographe Lovenjoul, A II, fº 382 ; incomplète dans Conard, t. VI, p. 222-223.

8. Sur Raoul-Duval, voir la lettre de Flaubert à sa nièce Caroline du [17 septembre 1868 ?], t. III, n. 5, p. 802.

9. Sur Mmes Perrot et Lepic, voir la lettre de Flaubert à sa nièce Caroline du [22 septembre 1870], n. 2, p. 237.

10. Léonie Brainne, sœur de Valérie Lapierre. Voir la lettre de Flaubert à Léonie Brainne du 18 [février 1871], n. 1, p. 281.

11. Ami de Louis Bouilhet, membre du comité constitué pour l'érection d'un monument au poète.

Page 307.

a. les cours et [cueilli] fait des bouquets

1. Mme Lebret était une amie de Mme Flaubert.

2. Sur Eugène Bataille, voir la lettre de Flaubert à Edmond Laporte du [2 octobre 1866], t. III, n. 4, p. 540.

À SA MÈRE

[19 avril 1871]

Autographe Lovenjoul, A I, ffos 159-160 ; *Supplément*, t. II, p. 268-269, à la date d'[avril 1871].

3. Le dentiste des Flaubert à Rouen.

4. Caroline Commanville, la petite-fille de Mme Flaubert.

Page 308.

À FÉLIX-ARCHIMÈDE POUCHET

[24 avril 1871]

Inédite. Autographe collection particulière. Flaubert n'est à Croisset le 24 avril qu'en 1864 et en 1871. En 1864, les Commanville étaient en voyage de noces.

1. Cette lettre concerne sans doute les difficultés d'Ernest Commanville. Voir la lettre de Flaubert à sa nièce Caroline du [21 mars 1871], n. 1, p. 296.

À GEORGE SAND

[24 avril 1871]

Autographe Lovenjoul, A IV, ffos 246-247 ; incomplète dans Conard, t. VI, p. 223-224.

a. tandis que [la commune] <l'insurrection> de Paris

2. Il s'agit de la révolte du peuple de Paris contre les oncles de Charles VI (1381) ; il était armé de maillets.

Page 309.

1. La colonne Vendôme avait été inaugurée en 1810. Les Communards la renversèrent le 12 avril 1871, et elle fut remise sur sa base en 1875.

À LA PRINCESSE MATHILDE

[24 avril 1871]

Autographe Archivio Campello, n° Inv. 996; Conard, t. VI, p. 254-256, à la date du [24 juin 1871]. Dans le *Bulletin du bibliophile* (« Datation des lettres de Flaubert », août-septembre 1947, p. 406), Gérard-Gailly propose le 29 mai 1871. Je partage l'opinion de Marcello Spaziani (*Gli Amici della principessa Matilde*, p. 76), pour qui cette lettre est du lundi 24 avril 1871. En 1871, le seul lundi 24 est celui d'avril.

2. Je n'ai pu identifier Mme Dubois de l'Estang de façon précise.
3. Gustave-Paul Cluseret (1823-1900), officier d'active sorti de Saint-Cyr, a participé comme colonel à l'expédition de Garibaldi en 1860, puis, comme général, à la guerre de Sécession dans le camp des Nordistes. Il était alors délégué à la Guerre de la Commune de Paris. Il a publié deux volumes de *Mémoires* (1887).
4. Guillaume Ier, empereur d'Allemagne.

Page 310.

1. On pense à Binet, le percepteur de *Madame Bovary* (éd. Claudine Gothot-Mersch, p. 120 et *passim*).

À EDMA ROGER DES GENETTES

[27 avril ? 1871]

Autographe non retrouvé ; Conard, t. VI, p. 224-226.

2. La colonne Vendôme avait été renversée, non détruite. Voir la lettre de Flaubert à George Sand du [24 avril 1871], n. 1, p. 309.
3. Le prince Napoléon, dit Plonplon, avait deux fils : le prince Victor, né en 1862, et le prince Louis, né en 1864.

Page 311.

GEORGE SAND À GUSTAVE FLAUBERT

28 avril [1871]

Autographe collection Alfred Dupont ; *Correspondance Flaubert-Sand*, éd. Alphonse Jacobs, p. 329-330.

Page 312.

1. Les deux petites-filles de George Sand, Aurore et Gabrielle.

À ERNEST FEYDEAU

30 avril [1871]

Autographe non retrouvé ; Conard, t. VI, p. 230-231. La lettre figure dans le catalogue G. Andrieux (vente à l'hôtel Drouot des 30-31 mai et 1er-2 juin 1928), sous le numéro 264, avec des extraits. J'adopte le texte du catalogue, qui me paraît plus conforme aux habitudes de Flaubert en matière de majuscules et de ponctuation.

Page 313.

À GEORGE SAND
30 avril [1871]

Autographe Lovenjoul, A IV, ffos 248-250 ; incomplète dans Conard, t. VI, p. 226-230, à la date erronée du [29 avril 1871].

1. Pauline Viardot, née García, la grande cantatrice, et amie intime de Tourgueneff. La nouvelle de sa mort, annoncée par les journaux, était fausse. Voir la lettre de Flaubert à Tourgueneff du 1er mai 1871, p. 317.

Page 314.

a. parce qu'elle [descend directement] <s'appuie sur>

1. C'est le pauvre, et non le riche, qui s'appelle Lazare (Luc, XVI, 19 et suiv.).

2. La phrase de Flaubert n'est pas claire : les Communards avaient traité les Versaillais d'assassins après les fusillades du 3 avril 1871. Mais il me semble que Flaubert veut dire que l'Assemblée nationale, à Versailles depuis le 10 mars, avait été élue au suffrage universel, et que les « démocrates » récoltaient ce qu'ils avaient semé.

Page 315.

a. leur maison, [quand] <dès que> le feu

1. Napoléon III.

2. Sadowa : défaite de l'Autriche par la Prusse (1864) ; Novare : défaite du roi de Sardaigne Charles-Albert par l'Autriche (1849) ; Sébastopol, défaite des Russes par les Anglais et les Français (1855).

3. Le prince Napoléon. Voir la lettre de Flaubert à Edma Roger des Genettes du [27 ? avril 1871], n. 2 et 3, p. 310.

4. Sur le journal *La Lanterne*, voir la lettre de Flaubert à la princesse Mathilde du [26 août 1868], t. III, n. 1 et 2, p. 793.

5. Sur l'assassin Troppmann, voir la lettre de Flaubert à George Sand du [3 janvier 1870], n. 4, p. 150.

6. « MONSIEUR DIAFOIRUS : Il [M. Purgon] vous ordonne sans doute de manger force rôti. / ARGAN : Non ; rien que du bouilli. / MONSIEUR DIAFOIRUS : Eh oui : rôti, bouilli, même chose » (*Le Malade imaginaire*, acte II, sc. VI).

7. « Trois femmes furent de son intimité [de l'impératrice Eugénie], que leur tenue de grisette et leurs toilettes de filles entretenues auraient dû faire éloigner des entours d'une souveraine [...]. [Leurs] sobriquets étaient de choix : Cochonnette, Cocodette, Cornichonnette » (Maxime Du Camp, *Souvenirs d'un demi-siècle*, Hachette, 1949, t. I, p. 155, cité par Alphonse Jacobs, *Correspondance Flaubert-Sand*, n. 31, p. 334).

8. Sophie Arnould, célèbre cantatrice de l'Opéra (1744-1802). Voir Edmond et Jules de Goncourt, *Sophie Arnould, d'après sa correspondance et ses Mémoires inédits* (1857).

9. Sur Suzanne Lagier, voir la lettre de Flaubert à sa nièce Caroline du [11 mars 1868], t. III, n. 5, p. 733.

10. Paul de Saint-Victor (voir t. II, n. 4, p. 725).

11. La Païva, l'une des grandes dames du demi-monde durant l'Empire. Flaubert et les frères Goncourt sont allés chez elle. Voir la lettre de Flaubert aux Goncourt du [13 avril 1867], t. III, p. 632, et le *Journal*, éd. de Monaco, t. VIII, p. 22-23 et 26-28.

Page 316.

À SA NIÈCE CAROLINE

[30 avril 1871]

Autographe Lovenjoul, A II, ffos 383-384 ; incomplète dans Conard, t. VI, p. 231-232.

1. Julie Flaubert, la belle-sœur de Flaubert, Juliette Roquigny, sa fille, et Ernest Roquigny, son petit-fils.

2. Frédéric Baudry. Voir t. I, n. 6, p. 230.

3. Sur Eugène Crépet, voir t. II, n. 5, p. 249. Après la chute de l'Empire, « il accepta provisoirement le poste de sous-préfet de Neuchâtel » (*Dictionnaire de biographie française*, notice de Claude Pichois).

4. Mme Lebret : voisine des Flaubert à Croisset.

5. Cordhomme, l'un des oncles de Guy de Maupassant, passe pour avoir inspiré le personnage de Cornudet dans *Boule de suif.*

6. Voir *La Tentation de saint Antoine*, chap. IV.

Page 317.

1. Il s'agit d'une fausse nouvelle.

2. « Marié à mon amie dont il a été plusieurs fois question, il était lié d'intérêts avec mon mari. Sa corpulence était celle d'un hippopotame » (Flaubert, *Lettres à sa nièce Caroline*, n. 1, p. 193).

3. Flaubert écrit : *Puzzle.*

À IVAN TOURGUENEFF

1er mai 1871

Autographe J. Lambert, non retrouvé ; *Supplément*, t. II, p. 270. Lettre publiée par Gérard-Gailly dans *Lettres inédites à Tourgueneff*, p. 22-23.

4. La mort faussement annoncée de Pauline Viardot.

À LA PRINCESSE MATHILDE

[3 mai 1871]

Autographe Archivio Campello, n° Inv. 993 ; Conard, t. VI, p. 232-235.

5. Cette dame, que je n'ai pu identifier, est plusieurs fois mentionnée dans les lettres de Flaubert à la princesse Mathilde.

Page 318.

a. Qu'elle roule [maintenant] <désormais> dans

Page 319.

1. Jules Troubat, né en 1836, avait été le dernier secrétaire de Sainte-Beuve.

2. Félix Pyat (1810-1889), républicain, avait été élu à l'Assemblée constituante de 1848, et dut s'exiler de 1851 à 1869. Élu de nouveau à l'Assemblée nationale de Bordeaux en 1871, il fit partie de la Commune et repartit pour l'Angleterre. Revenu après l'amnistie de 1880, il fut élu député socialiste révolutionnaire dans le département des Bouches-du-Rhône (1888).

3. Voir la lettre de George Sand à Flaubert du 28 avril [1871], p. 311-312.

IVAN TOURGUENEFF À GUSTAVE FLAUBERT

6 mai 1871

Autographe Lovenjoul, B VI, ff^os^ 109-110 ; lettre publiée dans l'édition de l'Académie des sciences de l'U.R.S.S. des *Œuvres complètes d'Ivan Turgenev, Correspondance*, t. IX, p. 86-88.

4. Pauline Viardot était née en 1821.

Page 320.

1. *La Tentation de saint Antoine.*

À SA NIÈCE CAROLINE

10 [mai 1871]

Autographe Lovenjoul, A II, ff^os^ 385-386 ; incomplète dans Conard, t. VI, p. 235-236.

2. Ernest Commanville.

3. Voir la lettre de Flaubert à Caroline du [30 avril 1871], n. 3, p. 316.

4. Frédéric Baudry. Voir t. I, n. 6, p. 230.

Page 321.

1. La première mention des « trois anges ». Sur Valérie Lapierre, voir la lettre de Flaubert à Caroline du [30 juin 1868], t. III, n. 5, p. 766 ; sur sa sœur Léonie Brainne, voir la lettre de Flaubert à celle-ci du 18 [février 1871], p. 280-281. Alix-Marie-Angèle Séon, née en 1835, avait épousé un riche négociant, A. Pasquier. Devenue veuve, elle fait une carrière de comédienne, et débute au Gymnase en 1864 dans *Le Demi-Monde*, d'Alexandre Dumas fils sous le nom d'Alice Pasca. Elle jouera en France, en Russie et en Angleterre jusqu'en 1884, puis se retira peu à peu du théâtre.

2. Janvier de La Motte s'était réfugié en Suisse à la chute de l'Empire. Voir la lettre de Flaubert à sa nièce Caroline du [30 mai 1864], t. III, n. 5, p. 395.

3. Je n'ai pu identifier M. Delamarre et Mme Duret.

4. Depuis : « Tu avais raison » jusqu'à la fin Flaubert écrit dans la marge de gauche du folio 385 v°. Flaubert n'avait pu déchiffrer le nom de la paroisse de Marylebone (voir la lettre précédente).

À ERNEST FEYDEAU

10 mai [1871]

Autographe non retrouvé ; Conard, t. VI, p. 237 ; extraits dans le catalogue G. Andrieux (vente hôtel Drouot des 30-31 mai et 1er-2 juin 1928), n° 263[1] (1871).

5. Cette lettre ne figure pas dans la collection Lovenjoul.

6. Leçon du catalogue Andrieux ; toutes les éditions donnent : « t'ombrage », qui n'a pas de sens.

Page 322.

À MADAME JULES CLOQUET

[16 ? mai 1871]

Autographe Lovenjoul, A V, ffos 294-295 ; incomplète dans Conard, t. VI, p. 263, à la date de [juillet 1871]. Je propose le [16 ? mai 1871], puisque le traité de Francfort est signé le 10 mai 1871.

1. Voir la lettre de Flaubert à Mme Cloquet du [30 mars 1871], p. 298.

2. J'ignore de quelles « affaires » il s'agit. En tout cas, elles sont parisiennes, comme le montre la suite de la lettre.

À ÉLISA SCHLÉSINGER

22 mai 1871

Autographe non retrouvé ; Conard, t. VI, p. 237-238.

3. Maurice Schlésinger. Voir t. I, n. 3, p. 101.

Page 323.

1. Voir la lettre de Flaubert à Caroline du [6 novembre 1871], Conard, t. VI, p. 304 : « Demain, nous aurons à dîner, et peut-être à coucher, Mme Marie Schlésinger. » L'autographe porte : « Mme Maurice Schlésinger. »

2. La phrase est ambiguë ; je l'interprète ainsi : les deux amis se sont manqués lors de leur dernière occasion de se voir, peut-être en mars 1867. Je discute longuement les rapports Flaubert-Schlésinger dans « Sur l'avant-dernier chapitre de *L'Éducation sentimentale* » (*R.H.L.F.*, 1982, p. 412-426). Le fichier Charavay de la Bibliothèque nationale mentionne la vente d'une lettre de Flaubert à Élisa Schlésinger datée de Dieppe, 11 mars 1871 ; dans le résumé de cette lettre, le catalogue indique qu'Adolphe Schlésinger, le fils d'Élisa, faisait la guerre du côté français.

À LA PRINCESSE MATHILDE
[22 mai 1871]

Autographe Archivio Campello, n° Inv. 995 ; Conard, t. VI, p. 245-246, à la date erronée du 21 [juin 1871]. L'autographe porte : « Croisset, lundi soir 21 », alors que la lettre ne peut être datée que de la « semaine sanglante » (21-28 mai 1871). Il s'agit donc très probablement d'un lapsus de Flaubert, comme le croient Gérard-Gailly (*Bulletin du bibliophile*, art. cité, p. 406) et Marcello Spaziani (*Gli Amici della principessa Matilde*, p. 76).

3. L'annonce que la princesse Mathilde était gravement malade ?

4. Rue Murillo, n° 4, près du parc Monceau et de la rue de Courcelles.

Page 324.

1. Rochefort, libéré de prison par le 4-Septembre, avait été élu député de l'Assemblée nationale et membre du gouvernement de la Défense nationale, dont il démissionna. Dans son journal, *Le Mot d'ordre*, il s'était prononcé contre le gouvernement Thiers et l'Assemblée de Versailles. Il avait également refusé de faire partie de la Commune. Il fut pourtant condamné à la déportation dans une enceinte fortifiée, puis, en 1873, en Nouvelle-Calédonie.

2. Louis-Napoléon Suchet, duc d'Albufera (1813-1877), fils du maréchal d'Empire. Après avoir servi dans l'artillerie, il avait siégé à la Chambre des pairs (1838-1848), et au Corps législatif (1852-1870).

3. Je n'ai pu identifier Boittelle.

4. George Sand n'a pas répondu à la lettre de Flaubert du 30 avril [1871] (p. 313-316), d'où son inquiétude. C'est lui qui écrira le premier.

AU DOCTEUR JULES CLOQUET
[24 mai 1871]

Autographe Lovenjoul, A V, ff^os 292-293 ; incomplète dans Conard, t. VI, p. 238-240.

5. Flaubert veut dire, je crois : des nouvelles venant directement de Jules Cloquet, car il a correspondu avec Mme Cloquet (lettres du [30 mars 1871], p. 298, et du [16 ? mai 1871], p. 322). Il semble que les Cloquet aient été séparés durant le siège de Paris, peut-être à cause de la santé de Mme Cloquet.

Page 325.

1. Le docteur Achille Flaubert.

À CHARLES LAPIERRE
27 mai [1871]

Autographe musée de Croisset, maintenant à la bibliothèque municipale de Rouen, et en très mauvais état ; Conard, t. VI, p. 241-244 ; brouillon Lovenjoul, A VI, ff^os 1-3. Cette lettre a été incomplètement publiée par Charles Lapierre (*Esquisse sur Flaubert intime*, Évreux, 1898, p. 25-29) et intégralement par G. A. Le Roy dans le *Mercure de France* du 15 décembre 1920. Je donne le texte de l'autographe, mais il est plusieurs fois déchiré ; je donne alors le texte de l'édition Conard.

Page 326.

a. [Tâchons d'être scientifiques] Les deux articles

1. Dans *Le Nouvelliste de Rouen* du 27 mai 1871, Flaubert avait lu ceci : « Un homme que la France a cru pendant quelque temps pouvoir compter parmi ses plus puissants génies et qui a eu le talent de se faire beaucoup de mille livres de rentes avec des phrases sonores et des antithèses énormes, un pitre poète, tour à tour chantre de la monarchie, du bonapartisme et de la République, — vous avez nommé Victor Hugo —, vient de dire son mot sur l'épouvantable drame auquel nous assistons [la Commune]. / Ce produit d'un cerveau évidemment ramolli ou détraqué est intitulé : *Paris et la France.* / Nous citons textuellement : […] voici la fin : "Il y a plus de civilisation dans la convention et plus de révolution dans la Commune. Les violences que fait la Commune à la convention ressemblent aux douleurs utiles de l'enfantement. / Un nouveau genre humain, c'est quelque chose ; ne marchandons pas trop qui nous donne ce résultat. / Devant l'histoire, la révolution étant un lever de lumière venu à son heure, la convention est une forme de nécessité ; la Commune est l'autre. Noires et sublimes formes vivantes, debout sur l'horizon, tant de clarté derrière tant de ténèbres. L'œil hésite entre les silhouettes énormes des deux colosses. / L'un est Léviathan ; l'autre est Behemoth" (Victor Hugo). »

2. Je n'ai pas trouvé cette phrase dans *Du principe de l'art et de sa destination sociale* (Paris, Garnier, 1865, VII-380 p.). Mais elle correspond tout à fait à l'esprit du livre : Proudhon cite « Sultan Mourad » (*La Légende des siècles*, XVI, 3) et conclut : « Ai-je eu tort de dire que le premier acte de la révolution sociale devrait être de jeter au feu toute la littérature romantique ? » (p. 361-362).

3. Flaubert se trompe d'année ; il s'agit de 1857. Dans le numéro du *Figaro* du 25 janvier 1857, Suzanne [Augustine Brohan] écrit : « Sans se plaindre ? Victor Hugo ? Où M. About a-t-il pris cela ? Serait-ce dans ces brochures clandestines où l'on voit sa plume oublieuse, ingrate, méconnaître ce qu'elle a aimé, pour flatter bassement les nouveaux dieux à qui elle a sacrifié ! De la pitié pour M. Hugo ! mais il a gâté lui-même ses merveilles ; son génie n'a plus que de tristes échos ; il a foulé aux pieds toutes les adorations, les respects qui entouraient son nom, il a anéanti jusqu'à cette mélancolique et tendre sympathie qu'on a toujours, à quelque parti qu'on appartienne, pour celui qui souffre ; il a tout détruit, vous dis-je, jusqu'au prisme de l'exil. » Augustine Brohan récidive dans *Le Figaro* du dimanche 8 février 1857.

4. Philippe-Charles-Jean Morel, négociant à Rouen, adjoint au maire, chevalier de la Légion d'honneur, mort en 1883 ?

5. Sur Henri Cernuschi, voir la lettre de Flaubert à Jules Duplan de la [seconde quinzaine de novembre 1866 ?], t. III, n. 4, p. 557. Il s'agit des *Illusions des sociétés coopératives* (1866).

Page 327.

a. je suis [effrayé] épouvanté ♦♦ *b.* sans compter [Badinguet] l'empereur lui-même,

1. Me Chassan, avocat général à Rouen avant la révolution de 1848 ; il démissionne alors et demeure à Rouen comme avocat plaidant.

2. Henri Rochefort, le fondateur de *La Lanterne*, n'a pas fait partie de la Commune de Paris. Il sera déporté en Nouvelle-Calédonie en 1873.

3. Censier, conseiller à la cour de Rouen.

Page 328.

À LÉONIE BRAINNE
[Fin de mai ? 1871]

Autographe B. M. Rouen, m m 265, pièce 98 ; *Supplément*, t. II, p. 272, à la date de [mai-juin 1871]. Je crois cette lettre de [fin de mai 1871], parce que Flaubert est à Paris au moins le lundi 5 juin (voir la lettre suivante) et qu'il parle de faire repeindre Croisset dans sa lettre à Caroline du 10 [mai 1871], p. 320.

1. *Le Roi des montagnes*, d'Edmond About (1856).

À ERNEST RENAN
[6 juin 1871]

Autographe non retrouvé ; *Supplément*, t. II, p. 272-273.

2. Ernest Renan avait la charge des manuscrits orientaux à la Bibliothèque nationale depuis 1851.

3. Je n'ai pu retrouver cette notice de Langlès, ni identifier l'*Orient du bonheur.*

À SA NIÈCE CAROLINE
[8 juin 1871]

Autographe Lovenjoul, A II, ffos 387-388 ; incomplète dans Conard, t. VI, p. 247-248.

4. Ernest Commanville, qui avait acheté un hôtel, rue de Clichy.

Page 329.

1. L'un des directeurs du théâtre de l'Odéon, qui avait reçu la pièce de Louis Bouilhet, *Mademoiselle Aïssé.* Elle sera jouée le 6 janvier 1872.

2. La Bibliothèque nationale.

3. Sur Alfred Maury, directeur des Archives nationales, voir t. II, n. 1, p. 736 et la lettre de Flaubert à Mlle Leroyer de Chantepie du 18 février

1859, t. III, n. 3, p. 17. Sur son attitude durant la Commune, voir *Souvenirs d'un homme de lettres*, bibliothèque de l'Institut, t. VI, 2652, ffos 21 et suiv.

4. De « 9 h ¼ » à « pas », fo 388 vo, tête-bêche.

À EDMOND DE GONCOURT

[8 juin 1871]

Autographe B.N., N.A.F. 22462, fo 349 ; lettre publiée dans C.H.H., *Correspondance*, t. IV, p. 12.

Page 330.

1. Edmond de Goncourt viendra dîner chez Flaubert et oubliera son parapluie (lettre d'E. de Goncourt à Flaubert du 17 juin 1871, Lovenjoul, B III, ffos 278-279).

À AGÉNOR BARDOUX

[9 juin 1871]

Inédite. Autographe collection particulière.

2. Il s'agit certainement du procès des Communards.

3. *Vous* désigne Agénor Bardoux et le comte Charles d'Osmoy.

À MARIE RÉGNIER

11 [juin 1871]

Autographe non retrouvé ; Conard, t. VI, p. 250.

4. Cette lettre ne se trouve pas dans la collection Lovenjoul.

5. Sur l'attitude du comte d'Osmoy durant la guerre de 1870-1871, voir la lettre de Flaubert à sa nièce Caroline du [12 septembre 1870], n. 1, p. 235.

6. Alfred Maury. Voir t. II, n. 1, p. 736 et la lettre de Flaubert à Mlle Leroyer de Chantepie du 18 février 1859, t. III, n. 3, p. 17. Voir aussi la lettre de Flaubert à Caroline du [8 juin 1871], p. 329.

Page 331.

1. Le docteur et Mme Régnier [pseudonyme : Daniel Darc] habitaient Mantes, et Flaubert les avait connus par Louis Bouilhet, qui avait résidé longtemps dans cette ville ; d'où la phrase de Flaubert.

À GEORGE SAND

[11 juin 1871]

Autographe Lovenjoul, A IV, ffos 251-252 ; incomplète dans Conard, t. VI, p. 248-249.

2. L'Assemblée nationale avait abrogé le 8 juin les lois d'exil des descendants de rois de France.

3. Après avoir été le dernier secrétaire de Sainte-Beuve, Jules

Troubat était devenu le collaborateur de Félix Pyat, député radical et membre de la Commune. Les otages, Mgr Darboy, archevêque de Paris, Bonjean, premier président de la Cour de cassation, avaient été exécutés le 24 mai 1871.

4. Eudore Soulié, conservateur du château de Versailles.

Page 332.

1. Voir la lettre précédente, n. 6, p. 330.
2. Napoléon III.
3. Le baron Haussmann, ancien préfet de Paris, ne sera pas élu aux élections complémentaires de l'Assemblée nationale le 2 juillet 1871.
4. Napoléon III : la commission chargée de publier les documents impériaux des Tuileries avait fait paraître, dans les *Papiers secrets du Second Empire*, un plan de roman de Napoléon III intitulé *L'Odyssée de M. Benoît*, daté de 1868.
5. Serait-ce la lettre de Flaubert à George Sand du 30 avril [1871], p. 313-316 ?

À JEANNE DE TOURBEY
[11 juin 1871]

Autographe non retrouvé ; extraits dans le catalogue G. Andrieux, hôtel Drouot, vente du 28 juin 1937, n° 19, p. 13, à la date du [11 ou 18 juin 1871]. Je la crois du 11.

Page 333.

IVAN TOURGUENEFF À GUSTAVE FLAUBERT
13 juin 1871

Autographe Lovenjoul, B VI, ffos 111-112 ; *Œuvres complètes d'Ivan Turgenev*, *Correspondance*, édition de l'Académie des sciences de l'U.R.S.S., t. IX, p. 104-105.

1. *La Tentation de saint Antoine.*
2. Coq de bruyère.
3. Cette lettre n'a pas été retrouvée.
4. Voir la lettre de Maxime Du Camp à Flaubert du 15 mars 1871, Appendice I, p. 1014.
5. « Lourde nécessité ».

Page 334.

À SA NIÈCE CAROLINE
[14 juin 1871]

Autographe Lovenjoul, A II, ffos 389-390 ; incomplète dans Conard, t. VI, p. 251-252.

1. Voisine des Flaubert à Croisset.
2. Eugène Burnouf est l'auteur de la traduction française du *Lotus de la Bonne Loi* (Paris, Imprimerie nationale, 1852) ; Philippe-Édouard

Foucaux avait traduit *Développement des jeux, contenant l'histoire du Bouddha Çâkya Mouni* (2 vol., Paris, 1848-1849).

3. Pour l'épisode des dieux de *La Tentation de saint Antoine.*

4. Sur Édouard Lebarbier, voir la lettre de Flaubert à sa nièce Caroline du [4 décembre 1861], t. III, n. 3, p. 189.

Page 335.

1. Sur la famille Heuzey, voir t. I, n. 1, p. 43.

2. Sur Raoul-Duval, voir la lettre de Flaubert à sa nièce Caroline du [17 septembre 1868], t. III, n. 5, p. 802.

3. Sur Georges Pouchet, voir t. II, n. 1, p. 841.

4. Alexandre Dumas fils.

GEORGE SAND À GUSTAVE FLAUBERT

[14 juin 1871]

Autographe collection Alfred Dupont ; *Correspondance Flaubert-Sand*, éd. Alphonse Jacobs, p. 337-338.

5. Isidore : Napoléon III ; Henri V, le comte de Chambord, petit-fils de Charles X, et dernier descendant de la branche aînée des Bourbons.

Page 336.

1. Sans doute la lettre de Flaubert à George Sand du 30 avril [1871], p. 313-316.

À EDMA ROGER DES GENETTES

17 juin [1871]

Autographe non retrouvé ; Conard, t. VI, p. 252-254.

2. Voir la lettre de Flaubert à George Sand du [11 juin 1871], n. 2, p. 331.

3. Napoléon III.

4. Le général Cavaignac (1802-1857) avait écrasé l'insurrection de juin 1848, à Paris ; il était républicain. Considéré d'abord comme un sauveur par la bourgeoisie, il fut largement battu par Louis Napoléon Bonaparte aux élections présidentielles du 10 décembre 1848.

5. Le général Letellier-Valazé (voir la lettre de Flaubert à sa nièce Caroline du [8 juin 1870], n. 1, p. 193). Le général Changarnier (1793-1877), monarchiste, avait été, à Metz, l'auxiliaire du maréchal Bazaine ; il avait été élu à l'Assemblée législative.

6. Voir la lettre de Flaubert à sa nièce Caroline du [8 juin 1871], p. 329 et n. 3.

7. Je n'ai pas trouvé trace de ces « petits Mémoires » dans le catalogue des imprimés de la Bibliothèque nationale.

Page 337.

1. « La Muse » : Louise Colet. Voir t. I, n. 1, p. 272.

À SA NIÈCE CAROLINE

[17 juin 1871]

Autographe Lovenjoul, A II, ffos 391-392 ; incomplète dans Conard, t. VI, p. 254.

2. Voir la lettre de Flaubert à sa nièce Caroline du [14 juin 1871], p. 334 et n. 2.

3. Voir la lettre suivante.

À ERNEST RENAN

17 juin [1871]

Autographe non retrouvé ; *Supplément*, t. II, p. 274-275.

4. Le *Lališta-Vistâra*, soutra bouddhique traduit par Foucaux (1847-1848) à partir du tibétain. Ces textes devaient servir à Flaubert pour le passage du brahmane et du gymnosophiste de *La Tentation de saint Antoine* (chap. IV). Flaubert s'était aussi renseigné auprès de Frédéric Baudry, en ce qui concerne le bouddhisme. Voir ses lettres à Flaubert des 15 et 22 juin 1871 (Lovenjoul, B I, ffos 139-140 et 141-142).

Page 338.

À IVAN TOURGUENEFF

17 juin [1871]

Autographe J. Lambert, non collationné ; *Supplément*, t. II, p. 273-274 ; lettre publiée par Gérard-Gailly dans *Lettres inédites à Tourgueneff*, p. 24-25.

1. Cette lettre de Flaubert à Tourgueneff n'a pas été retrouvée. Elle pourrait être de la seconde quinzaine de mai 1871 (voir sa lettre à Élisa Schlésinger du 22 mai 1871, p. 322-323).

2. Voir la lettre de Maxime Du Camp à Flaubert du 15 mars 1871, Appendice I, p. 1014.

3. Voir la lettre de Flaubert à George Sand du 30 avril [1871], n. 4 et 5, p. 315.

Page 339.

À FRÉDÉRIC BAUDRY

[24 juin 1871]

Autographe non retrouvé ; copie publiée, avec rectifications, dans le *Complément* au *Supplément*, p. 27-28.

1. Flaubert imite le style du *Lotus de la Bonne Loi*, traduit du sanscrit par Eugène Burnouf en 1852 : « Ce titre [...] n'a certainement pas d'autre signification que celle de Un tel ou encore honnête homme (p. 322) » (*Complément*, n. 2, p. 27 ; Paris, Imprimerie nationale, 1852, p. 11 et *passim*).

2. « Naît glané dans le chapitre v, *Les Plantes médicinales*, p. 83 » (note du *Complément*).

3. Texte traduit et publié par Philippe-Édouard Foucaux, élève de Burnouf.

4. « Le mot *aubaines* de la copie est suspect. *Myriades de Kôtis* est une expression fréquente (par exemple p. 3) pour désigner une quantité innombrable (*Kôti* veut dire dix millions). *Kalpa* : période comprenant la durée d'un monde (p. 324) » (note du *Complément*).

5. « Voir dans le *Lotus* les pages 30 et 553 et suivantes sur les trente-deux caractères de beauté ou signes caractéristiques d'un grand homme » (note du *Complément*).

6. Frédéric Baudry avait écrit, dans sa lettre à Flaubert du 22 juin 1871 (Lovenjoul, B I, f° 141 v°), à propos de la comparaison commune entre le Christ et Bouddha : « Mais le Bouddha de l'histoire n'a pas la Passion. Son héroïsme consiste seulement à avoir renoncé aux douceurs royales pour vivre et mourir en ermite. Pourtant l'idée de la Passion n'est pas étrangère au bouddhisme, et voici le sujet d'un beau conte traduit des Avadanas chinois par Stanislas Julien. Un fleuve déborde et les animaux sont bloqués dans une île formée par l'inondation. Le fleuve menace encore de l'envahir, ils vont périr noyés ou affamés. Le bouddha se dévoue pour les sauver et se métamorphose en cerf de longueur prodigieuse, qui fait de son corps un pont. Ils y passent tous jusqu'à ce qu'il ait l'échine brisée et que seul il succombe pour tous. » Frédéric Baudry ajoute (f° 142 v°) : « Si je trouve dans ma bibliothèque l'ouvrage de Barthélemy Saint-Hilaire sur le bouddhisme, voulez-vous que je vous l'envoie à Croisset ? » Voir aussi les lettres de Fr. Baudry à Flaubert du 15 juin 1871 (B I, ff^os 139-140) et de « mercredi » [juin 1871] (f° 158).

7. « Stance 44 : Dans les chambres dégradées habitent de terribles Kumbhandakas aux pensées cruelles [...]. Ils vont rôdant de tous côtés. »

« Stance 45 : Saisissant des chiens par les pieds, ils les renversent à terre sur le dos, et leur serrant le gosier en grondant, ils se plaisent à les suffoquer » (Eugène Burnouf, *Le Lotus de la Bonne Loi*, p. 54 ; ces stances sont prononcées par Baghavat).

Page 340.

À SA NIÈCE CAROLINE

[24 juin 1871]

Autographe Lovenjoul, A II, ff^os 393-394 ; incomplète dans Conard, t. VI, p. 256-257.

1. Sur Mme Stroehlin, voir t. II, n. 3, p. 594.
2. Frédéric Baudry ; voir t. I, n. 6, p. 230.
3. Ernest Commanville, neveu par alliance de Flaubert.
4. Flavie Vasse de Saint-Ouen ; voir t. II, n. 3, p. 249.
5. Flaubert fait allusion, je crois, aux « Mémoires d'une belle âme », le livre VI des *Années d'apprentissage de Wilhelm Meister*, de Goethe (1796) ; c'est un très beau texte.
6. Eugène Crépet. Voir t. II, n. 5, p. 249. Sa première femme, Maria Rodriguez García, nièce de la Malibran et de Pauline Viardot, était

morte le 24 avril 1867 ; il se remariera le 9 octobre 1871 avec Fanny Laurent.

Page 341.

1. Le comte Charles d'Osmoy et Raoul-Duval.

2. Caroline Bonenfant, cousine de Flaubert, de Nogent-sur-Seine, avait épousé en 1854 André-Jules Laurent ; ils habitaient alors Paris.

3. « Je souhaite, dit Martin, qu'elle [Cunégonde] fasse un jour votre bonheur ; mais c'est de quoi je doute fort. — Vous êtes bien dur, dit Candide. — C'est que j'ai vécu, dit Martin » (*Candide*, chap. XXIV).

À ERNEST FEYDEAU

[29 juin 1871]

Autographe non retrouvé ; Conard, t. VI, p. 258-260 ; catalogue G. Andrieux (vente à l'hôtel Drouot des 30-31 mai et 1er-2 juin 1928), n° 265, 3 ½ p. in-8°.

4. Un soutra bouddhique publié par Eugène Burnouf en 1852. Voir la lettre de Flaubert à Caroline du [14 juin 1871], n. 2, p. 334.

Page 342.

1. Sur Alfred Maury, voir la lettre de Flaubert à sa nièce Caroline du [8 juin 1871], n. 3, p. 329.

2. Voir la lettre de Flaubert à sa nièce Caroline du [12 septembre 1870], n. 1, p. 235.

3. Théophile Gautier.

4. Le comte Paul de Saint-Victor. Voir t. II, n. 4, p. 725.

5. Alexandre Dumas fils. Son père était mort le 5 décembre 1870.

Page 343.

À CLAUDIUS POPELIN

[29 juin ? 1871]

Autographe non retrouvé ; lettre publiée par Joanna Richardson dans le *Times Literary Supplement* du 13 juin 1968, à la date de [juin 1871 ?] ; extraits dans C.H.H., *Correspondance*, t. IV, p. 12 (provenant du catalogue de Michel Castaing, hôtel Drouot, vente du 18 décembre 1969, même date). La lettre pourrait être du jeudi 29 juin 1871.

1. La princesse Mathilde.

À ALBERT GLATIGNY

30 juin [1871]

Autographe non retrouvé ; *Supplément*, t. I, p. 255, à la date du 30 juin 1860. Comme le comte d'Osmoy est élu à la Chambre des députés le 8 février 1871, la lettre pourrait être du 30 juin 1871.

2. Il s'agit sans doute de *Gilles et Pasquins* (préface datée du 15 juin 1871), *Les Vignes folles* avaient paru en 1860.

À LA BARONNE LEPIC

[Juillet 1871 ?]

Autographe non retrouvé ; catalogue *Précieux autographes historiques et littéraires*, hôtel Drouot, 24-25, 1863 ; catalogue Charavay, novembre 1964, n° 716, n° 30 037 : extrait.

Page 344.

À SA NIÈCE CAROLINE

[2 juillet 1871]

Autographe Lovenjoul, A II, ffos 395-396 ; incomplète dans Conard, t. VI, p. 260-261.

1. Julie, la fidèle servante de Flaubert. Voir t. II, n. 8, p. 780.
2. Le domestique de Flaubert.
3. Ernest Commanville, le neveu de Flaubert.
4. Flavie Vasse de Saint-Ouen. Voir t. II, n. 3, p. 249.
5. Frédéric Baudry, *Études sur les védas*, Paris, 1855.

Page 345.

À SA NIÈCE CAROLINE

[4 juillet 1871]

Autographe Lovenjoul, A II, f° 397 ; *Supplément*, t. II, p. 275-276. Sur le deuxième feuillet de la lettre (f° 398), Mme Flaubert écrit à sa petite-fille Caroline.

Page 346.

À EDMOND DE GONCOURT

4 j[uillet 1871]

Autographe B.N., N.A.F. 22462, f° 350 ; lettre publiée dans C.H.H., t. IV, p. 22.

À SA NIÈCE CAROLINE

[5 juillet 1871]

Autographe Lovenjoul, A II, ffos 399-400 ; *Supplément*, t. II, p. 276-278.

1. Jules Barthélemy-Saint-Hilaire, philosophe et homme politique (1805-1895) ; *Du bouddhisme* (1855), *Le Bouddha et sa religion* (1859). Voir Raymond Schwab, *La Renaissance orientale*, Payot, 1950, p. 359 et *passim*.
2. Pullna, ville de Bohême, près de Brux, où se trouvent des sources minérales alcalines, dont les eaux, éminemment purgatives, sont exportées en grande quantité.

Page 347.

1. Conseiller à la cour d'appel de Rouen.
2. Maire de Rouen.
3. Le mot, orthographié ainsi, revient plus loin, voir n. 2, p. 649.

Page 348.

À SA NIÈCE CAROLINE
[10 juillet 1871]

Autographe Lovenjoul, A II, ff^{os} 401-402 ; *Correspondance Conard*, t. VI, p. 262, à la date erronée du [3-4 juillet 1871].

a. Je compte [en avoir] <m'en donner> une autre *(f° 402 r°, à la relecture).*

1. Agénor Bardoux et le comte d'Osmoy.
2. Ernest Commanville.
3. Olympe Bonenfant, cousine de Flaubert.
4. Courtavent et de l'Isle : deux fermes achetées par le docteur Achille-Cléophas Flaubert, qui plaçait ses économies dans l'immobilier.

Page 349.

À LA PRINCESSE MATHILDE
13 [juillet 1871]

Autographe Archivio Campello, n^{o} Inv. 992 ; Conard, t. VI, p. 218 ; lettre mentionnée par Marcello Spaziani, *Gli Amici della principessa Matilde*, p. 76.

1. La princesse Mathilde possédait une propriété à Saint-Gratien, près d'Enghien.
2. Claudius Popelin, familier de la princesse Mathilde ; voir n. 3, p. 25.

À EDMA ROGER DES GENETTES
13 juillet [1871]

Autographe Lovenjoul, H 1360, ff^{os} 101-102 ; incomplète dans Conard, t. VI, p. 263-264.

Page 350.

1. Les troupes allemandes évacuèrent Rouen le 22 juillet 1871.
2. Le général Letellier-Valazé, frère d'Edma Roger des Genettes.

À SA NIÈCE CAROLINE
17 [juillet 1871]

Autographe Lovenjoul, A II, ff^{os} 403-404 ; *Supplément*, t. II, p. 278-279.

3. Ernest Commanville, le neveu de Flaubert.

Page 351.

GEORGE SAND À GUSTAVE FLAUBERT
23 juillet [1871]

Autographe collection Alfred Dupont ; *Correspondance Flaubert-Sand*, éd. Alphonse Jacobs, p. 339-340.

1. Raoul Rigault, délégué à la police de la Commune, fusillé le 24 mai 1871.

Page 352.

À GEORGE SAND
25 juillet [1871]

Autographe Lovenjoul, A IV, ffos 246-247 ; incomplète dans Conard, t. VI, p. 265-266.

1. Villemessant, directeur du *Figaro*, Magnard et La Fargue, ses principaux rédacteurs.

Page 353.

1. Tourgueneff ne viendra pas à Croisset à cette époque.
2. De Chilly restera directeur de l'Odéon.

À SA NIÈCE CAROLINE
[26 juillet ? 1871]

Autographe Lovenjoul, A II, fo 404 ; incomplète dans Conard, t. VI, p. 268-269.

3. Famille amie des Achille Flaubert et des Maupassant. Raymond Deslandes (1825-1890), journaliste et auteur dramatique, était directeur du Vaudeville en 1875.
4. Maire de Rouen en 1870-1871.

Page 354.

1. Sur le comte Charles d'Osmoy, voir t. II, n. 8, p. 621.
2. Agénor Bardoux. Voir t. II, n. 5, p. 978.
3. Eugène Janvier de La Motte sera acquitté en 1872, après avoir été accusé de concussion. Voir t. III, n. 5, p. 395.
4. Ernest Commanville.

À RAOUL-DUVAL
[31 juillet 1871 ?]

Autographe archives Raoul-Duval, no 32 ; *Lettres inédites à Raoul-Duval*, éd. Georges Normandy, p. 136-137 ; *Supplément*, t. II, p. 279-280. Ces deux éditions proposent la date de [novembre 1871] ; je la crois plutôt du 31 juillet 1871.

5. Léon Say, cousin germain de Raoul-Duval, était alors préfet de la Seine. Il a joué un rôle très important sous la IIIe République.
6. Mme Perrot était la mère du préfet Janvier de La Motte et de Mme Lepic. Elle était auteur dramatique.
7. Il s'agit sans doute du conte de fées *Brillante et solide*, de Marie Régnier, qui écrivait sous le pseudonyme de Daniel Darc (voir la lettre de Flaubert à Raoul-Duval du [22 juin 1870], p. 195).
8. Le comte Charles d'Osmoy et Agénor Bardoux avaient été élus à l'Assemblée nationale en 1871, et siégeaient tous deux au centre gauche.
9. Maire de Rouen.

Page 355.

1. Président du tribunal civil de Rouen. Voir t. I, n. 4, p. 110, et *passim.*

À MARIE RÉGNIER
[Fin juillet 1871 ?]

Autographe non retrouvé ; fragment publié dans un catalogue d'autographes non identifié. Dans sa lettre à Raoul-Duval du [22 juin 1870], p. 195, Flaubert parle de *deux* manuscrits donnés par Raoul-Duval à Hetzel ; d'où ma datation hypothétique.

À AGÉNOR BARDOUX
1er août [1871]

Inédite. Autographe collection particulière ; lettre non publiée par Jean Bardoux, fils d'Agénor, dans « Un ami de Flaubert, Agénor Bardoux », *Revue des Deux Mondes*, 1er avril 1937.

2. *Mademoiselle Aïssé*, drame en vers de Louis Bouilhet, sera jouée au théâtre de l'Odéon le 6 janvier 1872.

Page 356.

À SA NIÈCE CAROLINE
1er août [1871]

Autographe Lovenjoul, A II, f° 405 ; lettre incomplète dans Conard, t. VI, p. 267-268.

1. Frédéric Baudry, bibliothécaire à l'Arsenal.
2. Le domestique de Flaubert.

À IVAN TOURGUENEFF
1er août [1871]

Autographe Jacques Lambert, non retrouvé ; *Supplément*, t. II, p. 280-281. Cette lettre a été publiée par Gérard-Gailly dans *Lettres inédites à Tourgueneff*, p. 25.

Page 357.

AU MAIRE DE ROUEN
2 août 1871

Autographe non retrouvé ; *Supplément*, t. II, p. 281-282.

À AGÉNOR BARDOUX
[3 ? août 1871]

Autographe collection particulière ; lettre publiée en partie par Jean Bardoux, « Un ami de Flaubert, Agénor Bardoux », *Revue des Deux Mondes*, 1er août 1937, p. 608.

Page 358.

À LA PRINCESSE MATHILDE
[3 août 1871]

Autographe Archivio Campello, n° Inv. 997 ; Conard, t. VI, p. 367.

1. Vincent Benedetti, comte d'Empire (1817-1900), diplomate. Il fut nommé ambassadeur à Berlin en 1864 et y resta jusqu'en 1870. L'ouvrage de Benedetti dont il s'agit est intitulé *Ma mission en Prusse* (Paris, Plon), publié après sa mise à la retraite en 1871.

Page 359.

À SA NIÈCE CAROLINE
[4 août 1871]

Autographe Lovenjoul, A II, ffos 407-408 ; Conard, t. VI, p. 269-271.

1. Mme Flaubert.
2. Propriété de la princesse Mathilde.
3. Flaubert voulait faire jouer à l'Odéon *Mademoiselle Aïssé*, drame en vers de Louis Bouilhet.
4. Son neveu Ernest Commanville.
5. Louis Bonenfant, avoué à Nogent-sur-Seine, avait épousé en 1830 Olympe Parain, cousine germaine de Flaubert. La collection Lovenjoul conserve une seule lettre de Bonenfant à Flaubert, datée de « Nogent-sur-Seine, 3 décembre 1862 » et commençant ainsi : « Mon beau et bon cousin [...] » (Lovenjoul, B I, ffos 232-233).
6. Valérie Rivoire avait épousé Charles Lapierre, directeur du *Nouvelliste de Rouen*.

Page 360.

À IVAN TOURGUENEFF
[Entre le 5 et le 10 août 1871]

Autographe Jacques Lambert, non retrouvé ; *Supplément*, t. II, p. 282. Cette lettre a été publiée par Gérard-Gailly dans *Lettres inédites à Tourgueneff*, p. 26.

1. Tourgueneff ne viendra pas à Croisset en août 1871.

À AGÉNOR BARDOUX
[6 août 1871]

Inédite. Autographe collection particulière ; lettre non publiée par Jean Bardoux dans « Un ami de Flaubert, Agénor Bardoux », *Revue des Deux Mondes*, 1er avril 1937.

À ERNEST FEYDEAU
8 août [1871]

Autographe collection particulière ; incomplète dans Conard, t. VI, p. 271-272. La réponse de Feydeau ne se trouve pas dans la collection Lovenjoul.

Page 361.

1. Francis Magnard (1837-1894), journaliste au *Figaro* à partir de 1863. J'ignore qui est Gustave Lafargue.

2. Louis-François Nicolaie, dit Clairville (1811-1879), écrivit seul ou avec des collaborateurs plus de 600 pièces de théâtre, dont la plus célèbre est *La Fille de Mme Angot* (1873).

3. Le conseil de guerre jugeait les communards à Versailles.

À SA NIÈCE CAROLINE

9 [août 1871]

Autographe Lovenjoul, A II, ffos 409-410 ; incomplète dans Conard, t. VI, p. 272-274.

Page 362.

1. Les Commanville possédaient une résidence à Dieppe. Mme Flaubert s'y trouvait avec sa petite-fille Caroline, Mme Vasse de Saint-Ouen, sa vieille amie, et ses deux filles, Flavie et Coralie.

2. Juliet Herbert, qui avait été de 1855 à 1857 institutrice de Caroline Hamard, la nièce de Flaubert, et qui habitait Londres. Sur ses rapports intimes avec Flaubert, voir Hermia Oliver, *Flaubert and an English Governess.*

3. Charles-Marie de Chilly (1807-1878), directeur du théâtre de l'Odéon.

Page 363.

À THÉOPHILE GAUTIER

[12 août 1871]

Autographe non retrouvé ; Conard, t. VI, p. 274.

À SA NIÈCE CAROLINE

[13 août 1871]

Autographe Lovenjoul, A II, ffos 441-442 ; incomplète dans Conard, t. VI, p. 274-275.

1. Mme Vasse et ses filles Flavie et Coralie, mentionnées plus loin dans la lettre.

2. Théophile Gautier.

Page 364.

À IVAN TOURGUENEFF

13 [août 1871]

Autographe Jacques Lambert, non retrouvé ; *Supplément*, t. II, p. 283.

1. Flaubert le savait par une lettre perdue de Juliet Herbert, à qui il avait écrit à Londres (voir la lettre à sa nièce Caroline du 9 [août 1871], p. 362).

IVAN TOURGUENEFF À GUSTAVE FLAUBERT

14 août 1871

Autographe Lovenjoul, B VI, ff[os] 113-114; lettre publiée par Alexandre Zviguilski dans *Gustave Flaubert-Ivan Tourguéniev. Correspondance*, Flammarion, 1989, p. 101.

2. Il s'agit des billets des 1er et 5 août 1871.

3. *Grouse* : coq de bruyère.

Page 365.

À IVAN TOURGUENEFF

16 [août 1871]

Autographe Decugis, actuellement Dina Vierny ; *Supplément*, t. II, p. 283-284.

IVAN TOURGUENEFF À GUSTAVE FLAUBERT

[18 août 1871]

Télégramme non retrouvé ; texte inclus par Caroline dans la lettre de Flaubert à sa nièce du [6 septembre 1871], mal datée par elle du [15 ? septembre 1869] ; Conard, t. VI, p. 74-75.

À VALÉRIE LAPIERRE

[18 août 1871]

Inédite. Autographe appartenant à l'abbé Bernard Dagron, que je remercie de m'avoir révélé et communiqué le texte de l'unique lettre connue de Flaubert à Valérie Lapierre, épouse du directeur du *Nouvelliste de Rouen*, et l'une des « trois grâces » de Flaubert. Ce billet autographe est inséré dans un exemplaire de *Bouvard et Pécuchet*, Lemerre, 1881, 2e édition.

La collection Lovenjoul conserve une seule lettre de Valérie Lapierre à Flaubert (B IV, ff[os] 132-133) ; Mme Lapierre invite Flaubert à un « cordial dîner d'amis ».

Page 366.

À IVAN TOURGUENEFF

[21 août 1871]

Autographe B.N. 16275, f° 201, fonds Maupoil ; *Supplément*, t. II, p. 284. Cette lettre a été publiée pour la première fois par Gérard-Gailly, *Lettres inédites à Tourgueneff*, p. 29.

À SA NIÈCE CAROLINE

[22 août 1871]

Autographe Lovenjoul, A II, f° 406 ; *Supplément*, t. II, p. 285-286, à la date d'[août 1871].

1. Henri Barbet (1789-1875), ancien maire de Rouen.

2. Charles-André Fortin (1830-1902), médecin et ami de Flaubert.

3. « Les Dieux de l'Olympe », *La Tentation de saint Antoine*, chapitre v.

Page 367.

À LA PRINCESSE MATHILDE
[22 août 1871]

Autographe Archivio Campello, n° Inv. 994 ; Conard, t. VI, p. 240-241, lettre placée en [mai 1871].

Page 368.

À CLAUDIUS POPELIN ?
[22 août 1871]

Autographe collection Urusova, Saint-Pétersbourg ; lettre publiée par M. Tomatchef, *Zapiski otdela rukopisej*, t. 21, 1959, p. 239-240 (copie à la B. N., pièce 8, 2045) et par C.H.H., *Correspondance*, t. V, p. 382, adressée à « un correspondant inconnu ». L'attribution à Claudius Popelin est hypothétique.

1. La seule lettre conservée de Flaubert à Popelin est du 4 juillet 1871 ; mais cette correspondance est très incomplète.
2. J'ajoute ce mot, qui manque dans le manuscrit.
3. Le maréchal de Catinat (1637-1712) est mort à Saint-Gratien où lui a été élevée une statue.
4. Théophile Gautier.
5. Paul Chéron, conservateur à la Bibliothèque nationale ; Jules Troubat, dernier secrétaire de Sainte-Beuve.

Page 369.

À LA BARONNE LEPIC
[23 août 1871 ?]

Inédite. Autographe B.M. Rouen, m m 8, pièce 62. La date est vraisemblable.

1. Il s'agit du conte de fée *Brillante et solide*, de Marie Régnier. Voir les lettres de Flaubert à Raoul-Duval des [22 juin 1870], p. 195, et [31 juillet 1871], p. 354.
2. Mme Perrot, mère de Mme Lepic.

À RAOUL-DUVAL
[Août-septembre 1871]

Autographe B. N., fonds Hetzel, pièce 313 ; *Supplément*, t. II, p. 49, lettre adressée à Charles-Edmond et datée de [1865].

3. Le conte de fée intitulé *Brillante et solide*, de Marie Régnier (pseudonymes : Daniel Darcey, Daniel Darc).

Page 370.

À SA NIÈCE CAROLINE
[6 septembre 1871]

Autographe Lovenjoul, A II, ff^os 413-414 ; *Supplément*, t. II, p. 286-287, lettre datée du [6 septembre 1871] ; C.H.H., *Correspondance*, t. IV, p. 37, lettre datée du [23 août 1871].

1. Le général Valazé était le frère d'Edma Roger des Genettes.
2. Voir *La Tentation de saint Antoine*, chapitre v.

À LA PRINCESSE MATHILDE
6 septembre [1871] !

Autographe Archivio Campello, n° Inv. 998 ; Conard, t. VI, p. 278-280.

3. Alexandre Dumas fils. Voir la lettre de Flaubert à la princesse Mathilde du [7 septembre 1870], p. 230, et celle à George Sand du [10 septembre 1870], p. 233.

Page 371.

a. les [assauts] <hommages> de 18 citoyens
1. Frédéric et Deslauriers « se glissèrent chez la Turque, en tenant toujours leurs gros bouquets ».
2. Article paru dans *Le Temps* du 5 septembre 1870.
3. Eugène Janvier de La Motte, préfet sous le Second Empire, était en prison pour concussion. Il sera acquitté en 1872.
4. Le peintre Gustave Courbet avait été membre de la Commune. Il avait été traduit en juin 1871 en conseil de guerre, et condamné à payer les frais de la restauration de la colonne Vendôme.

Page 372.

À GEORGE SAND
6 septembre [1871]

Autographe Lovenjoul, A IV, ffos 255-256 ; Conard, t. VI, p. 255-257 ; *Correspondance Flaubert-Sand*, éd. A. Jacobs, p. 343-344.

1. L'article de George Sand sur les ouvriers avait paru dans *Le Temps* du 5 septembre 1870, et des fragments dans *Le Gaulois* du 6.
2. Eulalie Papavoine et quatre autres « pétroleuses » avaient comparu devant le conseil de guerre de Versailles, les 4 et 5 septembre 1871. D'après *Le Figaro* du 6 septembre, Mlle Papavoine « a eu en un jour dix-huit amants à la fois ».

Page 373.

1. La société Berton-Laurent, composée de comédiens de l'Odéon opposés au directeur de Chilly, faisait alors une tournée en province.

À ÉLISA SCHLÉSINGER
6 septembre 1871

Autographe non retrouvé ; Conard, t. VI, p. 277-278.

2. Caroline Commanville ; l'autre nièce de Flaubert, fille de son frère Achille, Juliette, avait épousé Ernest Roquigny, qui s'est suicidé.
3. Sur Élisa Schlésinger, voir la lettre de Caroline Flaubert à son frère Gustave, t. I, n. 3, p. 101. Les Schlésinger étaient repartis pour l'Allemagne en 1852.

Page 374.

GEORGE SAND À GUSTAVE FLAUBERT
6 septembre [18]71

Autographe collection Alfred Dupont ; lettre publiée par Henri Amic, *Correspondance Flaubert-Sand*, éd. Alphonse Jacobs, 1904, p. 259-260.

GEORGE SAND À GUSTAVE FLAUBERT
8 septembre [1871]

Autographe Mme Vandendriessche, Roubaix ; lettre publiée par Henri Amic, ouvr. cité, p. 264-265.

Page 375.

1. L'article sur les ouvriers paru dans *Le Temps* du 5 septembre 1870 avait été rédigé en mars 1860.

2. Directeur du théâtre du Gymnase.

À GEORGE SAND
8 septembre [1871]

Autographe Lovenjoul, A IV, ffos 257-258 ; incomplète dans Conard, t. VI, p. 280-283.

Page 376.

1. La Commission des grâces de l'Assemblée nationale, créée le 15 juin 1871, commençait à étudier le cas des communards.

2. Le journaliste Jean-Baptiste Millière avait publié dans *Le Vengeur* du 8 février 1871 un article intitulé « Le Faussaire » sur la vie privée de Jules Favre, ministre des Affaires étrangères, fondé sur des documents communiqués par Laluyé, ancien ami de Favre. Millière fut fusillé par les Versaillais et Laluyé passa en jugement le 6 septembre 1871 et condamné à un an de prison et mille francs d'amende.

Page 377.

À SA NIÈCE CAROLINE
[8 septembre 1871]

Autographe Lovenjoul, A II, fo 415 ; incomplète dans Conard, t. VI, p. 283-284.

1. Il s'agit des difficultés d'affaires d'Ernest Commanville (voir Lucie Chevalley-Sabatier, *Gustave Flaubert et sa nièce Caroline*, p. 92).

2. La fontaine élevée à Rouen à la mémoire de Louis Bouilhet.

Page 378.

1. Ami de Louis Bouilhet et membre de la commission pour l'érection du monument.

À RAOUL-DUVAL

12 septembre [1871]

Autographe archives Raoul-Duval, n° 16 et 17. Enveloppe : Monsieur Edgar Raoul-Duval, député, rue François Ier, 45 *bis*, Paris ; cachet : Rouen, 12 ou 13, plutôt 12 ; autre cachet : 13 septembre. Je choisis la date inscrite par Raoul-Duval au début de sa lettre.

2. La demande de décoration n'est pas jointe à la lettre dans la collection Lovenjoul, mais elle m'a été aimablement communiquée par les héritiers de Raoul-Duval. Je la résume : Marie-Léopold-Livio Du Mesnil de Maricourt, sorti de Saint-Cyr en 1862, officier de carrière, sert dans la mobile en 1870 et fait la campagne de France. Il a la jambe gauche fracassée par une balle.

3. Le comte Charles d'Osmoy avait été élu à l'Assemblée nationale en même temps que Raoul-Duval.

Page 379.

À AGÉNOR BARDOUX

[14 septembre 1871 ?]

Inédite. Autographe collection particulière. Flaubert a pu écrire « la Chambre » à la place de « l'Assemblée nationale ».

1. D'Osmoy était président de la commission dramatique de l'Assemblée nationale. Voir la lettre à George Sand du 25 juillet [1871], p. 353.

GEORGE SAND À GUSTAVE FLAUBERT

16 septembre [18]71

Autographe collection Alfred Dupont ; *Correspondance Flaubert-Sand*, éd. Alphonse Jacobs, p. 349-350.

2. Cette « Réponse à un ami » sera publiée dans *Le Temps* le 3 octobre 1871 ; elle répond à la lettre de Flaubert à George Sand du 8 septembre [1871].

3. *Jules César*, acte I, sc. I ; c'est Brutus qui parle.

Page 380.

À SA NIÈCE CAROLINE

[17 septembre 1871]

Autographe Lovenjoul, A II ffos 417-418. Enveloppe (f° 416) : Madame Commanville, Neuville, près Dieppe ; C.P. : Rouen, 17 septembre ? ; Dieppe, 18 septembre 1871. Incomplète dans Conard, t. VI, p. 284-286.

1. Philippe Leparfait, fils adoptif de Louis Bouilhet.

2. Maire de Rouen. S'agirait-il d'un dessin concernant le monument de Louis Bouilhet ?

3. Sur Eugène Bataille, voir t. III, p. 540.

Page 381.

1. Frédéric Baudry, bibliothécaire à la bibliothèque Mazarine.

À LA BARONNE LEPIC
[Septembre 1871]

Inédite. Autographe docteur Jean, Rouen.

2. Mme Adèle Perrot.

À LA PRINCESSE MATHILDE
[Septembre 1871 ?]

Autographe Archivio Campello, n° Inv. 1007 ; Conard, t. VI, p. 438-439, datée de « vendredi [1872] ». Comme Marcello Spaziani, je crois cette lettre de l'année 1871.

Page 382.

À RAOUL-DUVAL
[Septembre 1871]

Autographe B. N., N.A.F., fonds Hetzel, f° 313 ; *Supplément*, t. II, p. 49. Le destinataire n'est pas Charles-Edmond et la date est erronée. Voir la lettre de Flaubert à Raoul-Duval du [22 juin 1870], p. 195.

1. Il s'agit du conte de fées *Brillante et solide*, de Marie Régnier.

À EDMA ROGER DES GENETTES
6 [octobre 1871]

Autographe Lovenjoul ; incomplète dans Conard, t. VI, p. 288-290.

2. Le général Letellier-Valazé, frère de Mme Roger des Genettes.

Page 383.

1. Le Congrès de la ligue de la paix et de la liberté, ouvert à Lausanne en septembre 1871.

2. André Léo, pseudonyme de Léonie Béra, épouse Champseix (1829-1900), membre de « la sociale » durant la Commune, réfugiée en Suisse après la fin de l'insurrection, revenue en France après l'amnistie.

Page 384.

À GEORGE SAND
[7 octobre 1871]

Autographe Lovenjoul, A IV, ff^os 259-260 ; Conard, t. VI, p. 286-288 ; *Correspondance Flaubert-Sand*, éd. Alphonse Jacobs, p. 350-352.

1. « Réponse à un ami », *Le Temps*, 3 octobre 1871. L'ami est Flaubert.

2. L'ouvrage d'Ernest Renan, *Questions contemporaines*, a paru en 1868.

Page 385.

1. Lapsus pour « Instruction publique ».

2. L'article où Jules Vallès attaque Homère a paru d'abord dans *L'Événement* du 17 février 1866, reproduit dans *La Rue* sous le titre « L'Académie ». Après avoir traité Homère d'« immortel patachon », Vallès termine ainsi son article : « Et toi, vieil Homère, aux Quinze-Vingts ! » (Jules Vallès, *Œuvres*, t. I, Bibl. de la Pléiade, p. 829-831).

3. Frédéric Bastiat (1801-1850), économiste et homme politique français. Ses *Harmonies économiques* paraissent en 1850-1851. Il était partisan du libre-échange et ennemi du socialisme.

4. Voir la note 1. Flaubert a été vexé par l'image de l'« ami » donnée dans l'article par son « troubadour ».

GEORGE SAND À GUSTAVE FLAUBERT

10 octobre [1871]

Autographe collection Alfred Dupont ; *Correspondance Flaubert-Sand*, éd. Alphonse Jacobs, p. 284-285.

Page 386.

1. *Mademoiselle Aïssé*, pièce de Louis Bouilhet qui sera jouée le 6 janvier 1872 au théâtre de l'Odéon.

2. Philippe Leparfait.

À PHILIPPE LEPARFAIT

[10 octobre 1871]

Autographe Jacques Lambert ; Conard, t. VI, p. 290-292.

3. *La Baronne*, drame en quatre actes et en prose, d'Édouard Foussier et Charles-Edmond.

4. *Les Créanciers du bonheur*, comédie en trois actes et en prose d'Édouard Cadol, représentée à l'Odéon le 11 octobre 1871.

5. Comédie d'Alexandre Dumas fils, jouée au théâtre du Gymnase en 1867.

Page 387.

1. Il s'agit du chancelier de L'Hospital, personnage de la pièce de Louis Bouilhet intitulée *La Conjuration d'Amboise*, jouée au théâtre de l'Odéon le 24 octobre 1866.

2. Duquesnel et Chilly étaient les directeurs du théâtre de l'Odéon.

3. Raymond Deslandes (1825-1890), journaliste et auteur dramatique.

4. Le manuscrit de *Mademoiselle Aïssé*, pièce de Louis Bouilhet.

5. Le comte d'Osmoy était alors député de l'Assemblée nationale. Voir t. II, n. 8, p. 621.

6. Auguste Axenfeld (1825-1876), professeur à la Faculté de médecine, médecin en chef de l'hôpital Beaujon, spécialiste des maladies nerveuses, auteur d'un *Traité des névroses*.

Page 388.

À HENRY HARRISSE
[Vers le 10 octobre 1871]

Inédite. Autographe. B.N., N.A.F. 11206, fonds Harrisse, f° 164.

À SA NIÈCE CAROLINE
[11 octobre 1871]

Autographe Lovenjoul, A II, ff^os 419-420; *Supplément*, t. II, p. 288-289.

Page 389.

À PHILIPPE LEPARFAIT
[12 octobre 1871]

Autographe non retrouvé; *Supplément*, t. II, p. 288, à la date d'[octobre 1871]. Je la crois du jeudi [12 octobre 1871].

1. L'imprimeur à qui Flaubert donna le manuscrit de *Dernières chansons* de Louis Bouilhet, avec sa préface. Le volume parut le 6 janvier 1872 chez l'éditeur Michel Lévy.

À EUGÈNE DELATTRE
[12 octobre 1871]

Autographe non retrouvé; Conard, t. VI, p. 292-293.

2. Eugène Delattre, né à Ramburelles (Somme) en 1830, était un ami intime de Louis Bouilhet après avoir été son élève à Rouen. En 1871, il était avocat au barreau de Paris.

À SA MÈRE
[12 octobre 1871]

Autographe Lovenjoul, A II, ff^os 21-22; *Supplément*, t. II, p. 289-290.

Page 390.

1. La première mention d'une maladie de Feydeau, non précisée, se trouve dans la lettre de Flaubert à sa nièce Caroline du 24 octobre [1870], p. 254.

2. Eugène Crépet avait épousé en premières noces Maria Rodriguez García, nièce de la Malibran et de Pauline Viardot, qui meurt le 24 avril 1867. Il se remarie le 9 octobre 1871 avec Fanny Levrat, dont il aura trois enfants, dont Jacques Crépet (1874-1952), l'éditeur de Baudelaire.

À SA NIÈCE CAROLINE
[12 octobre 1871]

Autographe Lovenjoul, A II, ff^os 421-422; incomplète dans Conard, t. VI, p. 293-294.

Page 391.

1. Directeur du Théâtre-Français.
2. « Réponse à un ami », *Le Temps*, 3 octobre 1871.

À PHILIPPE LEPARFAIT
[12 octobre 1871]

Autographe non retrouvé ; Conard. t. VI, p. 84-85, lettre placée en [octobre 1871], bien datée par Gérard-Gailly du [12 octobre 1871] (*Bulletin du bibliophile*, août-septembre 1947, p. 404-405).

Page 392.

1. *Les Créanciers du bonheur.*

À GEORGE SAND
[12 octobre 1871]

Autographe Lovenjoul, H 1358, ffos 261-262 ; Conard, t. VI, p. 295-298, datée de [Paris, avant le 18 octobre 1871] ; lettre bien datée par Alphonse Jacobs (*Correspondance Flaubert-Sand*, p. 353).

Page 393.

1. Xavier de Ravignan, prédicateur jésuite (1795-1858), avait succédé à Lacordaire à Notre-Dame.
2. « Sultan Mourad », *La Légende des siècles*, XVI, 3, Bibl. de la Pléiade, p. 280. Le sanguinaire Mourad rencontre un jour un pourceau écorché vif, et chasse les mouches qui le dévorent. Il sera sauvé par Dieu pour cette unique bonne action.
3. Jules Lecomte (1814-1864), journaliste, dramaturge, romancier et essayiste.
4. George Cavalier, dit Pipe-en-bois, membre de la Commune, déporté ; le peintre Gustave Courbet, membre de la Commune ; le journaliste Gustave Maroteau, déporté ; Louis Rossel, membre de la Commune, exécuté le 28 novembre 1871.

Page 394.

1. L'Américain Henry Harrisse. Voir la lettre à H. Harrisse, p. 388.
2. Sylvanie Arnould-Plessy, sociétaire de la Comédie-Française.

À PHILIPPE LEPARFAIT
[14 octobre 1871]

Autographe Jacques Lambert ; Conard, t. VI, p. 294-295, placée en octobre 1871 ; bien datée du [14 octobre 1871] par Gérard-Gailly (*Bulletin du bibliophile*, août-septembre 1947, p. 407).

3. Émile Perrin était le directeur de la Comédie-Française.

Page 395.

1. Saint-Gratien : la propriété de la princesse Mathilde, près de Montmorency.

2. Acteurs du théâtre de l'Odéon. En fait, *Mademoiselle Aïssé* sera jouée à l'Odéon le 6 janvier 1872.

À SA NIÈCE CAROLINE
[16 octobre 1871]

Autographe Lovenjoul, A II, ffos 423-424 ; *Supplément*, t. II, p. 291.

3. Il s'agit des tractations de Flaubert pour faire jouer *Mademoiselle Aïssé*, la pièce de Louis Bouilhet. Flaubert jouait un double jeu, entre la Comédie-Française et l'Odéon.

4. La propriété de la princesse Mathilde.

À PHILIPPE LEPARFAIT
16 [octobre 1871]

Autographe Jacques Lambert ; Conard, t. VI, p. 310-311 ; lettre placée en novembre 1871.

Page 397.

À CHARLES D'OSMOY
[Vers le 18 octobre 1871]

Fragments inédits, publiés dans le catalogue Charavay/Michel Castaing, octobre 1983, n° 40080.

1. Autant que je sache, d'Osmoy n'a jamais été ministre des Beaux-Arts.

À PHILIPPE LEPARFAIT
[Vers le 20 octobre 1871]

Autographe Jean-Pierre Duquette, qui me l'a aimablement communiqué, et que je remercie.

2. D'après la lettre de Flaubert à Philippe Leparfait du 16 [octobre 1871], Émile Perrin devait donner sa réponse définitive le mardi 17 octobre 1871. Cette réponse a donc été négative.

Page 398.

À LÉONIE BRAINNE
23 [octobre 1871]

Autographe B. M. Rouen, m m 265, pièce 38 ; *Supplément*, t. II, p. 292.

À FÉLIX DUQUESNEL
25 octobre [1871]

Autographe non retrouvé ; *Supplément*, t. II, p. 293-294.

1. Pour « Madame *de* Tencin » : sans doute une faute d'impression de l'édition Conard.

Page 399.

À LA PRINCESSE MATHILDE

25 octobre [1871]

Autographe Archivio Campello, n° Inv. 999 ; Conard, t. VI, p. 312, lettre publiée avec beaucoup d'erreurs : par exemple « Tcholend » pour « Pétroleur » !

1. L'action de *Mademoiselle Aïssé* se situe sous la Régence. Le duc d'Orléans, alors Régent, résidait au Palais-Royal.

2. *Mademoiselle Aïssé* sera jouée le 6 janvier 1872.

3. *Ma mission de Prusse* dans lequel Vincent, comte Benedetti, montrait qu'il n'avait cessé de mettre son gouvernement en garde contre les velléités belliqueuses de la Prusse (voir n. 1, p. 358).

Page 400.

GEORGE SAND À GUSTAVE FLAUBERT

25 octobre [1871]

Autographe collection Alfred Dupont ; *Correspondance Flaubert-Sand*, éd. Alphonse Jacobs, p. 330.

1. Il s'agit de Juliette Lamber (Mme Adam).

2. George Sand pense surtout à la révolution de 1848.

Page 401.

1. fille de Maurice et Lina Sand, petite-fille de George Sand.

Page 402.

À EDMOND LAPORTE

[26 octobre 1871]

Autographe non retrouvé ; *Supplément*, t. II, p. 292.

1. Il s'agit sans doute de Léonie Brainne et de Valérie Lapierre.

À SA NIÈCE CAROLINE

[26 octobre 1871]

Autographe Lovenjoul, A II, ffos 425-426 ; incomplète dans Conard, t. VI, p. 299-300.

2. Duquesnel et Chilly étaient les deux directeurs de l'Odéon.

3. Frères Goncourt, *Portraits intimes du* XVIIIe *siècle*, 1857-1858 ; *L'Art du* XVIIIe *siècle*, 1859 ; *La Femme au* XVIIIe *siècle*, 1862.

4. *Jacques*, roman de George Sand, avait paru en 1834.

5. Alfred Le Poittevin.

6. Voici les trois textes de *Jacques* dont Flaubert se souvient : 1. « Cette pipe commence à m'ennuyer sérieusement ; je serais très soulagée si je pouvais le dire un peu ; mais aussitôt Jacques casserait toutes ses pipes d'un air tranquille [...] » (éd. Calmann-Lévy, s.d.,

p. 142) ; 2. « Quelle enfant robuste, courageuse et fière tu me semblas, ainsi étendue sur la bruyère entre le ciel et la cime des Alpes [...] », (p. 84) ; 3. Il s'agit de Fernande, que Jacques vient d'épouser : « Il m'enveloppa dans mon couvre-pieds de satin blanc et rose et me porta auprès de la fenêtre. Je jetai un cri de joie et d'admiration à la vue du sublime spectacle [...] » Il s'agit des Alpes du Dauphiné (p. 93).

7. Achille Flaubert, le frère de Gustave et son épouse ; Ernest Roquigny ; Juliette, fille unique d'Achille, mère d'Ernest et veuve d'Adolphe Roquigny.

Page 403.

1. Le conseiller d'État en retraite Eugène Bataille.
2. Gabriel Caudron, ami de Louis Bouilhet, devenu fou et interné en 1880.
3. Armand Allais, cousin de Flaubert.

À EUGÈNE BATAILLE
[27 octobre 1871 ?]

Inédite. Autographe passé en vente en décembre 1982.

Page 404.

À ALFRED BAUDRY
30 [octobre 1871 ?]

Inédite. Autographe docteur Jean.

1. Charles Lapierre était le propriétaire du *Nouvelliste de Rouen.*
2. Valérie Lapierre et Léonie Brainne étaient sœurs.
3. C'est par Jules Duplan, mort le 1er mars 1870, que Flaubert avait connu Edmond Laporte, de Grand-Couronne, commune située sur la Seine à seize kilomètres en aval de Rouen.

À HENRY HARRISSE
[Octobre-novembre 1871]

Inédite. Fonds Henry Harrisse, B. N., N. A. F. 11206, f° 162.

4. Ernest Feydeau était gravement malade.

À PHILIPPE LEPARFAIT
[Octobre-novembre 1871]

Autographe non retrouvé ; *Supplément*, t. II, p. 294.

5. Le comte d'Osmoy était député de l'Assemblée nationale ; Chilly directeur du théâtre de l'Odéon, où allait se jouer *Mademoiselle Aïssé*, pièce de Louis Bouilhet.
6. Une actrice très liée avec Louis Bouilhet et Flaubert.

Page 405.

À SA NIÈCE CAROLINE
[1er novembre 1871]

Autographe Lovenjoul, A II, ffos 427-428 ; incomplète dans Conard, t. VI, p. 301-302.

1. L'énumération des « petits dieux de Rome » se trouve vers la fin de la cinquième partie de *La Tentation de saint Antoine* et se termine avec Crepitus.

2. Pour Eugène Bataille, voir t. III, n. 4, p. 540 ; pour Valérie Lapierre et sa sœur Léonie Brainne, voir *ibid.*, n. 5, p. 766.

3. Amie de Mme Flaubert.

4. Ami de Louis Bouilhet, membre du comité pour l'érection du monument au poète.

5. Ernest Commanville, mari de Caroline.

6. Il s'agit de la représentation de *Mademoiselle Aïssé*, pièce de Louis Bouilhet, à l'Odéon.

Page 406.

À SA NIÈCE CAROLINE
[6 novembre 1871]

Autographe Lovenjoul, A II, ffos 429-430 ; incomplète dans Conard, t. VI, p. 304-305.

1. Achille Flaubert, frère de Gustave, et sa femme Julie.

2. Sur Élisa Schlésinger, voir t. I, n. 3, p. 101.

3. La première représentation de *Mademoiselle Aïssé*, de Louis Bouilhet, aura lieu le 6 janvier 1872.

4. Un modèle de Caroline, la nièce de Flaubert.

Page 407.

À MARIE RÉGNIER
[6 novembre 1871 ?]

Inédite. Autographe docteur Jean.

1. Le conte de fée *Brillante et solide.*

À PHILIPPE LEPARFAIT
[9 novembre 1871]

Autographe non retrouvé ; Conard, t. VI, p. 298-299. Lettre bien datée par Gérard-Gailly (*Bulletin du bibliophile*, août-septembre 1947, p. 407).

2. Il s'agit de *Mademoiselle Aïssé.*

3. Philippe Leparfait était marchand de vins et d'alcools.

Page 408.

À SA NIÈCE CAROLINE

[12 novembre 1871]

Autographe Lovenjoul, A II, ff^os^ 431-432 ; incomplète dans Conard, t. VI, p. 305-306.

1. Voir la lettre de Duquesnel, datée du 11 novembre 1871, dans la collection Lovenjoul, B III, ff^os^ 82-83. Il s'agit de *Mademoiselle Aïssé*, pièce de Louis Bouilhet, dont la première aura lieu à l'Odéon le 6 janvier 1872.

2. Philippe Leparfait, le fils adoptif de Louis Bouilhet.

Page 409.

À PHILIPPE LEPARFAIT

[13 novembre 1871]

Autographe Jacques Lambert ; Conard, t. VI, p. 75, lettre mal placée en septembre 1869.

À SA NIÈCE CAROLINE

[14 novembre 1871]

Autographe Lovenjoul, A II, ff^os^ 403-404 ; *Supplément*, t. II, p. 295-296, lettre datée du [21 novembre 1871]. Flaubert arrive à Paris le 15 novembre d'après les lettres suivantes.

Page 410.

À RAOUL-DUVAL

14 [novembre 1871]

Autographe archives Raoul-Duval, n° 45 ; *Supplément*, t. II, p. 295.

1. Mme Perrot était la mère de Janvier de La Motte et de Mme Lepic.

À GEORGE SAND

14 novembre [1871]

Autographe Lovenjoul, A IV, f° 267 ; *Correspondance Flaubert-Sand*, éd. Alphonse Jacobs, p. 358-359.

1. Il s'agit des feuilletons que George Sand envoyait au *Temps* tous les quinze jours.

Page 411.

1. Xavier Bichat (1771-1802), auteur de l'*Anatomie générale* (1801) et des *Recherches physiologiques sur la vie et la mort* (1800) ; Pierre Cabanis (1757-1808), auteur du *Traité du physique et du moral de l'homme* (1802).

2. Les élections des conseils généraux avaient eu lieu le 8 octobre 1871.

À ÉMILE ZOLA

15 novembre [1871]

Autographe non retrouvé ; copie René Descharmes, B. N., N.A.F. 23827, f° 41.

3. Il s'agit de *La Fortune des Rougon*, le premier roman des Rougon-Macquart, paru le 14 octobre 1871 d'après la *Bibliographie de la France*.

Page 412.

À EDMOND DE GONCOURT

[16 novembre 1871]

Autographe B. N., 22462, f° 351 ; C.H.H., *Correspondance*, t. IV, p. 26, à la date du [20 ? juillet 1871]. Je la crois du [16 novembre 1871], d'après les lettres précédentes.

IVAN TOURGUENEFF À GUSTAVE FLAUBERT

18 nov[embre] 1871

Autographe Lovenjoul, B VI, ff[os] 115-116 ; lettre publiée dans les *Œuvres complètes d'Ivan Turgenev*, édition de l'Académie des sciences de l'U.R.S.S., *Correspondance*, t. IX, p. 162, reproduite par Alexandre Zviguilsky dans *Gustave Flaubert-Ivan Tourguéniev. Correspondance*, p. 103.

À EUGÈNE DELATTRE

[Vers le 20 novembre 1871]

Autographe non retrouvé ; Conard, t. VI, p. 301, lettre datée d'[octobre-novembre 1871].

1. S'agirait-il de *Gaëtana*, drame en cinq actes et en prose, joué à l'Odéon le 3 janvier 1862 ? Une cabale avait été montée contre Edmond About par les cléricaux, à cause de la publication de *La Question romaine* en 1859 ; la France avait envoyé un corps d'armée à Rome en 1850 pour rétablir et défendre le pape Pie IX.

Page 413.

1. Cette « fantaisie » serait-elle la rédaction par Eugène Delattre d'un article de journal sur les problèmes rencontrés par Flaubert pour la représentation de *Mademoiselle Aïssé*, pièce posthume de Louis Bouilhet ?

À SA NIÈCE CAROLINE

[22 ? novembre 1871]

Autographe non retrouvé ; il ne figure pas à cette date dans la collection Lovenjoul ; Conard, t. VI, p. 309.

2. Sur le ménage Husson, ami de Maxime Du Camp, voir la lettre de Flaubert à Jules Duplan du [20 juin 1865], t. III, n. 1, p. 445.

À EDMOND DE GONCOURT
[22 novembre 1871]

Inédite. Autographe collection particulière.

3. Le graveur s'appelle Léopold Flameng. Voir plus loin la lettre de Flaubert à Philippe Leparfait du [9 décembre 1871], p. 432.

Page 414.

À PHILIPPE LEPARFAIT
[22 ? novembre 1871]

Autographe non retrouvé ; catalogue de la librairie Saggiori, été 1979, Paris, rue Saint-Lazare, n° 80 ; Conard, t. VI, p. 308.

1. Il s'agit de la représentation de *Mademoiselle Aïssé* au théâtre de l'Odéon.
2. Charles-Edmond Chojecki, ami de Flaubert et d'Edmond de Goncourt.
3. J'ignore qui est cette actrice ; le journal a pour titre *Le Nouvelliste de Rouen*.
4. *Dernières chansons*, recueil posthume de poèmes de Louis Bouilhet.

À PHILIPPE LEPARFAIT
[24 novembre 1871]

Autographe Jacques Lambert ; Conard, t. VI, p. 302-303, lettre bien datée par Gérard-Gailly du [24 novembre 1871] (*Bulletin du bibliophile*, 1947, p. 407).

Page 415.

1. Julie, la servante de la famille Flaubert.
2. La Préface aux *Dernières chansons* de Louis Bouilhet, ouvrage paru le 6 janvier 1872.

GEORGE SAND À GUSTAVE FLAUBERT
[24] novembre [1871]

Autographe Alfred Dupont ; *Correspondance Flaubert-Sand*, éd. Alphonse Jacobs, p. 360-361.

3. Pauline de Flaugergues, la dernière amie de Henry de Latouche (résumé de la note d'Alphonse Jacobs, n. 99, p. 361).

Page 416.

1. Ces mots sont écrits par Aurore, dite Lolo, la petite-fille de George Sand.

IVAN TOURGUENEFF À GUSTAVE FLAUBERT
[25 novembre 1871]

Autographe Lovenjoul, B VI, ffos 117-118 ; *Œuvres complètes d'Ivan Turgenev, Correspondance*, t. IX, p. 164 ; *Gustave Flaubert-Ivan Tourguéniev. Correspondance*, éd. Alexandre Zviguilsky, p. 103.

2. Ivan Tourgueneff avait fait la connaissance de Louis et Pauline Viardot à Saint-Pétersbourg en novembre 1843.

IVAN TOURGUENEFF À GUSTAVE FLAUBERT
[26 novembre 1871]

Autographe Lovenjoul, B VI, ffos 120-121 ; *Œuvres complètes d'Ivan Turgenev, Correspondance*, t. IX, p. 165 ; *Gustave Flaubert-Ivan Tourguéniev. Correspondance*, éd. Alexandre Zviguilsky, p. 104.

Page 417.

IVAN TOURGUENEFF À GUSTAVE FLAUBERT
[27 novembre 1871]

Autographe Lovenjoul, B VI, ffos 122-123 ; *Œuvres complètes d'Ivan Turgenev, Correspondance*, t. IX, p. 165 ; *Gustave Flaubert-Ivan Tourguéniev. Correspondance*, éd. Alexandre Zviguilsky, p. 104-105.

À SA NIÈCE CAROLINE
[27 novembre 1871]

Autographe Lovenjoul, A II, ffos 435-436 ; incomplète dans Conard, t. VI, p. 326, mal datée du [début de décembre 1871].

Page 418.

À EDMOND DE GONCOURT
[28 novembre 1871]

Autographe B. N., N.A.F. 22462, fo 352. Lettre probablement inédite.

1. Claudius Popelin (1825-1892), poète, dessinateur, émailleur, était un ami intime de la princesse Mathilde.

À RAOUL-DUVAL
[28 novembre 1871]

Autographe archives Raoul-Duval, no 6 ; *Gustave Flaubert. Lettres inédites à Raoul-Duval*, éd. Georges Normandy, p. 140 ; *Supplément*, t. II, p. 296.

2. Mme Perrot était la mère de Mme Lepic, amies communes de Flaubert, d'Osmoy et de Raoul-Duval.

IVAN TOURGUENEFF À GUSTAVE FLAUBERT
[28 novembre 1871]

Autographe Lovenjoul, B VI, fo 119 ; *Œuvres complètes d'Ivan Turgenev, Correspondance*, t. IX, p. 166 ; *Gustave Flaubert-Ivan Tourguéniev. Correspondance*, éd. Alexandre Zviguilsky, p. 105.

Page 419.

À PHILIPPE LEPARFAIT

[29 novembre 1871]

Autographe docteur Jean ; Conard, t. VI, p. 309-310, à la date de [novembre 1871] ; bien datée du [29 novembre 1871] par Gérard-Gailly (*Bulletin du bibliophile*, août-septembre 1947, p. 408).

1. Une reprise de *Ruy Blas* était prévue à l'Odéon pour le 25 janvier 1872. Flaubert réussira à la faire reporter au 19 février 1872.

À CLAUDIUS POPELIN

[29 novembre 1871]

Autographe non retrouvé ; lettre publiée par Joanna Richardson, « Unpublished Letters of Flaubert », *Times Literary Supplement*, 13 juin 1968, p. 615.

2. Ce portrait, gravé par L. Flameng, figure en tête de l'édition des *Dernières chansons* de Louis Bouilhet (Paris, Michel Lévy, 1872).

Page 420.

À RAOUL-DUVAL

[29 novembre 1871]

Autographe archives Raoul-Duval, n° 7 ; *Lettres inédites à Raoul-Duval*, éd. Georges Normandy, p. 135 ; *Supplément*, t. II, p. 297.

1. Raoul-Duval était intervenu lors de la séance du conseil municipal de Rouen à propos du projet de monument à Louis Bouilhet.

À MARIE RÉGNIER

[29 novembre 1871]

Autographe non retrouvé ; Conard, t. VI, p. 334.

2. Il s'agit d'un roman signé Daniel Darc, pseudonyme de Marie Régnier, intitulé *Un duel de salon*, et publié dans le journal *La Liberté* à partir du 11 février 1870. Madeleine, duchesse de Larcy, a épousé en secondes noces le comte d'Arello — en fait un ancien bagnard nommé Jacques Fleint. La marquise de Vher est jalouse de Madeleine et la compromet par un faux billet avec le vicomte de Breuil. Madeleine, ruinée, se suicide.

Page 421.

À HIPPOLYTE TAINE

[29 novembre 1871]

Autographe non retrouvé ; *Supplément*, t. II, p. 308, à la date de [décembre 1871].

À EDMOND DE GONCOURT

[30 novembre 1871]

Autographe B. N., N.A.F. 22462, f° 353 ; C.H.H., *Correspondance*, t. IV, p. 72, à la date du [6 décembre 1871].

Page 422.

À SUZANNE LAGIER

[30 novembre 1871]

Autographe non retrouvé ; *Supplément*, t. II, p. 278.

1. La comédie de Louis Bouilhet, *Mademoiselle Aïssé*, sera jouée au théâtre de l'Odéon le 6 janvier 1872.

À MARIE RÉGNIER

[30 novembre 1871]

Autographe non retrouvé ; Conard, t. VI, p. 313-314.

Page 423.

1. Marie Serrure avait épousé le docteur Régnier, qui exerçait à Mantes. Elle connaissait le rôle de cette ville dans les amours de Louise Colet et de Flaubert, certainement par Flaubert. Mantes avait servi de lieu de rencontre entre les deux amants durant les deux phases de leur liaison : 1846-1847 et 1851-1854.

À LA PRINCESSE MATHILDE

[1er décembre 1871]

Autographe Archivio Campello, nº Inv. 1000 ; Conard, t. VI, p. 315-316.

Page 424.

À GEORGE SAND

1er décembre [1871]

Autographe Lovenjoul, A IV, ffos 265-266 ; *Correspondance Flaubert-Sand*, éd. Alphonse Jacobs, p. 361-362.

À ÉMILE ZOLA

[1er décembre 1871]

Autographe non retrouvé ; Conard, t. VI, p. 314-315. Flaubert arrive à Paris le 15 novembre. La date est vraisemblable.

1. *La Fortune des Rougon*, premier volume des *Rougon-Macquart*, annoncé dans la *Bibliographie de la France* du 14 octobre 1871.

Page 425.

À PHILIPPE LEPARFAIT

[1er décembre 1871]

Autographe colonel Sickles ; vente à l'hôtel Drouot le 18 décembre 1987, expert Thierry Bodin, *Lettres et manuscrits autographes*, nº 100 ; Conard, t. VI, p. 317-318.

1. Louis François Person, *dit* Dumaine (1831-1893), comédien célèbre et directeur du théâtre de la Gaîté à Paris.

2. Edmond-Aimé-Florentin Geffroy (1804-1895), secrétaire de la Comédie-Française, et, après sa retraite, acteur au théâtre de l'Odéon.

3. « L'Amour noir », poème de Louis Bouilhet, publié par Flaubert dans *Dernières chansons*, p. 139-158.

Page 426.

À PHILIPPE LEPARFAIT

[2 décembre 1871]

Autographe non retrouvé ; Conard, t. VI, p. 318-319.

1. Jean Clogenson, ami rouennais de Flaubert, possédait un portrait d'Aïssé qu'il prêtera au romancier. Edmond de Goncourt le verra chez Flaubert : « 6 janvier 1872. Il y a, sur le marbre de la cheminée, une grande photographie de Bouilhet et lui faisant face, sur un chevalet, un grand portrait à l'huile de Mlle Aïssé » (*Journal*, éd. Robert Ricatte, t. IX, p. 861).

À EDMOND DE GONCOURT

[2 décembre 1871]

Autographe B. N., N.A.F. 22462, f° 354 ; *Supplément*, t. II, p. 298.

2. Eugène Giraud (1806-1881), peintre et graveur, prix de Rome (1826) ; il a peint les portraits de la princesse Mathilde et du prince Jérôme.

3. Edmond de Goncourt est venu le dimanche 3 décembre chez Flaubert, comme le prouve la lettre qu'il lui écrit le 11 décembre 1871 à propos des costumes de *Mademoiselle Aïssé* (Lovenjoul, B III, ffos 282-283).

Page 427.

À PHILIPPE LEPARFAIT

[4 décembre 1871]

Autographe docteur Jean ; Conard, t. VI, p. 320-321 (décembre 1871) ; lettre bien datée par Gérard-Gailly du [4 décembre 1871] (*Bulletin du bibliophile*, 1947, p. 409).

Page 428.

À GEORGE SAND

[5 décembre 1871]

Autographe Lovenjoul, H 1358, A V, ffos 267-268 ; *Supplément*, t. II, p. 299 ; *Correspondance Flaubert-Sand*, éd. Alphonse Jacobs, p. 362.

1. Cet argent était destiné à Pauline de Flaugergues, la dernière amie de Henry de Latouche. Voir la lettre de George Sand à Flaubert du 7 décembre [1871], p. 430.

À RAOUL-DUVAL

[5 décembre 1871]

Autographe archives Raoul-Duval, n° 14 ; *Gustave Flaubert. Lettres inédites à Raoul-Duval*, éd. Georges Normandy, p. 141-142 ; *Supplément*, t. II, p. 199.

2. Voir la *Lettre de M. Gustave Flaubert à la municipalité de Rouen, au sujet de son refus d'accorder un emplacement de quatre mètres à une fontaine surmontée du buste de Louis Bouilhet* (Paris, Michel Lévy, 1872, 20 p.).

3. Raoul-Duval était député à l'Assemblée nationale, alors à Versailles.

À PHILIPPE LEPARFAIT

[6 ? décembre 1871]

Autographe Jacques Lambert ; Conard, t. VI, p. 323-324.

Page 430.

À PHILIPPE LEPARFAIT

[7 décembre 1871]

Autographe Jacques Lambert ; Conard, t. VI, p. 319 ; lettre bien datée par Gérard-Gailly du [7 décembre 1871] (*Bulletin du bibliophile*, 1947, p. 409).

1. Le portrait de Mlle Aïssé, que possédait Jean Clogenson, et la photographie de Louis Bouilhet.

GEORGE SAND À GUSTAVE FLAUBERT

7 décembre [1871]

Autographe collection Vandendriessche ; *Correspondance Flaubert-Sand*, éd. Alphonse Jacobs, p. 362-363.

Page 431.

À PHILIPPE LEPARFAIT

[8 décembre 1871]

Autographe Jacques Lambert ; Conard, t. VI, p. 322.

1. L'« Amour noir », poème de Louis Bouilhet, publié dans *Dernières chansons*, n° 22.

2. *Mademoiselle Aïssé*, pièce de Louis Bouilhet, sera jouée à l'Odéon le 6 janvier 1872.

À JEAN CLOGENSON

[9 décembre 1871]

Autographe colonel Clogenson ; photocopie éditions Gallimard ; lettre publiée dans « Lettres de Flaubert et de Bouilhet à Jean Clogenson » éditées par Léon Letellier, *R.H.L.F.*, janvier-mars 1957, p. 17-18.

3. Philippe Leparfait.

Page 432.

À LECONTE DE LISLE
[9 décembre 1871]

Autographe non retrouvé ; Conard, t. VI, p. 330, lettre placée avant la lettre de Flaubert à Ed. de Goncourt du [20 ? décembre 1871]. Je la crois du [9 décembre 1871], car la deuxième édition des *Poèmes barbares* est annoncée dans la *Bibliographie de la France* le 25 novembre. Voir Edgar Pich, *Leconte de Lisle et sa création poétique*, Paris, imprimerie Chirat, 1975, p. 520.

1. La seconde édition des *Poèmes barbares*.

À PHILIPPE LEPARFAIT
[9 décembre 1871]

Autographe non retrouvé ; Conard, t. VI, p. 321-322.

2. La gravure du portrait de Louis Bouilhet, qui figure en tête du volume des *Dernières chansons*.
3. *Mademoiselle Aïssé*.

Page 433.

À EDMA ROGER DES GENETTES
[9 décembre 1871]

Autographe Lovenjoul, H 1360, ffos 105-106 ; incomplète dans Conard, t. VI, p. 327-329.

1. *La Réforme intellectuelle et morale*, ouvrage inspiré à Ernest Renan par les événements de 1870-1871.
2. La « Réponse à un ami », c'est-à-dire Flaubert, a paru dans *Le Temps* du 3 octobre 1871. Il faut lire aussi la « Réponse à une amie » (Juliette Adam) où il est longuement parlé de Flaubert (*Le Temps*, 14 novembre 1871).

Page 434.

1. La Muse : Louise Colet. C'est dans le salon de Louise que Flaubert et Edma Roger des Genettes s'étaient connus.

À JEAN CLOGENSON
[10 décembre 1871]

Autographe colonel Clogenson ; photocopie éditions Gallimard ; lettre publiée par Léon Letellier dans « Lettres de Flaubert et de Bouilhet à Jean Clogenson », *R.H.L.F.*, janvier-mars 1957, p. 18.

2. Le portrait de Mlle Aïssé que possédait Jean Clogenson.

À PHILIPPE LEPARFAIT
[15 décembre 1871]

Autographe non retrouvé ; Conard, t. VI, p. 331-332.

3. Le conseil municipal de Rouen avait refusé le 8 décembre 1871 la proposition de Flaubert « d'édifier *gratis* » sur une place de Rouen « une petite fontaine ornée du buste de Louis Bouilhet ». Les passages entre guillemets sont extraits de la *Lettre à la municipalité de Rouen*, adressée le 17 janvier 1872, publiée par *Le Temps* le 26 janvier, puis en plaquette. D'après la *Lettre*, Decorde avait été le rapporteur. Alfred Baudry n'y est pas mentionné ; il était lié avec Flaubert.

4. Émile Nion était l'adjoint au maire de Rouen chargé des beaux-arts. Son frère, Alfred Nion, ami de Flaubert, avait prononcé le 7 août 1862 à l'académie des sciences, belles-lettres et arts de Rouen « un éloge pompeux » de Louis Bouilhet (*Lettre à la municipalité de Rouen*).

Page 435.

1. La première d'*Aïssé* n'aura lieu que le 6 janvier 1872.
2. Régnier faisait partie de la troupe du Théâtre-Français ; *Mademoiselle Aïssé* a été jouée au théâtre de l'Odéon. L'acteur Colombier incarnait le cardinal de Tencin, personnage de la pièce de Louis Bouilhet.
3. Le portrait de Louis Bouilhet en tête des *Dernières chansons.*

À PHILIPPE LEPARFAIT

[17 décembre 1871]

Autographe non retrouvé ; Conard, t. VI, p. 332-333.

4. Flaubert préparait sa *Lettre à la municipalité de Rouen.*
5. Mme Achille Flaubert, belle-sœur de Gustave.

Page 436.

À PHILIPPE LEPARFAIT

[18 décembre 1871]

Autographe non retrouvé ; Conard, t. VI, p. 333.

1. Alfred Baudry ; voir t. I, n. 6, p. 230.
2. La première représentation de *Mademoiselle Aïssé*, qui n'aura lieu que le 6 janvier 1872.
3. L'avocat Decorde était membre de l'académie des sciences, belles-lettres et arts de Rouen. Flaubert cite plusieurs de ses vers dans la *Lettre à la municipalité de Rouen.* En voici un extrait non utilisé par Flaubert : *Il a fallu subir, grâce aux chemins de fer, / Des mots comme ceux-ci :* tunnel, wagon, tender. / *La Navigation a suivi ces données, / De rapides steamers les mers sont sillonnées / [...] / Et le commerce enfin qui souvent jusqu'ici / Allait puiser ses noms dans les racines grecques / Nous a donné les* stocks, *les* warrants *et les* chèques. Citation envoyée par Alfred Baudry à Flaubert dans sa lettre du 18 décembre 1871 (Lovenjoul, B I, ff^os 110-111).

À M. DESBOIS

[18 décembre 1871]

Autographe non retrouvé ; copie établie par le notaire Georges Biochet et recopiée par Lucien Fontaine ; elle se trouve au musée de Caudebec-en-Caux.

Page 437.

1. La collection Lovenjoul ne possède pas de lettres de Desbois à Flaubert.

À EDMOND DE GONCOURT
[20 ? décembre 1871]

Autographe B. N., N.A.F. 22462, f° 356 ; Conard, t. VI, p. 330.

2. Les frères Goncourt avaient publié de 1860 à 1867, en 17 volumes, *L'Art au* XVIII*e siècle.*

3. Nicolas Lancret (1690-1743) avait été reçu à l'Académie en 1719 sous le titre de « Peintre des fêtes galantes ».

À SA NIÈCE CAROLINE
[21 ? décembre 1871]

Autographe Lovenjoul, A II, ff^os^ 437-438 ; incomplète dans Conard, t. VI, p. 329, lettre placée en [décembre 1871].

4. La gravure du portrait de Louis Bouilhet qui figure en tête des *Dernières chansons.*

5. Aquarelle de la princesse Mathilde donnée à Sainte-Beuve.

6. Il s'agit de billets pour la première représentation de *Mademoiselle Aïssé*, le 6 janvier 1872.

Page 438.

À RAOUL-DUVAL
[21 décembre 1871]

Autographe archives Raoul-Duval, n° 48 ; *Gustave Flaubert. Lettres inédites à Raoul-Duval*, éd. Georges Normandy, p. 151-152 ; *Supplément*, t. II, p. 300.

1. Raoul-Duval était intervenu au conseil municipal de Rouen pour défendre la demande de Flaubert concernant l'érection d'un monument à Louis Bouilhet, qu'avait rejetée la commission chargée de la culture.

Page 439.

MAÎTRE FRAIGNAUD À LA PRINCESSE MATHILDE
[22 décembre 1871]

Inédite. Autographe Archivio Campello, n° Inv. 910 *bis* ; lettre non publiée, mais mentionnée par Marcello Spaziani, *Gli Amici della principessa Matilde*, n. 1, p. 85. Cette lettre a été envoyée par la princesse Mathilde à Flaubert, et reçue par lui le 6 janvier 1872. Flaubert a souligné neuf passages de cette lettre et ajouté trois points d'exclamation. Il a ensuite renvoyé la lettre à la princesse.

Page 440.

À M. DESBOIS
[25 décembre 1871]

Autographe non retrouvé ; copie chez le notaire Biochet à Caudebec-en-Caux, recopiée par Lucien Fontaine.

1. Les monuments de Napoléon Ier et de Boieldieu sont mentionnés dans la *Lettre à la municipalité de Rouen.*

À RAOUL-DUVAL
[25 décembre 1871]

Télégramme ; *Gustave Flaubert. Lettres inédites à Raoul-Duval,* éd. Georges Normandy, p. 147, *Supplément,* t. II, p. 302.

2. Malgré ses recherches, Georges Normandy n'a pu identifier ce Duruflé, qui, en tout cas, devait être fort riche (*Lettres inédites à Raoul-Duval,* p. 150-151).
3. Flaubert veut dire : cinquante mille francs.

Page 441.

À RAOUL-DUVAL
[25 décembre 1871]

Autographe archives Raoul-Duval, nº 5 ; *Gustave Flaubert. Lettres inédites à Raoul-Duval,* éd. Georges Normandy, p. 147-148 ; *Supplément,* t. II, p. 302.

À ERNEST COMMANVILLE
[27 décembre 1871]

Autographe non retrouvé ; *Supplément,* t. II, p. 302-303.

Page 442.

1. S'agit-il d'Eugène Rouher (1814-1884), l'un des personnages les plus éminents du Second Empire, revenu en France au cours de l'année 1871, comme la princesse Mathilde ?
2. J'ignore qui est « Mme Pr » ; sans doute une créancière importante d'Ernest Commanville.

À M. DESBOIS
[27 décembre 1871]

Autographe non retrouvé ; copie établie par le notaire Biochet, légataire de Desbois, de Caudebec-en-Caux, recopiée et communiquée par Lucien Fontaine.

3. Il n'y a plus de rue Labrosse à Rouen, et elle n'est pas mentionnée dans la *Lettre à la municipalité de Rouen.*

Page 443.

À MADAME JULES CLOQUET
[28 décembre 1871]

Autographe Lovenjoul, A V, ffos 296-297 ; *Supplément*, t. II, p. 305.

1. Mme Cloquet était anglaise et ses prénoms sont « Frances M. ». La seule lettre conservée de Mme Cloquet à Flaubert est écrite en anglais, suivie d'un mot de Jules Cloquet (Lovenjoul, B I, ffos 401-402).

2. *Dernières chansons*, recueil posthume de Louis Bouilhet, paraîtra le 6 janvier 1872.

À ERNEST FEYDEAU
[28 décembre 1871]

Autographe B. M. Rouen, m m 8, pièce 40 ; *Supplément*, t. II, p. 306.

À ERNEST COMMANVILLE
[28 décembre 1871]

Autographe non retrouvé ; *Supplément*, t. II, p. 304.

Page 444.

À SA NIÈCE CAROLINE
[29 décembre 1871]

Autographe Lovenjoul, A II, ffos 439-440 ; *Supplément*, t. II, p. 304-305.

1. La famille Vasse de Saint-Ouen, de Rouen, très liée à la famille Flaubert. La personne malade est Flavie Vasse de Saint-Ouen, mentionnée plus loin dans la lettre.

À EDMOND DE GONCOURT ?
[30 décembre 1871 ?]

Autographe collection particulière ; lettre peut-être inédite, date vraisemblable.

Page 445.

À AGÉNOR BARDOUX
[30 décembre 1871]

Autographe collection particulière ; *Supplément*, t. II, p. 308-309 ; lettre publiée par Jean Bardoux dans « Un ami de Flaubert », *Revue des Deux Mondes*, 1er avril 1937, p. 607-608.

1. *Le Château des cœurs* paraîtra dans *La Vie moderne* à partir du 14 février 1880.

2. Alphonse Cordier, né en 1920 à Écorché (Orne), homme politique, est conseiller municipal de Rouen en 1869, député de la Seine-Inférieure à l'Assemblée nationale, enfin sénateur inamovible en 1875.

3. Pierre Lanfrey (1828-1877), homme politique et historien ; il sera élu à l'Assemblée nationale en 1871, et nommé sénateur inamovible en 1875. Son ouvrage le plus célèbre est son *Histoire de Napoléon Ier* (1867-1874).

AU PROFESSEUR JULES CLOQUET
[30 décembre 1871]

Autographe non retrouvé ; lettre publiée dans C.H.H., *Correspondance*, t. V, appendice, p. 386.

4. Il s'agit sans doute de la santé de Flavie Vasse de Saint-Ouen, pour qui Flaubert avait beaucoup d'amitié, et qui l'aimait, d'après les *Heures d'autrefois*, souvenirs de Caroline, la nièce de Flaubert (voir Lucie Chevalley-Sabatier, *Gustave Flaubert et sa nièce Caroline*, p. 50).

Page 446.

À EDMOND DE GONCOURT
[30 décembre 1871]

Autographe B. N., N.A.F. 22462, f° 355 ; lettre publiée dans C.H.H., *Correspondance*, t. IV, p. 84.

À LA PRINCESSE MATHILDE
[30 décembre 1871]

Autographe Archivio Campello, n° Inv. 911 ; lettre publiée par le professeur Marcello Spaziani dans *Gli Amici della principessa Matilde*, p. 87.

1. Maître Fraignaud était le notaire de la princesse Mathilde. Il avait écrit le 22 décembre à la princesse, pour la mettre en garde contre le prêt de 50 000 francs à Ernest Commanville. La princesse enverra la lettre de Fraignaud à Flaubert, qui la lui renvoie le 6 janvier 1872. Voir plus loin, p. 451.

Page 447.

À RAOUL-DUVAL
[30 décembre 1871]

Autographe archives Raoul-Duval, n° 49 ; incomplète dans *Gustave Flaubert. Lettres inédites à Raoul-Duval*, éd. Georges Normandy, p. 124-125 et *Supplément*, t. II, p. 307.

À AGLAÉ SABATIER
[31 décembre 1871]

Autographe collection particulière ; lettre publiée par André Billy dans *La Présidente et ses amis*, p. 233. André Billy avait travaillé sur le fonds Edmond Richard, le dernier ami d'Aglaé, qui se trouve aujourd'hui à Fontainebleau. Mais les lettres de Flaubert à Aglaé n'y sont pas.

À THÉOPHILE GAUTIER

[1871-1872]

Autographe Lovenjoul, C 502[4], lettre de Catulle Mendès à Flaubert (f° 149 r°) envoyée par Flaubert à Théophile Gautier (f° 150 r°).

Page 448.

1. Catulle Mendès était juif, et Théophile Gautier antisémite.

À SA NIÈCE CAROLINE

[2 janvier 1872]

Autographe Lovenjoul, H 1356, ff^os 441-442 ; *Supplément*, t. III, p. 1-2.

2. Voir la lettre de Flaubert à sa nièce Caroline du [29 décembre 1871], p. 444.

3. La princesse Mathilde aurait demandé à Rothschild de prêter à Flaubert, pour son neveu Commanville, cinquante mille francs.

4. Flaubert s'était aussi adressé à Raoul-Duval pour lui demander la même somme.

5. Flaubert a reçu la réponse de maître Fraignaud à la princesse Mathilde, datée du 22 décembre 1871, le 6 janvier 1872 ; la réponse était négative.

Page 449.

À NOËL PARFAIT

[3 janvier 1872]

Autographe archives Calmann-Lévy ; lettre publiée par Jacques Suffel dans *Lettres inédites de Gustave Flaubert à son éditeur Michel Lévy*, Calmann-Lévy, 1965, p. 213. Noël Parfait était le collaborateur de Michel Lévy.

À MICHEL LÉVY

[3 janvier 1872]

Autographe archives Calmann-Lévy ; télégramme publié par Jacques Suffel dans *Lettres inédites de Gustave Flaubert à son éditeur Michel Lévy*, p. 215.

À SA NIÈCE CAROLINE

[4 janvier 1872]

Autographe Lovenjoul, H 1356 (A II), f° 443 ; *Supplément*, t. III, p. 2.

1. Flaubert recevra la lettre du notaire Fraignaud à la princesse Mathilde le surlendemain 6 janvier. Le *Supplément* estropie le nom de Fraignaud en Frey[ssard].

2. La *Lettre à la municipalité de Rouen*.

Page 450.

GEORGE SAND À GUSTAVE FLAUBERT

4 janvier [18]72

Autographe Mme Vandendriessche ; *Correspondance Flaubert-Sand,* éd. Alphonse Jacobs, p. 365.

À MADAME DUBOIS DE L'ESTANG

[5 janvier 1872]

Autographe non retrouvé ; *Supplément*, t. III, p. 4.

1. Mme Dubois de L'Estang était une amie de la princesse Mathilde, peut-être l'une de ses dames d'honneur.

2. Il s'agit de la première de *Mademoiselle Aïssé,* pièce de Louis Bouilhet, jouée à l'Odéon le 6 janvier 1872.

À EDMOND DE GONCOURT

[5 janvier 1872]

Autographe B. N., N.A.F. 22462, f° 357 ; publiée dans C.H.H., *Correspondance*, t. IV, p. 88-89.

3. Voici la liste des comédiens de l'Odéon qui ont joué *Aissé*. Elle a été envoyée par Félix Duquesnel à Flaubert le 3 janvier 1872 (Lovenjoul, B III, f° 88 r°) : le chevalier d'Aydie, Pierre Berton ; d'Argental, Porel ; Pont-de-Vesle, L. Richard ; Brécour, Talien ou Castellanos ; Aïssé, Sarah Bernhardt ; Mme de Tencin, Page ou Colombier ; Mme de Ferréol, Ramelli.

Page 451.

À LA PRINCESSE MATHILDE

[6 janvier 1872 ?]

Autographe Archivio Campello, n° Inv. 910 ; lettre publiée par Marcello Spaziani dans *Gli Amici della principessa Matilde*, p. 85-87, à la date du [30 décembre (?) 1871]. Je la crois du [6 janvier 1872] ; voir la lettre de Flaubert à sa nièce Caroline du [2 janvier], p. 448.

1. Lire « son bien » : celui d'Ernest Commanville ?

Page 452.

À MICHEL LÉVY

[7 janvier 1872]

Autographe archives Calmann-Lévy ; lettre publiée par Jacques Suffel dans *Lettres inédites de Gustave Flaubert à son éditeur Michel Lévy*, p. 216.

Page 453.

À MICHEL LÉVY

[7 janvier 1872]

Autographe archives Calmann-Lévy; lettre publiée par Jacques Suffel dans *Lettres inédites de Gustave Flaubert à son éditeur Michel Lévy*, p. 217-218.

À CHARLES-EDMOND CHOJECKI

[8 janvier 1872]

Autographe non retrouvé; lettre publiée pour la première fois dans le *Supplément*, t. III, p. 7-8, et placée à la fin de [janvier 1872]. Zygmunt Markiewicz propose la date du [8 janvier 1872], qui me paraît la bonne. Voir son excellent article « Flaubert et Charles-Edmond : leur correspondance », *R.L.C.*, juillet-septembre 1967, p. 423-436. Dans sa réponse à Flaubert, Charles-Edmond abonde dans son sens; il traite Sarcey de « porc » et d'« animal odieux » (*ibid.*, p. 430; Lovenjoul, B I, ffos 352-353).

1. Francisque Sarcey avait publié dans *Le Temps* du 8 janvier un compte rendu sur *Mademoiselle Aïssé*, pièce de Louis Bouilhet. Il y qualifie cette pièce de « mélodrame grossier » et se demande : « A-t-on le droit de transporter ces conventions dans un drame en vers, où l'on demande une observation plus exacte des bienséances ? »

2. La Préface aux *Dernières chansons* de Louis Bouilhet.

Page 454.

À AGÉNOR BARDOUX

[9 janvier 1872]

Autographe collection particulière; publiée incomplètement dans Jean Bardoux, « Un ami de Flaubert : Agénor Bardoux », *Revue des Deux Mondes*, 1er avril 1937, p. 607; reproduite dans le *Supplément*, t. III, p. 3.

1. Agénor Bardoux, était membre de l'Assemblée nationale.

À ALEXANDRE DUMAS FILS

[10 ? janvier 1872]

Autographe non retrouvé; *Supplément*, t. III, p. 3.

2. La *Lettre à la municipalité de Rouen, au sujet d'un vote concernant Louis Bouilhet* sera refusée par *Le Nouvelliste de Rouen* à cause de sa violence, mais publiée par *Le Temps* du 26 janvier 1872, puis en brochure à Rouen par l'imprimeur du *Nouvelliste de Rouen*, Charles Lapierre.

À LA PRINCESSE MATHILDE

[Vers le 10 janvier 1872]

Autographe Archivio Campello, no Inv. 924; lettre publiée par Marcello Spaziani dans *Gli Amici della principessa Matilde*, p. 88, à la date de [janvier 1872 ?].

Page 455.

1. Ce n'est pas tout à fait exact. Voir le télégramme et la lettre de Flaubert à Raoul-Duval du [25 décembre 1871], p. 440 et 441.

À EDMOND DE GONCOURT
[13 janvier 1872]

Autographe B. N., N.A.F. 22462, f° 358 ; lettre publiée dans C.H.H., *Correspondance*, t. IV, p. 90.

Page 456.

À EDMOND DE GONCOURT
[13 janvier 1872 ?]

Autographe B. N., N.A.F. 22462, f° 372 ; lettre publiée dans C.H.H., *Correspondance*, t. III, p. 543 [début de janvier 1870]. Cette date me paraît impossible, car Jules de Goncourt n'est mort que le 20 juin 1870.

1. Il n'en était rien ; Louise Colet a légué les lettres de Flaubert à sa fille Henriette Bissieu, qui les vendra en 1906 à l'éditeur Conard, pour la plupart, et à Paul Mariéton.

À LÉONIE BRAINNE
[13 janvier 1872]

Autographe B. M. Rouen, m m 265, pièce 79 ; *Supplément*, t. III, p. 4-5.

2. L'imprimerie de Charles Lapierre était située rue Saint-Étienne-des-Tonneliers, et non « des-Cordeliers », comme l'écrit Flaubert.

3. Sarah Bernhardt avait créé le rôle d'Aïssé le 6 janvier 1872. S'agirait-il d'une future reprise, d'un départ de Sarah pour une tournée… ?

Page 457.

À RAOUL-DUVAL
[14 janvier 1872]

Autographe non consulté ; photocopie communiquée par Jacques Lambert, où l'on peut lire « n° 3 » ; lettre publiée par Georges Normandy dans *Gustave Flaubert. Lettres inédites à Raoul-Duval*, p. 155-156 et *Supplément*, t. II, p. 306-307, à la date de [décembre 1871].

1. Louise Lepic était la fille d'Adèle Perrot, amie d'enfance de Mme Flaubert. Gustave était très lié avec elle.

2. La *Lettre à la municipalité de Rouen* sera publiée en brochure par l'imprimerie du *Nouvelliste de Rouen*, dont Charles Lapierre était le directeur.

À EDMOND DE GONCOURT

[14 janvier 1872 ?]

Autographe B. N., N.A.F. 22462, f° 380 ; lettre publiée par C.H.H., *Correspondance*, t. IV, p. 434, à la date d'[hiver 1875-1876]. Pour la date, voir la lettre de Flaubert à E. de Goncourt du [13 janvier 1872 ?], p. 456.

Page 458.

À MICHEL LÉVY

[14 janvier 1872]

Autographe archives Calmann-Lévy ; lettre publiée par Jacques Suffel dans *Lettres inédites de Gustave Flaubert à son éditeur Michel Lévy*, p. 220-221.

À PHILIPPE LEPARFAIT

[15 ? janvier 1872]

Autographe Jacques Lambert ; Conard, t. VI, p. 340.

1. L'article d'Henri de Bornier concernait *Mademoiselle Aïssé*, la pièce de Louis Bouilhet. Le vicomte de Bornier était poète, dramaturge, romancier et journaliste. Son œuvre la plus connue est *La Fille de Roland* (1875), pièce en vers qui se clôt sur le mariage de la fille de Roland et du fils de Ganelon. Flaubert le connaissait.

2. Ces deux pièces, une comédie et une féerie, de Louis Bouilhet, n'ont jamais été jouées.

À MICHEL LÉVY

[Mi-janvier 1872]

Autographe archives Calmann-Lévy ; lettre publiée par Jacques Suffel dans *Lettres inédites de Gustave Flaubert à son éditeur Michel Lévy*, p. 219.

Page 459.

À MICHEL LÉVY

[17 janvier 1872]

Autographe archives Calmann-Lévy ; lettre publiée par Jacques Suffel dans *Lettres inédites de Gustave Flaubert à son éditeur Michel Lévy*, p. 222-223.

À LÉONIE BRAINNE

[17 janvier 1872]

Autographe B. M. Rouen, m m 265, pièce 22 ; *Supplément*, t. III, p. 5-6.

À PAUL DALLOZ

[17 ? janvier 1872]

Autographe non retrouvé ; *Supplément*, t. III, p. 6.

1. Le manuscrit de *Mademoiselle Aïssé*, qui devait être publié dans *Le Moniteur.*

Page 460.

À MICHEL LÉVY

[18 janvier 1872]

Autographe archives Calmann-Lévy ; lettre publiée par Jacques Suffel dans *Lettres inédites de Gustave Flaubert à son éditeur Michel Lévy*, p. 224.

À LOUISE PRADIER

[18 janvier 1872]

Autographe collection famille Pradier ; lettre publiée par Douglas Siler dans « Autour de Flaubert et de Louise Pradier, lettres et documents inédits », *Studi Francesi*, janvier-août 1977, p. 145.

1. Il s'agit d'une représentation de *Mademoiselle Aïssé*, pièce de Louis Bouilhet, à l'Odéon.

2. John Pradier, fils de James et Louise Pradier ; le « mot » de Flaubert n'a pas été retrouvé.

Page 461.

IVAN TOURGUENEFF À GUSTAVE FLAUBERT

19 janvier 1872

Autographe Lovenjoul, B VI, ffos 124-125 ; lettre publiée dans les *Œuvres complètes d'Ivan Turgenev*, édition de l'Académie des sciences de l'U.R.S.S., *Correspondance*, t. IX, p. 209 ; *Gustave Flaubert-Ivan Tourguéniev. Correspondance*, éd. Alexandre Zviguilsky, p. 106.

À PAUL DALLOZ

[19 ? janvier 1872]

Autographe non retrouvé ; *Supplément*, t. III, p. 7.

Page 462.

À EDMOND DE GONCOURT

[19 janvier 1872]

Inédite ? Autographe B. N., N.A.F. 22462, fo 359 ; cette lettre ne figure pas dans C.H.H.

1. Le recueil posthume de vers de Louis Bouilhet.

À PHILIPPE LEPARFAIT

[20 ? janvier 1872]

Autographe non retrouvé ; Conard, t. VI, p. 341-342.

2. La *Lettre à la municipalité de Rouen* sera publiée dans *Le Temps* du 26 janvier 1872, puis en brochure par l'éditeur Michel Lévy. L'imprimeur était Charles Lapierre, le directeur du *Nouvelliste de Rouen*, et grand ami de Flaubert.

3. Flaubert écrit *Bardou*.

Page 463.

À MICHEL LÉVY

[Vers le 20 janvier 1872]

Autographe archives Calmann-Lévy ; lettre publiée par Jacques Suffel dans *Lettres inédites de Gustave Flaubert à son éditeur Michel Lévy*, p. 225.

À MICHEL LÉVY

[Vers le 20 janvier 1872]

Autographe archives Calmann-Lévy ; lettre publiée par Jacques Suffel dans *Lettres inédites de Gustave Flaubert à son éditeur Michel Lévy*, p. 226.

À MICHEL LÉVY

[Vers le 20 janvier 1872]

Autographe archives Calmann-Lévy ; lettre publiée par Jacques Suffel dans *Lettres inédites de Gustave Flaubert à son éditeur Michel Lévy*, p. 227.

1. Il s'agit d'un personnage de *Mademoiselle Aïssé*.

À GEORGE SAND

21 [janvier 1872]

Autographe Lovenjoul, A IV, ffos 269-270 ; Conard, t. VI, p. 316 ; *Correspondance Flaubert-Sand*, éd. Alphonse Jacobs, p. 366-367.

Page 464.

1. Dans *Mademoiselle Aïssé*, le chevalier d'Aydie, l'amant d'Aïssé, prédit qu'un jour viendra où le peuple mettra le feu au Palais-Royal. Il fut en partie incendié le 23 mai 1791.

2. *La Baronne*, drame en quatre actes et en prose de Charles-Edmond et Édouard Foussier, Odéon, 23 novembre 1871.

3. *Dernières chansons*, et *Mademoiselle Aïssé* paraîtront le 20 janvier 1872, la *Lettre à la municipalité de Rouen* dans *Le Temps* du 26 janvier.

4. *Le Roi Carotte*, de Victorien Sardou, musique de Jacques Offenbach, 15 janvier 1872, au théâtre de la Gaîté.

5. *Fantasio*, opéra de Jacques Offenbach d'après la pièce de Musset, Opéra-Comique, 18 janvier 1872.

Page 465.

À PHILIPPE LEPARFAIT
[21 janvier 1872]

Autographe Jacques Lambert ; Conard, t. VI, p. 339-340, avec une grave faute de lecture : « bibelot » pour « ballot ».

1. Il s'agit sans doute de *Dernières chansons* et de *Mademoiselle Aïssé*, deux œuvres de Louis Bouilhet qui venaient de paraître.
2. *La Lettre à la municipalité de Rouen.*
3. Voir les lettres de Flaubert à Leparfait du [15 décembre 1871], n. 3, p. 434, et du [18 décembre 1871], n. 3, p. 436.
4. *Le Château des cœurs.*
5. Le directeur du théâtre de la Gaîté.
6. Sans doute *Le Château des cœurs.*

Page 466.

À MICHEL LÉVY
[22 janvier 1872]

Autographe archives Calmann-Lévy ; lettre publiée par Jacques Suffel dans *Lettres inédites de Gustave Flaubert à son éditeur Michel Lévy*, p. 228-229.

À GEORGE SAND
[23 janvier 1872]

Autographe Lovenjoul, A IV, f° 271 ; Conard, t. VI, p. 346 ; *Correspondance Flaubert-Sand,* éd. Alphonse Jacobs, p. 367-368.

À MICHEL LÉVY
[24 janvier 1872]

Autographe archives Calmann-Lévy ; lettre publiée par Jacques Suffel dans *Lettres inédites de Gustave Flaubert à son éditeur Michel Lévy*, p. 230-231.

Page 467.

À AGÉNOR BARDOUX
[25 janvier ? 1872]

Inédite. Autographe collection particulière, n° 21.

1. Louis Napoléon Suchet, duc d'Albufera (1813-1877), fils du maréchal de l'Empire.
2. L'ancien préfet Janvier de La Motte.
3. Ernest Feydeau était très malade ; Agénor Bardoux faisait partie de l'Assemblée nationale.

GEORGE SAND À GUSTAVE FLAUBERT

25 janvier [18] 72

Autographe Alfred Dupont ; *Correspondance Flaubert-Sand*, éd. Alphonse Jacobs, p. 368-369.

4. « Mais il [Bouilhet] haïssait les discours d'Académie, les apostrophes à Dieu, les conseils au peuple, ce qui sent l'égout, ce qui pue la vanille, la poésie de bouzingot, et la littérature talon-rouge, le genre pontifical et le genre chemisier » (Préface aux *Dernières chansons*).

5. George Sand est en train de préparer pour *Le Temps* trois feuilletons, intitulés « Les Idées d'un maître d'école » (note d'Alphonse Jacobs dans la *Correspondance Flaubert-Sand*, p. 368).

Page 468.

À CHARLES-EDMOND CHOJECKI

[26 janvier 1872]

Autographe musée Flaubert, hôtel-Dieu, Rouen ; Conard, t. VI, p. 334-335 ; Zygmunt Markiewicz, « Flaubert et Charles-Edmond : leur correspondance », *R.L.C.*, juillet-septembre 1967, p. 433 à la date de [janvier 1872 ?].

1. Il s'agit des dîners Brébant, qui avaient succédé aux dîners Magny depuis le mardi 23 août 1870. Flaubert y a participé très peu souvent, contrairement à Edmond de Goncourt.

Page 469.

À ALFRED BAUDRY

[26 janvier 1872]

Inédite. Autographe collection particulière.

1. La *Lettre à la municipalité de Rouen*, qui venait d'être imprimée.
2. Le docteur Achille Flaubert, frère aîné de Gustave.

GEORGE SAND À GUSTAVE FLAUBERT

[26 janvier 1872]

Autographe Mme Vandendriessche ; *Correspondance Flaubert-Sand*, éd. Alphonse Jacobs, p. 369.

3. George Sand venait de lire la *Lettre à la municipalité de Rouen*.

Page 470.

À HENRI DE BORNIER

[28 janvier 1872]

Inédite. Autographe Nicole Magnan de Bornier, communiqué par Dominique Denis, que je remercie.

1. Henri de Bornier était conservateur à la bibliothèque de l'Arsenal.

À MICHEL LÉVY

[28 janvier 1872]

Autographe archives Calmann-Lévy ; lettre publiée par Jacques Suffel dans *Lettres inédites de Gustave Flaubert à son éditeur Michel Lévy*, p. 236. La collection Lovenjoul ne possède aucune lettre de Henri de Bornier à Flaubert.

À EDMA ROGER DES GENETTES

[28 janvier 1872]

Autographe Lovenjoul, A VI (H 1360), ffos 107-108 ; lettre incomplète dans Conard, t. VI, p. 349-350.

2. Il s'agit de la *Lettre à la municipalité de Rouen*, mentionnée plus loin dans la lettre.

Page 471.

À GEORGE SAND

[28 janvier 1872]

Autographe Lovenjoul, A IV (H 1358), ffos 273-274.

1. « Je me rappelle encore un bon jeune homme et beau monsieur de Rouen, que je félicitais du très grand, très mérité et tout nouveau alors succès de son compatriote, auteur de *Madame Bovary* : "Vous trouvez ça beau, ici ?" me répondit le jeune Rouennais de famille, avec un ton de supériorité tout à fait écrasant pour M. Flaubert : "Je ne trouve pas, moi ! L'auteur, d'ailleurs, est une espèce d'original, que nous ne sentions guère à Rouen. *Il cherchait* à se singulariser ; il ne voulait pas faire partie de la garde nationale. Et puis, tout à coup, *sans rien dire*, il partait pour l'Afrique. *Nous n'aimons pas ces genres-là à Rouen* !" Textuel » (Nadar, *Mémoires du Géant*, Paris, Dentu, 1864, p. 104-105).

Page 472.

1. *Nanon*, de George Sand, devait paraître dans *Le Temps* du 7 mars au 20 avril 1872.

GEORGE SAND À GUSTAVE FLAUBERT

28 janvier [18]72

Autographe Alfred Dupont ; lettre publiée dans *La Nouvelle Revue*, 15 mars 1883, p. 264 ; *Correspondance Flaubert-Sand*, éd. Alphonse Jacobs, p. 371-372.

2. *Dernières chansons* de Louis Bouilhet, avec une préface de Flaubert.

Page 473.

À AGÉNOR BARDOUX

[29 ? janvier 1872]

Autographe collection particulière ; lettre publiée par Jean Bardoux dans « Un ami de Flaubert », *Revue des Deux Mondes*, 1er avril 1937, p. 608 ; *Supplément*, t. III, p. 11, à la date de [début février 1872].

Page 474.

À EDMOND DE GONCOURT

[29 janvier 1872 ?]

Autographe B. N., N.A.F. 22462, f° 360 ; cette lettre est peut-être inédite.

À PHILIPPE LEPARFAIT

[29 janvier 1872]

Autographe non retrouvé ; Conard, t. VI, p. 344-345.

1. Le docteur Achille Flaubert, frère aîné de Gustave.

2. Je n'ai pu identifier R. Félin.

3. Agénor Bardoux, avocat et député, ami intime de Gustave Flaubert.

Page 475.

À MICHEL LÉVY

[30 janvier 1872]

Autographe archives Calmann-Lévy ; lettre publiée par Jacques Suffel dans *Lettres inédites de Gustave Flaubert à son éditeur Michel Lévy*, p. 232.

À CHARLES CHAUTARD

1er février [1872]

Autographe non retrouvé ; *Supplément*, t. III, p. 9.

1. Maire de Vendôme.

2. À la souscription ouverte pour le monument de Ronsard.

Page 476.

À MICHEL LÉVY

[Début février 1872]

Autographe archives Calmann-Lévy ; lettre publiée par Jacques Suffel dans *Lettres inédites de Gustave Flaubert à son éditeur Michel Lévy*, p. 233.

À ERNEST FEYDEAU

[7 février 1872]

Autographe collection particulière ; cette lettre est peut-être inédite.

À ALFRED BAUDRY

[8 février 1872]

Autographe Jean Joubert ; *Supplément*, *Complément*, p. 29-30.

1. Il s'agit, je crois, de la mère de Frédéric et Alfred Baudry.

Page 477.

À LÉONIE BRAINNE
[9 février 1872]

Autographe B. M. Rouen, m m 265, pièce 26 ; *Supplément*, t. III, p. 9-10.

À MICHEL LÉVY
[9 février 1872]

Autographe archives Calmann-Lévy ; lettre publiée par Jacques Suffel dans *Lettres inédites de Gustave Flaubert à son éditeur Michel Lévy*, p. 234.

À IVAN TOURGUENEFF
[10 février 1872 ?]

Autographe P. Maupoil, B. N., f° 187 ; lettre publiée par Gérard-Gailly dans *Lettres inédites à Tourgueneff*, p. 8-9, à la date impossible de [1865-1866], date reprise par le *Supplément*, t. II, p. 50-51. En voici une preuve parmi d'autres : en 1865-1866 Jules de Goncourt était vivant ; Flaubert aurait écrit « les Goncourt ».

1. Cette « belle dame » est sans doute Jeanne de Tourbey.

Page 478.

À RAOUL-DUVAL
[11 février 1872]

Autographe archives Raoul-Duval, n° 11 ; *Gustave Flaubert. Lettres inédites à Raoul-Duval*, éd. Georges Normandy, p. 146, datée de [janvier 1872] ; *Supplément*, t. III, p. 10, datée du [11 février 1872].

1. Jules Simon était alors ministre de l'Instruction publique.

À MICHEL LÉVY
[11 février 1872]

Autographe archives Calmann-Lévy ; *Supplément*, t. III, p. 11-12.

2. Au bas de la lettre, Michel Lévy a écrit : « Accordé le 17 février 1872 ».

Page 479.

À SA NIÈCE CAROLINE
[12 février 1872]

Autographe Lovenjoul, A II (H 1356) ; *Supplément*, t. III, p. 12-13.

1. L'épouse du docteur Achille Flaubert.

2. Mme Lepic, fille de Mme Perret, de Rouen, habitait Paris et était liée avec Edgar Raoul-Duval, député à l'Assemblée nationale, qui siégeait alors à Versailles. M. de La Chaussée, qui faisait partie de l'armée, avait été blessé durant la guerre de 1870.

IVAN TOURGUENEFF À GUSTAVE FLAUBERT

Paris [12 février 1872].

Autographe Lovenjoul, f° 150 ; lettre publiée dans *Œuvres complètes d'Ivan Turgenev, Correspondance*, t. IX, p. 223.

Page 480.

À IVAN TOURGUENEFF

[14 février 1872]

Autographe Dina Vierny ; lettre publiée par Gérard-Gailly dans *Lettres inédites à Tourgueneff* ; *Gustave Flaubert-Ivan Tourguéniev. Correspondance*, éd. Alexandre Zviguilsky, p. 108.

À LÉONIE BRAINNE

[15 février 1872]

Autographe B. M. Rouen, m m 265, pièce 8 ; *Supplément*, t. III, p. 15.

1. Alphonse Cordier, né en 1820 à Écouché (Orne), avait été élu député à l'Assemblée nationale (centre gauche), et sera nommé sénateur inamovible en 1875.

Page 481.

À SA NIÈCE CAROLINE

[15 février 1872]

Autographe Lovenjoul, A II, H 1356, ff^os 445-446 ; *Supplément*, t. III, p. 13-14.

1. J'ignore qui est Hartung.
2. Ernest Commanville, le neveu de Flaubert.
3. Marchand de vin à Déville-lès-Rouen.

Page 482.

À THÉOPHILE GAUTIER

[15 février 1872]

Autographe non retrouvé ; Conard, t. VI, p. 350-351.

À GEORGE SAND

[15 février 1872]

Autographe Lovenjoul, A IV, CH 1358, f° 275 ; Conard, t. VI, p. 350 ; *Correspondance Flaubert-Sand*, éd. Alphonse Jacobs, p. 372.

1. « Ce sera finalement le 31 juillet 1872 que George Sand publiera dans *Le Temps* un feuilleton, qui parlera à la fois de *L'Année terrible* de V. Hugo, de *Dernières chansons* de Bouilhet, des traductions d'Eschyle par Leconte de Lisle, et d'une soirée musicale chez Pauline Viardot » (Alphonse Jacobs, *Correspondance Flaubert-Sand*, n. 31, p. 385).

À MICHEL LÉVY

[15 ? février 1872]

Autographe archives Calmann-Lévy ; lettre publiée par Jacques Suffel dans *Lettres inédites de Gustave Flaubert à son éditeur Michel Lévy*, p. 236.

Page 483.

À THÉOPHILE GAUTIER

[15 février 1872]

Autographe Lovenjoul, C 494, f° 207 v° ; incomplète dans Conard, t. VI, p. 348, à la date de [début de février 1872].

À ERNEST FEYDEAU

[Vers le 15 février 1872 ?]

Autographe non retrouvé ; copie de Lucie Chevalley-Sabatier ; incomplète dans C.H.H., *Correspondance*, t. V, appendice, p. 380, à la date d'[avril 1870 ?], impossible, puisque Thiers est alors chef de l'exécutif de la République, et Jules Simon son ministre de l'Instruction publique.

1. Comme Agénor Bardoux, Alphonse Cordier était député à l'Assemblée nationale.

GEORGE SAND À GUSTAVE FLAUBERT

17 février [18]72

Autographe Marc Loliée ; *Correspondance*, Paris, Calmann-Lévy, 1884, t. VI, p. 191 : réponse de George Sand à la lettre de Flaubert du [15 février 1872].

Page 484.

À AGÉNOR BARDOUX

[19 ? février 1872]

Inédite. Autographe collection particulière.

1. C'est la première mention de Jules Rohaut dans les lettres de Flaubert. En 1877, il sera employé par la direction des beaux-arts au ministère de l'Instruction publique.

À LÉONIE BRAINNE

[19 février 1872]

Autographe B. M. Rouen, m m 265, pièce 60 ; *Supplément*, t. III, p. 16.

2. La reprise de *Ruy Blas*, de Victor Hugo, commence le 19 février 1872. La première avait eu lieu le 8 novembre 1838.

Page 485.

À CHARLES-EDMOND CHOJECKI

[20 février 1872]

Autographe non retrouvé ; Conard, t. VI, p. 351.

1. La réponse de Charles-Edmond, très positive, a été publiée par Zygmunt Marckiewicz dans la *R.L.C.* de juillet-septembre 1967, « Flaubert et Charles-Edmond, leur correspondance », p. 434. (Autographe : collection Lovenjoul, B I, ff^os 358-359.)

À AGÉNOR BARDOUX

21 [février 1872 ?]

Inédite. Autographe collection particulière.

2. Il s'agit peut-être de Jules Godefroy, qui avait épousé l'actrice Suzanne Lagier, et était agriculteur à Villeneuve-le-Roi, près de Corbeil (Seine-et-Oise). Flaubert ira leur rendre visite le 1er septembre 1873 (voir la lettre à sa nièce Caroline du [5 septembre 1873], p. 707).

Page 486.

IVAN TOURGUENEFF À GUSTAVE FLAUBERT

[22 février 1872 ?]

Autographe Lovenjoul, B VI, f° 140-141 (datée au crayon d'« avril 1873 ») ; comme Alexandre Zviguilsky (*Gustave Flaubert-Ivan Tourguéniev. Correspondance*, p. 108-109), je crois cette lettre du [22 février 1872].

1. Flaubert était souvent invité à dîner chez la princesse Mathilde Bonaparte.

2. La police de Napoléon 1er avait perquisitionné en 1857 chez Louis Viardot, républicain convaincu, recherchant des papiers du conspirateur italien Daniel Manin. Les Viardot avaient quitté la France en 1863. Tourguéniev était invité pour la première fois chez les Bonaparte et préférait que les Viardot ne l'apprennent pas.

À GEORGE SAND

[26 février 1872]

Autographe Lovenjoul, H 1358, ff^os 277-278 ; Conard, t. VI, p. 351-354 (datée [entre le 20 et le 28 février 1872]) ; *Correspondance Flaubert-Sand*, éd. Alphonse Jacobs, p. 373-374, à la date exacte du lundi 26 février 1872.

3. Emmanuel Kant, *Critique de la raison pure*, traduction de Jules Barni, Paris, Baillière, 1869, 2 vol. in-8°.

4. Le mot *belluaire* signifie « celui qui combat les bêtes féroces au cirque », comme aussi le mot *bestiaire*. Mais *bestiaire* a un deuxième sens : « recueil de récits allégoriques et moraux sur les animaux » (Moyen Âge). D'après le contexte, il s'agit de ce deuxième sens ; il faut donc lire « bestiaire ».

Page 487.

1. Napoléon III.

2. Dans cette reprise de *Ruy Blas*, de Victor Hugo, Sarah Bernhardt jouait le rôle de la Reine, et Mélingue celui de don César.

Page 488.

GEORGE SAND À GUSTAVE FLAUBERT
[28-29 février 1872]

Autographe Alfred Dupont ; *Correspondance*, Paris, Calmann-Lévy, 1884, t. V, p. 370 ; *Correspondance Flaubert-Sand*, éd. Alphonse Jacobs, p. 374-376.

1. Il s'agit du roman de Louise Colet intitulé *Lui*, paru en 1860 (voir t. I, n. 1, p. 272).

Page 489.

À THÉOPHILE GAUTIER
[Février-mars 1872]

Autographe non retrouvé ; Conard, t. VI, p. 354.

À THÉOPHILE GAUTIER
[Février-mars 1872]

Autographe Lovenjoul ; C 494, f° 208 r° ; Conard, t. VI, p. 354.

1. Cette note n'a pas été retrouvée.

2. Ces « peinturlureurs » pourraient être Johanny Maisiat, John Pradier… Caroline Commanville n'a pas encore commencé sa carrière de peintre.

Page 490.

À SA NIÈCE CAROLINE
[1er mars 1872]

Autographe Lovenjoul, H 1356, f° 447 ; *Supplément*, t. III, p. 17, à la date de [février 1872]. Cette lettre est immédiatement postérieure à la lettre précédente de George Sand à Flaubert.

1. Georges Pouchet était naturaliste et travaillait au Muséum d'histoire naturelle, que les Parisiens appellent encore de son ancien nom : le Jardin des plantes.

2. Il s'agit de *La Curée*. Émile Zola l'envoie à Flaubert le 2 février 1872 (voir sa lettre à Flaubert dans la collection Lovenjoul, B VI, ffos 314-315).

À GEORGE SAND
[3 mars 1872]

Autographe Lovenjoul A IV, H 1358, ffos 279-280 ; Conard, t. VI, p. 355-357 ; *Correspondance Flaubert-Sand*, éd. Alphonse Jacobs, p. 376-378.

3. Les dessins de Maurice Sand sont reproduits dans l'édition Conard de *La Tentation de saint Antoine*, p. 678.

Page 491.

1. Théophile Gautier mourra le 23 octobre 1872.
2. Janvier de La Motte, ancien préfet de l'Eure (1855-1868), sera acquitté.
3. Le journal hebdomadaire illustré, *La Vie parisienne*, avait été fondé par le dessinateur Émile Planat, dit Marcelin, en 1862.

Page 492.

À SA NIÈCE CAROLINE
[5 mars 1872]

Autographe Lovenjoul, H 1356, ffos 448-449 ; *Supplément*, t. III, p. 18.

1. Le docteur Achille Flaubert et sa femme habitaient l'hôtel-Dieu de Rouen, dont Achille était le chirurgien en chef.
2. Mme Flaubert devait léguer la propriété de Croisset à sa petite-fille Caroline.

À AGÉNOR BARDOUX
[7 mars 1872]

Inédite. Autographe collection particulière.

3. Le comte d'Osmoy était membre de l'Assemblée nationale, qui siégeait alors à Versailles.
4. Je n'ai pas découvert le fin mot de cette histoire qui concerne Agénor Bardoux, d'Osmoy, Mme Lepic, le duc d'Albufera et Janvier de La Motte.

Page 493.

À AGÉNOR BARDOUX
[8 ? mars 1872]

En partie inédite. Autographe collection particulière ; lettre publiée en partie par Jean Bardoux dans « Agénor Bardoux. Un ami de Flaubert », *Revue des Deux Mondes*, 1er avril 1937, p. 608.

1. Il s'agit des *Poèmes barbares*.

À CHARLES-EDMOND CHOJECKI
9 mars [1872]

Inédite. Lettre passée en vente à l'hôtel Drouot le 12 juin 1984 ; extraits parus dans *Les Autographes*, catalogue de la librairie Thierry Bodin, no 26, 1986, no 262.

2. Jules Godefroy, agriculteur, et son épouse l'actrice Suzanne Lagier, qui s'étaient retirés à Villeneuve-le-Roi, près de Corbeil (Seine-et-Oise).
3. Marie Régnier, romancière amie de Bouilhet et de Flaubert.

À SA NIÈCE CAROLINE

[11 mars 1872]

Autographe Lovenjoul, A II, ff^os 450-451 ; Conard, t. VI, p. 357-358.

4. Mme de Galbois était dame d'honneur de la princesse Mathilde.

Page 494.

1. Le peintre Eugène Giraud.

À GEORGE SAND

[11 mars 1872]

Autographe Lovenjoul, A IV, H 1358, ff^os 281-282 ; *Supplément*, t. III, p. 19 ; *Correspondance Flaubert-Sand*, éd. Alphonse Jacobs, p. 378.

2. Maurice Sand, le fils de George Sand.

Page 495.

À ALPHONSE DAUDET

[12 mars 1872]

Autographe collection particulière ; Conard, t. VI, p. 354-355.

1. *Tartarin de Tarascon* a paru le 29 février 1872 (*Bibliographie de la France* du 16 mars 1872).

GEORGE SAND À GUSTAVE FLAUBERT

[13] mars [18]72

Autographe collection Marc Loliée ; *Correspondance Flaubert-Sand*, éd. Alphonse Jacobs, p. 309.

Page 496.

À GEORGE SAND

[14 mars 1872]

Autographe Lovenjoul, A IV, ff^os 285-286 ; *Supplément*, t. III, p. 16-17.

1. Edmond Scherer (1815-1889), théologien et critique littéraire. Il était entré au *Temps* comme critique littéraire en 1861.

2. Dennery ou d'Ennery (1811-1899), auteur dramatique et romancier à succès. Son œuvre la plus célèbre est *Les Deux Orphelines.*

Page 497.

À EDMOND DE GONCOURT

[19 mars 1872]

Autographe B. N., N.A.F. 22462, f° 361 ; *Supplément*, t. IV, p. 143 [1878 ?] ; cette lettre est évidemment du mardi [19 mars 1872], comme le prouve le *Journal* de Goncourt : « Vendredi 22 mars. Tourguéneff dîne chez moi avec Flaubert [...] » (éd. de Monaco, t. X, p. 80-81).

À PHILIPPE LEPARFAIT
[19 mars 1872]

Autographe non retrouvé ; *Supplément*, t. III, p. 23.

1. Il s'agit peut-être des cahiers de poèmes de Louis Bouilhet que Flaubert aurait communiqués à Alfred Guérard et à Maxime Du Camp, deux amis intimes de Bouilhet.

2. L'argent dû par le théâtre de l'Odéon à Philippe Leparfait, le fils adoptif de Louis Bouilhet, pour les représentations d'*Aïssé*.

3. Les souscriptions pour le monument qui devrait être élevé à Rouen à la mémoire de Louis Bouilhet (voir la *Lettre à la municipalité de Rouen*, éd. originale, 1872, p. 3-5).

4. J'ignore qui étaient Maurice Richard et M. de La Ferrière.

5. Gabriel Caudron, ami de Louis Bouilhet, était le trésorier de la souscription pour son monument.

Page 498.

À PHILIPPE LEPARFAIT
[20 mars 1872]

Autographe Jacques Lambert ; Conard, t. VI, p. 357.

À JULES CLAYE
[21 mars 1872]

Autographe non retrouvé ; *Supplément*, t. III, p. 19-20 ; brouillon de la lettre suivante.

1. Il s'agit de *Dernières chansons* de Louis Bouilhet, avec une longue préface de Flaubert, qui est l'unique manifeste littéraire qu'il ait jamais publié.

Page 499.

À JULES CLAYE, IMPRIMEUR
21 mars [1872]

Autographe non retrouvé ; *Supplément*, t. III, p. 21-22.

Page 500.

À LÉONIE BRAINNE
[22 mars 1872]

Autographe B. M. Rouen, m m 265, pièce 52.

À PHILIPPE LEPARFAIT
[24 mars 1872]

Autographe Jacques Lambert ; Conard, t. VI, p. 359.

Page 501.

À JULES TROUBAT

[25 mars 1872]

Autographe archives Calmann-Lévy ; lettre publiée par Jacques Suffel dans *Lettres inédites de Gustave Flaubert à son éditeur Michel Lévy*, p. 237-238. Jules Troubat, ancien secrétaire de Sainte-Beuve, était alors employé par l'éditeur Michel Lévy. Flaubert avait rompu avec Michel Lévy le 20 mars 1872.

1. Jacques Suffel résume très bien la situation dans sa note à cette lettre (n. 2, p. 238) : « Michel Lévy avait sans nul doute blâmé une publication qu'il jugeait conçue trop luxueusement ; il n'avait pas refusé de faire l'avance des frais d'impression, mais bien de prendre en charge un déficit qu'il considérait comme inéluctable. De fait le livre se vendit fort mal [...] » *Dernières chansons*, de Louis Bouilhet, porte sur la couverture : Michel Lévy frères éditeurs.

À SA NIÈCE CAROLINE

[26 mars 1872]

Autographe non retrouvé ; Conard, t. VI, p. 359-360.

Page 502.

À SA NIÈCE CAROLINE

[28 mars 1872]

Autographe Lovenjoul, A II, ffos 452-453 ; incomplète dans Conard, t. VI, p. 360-361.

1. *Puzzle* pour Putzel, la chienne de Caroline Commanville.
2. Philippe Leparfait.

Page 503.

1. La fontaine, ornée du buste de Louis Bouilhet, existe toujours à Rouen. Voir Jean Bruneau et Jean A. Ducourneau, *Album Flaubert*, Gallimard, « Bibliothèque de la Pléiade », p. 177.

MADAME FLAUBERT À SA PETITE-FILLE CAROLINE

[27 mars 1872]

Cette très courte lettre est écrite à la suite de la précédente.

À ERNEST FEYDEAU

[31 mars 1872]

Inédite ; autographe non retrouvé, copie de Lucie Chevalley-Sabatier.

2. Feydeau était très malade et Flaubert s'occupait de lui obtenir une pension de Jules Simon, ministre de l'Instruction publique.
3. De l'italien *barufa*, « altercation ».

Page 504.

À GEORGE SAND
[31 mars 1872]

Autographe Lovenjoul, A IV, ff[os] 285-286 ; Conard, t. VI, p. 363.

1. Dans sa lettre à Maxime Du Camp du [23 juillet 1869], Flaubert écrit : « Il [Louis Bouilhet] laisse par son testament 30 000 fr[ancs] à Léonie. Tous ses livres et tous ses papiers appartiennent à Philippe » (Auriant, *Lettres inédites à Maxime Du Camp [...]*, p. 48). On lit, dans l'édition Conard, t. VI, p. 43 : « Il laisse par son testament... à Léonie. » Pourquoi ces points de suspension ?

Page 505.

À JULES TROUBAT
31 mars [1872]

Autographe non retrouvé ; copie Jacques Lambert ; Conard, t. VI, p. 364-365, qui reprend le texte de l'édition du Centenaire ; René Descharmes l'avait copié pour son édition sur l'original (*Correspondance*, t. III, p. 390).

Page 506.

À LÉONIE BRAINNE
[31 mars 1872]

Autographe B. M. Rouen, m m 265, pièce 111 ; *Supplément*, t. III, p. 24-25.

1. C'est la première fois dans la *Correspondance* que Flaubert appelle ainsi Léonie Brainne. Que s'était-il passé ?

2. Valérie Lapierre, sœur de Léonie Brainne. Le « beau-frère » est Charles Lapierre, directeur du *Nouvelliste de Rouen*.

3. Alfred Baudry, frère cadet de Frédéric Baudry.

Page 507.

1. L'actrice Alice Pasca.

À PHILIPPE LEPARFAIT
[Mars-avril 1872 ?]

Autographe non retrouvé ; lettre peut-être inédite ?

2. Il s'agit de la souscription pour le recueil posthume de poèmes, *Dernières chansons*, de Louis Bouilhet.

À LÉONIE BRAINNE
[6 avril 1872]

Autographe B. M. Rouen, m m 265, pièce 85. *Supplément*, t. III, p. 26.

Page 508.

AU DOCTEUR JULES CLOQUET
[6 avril 1872]

Autographe Lovenjoul, H 1359, A V, f° 300.

À MAXIME DU CAMP
[6 avril 1872]

Autographe bibliothèque de l'Institut, fonds Du Camp, 3751, pièce 26. La lettre publiée par l'édition Conard (t. VI, p. 366), est reprise des *Souvenirs littéraires* de Maxime Du Camp, qui en donne une version écourtée et inexacte (3e édition, 1906, t. II, p. 387).

1. Mme Maurice Schlésinger, que Flaubert avait revue le 7 novembre 1871, à Croisset (voir la lettre à sa nièce Caroline du [6 novembre 1871], p. 406).

À EDMOND DE GONCOURT
[6 avril 1872]

Autographe B. N., N.A.F. 22462, f° 362 ; Conard, t. VI, p. 366.

2. Jules de Goncourt était mort le 20 juin 1870.

Page 509.

À GEORGE SAND
[6 avril 1872]

Autographe Lovenjoul, A IV, ff[os] 285-286 ; *Supplément*, t. III, p. 25.

À LAURE DE MAUPASSANT
7 avril 1872

Autographe non retrouvé ; catalogue de la vente à l'hôtel Drouot du 3 juillet 1985, n° 32 ; billet coupé en deux et taché ; Conard, t. VI, p. 367.

GEORGE SAND À GUSTAVE FLAUBERT
9 avril [1872]

Autographe Alfred Dupont ; *Correspondance Flaubert-Sand*, éd. Alphonse Jacobs, p. 382.

Page 510.

À EDMOND DE GONCOURT
[12 avril 1872]

Autographe B. N., N.A.F. 22462, ff[os] 363-364, Conard, t. VI, p. 369 (datée du [19 avril 1872]). Flaubert écrit : « Je viens de passer une dure semaine… » ; Mme Flaubert est morte le 6 avril. Cette lettre est donc du 12 avril.

1. Théophile Gautier mourra le 23 octobre 1872.

GEORGE SAND À GUSTAVE FLAUBERT

14 avril 1872

Autographe non retrouvé ; *Correspondance Flaubert-Sand*, éd. Alphonse Jacobs, p. 383.

Page 511.

SARAH BERNHARDT À GUSTAVE FLAUBERT

[Vers le 15 avril 1872]

Autographe Lovenjoul, B I, ffos 194-195, inédite ; Nous ne savons à peu près rien des rapports entre la comédienne et Flaubert.

À ERNEST FEYDEAU

[15 avril 1872]

Autographe non retrouvé ; cette lettre ne figure pas dans le catalogue Andrieux (vente à l'hôtel Drouot des 30-31 mai et 1er-2 juin 1928) ; Conard, t. VI, p. 368-369.

1. Par le testament de Mme Flaubert, « Caroline hérite de la propriété de Croisset avec obligation d'y laisser résider son oncle Gustave, Achille des fermes en Basse-Normandie, Gustave de la ferme de Deauville » (Lucie Chevalley-Sabatier, *Gustave Flaubert et sa nièce Caroline*, n. 86, p. 213).

MADEMOISELLE LEROYER DE CHANTEPIE
À GUSTAVE FLAUBERT

15 avril 1872

Inédite. Autographe non retrouvé ; copie dans le fonds René Descharmes, B. N., N.A.F. 23825, ffos 383-384.

Page 513.

À FRÉDÉRIC FOVARD

16 avril 1872

Autographe bibliothèque de l'Institut, fonds Du Camp 3751, pièce 49 ; lettre publiée par Auriant, dans *Gustave Flaubert. Lettres inédites à Maxime Du Camp [...]*, p. 97 ; *Supplément*, t. III, p. 27.

1. Maxime Du Camp.
2. Frédéric Fovard était notaire à Paris, boulevard Haussmann, 22.

À JEANNE DE LOYNES

[16 avril 1872]

Autographe non retrouvé ; *Supplément*, t. III, p. 30. Jeanne de Tourbey avait épousé le comte de Loynes le 31 août 1871.

3. Ernest Daudet, né en 1837, frère aîné d'Alphonse, romancier et historien.

Page 514.

À EDMA ROGER DES GENETTES
16 [avril 1872]

Autographe Lovenjoul, A VI, ffos 109-110 ; *Supplément*, t. III, p. 26.

À GEORGE SAND
16 [avril 1872]

Autographe Lovenjoul, A IV, ffos 289-290 ; *Correspondance Flaubert-Sand*, éd. Alphonse Jacobs, p. 383-384.

Page 515.

À LOUIS BONENFANT
17 pour [16 avril 1872]

Inédite. Autographe collection particulière. Enveloppe de deuil : Monsieur Bonenfant, avoué, Nogent-sur-Seine (Aube) ; C.P. : Rouen 17 avril 1872 ; C.P. : Paris à Belfort, *[idem]*.

1. Louis Bonenfant avait épousé Olympe Parain, fille de François Parain et d'Edmée-Eulalie Flaubert, sœur du docteur Flaubert. Dans son enfance, Flaubert a souvent passé ses vacances à Nogent-sur-Seine (voir le tome I, *passim*).

Page 516.

À IVAN TOURGUENEFF
17 pour [16 avril 1872]

Autographe collection Dina Vierny ; *Supplément*, t. III, p. 28 ; *Gustave Flaubert-Ivan Tourguéniev. Correspondance*, éd. Alexandre Zviguilsky, p. 109-110.

1. Cette lettre n'a pas été retrouvée.

2. Flaubert avait deux nièces : Juliette Flaubert, épouse Roquigny, fille du docteur Achille Flaubert, frère aîné de Gustave, et Caroline Hamard, épouse Commanville, puis Franklin-Grout, fille de Caroline Flaubert, sœur d'Achille et de Gustave, épouse Hamard.

3. Il s'agit de *Libre examen*, nouvelle édition augmentée, Paris, Lechevalier, 1872, opuscule philosophique de Louis Viardot.

À LÉONIE BRAINNE
[21 avril 1872]

Autographe B. M. Rouen, m m 265, pièce 82 ; *Supplément*, t. III, p. 28-29.

Page 517.

À SA NIÈCE CAROLINE
[25 avril 1872]

Autographe Lovenjoul, A II, ffos 455-456 ; incomplète dans Conard, t. VI, p. 370.

1. Les Crépet étaient cousins des Lormier ; Julie Lormier avait épousé Achille Flaubert.

2. Mme Achille Flaubert.

3. Je n'ai pu identifier cet alexandrin. Serait-il de Flaubert ?

Page 518.

1. Flavie Vasse de Saint-Ouen et Ernest Commanville.

2. Philippe Leparfait.

GEORGE SAND À GUSTAVE FLAUBERT
28 avril [1872]

Autographe collection Vandendriessche ; *Correspondance Flaubert-Sand*, éd. Alphonse Jacobs, p. 384-385.

3. George Sand essaie de tirer, de son dernier roman *Nanon*, un drame qu'elle compte présenter à l'Odéon pendant son prochain séjour à Paris. Il sera refusé à cause des allusions politiques qu'il contient.

À SA NIÈCE CAROLINE
[29 avril 1872]

Autographe Lovenjoul, A II, ffos 457-458 ; incomplète dans Conard, t. VI, p. 371-372.

Page 519.

1. Deux familles rouennaises amies des Flaubert.

2. Jules Duplan est mort le 1er mars 1870.

3. Valérie Lapierre et Léonie Brainne.

4. Le docteur Fortin (voir Lucien Andrieu, « Le Médecin de Flaubert : Charles-André Fortin », *Les Rouennais et la famille Flaubert*, p. 47-55).

5. Sans doute Ernest Chevalier.

Page 520.

À LA PRINCESSE MATHILDE
[29 avril 1872]

Autographe Archivio Campello, no Inv. 1002 ; Conard, t. VI, p. 379-380, mal datée du [18 mai 1872].

1. Théophile Gautier.

2. Les peintres Eugène Giraud et Claudius Popelin, des familiers de la princesse Mathilde.

Page 521.

À GEORGE SAND
[29 avril 1872]

Autographe Lovenjoul, A IV, ffos 279-280 ; *Correspondance Flaubert-Sand*, éd. Alphonse Jacobs, p. 384-385.

1. Théophile Gautier.

Page 522.

À FÉLIX-ARCHIMÈDE POUCHET

[Avril-mai ? 1872]

Autographe non retrouvé ; *Supplément*, t. III, p. 30.

À SA NIÈCE CAROLINE

[5 mai 1872]

Autographe Lovenjoul, A II, ff^os^ 459-460 ; papier de deuil ; incomplète dans Conard, t. VI, p. 373-374.

1. Mme Achille Flaubert, sa fille unique Juliette, épouse Roquigny, et son unique petit-fils Alphonse, mort célibataire : le dernier survivant du docteur Achille-Cléophas Flaubert.

2. Léon Rivoire, frère de Valérie Lapierre et Léonie Brainne.

Page 523.

1. Philippe Leparfait.

À EDMOND LAPORTE

9 [mai 1872]

Autographe non retrouvé ; catalogue Georges Andrieux, vente à l'hôtel Drouot du 20-28 mars 1933, n° 79 ; *Supplément*, t. III, p. 31.

À SA NIÈCE CAROLINE

[10 mai 1872]

Autographe Lovenjoul, A II, ff^os^ 461-462 ; incomplète dans Conard, t. VI, p. 375 ; papier de deuil.

Page 524.

1. Valérie Lapierre, sa sœur Léonie Brainne et leur amie intime la comédienne Alice Pasca.

2. Flaubert avait fait la connaissance d'Edmond Laporte par Jules Duplan. Laporte sera son ami le plus proche jusqu'à la brouille de septembre 1879.

3. Il s'agit des publications posthumes d'œuvres de Louis Bouilhet : *Mademoiselle Aïssé* et *Dernières chansons*.

À LA PRINCESSE MATHILDE

15 mai [1872]

Autographe Archivio Campello, n° Inv. 1001 ; Conard, t. VI, p. 376-377.

Page 525.

1. Estelle Gautier, fille de Théophile, épouse Émile Bergerat.

À EDMA ROGER DES GENETTES

15 mai [1872]

Autographe Lovenjoul, H 1360, ffos 111-112 ; incomplète dans Conard, t. VI, p. 377-378.

Page 526.

1. Poème de Victor Hugo sur les événements de 1870-1871, paru en 1872.

À GEORGE SAND

15 mai [1872]

Autographe Lovenjoul, A IV, fo 293 ; *Supplément*, t. III, p. 31 ; *Correspondance Flaubert-Sand*, éd. Alphonse Jacobs, p. 386.

Page 527.

À JEANNE DE LOYNES

15 mai [1872]

Autographe non retrouvé ; extraits dans le catalogue Georges Andrieux pour la vente à l'hôtel Drouot du 24 au 28 mars 1939, no 21 (p. 14).

GEORGE SAND À GUSTAVE FLAUBERT

18 mai [1872]

Autographe Mme Vandendriessche ; *Correspondance Flaubert-Sand*, éd. Alphonse Jacobs, p. 386.

À CHARLES CHAUTARD

19 mai [1872]

Autographe non retrouvé ; *Supplément*, t. III, p. 32-33. Charles Chautard était le maire de Vendôme. Flaubert finira par ne pas aller à l'inauguration de la statue de Ronsard. Voir plus loin sa lettre à Chautard du 22 [juin 1872], p. 537.

Page 528.

À THÉOPHILE GAUTIER

19 mai 1872

Autographe non retrouvé ; Conard, t. VI, p. 381.

1. Estelle Gautier, la fille cadette de Théophile, venait d'épouser Émile Bergerat.

À JULES TROUBAT

19 [mai 1872]

Autographe non retrouvé et texte incomplet ; *Supplément*, t. III, p. 32.

2. Louise Colet, « la Muse », aurait passé trois jours dans la cave de la maison de Sainte-Beuve, occupée alors par Jules Troubat, pendant la Commune. Elle prétendit avoir sauvé la vie de Troubat et publia un

article à ce sujet dans *L'Événement*, repris dans *Les Dévotes du grand monde*, p. 113-177, article auquel répond Jules Troubat dans le même journal. Voir Joseph F. Jackson, *Louise Colet et ses amis littéraires*, Yale University Press, 1937, p. 313 ; le premier ouvrage sérieux consacré à Louise Colet et toujours utile. Je résume ici la note du *Supplément*, t. III, n. 1, p. 32.

À PHILIPPE LEPARFAIT

[20 mai 1872]

Autographe collection particulière ; Conard, t. VI, p. 114 (placée en mai 1870).

3. L'imprimeur parisien des œuvres posthumes de Louis Bouilhet.

Page 529.

À ÉLISA SCHLÉSINGER

28 mai 1872

Autographe non retrouvé ; Conard, t. VI, p. 381-382.

1. Je n'ai retrouvé aucune lettre d'Élisa Schlésinger à Flaubert.

GEORGE SAND À GUSTAVE FLAUBERT

[3 juin 1872]

Autographe collection Marc Loliée ; *Correspondance Flaubert-Sand*, éd. Alphonse Jacobs, p. 387.

À GEORGE SAND

4 [juin 1872]

Autographe Lovenjoul, A IV, ffos 295-296 ; Conard, t. VI, p. 382-383 ; *Correspondance Flaubert-Sand*, éd. Alphonse Jacobs, p. 387-388.

Page 530.

1. Flaubert n'ira pas à Vendôme. Voir sa lettre à Charles Chautard du 22 [juin 1872], p. 537.

À MADEMOISELLE LEROYER DE CHANTEPIE

5 juin 1872

Autographe non retrouvé ; Conard, t. VI, p. 384-385.

2. Mlle de Chantepie avait envoyé une lettre de condoléances à Flaubert au sujet de la mort de sa mère (voir cette lettre datée du 15 avril 1872, p. 511).

Page 531.

1. Ce tableau est reproduit dans l'*Album Flaubert*, p. 52-53. Voir la lettre de Flaubert à Le Poittevin du 13 mai [1845], t. I, p. 230.

À LA PRINCESSE MATHILDE

5 juin [1872]

Autographe Archivio Campello, n° Inv. 1003 ; Conard, t. VI, p. 383-384, avec une grave faute de lecture.

2. Émile Bergerat, mari d'Estelle Gautier.

Page 532.

1. Flaubert arrivera à Luchon avec sa nièce le 7 juillet 1872.

2. Flaubert n'ira pas à Vendôme pour l'inauguration de la statue de Ronsard. Voir sa lettre à Charles Chautard du 22 [juin 1872], p. 537.

À IVAN TOURGUENEFF

5 juin [18]72

Autographe B. N., N.A.F. 16275, ff^os 185-186 ; lettre publiée par Gérard-Gailly dans *Lettres inédites à Tourgueneff*, p. 33-35 ; *Supplément*, t. III, p. 33-34.

3. Flaubert n'ira pas à Vendôme pour l'inauguration de la statue de Ronsard.

4. Flaubert arrivera à Luchon avec sa nièce le 7 juillet 1872.

Page 533.

1. Sans doute Louis Bonenfant, avoué à Nogent-sur-Seine, qui avait épousé Olympe Parain, fille de la sœur du docteur Flaubert, donc sa cousine germaine.

2. Mgr Dupanloup avait prononcé à l'Assemblée nationale le 29 mai 1872 un discours sur la loi militaire, où il faisait l'éloge des études classiques et de la philosophie.

GEORGE SAND À GUSTAVE FLAUBERT

[7 juin 1872]

Autographe Mme Vandendriessche ; *Correspondance Flaubert-Sand*, éd. Alphonse Jacobs, p. 388.

3. Finalement, Flaubert passera avec George Sand la soirée du 12 juin (voir la lettre suivante).

Page 534.

À SA NIÈCE CAROLINE

[13 juin 1872]

Autographe Lovenjoul, A II, ff^os 463-465 ; incomplète dans Conard, t. VI, p. 387-389. Enveloppe : Madame Commanville, Neuville, Dieppe (Seine-Inférieure) ; C.P. : Paris, 13 juin 1872 ; Paris au Havre, 13 juin 1872 ; Dieppe, 14 juin 1872.

1. Les trois semaines qui ont suivi la mort de Mme Flaubert le 6 avril 1872.

2. Jules Duplan, frère cadet du notaire Ernest Duplan, ami très intime de Flaubert jusqu'à sa mort le 1er mars 1870.

3. Charles Lapierre, le directeur du *Nouvelliste de Rouen*.

4. Flavie Vasse de Saint-Ouen.

5. La princesse Mathilde possédait une propriété à Saint-Gratien, près de Montmorency.

6. Flaubert n'ira pas à Vendôme assister à l'inauguration de la statue de Ronsard.

7. Juliet Herbert. Dans l'édition Conard, le texte s'arrête à « le mieux ».

Page 535.

À GEORGE SAND

13 juin [1872]

Autographe non retrouvé ; copie dans le fonds Descharmes, B. N., N.A.F. 23825, f° 55 ; Conard, t. VI, p. 387 ; *Correspondance Flaubert-Sand*, éd. Alphonse Jacobs, p. 389.

1. Il s'agit de la succession de Chilly, directeur du théâtre de l'Odéon, qui venait de mourir.

À LÉONIE BRAINNE

[14 ? juin 1872]

Autographe B. M. Rouen, m m 265, pièce 5 ; *Supplément*, t. III, p. 35-36.

2. Georges Pouchet.

3. *La Timbale d'argent*, opéra-bouffe en trois actes, paroles de A. Jaime et Jules Noriac, musique de Léon Vasseur, Bouffes-Parisiens, avril 1872.

Page 536.

1. « L'autre Ange » est sans doute Valérie Lapierre.

À LÉONIE BRAINNE

[15 ? juin 1872]

Autographe B. M. Rouen, m m 265, pièce 30 ; *Supplément*, t. III, p. 36-37.

2. Georges Pouchet.

3. L'actrice Alice Pasca, amie intime de Valérie Lapierre et Léonie Brainne.

À M. DESBOIS

[16 juin 1872]

Inédite. Autographe non retrouvé ; copie par le notaire Biochet, puis par Lucien Fontaine. Desbois présidait la commission chargée de réaliser la fontaine de Rouen consacrée à la mémoire de Louis Bouilhet.

Page 537.

À SA NIÈCE CAROLINE

19 juin 1872

Autographe Lovenjoul, A II, ffos 466-467 ; Conard, t. VI, p. 389-390. Enveloppe : Madame Commanville, Neuville, Dieppe (Seine-Inférieure) ; C.P. : Paris *[illisible]* 72 ; Paris au Havre 19 juin 1872 ; Dieppe, 20 juin *[illisible]*.

1. Catulle Mendès ; voir la lettre de Flaubert à Léonie Brainne du [14 ? juin 1872], p. 535.

2. La princesse Mathilde possédait une propriété à Saint-Gratien.

3. Il s'agit de la publication des *Dernières chansons* de Louis Bouilhet. Michel Lévy aurait promis d'avancer les frais, mais aurait reculé devant l'édition luxueuse voulue par Flaubert. Voir Jacques Suffel, *Lettres inédites de Gustave Flaubert à son éditeur Michel Lévy*, n. 2, p. 238 et la lettre de Flaubert à Philippe Leparfait du [24 janvier 1873], p. 638.

À CHARLES CHAUTARD

22 [juin 1872]

Autographe non retrouvé ; *Supplément*, t. III, p. 35. Charles Chautard était le maire de Vendôme.

4. Flaubert était invité à l'inauguration de la statue de Ronsard à Vendôme.

5. Prosper Blanchemain avait publié en 1857-1867 les *Œuvres complètes* de Ronsard.

Page 538.

À SA NIÈCE CAROLINE

[23 juin 1872]

Autographe Lovenjoul, A II, ffos 468-469 ; incomplète dans Conard, t. VI, p. 390-392.

1. Mme Winter : Marie Du Paty, amie d'enfance de Caroline, avait épousé M. Winter.

2. L'un de ses compagnons de voyage aurait été Paul de Saint-Victor (voir la lettre de Flaubert à la princesse Mathilde du 1er juillet [1872], p. 542).

3. La propriété de la princesse Mathilde.

4. Théophile Gautier.

5. Maurice Adolphe Schlésinger, né en 1842, fils de Maurice et Élisa Schlésinger s'était marié à Paris le 12 juin 1872 avec la fille de l'artificier Ruggieri.

6. J'ignore qui est Delasseaux.

7. Catulle Mendès, *La Part du roi*, comédie en un acte, en vers, jouée pour la première fois à la Comédie-Française le 20 juin 1872.

Page 539.

1. M. Winter était très gros.
2. Le dramaturge Victorien Sardou (1831-1908).
3. Mme de Galbois, dame d'honneur de la princesse Mathilde.
4. Mme Lepic, fille de Mme Perrot.

À SA NIÈCE CAROLINE
[23 juin 1872]

Autographe Lovenjoul, A II, ff^os 470-471 ; *Supplément*, t. III, p. 37-38.

5. Félix-Archimède Pouchet (1800-1872), directeur du Muséum d'histoire naturelle de Rouen et rival de Pasteur.

Page 540.

1. Le domestique de Flaubert.
2. Mme Baudry, mère de Frédéric et Alfred Baudry, amis de Flaubert.

IVAN TOURGUENEFF À GUSTAVE FLAUBERT
26 juin 1872

Autographe Lovenjoul, B VI, ff^os 126-127 ; *Gustave Flaubert-Ivan Tourguéniev. Correspondance*, éd. Alexandre Zviguilsky, p. 111-112.

3. Paulinette Tourgueneff.

Page 541.

1. *La Courtisane*, nu d'Edmond Blanchard, tableau acheté par Tourgueneff au Salon de 1872.

À ALBERT GLATIGNY
30 juin [1872]

Autographe non retrouvé ; *Supplément*, t. I, p. 255, lettre datée du 30 juin 1860. Cette date est impossible, car d'Osmoy a été élu à la Chambre des députés en 1871. La collection Lovenjoul conserve dix lettres d'Albert Glatigny à Flaubert, dont la dernière est datée du 26 janvier 1872, et remercie pour l'envoi des *Dernières chansons* de Louis Bouilhet (Lovenjoul, B III, ff^os 244-263).

2. Albert Glatigny ne publie pas de recueil de poésies en 1871, mais il fait paraître *Gilles et Pasquins, poésies*, en 1872 ; L'ouvrage est annoncé dans la *Bibliographie de la France* le 15 juin 1872. D'où la date que je propose pour cette lettre.

À ERNEST COMMANVILLE
1er juillet [1872]

Autographe non retrouvé ; *Supplément*, t. III, p. 38-39.

3. Bidault était le notaire des Flaubert à Rouen ; il s'agit de la liquidation après le décès de Mme Flaubert.

Page 542.

1. L'emprunt de trois milliards, qui sera voté le 15 juillet 1872 par l'Assemblée nationale.

2. Le docteur Achille Flaubert était chirurgien-chef de l'Hôtel-Dieu, où il habitait avec son épouse.

À LA PRINCESSE MATHILDE

1er juillet [1872]

Autographe Archivio Campello, nº Inv. 1004 ; Conard, t. VI, p. 392-393.

3. Je n'ai pu identifier Mme Bardry.

4. Théophile Gautier.

Page 543.

1. Alexandre Dumas fils, *L'Homme-femme* (1872).

À GEORGE SAND

1er juillet [1872]

Autographe Lovenjoul, H 1358, ff^os^ 297-298 ; *Supplément*, t. III, p. 39-40 ; *Correspondance Flaubert-Sand*, éd. Alphonse Jacobs, p. 390-391.

2. Jules Troubat, dernier secrétaire de Sainte-Beuve, voulait garder des lettres de George Sand à Sainte-Beuve, comme il l'avait déjà fait dans le cas des lettres de la princesse Mathilde.

3. *Le Sexe faible*, comédie non terminée par Louis Bouilhet, et que Flaubert désirait mettre au point pour la faire jouer et imprimer. Ses efforts seront sans succès.

4. Le futur *Bouvard et Pécuchet.*

5. « Anne Devoisin, qui se faisait appeler Mme de Voisins, en littérature Pierre Cœur, avait publié en 1870 des *Contes algériens*, reflet de son séjour en Algérie, où elle avait longtemps vécu. Dans ses débuts au journal *La France* en 1866, elle avait été patronnée par George Sand » (note d'Alphonse Jacobs, *Correspondance Flaubert-Sand*, n. 40, p. 390).

Page 544.

1. Ernest Blum, auteur dramatique fécond, n'a pas écrit de pièce portant ce titre.

À ÉLISA SCHLÉSINGER

1er juillet [1872]

Inédite. Autographe collection particulière. La photocopie de cette lettre m'a été communiquée par la flaubertiste américaine Helen Zagona, que je remercie très vivement pour une découverte si rare.

2. Ce mariage avait eu lieu le 12 juin 1872 à Paris ; Flaubert a donc revu Élisa Schlésinger.

3. Cette visite à Croisset a eu lieu le 7 novembre 1871. Voir la lettre de Flaubert à sa nièce Caroline du [6 novembre 1871], p. 406.

Page 545.

À ERNEST COMMANVILLE

[2 juillet 1872]

Autographe Lovenjoul. *Supplément*, t. III, p. 41.

1. Le notaire des Flaubert à Rouen.

MADEMOISELLE LEROYER DE CHANTEPIE
À GUSTAVE FLAUBERT

3 juillet 1872

Autographe non retrouvé ; copie dans le fonds René Descharmes, B. N., N.A.F. 23825, ff[os] 385-386.

Page 546.

GEORGE SAND À GUSTAVE FLAUBERT

[5 juillet 1872]

Autographe Alfred Dupont ; *Correspondance Flaubert-Sand*, éd. Alphonse Jacobs, p. 391-392.

Page 547.

1. Flaubert enverra à George Sand sa première lettre de Bagnères-de-Luchon le 12 juillet 1872, avec son adresse.

À GEORGE SAND

12 juillet [1872]

Autographe Levenjoul. *Correspondance de Flaubert*, IV, ff[os] 299-300 ; *Correspondance Flaubert-Sand*, éd. Alphonse Jacobs, p. 192.

Page 548.

1. Il s'agit de *Bouvard et Pécuchet.*

À LÉONIE BRAINNE

12 juillet [1872]

Autographe B. M. Rouen, m m 265, pièce 99 ; *Supplément*, t. III, p. 41-42.

2. La lettre est composée de deux pages, dont seuls les rectos sont remplis. L'adresse et la date se trouvent au verso de la première page.
3. Henri Brainne, le fils unique de Léonie.
4. Valérie Lapierre, sœur cadette de Léonie.

Page 549.

1. *Aventures de M. Pickwick*, traduit par P. Grolier et P. Lorain, 1859, 2 vol. in-12.

À PHILIPPE LEPARFAIT

[16 juillet 1872]

Autographe collection particulière ; Conard, t. VI, p. 397-398.

2. Il s'agit des avances de frais pour l'impression des deux dernières œuvres posthumes de Louis Bouilhet : *Mademoiselle Aïssé* et *Dernières chansons*.

3. La commission chargée de l'exécution du monument consacré à Louis Bouilhet à Rouen.

Page 550.

À LA PRINCESSE MATHILDE

16 [juillet 1872]

Autographe Archivio Campello, n° Inv. 1005 ; Conard, t. VI, p. 395-397.

1. Sur le séjour de Flaubert à Luchon, voir le bel article du regretté Pierre Mosnier « Flaubert à Luchon chez Binos et chez Bonette » publié dans *Le Petit Commingeois*, 3, 10, 17 août 1980, avec illustrations, p. 20.

2. Théophile Gautier. Il mourra le 23 octobre 1872.

3. Julien Turgan, publiciste, ami d'Ernest Feydeau, qui lui a dédié *Fanny*. Il est surtout connu par son ouvrage *Les Grandes Usines de France*, tableau de l'industrie française au XIXe siècle (Paris, 1861-1868, 6 vol. in 4°).

4. *L'Homme-femme*, paru en 1872.

5. *La Princesse Georges*, pièce d'Alexandre Dumas fils, jouée et publiée en 1871, avec préface, comme toutes ses pièces à thèse.

Page 551.

1. *La Tentation de saint Antoine.*

GEORGE SAND À GUSTAVE FLAUBERT

19 juillet [18]72

Autographe Alfred Dupont ; *Correspondance Flaubert-Sand*, éd. Alphonse Jacobs, p. 393-395.

Page 552.

1. Ce feuilleton paraîtra dans *Le Temps* du 31 juillet 1872.

Page 553.

À PHILIPPE LEPARFAIT

23 [juillet 1872]

Autographe collection particulière ; Conard, t. VI, p. 398-399.

1. Flaubert avait retrouvé dans les papiers de Louis Bouilhet un scénario incomplet d'une pièce intitulée *Le Sexe faible*, en cinq actes et en prose. C'est à Luchon qu'il refait le scénario, « en changeant

complètement le 1er et le 3e acte » (lettre à Ernest Feydeau du [3 juillet 1873], Conard, t. VII, p. 34). La pièce ne sera jamais jouée.

2. Philippe Leparfait était le fils illégitime du marquis de Chennevières, qui était alors conservateur du musée du Luxembourg. Il sera nommé en 1873 directeur des Beaux-Arts. Le « médaillon » dont il est question est celui de Louis Bouilhet.

À LÉONIE BRAINNE
27 [juillet 1872]

Autographe B. M. Rouen, m m 265, pièce 66 ; *Supplément*, t. III, p. 43-45.

Page 554.

1. La rue Mosnier s'appelle aujourd'hui rue de Berne.
2. Henri Brainne.
3. Amédée Achard (1814-1875), auteur de nombreux romans dont aucun n'a survécu.
4. Rabodanges, commune du canton d'Argentan (Orne).

Page 555.

À LA BARONNE JULES CLOQUET
[27 juillet 1872]

Autographe Lovenjoul, H 1359, ff[os] 301-302 ; Conard, t. VI, p. 399-400.

1. Voir t. I, p. 66 et suivantes.

IVAN TOURGUENEFF À GUSTAVE FLAUBERT
30 juillet 1872

Autographe Lovenjoul, B VI, f° 128 ; *Gustave Flaubert-Ivan Tourguéniev. Correspondance*, éd. Alexandre Zviguilsky, p. 113-114.

Page 556.

1. *Cato major seu de senectute*, traité de philosophie de Cicéron.

À LA PRINCESSE MATHILDE
[3 août 1872]

Autographe Archivio Campello, n[o] Inv. 1006 ; Conard, t. VI, p. 400-401.

2. *L'Homme-femme*, d'Alexandre Dumas fils, lecture déjà mentionnée dans la lettre de Flaubert à la princesse Mathilde du 16 [juillet 1872].
3. Théophile Gautier.

Page 557.

À IVAN TOURGUENEFF

5 août [1872]

Autographe B.N., N.A.F. 16275, fonds Maupoil, lettre n° 15 ; *Supplément*, t. III, p. 45 ; *Gustave Flaubert-Ivan Tourguéniev. Correspondance*, éd. Alexandre Zviguilsky, p. 114-115.

1. Jeanne Bruère, petite-fille de Tourgueneff, née à Rougemont (Loir-et-Cher) le 15 juillet 1872.

Page 558.

À LÉONIE BRAINNE

[15 août 1872]

Autographe B. M. Rouen, m m 265, pièce 27 ; *Supplément*, t. III, p. 46.

1. La sœur de Léonie, Valérie Lapierre, habitait rue de la Ferme à Rouen.
2. Henri Brainne, fils unique de Léonie.

À EDMA ROGER DES GENETTES

19 août [1872]

Autographe Lovenjoul, H 1360, ff^os 113-114 ; incomplète dans Conard, t. VI, p. 401, mal datée du 18 août [1872].

3. Ce n'est pas tout à fait exact : Flaubert et Bouilhet avaient rencontré Edma Roger des Genettes dans le salon de Louise Colet en 1852 (voir t. II, p. 149) ; Bouilhet deviendra son amant le 3 décembre 1853 (memento de Louise Colet du 4 décembre 1853, t. II, n. 8, p. 149) ; cette liaison ne durera pas. La première lettre de Flaubert à Mme Roger des Genettes date du [18 décembre 1859 ?] (t. III, p. 67-68) ; il venait de la retrouver et leur correspondance durera jusqu'à sa mort. Nous ignorons où et comment s'est déroulé leur première entrevue après un intervalle d'une demi-douzaine d'années. En tout cas, le jugement porté par Flaubert sur Mme Roger des Genettes est très différent en 1852-1854 et à partir de 1859.
4. *Bouvard et Pécuchet.*

Page 559.

1. *L'Homme-femme*, brochure d'Alexandre Dumas fils, qui venait de paraître.
2. Émile de Girardin possédait deux journaux en 1872 : *Le Moniteur universel* et *Le Petit Journal.*
3. Olympe Audouard (1830 ?-1890), femme de lettres ; elle publie son premier roman, *Comment aiment les hommes*, en 1861, puis collabore aux journaux parisiens et fonde *Le Papillon.* Elle donne des conférences aux États-Unis en 1868, puis à Paris, et s'intéresse au spiritisme.
4. J'ignore qui sont ces « trois farceurs ».

5. Deux auteurs populaires et féconds : Pigault-Lebrun (1753-1835), dramaturge, dragon à la bataille de Valmy, romancier : *Mon oncle Thomas*, *Monsieur Botte*. Paul de Kock, romancier et auteur dramatique (1794-1871) : *L'Enfant de ma femme* (1813) est son premier roman, suivi de beaucoup d'autres.

6. Théophile Gautier, qui mourra le 23 octobre 1872.

Page 560.

À RAOUL-DUVAL

[20 août 1872 ?]

Autographe archives Raoul-Duval, pièce n° 10 ; *Gustave Flaubert, Lettres inédites à Raoul-Duval*, éd. Georges Normandy, p. 145, à la date de [1871] ; *Supplément*, t. III, p. 46-47, [août 1872].

À GEORGE SAND

[22 août 1872]

Autographe Lovenjoul, A IV, f° 301 ; Conard, t. VI, p. 405-406 ; *Correspondance Flaubert-Sand*, éd. Alphonse Jacobs, p. 396.

Page 561.

1. Il s'agit de *Bouvard et Pécuchet*.

À SA NIÈCE CAROLINE

[22 août 1872]

Autographe Lovenjoul, A II, ffos 472-473 ; incomplète dans Conard, t. VI, p. 404-405.

2. Le Mont-Riboudet est à Rouen, la scierie d'Ernest Commanville à Dieppe.

3. Pièce de Louis Bouilhet, que Flaubert avait terminée.

4. « Mlle Julie », la fidèle bonne de la famille Flaubert.

Page 562.

1. Il y a un village appelé Bosost, dans les environs de Luchon ; pour Dancos et Saint-Ange Barrier, voir Pierre Mosnier, « Flaubert à Luchon chez Binos et chez Bonnette », p. 20.

À PHILIPPE LEPARFAIT

[22 août 1872]

Autographe Gaston Bosquet ; collection particulière ; Conard, t. VI, p. 71, mal placée en septembre 1869. La lettre est bien datée par Gérard-Gailly dans le *Bulletin du bibliophile*, p. 403-404.

2. Le père de Philippe Leparfait était le marquis de Chennevières.

3. Il s'agit du médaillon représentant Louis Bouilhet sur la fontaine qui fut élevée à Rouen après la mort de Flaubert et qui existe toujours.

À LÉONIE BRAINNE
[26 août 1872]

Autographe B. M. Rouen, m m 265, pièce 9 ; *Supplément*, t. III, p. 47-48.

Page 563.

1. Auguste Axenfeld (1825-1876), professeur à la faculté de médecine de Paris et célèbre neurologue.

2. Le dentiste de Flaubert.

À SA NIÈCE CAROLINE
[26 août 1872]

Autographe Lovenjoul, A II, ff[os] 474-475 ; incomplète dans Conard, t. VI, p. 406-408.

Page 564.

1. Voir la lettre de Flaubert à sa nièce Caroline du [1er juillet 1870], p. 201.

2. Philippe Leparfait, fils adoptif de Louis Bouilhet.

3. Flaubert prépare *Bouvard et Pécuchet.*

4. Sur le docteur Charles-André Fortin (1830-1902), voir Lucien Andrieu, « Le Médecin de Flaubert : Charles-André Fortin », *Les Rouennais et la famille Flaubert*, p. 47-55 (édition de la Société des amis de Flaubert, Rouen).

5. Oncle de Caroline Commanville, du côté de son père Émile Hamard.

Page 565.

À IVAN TOURGUENEFF
[29 août 1872]

Autographe collection Dina Vierny ; *Lettres inédites à Tourgueneff*, éd. Gérard-Gailly, p. 38-39 ; *Supplément*, t. III, p. 49 ; *Gustave Flaubert-Ivan Tourguéniev. Correspondance*, éd. Alexandre Zviguilsky, p. 115.

1. Il s'agit de Jeanne, la petite-fille de Tourgueneff, née à Rougemont (Loir-et-Cher) le 18 juillet 1872.

2. C'est la lettre du 5 août 1872 (voir p. 557).

GEORGE SAND À GUSTAVE FLAUBERT
31 août [18]72

Autographe Alfred Dupont ; *Correspondance Flaubert-Sand*, éd. Alphonse Jacobs, p. 396-397.

Page 566.

À SA NIÈCE CAROLINE
[1er septembre 1872]

Autographe Lovenjoul, A II, ff[os] 476-477 ; incomplète dans Conard, t. VI, p. 408-410.

1. Juliet Herbert, institutrice (*governess*) de Caroline Hamard de 1855 à 1857. Voir Hermia Oliver, *Flaubert and an English Governess*, Oxford, The Clarendon Press, 1980.

2. Le domestique de Flaubert.

Page 567.

1. Le dentiste de Flaubert.

2. Alfred Baudry, frère cadet de Frédéric Baudry.

3. Les amis les plus intimes de Flaubert à la fin de sa vie.

4. Caroline Commanville avait hérité d'une propriété à Pissy-Poville de sa grand-tante Fauvel (voir *Heures d'autrefois*, p. 2).

5. J'ignore tout d'Édouard Play.

6. Frankline Grout, amie d'enfance de Caroline ; elle épousera le pasteur Auguste Sabatier en 1875.

7. Mme Roquère, amie de Caroline Commanville.

Page 568.

À SA NIÈCE CAROLINE

[5 septembre 1872]

Autographe Lovenjoul, A II, ff[os] 478-479 ; incomplète dans Conard, t. VI, p. 410-411.

1. C'est durant ce séjour à Luchon avec sa nièce, que Flaubert a appris son grand amour pour le baron Ernest Leroy, préfet de la Seine-Inférieure durant le Second Empire, et sa mort : « La guerre de 1870 éclata, M. X s'engagea. Il fut capitaine de mobiles, décoré sur le champ de bataille de Patay. Quelques mois après il mourait par suite des fatigues endurées. Nous ne nous étions revus qu'une fois à mon retour d'Angleterre. Ce séjour en Angleterre, c'est pour lui que je consentis à le faire. C'était une lâcheté et j'aurais dû résister aux ordres de mon mari, qui redoutait pour moi les Prussiens. Je n'aurais pas dû m'éloigner des miens, mais je voyais, en acceptant d'aller à l'étranger, la possibilité d'avoir des nouvelles de celui qui se battait pour la France, et je fis comme les autres femmes, j'allai grossir une petite colonie de Normandes installées à Londres » (*Heures d'autrefois*).

2. Frankline Grout, amie d'enfance de Caroline.

3. Le docteur Achille Flaubert et sa femme habitaient l'hôtel-Dieu à Rouen.

4. Alfred Baudry, frère cadet de Frédéric Baudry.

Page 569.

À LÉONIE BRAINNE

7 septembre [1872]

Autographe B. M. Rouen, m m 265, pièce 112 ; *Supplément*, t. III, p. 49-51.

1. Le fils unique de Léonie Brainne.

2. Auguste Axenfeld, professeur à la faculté de médecine de Paris, l'un des grands neurologues de son temps.

3. Les familles Flaubert et Lizot étaient amies. Le « bon Lizot » était magistrat à Rouen.

4. *Bouvard et Pécuchet.*

Page 570.

1. Valérie Lapierre, sœur de Léonie Brainne.

À SA NIÈCE CAROLINE
8 septembre [1872]

Autographe Lovenjoul, A II, ff^os 480-481 ; incomplète dans Conard, t. VI, p. 412-413.

2. Frankline Grout, amie d'enfance de Caroline Hamard.

Page 571.

1. Mme Perrot et sa fille Mme Lepic étaient amies de Flaubert ; elles possédaient une propriété à Rabodanges.

2. Juliet Herbert et Gustave Flaubert se retrouvaient à Londres ou à Paris, chaque année.

3. La propriété de la princesse Mathilde.

4. Les « Dieppois » sont les époux Commanville. La « tante » est sans doute Mme Achille Flaubert.

5. Voir la lettre de Flaubert à sa nièce Caroline du [22 août 1872] », p. 562.

À EDMOND LAPORTE
8 septembre [1872]

Autographe non retrouvé ; *Supplément*, t. III, p. 51-52.

6. On pense bien sûr à Jules César, mais aussi, peut-être, à Juliet Herbert.

Page 572.

À PHILIPPE LEPARFAIT
[11 ? septembre 1872]

Autographe Jacques Lambert ; Conard, t. VI, p. 413-414, placée en septembre 1872.

1. La collection Lovenjoul conserve cinq lettres seulement de Philippe Leparfait à Flaubert ; quatre sont datées de 1869, la cinquième est un billet très court et non daté.

À IVAN TOURGUENEFF
13 septembre [1872]

Autographe ancienne collection Decugis, collection Dina Vierny, lettre 25 ; lettre publiée par Gérard-Gailly dans *Lettres inédites à Tourgueneff*, p. 39-40 ; *Gustave Flaubert-Ivan Tourguéniev. Correspondance*, éd. Alexandre Zviguilsky, p. 115-116.

2. La résidence principale de George Sand, dans le Berry.
3. *Bouvard et Pécuchet.*
4. Brochure d'Alexandre Dumas fils, parue cette année même, et défendant la loi française permettant à un mari de tuer son épouse pour adultère. Voir *La Femme de Claude* (1873), du même Dumas fils.

Page 573.

À SA NIÈCE CAROLINE

[14 septembre 1872]

Autographe Lovenjoul, A II, ff^os 482-483 ; incomplète dans Conard, t. VI, p. 414-415.

1. Juliet Herbert.
2. Flavie Vasse de Saint-Ouen appartenait à une famille rouennaise très liée avec les Flaubert.
3. Sans doute la mère de Léon Heuzey, archéologue et ami de Flaubert, ancien membre de l'école d'Athènes, auteur de *Le Mont Olympe et l'Acarnanie* (1860).
4. *Mémoires d'une jeune fille de qualité*, roman licencieux. Le titre est copié des *Mémoires et aventures d'un homme de qualité qui s'est retiré du monde* de l'abbé Prévost.
5. Pièce de Louis Bouilhet terminée et mise au point par Flaubert, et qui ne sera jamais jouée.

Page 574.

1. Il s'agit de personnes rencontrées à Luchon par Flaubert et sa nièce.

À GEORGE SAND

15 septembre [1872]

Autographe Lovenjoul, A IV, ff^os 302-303 ; *Supplément*, t. III, p. 53-54 ; *Correspondance Flaubert-Sand*, éd. Alphonse Jacobs, p. 397-398.

2. *Bouvard et Pécuchet.*
3. *Mademoiselle La Quintinie*, version pour la scène du roman de George Sand du même titre, ne sera jamais jouée. Félix Duquesnel était le directeur du théâtre de l'Odéon.
4. Sarah Bernhardt avait rompu son contrat avec l'Odéon pour signer un contrat avec le Théâtre-Français. Elle sera condamnée à payer un dédit de 5 000 francs.

Page 575.

1. *Rabagas*, comédie en cinq actes de Victorien Sardou, créée au Vaudeville le 1er février 1872.
2. Il s'agit de *La Religion de l'artiste.*

À PHILIPPE LEPARFAIT

17 septembre [1872]

Autographe non retrouvé ; Conard, t. VI, p. 416-417.

3. Il s'agit du médaillon de Louis Bouilhet, sculpté par Carrier-Belleuse, qui figure encore sur la fontaine érigée à Rouen à sa mémoire.

4. Michel Lévy avait payé lui-même, par Claye, l'impression de *Dernières chansons*. Il en réclamait le remboursement à Philippe Leparfait.

Page 576.

1. Je n'ai pu retrouver l'autographe, mais je gagerais que le texte de Flaubert se terminait par : « nom de Dieu ! ».

À LÉONIE BRAINNE

23 septembre [1872]

Autographe B. M. Rouen, m m 265, pièce 11 ; *Supplément*, t. III, p. 54-55.

2. Propriété de la princesse Mathilde.

3. Lizot, alors préfet de la Seine-Inférieure.

4. *Les Mémoires d'une demoiselle de bonne famille, rédigés par elle-même, revus, corrigés, élagués, admis et mis en bon français*, par Ernest Feydeau, Londres, A.P. Williams, 1877, réimprimés à Bruxelles, Gillet, 1891 (note du *Supplément*, t. III, p. 55).

5. *Bouvard et Pécuchet.*

Page 577.

À EDMOND LAPORTE

[23 septembre 1872]

Autographe collection particulière ; copie Lovenjoul, A VI, f° 350 bis ; *Supplément*, t. III, p. 56.

À LA BARONNE LEPIC

24 septembre [1872]

Autographe non retrouvé ; Conard, t. VI, p. 417-419.

1. Le mois de boédromion correspond à la deuxième quinzaine de septembre et la première d'octobre.

Page 578.

1. Adolphe Thiers a écrit l'*Histoire de la Révolution* (1824-1827, 10 volumes) et l'*Histoire du Consulat et de l'Empire* (1840-1855, 19 volumes).

2. Mme Perrot, mère de Mme Lepic, écrivait des comédies.

À SA NIÈCE CAROLINE

24 septembre [1872]

Autographe Lovenjoul, A II, ffos 484-485 ; incomplète dans Conard VI, p. 419-421.

Page 579.

1. *Les Borgia d'Afrique.*
2. Juliet Herbert.
3. Son neveu Ernest Commanville.
4. Ce buste se trouve actuellement au musée Picasso d'Antibes.
5. Flavie Vasse de Saint-Ouen.
6. Virginie Le Poittevin, née en 1830, sœur cadette de Laure Le Poittevin, qui avait épousé Gustave de Maupassant, donc tante de Guy et d'Hervé. Elle s'était mariée en 1852 avec Charles-Gustave d'Harnois de Blangues et habitait le château de Bornambusc, à vingt kilomètres d'Étretat.
7. Guy et Hervé, nés en 1850 et 1856.

Page 580.

À MADAME DE VOISINS D'AMBRE

24 septembre [1872]

Autographe non retrouvé ; Conard, t. VI, p. 421-423. Anne Husson, dite Anna, née le 23 juin 1827 à Montagney-les-Forges (Doubs), est élevée en Algérie, où elle épouse Joseph Devoisin, fonctionnaire. Elle avait déjà publié des *Contes algériens*, par Pierre Cœur : « Le Chevalier Ali », « La fille du capitaine, « Fils d'Adam et filles d'Ève », Paris, Michel Lévy, 1869, in-18, IV-337 pages. Voir la réponse de Mme de Voisins (3 octobre 1872) dans la collection Lovenjoul, B VI, ffos 300-301.

1. Il s'agit du manuscrit du roman algérien *Les Borgia d'Afrique*, qui paraîtra à la librairie de la Société des gens de lettres, le 9 octobre 1874. « Pierre Cœur » a suivi le conseil de Flaubert.

Page 581.

1. Flaubert donne ici l'une des clés de sa technique romanesque.

À SA NIÈCE CAROLINE

[27 septembre 1872]

Autographe Lovenjoul, A II, ffos 486-487 ; Conard, t. VI, p. 423-424.

2. « Cabane dans le jardin de Croisset, où logeaient les douaniers » (Conard, t. VI, n. 1, p. 423).

Page 582.

À SA NIÈCE CAROLINE

[28 septembre 1872]

Autographe Lovenjoul, A II, ffos 488-489 ; Conard, t. VI, p. 424.

À ALFRED BAUDRY

30 [septembre 1872]

Autographe non retrouvé ; *Complément* au *Supplément*. La lettre est datée de l'année 1872, puisque Flaubert juge bon d'identifier Edmond Laporte, de Grand-Couronne, comme « l'ami de [Jules] Duplan ».

À LÉONIE BRAINNE

5 octobre [1872]

Autographe B. M. Rouen, m m 265, pièce 10 ; *Supplément*, t. III, p. 56-57.

1. Valérie Lapierre.

Page 583.

1. Nous avons cherché en vain de quoi il est question ici.
2. Il s'agit du *Sexe faible*, comédie de Louis Bouilhet, que Flaubert avait terminée, et qu'il voulait faire jouer au théâtre de l'Odéon, dont le directeur était Carvalho.

À EDMA ROGER DES GENETTES

5 octobre [1872]

Autographe Lovenjoul, H 1630, ffos 115-116 ; incomplète dans Conard, t. VI, p. 424-426.

Page 584.

1. *Bouvard et Pécuchet.*
2. Charles Loyson, le père Hyacinthe (1827-1912), dominicain, puis carme. Il fut excommunié en 1869 pour modernisme. Il se maria et fut élu curé de Genève.
3. Sylvanie Arnould-Plessy (1819-1897). Sociétaire de la Comédie-Française depuis l'âge de quinze ans, elle eut beaucoup de succès en France et en Russie. Elle s'était convertie en 1868.

Page 585.

À ÉLISA SCHLÉSINGER

[5 octobre 1872]

Autographe collection particulière ; lettre passée en vente à l'hôtel Drouot le 16 novembre 1983, no 135 ; Conard, t. VI, p. 427-428.

1. Flaubert ne dit pas toute la vérité ; il prendra, comme sa nièce, les eaux de Luchon.

2. Il s'agit d'une ferme, située dans la commune de Deauville, dont Flaubert avait hérité à la mort de sa mère. Il la vendra en 1875, lors de la déconfiture de son neveu Commanville.

Page 586.

À SA NIÈCE CAROLINE
[5 octobre 1872]

Autographe Lovenjoul, A II, ff^os 490-491 ; incomplète dans Conard, t. VI, p. 428-429.

1. Dubreuil était le conservateur du musée zoologique de Rouen.
2. Léonie Leparfait et son fils Philippe.
3. Ernest Commanville, qui devait partir pour l'Espagne le 12 octobre 1872.

Page 587.

IVAN TOURGUENEFF À GUSTAVE FLAUBERT
7 octobre 1872

Autographe Lovenjoul, B VI, ff^os 130-131 ; *Correspondance*, éd. de l'Académie des sciences de l'U.R.S.S., t. IX, p. 330 ; *Gustave Flaubert-Ivan Tourguéniev. Correspondance*, éd. Alexandre Zviguilsky, p. 116-117.

1. La fin de *La Tentation de saint Antoine*, et le projet de *Bouvard et Pécuchet*.

À SA NIÈCE CAROLINE
[9 octobre 1872]

Autographe Lovenjoul, A II, ff^os 492-493 ; incomplète dans Conard, t. VI, p. 429-430.

Page 588.

1. Léonie Brainne.
2. Nous n'avons pu identifier ces deux personnages.
3. Philippe et Léonie Leparfait.

À GEORGES CHARPENTIER
9 octobre 1872

Autographe Étienne Moreau-Nélaton ; lettre publiée par René Descharmes dans « Flaubert et ses éditeurs Michel Lévy et Georges Charpentier. Lettres inédites à Georges Charpentier », *R.H.L.F.*, juillet-septembre 1911, p. 31 ; Conard, t. VI, p. 430-431.

Page 589.

À SA NIÈCE CAROLINE
[10 octobre 1872]

Autographe Lovenjoul, A II, ff^os 494-495 ; *Supplément*, t. III, p. 57-58.

À ADÈLE PERROT

17 [octobre 1872]

Inédite ; collection Gaston Bosquet.

1. *Le Château des cœurs*, que Flaubert tentait de faire jouer au théâtre de la Gaîté.

2. *Le Sexe faible*, que Flaubert proposait au théâtre de l'Odéon.

Page 590.

1. *Bouvard et Pécuchet.*

2. La fille de Mme Perrot.

À SA NIÈCE CAROLINE

[19 octobre 1872]

Autographe Lovenjoul, A II, ffos 498-499 ; incomplète dans Conard, t. VI, p. 431-432.

3. Médaillons de Louis Bouilhet, sculptés par Carrier-Belleuse. L'un des trois se trouve sur la fontaine dédiée à Bouilhet par la municipalité de Rouen.

Page 591.

1. Le domestique de Flaubert.

2. Ernest Commanville, le neveu de Flaubert.

À IVAN TOURGUENEFF

[19 octobre 1872]

Autographe B. N., N.A.F. fonds Maupoil, fo 175 ; *Lettres inédites à Tourgueneff*, éd. Gérard-Gailly, p. 26 ; *Supplément*, t. III, p. 58 ; *Gustave Flaubert-Ivan Tourguéniev. Correspondance*, éd. Alexandre Zviguilsky, p. 117. Papier de deuil.

À SA NIÈCE CAROLINE

[20 octobre 1872]

Autographe Lovenjoul, A II, ffos 496-497 ; *Supplément*, t. III, p. 58-59.

Page 592.

1. Caudron, ami de Louis Bouilhet, était le trésorier du comité constitué pour l'érection du monument au poète.

IVAN TOURGUENEFF À GUSTAVE FLAUBERT

21 octobre [18]72

Autographe Lovenjoul, B VI, ffos 132-133 ; lettre publiée par l'Académie des sciences de l'U.R.S.S., *Correspondance*, t. IX, p. 352.

2. Paulinette avait épousé le maître verrier Gaston Bruère, et venait d'avoir une petite fille, Jeanne.

À IVAN TOURGUENEFF

[23 octobre 1872]

Autographe Dina Vierny (ancienne collection Decugis) ; lettre publiée par Gérard-Gailly dans *Lettres inédites à Tourgueneff*, p. 42-43.

Page 593.

À SA NIÈCE CAROLINE

[25 octobre 1872]

Autographe Lovenjoul, A II, ffos 500-501 ; incomplète dans Conard, t. VI, p. 432-434.

a. Je pensais continuellement [au culte] <à l'amour> que mon vieux Théo

1. Théophile Gautier est mort le 23 octobre 1872.

2. Félix-Archimède Pouchet était malade et allait mourir le 6 décembre 1872.

3. Léonie Brainne et Valérie Lapierre.

Page 594.

1. Le docteur Achille Flaubert, frère aîné de Gustave, avait raison ; la fontaine dédiée à Louis Bouilhet ne sera inaugurée qu'après la mort de Flaubert.

GEORGE SAND À GUSTAVE FLAUBERT

26 octobre [18]72

Autographe collection Alfred Dupont ; *Correspondance Flaubert-Sand*, éd. Alphonse Jacobs, p. 399-400.

2. Théophile Gautier.

Page 595.

IVAN TOURGUENEFF À GUSTAVE FLAUBERT

27 oct[obre] 1872

Autographe Lovenjoul, B VI, ffos 134-135 ; *Œuvres complètes d'Ivan Turgenev, Correspondance*, t. IX, p. 357 ; *Gustave Flaubert-Ivan Tourguéniev. Correspondance*, éd. Alexandre Zviguilsky, p. 119-120.

Page 596.

À ERNEST FEYDEAU

28 octobre 1872

Autographe non retrouvé ; catalogue de la vente Ernest Feydeau à l'hôtel Drouot, 31 mai 1928, n° 168 (résumé sans citations).

1. Catulle Mendès avait épousé Judith Gautier, fille aînée de Théophile.

2. « Le Trou du serpent », poème écrit en 1834. En voici deux vers : *Je porte en moi le tombeau de moi-même, / Et suis plus mort que ne sont bien des morts* (*Poésies complètes*, éd. René Jasinski, t. II, p. 104).

Page 597.

À LA PRINCESSE MATHILDE
[28 octobre 1872]

Autographe non retrouvé ; Conard, t. VI, p. 434-436. Voir Marcello Spaziani, *Gli Amici della principessa Matilde*, p. 76.

1. Catulle Mendès, gendre de Théophile Gautier.
2. Alexandre Dumas fils, qui prononça le discours à l'enterrement de Théophile Gautier.

Page 598.

À GEORGE SAND
[28 octobre 1872]

Autographe Lovenjoul, A IV, ff^os 304-305 ; Conard, t. VI, p. 439-442 ; *Correspondance Flaubert-Sand*, éd. Alphonse Jacobs, p. 401-402.

1. Girardin, Turgan et Dalloz avaient été les directeurs de *La Presse* et du *Moniteur*, les journaux auxquels Théophile Gautier avait collaboré comme critique d'art et de théâtre. Achille Fould, ministre des finances sous Napoléon III, avait pensionné le poète.

Page 599.

1. Théophile Gautier s'était présenté trois fois à l'Académie française, en 1867, 1868 et 1869, sans succès.

Page 600.

1. *Bouvard et Pécuchet.*

À IVAN TOURGUENEFF
[30 octobre 1872]

Autographe Dina Vierny, ancienne collection Decugis ; Gérard-Gailly, *Lettres inédites à Tourgueneff*, p. 43-44 ; Alexandre Zviguilsky, *Gustave Flaubert-Ivan Tourguéniev. Correspondance*, p. 120.

Page 601.

À SA NIÈCE CAROLINE
[31 octobre 1872]

Autographe Lovenjoul, A II, f° 502 ; *Supplément*, t. III, p. 60-61.

1. Alfred Guérard, financier originaire des environs de Cany, d'où venait Louis Bouilhet, et grand ami du poète et dramaturge qui lui a dédié *Les Rois du monde* et *Madame de Montarcy.*
2. Alfred Baudry, frère cadet de Frédéric Baudry, d'où son surnom.
3. Léonie Brainne et Valérie Lapierre.

Page 602.

À SA NIÈCE CAROLINE

[2 novembre 1872]

Autographe Lovenjoul, A II, ff^os 503-504 ; incomplète dans Conard, t. VI, p. 443-444.

1. Alfred Baudry.
2. Flaubert cherchait un terrain à Rouen pour y situer la fontaine dédiée à Louis Bouilhet.

IVAN TOURGUENEFF À GUSTAVE FLAUBERT

8 nov[embre] 1872

Autographe Lovenjoul, B VI, ff^os 136-137 ; *Œuvres complètes d'Ivan Turgenev, Correspondance*, édition de l'Académie des sciences de l'U.R.S.S., t. X, p. 17.

3. Ce dîner avait eu lieu le 2 mars 1872. Voir le *Journal* des Goncourt, éd. Robert Ricatte, t. II, p. 879-881.
4. George Sand écrit le 1er novembre 1872 à Tourgueneff : « Flaubert soupire après vous. Il est triste, triste, guérissez-le donc » (*Cahiers Tourguéniev*, n° 3, 1979, p. 112).

Page 603.

1. Paroles de saint Pierre à Jésus, au jardin des Oliviers (Matthieu, XXVI, 33).

À SA NIÈCE CAROLINE

[9 novembre 1872]

Autographe Lovenjoul, A II, ff^os 505-506 ; incomplète dans Conard, t. VI, p. 444-445.

2. Shakespeare, *Macbeth*, acte II, sc. II : *Macbeth does murder sleep.*

Page 604.

1. S'agirait-il des dames Vasse de Saint-Ouen ?

À IVAN TOURGUENEFF

13 [novembre 1872]

Autographe B. N., Fonds Maupoil, N.A.F. 16275, ff^os 231-232 ; *Lettres inédites à Tourgueneff*, éd. Gérard-Gailly, p. 45-47 ; *Gustave Flaubert-Ivan Tourguéniev. Correspondance*, éd. Alexandre Zviguilsky, p. 122-123.

Page 605.

1. Jules Simon était alors ministre de l'Instruction publique.
2. Ce sera *Bouvard et Pécuchet*.
3. *Mademoiselle La Quintinie* ne sera jamais jouée.

À SA NIÈCE CAROLINE
[13 novembre 1872]

Autographe Lovenjoul, A II, ff^os 507-508 ; *Supplément*, t. III, p. 63.

4. Le voyage à Dantzig prévu par Ernest Commanville.

Page 606.

AU PROFESSEUR JULES CLOQUET
15 novembre [1872]

Autographe Lovenjoul, A V, ff^os 303-304 ; papier de deuil ; Conard, t. VI, 445-446.

1. Marcelin Berthelot sera élu le 3 mars 1873 à l'Académie des sciences.

À ERNEST FEYDEAU
[15 ? novembre 1872]

Autographe non retrouvé ; catalogue de la vente Feydeau, hôtel Drouot, 31 mai 1928, n° 268 ; Conard, t. VI, p. 448-449.

Page 607.

1. J'ignore qui était Olivier de Gourjault. Le fils de Gautier et d'Eugénie Fort, né en 1836, était surnommé « Toto ».
2. Émilie et Zoé restées célibataires, nées en 1817 et 1820.
3. Arsène Houssaye (1815-1895), poète, critique et directeur de revues, a connu Théophile Gautier au début des années 1830. Il a écrit *Confessions. Souvenirs d'un demi-siècle.*
4. Directeur de *La Presse* et du *Moniteur.*
5. Auguste Vacquerie (1819-1895), poète et critique.

À SA NIÈCE CAROLINE
[19 novembre 1872]

Autographe Lovenjoul, H 1356, ff^os 509-510 ; *Supplément*, t. III, p. 63-64.

Page 608.

1. Julio, le chien de Flaubert ; Putzel, la chienne de Caroline.

À LA BARONNE LEPIC ?
[Vers le 20 novembre 1872]

Autographe non retrouvé ; *Supplément*, t. III, p. 67-69.

2. Raoul-Duval.
3. Le 13 novembre 1872, Thiers lut à l'Assemblée nationale un message où il prenait position pour la République. Le 18 novembre, il exigea un ordre du jour de confiance. Il l'obtint par 263 voix contre 116 et 277 abstentions.

Page 609.

À LA PRINCESSE MATHILDE

[21 ? novembre 1872]

Autographe Archivio Campello, n° Inv. 1008 ; non mentionnée par Marcello Spaziani dans *Gli Amici della principessa Matilde.*

1. Le prince Napoléon avait été frappé d'un décret d'expulsion par le gouvernement Thiers.

2. *Le Château des cœurs.*

Page 610.

1. La rue de Courcelles, où la princesse Mathilde avait habité durant le Second Empire.

À RAOUL-DUVAL

21 [novembre 1872 ?]

Autographe archives Raoul-Duval, pièce n° 37 ; sur la lettre, en bas et à gauche : « répondu le 23 ».

GEORGE SAND À GUSTAVE FLAUBERT

22 novembre [18]72

Autographe Alfred Dupont ; *Correspondance Flaubert-Sand*, éd. Alphonse Jacobs, p. 403-404.

Page 611.

1. *Francia* parut en juin 1872, et *Nanon*, en novembre 1872.

À GEORGE SAND

[25 novembre 1872]

Autographe Lovenjoul, A IV, f° 306 ; incomplète dans Conard, t. VI, p. 449-450 ; *Correspondance Flaubert-Sand*, éd. Alphonse Jacobs, p. 404-405.

2. La lettre devait être composée de deux feuillets distincts : le premier, adressé à Maurice, le remerciait pour l'envoi de son roman *L'Augusta* et n'a pas été retrouvé ; le second adressé à George Sand elle-même.

Page 612.

1. Une tribu d'Indiens du Brésil, jadis anthropophages (Larousse).

2. Voir la lettre de Flaubert à la baronne Lepic [vers le 20 novembre 1872], p. 608 et n. 3.

À LÉONIE BRAINNE

[26 ? novembre 1872]

Autographe B. M. Rouen, m m. 265, pièce 13 ; *Supplément*, t. III, p. 64-66.

3. Léonie Brainne était, je crois, journaliste.

4. Depuis « Le cher Petit » jusqu'à « la même chose », ce paragraphe a été publié dans l'édition Conard, t. VI, p. 135, avec deux modifications : « Votre ami » pour « Le cher Petit » et « quelques soucis » pour « quelques soucis d'argent ».

Page 613.

1. Directeur du théâtre de la Porte-Saint-Martin.

2. Raoul-Duval, député à l'Assemblée nationale ; Charles Lapierre, directeur du *Nouvelliste de Rouen*, Lizot, maire de Rouen ; je n'ai pu identifier le général de France.

3. Alice Pasca, comédienne célèbre, très liée avec les sœurs Rivoire, Léonie Brainne et Valérie Lapierre ; Flaubert les avait baptisées « les Anges ».

À GEORGE SAND
[26 novembre 1872]

Autographe Lovenjoul, A IV, ffos 307-308 ; Conard, t. VI, p. 452-454 ; *Correspondance Flaubert-Sand*, éd. Alphonse Jacobs, p. 465-467.

Page 614.

1. L'intrigue de *Nanon* est très dramatique : le roman se passe sous la Révolution ; le récit est fait par Nanon, sauf la dernière page, due à un ami qui raconte la mort de Nanon, marquise de Francheville, en 1864. Émilien de Francheville déclare son amour à Nanon ; les parents d'Émilien émigrent ; Émilien épouse Nanon et meurt.

2. Émilien fait une déclaration d'amour assez ambiguë, et Nanon commente : « J'avais comme une envie de rire et comme une envie de pleurer sans savoir pourquoi. / Je ne sais pas pourquoi non plus je pris quelques feuilles de saule et les mis dans la bavette de mon tablier. / À partir de ce jour-là [...]. »

3. L'intrigue de *Francia* est située sous la Restauration. La jeune fille est renversée à Paris par le cheval du prince russe Mourzakine, et devient sa maîtresse. Elle veut venger sa mère qui a été tuée par un cosaque de Mourzakine au passage de la Bérésina ; Mourzakine lui a donné un poignard persan ; « À présent pensait-elle, je vais mourir, mais je ne veux pas mourir déshonorée [...]. Je veux qu'on dise à mon frère : " [...] Elle a vengé notre mère. " Que se passa-t-il alors, nul ne le sait [elle a tué le prince] Elle lui avait planté le poignard persan dans le cœur ; elle avait agi dans un accès de délire dont elle n'avait déjà plus conscience : elle était folle. »

Page 615.

1. Henri Rochefort, rédacteur de la *Lanterne* et communard avait été interné dans la citadelle de Saint-Martin-de-Ré. Il se maria le 6 novembre 1872 avec Mlle Renaud, dont il avait eu plusieurs enfants : mariage civil et religieux.

GEORGE SAND À GUSTAVE FLAUBERT
27 novembre [18]72

Autographe Alfred Dupont; *Correspondance Flaubert-Sand*, éd. Alphonse Jacobs, p. 407-408.

2. Maurice Sand, fils de George, venait de faire paraître un roman appelé *L'Augusta*. Il l'avait envoyé à Flaubert, qui le remercie et le félicite. Cette lette n'a pas été retrouvée.

Page 616.

GEORGE SAND À GUSTAVE FLAUBERT
29 novembre [18]72

Autographe Alfred Dupont, *Nouvelle revue*, 15 mars 1883, p. 275.

1. François Buloz, rédacteur en chef de la *Revue des Deux Mondes* depuis 1831, qui avait publié *Francia*.

Page 617.

1. Le général Paul de Ladmirault (1808-1898) fut gouverneur de Paris de 1871 à 1878. Il était chargé de la censure.

À LA PRINCESSE MATHILDE
[30 novembre 1872]

Autographe Archivio Campello, n° Inv. 1009; Conard, t. VI, p. 450-452; lettre mentionnée par Marcello Spaziani, dans *Gli Amici della principessa Matilde*, p. 76.

2. Théophile Gautier, mort le 23 octobre 1872.

Page 618.

1. Judith Gautier avait épousé Catulle Mendès le 17 avril 1866.
2. S'agit-il des époux Bergerat? Estelle Gautier avait épousé Émile Bergerat le 15 mai 1872.

À GEORGE SAND
[4 décembre 1872]

Autographe Lovenjoul, A IV, ffos 309-310; Conard, t. VI, p. 454-457; *Correspondance Flaubert-Sand*, éd. Alphonse Jacobs, p. 409-411.

3. La phrase de Flaubert est ambiguë; il veut dire, je crois, qu'il est vrai que Lévy estime que le dernier livre de George Sand « est *toujours* inférieur au précédent ».

Page 619.

1. *Bouvard et Pécuchet.*

Page 620.

1. Dans la préface de la réédition de *La Dame aux camélias*, Dumas fils écrit ironiquement : « Respectons la Censure : si elle nuit à quelqu'un, ce n'est pas à nous [les auteurs] au fond, elle fait mieux nos affaires que nous les ferions nous-mêmes » (*Théâtre complet*, 1868, p. 11 et suiv.).

2. Ce roman avait paru en 1859.

À EDMA ROGER DES GENETTES
[4 décembre 1872]

Autographe Lovenjoul, A VI, ff^os 117-118 ; *Supplément*, t. III, p. 70.

Page 621.

GEORGE SAND À GUSTAVE FLAUBERT
8 décembre [18]72

Autographe collection Alfred Dupont ; *Correspondance Flaubert-Sand*, éd. Alphonse Jacobs, p. 412-413.

Page 622.

1. Michel Lévy, l'éditeur de Sand et de Flaubert.

Page 623.

IVAN TOURGUENEFF À GUSTAVE FLAUBERT
11 déc[embre] [18]72

Autographe Lovenjoul, B VI, ff^os 138-139 : *Œuvres complètes d'Ivan Turgenev, Correspondance*, édition de l'Académie des sciences de l'U.R.S.S., t. X, p. 36 ; *Gustave Flaubert-Ivan Tourguéniev. Correspondance*, éd. Alexandre Zviguilsky, p. 124.

À PHILIPPE LEPARFAIT
12 décembre [1872]

Autographe Jacques Lambert ; Conard, t. VI, p. 459-460.

1. Émile Collange, domestique de Flaubert depuis 1869.

2. Félix-Archimède Pouchet, grand naturaliste, mort le 6 décembre 1872.

3. Flaubert et ses amis cherchaient un terrain pour élever la fontaine dédiée à Louis Bouilhet.

Page 624.

À EDMA ROGER DES GENETTES
12 décembre [1872]

Autographe Lovenjoul, A VI, ff^os 119-120 ; *Supplément*, t. III, p. 71.

1. Le général Letellier-Valazé, frère d'Edma Roger des Genettes. Il sera élu député de la Seine-Inférieure en 1873 et nommé sénateur en 1875. Flaubert l'aimait beaucoup.

À GEORGE SAND
12 décembre [1872]

Autographe Lovenjoul, A IV, ffos 309-310 ; *Correspondance Flaubert-Sand*, éd. Alphonse Jacobs, p. 413-414.

2. Michel Lévy n'avait pas voulu financer la publication des *Dernières chansons* de Louis Bouilhet, avec la préface de Flaubert.

Page 625.

1. Flaubert était très lié avec Félix-Archimède et Georges Pouchet. Il consultera Georges pour la partie de *Bouvard et Pécuchet* concernant les sciences naturelles.

À IVAN TOURGUENEFF
[12 décembre 1872]

Autographe B. N., N.A.F. 16275, fonds Maupoil, ffos 188-189 ; *Lettres inédites à Tourgueneff*, éd. Gérard-Gailly, p. 48-50 ; *Gustave Flaubert-Ivan Tourguéniev. Correspondance*, éd. Alexandre Zviguilsky, p. 124-125.

2. Il s'agit des affaires consécutives à la mort de Mme Flaubert.

3. *Mademoiselle La Quintinie*, pièce tirée de son roman par George Sand.

Page 626.

1. *Bouvard et Pécuchet.*

2. *Le Roi Lear de la steppe* avait d'abord paru dans la *Revue des Deux Mondes* le 15 mars 1872 et ensuite dans *Le Nouvelliste de Rouen* du 25 octobre au 6 novembre 1872.

3. Charles Lapierre, ami intime de Flaubert.

À EDMOND LAPORTE
[13 décembre 1872]

Autographe non retrouvé ; peut-être l'une des six lettres de l'automne 1872, catalogue G. Andrieux du 20-28 mars 1923, n° 79 ; *Supplément*, t. III, p. 73.

4. Le chien de Flaubert, donné par Edmond Laporte.

Page 627.

À ERNEST FEYDEAU
[29 décembre 1872]

Autographe non retrouvé ; catalogue hôtel Drouot du 31 mai 1928, première lettre du n° 270 ; Conard, t. VI, p. 460-461.

1. *Bouvard et Pécuchet.*

2. C'est probablement le nom de l'auteur de l'assassinat mentionné dans la lettre suivante ?

À LA PRINCESSE MATHILDE

[29 décembre 1872]

Autographe Archivio Campello, n° Inv. 1016 ; lettre mal datée du [28 décembre 1873] dans Conard, t. VI, p. 105-106 ; lettre bien datée par Gérard-Gailly dans le *Bulletin du bibliophile*, octobre 1947, p. 467.

Page 628.

1. Voir n. 1, p. 617.

2. Flaubert se trompe d'un an ; il faut lire 1873. La lettre est écrite sur papier de deuil.

À JEANNE DE LOYNES

[1872 ?]

Autographe non retrouvé ; lettre non mentionnée dans le catalogue G. Andrieux du 28 juin 1937. Jeanne de Tourbey a épousé le comte de Loynes le 30 août 1871.

3. En fait, Tourgueneff habitait au 48, rue de Douai.

Page 629.

À JEANNE DE LOYNES

[Hiver 1872-1873 ?]

Autographe vente Besançon, 17 juin 80 ; la lettre ne figure pas dans le catalogue G. Andrieux du 28 juin 1837. Cette lettre est peut-être inédite.

À EDMOND LAPORTE

[1872]

Autographe non retrouvé ; lettre mentionnée dans le catalogue G. Andrieux, vente hôtel Drouot, 20-28 mars 1933, n° 79 (lot de six lettres).

1. Le « mot » de M. Le Plé ne se trouve pas dans la collection Lovenjoul.

À EDMOND LAPORTE

[1872]

Autographe non retrouvé ; catalogue G. Andrieux, vente hôtel Drouot, 20-28 mars 1933, n° 79 (lot de six lettres).

Page 630.

À EDMOND LAPORTE

[1872]

Autographe non retrouvé ; catalogue G. Andrieux, vente hôtel Drouot, 20-28 mars 1933, n° 79 (lot de six lettres).

1. Edmond Laporte habitait à Grand-Couronne, et non à Couronne, village qui existe aussi. Aucune lettre d'Edmond Laporte à

Flaubert n'a été retrouvée ; elles ont sans doute été rendues à Laporte ou détruites.

2. *Sic*, pour « présence », probablement.

À EDMOND DE GONCOURT

3 j[anvier 1873]

Autographe B. N., N.A.F. 22462, f° 365 ; C.H.H., *Correspondance*, t. IV, p. 196.

À GEORGE SAND

[3 janvier 1873]

Autographe Lovenjoul, A IV, f° 313 ; *Supplément*, t. III, à la date erronée du [1er janvier 1875] ; *Correspondance Flaubert-Sand*, éd. Alphonse Jacobs, p. 415.

Page 631.

À MARIE RÉGNIER

[4 janvier 1873]

Autographe non retrouvé ; Conard, t. VII, p. 1-3.

1. La collection Lovenjoul ne conserve qu'une seule lettre de Marie Régnier à Flaubert, datée du 17 juillet 1873 (Lovenjoul, B V, ffos 314-316).

2. Dalloz était le directeur du *Moniteur*.

3. Paul de Saint-Victor, critique et journaliste, que Flaubert n'aimait guère.

4. Charles-Edmond Chojecki collaborait au journal *Le Temps*. Voir l'article de Zygmunt Markiewicz, « Flaubert et Charles-Edmond : leur correspondance », *R.L.C.*, juillet-septembre 1867, p. 422-436. Les autographes des lettres de Charles-Edmond à Flaubert se trouvent dans la collection Lovenjoul (BI, ffos 344-359).

Page 632.

1. Philippe Leparfait, fils adoptif de Louis Bouilhet.

2. Flaubert pense à ses rendez-vous d'amour à Mantes avec Louise Colet, qui ont duré, avec beaucoup d'intermittences de 1846 à 1853.

3. Théophile Gautier est mort le 23 octobre 1872.

GEORGE SAND À GUSTAVE FLAUBERT

8 janvier [18]73

Autographe Alfred Dupont ; *Correspondance Flaubert-Sand*, éd. Alphonse Jacobs, p. 415.

4. *Pères et enfants*, roman paru en russe en 1860, et traduit en français, par Tourgueneff lui-même, en 1863.

Page 633.

À LA PRINCESSE MATHILDE

9 [janvier 1873]

Autographe collection particulière; lettre publiée par Joanna Richardson, *Times Literary Supplement*, 13 juin 1968, p. 615.

1. Paul Chéron, conservateur à la Bibliothèque nationale.

2. Jules Troubat, le dernier secrétaire de Sainte-Beuve avait hérité de ses papiers.

3. Michel Lévy.

4. Les *Érinnyes*, tragédie antique en deux parties, en vers, sur une musique de Massenet, fut représentée la première fois le 6 janvier 1873 à l'Odéon. Il s'agit d'une adaptation de la trilogie d'Eschyle: *Agamemnon*, *Les Choéphores*, *Les Euménides*.

Page 634.

À PHILIPPE LEPARFAIT

[12 janvier 1873]

Autographe Gaston Bosquet; Conard, t. VII, p. 3-5.

1. Les membres de la commission pour l'érection de la fontaine dédiée à Louis Bouilhet.

2. Le notaire parisien Ernest Duplan, frère de Jules Duplan.

3. Jules Troubat, le dernier secrétaire de Sainte-Beuve, était entré dans la maison Lévy.

4. Il s'agit du financement de *Dernières chansons*, recueil de Louis Bouilhet.

Page 635.

1. Voir n. 4, p. 633.

2. Le marquis de Chennevières.

3. Napoléon III, mort le 9 janvier 1873.

À GEORGE SAND

15 [janvier 1873]

Autographe Lovenjoul, A IV, f° 315; *Supplément*, t. III, p. 74-75, *Correspondance Flaubert-Sand*, éd. Alphonse Jacobs, p. 416.

Page 636.

À IVAN TOURGUENEFF

[15 janvier 1873]

Autographe B. N., N.A.F. 16275, f° 210; *Lettres inédites à Tourgueneff*, éd. Gérard-Gailly, p. 50-51; *Supplément*, t. III, p. 75; *Gustave Flaubert-Ivan Tourguéniev. Correspondance*, éd. Alexandre Zviguilsky, p. 126.

1. *Le Gentilhomme de la steppe*, titre français de *La Fin de Tchertop-khanov*, récit paru dans la *Revue des Deux Mondes* du 1er décembre 1872.

À IVAN TOURGUENEFF

[Seconde quinzaine de janvier 1873 ?]

Autographe non retrouvé ; *Lettres inédites à Tourgueneff*, éd. Gérard-Gailly, p. 163 ; *Gustave Flaubert-Ivan Tourguéniev. Correspondance*, éd. Alexandre Zviguilsky, p. 126.

À ALFRED BAUDRY

18 janvier [1873]

Autographe B. M. Rouen, m m 8, pièce 49. Cette lettre est peut-être inédite.

2. Caudron et Philippe Leparfait, fils adoptif de Louis Bouilhet, faisaient partie de la commission qui s'occupait de mettre au point le choix du lieu du monument érigé à la mémoire de Bouilhet.

Page 637.

GEORGE SAND À GUSTAVE FLAUBERT

18 janvier [1873]

Autographe non retrouvé ; *Correspondance entre George Sand et Gustave Flaubert*, éd. Henri Amic, p. 295.

À ALFRED BAUDRY

[24 janvier 1873]

Autographe non retrouvé. Enveloppe : Monsieur Alfred Baudry, place de la République, 1, Rouen ; C.P. : Paris, place de la Madeleine, 24 janvier 1873 ; Paris au Havre, 24 janvier 1873. Je remercie Jean Joubert de m'avoir aimablement communiqué cette enveloppe. *Complément* au *Supplément*, p. 30.

1. Philippe Leparfait, fils adoptif de Louis Bouilhet.

Page 638.

À M. DESBOIS

[24 janvier 1873]

Inédite. Autographe non retrouvé ; copie du notaire Biochet recopiée par le regretté Lucien Fontaine.

1. Raoul-Duval, alors député à l'Assemblée nationale.

2. Frédéric Deschamps, avocat à la cour de Rouen, né en 1809, mort en 1875. Il avait été plusieurs fois bâtonnier des avocats de Rouen. Il a écrit plusieurs pièces de théâtre, dont *Bohème en Normandie*, jouée au Théâtre-Français de Rouen le 9 juillet 1859.

À PHILIPPE LEPARFAIT

[24 janvier 1873]

Autographe non retrouvé ; Conard, t. VII, p. 5-6.

3. La commission créée pour ériger le monument dédié à Louis Bouilhet.

4. Il s'agit de la publication de *Mademoiselle Aïssé.* La pièce avait été jouée au théâtre de l'Odéon.

Page 639.

À LÉONIE BRAINNE

[25 janvier 1873]

Autographe B. M. Rouen, m m 265, pièce 36, *Supplément*, t. III, p. 75-76.

À IVAN TOURGUENEFF

[30 janvier 1873 ?]

Autographe B. N., N.A.F. 16275, fonds Maupoil, pièce 27 ; *Lettres inédites à Tourgueneff*, éd. Gérard-Gailly, à la date du 13 mars 1873, p. 51-52 ; *Supplément*, t. III, p. 79-80, du [13 mars 1873], *Gustave Flaubert-Ivan Tourguéniev. Correspondance*, éd. Alexandre Zviguilsky, p. 127, datée du [30 janvier 1873 ?]. Je crois cette date la plus vraisemblable.

1. Flaubert et Tourgueneff arriveront à Nohant le 12 avril.

Page 640.

À LINA SAND

[31 janvier 1873]

Autographe Lovenjoul, H 1358, f° 402 ; *Supplément*, t. III, p. 76.

À LÉONIE BRAINNE

[3 février 1873]

Autographe B. M. Rouen, m m 265, pièce 15 ; *Supplément*, t. III, p. 77-78. La lettre est datée du [3 février 1873] par la lettre suivante à George Sand, datée sûrement, qui utilise des phrases semblables.

Page 641.

À GEORGE SAND

3 février [1873]

Autographe Lovenjoul, A IV, ff^os 317-318 ; Conard, t. VII, p. 7-8 ; *Correspondance Flaubert-Sand*, éd. Alphonse Jacobs, p. 417-419.

1. Flaubert préparait *Bouvard et Pécuchet.* Voir l'article de Marie-Jeanne Durry et Jean Bruneau, « Lectures de Flaubert et de *Bouvard et Pécuchet* », *Rivista di Letterature moderne e comparate*, Florence, Sansoni, mars 1962, p. 5-45 (mois de janvier 1873).

Page 642.

1. « [...] je vis, il y a quelques années, un doyen de Saint-Hilaire de Poitiers, rendu à telle solitude par l'incommodité de sa mélancolie, que, lorsque j'entrai en sa chambre, il y avait vingt et deux ans qu'il n'en était sorti un seul pas ; et si, avait toutes ses actions libres

et aisées, sauf un rhume qui lui tombait sur l'estomac [...] » (Montaigne, *Essais*, t. II, chap. VIII, coll. « Folio classique », p. 86).

2. « Dans les bois », *Le Temps*, 30 janvier 1873.

3. L'ouvrage de Joseph de Maistre *Du pape*, avait été apprécié par les saint-simoniens, et par Auguste Comte, qui avait été le secrétaire de Saint-Simon de 1817 à 1824.

4. Je n'ai pas réussi à retrouver cette citation dans l'œuvre de Raspail.

5. *La Femme de Claude*, d'Alexandre Dumas fils, drame en trois actes, joué pour la première fois au théâtre de Gymnase, le 16 janvier 1873. Le mari dont la femme est adultère a le devoir de tuer.

6. Flaubert veut dire que *Les Érinnyes* ont été un échec.

GEORGE SAND À GUSTAVE FLAUBERT
5 février [18]73

Autographe Mme Vandendriessche ; *Correspondance entre George Sand et Gustave Flaubert*, éd. Henri Amic, p. 358 ; *Correspondance Flaubert-Sand*, éd. Alphonse Jacobs, p. 419-420.

7. J'ignore tout de l'affaire Despruneaux et de son rapport avec le docteur Achille Flaubert.

Page 643.

À EDMOND DE GONCOURT
[10 ? février 1873]

Autographe B. N., N.A.F. 22462, f° 267 ; C.H.H., *Correspondance*, t. IV, p. 201, de [janvier 1873]. Flaubert est malade de la grippe tout le mois de janvier. Il sera à Saint-Gratien le 16 février 1873.

Page 644.

À EDMOND LAPORTE
[14 ? février 1873]

Autographe non retrouvé ; *Supplément*, t. III, p. 78.

1. *Bouvard et Pécuchet.*

À RAOUL-DUVAL
[16 février 1873]

Autographe archives Raoul-Duval, n° 19 ; *Gustave Flaubert. Lettres inédites à Raoul-Duval*, éd. Georges Normandy, p. 160, à la date de [février 1873] ; *Supplément*, t. III, p. 77. Raoul-Duval a écrit sur l'autographe : « Rep. le 18 ».

2. Desbois était alors le secrétaire de la commission chargée de l'érection de la fontaine dédiée à Louis Bouilhet.

Page 645.

À RAOUL-DUVAL

[20 février 1873]

Autographe archives Raoul-Duval, n° 12; *Gustave Flaubert, Lettres inédites à Raoul-Duval*, éd. Georges Normandy, p. 161, de [février 1871]; *Supplément*, t. III, p. 78. L'autographe se lit : « J'ai attendu, vainement, une lettre ».

À LÉONIE BRAINNE

[21 ? février 1873]

Autographe B. M. Rouen, m m 265, pièce 19; *Supplément*, t. III, p. 79, à la date de [mars 1873]. Je crois cette lettre un peu antérieure.

À EDMA ROGER DES GENETTES

22 février [1873]

Autographe Lovenjoul, H 1360, ffos 121-122, sur papier de deuil; Conard, t. VII, p. 67-71. En fait le texte de l'édition Conard est l'amalgame de deux lettres de Flaubert à Edma Roger des Genettes, l'une du 22 février [1873], l'autre du [7 septembre 1873]. Il faut ajouter une lettre intermédiaire de Flaubert à Edma Roger des Genettes du 18 [juin 1873]. Les références aux autographes Lovenjoul sont les suivantes : 22 février [1873] : H 1360, ffos 121-122; 18 [juin 1873] : H 1360, ffos 131-132; [17 septembre 1873] : H 1360, ffos 139-140. Les trois lettres sont incomplètes dans l'édition Conard.

1. Flaubert partira pour Villenauxe le 5 mai 1873.

Page 646.

1. Le général Letellier-Valazé, frère d'Edma Roger des Genettes.
2. Sylvanie Arnould-Plessy, comédienne, amie d'Edma Roger des Genettes.
3. Louise Colet habitait rue de Sèvres, et y tenait salon. C'est là que Flaubert a connu Edma Roger des Genettes, Leconte de Lisle et bien d'autres.

Page 647.

1. *Athalie*, acte V, sc. VI.
2. Saint-Amant est né à Rouen en 1594.

À LAURE DE MAUPASSANT

23 février 1873

Autographe non retrouvé; Conard, t. VII, p. 8-10. Cette lettre répond à celle de Laure de Maupassant du 19 février 1873, publiée par Jacques Suffel dans Guy de Maupassant, *Œuvres complètes, Correspondance*, t. I, p. 27-29. Laure signe : « Le P. de Maupassant ». En voici les passages principaux : « Étretat, le 19 fév. 1873. Mon cher camarade, j'entends parler de toi si souvent qu'il me faut, à mon tour, donner signe de vie, et que je viens te dire merci, de toute mon âme et de tout mon cœur. Guy est si heureux d'aller chez toi tous les dimanches, d'être retenu pendant de longues heures, d'être traité avec cette familiarité si flatteuse et si douce, que toutes ses lettres disent et redisent la même chose […] : « la maison qui m'attire le plus, celle où je me plais mieux qu'ailleurs, celle où je retourne sans cesse, c'est la maison de M. Flaubert […]. » N'est-ce pas que je suis bien pour quelque chose dans toute cette bonne grâce ? N'est-ce pas que le jeune homme te rappelle mille souvenirs de ce cher passé où notre pauvre Alfred tenait si bien sa place ? Le neveu ressemble à l'oncle, tu me l'as dit à Rouen, et je vois, non sans orgueil maternel qu'un examen plus intime n'a pas détruit toute illusion » (collection Lovenjoul, B IV, ff[os] 413-416). Voir *Gustave Flaubert-Guy de Maupassant*, *Correspondance*, éd. Yvan Leclerc, p. 80-83.

3. Alfred Le Poittevin, né en 1816, le grand ami de Flaubert dans sa jeunesse ; il est mort le 9 avril 1848.

Page 648.

1. La première œuvre de Maupassant est un recueil de poèmes, intitulé *Des vers*, publié en 1880.

À EDMOND LAPORTE

[Février-mars 1873 ?]

Autographe non retrouvé ; *Supplément*, t. III, p. 79.

2. Caroline Commanville, qui habitait alors Paris.

Page 649.

À IVAN TOURGUENEFF

[4 mars 1873 ?]

Autographe B. N., fonds Maupoil, N.A.F. 16275, ff[os] 178-179 ; *Lettres inédites à Tourgueneff*, éd. Gérard-Gailly, p. 52-54 ; *Gustave Flaubert-Ivan Tourguéniev. Correspondance*, éd. Alexandre Zviguilsky, p. 128.

1. Théophile Gautier.

2. Il s'agit de la maison de la princesse Mathilde. Louis Viardot, le mari de la grande cantatrice Pauline Viardot, née García, était républicain et n'avait jamais accepté le Second Empire.

IVAN TOURGUENEFF À GUSTAVE FLAUBERT

[5 mars 1873 ?]

Autographe Lovenjoul, B VI, f° 142 ; *Œuvres complètes d'Ivan Turgenev*, éd. de l'Académie des sciences de l'U.R.S.S., *Correspondance*, t. X, p. 66 ; *Gustave Flaubert-Ivan Tourguéniev. Correspondance*, éd. Alexandre Zviguilsky, p. 129.

À GEORGE SAND

12 mars [1873]

Autographe Lovenjoul, A IV, ff^os^ 319-320 ; *Lettres de Gustave Flaubert à George Sand*, précédées d'une étude par Guy de Maupassant (Paris, Charpentier, 1884), p. 212-213 ; *Correspondance Flaubert-Sand*, éd. Alphonse Jacobs, p. 420-421.

Page 650.

1. *Bouvard et Pécuchet.*
2. Voir le carnet 20, conservé à la bibliothèque historique de la Ville de Paris.
3. Sur cette citation tirée de l'*Introduction à l'histoire du bouddhisme indien* d'Eugène Burnouf, voir le tome I de la présente édition, p. 265 et n. 2.

Page 651.

GEORGE SAND À GUSTAVE FLAUBERT

15 mars [18]73

Autographe Alfred Dupont ; *Correspondance Flaubert-Sand*, éd. Alphonse Jacobs, p. 360.

1. George Sand se met à écrire et à publier des contes fantastiques pour enfants à partir de 1872. Les quatorze contes seront réunis dans deux volumes parus en 1873 et 1876 et intitulés *Contes d'une grand-mère.*

Page 652.

À LÉONIE BRAINNE

[19 mars 1873]

Autographe B. M. Rouen, m m 265, pièce 40 ; *Supplément*, t. III, p. 80-81.

1. Arsène Houssaye, poète, romancier et dramaturge, ancien administrateur de la Comédie-Française, inspecteur général des musées de province, et directeur de journaux, était une personnalité du Tout-Paris.
2. *Les Frères d'armes*, drame en quatre actes, en prose, de Catulle Mendès, représenté au théâtre de Cluny à partir du 18 mars 1873.
3. Directeur du théâtre de l'Odéon.
4. Laurent est le nom de l'un des membres de l'équipe directrice de l'Odéon.
5. La famille Lepic était bonapartiste ; Napoléon III était mort le 9 janvier 1873.
6. Eugènie Doche (1821-1900), comédienne célèbre, avait créé en 1852 le rôle de l'héroïne dans *La Dame aux camélias* d'Alexandre Dumas fils.

À GEORGE SAND

20 [mars 1873]

Autographe Lovenjoul, A IV, f° 321 ; *Lettres de Gustave Flaubert à George Sand*, précédées d'une étude par Guy de Maupassant, p. 213-214.

Page 653.

1. *La Vie parisienne* du 15 mars 1873 publie un article intitulé « Pour *La Femme de Claude* et contre *Marion de Lorme* », signé « ouf ». « La pièce de Dumas fils est un vrai drame, logique, sincère, poignant [...] » ; celle de Victor Hugo est critiquée ainsi : « C'est une honte pour nous que, moins de deux ans après la perte de l'Alsace et les abominations de la Commune, l'événement du mois, de l'année soit la reprise d'une pièce où l'on insulte le ministre et le roi qui ont donné l'Alsace à la France » (*Correspondance Flaubert-Sand*, éd. Alphonse Jacobs, n. 18, p. 423). Il s'agit du cardinal de Richelieu et de Louis XIII.

GEORGE SAND À GUSTAVE FLAUBERT

23 mars [18]73

Autographe Alfred Dupont ; *Correspondance entre George Sand et Gustave Flaubert*, éd. Henri Amic, p. 364 ; *Correspondance Flaubert-Sand*, éd. Alphonse Jacobs, p. 423-424.

2. Ivan Tourgueneff.

3. Il s'agit de l'article de *La Vie parisienne*, cité dans la lettre précédente.

Page 654.

À MONSIEUR KLEIN

31 mars 1873

Inédite. Autographe collection particulière.

1. Seuls trois de ces livres ont été lus par Flaubert : Emer de Vattel, *Le Droit des gens*, Locke, *De l'éducation des enfants* et Figuier, *Histoire du merveilleux dans les temps modernes*. Voir Marie-Jeanne Durry et Jean Bruneau, « Lectures de Flaubert et de *Bouvard et Pécuchet* », *Rivista di Letterature moderne e comparate*, p. 5-45.

À SA NIÈCE CAROLINE

[6 avril 1873]

Autographe Lovenjoul, A II, ff^os^ 513-514 ; Conard, t. VII, p. 12.

2. Mme Flaubert.

Page 655.

GEORGE SAND À GUSTAVE FLAUBERT

7 avril [1873]

Autographe Mme Vandendriessche ; *Correspondance entre George Sand et Gustave Flaubert*, éd. Henri Amic, p. 365 ; *Correspondance Flaubert-Sand*, éd. Alphonse Jacobs, p. 424.

1. Le général Ferri-Pisani était le commandant de la subdivision de l'Indre.

À GEORGE SAND

[9 avril 1873]

Autographe Lovenjoul, A IV, ffos 323-324 ; *Supplément*, t. III, p. 83 ; *Correspondance Flaubert-Sand*, éd. Alphonse Jacobs, p. 424.

2. Ivan Tourgueneff.

Page 656.

À IVAN TOURGUENEFF

[14 avril 1873]

Autographe Lambert, non retrouvé. *Lettres inédites à Tourgueneff*, éd. Gérard-Gailly, p. 54-55 ; *Gustave Flaubert-Ivan Tourguéniev. Correspondance*, éd. Alexandre Zviguilsky, p. 129.

1. Ivan Tourgueneff arrivera à Nohant le 16 avril 1873.

À ÉMILE ZOLA

[22 ou 29 avril 1873]

Autographe non retrouvé ; copie venant de Mme Émile Zola, fonds René Descharmes, B. N., N.A.F. 23827, fo 35 ; C.H.H., *Correspondance*, t. V, p. 382.

2. Comédie en prose de Louis Bouilhet, corrigée et complétée par Flaubert.

À GEORGE SAND

[24 avril 1873]

Autographe Lovenjoul, A IV, ffos 325-326 ; *Lettres de Gustave Flaubert à George Sand*, précédées d'une étude par Guy de Maupassant, p. 215-217 ; *Correspondance Flaubert-Sand*, éd. Alphonse Jacobs, p. 427-429.

3. Maurice Sand, le fils de George Sand.

Page 657.

1. Barodet, maire de Lyon, sera élu député de la Seine contre Rémusat, le candidat de Thiers, le 28 avril 1873.

2. Le baron Stoffel, attaché militaire à Berlin, avait publié en 1871 des « Rapports confidentiels sur l'organisation militaire de la Prusse », avec une lettre-préface, où il attaquait le gouvernement de Thiers. Il s'était présenté contre Barodet et Rémusat.

3. *Bouvard et Pécuchet.*

4. Saint-Gervais-les-Bains (Haute-Savoie), station climatique pour les maladies de peau et de l'intestin.

5. *Vie et travaux du R. P. Cruchard, par le R. P. Cerpet*, manuscrit de Flaubert composé de six feuillets grand in-4, vendu à l'hôtel Drouot en 1931. Cette œuvre n'a pas été retrouvée. Voir Maurice Haloche,

« De quelques manuscrits de Gustave Flaubert », *Bulletin des amis de Flaubert*, n° 12, 1958, p. 29-30.

Page 658.

À EDMA ROGER DES GENETTES
[24 avril 1873]

Autographe non retrouvé ; *Supplément*, t. III, p. 84-85.

1. Villenauxe est situé dans le canton de Nogent-sur-Seine (Aube).
2. Les cousins Bonenfant habitaient Nogent-sur-Seine, d'où venait la famille Flaubert.

À GEORGE SAND
[27 avril 1873]

Autographe Lovenjoul, A IV, f° 327-328 ; *Supplément*, t. III, p. 86-87 ; *Correspondance Flaubert-Sand*, éd. Alphonse Jacobs, p. 429-430.

3. Frédéric Baudry, bibliothécaire à la Mazarine et érudit.
4. George Sand n'avait pas pris un seul repas chez Flaubert dans son appartement de la rue Murillo.

Page 659.

GEORGE SAND À GUSTAVE FLAUBERT
[27 avril 1873]

Autographe Lovenjoul, A IV, f° 327 ; *Supplément*, t. III, p. 86-87.

À SA NIÈCE CAROLINE
[28 avril 1873]

Autographe Lovenjoul, A II, ff^os 515-516 ; incomplète dans Conard, t. VII, p. 15.

1. Le domestique de Flaubert.

Page 660.

1. Ivan Tourgueneff.
2. Pablo Martin Meliton de Sarasate, violoniste célèbre, né à Pampelune en 1844.
3. « Une soirée musicale chez Mme Commanville » (note 3 de l'édition Conard, t. VII, p. 15).

À EDMA ROGER DES GENETTES
[28 ? avril 1873]

Autographe non retrouvé ; copie sans date ni signature, Lovenjoul A VI, ff^os 125-126 ; *Supplément*, t. III, p. 85.

À EDMA ROGER DES GENETTES

1er mai [1873]

Autographe Lovenjoul, A VI, ffos 127-128 ; *Supplément*, t. III, p. 86.

Page 661.

À EDMOND DE GONCOURT

[2 mai 1873]

Autographe B. N., N.A.F. 22462, fo 366, C.H.H., *Correspondance*, t. V, lettre no 3746, sans date. D'après le *Journal* d'Edmond de Goncourt (éd. Robert Ricatte, t. X, p. 126-127), ce dîner a eu lieu le samedi 3 mai 1873.

À EDMA ROGER DES GENETTES

[10 mai 1873]

Autographe Lovenjoul, H 1360, ffos 129-130 ; *Supplément*, t. III, p. 87-88.

1. Voir l'avant-dernier alinéa de *La Tentation de saint Antoine*.

2. Le *Supplément* porte « [illisible] » ; il faut lire « courte ».

3. Flaubert est à la recherche du lieu où il situera l'action de *Bouvard et Pécuchet*.

Page 662.

1. L'épouse du général Letellier-Valazé, belle-sœur d'Edma Roger des Genettes.

À EDMOND DE GONCOURT

[17 ? mai 1873]

Autographe B. N., N.A.F. 22462, fo 368 ; C.H.H., *Correspondance*, t. IV, p. 221, à la date du [24 ou 31 mai 1873].

2. *La Patrie en danger*, pièce d'Edmond de Goncourt, qui avait paru le 5 mai 1873 (*Bibliographie de la France* du 17 mai 1873).

3. *Gavarni, l'homme et l'œuvre*, Paris, Plon, 1873, in-8o, IV-432 p. (*Bibliographie de la France*, 5 juillet 1873.)

Page 663.

À SA NIÈCE CAROLINE

[18 mai 1873]

Autographe Lovenjoul, A II, ffos 517-518 ; incomplète dans Conard, t. VII, p. 16-17.

1. Léon Carvalho était alors directeur du théâtre du Vaudeville.

À SA NIÈCE CAROLINE

[20 mai 1873]

Autographe Lovenjoul, A II, ffos 519-520 ; incomplète dans Conard, t. VII, p. 17-18.

Page 664.

1. Sur Fontainebleau, voir *L'Éducation sentimentale*, IIIe partie.
2. La propriété de Croisset aboutissait à la Seine.
3. Ce paragraphe concerne-t-il le dépôt de bilan d'Ernest Commanville en 1873 (voir Caroline Commanville, *Heures d'autrefois*, p. 26) ?

Page 665.

À PHILIPPE LEPARFAIT
[22 mai 1873]

Autographe non retrouvé ; Conard, t. VI, p. 386 (lettre placée à tort en [juin 1872]).

1. Georges Pouchet, naturaliste, fils de Félix-Archimède Pouchet, grand naturaliste et célèbre pour sa controverse avec Pasteur.

À EDMOND LAPORTE
24 [mai 1873]

Autographe non retrouvé ; *Supplément*, t. III, p. 88-90.

2. Deux monstres chinois en porcelaine, de l'époque Ming, donnés à Flaubert par Edmond Laporte.
3. Flaubert avait connu Edmond Laporte par Jules Duplan, mort le 1er mars 1870.

Page 666.

À SA NIÈCE CAROLINE
[24 mai 1873]

Autographe Lovenjoul, A II, ff^os 521-522 ; incomplète dans Conard, t. VII, p. 18-20.

Page 667.

1. Dans *L'Éducation sentimentale*, IIIe partie.
2. Quatre dessus de porte peints par Caroline Commanville pour la salle à manger de Croisset.
3. Le buste de Mme Flaubert par Guilbert. Ce buste se trouve au musée Picasso d'Antibes, avec quelques autres reliques de la villa Tanit, à Antibes, où a longtemps habité Caroline Franklin-Grout. Ernest Commanville est mort en 1890.

À LÉONIE LEPARFAIT
[28 mai 1873 ?]

Autographe non retrouvé ; Conard, t. VI, p. 379, de [mai 1872].

4. La fontaine de Louis Bouilhet.

Page 668.

À IVAN TOURGUENEFF
[29 mai 1873]

Autographe collection Decugis, puis Vierny; *Lettres inédites à Tourgueneff*, éd. Gérard-Gailly, p. 55-56; *Gustave Flaubert-Ivan Tourguéniev. Correspondance*, éd. Alexandre Zviguilsky, p. 130.

1. *Étranges histoires*, Paris, Hetzel, mai 1873.
2. Le premier acte du *Sexe faible*, pièce de théâtre ébauchée par Louis Bouilhet reprise par Flaubert.
3. La féerie intitulée *Le Château des cœurs*.

À GEORGE SAND
[31 mai 1873]

Autographe Lovenjoul, A IV, ffos 329-330; *Lettres de Gustave Flaubert à George Sand*, précédées d'une étude par Guy de Maupassant, p. 187-190.

4. *Impressions et souvenirs*, de George Sand, réunit vingt-deux articles publiés dans *Le Temps* en 1871 et 1872.
5. « Voilà [le peuple] lancé comme la bourgeoisie dans la vie effrénée » (*Impressions et souvenirs*, chap. II).

Page 669.

1. Voir n. 1, p. 384.
2. *Impressions et souvenirs*, chap. VIII, daté du 28 octobre 1871. George Sand y évoque ses souvenirs, ses lectures et l'évolution de ses idées religieuses.
3. George Sand consacre quatre pages à Louis Bouilhet.
4. Pierre Bonnin était le menuisier de Nohant.
5. « L'Abandonnée », l'une des nouvelles réunies dans *Étranges histoires*.
6. « Tout au milieu, et dans le disque même du soleil, rayonne la face de Jésus-Christ » (*La Tentation de saint Antoine*).
7. *Bouvard et Pécuchet*.
8. *Le Sexe faible*.

Page 670.

1. « Chalumeau, vicaire de Canteleu, avait été surpris, se livrant dans le cimetière des protestants à des ébats avec deux jeunes filles » (*Correspondance Flaubert-Sand*, éd. Alphonse Jacobs, n. 51, p. 434).

À IVAN TOURGUENEFF
[31 mai 1873]

Autographe fonds Maupoil, B. N., N.A.F. 16275, ffos 211-212; *Lettres inédites à Tourgueneff*, éd. Gérard-Gailly, p. 56-59; *Supplément*, t. III, p. 90-92; *Gustave Flaubert-Ivan Tourguéniev. Correspondance*, éd. Alexandre Zviguilsky, p. 130-132.

2. Le recueil de nouvelles intitulé *Étranges histoires.*

3. Flaubert avait lu cette nouvelle dans la *Revue des Deux Mondes* et contribué à sa publication dans *Le Nouvelliste de Rouen* du 25 octobre au 6 novembre 1872.

4. *Toc... toc... toc,* avait paru dans *Le Temps* des 10-12 novembre 1871.

5. *L'Abandonnée* avait paru dans *Le Temps* du 7 au 23 août 1872.

6. *Étrange histoire,* nouvelle qui donne son titre au recueil. Voir la réponse de Tourgueneff à Flaubert du 4 juin [18]73, p. 674.

Page 671.

À ERNEST FEYDEAU

[Mai 1873]

Autographe non retrouvé ; *Supplément*, t. III, p. 92.

Page 672.

À LA PRINCESSE MATHILDE

2 [3] juin [1873]

Autographe Archivio Campello, n° Inv. 1010 ; Conard, t. VII, p. 24-25.

1. Adolphe Thiers donna sa démission de président de la République le 24 mai 1873, et fut remplacé par le maréchal de Mac-Mahon.

2. Pierre-Antoine Lebrun (1785-27 mai 1873), poète et dramaturge, surtout connu pour sa tragédie *Marie Stuart*, jouée le 6 mars 1820 au Théâtre-Français. Il avait été élu à l'Académie française en 1828.

3. Mme Benedetti était morte le 14 juin 1873. Vincent, comte Benedetti (1817-1900), diplomate, avait été ambassadeur à Turin (1861-1864) et à Berlin (1864-1870).

Page 673.

À SA NIÈCE CAROLINE

[4 juin 1873]

Autographe Lovenjoul, A II, ffos 523-524 ; incomplète dans Conard, t. VII, p. 23-24, datée de [fin mai-début juin 1873].

1. La bonne de la famille Flaubert depuis l'année 1825.

2. S'agit-il des quatre tableaux peints par Caroline et destinés à la salle à manger de Flaubert ?

3. *Étranges histoires.*

Page 674.

IVAN TOURGUENEFF À GUSTAVE FLAUBERT

4 juin [18]73

Autographe Lovenjoul, B VI, ffos 144-145 ; *Œuvres complètes d'Ivan Turgenev*, édition de l'Académie des sciences de l'U.R.S.S., *Correspondance*, t. X, p. 109.

1. *Les Eaux printanières.*

À GEORGES CHARPENTIER

17 juin [1873]

Autographe non retrouvé ; lettre publiée par René Descharmes dans son article intitulé « Flaubert et ses éditeurs [...]. Lettres inédites à Georges Charpentier », *R.H.L.F.*, avril-juin 1911, p. 31-32. René Descharmes a consulté l'autographe appartenant à Étienne Moreau-Nélaton.

2. Cette « besogne » consistait à mettre au point une nouvelle édition de *Madame Bovary*, qui paraîtra le 28 novembre 1873.

Page 675.

À SA NIÈCE CAROLINE

[18 juin 1873]

Autographe Lovenjoul, A II, ffos 525-526 ; incomplète dans Conard, t. VII, p. 26-27.

1. Il s'agit des *Suppléments* ajoutés à l'édition de *Madame Bovary* de 1873, c'est-à-dire le réquisitoire de Me Pinard, la plaidoirie de Me Senard et le jugement du tribunal, qui acquitte les prévenus.
2. La chienne de Caroline, confiée à son oncle durant son voyage.
3. Julio, le chien de Flaubert.
4. J'ignore qui est « l'illustre Tavernier ».
5. *L'Antéchrist* de Renan constitue le quatrième tome de l'*Histoire des origines du christianisme.* Il venait de paraître, et concerne le règne de Néron.

Page 676.

1. Ernest Commanville, sans doute.

À CHARLES CHAUTARD

18 juin [1873]

Autographe non retrouvé ; *Supplément*, t. III, p. 93. Charles Chautard était le maire de Vendôme, où avait eu lieu l'inauguration de la statue de Ronsard le 22 juin 1872. Voir les lettres de Flaubert à Charles Chautard du 19 mai [1872], où il accepte l'invitation et celle du [22 juin], où il s'excuse de ne pas pouvoir se rendre. Il écrit à sa nièce le [23 juin 1872] qu'il a « été pris d'un accès de misanthropie furieuse. [...] J'avais su indirectement quels devaient être mes compagnons de voyage et l'idée de subir leur compagnie m'a fait renoncer à cette petite fête de famille. » L'un d'entre eux était Paul de Saint-Victor (voir la lettre de Flaubert à la princesse Mathilde du [1er juillet 1872], p. 542).

À EDMA ROGER DES GENETTES

18 [juin 1873]

Autographe Lovenjoul, A VI, ffos 139-140, lettre amalgamée avec celle adressée à Edma Roger des Genettes du 22 février [1873], p. 645, incomplète dans Conard, t. VII, p. 28-29 ; *L'Antéchrist* de Renan est annoncé le 9 juin 1873 dans la *Bibliographie de la France*. Gérard-Gailly propose pour cette lettre la date du [25 juin 1873] (*Bulletin du bibliophile*, octobre 1947, p. 467).

2. Carvalho était alors directeur du théâtre du Vaudeville.

Page 677.

1. *La Science du beau, ses principes, ses applications et son histoire*, de Charles Lévêque, ouvrage publié en 1861, et réédité en 1872 (2 vol. in-8°).

2. Le général Letellier-Valazé, frère d'Edma Roger des Genettes.

3. Commune du canton de Nogent-sur-Seine, où résidait Edma Roger des Genettes.

4. Chanaan, l'un des fils de Cham, donna son nom au pays de la Terre promise à la postérité d'Abraham ; aujourd'hui la Palestine.

Page 678.

À GUY DE MAUPASSANT
20 juin 1873

Autographe non retrouvé ; Conard, t. VII, p. 30.

1. Le recueil de nouvelles de Tourgueneff est intitulé *Étranges histoires*.

À SA NIÈCE CAROLINE
[21 juin 1873]

Autographe Lovenjoul, A II, ffos 527-528 ; incomplète dans Conard, t. VII, p. 30-31.

2. Après sa brouille avec Michel Lévy, Flaubert avait besoin d'un éditeur. Georges Charpentier se présenta.

Page 679.

1. Carvalho, directeur du théâtre du Vaudeville viendra à Croisset le 6 juillet 1873.

À EDMOND DE GONCOURT
25 [juin 1873]

Autographe B. N., N.A.F. 22462, ffos 370-371 ; Conard, t. VII, p. 32-34.

2. Edmond de Goncourt, *Gavarni, l'homme et l'œuvre*, IV-432 pages (*Bibliographie de la France*, 16 juin 1873). L'ouvrage est divisé en cent quarante courts chapitres.

3. Les premières pages racontent la vie de Sulpice Chevalier, qui prendra le pseudonyme de Gavarni, à la suite d'un voyage dans les Pyrénées.

Page 680.

1. Flaubert avait fait la connaissance du peintre Camille Rogier à Beyrouth, où il était directeur des postes (voir t. I de la présente édition, p. 661).

2. Après une journée passée au bois de Boulogne avec Louisa, Gavarni écrit : « "La journée vous a paru longue, lui dis-je. — Non, pas du tout, je me suis amusée. Mais vous ? — Beaucoup." Nous mentîmes, il ne restait entre nous que le mérite de ne point nous l'être dit. — Nous ne nous en voulions pas : c'était tout » (*Gavarni, l'homme et l'œuvre*, p. 99).

3. *La Presse*, le journal d'Émile de Girardin, avait lancé à l'adresse du peintre « le gros mot d'immoralité » (*ibid.*, p. 217).

4. Sur le séjour de Gavarni en Angleterre, voir *ibid.*, p. 276-321.

5. Voici l'une des maximes de Gavarni sur Proudhon : « Ce qu'il y a de remarquable en lui c'est la netteté du dire et l'obscénité de la pensée » (*ibid.*, p. 361).

6. Elle raconte la mort du fils de Gavarni, Jean : « C'était ma seule raison d'être [...] » (*ibid.*, p. 383).

7. Gressent, *L'Arboriculture fruitière*, 4e édition, Sannois, L'Auteur, 1869 ; Adolphe Garnier, *Traité des facultés de l'âme, comprenant l'histoire des principales théories psychologiques*, 5e édition, Paris, Hachette, 1872.

Page 681.

À ALFRED NION ?

2 juillet 1873

Autographe non retrouvé ; lettre vendue dans le catalogue Charavay, n° 785, octobre 1985, n° 40967, fragment.

1. Allusion à Lucien Levasseur, *Les Notables de Normandie*, 2e série, Rouen, Deshays, 42 pages.

À ERNEST FEYDEAU

[3 juillet 1873]

Autographe non retrouvé ; cette lettre ne figure pas dans le catalogue Georges Andrieux, Paris, hôtel Drouot, 31 mai 1928, *Correspondance de Gustave Flaubert à Ernest Feydeau* ; Conard, t. VII, p. 34-35.

2. *Bouvard et Pécuchet.*

Page 682.

À LA PRINCESSE MATHILDE

[3 juillet 1873]

Autographe Archivio Campello, n° Inv. 1011 ; Conard, t. VII, p. 35-36.

1. Voir la lettre de Flaubert à sa nièce Caroline du [18 juin 1873], n. 5, p. 675.

2. Mme Benedetti était morte le 14 juin 1873.

À GEORGE SAND

[3 juillet 1873]

Autographe Lovenjoul, A IV, ffos 329-330 ; Conard, t. VII, p. 36-37 ; *Correspondance Flaubert-Sand*, éd. Alphonse Jacobs, p. 435.

Page 683.

GEORGE SAND À GUSTAVE FLAUBERT

4 juillet [1873]

Autographe Alfred Dupont ; *Correspondance Flaubert-Sand*, éd. Alphonse Jacobs, p. 435-436.

1. C'est Maurice Sand qui a raison, et il a gagné sa dinde truffée. Voir la lettre de Flaubert à George Sand du [31 mai 1873], p. 669.

Page 684.

À IVAN TOURGUENEFF

10 juillet [1873]

Autographe Jacques Lambert, non retrouvé ; *Lettres inédites à Tourgueneff*, éd. Gérard-Gailly, p. 60-61 ; *Supplément*, t. III, p. 94 ; *Gustave Flaubert-Ivan Tourguéniev. Correspondance*, éd. Alexandre Zviguilsky, p. 133.

1. Tourgueneff s'était blessé au genou à Vienne, en descendant de voiture.

À ERNEST RENAN

12 juillet [1873]

Autographe non retrouvé ; C.H.H., *Correspondance*, t. IV, p. 230.

2. Nom de famille de trois empereurs de Rome : Vespasien, Titus et Domitien qui ont régné de 69 à 96.

Page 685.

À GEORGES CHARPENTIER

17 juillet [1873]

Autographe non retrouvé ; je donne le texte publié par René Descharmes dans « Flaubert et ses éditeurs [...]. Lettres inédites à Georges Charpentier », *R.H.L.F.*, avril-juin 1911, p. 32.

1. L'édition Charpentier de *Madame Bovary* a été imprimée par Raçon en 1873.

À LA PRINCESSE MATHILDE

[20 juillet 1873]

Autographe Archivio Campello, nº Inv. 1012 ; Conard, t. VII, p. 40-41 ; Marcello Spaziani (*Gli Amici della principessa Matilde*, lettre nº 1386, p. 73) signale deux erreurs de lecture de l'édition Conard, que je corrige à mon tour.

2. Claudius Popelin (1825-1892), poète, dessinateur, peintre et émailleur, était l'ami très intime de la princesse Mathilde. Le « petit mot » ne figure pas dans la collection Lovenjoul.

3. Le prince Napoléon, frère de la princesse Mathilde.

4. La guerre carliste, entre la branche cadette et la branche aînée de la maison d'Espagne (11 février 1873-21 décembre 1874).

5. *L'Oncle Sam*, pièce de Victorien Sardou, jouée d'abord aux États-Unis, puis en France après un long retard dû à la censure, le 6 novembre 1873.

Page 686.

1. L'édition Conard imprime : « la vaste conception d'un mouvement », au lieu de « la suite d'un mouvement » (t. VII, p. 40). Erreur relevée par Marcello Spaziani, *Gli Amici della principessa Matilde*, p. 73).

2. L'édition Conard imprime « décembre » au lieu de « septembre » (t. VII, p. 41). Erreur relevée par Marcello Spaziani (*ibid.*, p. 73).

3. La réception grandiose faite à Paris au schah de Perse donna lieu, en effet, à quelque effervescence dans le milieu monarchique.

À GEORGE SAND
[20 juillet 1873]

Autographe Lovenjoul, A IV, ffos 333-334 ; Conard, t. VII, p. 38-39 ; *Correspondance Flaubert-Sand*, éd. Alphonse Jacobs, p. 436-438.

4. « J'aime le son du cor, le soir, au fond des bois ». C'est le premier vers du poème « Le Cor », paru dans les *Poèmes antiques et modernes* en 1826.

Page 687.

1. Voir n. 5, p. 685 ; lettre de Flaubert à la princesse Mathilde du [20 juillet 1873].

2. Charles Daremberg, *Histoire des sciences médicales*, Paris, Baillière, 1870, 2 vol.

3. Flaubert se trompe sur le titre de l'ouvrage d'Adolphe Garnier : *Traité des facultés de l'âme [...]*, 3e édition.

4. Le joueur de cor dont il est question au début de la lettre.

5. C'est Maurice Sand qui a gagné le pari. Voir la lettre de Sand à Flaubert du 4 juillet [1873], p. 683.

6. Les Commanville possédaient une propriété à Dieppe.

Page 688.

À SA NIÈCE CAROLINE
[26 juillet 1873]

Autographe Lovenjoul, A II, ffos 532-533 ; incomplète dans l'édition Conard, t. VII, p. 341-342.

1. L'abbé Chalons était un cousin des Commanville.

2. « Gardes » signifie « groseilles » en Normandie.

3. Flaubert relisait l'œuvre de Buffon pour *Bouvard et Pécuchet*, peut-être dans les *Œuvres complètes*, publiées en six volumes en 1842 (Paris) au Bureau des publications illustrées.

4. Flaubert avait envoyé le manuscrit du *Sexe faible* de Louis Bouilhet, remanié et complété par lui, à Léon Carvalho, directeur du théâtre du Vaudeville.

Page 689.

À AGÉNOR BARDOUX

[29 juillet 1873]

Inédite. Autographe collection particulière ; cette lettre ne figure pas dans l'article de Jean Bardoux, « Un ami de Flaubert », *Revue des Deux Mondes*, 1er avril 1937.

1. Il s'agit du mariage d'Agénor Bardoux avec Mlle Villa-Bimar, annoncé à Flaubert par Bardoux dans sa lettre datée du 28 juillet [1873] (collection Lovenjoul, B I, ffos 79-80).

À SA NIÈCE CAROLINE

[29 juillet 1873]

Autographe Lovenjoul, A II, ffos 535-536. Enveloppe : Madame Commanville, Neuville, près Dieppe ; C.P. : Rouen, 29 juillet 1873 ; C.P. : Dieppe, 30 juillet 1873 ; incomplète dans Conard, t. VII, p. 42-43.

2. Agénor Bardoux était député à l'Assemblée nationale.

3. Pierre Allais était cousin de Flaubert par Caroline Fleuriot, mère de Gustave.

Page 690.

1. Il s'agit des épreuves de l'édition de *Madame Bovary* publiée par l'éditeur Lemerre en 1873.

À IVAN TOURGUENEFF

31 juillet [1873]

Autographe B. N., N.A.F. 16275, ffos 205-206 ; *Lettres inédites à Tourgueneff*, éd. Gérard-Gailly, p. 61-63 ; *Supplément*, t. III, p. 94-95 ; *Gustave Flaubert-Ivan Tourguéniev. Correspondance*, éd. Alexandre Zviguilsky, p. 133-134.

2. Le recueil de nouvelles contenant, entre autres, *Les Eaux printanières* et *Le Gentilhomme de la steppe*.

3. Tourgueneff avait fait une chute et s'était blessé à la jambe. Voir la lettre de George Sand à Flaubert du 4 juillet [1873], p. 683.

4. En fait, c'est Flaubert qui ira voir Carvalho à Paris le 10 août 1873.

Page 691.

1. *Le Candidat* sera joué au théâtre du Vaudeville du 11 au 14 mars 1874.
2. *Bouvard et Pécuchet.*

À MARIE RÉGNIER
[Juillet-août 1873]

Autographe non retrouvé ; fragment publié dans le *Supplément*, t. III, p. 96.

À SA NIÈCE CAROLINE
[2 août 1873]

Autographe Lovenjoul, A II, ff^os 537-539 ; incomplète dans Conard, t. VII, p. 44-46. Enveloppe (f° 537) : Madame Commanville, Neuville, près Dieppe (Seine-Inférieure) ; C.P. : Rouen, 2 août 1873 ; Dieppe.

Page 692.

1. Eugénie de Plunkett (1821-1900), avait épousé en 1839 le musicien Joseph Doche (1799-1849), alors chef d'orchestre au théâtre du Vaudeville. Elle avait créé, en 1852, avec un succès éclatant, le rôle de l'héroïne de *La Dame aux camélias*, d'Alexandre fils, au théâtre du Vaudeville.
2. « La vicomtesse de Mérilhac, 63 ans, grandes manières [...] », *Le Sexe faible* [de Louis Bouilhet et Gustave Flaubert], comédie en cinq actes, acceptée par Léon Carvalho, directeur du théâtre du Vaudeville, mais qui ne sera jamais jouée.
3. Léonce Roquigny est le frère d'Adolphe Roquigny qui avait épousé Juliette Flaubert, fille du docteur Achille Flaubert. Il s'était suicidé en 1865.
4. Regenat est le nom d'une famille parente de Flaubert (voir n. 1, p. 717), mais j'ignore le sens de l'expression « action Regenat ».

Page 693.

1. Les exécutions capitales avaient lieu, à Rouen, sur la place Bonne-Nouvelle.
2. Flavie Vasse de Saint-Ouen, que Flaubert aimait beaucoup. D'après Caroline Franklin-Grout, « C'était une nature romanesque, extrêmement religieuse, d'une religion exaltée et cependant très tolérante. À cette époque-là elle aimait mon oncle d'un amour sans espoir, car elle comprenait tout ce qui les séparait l'un de l'autre » (*Heures d'autrefois*, p. 13). Ce passage est cité, un peu inexactement, par Lucie Chevalley-Sabatier dans son livre *Gustave Flaubert et sa nièce Caroline*, p. 50.

À IVAN TOURGUENEFF

2 [août 1873]

Autographe B. N., N.A.F. 16275, ffos 176-177 ; *Lettres inédites à Tourgueneff*, éd. Gérard-Gailly, p. 63-64 ; *Supplément*, t. III, p. 96-97 ; *Gustave Flaubert-Ivan Tourguéniev. Correspondance*, éd. Alexandre Zviguilsky, p. 135-136.

3. La deuxième partie du *Gentilhomme de la steppe* avait paru dans la *Revue des Deux Mondes* du 1er décembre 1872.

Page 694.

1. Edmond de Goncourt, Zola et Daudet, qui, avec Tourgueneff et Flaubert, formaient le groupe des Cinq.

À GEORGES CHARPENTIER

[3 août 1873]

Inédite. Autographe Mrs. Vernon Venable, de Vassar College, que je remercie vivement de m'avoir permis de publier cette lettre inédite. Elle n'est pas mentionnée dans l'article de René Descharmes, « Flaubert et ses éditeurs Michel Lévy et Georges Charpentier », *R.H.L.F.*, avril-juin 1911.

À EDMOND LAPORTE

4 août 1873

Autographe non retrouvé ; catalogue G. Andrieux, hôtel Drouot, 20-28 mars 1933, n° 80 ; *Supplément*, t. III, p. 97-98.

2. Le médaillon de Louis Bouilhet, par Carrier-Belleuse.

À EDMA ROGER DES GENETTES

4 août [1873]

Autographe Lovenjoul, A VI, ffos 133-134 ; incomplète dans Conard, t. VII, p. 46-48.

Page 695.

1. *Bouvard et Pécuchet.*

2. Caroline Commanville a trafiqué un peu le texte de son oncle dans l'édition Conard en remplaçant le premier « gigantesques » par « colossales ». En relisant sa lettre, Flaubert s'aperçoit qu'il a répété le mot *gigantesque* deux fois, ce dont il avait horreur et se contente de faire une addition sous la ligne où était le second « gigantesque » : « X répétition de mots. 2 fois gigantesque. N'importe. X ».

3. Il s'agit du *Sexe faible*, qui ne sera jamais joué.

4. Vers 393 av. Jésus-Christ, à Rome, un tremblement de terre avait ouvert un gouffre dans le Forum. L'oracle avait annoncé qu'il fallait le combler par ce qui faisait la force de la cité. Convaincu que la force d'une cité était les armes, le jeune patricien Marcus Curtius se jeta dans le gouffre à cheval et tout armé. Le gouffre se referma (Tite-Live).

5. Le consul Publius Decius Mus reçoit une vision lui permettant la victoire si le chef de l'armée sacrifiait sa vie. Il se voue aux dieux infernaux et meurt au combat (340 av. Jésus-Christ, Tite-Live).

Page 696.

1. *Bouvard et Pécuchet.*
2. Victor Koning (1842-1894), auteur dramatique et directeur de théâtres à Paris.
3. *L'Antéchrist* (Néron), est le quatrième tome de l'*Histoire des origines du christianisme* d'Ernest Renan, paru quelques mois auparavant.

IVAN TOURGUENEFF À GUSTAVE FLAUBERT
6 août [18]73

Autographe Lovenjoul, B VI, ffos 140-141 ; *Œuvres complètes d'Ivan Turgenev*, édition de l'Académie des sciences de l'U.R.S.S., *Correspondance*, t. X, p. 133 ; Alexandre Zviguilsky, *Gustave Flaubert-Ivan Tourguéniev. Correspondance*, p. 136.

4. Citation de Cicéron : « Être loué par un homme que l'on a loué », formule utilisée trois fois dans ses œuvres.

Page 697.

À SA NIÈCE CAROLINE
[10 août 1873]

Autographe Lovenjoul, A II, ffos 541-542 ; incomplète dans Conard, t. VII, p. 49. Enveloppe (fo 540) : Madame Commanville, Neuville, près Dieppe (Seine-Inférieure). C.P. : Paris, 11 août [?] ; Dieppe, 12 août [18]73.

1. Léon Carvalho dirigeait le théâtre du Vaudeville, qui devait jouer *Le Sexe faible* de Louis Bouilhet et Gustave Flaubert. La pièce ne sera jamais jouée.
2. *L'Oncle Sam*, pièce de Victorien Sardou.
3. Cette lettre n'a pas été retrouvée.
4. Le docteur Achille Flaubert.
5. Sur l'avocat Florimont, voir t. I, p. 148.
6. Alphonse Daudet, frère cadet d'Ernest Daudet.
7. « La Fusion » était une tentation de réconciliation entre le comte de Paris et le comte de Chambord. Elle échoua.

Page 698.

1. Jules Duplan, qui habitait Paris, est mort le 1er mars 1870.
2. Deux médecins rouennais.

À SA NIÈCE CAROLINE
[11 août 1873]

Autographe Lovenjoul, A II, ffos 543-544 ; *Supplément*, t. III, p. 98-99.

3. Flaubert avait séjourné à Luchon du 7 juillet au 8 août 1872. Voir « Flaubert à Luchon chez Binos et chez Bonnette » de Pierre Mosnier, *Le Petit Commingeois*, 3-17 août 1980.

Page 699.

1. Juliet Herbert. Sur ce voyage de Juliet en France, voir Hermia Oliver, *Flaubert and an English Governess*, p. 116-118.

À SA NIÈCE CAROLINE
[15 août 1873]

Autographe Lovenjoul, A II, ff^os 547-549 ; Conard, t. VII, p. 50. Enveloppe (f° 545) : Madame Commanville, Neuville, près Dieppe (Seine-Inférieure) ; C.P. : Paris, 16 août 1873 ; Dieppe.

2. Cette publication avait eu lieu dans *Le Moniteur* ; elle n'avait rien d'indiscret. Voir les lettres suivantes.
3. Charpentier et Lemerre, qui publiaient *Madame Bovary*, le premier en 1873, le second en 1874.

Page 700.

À EDMA ROGER DES GENETTES
[16 août 1873]

Autographe Lovenjoul, A VI, H 1360, ff^os 185-186 ; *Supplément*, t. III, p. 99.
1. Pour la représentation du *Sexe faible* au théâtre du Vaudeville, qui n'aura jamais lieu.

À EDMA ROGER DES GENETTES
18 août [1873]

Autographe Lovenjoul, A VI, H 1360, ff^os 137-138 ; *Supplément*, t. III, p. 100.

2. *L'Oncle Sam*, de Victorien Sardou, avait été retenu à la censure, qui existait encore à l'époque pour les pièces de théâtre et les revues. Voir Odile Kracovitch, *Hugo censuré. La liberté au théâtre au* XIXe *siècle*, Calmann Lévy, 1985.

Page 701.

À SA NIÈCE CAROLINE
[21 août 1873]

Autographe Lovenjoul, A II, ff^os 548-550 ; incomplète dans Conard, t. VII, p. 51-52. Enveloppe (f° 548) : Madame Commanville, près Dieppe (Seine-Inférieure) ; C.P. : Paris.

1. S'agit-il encore de la succession de Mme Flaubert, ou des mauvaises affaires d'Ernest Commanville : « Il avait cru à la hausse des bois, avait acheté d'énormes forêts au nord du golfe de Bothnie. La

Page 706.

1. *Le Sexe faible.*
2. *Bouvard et Pécuchet.*

À LA PRINCESSE MATHILDE
1er septembre [1873]

Autographe Archivio Campello, n° Inv. 967 ; Conard, t. V, p. 408-409, à la date de [septembre 1868], impossible, puisque Tourgueneff est venu à Croisset le 22 novembre 1868 (voir la lettre d'Ivan Tourgueneff à Flaubert du [19 novembre 1868], t. III, p. 823) ; Gérard-Gailly, *Bulletin du bibliophile*, p. 397 (lettre datée du 12 août 1872) ; Marcello Spaziani donne la date exacte (*Gli amici della principessa Matilde*, lettre n° 994, p. 75). Les lundis 1er septembre tombent en 1862 et 1873.

3. Flaubert sera à Saint-Gratien le 27 octobre 1873.

Page 707.

À PHILIPPE LEPARFAIT
[4 septembre 1873]

Autographe Jacques Lambert ; Conard, t. VII, p. 79, lettre placée en octobre 1873. Flaubert est arrivé à Croisset à minuit, dans la nuit du 3 au 4 septembre.

1. *Le Sexe faible* ne sera jamais joué.
2. *Le Château des cœurs* sera publié dans *La Vie moderne*, dirigée par Émile Bergerat, du 24 janvier au 8 mai 1880, avec des illustrations qui ont profondément déplu à Flaubert.
3. L'édition complète de Bouilhet paraîtra chez Lemerre, non chez Charpentier (en 1880 et réédition en 1891).

À SA NIÈCE CAROLINE
[5 septembre 1873]

Autographe Lovenjoul, A II, ffos 554-555 ; incomplète dans Conard, t. VII, p. 55-57.

4. Flaubert était allé rendre visite aux Godefroy ; l'actrice Suzanne Lagier avait épousé Jules Godefroy. Ils habitaient à Villeneuve-le-Roi, près de Corbeil (Seine-et-Oise).
5. Je pense qu'il s'agit de la célèbre portraitiste Nelly Jacquemart, née vers 1840, et de son mari Édouard André, né en 1840, horticulteur et jardinier principal de la Ville de Paris. Ils ont fondé le musée Jacquemart-André à Paris, boulevard Haussmann.

Page 708.

1. *Le Candidat* sera joué au théâtre du Vaudeville du 11 au 14 mars 1874. Ce sera un échec, et Flaubert retirera sa pièce après la quatrième représentation. Elle sera publiée le 28 mars 1874 par Charpentier.
2. Ivan Tourgueneff ne viendra à Croisset que le 2 octobre 1873.

3. Il s'agit du *Sexe faible*, pièce en partie écrite par Louis Bouilhet, refaite et complétée par Flaubert.

Page 709.

À JEANNE DE LOYNES
5 septembre 1873

Autographe non retrouvé ; extraits dans le catalogue G. Andrieux, *Correspondances inédites de Gustave Flaubert*, vente à l'hôtel Drouot, 28 juin 1973, n° 22.

À GEORGE SAND
5 septembre [1873]

Autographe Lovenjoul, A II, ffos 335-336 ; Conard, t. VII, p. 53-55 ; *Correspondance Flaubert-Sand*, éd. Alphonse Jacobs, p. 439-441.

1. La lettre de George Sand à Flaubert du 30 août 1873, p. 705.
2. Flaubert a écrit « mai » au lieu d'« août ».

Page 710.

1. Flaubert choisira pour la ferme de *Bouvard et Pécuchet* un site dans le Calvados, entre la vallée de l'Orne et celle de l'Auge.
2. *Le Candidat.*
3. *Bouvard et Pécuchet.*
4. *Les Petites Gens*, pièce en cinq actes par M. Nescio, pseudonyme du comte de Coëtlogon ; la pièce n'a été ni représentée ni imprimée.
5. Voir la lettre de George Sand à Flaubert du 29 novembre [18]72, p. 616 ; *Mademoiselle La Quintinie* n'a pas été jouée, mais elle a été imprimée.
6. *Le roi s'amuse*, drame en cinq actes et en vers, de Victor Hugo — il s'agit de François Ier — avait été interdit après la première représentation le 22 novembre 1832. La reprise prévue à l'automne 1873 sera également interdite. La pièce sera rejouée le 22 novembre 1882, cinquante ans après.
7. Mgr Dupanloup (1802-1878), évêque d'Orléans depuis 1849, a joué un rôle important dans le parti catholique et fut l'un des inspirateurs de la loi Falloux (1850) sur la liberté de l'enseignement primaire et secondaire de la Seconde République ; élu à l'Académie française en 1854, il en démissionnera en 1871 à cause de l'élection d'Émile Littré et sera élu député à l'Assemblée nationale en 1871 et sénateur en 1876.
8. Comme en 1872, le Conseil général des pèlerinages avait organisé des processions durant l'été 1873 pour le rétablissement du pouvoir temporel du pape.

Page 711.

1. La « fusion » entre les deux branches des monarchistes, les légitimistes et les orléanistes, qui n'aura pas lieu.

2. Le quatrième tome de l'*Histoire des origines du christianisme*, d'Ernest Renan, paru chez Michel Lévy le 9 juin 1873.

3. *L'Oncle Sam*, de Victorien Sardou.

À EDMA ROGER DES GENETTES

[7 septembre 1873]

Autographe Lovenjoul, A VI, ffos 139-140 ; incomplète et amalgamée dans l'édition Conard avec une autre lettre de Flaubert à Edma Roger des Genettes du 22 février [1873] (p. 645).

4. *Bouvard et Pécuchet.*

5. Mgr Dupanloup, *De l'éducation*, 3 volumes, Paris, Gatineau (1850-1862). Mgr Dupanloup est mort en 1878 ; son monument funéraire est dû au sculpteur Henri Chapu, qui fera en 1880 le monument funéraire de Flaubert.

Page 712.

1. Flaubert avait lu les *Études de théologie, de philosophie et d'histoire* des RR. PP. Charles Daniel et Jean Gagarin (Paris, Lanier, 1857-1861, 6 vol. in-8°), où se trouve l'éloge de Jules Simon, pour son ouvrage sur *La Religion naturelle* (Paris, Hachette, 1856). Le jésuite Jean Gagarin (1814-1882), issu d'une famille princière russe, s'était converti au catholicisme. Jules Simon (1814-1896), philosophe et homme d'État, ministre de l'Instruction publique sous la IIIe République, a écrit de nombreux ouvrages sur la philosophie et les problèmes scolaires. Le « Sottisier » de Flaubert, publié par Alberto Cento et Lea Caminiti Pennarola, (Naples, Liguori, 1981), qui aurait sans doute fait partie du second volume de *Bouvard et Pécuchet* contient neuf citations de Daniel et Gagarin, et une de Jules Simon.

2. Dans sa lettre à Chevalier du [13 septembre 1839], Flaubert écrit : « Je lis maintenant de Maistre et un roman de Charles de Bernard [...] » (t. I, p. 51). Il a lu, en tout cas, l'*Éclaircissement sur les sacrifices*, cité dans sa lettre à Edma Roger des Genettes de [janvier 1860] (t. III, p. 72 et n. 3). Il le mentionne très rarement dans ses lettres, moins d'une dizaine de fois.

3. Le général Ladmirault (1808-1898) a été gouverneur de Paris du 1er juillet 1871 à l'année 1878.

4. *L'Antéchrist* de Renan constitue le quatrième volume de l'*Histoire des origines du christianisme*. Il traite du règne de Néron.

Page 713.

À SA NIÈCE CAROLINE

[9 septembre 1873]

Autographe Lovenjoul, A II, ffos 529-530 ; incomplète dans Conard, t. III, p. 57-59.

1. « Le Moscove » est Ivan Tourgueneff, et ceux qui le mènent Louis et Pauline Viardot.

2. Flaubert et Tourgueneff.

3. La lettre d'invitation de Victor Hugo à Flaubert ne figure pas dans la collection Lovenjoul.

Page 714.

1. *Le Candidat* sera joué au théâtre du Vaudeville les 11, 12, 13 et 14 mars 1874.

2. Flaubert préparait *Bouvard et Pécuchet*; les notes de Flaubert sont tirées de deux des ouvrages de Mgr Dupanloup : *De l'éducation* (voir n. 5, p. 711) et *De la haute éducation intellectuelle*, Orléans, Gatineau, 1855.

3. *Locher* signifie « secouer un arbre pour en faire tomber les fruits » ; *cerneau* signifie « une noix encore verte ».

4. Je n'ai pu identifier cette famille.

5. Sous la plume de Flaubert ce signe signifie « artiste » ou « artistique » : « Dessin, qui dans les lettres de mon oncle, signifie, à lui seul le plus souvent, le mot *artiste* ou *artistique*. Mon oncle imitait le geste en zigzag qu'un peintre de Rouen, nommé Melotte, faisait avec le pouce quand il parlait de son art » (Caroline Commanville, *Lettres de Gustave Flaubert,* 1906, n. 1, p. 277).

Page 715.

À VICTOR HUGO
9 septembre [1873]

Autographe non retrouvé ; Conard, t. VII, p. 59.

1. François-Victor Hugo mourra le 26 décembre 1873.

À SA NIÈCE CAROLINE
[12 septembre 1873]

Autographe Lovenjoul, A II, ff^os 556-557 ; *Supplément*, t. III, p. 101-102. Enveloppe (f° 556) : Madame Commanville, Neuville, près *Dieppe* (Seine-Inférieure) ; C.P. : Rouen, 12 septembre 73 ; Dieppe.

2. Cette lettre d'Ivan Tourgueneff à Flaubert n'a pas été retrouvée.

3. Le premier acte du *Candidat.*

4. Marianne Raoul-Duval, fille aînée de Raoul-Duval.

Page 716.

1. Flaubert joue sur le mot *cale :* partie inclinée d'un quai.

À GEORGES CHARPENTIER
14 septembre [1873]

Autographe non retrouvé ; Conard, t. VII, p. 60-61.

2. Il s'agit de l'édition par Charpentier de *Madame Bovary*, parue en 1873.

3. L'édition Charpentier de *Madame Bovary* sera intitulée « édition

définitive ». Elle comporte au moins 168 variantes nouvelles. Voir l'édition de *Madame Bovary* de Claudine Gothot-Mersch, p. 363.

Page 717.

À SA NIÈCE CAROLINE
[17 septembre 1873]

Autographe Lovenjoul, A II, ffos 558-560 ; incomplète dans Conard, t. VII, p. 62-63. Enveloppe (fo 558) : Madame Commanville, Neuville près Dieppe (Seine-Inférieure) ; C.P. : Rouen, 17 septembre [?] ; Dieppe, 18 septembre [?].

1. Les Regenat étaient sans doute des cousins ou des amis de la famille Roquigny. Juliette, fille unique du docteur Achille Flaubert, avait épousé Adolphe Roquigny, qui se suicida en 1865.

2. Ernest Commanville, le mari de Caroline.

3. *De l'éducation* (1850-1862).

4. Mlle Cardinal tenait un cabinet de lecture à Paris, place Saint-Sulpice.

Page 718.

À GEORGES CHARPENTIER
[17 septembre 1873]

Autographe non retrouvé ; lettre publiée par René Descharmes dans « Flaubert et ses éditeurs Michel Lévy et Georges Charpentier », *R.H.L.F.*, avril-juin 1911, p. 33. Je reproduis la date et le texte de R. Descharmes ; Conard, t. VII, p. 61.

À AGÉNOR BARDOUX
[Automne 1873]

Autographe non retrouvé ; *Supplément*, t. III, p. 112-113 (datée de [1873]).

1. Agénor Bardoux et le comte d'Osmoy.

À ERNEST FEYDEAU
[Après le 21 septembre 1873]

Autographe non retrouvé ; catalogue Feydeau, G. Andrieux, hôtel Drouot, 31 mai 1928, no 272 ; Conard, t. VII, p. 66-67. La lettre est datée par la suivante (fin du 1er acte du *Candidat*).

Page 719.

1. Ce roman « folichon » ne figure pas dans le catalogue de la Bibliothèque nationale.

2. *Bouvard et Pécuchet.*

3. *Le Candidat.*

4. *L'Oncle Sam.*

À SA NIÈCE CAROLINE

[24 septembre 1873]

Autographe Lovenjoul, A II, ff^os 561-563 ; incomplète dans Conard, t. VII, p. 64-65. Enveloppe (f° 561) : Madame Commanville, près Dieppe (Seine-Inférieure) ; C.P. : Rouen, 24 septembre 1873 ; Dieppe, [?] septembre 1873.

5. Ivan Tourgueneff.

Page 720.

1. Libraire, place Saint-Sulpice.
2. Abbé Augustin Senac, *Le Christianisme considéré dans ses rapports avec la civilisation moderne*, Paris, Gosselin, 1873, 2 tomes en un volume in-8°.
3. Le fils unique d'Adolphe Roquigny, suicidé en 1865, et de Juliette Flaubert, fille d'Achille Flaubert, frère de Gustave.
4. Alfred Baudry.
5. Marianne Raoul-Duval.

Page 721.

À IVAN TOURGUENEFF

[25 septembre 1873 ?]

Autographe Dina Vierny ; *Lettres inédites à Tourgueneff*, éd. Gérard-Gailly, p. 68-69 ; *Supplément*, t. III, p. 103 ; *Gustave Flaubert-Ivan Tourguéniev. Correspondance*, éd. Alexandre Zviguilsky, p. 139.

1. « Gaultier d'Aulnay est un homme sans foi et sans honneur, qui ne sait pas garder un jour ce qui a été confié à son honneur et à sa foi » (Alexandre Dumas, *La Tour de Nesle*, acte III, 5e tableau, sc. III).

À LA PRINCESSE MATHILDE

30 [septembre 1873]

Autographe Archivio Campello, n° Inv. 1013 ; Conard, t. VII, p. 63-64.

2. Après avoir été autorisé à rentrer en France, le prince Napoléon, frère de la princesse Mathilde, avait publié une profession de foi, dans laquelle il se ralliait à la République.

Page 722.

1. Il s'agit du *Candidat*.

À SA NIÈCE CAROLINE

1er octobre [1873]

Autographe Lovenjoul, A II, ff^os 564-565 ; *Supplément*, t. III, p. 103-105.

2. Émile Hamard, qui habitait Paris. J'ignore de quel problème il s'agit.

3. Ivan Tourgueneff.

4. *L'Oncle Sam*, pièce de Victorien Sardou, devait précéder *Le Sexe faible*, de Bouilhet et Flaubert, au théâtre du Vaudeville. Carvalho, le directeur, préférera jouer d'abord *Le Candidat*, et *Le Sexe faible* ne sera jamais joué.

5. Il s'agit du *Candidat*.

Page 723.

1. Le docteur Achille Flaubert, frère aîné de Gustave, habitait à l'Hôtel-Dieu, dont il était le chirurgien en chef.

2. Émile Collange, domestique de Flaubert depuis 1870.

À SA NIÈCE CAROLINE
[5 octobre 1873]

Autographe Lovenjoul, A II, ffos 566-567 ; incomplète dans Conard, t. VII, p. 71-73.

3. Luce de Lancival (1764-1810), professeur, prédicateur et grand-vicaire, puis défroqué et professeur au Prytanée et à la Sorbonne. Auteur de sept tragédies, dont la dernière, *Hector* (1809), est la plus célèbre.

4. Voir n. 5, p. 714.

Page 724.

1. Cruchard ou le R. P. Cruchard, sobriquet que se donne Flaubert à cette époque.

2. Guy de Maupassant était le fils de Gustave de Maupassant et de Laure Le Poittevin ; il était le cousin de Louis Le Poittevin, fils unique d'Alfred Le Poittevin, frère de Laure.

3. Mademoiselle Julie était depuis 1820 la bonne de la famille Flaubert.

4. Pissy-Poville, village normand, où la grand-tante de Caroline, Mme Fauvel possédait une propriété qu'elle avait léguée à sa nièce.

Page 725.

À EDMOND LAPORTE
16 [octobre 1873]

Autographe non retrouvé ; *Supplément*, t. III, p. 105.

À EDMOND LAPORTE
[17 ? octobre 1873]

Autographe non retrouvé ; *Supplément*, t. III, p. 105, à la date d'octobre 1873. Je crois cette lettre du [17 ? octobre], car Flaubert a chez lui à Croisset Tourgueneff jusqu'au 5 octobre et part pour Paris le 20.

À SA NIÈCE CAROLINE

[27 octobre 1873]

Autographe Lovenjoul, A II, f° 568 ; Conard, t. VII, p. 73-74.

1. La fusion entre les légitimistes et les orléanistes, qui ne se fera jamais.

2. Eugène Rouher (1814-1884), l'un des hommes d'État les plus influents sous le Second Empire, avait été élu député de la Corse, comme Raoul-Duval dans la Seine-Inférieure. Mais Rouher était bonapartiste ; il est vrai que l'Empire était une forme de monarchie.

3. Henri Cathelineau, petit-fils du chef vendéen Jacques Cathelineau, entra au service de la IIIe République en septembre 1870 comme colonel, puis général. Il a publié en 1871 une brochure intitulée *L'Heure de Dieu, dernières paroles de Mgr le comte de Chambord*, par le général Cathelineau, Plon, 1873.

4. Mgr Louis-Gaston de Ségur (1820-1881), auteur de nombreux ouvrages et opuscules religieux et politiques. La brochure en question est intitulée *Vive le roi.*

Page 726.

1. Pierre François Eugène Giraud (1806-1881), peintre et graveur ; Claudius Popelin (1825-1892), poète, peintre et surtout bon émailleur. Tous deux étaient très proches de la princesse Mathilde, surtout Popelin, qui passe pour avoir été son amant.

2. Carvalho, le directeur du théâtre du Vaudeville, voulait jouer *Le Candidat* avant *Le Sexe faible* ; mais *Le Candidat* n'était pas terminé. En fait, *Le Candidat* sera joué le 11 mars 1874, et *Le Sexe faible*, jamais.

À SA NIÈCE CAROLINE

[30 octobre 1873]

Autographe Lovenjoul, A II, ffos 569-571 ; incomplète dans Conard, t. VII, p. 79-81. Enveloppe : Madame Commanville, Neuville, près Dieppe (Seine-Inférieure) ; C.P. : Rouen, 30 oct. 73 ; [?] 31 octobre 73.

3. Après *L'Oncle Sam*, pièce de Victorien Sardou, sera joué *Le Candidat.*

Page 727.

1. Ivan Tourgueneff.
2. Une amie de Caroline Commanville.
3. Une amie de Caroline.
4. Agénor Bardoux, né en 1829, avait épousé en juillet 1873 Clémence-Sophie-Lucie Villa-Bimar, née à Millau en 1847 ; elle passait pour être belle, riche et dévote.

À LAURE DE MAUPASSANT

30 octobre 1873

Autographe non retrouvé ; Conard, t. VI, p. 442-443, mal datée du 3 octobre 1872. Voir la lettre de Laure de Maupassant à Flaubert du 10 octobre 1873 (Lovenjoul, B. IV, ffos 417-418), publiée par Jacques Suffel dans *Œuvres complètes de Maupassant*, *Correspondance*, t. I, p. 27-29.

5. Sur l'attachement réciproque de Guy de Maupassant et de Flaubert, voir la notule de la lettre à Laure de Maupassant du 23 février 1873, p. 1313-1314.

6. Voici la dédicace de *La Tentation de saint Antoine* : « À la mémoire de mon ami Alfred Le Poittevin, décédé à La Neuville-Chant-d'Oisel le 3 avril 1848. »

Page 728.

À EDMA ROGER DES GENETTES

30 octobre [1873]

Autographe Lovenjoul, A VI, ffos 141-142 ; incomplète dans Conard, t. VII, p. 75-77.

1. *L'Heure de Dieu, dernières paroles de Mgr le comte de Chambord*, 8 mai 1871.

2. *Vive le roi.*

3. Le général Letellier-Valazé.

4. Le maréchal Bazaine avait livré à l'ennemi la ville de Metz. Son procès en conseil de guerre s'est tenu à Versailles, du 6 octobre au 13 décembre 1873. Il sera condamné à mort et à la dégradation militaire. Le maréchal de Mac-Mahon, président de la République, commuera la peine de mort en vingt ans de captivité. Il sera emprisonné au fort de l'île Sainte-Marguerite, d'où il s'évadera dans la nuit du 9 au 10 août 1874. Il mourra à Madrid en 1888.

5. Un aventurier, employé par Bismarck à tromper Bazaine, que le maréchal reçut aux avant-postes de Metz le 23 septembre 1870.

6. Le directeur du théâtre du Vaudeville.

Page 729.

1. Mme Guyon faisait partie du cercle d'amis de la princesse Mathilde.

À GEORGE SAND

[30 octobre 1873]

Autographe Lovenjoul, A IV, ffos 337-338 ; *Correspondance Flaubert-Sand*, éd. Alphonse Jacobs, p. 443-444.

2. Voir la lettre de Flaubert à sa nièce Caroline du [27 octobre 1873], p. 725 et n. 3 et 4.

Page 730.

1. *Vie et travaux du R. P. Cruchard par le R. P. Cerpet, dédié à Mme la baronne D. Dev. née A.D.* ; manuscrit inédit envoyé à George Sand (catalogue de la succession Mme Franklin-Grout, 18-19 novembre 1931, nº 135, 6 pages papier vergé bleu). Cette biographie a dû être écrite vers 1866, car elle semble une réplique de la lettre de George Sand à Flaubert du [4 décembre 1866], que Sand signe « Marengo l'Hirondelle » et la réponse de Flaubert du [5 décembre 1866] (*Correspondance Flaubert-Sand*, éd. Alphonse Jacobs, p. 105-106). Voir le résumé de Maurice Haloche dans « De quelques manuscrits de Gustave Flaubert », *Bulletin des Amis de Flaubert*, nº 12, 1958, p. 39-40 ; en voici quelques extraits : « Cruchard naît dans le pressoir à cidre d'une ferme de Mariquerville, près de Bayeux. Pieux, il est placé dans un séminaire [...]. Ses mérites attirent sur lui l'attention d'un haut fonctionnaire qui l'introduit à la Cour. Notre R. P. s'y gave copieusement [...], à telle enseigne qu'un seigneur le définit : "le premier théologien et la première fourchette du royaume" [...] Mais voilà que l'obésité s'empare de son corps et qu'un proche gâtisme alourdit son esprit. Il ne cesse, toutefois, d'être gai, jusqu'à l'heure suprême où il dit : "Je sens que la cruche va tout à fait se casser." »

2. *Bouvard et Pécuchet.*

3. Ivan Tourgueneff.

Page 731.

À MARIE RÉGNIER

[30 octobre 1873]

Autographe non retrouvé ; Conard, t. VII, p. 74-75, évidemment incomplète.

1. Aucune pièce de théâtre de Marie Régnier n'a été jouée avant *Les Rieuses*, au théâtre du Vaudeville en 1878.

2. Il s'agit de la dixième salle de l'Opéra de Paris, située rue Le Peletier, et qui fut utilisée de 1821 à 1873.

3. Ernest Feydeau est mort dans la nuit du 28 au 29 octobre 1873.

À SA NIÈCE CAROLINE

4 novembre [1873]

Autographe Lovenjoul, A II, ffos 572-574 ; incomplète dans Conard, t. VII, p. 81-83. Enveloppe (fº 572) : Madame Commanville, Neuville, près *Dieppe* (Seine-Inférieure) ; C.P. : Rouen, 4 nov. 73 ; Dieppe, 5 nov. 73.

4. Dans sa lettre à Chennelong du 23 octobre 1873, le comte de Chambord exigeait, pour monter sur le trône de France, de refuser toutes conditions et de reprendre le drapeau blanc.

5. Il s'agit, je crois, de la veuve du général Espinasse, tué à la bataille de Magenta en 1859. Il avait été l'un des artisans du coup d'État du 2 décembre 1851.

Page 732.

1. Le comte de Chambord.

2. Le prince de Joinville était le troisième fils du roi Louis-Philippe. Il avait été élu à l'Assemblée nationale en 1871 ; il était vice-amiral dans la marine française.

3. Le 3e acte du *Candidat.*

4. Louis Le Poittevin était le fils d'Alfred Le Poittevin, le grand ami de Flaubert dans sa jeunesse.

5. Le sculpteur Guilbert avait exécuté le buste de Mme Flaubert ; il se trouve au musée Picasso d'Antibes.

Page 733.

GEORGE SAND À GUSTAVE FLAUBERT
[10 novembre 1873]

Autographe Pierre Descazeaux ; *Correspondance Flaubert-Sand,* éd. Alphonse Jacobs, p. 444-445.

1. *L'Oncle Sam* a été joué, avec grand succès, jusqu'au début de mars 1874, et repris après la chute du *Candidat.*

À LA PRINCESSE MATHILDE
12 [novembre 1873]

Autographe Archivio Campello, no Inv. 1014 ; Conard, t. VII, p. 83-85.

2. Le maréchal de Mac-Mahon s'était déclaré contre le retour à la monarchie des Bourbons. Il sera maintenu le 19 novembre 1873 pour sept ans à la présidence de la République.

Page 734.

1. *Le Candidat,* joué et publié en 1874.

2. « Propre » : cet adjectif serait-il une allusion au roman pornographique de Feydeau intitulé *Mémoires d'une demoiselle,* publié en Belgique ?

À SA NIÈCE CAROLINE
[14 novembre 1873]

Autographe Lovenjoul, A II, ffos 575-577 ; incomplète dans Conard, t. VII, p. 85-86.

Page 735.

1. *Le Candidat.*

2. Rousselin est le nom du candidat à la députation. Il sera élu.

3. Il s'agit du *Sexe faible,* comédie de Louis Bouilhet refaite par Flaubert.

À GEORGE SAND
15 novembre [1873]

Autographe Lovenjoul, A IV, f° 349 ; *Supplément*, t. III, p. 102-103 ; *Correspondance Flaubert-Sand*, éd. Alphonse Jacobs, p. 445.

Page 736.

À SA NIÈCE CAROLINE
17 novembre [1873]

Autographe Lovenjoul, A II, ff^os 578-579 ; Conard, t. VII, p. 86-88.

1. Caroline accompagnait son mari dans un voyage d'affaires en Allemagne, en Suède et en Norvège.

2. Flaubert écrit : « Bapaume », un village très proche de Croisset.

3. « Bon ! » en arabe.

Page 737.

1. Les problèmes financiers d'Ernest Commanville.

À EDMA ROGER DES GENETTES
[17 novembre 1873]

Autographe Lovenjoul, A VI, ff^os 143-144 ; *Supplément*, t. III, p. 106.

2. Le général Letellier-Valazé, frère d'Edma Roger des Genettes, venait d'être élu député de la Seine-Inférieure le 16 novembre.

Page 738.

IVAN TOURGUENEFF À GUSTAVE FLAUBERT
19 nov[embre 18]73

Autographe Lovenjoul, B VI, ff^os 150-151 ; *Gustave Flaubert-Ivan Tourguéniev. Correspondance*, éd. Alexandre Zviguilsky, p. 139-140.

1. Le maréchal de Mac-Mahon venait d'être maintenu à la présidence de la République pour sept ans par une loi de l'Assemblée nationale du 18 novembre 1873.

2. *La Tentation de saint Antoine* sera publié chez Charpentier en avril 1874.

3. *Le Candidat.*

4. *L'Oncle Sam.*

5. *Rabagas*, comédie de Victorien Sardou, jouée le 1er février 1873 au théâtre du Vaudeville.

À SA NIÈCE CAROLINE
22 novembre [1873]

Autographe Lovenjoul, A II, ff^os 580-581 ; incomplète dans Conard, t. VII, p. 88-91.

6. La collection Lovenjoul ne possède ni cette lettre ni ce télégramme.

Page 739.

1. Le sel de Glauber : Jean-Rodolphe Glauber, chimiste allemand (1604-1668) avait découvert le sulfate de sodium, auquel il a donné son nom.

2. Charles Hello, conseiller à la cour d'appel de Paris, *Saint Antoine le Grand*, Paris, Dillet, 1873, in-12, 282 p. L'ouvrage contient « la vie de saint Antoine, recueillie dans saint Athanase et dans les bollandistes. » (Introduction, p. 35.) En voici un passage : « Le même historien [Aymar Falcon] se demande (Jean de Bolland, p. 522), pourquoi une sonnette et un porc, à partir du Moyen-Âge, figurent dans les tableaux qui représentent saint Antoine. Il explique la sonnette par l'habitude qu'avaient les religieux de son ordre d'avertir la foule des pèlerins d'une sonnette, quand ils arrivaient quelque part. Le porc y figure, selon les uns, les animaux que saint Antoine guérissait de leurs maladies, aussi bien que les hommes. Suivant les autres, il représente le démon et la lutte victorieuse que saint-Antoine soutint toujours contre eux. » Le cochon figure dans les deux premières versions de *La Tentation*, la sonnette dans aucune des trois.

3. Caroline Commanville avait repris ses études de peinture pour gagner un peu d'argent, et donnait quelques leçons, à Paris.

Page 740.

1. La fidèle bonne des Flaubert.
2. Les répétitions du *Candidat* au théâtre du Vaudeville.

À SA NIÈCE CAROLINE
26 novembre [1873]

Autographe Lovenjoul, A II, ff[os] 582-583 ; incomplète dans Conard, t. VII, p. 91-93.

Page 741.

1. Voir n. 5, p. 714.
2. Abbé Bautain, *La Chrétienne de nos jours. Lettres spirituelles*, Paris, Hachette, 1859-1861, 3 vol. in-8°.
3. J'ignore qui sont Mme Pressy, Madoulé et la fille Levesque.
4. Roquigny fils est le petit-fils du docteur Achille Flaubert, le frère de Gustave.

Page 742.

1. Le sculpteur Guilbert avait exécuté le buste de Mme Flaubert.
2. Le lévrier Julio avait été élevé par Edmond Laporte, et donné à Flaubert.

À RAOUL-DUVAL

[27 novembre 1873]

Inédite. Autographe archives Raoul-Duval, n° 36. Je remercie la famille Raoul-Duval de m'avoir communiqué la totalité de la correspondance entre Flaubert et Raoul-Duval.

3. Charles et Valérie Lapierre, et sans doute Léonie Brainne.

Page 743.

À RAOUL-DUVAL

[30 novembre 1873]

Autographe archives Raoul-Duval, n° 38 ; *Gustave Flaubert. Lettres inédites à Raoul-Duval*, éd. Georges Normandy, p. 162 ; *Supplément*, t. III, p. 106.

À SA NIÈCE CAROLINE

2 décembre [1873]

Autographe Lovenjoul, A II, ffos 594-595 ; incomplète dans Conard, t. VII, p. 93-96.

1. Les répétitions du *Candidat* ne commenceront qu'au début de janvier 1874, semble-t-il. Voir la lettre de Flaubert à Léonie Brainne de [début de janvier 1874], *Supplément*, t. III, p. 114.

2. Flaubert veut dire ses problèmes avec Carvalho, le directeur du théâtre du Vaudeville, pour la mise au point du *Candidat*.

Page 745.

1. De 1814 à 1905, la Norvège a été réunie à la Suède. Sa capitale s'appelait Christiania. Elle reprendra en 1924 son nom ancien d'Oslo.

2. Cabaret où se déroule le 3e acte du *Candidat*.

À LAURE DE MAUPASSANT

[2 décembre 1873]

Autographe non retrouvé ; Conard, t. VII, p. 97-98.

3. Alexandre-Ernest-Armand Dumesnil, né en 1819, alors directeur de l'enseignement supérieur au ministère de l'Instruction publique. Il a publié en 1872 une relation du siège de Paris, intitulée *Paris et les Allemands*.

4. Alfred Le Poittevin, frère de Laure de Maupassant, et le grand ami de Flaubert durant son adolescence et sa jeunesse.

Page 746.

À EDMA ROGER DES GENETTES

2 décembre [1873]

Autographe Lovenjoul, A VI, ffos 145-146 ; incomplète dans Conard, t. VII, p. 96-97.

1. Il s'agit du *Candidat.*

2. Ces deux lettres ne se trouvent pas dans la collection Lovenjoul.

À LA PRINCESSE MATHILDE
3 décembre [1873]

Autographe Archivio Campello, n° Inv. 1015 ; Conard, t. VII, p. 98-99, à la date du dimanche soir [7 décembre 1873]. L'autographe porte : « Dimanche soir 3 décembre ». Il faut choisir entre « dimanche soir [7] décembre [1873] » et « [mercredi soir] 3 décembre [1873]. L'édition Conard a choisi la première option ; Marcello Spaziani, la seconde (*Gli Amici della principessa Matilde*, p. 77). Je partage l'avis de mon collègue, car la lettre à Ivan Tourgueneff, qui suit dans mon édition, reprend plusieurs expressions de celle adressée à la princesse Mathilde, et a pour date, sur l'autographe « mercredi soir, 3 décembre ».

3. Je rappelle qu'aucune lettre de la princesse Mathilde à Flaubert n'a été retrouvée.

Page 747.

1. Charles-Ernest Beulé (1826-1874), École normale supérieure, École d'Athènes, membre de l'Institut (1860), ministre de l'Intérieur dans un gouvernement de droite (1873-1874). Il se suicide en 1874. Il s'était ridiculisé, quand il était ministre, par le membre de phrase que voici : « L'Assemblée nationale, que le pays a choisie dans un jour de malheur ». Or l'Assemblée nationale avait été élue en même temps que la Commune s'installait. L'orateur fut couvert de bravos ironiques.

2. *Monsieur Alphonse*, comédie en trois actes, jouée au théâtre du Gymnase le 26 novembre 1873.

À IVAN TOURGUENEFF
3 décembre [1873]

Autographe B. N., N.A.F. 16275, ffos 225-226 ; *Lettres inédites à Tourgueneff*, éd. Gérard-Gailly, p. 70-71 ; *Supplément*, t. III, p. 107-108 ; *Gustave Flaubert-Ivan Tourguéniev. Correspondance*, éd. Alexandre Zviguilsky, p. 140-141.

Page 748.

1. Flaubert a trouvé cette maxime d'Épictète dans le *Dictionnaire philosophique* de Voltaire, éd. de Kehl. Voir Helen Zagona, *Flaubert's « roman philosophique » and the Voltairian Heritage*, Lanham (M.D.), University Press of America, 1985, p. 99. Le *Manuel* d'Épictète par Lefebvre Villebrune (Paris, an III, p. 131) traduit ainsi : « S'il t'arrive de te répandre au-dehors, pour plaire à quelqu'un, sache que tu as perdu ta place. »

À SA NIÈCE CAROLINE

[5 décembre 1873]

Autographe non retrouvé ; *Supplément*, t. III, p. 109. L'autographe ne figure pas dans le manuscrit A II (H 1356) de la collection Lovenjoul à cette date.

2. Le télégramme de Carvalho, qui annonçait à Flaubert le début des répétitions du *Candidat*, au théâtre du Vaudeville. Voir la lettre suivante.

3. Émile Collange, le domestique de Flaubert.

4. La vieille bonne de la famille Flaubert.

5. Le chien donné à Flaubert par Edmond Laporte, à qui il sera confié pendant les répétitions du *Candidat*.

Page 749.

À EDMOND LAPORTE

[5 décembre 1873]

Autographe non retrouvé; voir le catalogue G. Andrieux, hôtel Drouot, 20-28 mars 1933, n° 81 ; *Supplément*, t. III, p. 109-110.

1. *Le Candidat* sera joué au théâtre du Vaudeville le 11 mars 1874.

IVAN TOURGUENEFF À GUSTAVE FLAUBERT

6 décembre 1873

Autographe Lovenjoul, B VI, ffos 152-153 ; *Œuvres complètes d'Ivan Turgenev*, *Correspondance*, éd. de l'Académie des sciences de l'U.R.S.S., t. X, p. 174 ; *Gustave Flaubert-Ivan Tourguéniev. Correspondance*, éd. Alexandre Zviguilsky, p. 141-142.

2. Tourgueneff avait été à Rougemont chez sa fille naturelle, Paulinette.

3. *Le Candidat.*

4. *Aciérer*, traduction de l'allemand *stählen*, qui s'emploie au propre comme au figuré. Tourgueneff répond par ce conseil à la phrase de Flaubert dans sa lettre du 3 décembre [1873], p. 747, où il écrivait, évoquant le théâtre : « Je n'ai pas les nerfs assez robustes pour vivre dans ce monde-là ! »

5. *L'Oncle Sam*, comédie de Victorien Sardou, jouée pour la première fois au théâtre du Vaudeville le 6 novembre 1873.

6. *Monsieur Alphonse*, comédie d'Alexandre Dumas fils, jouée pour la première fois au théâtre du Gymnase le 26 novembre 1873. En voici l'intrigue : Monsieur Alphonse a eu un enfant d'une jeune fille, Raymonde, qu'il a séduite et abandonnée, et qui a épousé M. de Montaiglin, qui ne sait rien de son passé. Alphonse veut épouser la riche veuve Mme Guichard, et demande à Mme de Montaiglin de prendre chez elle sa fille Adrienne, ce qu'elle fait. Mais M. de Montaiglin et Mme Guichard ont compris qu'Adrienne est la fille d'Alphonse et de Mme de Montaiglin, et Mme Guichard congédie Alphonse en lui disant : « Tu peux garder tout ce que tu as reçu de moi. » *Le Grand*

Larousse de la langue française écrit, au mot ALPHONSE : « arg. et vx. Homme vivant aux dépens d'une femme galante ». L'intrigue de la pièce de Dumas fils montre bien que cette définition est erronée.

7. Les citations des phrases de *Monsieur Alphonse* sont inexactes, car Tourgueneff les reproduit de mémoire.

Page 750.

1. Flaubert avait pourtant écrit à Tourgueneff le 3 décembre [1873] : « Ma nièce est en Suède avec son mari. Elle sera à Paris vers le Jour de l'an » (p. 748).

À LÉONIE BRAINNE
[7 décembre 1873]

Autographe B. M. Rouen, m m. 265 ; *Supplément*, t. III, p. 107, datée à tort de [novembre 1873]. Flaubert arrive à Paris le 6 décembre 1873 (voir la lettre de Flaubert à Edmond Laporte du [5 décembre 1873], p. 749.

2. *Le Candidat.*

À GEORGES CHARPENTIER
[7 ? décembre 1873]

Autographe non retrouvé; René Descharmes, « Flaubert et ses éditeurs [...] », *R.H.L.F.*, juillet-septembre 1911, p. 33-34.

3. Dans la lettre à sa nièce Caroline du [18 juin 1873] (p. 675), Flaubert écrit qu'il a promis à Charpentier « les suppléments en question » pour sa réédition de *Madame Bovary.* Il s'agit de l'assignation près le juge d'instruction, du réquisitoire du procureur Ernest Pinard, de la plaidoirie de l'avocat Jules Senard et du jugement du tribunal. En fait, Flaubert ne publiera pas l'assignation près le juge d'instruction. Ces suppléments paraîtront dans l'édition Charpentier, sortie le 28 novembre 1873 (*Bibliographie de la France*, 13 décembre 1873).

Page 751.

À GEORGE SAND
8 [décembre 1873]

Autographe Lovenjoul, A IV, f° 340 ; Supplément, t. III, p. 110.

1. *Alzire ou les Américains*, tragédie de Voltaire (1736), acte I, sc. 1. La princesse Alzire est la fille de Montèze, roi du Potose, un Inca.

2. *Le Marquis de Villemer* sera repris à l'Odéon du 12 décembre 1873 au 23 février 1874.

GEORGE SAND À GUSTAVE FLAUBERT
9 décembre [1873]

Autographe non retrouvé ; fragment publié dans les catalogues de la librairie Antiquaria Pregliasco, Turin, n° 21, 1967. Voir la note d'Alphonse Jacobs dans la *Correspondance Flaubert-Sand*, p. 446.

Page 752.

À SA NIÈCE CAROLINE

11 décembre [1873]

Autographe Lovenjoul, A II, ffos 586-587 ; incomplète dans Conard, t. VII, p. 100-103.

1. Tavernier était banquier et consul de Turquie à Rouen.

2. La chienne de Caroline Commanville. Flaubert écrit *Puzzle.*

3. Maria, une amie ou une domestique de Caroline Commanville ?

4. Scène x de l'acte IV du *Candidat.*

5. « ROUSSELIN : Gruchet ! quoi ? parlez ! Eh bien ? — Je le suis ? GRUCHET *le regarde des pieds à la tête, puis éclate de rire* : Ah ! je vous en réponds ! TOUS, *entrant à la fois, par tous les côtés* : Vive notre député ! Vive notre député ! » (fin du *Candidat*). Il me semble que Flaubert joue sur les mots : *député* et *cocu.* Voir la scène d'amour entre Mme Rousselin et Julien (acte II, sc. XIII) et la lettre anonyme adressée à Rousselin (acte III, sc. III).

Page 753.

1. Le romancier français Amédée Achard (1814-1875).

2. Cernuschi (1821-1896), économiste italien qui se réfugia en France après avoir pris une part active à la révolution lombarde de 1848. Naturalisé français en 1871, il tenta d'arrêter la guerre civile entre le gouvernement de Versailles et la Commune et faillit être fusillé. Il voyagea ensuite en Égypte, en Chine et au Japon, et en rapporta des collections qu'il légua à la Ville de Paris. Flaubert l'avait connu par Jules Duplan et Edmond Laporte, et c'est lui qui donna à Edmond Laporte les monstres chinois offerts par Laporte à Flaubert. Je résume la note 2 du *Supplément*, t. III, p. 263.

Page 754.

À EDMA ROGER DES GENETTES

12 [décembre] 1873

Autographe Lovenjoul, A VI (H 1360), ffos 147-148 ; incomplète dans Conard, t. VII, p. 103.

1. *La Tentation de saint Antoine* paraîtra le 31 mars 1874.

2. Flaubert a conçu l'idée d'écrire *La Tentation de saint Antoine*, en regardant, en mai 1845, à Gênes, un tableau de Breughel représentant cette scène ; voir, au tome I, sa lettre de Milan du 13 mai [1845] à Alfred Le Poittevin, p. 230.

À GUSTAVE TOUDOUZE

13 décembre 1873

Autographe non retrouvé ; *Supplément*, t. III, p. 111. Gustave Toudouze (1847-1904) travaillait dans l'administration du Crédit foncier. Il a écrit plus de trente romans. Il a habité longtemps à

Morgat, mais je n'ai trouvé aucun document important à la mairie. Toudouze répond à Flaubert le 14 décembre 1873, pour lui dire qu'il sera heureux de le voir (Lovenjoul, B VI, ff^{os} 62-63).

3. Le « volume » dont il s'agit est intitulé *Octave, scène de la vie parisienne au* XIXe *siècle*, Paris, Ladrech, 1873.

Page 755.

À SA NIÈCE CAROLINE
15 décembre [1873]

Autographe Lovenjoul, A II, ff^{os} 588-589 ; incomplète dans Conard, t. VII, p. 104-105.

1. Le télégramme du jeudi 11 décembre 1873 n'a pas été retrouvé ; il est mentionné dans la lettre du jeudi soir, 10 heures (p. 752). La lettre du « vendredi 12 » est en réalité du « jeudi soir, 10 heures, 11 décembre » [1873].

2. *Le Candidat.*

3. Marie Miolan (1827-1895), cantatrice célèbre, avait épousé Léon Carvalho, alors directeur du théâtre du Vaudeville.

4. *L'Ambassadrice*, opéra-comique en trois actes, paroles de Scribe et Saint-Georges, musique d'Auber, avait été joué pour la première fois le 12 décembre 1836 et avait connu un très grand succès. Il s'agit d'une reprise.

Page 756.

1. Je n'ai trouvé nulle part mention d'un « port de Pouzaille ». Peut-être s'agit-il de la ville de Pouzzoles, en Campanie, qui était un port de mer. Mais quel rapport entre Mme Carvalho et le port de Pouzzoles ?

À HIPPOLYTE TAINE
[19 ? décembre 1873]

Autographe non retrouvé ; *Supplément*, t. III, p. 113. Je rappelle que les vingt-trois lettres de Flaubert à Taine sont établies sur des *copies.*

2. Marcel Charpentier, fils de l'éditeur.

À GUSTAVE TOUDOUZE
[19 ? décembre 1873]

Autographe non retrouvé ; *Supplément*, t. III, p. 111.

3. *Octave, scènes de la vie parisienne au* XIXe *siècle*, Paris, Ladrech, 1873.

Page 757.

À HIPPOLYTE TAINE ?
[20 décembre ? 1873]

Autographe non retrouvé ; *Supplément*, t. III, p. 112. Les éditeurs du *Supplément* proposent, avec beaucoup de prudence, Agénor Bardoux comme destinataire de cette lettre. Mais Flaubert tutoyait Bardoux ! Je la crois adressée à Taine, ami intime de Flaubert, qu'il vouvoyait et qui était philosophe… Mais si Taine connaissait déjà Tourgueneff, mon hypothèse est non fondée.

À GEORGE SAND
[31 décembre 1873]

Autographe Lovenjoul A IV, ffos 342-343 ; *Correspondance Flaubert-Sand*, éd. Alphonse Jacobs, p. 447-449.

1. Marguerite Charpentier, femme de l'éditeur. Flaubert l'aimait beaucoup.

Page 758.

1. François-Victor, second fils de Victor Hugo, enterré civilement le 28 décembre 1873.

2. *Le Figaro* du 30 décembre écrit : « Immédiatement derrière le cercueil marchait Victor Hugo, portant sur les épaules un paletot noué autour du cou par les manches, et de la main gauche tenant un large *chapeau mou*. Vous avez bien lu, un *chapeau mou*, le chapeau mou classique, le chapeau mou de Belleville, le chapeau mou de la Sociale […] » (voir *Correspondance Flaubert-Sand*, éd. Alphonse Jacobs ; n. 87, p. 447).

3. Voir n. 4, p. 728.

4. Antoine Azur (et non *Azor*, comme l'écrit Flaubert) était directeur de banque et fondateur d'une imprimerie catholique. Il avait organisé des voyages à prix réduit de Paris à Rome avec le concours de l'épiscopat français, et s'était occupé d'une souscription en faveur du pape. Il avait utilisé pour ces opérations l'argent des clients de sa banque.

5. L'abbé de Lamennais avait publié en 1817-1823, en deux volumes, *L'Essai sur l'indifférence en matière de religion*, ouvrage parfaitement conforme à la théologie de l'Église catholique. Il évoluera et fondera le journal *L'Avenir* en 1830. Il rompt avec l'Église en publiant, en 1834, un livre très important et toujours chrétien : *Les Paroles d'un croyant*, condamné par le pape dans l'encyclique *Singulari nos […]*. Il sera élu représentant du peuple après la révolution de 1848 dans le département de la Seine, d'où le substantif « citoyen » employé par Flaubert.

6. *La Chrétienne de nos jours, lettres spirituelles.*

7. Garcin de Tassy, *Histoire de la littérature hindoui et hindoustani*, 2e édition, Paris, Labitte, 1870-1871, 3 vol. in-8° (1re édition, 1839-1847).

Page 759.

1. Charles-Philippe, marquis de Chennevières-Pointel, né à Falaise en 1920, avait fait carrière dans les musées nationaux. Il venait d'être élu directeur des Beaux-Arts le 24 décembre 1873. Il était très lié avec Flaubert. Il publiera ses « Souvenirs d'un directeur des Beaux-Arts »

dans *L'Artiste* (1883-1889), ouvrage publié en volume en 1979 (Paris, Arthéna, préface de J. Foucard et L. A. Prat).

2. Ivan Tourgueneff.

À EDMA ROGER DES GENETTES

[1873 ?]

Autographe non retrouvé ; Conard, t. VII, p. 111.

3. Le général Letellier-Valazé, frère d'Edma Roger des Genettes.

4. Cette lettre ne figure pas dans la collection Lovenjoul.

5. J'ignore qui est cette dame.

6. Il s'agit du premier chapitre de *Salammbô*, intitulé « Le Festin ».

7. Flaubert a habité au 42, boulevard du Temple, quand il était à Paris, de juillet 1856 jusqu'en 1869. Il loue alors un appartement 4, rue Murillo, près du parc Monceau.

Page 760.

À LÉONIE BRAINNE

[5 janvier 1874]

Autographe B. M. Rouen, m m 265, pièce 28 ; *Supplément*, t. III, p. 114-115.

1. Comédie d'Alexandre Dumas fils. Voir n. 6, p. 749.

AU BARON LARREY

[7 janvier 1874]

Autographe B. M. Rouen, m m 8, pièce 54 ; *Supplément*, t. III, p. 115. Il s'agit du chirurgien Félix Larrey, fils du chirurgien en chef de la Grande Armée Dominique Larrey, nommé baron par Napoléon Ier ; son fils avait hérité du titre.

2. Le professeur de médecine Jules Cloquet avait été l'élève du docteur Achille-Cléophas Flaubert à l'École de médecine de Rouen. Voir t. I, n. 2, p. 21.

Page 761.

À ERNEST RENAN

[7 janvier 1874]

Autographe non retrouvé ; *Supplément*, t. III, p. 116.

1. Peut-être un des volumes de l'*Histoire des origines du christianisme.*

2. La princesse Mathilde.

À LÉON CARVALHO

[9 ? janvier 1874]

Autographe non retrouvé ; Conard, t. VII, p. 112-115.

3. La dernière scène du 3e acte du *Candidat* met en scène Julien, Rousselin, Murel et Mme Rousselin.

4. Louise Rousselin aime Murel, mais Rousselin la force à épouser le vicomte Onésime de Bauvigny, parce qu'il a besoin des votes de droite pour être élu.

Page 762.

1. Félicité est la bonne de Gruchet. Flaubert se souviendra de ce prénom en écrivant *Un cœur simple.*

Page 763.

1. Les censeurs.

À EDMA ROGER DES GENETTES

[10 ? janvier 1874]

Autographe non retrouvé ; Conard, t. VII, p. 109-111, mal datée de [décembre ? 1873] ; je la crois du 10 ? janvier 1874, à cause de la phrase où Flaubert parle des « éditeurs, qui montent mes quatre étages ».

2. Le général Letellier-Valazé, frère d'Edma Roger des Genettes.

Page 764.

1. Mme Arnould-Plessy, actrice célèbre.

À LA BARONNE LEPIC

[14 ? janvier 1874]

Autographe non retrouvé ; Conard, t. VII, p. 116, à la date de [janvier 1874]. Les éditeurs de la *Correspondance* lui donnent tantôt le titre de baronne, tantôt de comtesse. Le général de cavalerie Louis Lepic (1765-1828 ?) avait été fait baron par Napoléon Ier, et comte par le roi Louis XVIII.

2. Flaubert lui-même.
3. Edgar Raoul Duval, dit Raoul-Duval.
4. La mère de la baronne Lepic.

Page 765.

À GEORGES CHARPENTIER

[17 ? janvier 1874]

Autographe non retrouvé ; René Descharmes, « Flaubert et ses éditeurs [...]. Lettres inédites à Georges Charpentier », *R.H.L.F.*, juillet-septembre 1911, p. 35.

1. Je n'ai pu identifier « le sieur Michaelis ».

À EDMA ROGER DES GENETTES

[6 février 1874]

Autographe Lovenjoul A VI, ffos 149-150 ; *Supplément*, t. III, p. 116-117.

2. Il s'agit sans doute du manuscrit de *La Tentation de saint Antoine.*

3. L'éditeur Georges Charpentier publiait *Le Candidat* et *La Tentation de saint Antoine.*

4. Tourgueneff avait proposé à Flaubert de faire traduire *La Tentation de saint Antoine* en russe.

5. Les Roger des Genettes avaient pris leur retraite à Villenauxe dans l'Aube, où ils possédaient une maison et un verger de poiriers.

Page 766.

À GEORGE SAND

7 février [1874]

Autographe Lovenjoul A IV, ffos 344-345 ; *Lettres de Gustave Flaubert à George Sand*, précédées d'une étude par Guy de Maupassant, p. 233 ; *Correspondance Flaubert-Sand*, éd. Alphonse Jacobs, p. 452-453.

1. *Le Candidat* sera joué au théâtre du Vaudeville du 11 au 14 mars 1874 ; Flaubert retirera sa pièce.

2. Eugène Cormon, né en 1811, a écrit plus d'une centaine de pièces de théâtre, dont le plus célèbre est *Les Deux Orphelines* (1875).

3. Delannoy jouait Rousselin et Saint-Germain, Gruchet.

4. Le vicomte Onésime de Bouvigny, qui épousera Louise Rousselin, forcée par son père, qui a besoin des voix de droite pour être élu député. Son rôle était tenu par Richard.

5. Alexandre Dumas fils avait été élu à l'Académie française le 29 janvier 1874.

Page 767.

1. « [La postérité] écrira sur ses tablettes d'airain : "Goethe… grand écrivain, grand poète, grand artiste". Et lorsque les fanatiques de la forme pour la forme, de l'art pour l'art, de l'amour quand même et du matérialisme, viendront lui demander d'ajouter : "Grand homme", elle répondra : "Non !". » Cette phrase se trouve dans la préface de Dumas fils à la traduction par H. Bacharach du *Faust* de Goethe, parue en septembre 1873.

2. Marguerite Charpentier, épouse de l'éditeur.

À ALFRED BAUDRY ?

[10 février 1874]

Inédite ; lettre copiée chez un marchand d'autographes en 1974. Je crois que le destinataire peut être Alfred Baudry : c'est un ami intime de Flaubert, mais qu'il ne tutoie pas, et il tient visiblement beaucoup à ce qu'il assiste à la première du *Candidat.* Alfred Baudry habitait Rouen. Mais mon identification est très hypothétique.

3. Il s'agit de la première du *Candidat.*

4. La première n'aura lieu que le 11 mars 1874.

Page 768.

À ALEXANDRE DUMAS FILS ?
[10 février 1874]

Autographe Harry Levin ; *Supplément*, t. III, p. 118, lettre adressée à « X ». Les mots : « 1re représentation du *Candidat* » se trouvent, encadrés, en bas et à gauche du feuillet. Cette lettre pourrait avoir Dumas fils comme destinataire : Flaubert le connaissait peu, mais il était à cette époque l'un des plus célèbres auteurs de comédies. La collection Lovenjoul ne contient aucune lettre de Dumas fils à Flaubert.

À RAOUL-DUVAL
[13 février 1874]

Autographe archives Raoul-Duval, n° 9, *Gustave Flaubert. Lettres inédites à Raoul-Duval*, éd. Georges Normandy, p. 162-163 ; *Supplément*, t. III, p. 117. Papier à en-tête : Théâtre du Vaudeville, Cabinet du directeur, Paris, le *[un blanc]*. Enveloppe : Monsieur Raoul-Duval, député, Grande Avenue des Champs-Élysées, 117 ; C.P. : Paris, 13 février [18]74.

1. Alphonse Cordier, né en 1820, était depuis le 8 septembre 1871 député de la Seine-Inférieure.

GEORGE SAND À GUSTAVE FLAUBERT
13 février [18]74

Autographe Alfred Dupont ; *Correspondance entre George Sand et Gustave Flaubert*, éd. Henri Amic, p. 381 ; *Correspondance Flaubert-Sand*, éd. Alphonse Jacobs, p. 453-454.

Page 769.

À HIPPOLYTE TAINE
[19 février 1874]

Autographe non retrouvé ; *Supplément*, t. III, p. 117-118.

1. Les dîners chez Magny avaient repris le lundi.

2. Edmond About (1828-1885), avait été le camarade de Taine à l'École normale supérieure, promotion de 1848.

À EDMA ROGER DES GENETTES
[22 février 1874]

Autographe Lovenjoul, H 1360, ffos 151-152 ; Conard, t. VII, mal datée du [18 février 1874] ; le 18 est un mercredi.

3. Mme Roger des Genettes avait adressé sa lettre à Flaubert au 14, rue Murillo. Cette lettre n'a pas été retrouvée.

Page 770.

1. Le marquis de Chennevières-Pointel était entré en 1846 dans l'administration des musées nationaux, qui dépendent du ministère de

l'Instruction publique. En 1874, il était conservateur en chef du musée du Luxembourg à Paris, et pouvait aisément se renseigner au ministère.

À SA NIÈCE CAROLINE

[23 février 1874]

Autographe Lovenjoul, A III, ff^os 6-7 ; incomplète dans Conard, t. VII, p. 119-120.

2. L'acteur Delannoy jouait le rôle de Rousselin, le personnage principal de la pièce, celui du candidat.

3. Émile Collange, le domestique de Flaubert.

Page 771.

À EDMA ROGER DES GENETTES

[26-27 février 1874]

Autographe Lovenjoul, H 1360, ff^os 153-154 ; incomplète dans Conard, t. VII, p. 120-121.

1. *L'Oncle Sam*, comédie de Victorien Sardou. Il s'agit, bien entendu, d'une pièce sur les États-Unis. L'expression est une traduction de *Uncle Sam*, formée des initiales « U.S. Am » (United States of America), d'après les dictionnaires.

Page 772.

À SA NIÈCE CAROLINE

[28 février 1874]

Autographe Lovenjoul, H 1357, ff^os 4-5 ; Conard, t. VII, p. 123-124.

1. La première du *Candidat* aura lieu le mercredi 11 mars 1874, au théâtre du Vaudeville.

2. Flaubert ne mentionne pas ce projet dans sa Préface aux *Dernières Chansons* de Louis Bouilhet. Noter que Flaubert parle d'un « livre », non d'un poème ou d'une pièce de théâtre.

3. *Le Dictionnaire de la langue française du* XVIe *siècle* d'Edmond Huguet donne plusieurs exemples de cet adjectif, dont l'un est tiré des œuvres de Marot, l'autre de celles de Rabelais. Il a été aussi utilisé comme substantif au XVIe siècle. Il ne figure plus dans les dictionnaires de Richelet et de Furetière du XVIIe siècle.

Page 773.

À GEORGE SAND

[28 février 1874]

Autographe Lovenjoul, A IV, ff^os 346-347 ; *Lettres de Flaubert à George Sand*, précédées d'une étude par Guy de Maupassant, p. 235 ; *Correspondance Flaubert-Sand*, éd. Alphonse Jacobs, p. 454-455.

1. *Le Candidat* sera joué pour la première fois le 11 mars 1874.

Page 774.

1. *Quatre-vingt-treize, premier récit : la guerre civile*, avait paru en trois volumes le 18 février 1874.

2. Les deux derniers livres publiés par Victor Hugo étaient *L'homme qui rit* (1869) et *L'Année terrible* (1872).

3. Il s'agit du mariage de Mlle Claudie Viardot avec M. Georges Chamerot. D'après *L'Événement* du lundi 9 mars 1874, il y avait « beaucoup d'artistes » à ce mariage.

À GEORGES CHARPENTIER

[Février-mars 1874]

Autographe non retrouvé ; René Descharmes, « Flaubert et ses éditeurs [...] », *R.H.L.F.*, juillet-septembre 1911, p. 36.

4. Marcel Charpentier, qui mourra deux ans plus tard.

À EDMOND LAPORTE

[2 mars 1874]

Autographe non retrouvé ; *Supplément*, t. III, p. 118-119.

Page 775.

1. Flaubert confiait son chien Julio à Edmond Laporte, qui le lui avait donné, quand il allait à Paris.

À HENRI HARRISSE

[3 mars 1874]

Inédite. Autographe B. N., N.A.F. 11206, f° 169. John Pradier (1836-1912), fils du sculpteur James Pradier, entame des études musicales, puis se consacre à la peinture, qu'il étudia avec Gleyre. Il ira voir Harrisse le jour même : le *Journal* de John Pradier, publié par Douglas Siler, mentionne : « 3 mars 1874, visite à Flaubert 4, rue Murillo, près du parc Monceau. Temps superbe. Sans perdre une minute [...] je vais de ce pas chez Monsieur Harris *[sic]* que je trouve. Nous convenons de faire faire des photographies d'après les trois que j'ai de la statue, sous trois faces différentes car je ne veux pas envoyer mes épreuves en Amérique surtout si la statue peut être vendue. » C'est Flaubert qui avait eu l'idée de la vendre à New York ; il s'agit du *Soldat de Marathon* (voir Douglas Siler, « Autour de Flaubert et Louise Pradier, documents inédits », *Studi Francesi*, juillet-août 1977, p. 146-147).

À RAOUL-DUVAL

[6 mars 1874]

Autographe archives Raoul-Duval, n. 8 ; *Supplément*, t. III, p. 119, à la date erronée du [2 mars 1874]. Georges Normandy avait pourtant donné la date exacte dans *Gustave Flaubert. Lettres inédites à Raoul-Duval*, p. 163.

2. La répétition aura lieu le mardi 10 et la première le mercredi 11. Voir la lettre suivante.

À LÉONIE BRAINNE

[6 mars 1874]

Autographe B. M. Rouen, m m 265, pièce 18 ; *Supplément*, t. III, p. 120.

Page 776.

À GEORGES CHARPENTIER

[6 mars 1874]

Autographe non retrouvé ; copie publiée d'après l'autographe par René Descharmes, « Flaubert et ses éditeurs [...] », *R.H.L.F.*, 1911, lettre VII, p. 35 ; Conard, t. VII, p. 124.

À EDMOND LAPORTE

[6 mars 1874]

Autographe non retrouvé ; *Supplément*, t. III, p. 120.

À EDMA ROGER DES GENETTES

[6 mars 1874]

Autographe Lovenjoul, H 1360, ff^os^ 155-156 ; *Supplément*, t. III, p. 119.

Page 777.

À RAOUL-DUVAL

[7 mars 1874]

Inédite. Autographe archives Raoul-Duval, n° 44. Enveloppe : Monsieur E. Raoul-Duval, avocat général, rue François-Ier, 45, Paris. La lettre eſt envoyée par messager.

À MARGUERITE CHARPENTIER

[7 ou 8 mars 1874]

Autographe non retrouvé ; René Descharmes, « Flaubert et ses éditeurs [...] », *R.H.L.F.*, 1911, n° VIII, p. 35-36.

1. Flaubert se trompait et n'a pas obtenu de loge pour Mme Charpentier (voir la lettre suivante).

2. Sans doute Mmes Sandeau et Viardot (voir la lettre suivante).

À SA NIÈCE CAROLINE

[8 mars 1874]

Autographe Lovenjoul, H 1357, ff^os^ 8-9 ; *Supplément*, t. III, p. 120-121.

3. La soirée où seront invités les amis des Charpentier dans une loge achetée par Flaubert.

Page 778.

1. J'ignore qui sont les Roquière, sauf qu'ils ont des relations très intimes avec les Commanville ; ils ne sont pas mentionnés dans *Heures d'autrefois*, les mémoires de Caroline, la nièce de Flaubert.

2. Pourquoi cette manœuvre de Flaubert, je ne sais.

À IVAN TOURGUENEFF
[8 mars 1874]

Autographe non retrouvé ; il a été consulté par Gérard-Gailly chez le libraire Jacques Lambert, successeur de Louis Conard (*Lettres inédites à Tourgueneff*, p. 72) ; *Supplément*, t. III, p. 121.

GEORGE SAND À GUSTAVE FLAUBERT
[10 mars 1874]

Autographe collection Mme Vandendriessche ; *Correspondance Flaubert-Sand*, éd. Alphonse Jacobs, p. 455-456.

3. *Ma sœur Jeanne*, roman publié dans la *Revue des Deux Mondes* du 1er janvier au 15 mars 1874. Il paraîtra en volume en juin 1874.

Page 779.

À GEORGE SAND
[12 mars 1874]

Autographe Lovenjoul, H 1358, ffos 348-349 ; *Lettres de Gustave Flaubert à George Sand*, précédées d'une étude de Maupassant, p. 238 ; *Correspondance Flaubert-Sand*, éd. Alphonse Jacobs, p. 457-458.

1. « Lara », poème en deux chants de Lord Byron (1814). Le comte Lara est un être mystérieux ; il revient d'un long voyage dans son domaine non identifié, avec son page Kaled, se prend de querelle avec Ezzelin, qu'il tue en duel et est blessé à mort dans une guerre contre Othon. Kaled meurt de douleur : c'était une femme.

2. *Rabagas*, comédie de Victorien Sardou, créée au théâtre du Vaudeville le 1er février 1873. Cette pièce avait eu un immense succès. La scène se passe à Monaco : l'avocat Rabagas est le chef d'un parti de gauche, qui prépare la révolution. L'Américaine Eva suggère au Prince de le nommer premier ministre. Il accepte et renie ses croyances précédentes.

Page 780.

GEORGE SAND À GUSTAVE FLAUBERT
[14 mars 1874]

Autographe Lovenjoul, B VI, ffos 7-8 ; Gustave Flaubert, *Théâtre*, éd. Conard, p. 511 ; *Correspondance Flaubert-Sand*, éd. Alphonse Jacobs, p. 458-459.

Page 781.

À GEORGE SAND

[15 mars 1874]

Autographe Lovenjoul, A IV, ffos 350-351 ; *Lettres de Gustave Flaubert à George Sand*, précédées d'une étude par Guy de Maupassant, p. 244 ; *Correspondance Flaubert-Sand,* éd. Alphonse Jacobs, p. 459-461.

1. Le comédien Delannoy jouait le rôle principal, Roussillon, dans *Le Candidat.*

2. Auguste Vitu, dans *Le Figaro* du 14 mars 1874, reproche à Flaubert de ne présenter dans sa pièce que des personnages antipathiques. *Le Rappel* écrit le même jour que « si la pièce a étonné, c'est par l'ennui glacial qui s'en est dégagé [...] » (article anonyme).

3. Charles Monselet rend compte du *Candidat* dans *L'Événement* le 14 mars : « Six lignes de *Madame Bovary*, prises au hasard, valent mieux que tout *Le Candidat* [...]. »

4. *Le Marquis de Villemer*, première le 29 février 1864 ; *Les Don Juan de village*, première le 9 août 1866.

Page 782.

1. Flaubert veut dire les milliers de francs.

2. *La Vie du R.P. Cruchard* fut vendue dans la vente Franklin-Grout à l'hôtel Drouot des 18 et 19 novembre 1931, n° 215. Voici le texte complet du titre d'après le catalogue : « Vie et travaux du R. P. Cruchard, par le R. P. Cerpet, dédié à Mme la baronne D. dev [Dudevant] née A. D. [Aurore Dupin] ». George Sand avait donc renvoyé l'original à Flaubert. Voir l'article de Maurice Haloche, « Quelques manuscrits de Gustave Flaubert », *AFL*, n° 12, p. 39-40, qui résume le manuscrit et donne deux courtes citations. Ce manuscrit a disparu.

À GEORGES CHARPENTIER

[16 ? mars 1874]

Autographe non retrouvé ; René Descharmes, « Flaubert et ses éditeurs [...] », *R.H.L.F.*, juillet-septembre 1911, p. 36 ; Conard, t. VII, p. 130.

3. Correction pour *La Tentation de saint Antoine*, probablement.

Page 783.

À ALPHONSE DAUDET

[17 mars 1874]

Autographe non retrouvé ; fac-similé dans la collection Le Tallec, passé en vente à l'hôtel Drouot le 6 novembre 1990. Cette lettre a été publiée pour la première fois dans *la Revue de France* du 1er septembre 1921 ; *Correspondance*, éd. René Descharmes, éd. du Centenaire, p. 529-530 ; Conard, t. VII, p. 129-130.

1. Alphonse Daudet avait publié un article sur *Le Candidat*, qui prenait la défense de la pièce de Flaubert, dans le *Journal officiel* du 15 mars 1874.

2. Je n'ai pu identifier « Haugel ou Heugel ».

3. Il est probable que Peragallo était un agent artistique pour les théâtres.

4. Villemessant dirigeait *Le Figaro*.

5. Adrien Marx, né en 1837 ; journaliste au *Figaro* et à *L'Événement*, puis au *Moniteur officiel* ; il fut attaché au cabinet de Napoléon III, puis inspecteur des Beaux-Arts (1868-1870). Il revint au journalisme sous la IIIe République. Il a publié plusieurs ouvrages, dont *Indiscrétions parisiennes* (1866), *Les Souverains à Paris* (1868), etc.

6. Paul Meurice, né en 1820, journaliste, dramaturge et romancier. Il était, comme Auguste Vacquerie, un ami très fidèle de Victor Hugo.

À GEORGES CHARPENTIER

[18 mars 1874]

Autographe collection C.B., vendu à l'hôtel Drouot le 18 avril 1991, n° 44 ; le catalogue n'en cite que les premières lignes. *Le Candidat* paraîtra le 28 mars 1874.

Page 784.

À SA NIÈCE CAROLINE

[fin mars 1874]

Autographe Lovenjoul, A II, ffos 511-512 ; *Supplément*, t. III, p. 83. La lettre est mal datée de « mars-avril 1873 », comme le prouvent les lettres de Flaubert à sa nièce Caroline des 4 et 26 novembre 1873, p. 731 et 740.

1. Le *Salon* ouvre le 1er avril 1874.

À SA NIÈCE CAROLINE

[Mars-avril 1874]

Autographe Lovenjoul, H 1357, ffos 10-11 ; *Supplément*, t. III, p. 122.

2. S'agit-il des places que Flaubert a achetées pour les représentations du *Candidat* ?

3. Lors d'une soirée chez la princesse Mathilde ?

GEORGE SAND À GUSTAVE FLAUBERT

3 avril [18]74

Autographe Lovenjoul, B VI, ffos 9-12 ; Gustave Flaubert, *Théâtre*, éd. Louis Conard, p. 511.

Page 785.

1. *Optique* est un substantif féminin dans les dictionnaires.

2. *Richard Darlington*, drame en trois actes et en prose, par Alexandre Dumas père, en collaboration avec Beudin et Goubaux, joué pour la première fois au théâtre de la Porte-Saint-Martin le 10 décembre 1831.

3. *Salcède*, drame de George Sand qu'elle lira à l'Odéon qui l'accepte à corrections mais qui ne sera pas joué.

Page 786.

1. *Bouvard et Pécuchet.*

À JOSÉ-MARIA DE HEREDIA
[Début avril 1874]

Autographe non retrouvé ; *Supplément*, t. III, p. 123-124.

2. Flaubert avait oublié ses gants chez Heredia.

3. Flaubert avait envoyé à Heredia l'exemplaire n° 24 des soixante-quinze tirés sur Hollande, avec la dédicace : « À mon cher ami le poète J. M. Heredia. »

À LÉONIE BRAINNE
[6 avril 1874]

Autographe Lovenjoul, BI, ffos 266-267 ; *Supplément*, t. III, p. 122-123. Cette lettre répond à l'unique lettre de Léonie Brainne à Flaubert que nous possédions, et que j'ai citée en entier dans la note 1 de la lettre de Flaubert à Léonie Brainne du [18 février 1871], p. 280.

Page 787.

1. Le directeur du *Nouvelliste de Rouen* et beau-frère de Léonie Brainne.

2. Alice Pasca, célèbre actrice, l'un des « trois anges » de Flaubert.

À GEORGE SAND
8 [avril 1874]

Autographe Lovenjoul, A IV, ffos 352-353 ; *Lettres de Gustave Flaubert à George Sand*, précédées d'une étude par Guy de Maupassant, p. 241-243 ; *Correspondance Flaubert-Sand*, éd. Alphonse Jacobs, p. 463-465.

Page 788.

1. La Rounat écrit dans *Le XIX*e *Siècle* du 15 mars 1874 : « Ma vieille amitié pour Flaubert et ma grande estime pour son talent m'auraient fait préférer qu'il ne tentât pas cette aventure. [...] *Le Candidat* n'est pas une œuvre [...] c'est un passe-temps d'oisif ; ce n'est pas la plume de Flaubert qui a tracé toutes ces choses confuses, indécises et banales [...]. » Flaubert et La Rounat s'étaient connus lors de la publication de *Madame Bovary* dans la *Revue de Paris*, dont La Rounat était l'un des directeurs.

2. Gondinet avait fait jouer *Le Chef de division* au théâtre du Palais-Royal, sujet comparable à celui de Flaubert, avec succès (première le 15 novembre 1873).

3. Saint-Germain jouait le rôle de Gruchet dans *Le Candidat.*

4. Buloz, directeur de la *Revue des Deux Mondes* ne semble pas avoir *écrit* de textes défavorables à Flaubert.

5. Le 5 avril 1874, *Le Figaro*, dont Villemessant était le directeur, publie la lettre d'un lecteur anonyme se moquant de *La Tentation de saint Antoine*.

Page 789.

1. *Bouvard et Pécuchet.*

À ÉMILE ZOLA
[8 avril 1874]

Autographe non retrouvé, copie René Descharmes, B. N., N.A.F. 23827, f° 40.

2. Il s'agit du premier dîner des Quatre : Tourgueneff, Goncourt, Daudet et Flaubert. Ce dîner au restaurant Riche aura lieu le mardi 14 avril, comme le prouve le *Journal* de Goncourt : « Mardi 14 avril [1874], dîner chez Riche [...]. »

À GEORGES CHARPENTIER
[9 ? avril 1874]

Autographe non retrouvé ; copie René Descharmes dans son article « Flaubert et ses éditeurs [...]. Lettres inédites à Georges Charpentier », *R.H.L.F.*, juillet-septembre 1911, p. 36.

3. Philippe Deforges, ou De Forges, était inspecteur des théâtres, et Flaubert l'avait sans doute rencontré chez la princesse Mathilde (note 3 de René Descharmes dans l'article cité ci-dessus, p. 36). D'après la lettre de Flaubert à la princesse Mathilde du [23 juillet 1878], Deforges aurait connu son épouse à Trouville en 1837 (Conard, t. VIII, p. 130). Je ne sais rien du nom de jeune fille de Mme De Forges, ou de sa fille Anastasie.

Page 790.

GEORGE SAND À GUSTAVE FLAUBERT
10 avril [1874]

Autographe Alfred Dupont ; George Sand, *Correspondance*, Calmann-Lévy, t. VI, p. 310 ; *Correspondance Flaubert-Sand*, éd. Alphonse Jacobs, p. 465-466.

Page 791.

À LOUISE PRADIER
17 avril [18]74

Autographe archives Pradier ; lettre publiée par Douglas Siler dans son article « Autour de Flaubert et de Louise Pradier », *Studi Francesi*, janvier-août 1977, p. 145.

1. Thérèse Pradier (1839-1915) était la fille cadette de James et Louise Pradier.

2. *Le Candidat* et *La Tentation de saint Antoine.*

À EDMOND LAPORTE

20 avril [1874]

Autographe non retrouvé ; *Supplément*, t. III, p. 124.

3. Dans une lettre de Flaubert à sa sœur Caroline du [25 juin 1843] (date de la poste), Flaubert mentionne le député de la Seine-Inférieure Pierre Cabanon, négociant à Rouen, fils de Bernard Cabanon, négociant et député de la Seine-Inférieure. Jules Cabanon serait le petit-fils de Bernard ?

4. Le chien de Flaubert, qu'il confiait à Edmond Laporte quand il allait à Paris.

Page 792.

À EDMOND LAPORTE

[Vers le 25 avril 1874]

Autographe non retrouvé ; *Supplément*, t. III, p. 125.

1. Edmond Laporte avait fait cadeau à Flaubert de deux monstres chinois, de l'époque des Ming, en souvenir de Jules Duplan, leur ami commun (voir la lettre de Flaubert à Edmond Laporte du 24 [mai 1873], p. 665). Les « étagères chinoises » devaient leur servir de piédestal.

À EDMA ROGER DES GENETTES

1er mai [18]74

Autographe Lovenjoul, H 1360, ffos 157-158 ; incomplète dans l'édition Conard, t. VII, p. 135-137, où il manque la signature et le post-scriptum.

2. Canton de Nogent-sur-Seine (Aube).

Page 793.

1. Saint-René Taillandier (1817-1879) termina sa carrière de professeur d'Université à la faculté des lettres de Paris, où il fut élu en 1868 comme titulaire de la chaire d'éloquence française. Il devint membre de l'Académie française en 1873. Il était l'un des principaux rédacteurs de la *Revue des Deux Mondes.* Voir la lettre suivante.

2. Édouard Drumont, né en 1844, se rendra célèbre par son antisémitisme : *La France juive, essai d'histoire contemporaine* (1886). Il jouera un rôle important durant l'affaire Dreyfus. Son article sur *La Tentation de saint Antoine* avait paru dans *Le Bien public* le 8 avril 1874.

3. La collection Lovenjoul ne conserve en effet aucune lettre de Paul de Saint-Victor à Flaubert au sujet de *La Tentation de saint Antoine.*

4. Cette « belle » lettre de Victor Hugo ne figure pas dans la collection Lovenjoul.

5. Dans sa *Lettre à Gustave Flaubert sur La Tentation de saint Antoine*, datée du « 8 septembre 1874 » (*Feuilles détachées*, p. 352), Renan écrit : « [...] des professeurs de la faculté de théologie protestante de Stras-

bourg, maintenant à Paris, à qui j'ai prêté votre livre, en ont été ravis. » Flaubert en connaissait donc déjà quelques-uns. La date du « 8 septembre 1874 » est sans doute celle du jour où Renan a commencé son article. Voir la lettre de Flaubert à Charpentier du « 2 décembre 1874 », p. 892, où il écrit : « Renan vient de m'apporter son article. »

6. *Bouvard et Pécuchet.*

Page 794.

1. En fait, Flaubert ira « retremper ses nerfs » à Kaltbad Righi, près du lac des Quatre-Cantons, et non à Saint-Moritz, dans les Grisons.

2. Le substantif grec ὑστέρα signifie « matrice », et ne concerne que les femmes.

À GEORGE SAND

1er mai [1874]

Autographe Lovenjoul, A IV, ffos 354-355 ; *Lettres de Gustave Flaubert à George Sand*, précédées d'une étude par Guy de Maupassant, p. 247-249 ; *Correspondance Flaubert-Sand*, éd. Alphonse Jacobs, p. 466-468.

3. *Le Figaro*, 5 avril (anonyme) ; *Revue des Deux Mondes*, 1er mai (Saint-René Taillandier) ; *Gazette de France*, 28 avril (Victor Fournel) ; *Le Constitutionnel*, 20 avril (Barbey d'Aurevilly).

4. Dans son article sur *La Tentation de saint Antoine*, Barbey souligne le contraste « entre le héros du livre et l'auteur, entre l'ardente et pieuse individualité d'un saint à proportions grandioses [...] et l'homme le plus froid de ces temps, le plus matérialiste de talent, le plus indifférent aux choses morales. » Flaubert n'a pas tort de se sentir insulté.

5. Saint-René Taillandier écrit : « Le dernier livre que Flaubert ait publié [*L'Éducation sentimentale*] était mortellement ennuyeux, celui-ci est illisible. » Voici un exemple de « mot ridicule » attribué à Flaubert : « Je veux prendre le vieux monde à l'heure où toutes les religions de l'Orient et de l'Occident sont rassemblées au sein de l'Empire romain. Que de contraste ! que de figures étranges ! que d'apparitions inouïes ! Il y a là de quoi déployer ma force ! »

6. *Bouvard et Pécuchet.*

7. Le plus important de ces projets est « Sous Napoléon III », « un grand livre en trois parties » (voir la lettre de Flaubert à Edma Roger des Genettes du 14 juillet [1874], écrite à Kaltbad Rigi, p. 834) ; le second pourrait être « Monsieur le Préfet » (voir la lettre à Edma Roger des Genettes du 10 novembre 1877 ; Conard, t. VIII, p. 94) ; le troisième serait « Harel-Bey » : « Je voudrais faire un civilisé qui se barbarise et un barbare qui se civilise, développer le contraste des deux mondes finissant par se mêler » (Conard, t. III, p. 94). Sur ces trois projets voir l'ouvrage essentiel de Marie-Jeanne Durry, *Flaubert et ses projets inédits* : « Sous Napoléon III », p. 254-324, 330-334, 376-389 ; « Monsieur le Préfet », p. 343-348 ; « Harel-Bey », p. 104-108.

Page 795.

1. Edmond Plauchut (1824-1909), l'ami fidèle de George Sand à la fin de sa vie.

2. *Iphigénie en Aulide*, opéra en deux actes de Gluck (1774).

3. *La Jeunesse de Louis XIV*, comédie d'Alexandre Dumas père (1854), remaniée par Alexandre Dumas fils et jouée à l'Odéon le 14 mars 1874. La mise en scène comprenait une meute de trente chiens.

4. Maurice Sand ; les « chères petites » sont les filles de Maurice et Lina Sand.

LAURE DE MAUPASSANT À GUSTAVE FLAUBERT
3 mai 1874

Autographe Lovenjoul, B IV, ffos 419-420 ; lettre publiée par Jacques Suffel dans Guy de Maupassant, *Œuvres complètes, Correspondance*, t. I, p. 45-46. Je cite cette lettre en entier et dans le texte, en petits caractères, car elle éclaire les rapports de Flaubert et de Maupassant en 1874, période cruciale dans la vie du jeune homme.

Page 796.

1. Hervé de Maupassant, fils cadet de Gustave de Maupassant et de Laure Le Poittevin.

À EUGÈNE DELATTRE
[4 ? mai 1874]

Autographe non retrouvé ; Conard, t. VII, p. 138.

2. Il s'agit sans doute d'un article sur *La Tentation de saint Antoine*.

Page 797.

GEORGE SAND À GUSTAVE FLAUBERT
4 mai [1874]

Autographe Alfred Dupont ; *Correspondance entre George Sand et Gustave Flaubert*, éd. Henri Amic, p. 394 ; *Correspondance Flaubert-Sand*, éd. Alphonse Jacobs, p. 468-469.

1. Devrait-on lire « Paulina », plutôt que « Paulita » ? George Sand savait bien l'italien.

2. Du 16 au 29 septembre 1873. Il s'agit de l'*Iphigénie en Aulide* de Gluck.

À EDMOND LAPORTE
[16 mai 1874]

Autographe non retrouvé ; catalogue G. Andrieux, hôtel Drouot, 20-28 mars 1933, n° 110 ; lettre achetée par Édouard Loewy, puis par Jean-Victor Pellerin, enfin par le colonel Sickles. Elle ne figure pas dans le *Supplément*, et pourrait être inédite.

3. *Mélancolieux* : cet adjectif se trouve dans Lemaire de Belges, Marot, Rabelais… Il ne figure plus dans le dictionnaire de Richelet (1680).

Page 798.

IVAN TOURGUENEFF À GUSTAVE FLAUBERT
17 mai 1874

Autographe Lovenjoul B VI, ffos 154-155 ; lettre publiée dans l'édition des *Œuvres complètes d'Ivan Turgenev* par l'Académie des sciences de l'U.R.S.S., *Correspondance*, t. X, p. 236.

1. Karl Wilhelm Frenzel avait publié un compte rendu de *La Tentation de saint Antoine* dans la *National Zeitung* le 13 mai 1874.
2. Julian Schmidt ne fera paraître son article sur *La Tentation de saint Antoine* qu'à l'automne 1874.
3. Ludwig Pietsch, ami de Tourgueneff, ne semble pas avoir écrit d'article sur *La Tentation de saint Antoine*.

À GEORGES CHARPENTIER
[20 mai 1874]

Autographe non retrouvé ; « Flaubert et ses éditeurs […]. Lettres inédites à Georges Charpentier », *R.H.L.F.*, juillet-septembre 1911, p. 37 ; Conard, t. VII, p. 138-139.

4. Voir la lettre précédente.

Page 799.

1. L'éditeur Charpentier avait racheté *Salammbô* à Flaubert le 18 juin 1873. L'appendice comprendra la lettre de Flaubert à Saint-Beuve, la réponse de Sainte-Beuve, la lettre de Flaubert à Frœhner et celle à Guéroult. L'édition Charpentier de *Salammbô* paraîtra le 17 octobre 1874.
2. Il s'agit de Julian Schmidt.

À GEORGES CHARPENTIER
26 mai [1874]

Autographe non retrouvé ; vu par René Descharmes, « Flaubert et ses éditeurs […] », *R.H.L.F.*, juillet-septembre 1911, p. 37 ; Conard, t. VII, p. 141.

3. Marcel Charpentier était le filleul de Flaubert. Voir la lettre de Flaubert à George Sand du [31 décembre 1873], p. 757.
4. Cet article ne figure pas dans la bibliographie de René Descharmes et René Dumesnil, *Autour de Flaubert*.

À GEORGE SAND
26 mai [1874]

Autographe Lovenjoul, A IV, ffos 356-357 ; *Lettres de Gustave Flaubert à George Sand*, précédées d'une étude par Guy de Maupassant, p. 250 ; *Correspondance Flaubert-Sand*, éd. Alphonse Jacobs, p. 469-470.

5. « *Paf*, interjection indiquant un coup donné, se dit, adjectivement, de l'homme assez ivre pour tomber à terre et faire paf, et signifie gris, ivre » (Littré). D'où *se paffer* et *se dépaffer*.

Page 800.

1. Le directeur du Théâtre-Français.
2. Article publié dans la *Gazette nationale* de Berlin du 13 mai 1874.
3. La seule édition du *Monde des papillons*, de Maurice Sand, est une édition de luxe (1867).

Page 801.

À ÉMILE ZOLA
[26 mai 1874]

Autographe non retrouvé ; copie René Descharmes, N.A.F. 23827, f° 30 ; Conard, t. VII, p. 142-144.

1. Il s'agit de *La Conquête de Plassans* (*Bibliographie de la France*, 3 juin 1874).
2. J'ignore le nom de l'auteur de *Barbané*.

À IVAN TOURGUENEFF
1er juin [1874]

Autographe non retrouvé ; ancienne collection Decugis, maintenant Dina Vierny ; *Lettres inédites à Tourgueneff*, éd. Gérard-Gailly, p. 73-75 ; *Supplément*, t. III, p. 126-128 ; *Gustave Flaubert-Ivan Tourguéniev. Correspondance*, éd. Alexandre Zviguilsky, p. 145-146.

3. Voir la lettre de Flaubert à George Sand du 26 mai [1874], n. 2, p. 800.
4. *Bouvard et Pécuchet*.
5. Émile Perrin.

Page 802.

1. *Le Ventre de Paris*, d'Émile Zola, avait paru en 1871 ; *La Conquête de Plassans* lui succède dans *Les Rougon-Macquart*.
2. Sur la lecture de *Ma sœur Jeanne*, voir la lettre de Flaubert à George Sand du [3 juin 1874], p. 803.
3. Tourgueneff préparait son roman *Terres vierges*, sur le mouvement populiste en Russie.
4. Flaubert partira pour la basse Normandie le jeudi 18 juin avec Edmond Laporte, pour choisir le site de la ferme de *Bouvard et Pécuchet*.

Page 803.

À PHILIPPE LEPARFAIT
[2 juin 1874]

Autographe non retrouvé ; Conard, t. VII, p. 151-152.

1. Duquesnel était alors le directeur de l'Odéon.

2. Victor-Arthur Rousseau de Beauplan (1823-1890), auteur dramatique et, de 1872 à 1879, sous-directeur des Beaux-Arts.

3. Philippe Leparfait était le fils naturel du marquis de Chennevières, alors directeur des Beaux-Arts, et de Léonie Leparfait. Il avait été adopté par Louis Bouilhet, le compagnon de Léonie Leparfait.

4. Félix Duquesnel (1832-1915), directeur du théâtre de l'Odéon, refusera *Le Sexe faible*, œuvre de Louis Bouilhet que Flaubert tentera, sans succès, de faire jouer.

À GEORGE SAND

[3 juin 1874]

Autographe Lovenjoul, H 1358, ff[os] 358-359 ; *Supplément*, t. III, p. 128-130 ; *Correspondance Flaubert-Sand*, éd. Alphonse Jacobs, p. 471-472.

5. L'intrigue de *Ma sœur Jeanne* est extrêmement compliquée, et finit bien : Laurent Bielsa épouse Jeanne et le docteur Vianne, Manuela. Laurent est le narrateur du roman.

Page 804.

1. Flaubert orthographie *Manuella*.

2. Laurent devient le médecin personnel de Sir Richard Brudnel. Il se rend au lac Majeur où il trouve Sir Richard et une jeune femme appelée Helena, mais qui est en réalité Manuela Perez (*Ma sœur Jeanne*, édition originale, p. 111-112).

3. Laurent aime Manuela, mais finira par épouser Jeanne.

4. Laurent et Manuela se déclarent leur amour réciproque : « Ce n'est pas Richard que j'aime [...]. Veux-tu m'aimer, réponds ! Tu m'aimes, je le sais, je le sens, je le crois » (*ibid.*, p. 211).

5. Laurent dit à Manuela qu'il l'aime : « Je le lui répétai mille fois en couvrant ses cheveux de baisers ardents et chastes [...] » (*ibid.*, p. 217).

6. Fanny Ellington, marquise de Mauville, sans doute la mère de Jeanne.

7. Le docteur Vianne, qui épousera Manuela.

Page 805.

À ÉMILE ZOLA

3 juin [1874]

Autographe non retrouvé ; Flaubert, *Correspondance*, éd. René Descharmes, Le Centenaire, t. III, p. 541-543 (1924) ; Conard, t. VII, p. 142-144. René Descharmes a vu l'autographe (*Lettres de Gustave Flaubert à Émile Zola* : « Les autographes de ces lettres m'ont été confiées par Mme Émile Zola le 6 juillet 1922 » [B.N., N.A.F. 23827, f° 32]).

1. Serge Mouret, fils de Mouret et de Marthe, demande à entrer au séminaire et Mouret finit par accepter.

2. Marthe, épouse de Mouret, née Rougon.

3. Marthe eſt atteinte d'hyſtérie religieuse.

4. « Toute une nouvelle femme grandissait en Marthe. Elle était affinée par la vie nerveuse qu'elle menait. »

5. Marthe obéit aveuglément à l'abbé Faujas.

6. Durant la semaine sainte, « toute la Passion saignait en elle ».

7. C'eſt la dernière entrevue de l'abbé Faujas et de Marthe ; elle lui avoue son amour, il la rejette.

Page 806.

1. « Une dernière lueur rouge alluma ce crâne rude du soldat, où la tonsure était comme la cicatrice d'un coup de massue. »

2. L'abbé Faujas eſt invité chez les Mouret : « Il faisait trop chaud, Mouret ayant bourré le poêle outre mesure, pour prouver qu'il ne regardait pas à une bûche de plus. »

3. La mère de l'abbé Faujas vole dans un coffre ; l'abbé la force à reſtituer.

Page 807.

À GEORGES CHARPENTIER
[4 ? juin 1874]

Autographe non retrouvé ; René Descharmes, « Flaubert et ses éditeurs […] », *R.H.L.F.*, juillet-septembre 1911, p. 37-38 ; *Correspondance*, éd. R. Descharmes, t. III, p. 543 ; Conard, t. VII, p. 144-145.

1. Ce billet « inclus » n'a pas été retrouvé.

2. Il s'agit de l'article qu'Erneſt Renan avait promis d'écrire sur *La Tentation de saint Antoine*. Charpentier ira chez Renan en septembre, qui refuse (Lovenjoul, B I, ff^os 308-309).

3. L'édition de *Salammbô* chez l'éditeur Charpentier paraîtra le 17 oċtobre 1874.

À EDMOND LAPORTE
[6 juin 1874]

Autographe colonel Sickles ; *Supplément*, t. III, p. 130-131.

4. Ce voyage en basse Normandie, fait en compagnie d'Edmond Laporte, aura lieu du 18 au 20 juin. Il avait pour but de fixer le lieu où se situerait la ferme de *Bouvard et Pécuchet*.

Page 808.

À FRÉDÉRIC BAUDRY
8 juin [1874]

Autographe non retrouvé ; *Complément* au *Supplément*, p. 30-31.

1. Je n'ai pas retrouvé ces « deux élucubrations agricoles ».

2. Erneſt Heinrich Haeckel, *Natürliche Schöpfungsgeschichte* (Berlin, 1868), ouvrage traduit en français par Charles Letourneau, Paris, Rein-

wold, 1874, sous le titre de *Histoire de la création des êtres organisés d'après les lois naturelles* (*Bibliographie de la France*, 14 février 1874). Haeckel était professeur titulaire de zoologie à l'université d'Iéna et disciple de Charles Darwin.

À LA PRINCESSE MATHILDE
8 juin [1874]

Autographe Archivio Campello, n° Inv. 1017 ; Conard, t. VII, p. 145-146.

3. *Bouvard et Pécuchet.*

Page 809.

À SA NIÈCE CAROLINE
[12 juin 1874]

Autographe Lovenjoul, A III, ffos 12-13, Conard, t. VII, p. 147-148.

1. Ernest et Caroline Commanville partaient pour la Suède. Ils voulaient acheter du bois pour la scierie d'Ernest.

2. Le docteur Achille Flaubert était chirurgien en chef de l'hôtel-Dieu de Rouen. Julie est la bonne très aimée de la famille Flaubert.

Page 810.

1. Flaubert était né à l'hôtel-Dieu et y passera son enfance et sa jeunesse, sauf pendant ses années au collège royal de Rouen et d'études à l'université de Paris. La famille Flaubert quittera l'hôtel-Dieu à la mort du docteur Flaubert le 15 janvier 1846.

2. « Bulbe », d'où « ail », « oignon » ?

3. Par son testament, Mme Flaubert avait légué Croisset à sa petite-fille Caroline, à la condition que Gustave pourrait y vivre toute sa vie.

À EDMOND LAPORTE
[12 juin 1874]

Autographe colonel Sickles, ancienne collection Pellerin ; *Supplément*, t. III, p. 131.

4. *Bouvard et Pécuchet.*

Page 811.

À SA NIÈCE CAROLINE
16 [juin 1874]

Autographe Lovenjoul, A III, ffos 14-16 ; incomplète dans Conard, t. VII, p. 148-151.

1. « Mme Salé, une cousine éloignée qui sollicitait une place » (Conard, t. VII, p. 149, n. 1).

2. Alfred Baudry, frère cadet de Frédéric Baudry, famille amie de celle de Flaubert.

3. Louis Le Poittevin, fils unique d'Alfred Le Poittevin. Il était peintre.

Page 812.

1. J'ignore qui sont M. et Mme Édouard.
2. Je n'ai pu percer l'identité du « Pseudo ».
3. Notaire des Flaubert à Rouen ; c'est lui qui a fait établir l'inventaire des livres de Flaubert le 20 mai 1880. Il a été publié par René Rouault de La Vigne : « L'Inventaire après décès de la bibliothèque de Flaubert », *Revue des sociétés savantes de Haute-Normandie*, 1957, 3e trimestre, n° 7, p. 73-84. Voir aussi Georges Dubosc, « La Bibliothèque de Flaubert », *Journal de Rouen*, 28 décembre 1902.
4. Putzel était la chienne de Caroline Commanville qui était en voyage avec son mari en Allemagne et en Scandinavie.

Page 813.

À EDMA ROGER DES GENETTES

17 [juin 1874]

Autographe Lovenjoul, H 1360, ffos 159-160 ; incomplète dans Conard, t. VII, p. 152-154.

1. Flaubert avait déjà fait des voyages de découverte dans les environs de Paris pour trouver le lieu où se situerait *Bouvard et Pécuchet.* Cette fois, qui sera la bonne, il se promène en basse Normandie.
2. Flaubert reviendra à Croisset le 24 juin 1874.
3. Voir la lettre de Flaubert à Frédéric Baudry du 8 juin [1874], p. 808.

Page 814.

1. Arthur Schopenhauer (1788-1860), *Privat-Docent* à l'université de Berlin, surtout célèbre par son ouvrage *Le Monde comme volonté et comme représentation.*
2. La ressemblance, « parfois », de Lucrèce et de Lord Byron peut paraître aventurée.

IVAN TOURGUENEFF À GUSTAVE FLAUBERT

17/5 juin 1874

Autographe Lovenjoul, B VI, ffos 156-157 ; *Gustave Flaubert-Ivan Tourguéniev. Correspondance*, éd. Alexandre Zviguilsky, p. 147-149.

3. Voir cette lettre, p. 801.

Page 815.

1. La seconde cure de Tourgueneff à Carlsbad aura lieu du 3 au 26 août 1874.
2. « Tourguéniev voulait observer l'état politique et social de la Russie en vue du roman qu'il préparait sur le mouvement populiste :

Terres vierges » (*Gustave Flaubert-Ivan Tourguéniev. Correspondance*, éd. Alexandre Zviguilsky, n. 11, p. 146).

3. *La Conquête de Plassans*, parue le 27 mai 1874.

4. Tourgueneff avait obtenu du *Messager de l'Europe* qu'il publie les romans de Zola, et les fasse traduire en russe.

5. *La Tentation de saint Antoine.*

6. Il s'agit des dîners du groupe des Cinq, ou dîners des auteurs sifflés : Flaubert, Daudet, Goncourt, Zola et Tourgueneff.

Page 816.

À SA NIÈCE CAROLINE

24 [juin 1874]

Autographe Lovenjoul, H 1357, ffos 17-19 ; lettre incomplète dans Conard, t. VII, p. 154-157. Enveloppe (fo 17) : Madame Commanville, hôtel Rydberg, Stockholm (Suède).

1. Edmond Laporte avait accompagné Flaubert dans son voyage en Normandie.

2. Sans doute une contrepèterie pour « peintre-paysagiste ».

3. Edmond Laporte.

4. Cette phrase concerne le voyage de Flaubert en Suisse, au Righi.

5. Le vieille servante de la famille Flaubert.

Page 817.

1. Le journaliste Henri Rochefort avait été déporté en Nouvelle-Calédonie en 1873 ; il rentrera en France à la faveur de l'amnistie de 1880.

Page 818.

À PHILIPPE LEPARFAIT

[27 juin 1874]

Autographe Jacques Lambert ; Conard, t. VII, p. 157-158.

1. *Le Sexe faible*, pièce de Louis Bouilhet mise au point par Flaubert ; elle est publiée dans les éditions du Centenaire et Conard. Flaubert l'avait envoyée à Duquesnel, directeur du théâtre de l'Odéon, en dernière ressource. Elle ne sera jamais jouée.

2. Cette lettre du ministère des Beaux-Arts n'a pas été retrouvée.

3. Le marquis Philippe de Chennevières, alors directeur des beaux-arts au ministère de l'Instruction publique.

4. Jules Rohaut, ami de Louis Bouilhet, qui écrivait sous le pseudonyme de Jules Dementhe.

À SA NIÈCE CAROLINE

1er juillet [1874]

Autographe Lovenjoul, H 1357, ffos 20-22 ; *Supplément*, t. III, p. 137-138. Enveloppe : Madame Commanville, hôtel Rydberg, Stockholm

(Suède) ; renvoyée à : hôtel de l'Amstel, Amsterdam, Holland (C.P. : 9 août 74). La lettre de Flaubert est datée du 2 août 74.

5. Flaubert orthographie *Karltbad* comme dans les lettres suivantes sauf la dernière, du 19 juillet, où il écrit : *Karlbad.* J'ai partout rétabli le vrai nom : *Kaltbad.*

6. Je rappelle qu'une seule lettre de Caroline à Flaubert a été conservée (voir t. III, p. 367).

Page 820.

1. Fanny Davout, née Egberg. Elle avait épousé le baron Davout, descendant du général baron Davout, frère cadet du maréchal.

Page 821.

À IVAN TOURGUENEFF
2 juillet 1874

Autographe non retrouvé ; Conard, t. VII, p. 158-161 ; *Lettres inédites à Tourgueneff*, éd. Gérard-Gailly (qui a consulté l'autographe dans le fonds Decugis), p. 76-80 ; *Gustave Flaubert-Ivan Tourguéniev. Correspondance*, éd. Alexandre Zviguilsky, p. 150-152.

1. Flaubert avait traversé les Alpes deux fois déjà, en mars 1845, avec ses parents, sa sœur et son beau-frère, et en juin 1851 avec sa mère.

2. *Bouvard et Pécuchet.*

3. Édouard Drumont (1844-1917) avait publié dans *Le Bien public* du 8 avril 1874, un article très élogieux sur *La Tentation de saint Antoine*, où il mettait Flaubert au-dessus de Gœthe.

4. Camille Pelletan avait, lui aussi, écrit un article très favorable sur *La Tentation* dans *Le Rappel* du 15 mai 1874.

Page 822.

1. « Les Decius » ; le père, le fils et le petit-fils, trois générations de héros de l'histoire romaine aux IVe et IIIe siècles avant Jésus-Christ.

Page 823.

À GEORGE SAND
3 juillet [18]74

Autographe Lovenjoul, A IV, ff^os^ 361-362 ; Conard, t. VII, p. 161-163 ; *Correspondance Flaubert-Sand*, éd. Alphonse Jacobs, p. 473-475.

1. *Les Deux Orphelines*, drame d'Adolphe d'Ennery et Carmon, joué pour la première fois au théâtre de la Porte-Saint-Martin le 29 janvier 1874.

2. Dans l'hebdomadaire *Le Monde illustré* du 27 juin 1874, Pierre Véron donnait « l'emploi exact du temps de George Sand, durant un des jours où elle est restée à Paris ».

3. Le marquis de Chennevières était directeur des Beaux-Arts, et le père de Philippe Leparfait.

4. Rousseau utilise quatre fois l'expression de « conjuration » ou « cotterie Holbachique » dans ses *Confessions* (*Œuvres complètes*, Bibl. de la Pléiade, t. I, p. 428, 433, 501 et 511).

Page 824.

1. *Le Retour du Christ. Appel aux femmes*, ouvrage anonyme, préface d'Alexandre Dumas fils, 1874.

2. Flaubert fait erreur : ce n'est pas pour une édition de *Werther*, mais de *Faust*, qu'Alexandre Dumas fils a écrit une préface. Voir la lettre de Flaubert à George Sand du 7 février [1874], p. 766-767.

3. Voir ci-dessus, p. 775.

4. La religion de l'art, sans doute.

5. Émile Zola, *La Conquête de Plassans*, roman paru le 27 mai 1874 (*Bibliographie de la France*, 20 juin 1874).

6. Voir la lettre de Flaubert à Frédéric Baudry du 8 juin [1874], p. 808.

Page 825.

GEORGE SAND À GUSTAVE FLAUBERT
6 juillet [18]74

Autographe Alfred Dupont ; *Correspondance entre George Sand et Gustave Flaubert*, éd. Henri Amic, p. 402-403 ; *Correspondance Flaubert-Sand*, éd. Alphonse Jacobs, p. 475-477.

Page 826.

1. George Cox, *Récits de la vie des dieux et des héros*, ouvrage traduit de l'anglais par Fr. Baudry et E. Delerot, Paris, Hachette, 1867 (l'édition anglaise a paru en 1862).

À SA NIÈCE CAROLINE
8 juillet [1874]

Autographe Lovenjoul, H 1357, ff^os 23-25. Enveloppe (f° 23) : Madame Commanville, rue de Clichy, 77, Paris ; C. P. : Righi 9. 7. 74 ; Pontarlier, 10 juillet 74 ; Conard, t. VII, p. 164-165.

2. Daviron, le commis d'Ernest Commanville.

Page 828.

À EDMOND LAPORTE
9 juillet [1874]

Autographe non retrouvé ; *Supplément*, t. III, p. 135-136.

1. Voir la lettre de Flaubert à Edmond Laporte du [12 juin 1874], p. 810.

Page 829.

À GEORGES CHARPENTIER
10 juillet [1874]

Autographe non retrouvé ; *Œuvres complètes illustrées de Gustave Flaubert*, éd. René Descharmes (qui a consulté l'autographe), édition du Centenaire, t. III, p. 553 ; Conard, t. VII, p. 165-166.

1. La « Lettre à Gustave Flaubert sur *La Tentation de saint Antoine* » est datée par Renan du 8 septembre 1874.

À EDMOND LAPORTE
[10 juillet 1874]

Autographe non retrouvé ; *Supplément*, t. III, p. 136-137.

2. « Ma vieille porte » en latin ; Flaubert emploie aussi le mot *bab* qui veut dire « porte » en arabe.

À LA PRINCESSE MATHILDE
10 juillet [1874]

Autographe Archivio Campello, nº Inv. 1018 ; édition Conard, t. VII, p. 166-167.

Page 830.

1. Sur Claudius Popelin, voir n. 2, p. 685.
2. Vincent, comte Benedetti (1817-1900), diplomate sous le Second Empire, voir n. 1, p. 358.

À SA NIÈCE CAROLINE
[12 juillet 1874]

Autographe Lovenjoul, A III, ffos 26-28 ; incomplète dans Conard, t. VII, p. 167-169.

3. Le commis d'Ernest Commanville.

Page 831.

1. Les trois derniers nommés par Flaubert sont de grands médecins et mentionnés dans les encyclopédies. Seul « l'ancien médecin des d'Orléans » n'y figure pas.
2. *Le Sexe faible* ne sera jamais joué.

Page 832.

1. S'agirait-il de l'épouse du tapissier de Flaubert à Paris ?
2. M. de La Chaussée avait épousé Coralie Vasse de Saint-Ouen, grande amie de Caroline Commanville.

IVAN TOURGUENEFF À GUSTAVE FLAUBERT
12 juillet / 30 juin 1874

Autographe Lovenjoul, B VI, ffos 159-160 ; *Gustave Flaubert-Ivan Tourguéniev. Correspondance*, éd. Alexandre Zviguilsky, p. 152-154.

3. Voir la lettre de Flaubert à Tourgueneff du 2 juillet 1874, p. 821.

4. Flaubert écrit *Karltbad*, « un nom impossible », comme Tourgueneff le lui signale à la fin de sa lettre.

5. Albrecht von Haller (1708-1777), auteur du poème « Les Alpes » (1729).

6. Voir surtout la lettre 17 de la quatrième partie, adressée à Milord Édouard de *La Nouvelle Héloïse* (*Œuvres complètes*, Bibl. de la Pléiade, t. II, p. 514-522).

Page 833.

1. Voir la lettre de Flaubert à sa nièce Caroline du 24 [juin 1874], p. 816.

2. Alphonse Daudet et Émile Zola ?

3. La famille Viardot.

4. Le maréchal de Mac-Mahon, « inglorieux », car vaincu dans la guerre contre la Prusse.

5. Il s'agit du discours de Robespierre prononcé à la Convention le 3 décembre 1792 : « Procès de Louis XVI. Discussion sur cette question ; le roi peut-il être jugé ? », *Choix des rapports [...] prononcés à la tribune française depuis 1789 jusqu'à 1821*, t. X, p. 219-238.

Page 834.

À EDMOND LAPORTE
13 juillet [1874]

Autographe non retrouvé ; *Supplément*, t. III, p. 137.

1. La « Fortune » a changé, et *Le Sexe faible* ne sera jamais joué.

À EDMA ROGER DES GENETTES
14 juillet [1874]

Autographe Lovenjoul, H 1360, ffos 161-162 ; incomplète dans Conard, t. VII, p. 169-171.

2. Le directeur du *Figaro*.

Page 835.

1. Flaubert n'écrira jamais ce roman, mais il y a plusieurs fois travaillé : voir Marte-Jeanne-Durry, *Flaubert et ses inédits*, p. 258-259, 271-274, 291-293, 303-304, 312-315 et surtout *Carnets de travail*, édition critique et génétique établie par Pierre-Marc de Biasi, Balland, 1988, p. 549-561.

2. Je n'ai pu identifier « Sylvanire », amie d'Edma Roger des Genettes et de Flaubert.

3. Émile Perrin (1814-1885), avait été nommé en juillet 1871 administrateur général de la Comédie-Française.

4. Félix Duquesnel, directeur du théâtre de l'Odéon.

5. Le titre de ce roman deviendra *Bouvard et Pécuchet.*

6. Voir n. 2, p. 808.

7. Le roman venait de paraître chez Charpentier.

Page 836.

À GEORGE SAND

14 juillet [1874]

Autographe Lovenjoul, H 1360, ffos 161-162, incomplète dans Conard, t. VII, p. 169-171.

1. *Le Sexe faible*, comédie de Louis Bouilhet, complétée et remaniée par Flaubert, et qui ne sera jamais jouée.

Page 837.

1. Comme l'écrit Alphonse Jacobs dans la *Correspondance Flaubert-Sand*, n. 65, p. 478 : « On ne trouve, dans *Le Temps* des années 1873 et 1874, aucun roman écrit par un débutant en relation avec Flaubert. » Mais Marie Régnier écrit à Flaubert le 17 juillet 1873 (Lovenjoul, BV, ffos 314-316) que *Le Temps* a refusé de publier un roman d'elle, peut-être *Revanche posthume*, qui paraîtra finalement chez Charpentier en 1878, sous le pseudonyme de Daniel Darc. Charles-Edmond était alors directeur littéraire du *Temps.*

2. Thésée à Hippolyte : « De ton horrible aspect purge tous mes états » (Racine, *Phèdre*, acte II, sc. II).

À SA NIÈCE CAROLINE

[15 juillet 1874]

Autographe Lovenjoul, H 1357, ffos 29-30 ; incomplète dans Conard, t. VII, p. 174-175.

3. L'hôtel de Stockholm où étaient descendus les Commanville, sans doute.

Page 838.

1. Eaux-Bonnes, station balnéaire dans le département des Basses-Pyrénées.

Page 839.

À SA NIÈCE CAROLINE

19 [juillet 1874]

Autographe Lovenjoul, H 1357, ffos 31-33 ; incomplète dans Conard, t. VII, p. 174-175.

1. Le vignettiste Melotte. Voir la lettre de Flaubert à sa nièce Caroline du [5 octobre 1873], p. 724.

2. Voir n. 5, p. 714.

3. Le docteur Noël Guéneau de Mussy (1814-1885) a écrit de nombreux ouvrages, dont un *Traité de l'angine glanduleuse et observations sur l'action des Eaux-Bonnes dans cette affection* (1857).

4. Le docteur Achille-Cléophas Flaubert.

5. Voir la lettre d'Ivan Tourgueneff à Flaubert du 12 juillet 1874, p. 832.

6. Flavie Vasse de Saint-Ouen, dont la nièce de Flaubert raconte dans ses *Heures d'autrefois* que Gustave Flaubert avait été son grand amour.

7. *Le Sexe faible* ne sera jamais joué ; le théâtre de Cluny était l'ultime tentative de Flaubert.

Page 840.

À SA NIÈCE CAROLINE
[24 juillet 1874]

Autographe Lovenjoul, H 1357, ff[os] 34-35 ; lettre incomplète dans Conard, t. VII, p. 176-177.

1. Flavie Vasse de Saint-Ouen.

À SA NIÈCE CAROLINE
[25 juillet 1874]

Autographe Lovenjoul, H 1357, ff[os] 36-37 ; Conard, t. VII, p. 177.

Page 841.

À GEORGES CHARPENTIER
28 juillet [1874]

Autographe non retrouvé ; René Descharmes « Flaubert et ses éditeurs [...] », *R.H.L.F.*, juillet-septembre 1911, p. 381 ; Conard, t. VII, p. 561-562.

1. *Bouvard et Pécuchet.*

2. *Le Sexe faible* ne sera jamais joué.

3. Ernest Renan reproduira sa « Lettre à M. Gustave Flaubert sur *La Tentation de saint Antoine* », datée de « Venise, 8 septembre 1874 », dans *Feuilles détachées*, Paris, Calmann-Lévy, 1892, p. 344-354.

À PHILIPPE LEPARFAIT
28 [juillet 1874]

Autographe non retrouvé ; Conard, t. VII, p. 180-181.

Page 842.

1. Le marquis de Chennevières.

2. Decorde, de Rouen, était avocat et poète. J'ignore tout de son « vol littéraire ».

3. Je n'ai pas trouvé trace de l'actrice Mme Larmet.

À GUY DE MAUPASSANT

28 juillet [1874]

Autographe B. M. Rouen, m m 8, pièce 59 ; Conard, t. VII, p. 181-182.

Page 843.

À EDMOND LAPORTE

[29 juillet 1874]

Autographe non retrouvé ; *Supplément*, t. III, p. 138.

1. Ernest Simonin publia en 1863 (Rouen, librairie Durand, in-8°) douze cents alexandrins qui s'achevaient ainsi : *De ce livre bruyant, il n'est rien demeuré : / L'oubli, l'oubli cruel l'a vite dévoré.*

À IVAN TOURGUENEFF

[25] 29 juillet 1874

Autographe Dina Vierny, venant de l'ancienne collection Decugis ; Conard, t. VII, p. 177-180 ; lettre publiée par Gérard-Gailly dans *Lettres inédites à Tourgueneff*, p. 81-84 ; et par Alexandre Zviguilsky dans *Gustave Flaubert-Ivan Tourguéniev*, p. 155-156.

2. Émile Perrin, directeur du Théâtre-Français.
3. Félix Duquesnel, directeur du théâtre de l'Odéon.

Page 844.

1. Émile Weinschenk.

Page 845.

À ERNEST COMMANVILLE

[1er août 1874]

Autographe Lovenjoul, A III, ffos 525-526 ; *Supplément*, t. III, p. 138-140.

1. Le baume, le sirop et les tablettes de tolu proviennent des environs de Tolu, près de Carthagène (Colombie). Ce médicament était très usité contre le rhume et les catarrhes.
2. Émile Collange, le domestique de Flaubert.

Page 846.

1. Voir la lettre de Flaubert à Caroline du [6 août 1874], p. 847.
2. Sans doute un voisin de Flaubert à Croisset.

À ÉMILE ZOLA

2 août [1874]

Autographe non retrouvé ; cette lettre ne figure pas dans les copies de lettres de Zola faites par René Descharmes (B.N., fonds Descharmes, 23827).

3. *Bouvard et Pécuchet.*

Page 847.

À SA NIÈCE CAROLINE

[6 août 1874]

Autographe Lovenjoul, H 1357, ff[os] 38-40 ; incomplète dans Conard, t. VII, p. 184-185. Enveloppe (f° 38) : Madame Commanville, Neuville, Dieppe, Seine-Inférieure ; C.P. : 6 août, *[année illisible]*.

1. Cette lettre de Flaubert à Caroline n'a pas été retrouvée.

2. Il s'agit de cette phrase de Montaigne, dans le chapitre X « Des livres » : « Je veux [...] qu'ils s'échaudent à injurier Sénèque en moi. » (*Essais*, coll. « Folio classique », t. II, p. 105).

3. Sur Decorde, voir la lettre de Flaubert à Philippe Leparfait du 28 [juillet 1874], n. 2, p. 842.

Page 848.

À MARGUERITE CHARPENTIER

6 [août 1874]

Autographe non retrouvé ; lettre publiée sur l'autographe par René Descharmes dans « Flaubert et ses éditeurs [...] », *R.H.L.F.*, juillet-septembre 1911, p. 38-39 et dans son édition du Centenaire, t. III, p. 564 ; Conard, t. VII, p. 185-186.

1. *Bouvard et Pécuchet.*

2. Marcel Charpentier.

3. Georgette Charpentier, née en 1872, qui estropie *Flaubert* en *Habert.*

À ALPHONSE LEMERRE

6 août [1874]

Inédite. Autographe non retrouvé ; photocopie aimablement communiquée par le regretté Jacques Suffel. Sur la première page, en haut à gauche, de la main d'Alphonse Lemerre : « Envoyé un R.I. de 1 000 fr. et annoncé les eaux-f[ortes] de Boilvin. *[signé]* A. »

Page 849.

1. Il s'agit de la réédition de *Madame Bovary*, parue chez Lemerre en 1874. Flaubert avait racheté les droits de son roman à Michel Lévy ; ayant besoin d'argent, il avait déjà fait publier en 1873 une « édition définitive » de *Madame Bovary* chez Charpentier. Voir l'excellente mise au point de Claudine Gothot-Mersch, *Madame Bovary*, p. 363-364.

À SA NIÈCE CAROLINE

[9 août 1874]

Autographe Lovenjoul, H 1357, A III, ff[os] 42-43 ; la lettre de l'édition Conard n° 1486, datée d'[août 1874] est composée de fragments de deux lettres, du 9 et 21 août. Si l'autographe de la lettre du [21 août] figure dans la collection Lovenjoul, ce n'est pas le cas de celle du

[9 août] ; je pense que Caroline a dû le détruire, à cause des premiers paragraphes, traitant de questions commerciales et médicales concernant Ernest Commanville.

2. Laisné et Pécuchet, banquiers associés de Rouen.
3. La vieille bonne de la famille Flaubert.

Page 850.

À EDMOND LAPORTE

[10 ? août 1874]

Inédite. Autographe colonel Sickles, provenant de la vente Jean-Victor Pellerin. Cette lettre ne figure pas dans le *Supplément.*

1. J'ignore de quelle œuvre il s'agit.

À SA NIÈCE CAROLINE

[13 août 1874]

Autographe Lovenjoul, H 1357, ffos 44-45. Enveloppe : Madame Commanville, Neuville, *Dieppe* ; C.P. : Rouen, 13 août 74 ; C.P. : Dieppe, 14 août 74.

2. Voir la lettre précédente à Caroline, du [9 août 1874], p. 849.
3. Ernest Commanville.
4. Le maréchal Bazaine, dont la condamnation à mort avait été commuée en vingt ans de réclusion, s'évada du fort de l'île Sainte-Marguerite dans la nuit du 9 au 10 août 1874. Henri Rochefort, écrivain et homme politique, avait été condamné, pour sa prise de position en faveur de la Commune, à la déportation le 20 septembre 1871, interné à Saint-Martin-de-Ré, puis en mai 1873 en Nouvelle-Calédonie. Il s'évada le 20 mars 1874.

Page 851.

À SA NIÈCE CAROLINE

[16 août 1874]

Autographe Lovenjoul, H 1357, ffos 46-48. Enveloppe : Madame Commanville, Neuville, *Dieppe* ; C.P. : Rouen, 13 août 74 ; C.P. : Dieppe, 16 août 74 ; Dieppe 17 août ?. Incomplète dans Conard, t. VII, p. 187-188.

a. parfois [solide] <robuste> *addition intercalaire inférieure.*

1. Il s'agit sans doute de Frédéric Deschamps, né en 1809, avocat à la cour de Rouen et auteur de plusieurs pièces de théâtre, dont *Bohême en Normandie*, jouée pour la première fois au théâtre de Rouen le 9 juillet 1859. Il a été plusieurs fois bâtonnier et est mort en 1875.
2. Laure Le Poittevin avait épousé Gustave de Maupassant, dont naîtront deux fils, Guy et Hervé. Gustave Flaubert et Laure étaient amis d'enfance, d'où l'emploi instinctif du nom de jeune fille.
3. S'agirait-il d'Adolphe Franck (1809-1893), philosophe, professeur au Collège de France dans la chaire de droit de la nature et des gens,

célèbre pour *La Kabbale ou philosophie religieuse des Hébreux* et son *Dictionnaire des sciences philosophiques* (1875). Il était membre de l'Institut.

Page 852.

À EDMOND LAPORTE
[20 août 1874]

Autographe non retrouvé ; *Supplément*, t. III, p. 143, datée de [fin août 1874].

1. Voir la lettre de Flaubert à Edmond Laporte du [29 juillet 1874], n. 1, p. 843.

À SA NIÈCE CAROLINE
[21 août 1874]

Autographe Lovenjoul, H 1357, ffos 49-50 ; *Supplément*, t. III, p. 142.

2. Juliet Herbert.
3. Propriété de la princesse Mathilde.

Page 853.

1. La famille Heuzey, de Rouen était très liée à la famille Flaubert depuis de nombreuses années ; les Heuzey étaient cousins des Lormier. Achille Flaubert, frère de Gustave, avait épousé Julie Lormier en 1839.

À LA PRINCESSE MATHILDE
[21 août 1874]

Autographe Archivio Campello, n° Inv. 1019, Rome ; Conard, t. VII, p. 186-187, datée d'août [1874] ; bien datée du [21 août 1874] par Gérard-Gailly (*Bulletin du bibliophile*, octobre 1947, p. 468) et Marcello Spaziani, *Gli Amici della principessa Matilde*, p. 77, n° 1484.

2. Bouvard et Pécuchet.

À SA NIÈCE CAROLINE
[28 août 1874]

Autographe Lovenjoul, H 1357, ffos 59-60 ; incomplète dans Conard, t. VII, p. 189-190.

Page 854.

1. Neuville, près de Dieppe, où habitaient les Commanville.
2. Ivan Tourgueneff.
3. Le directeur du théâtre de l'Odéon.
4. J'ignore tout de Casse-Robine.
5. La vieille bonne de la famille Flaubert.

À SA NIÈCE CAROLINE

[30 août 1874]

Autographe Lovenjoul, H 1357, ff[os] 59-60 ; incomplète dans Conard, t. VII, p. 189-190.

Page 855.

1. Marie-Caroline Carvalho, née Miolan, l'une des plus grandes artistes lyriques du XIXe siècle (1827-1895). Elle a chanté à l'Opéra-Comique, au Théâtre-Lyrique, à l'Opéra dont son époux Carvalho était directeur, et fait de nombreuses tournées à l'étranger.

2. Je n'ai pu identifier cette demoiselle.

3. L'appendice est composé de trois textes de Flaubert : une longue réponse aux trois articles de Sainte-Beuve sur *Salammbô* (*Nouveaux lundis*, t. IV) ; une longue première lettre à Guillaume Froehner sur son compte rendu de *Salammbô* et une réponse plus courte à la deuxième lettre de Froehner.

4. Bernhart Endrulat, *Die Versuchung des heiligen Antonius*..., Strasbourg, Wolff, 1874 (note 1 de l'édition Conard, t. VII, p. 191).

5. Amie de Caroline Commanville. J'ignore quels sont les *Contes* en question. Il ne peut s'agir des *Trois contes*, puisque *La Légende de saint Julien l'Hospitalier*, le premier conte, a été rédigée de septembre 1875 à février 1876.

À GEORGES CHARPENTIER

[3 ? septembre 1874]

Autographe non retrouvé ; copie dans René Descharmes, « Flaubert et ses éditeurs [...] », *R.H.L.F.*, juillet-septembre 1911, p. 39-40 ; Conard, t. VII, p. 199 ; dans ces deux éditions la lettre est datée de « septembre 1874 ».

6. Renan avait l'intention d'écrire un article intitulé « Lettre à M. Gustave Flaubert sur *La Tentation de saint Antoine* », écrit de « Venise, le 8 septembre [1874] ». En fait, sur les dix pages de cette « Lettre » (*Feuilles détachées*, p. 344-354), une seule (p. 352) apporte les impressions et jugements de Renan sur *La Tentation de saint Antoine*.

7. Sans doute un sous-traitant de l'imprimeur Claye, dont le nom figure au bas de la dernière page de *La Tentation de saint Antoine*.

8. La faute n'a pas été corrigée dans l'édition originale (Paris, Charpentier, 1874, p. 183). Elle figure aussi dans l'édition du Centenaire. Le prénom de Siméon est rétabli par Claudine Gothot-Mersch (*La Tentation de saint Antoine*, Gallimard, coll. « Folio », 1983, p. 166).

Page 856.

À SA NIÈCE CAROLINE

[4 septembre 1874]

Autographe Lovenjoul, H 1357, ff[os] 56-58 ; Conard, t. VII, p. 192-193.

1. Un couple d'amis intimes de sa nièce Caroline.

2. J'ignore qui est Mme Desgenetais. Un Desgenetais a été candidat malheureux à la députation le 16 novembre 1875.

3. Frankline Grout, qui épousera en 1875 Auguste Sabatier, professeur à la faculté de théologie protestante de Paris. C'était une amie intime de Caroline Commanville.

4. La princesse Mathilde se rendait au château d'Arenenberg, sur les bords du lac de Constance, en Suisse, habité par la comtesse de Saint-Leu, ex-reine de Hollande et son fils le prince Louis Napoléon, qui le vendit durant sa détention. Il fut racheté par l'impératrice Eugénie en 1873. Flaubert écrit « Ahrznberg ».

5. Félix-Hippolyte, baron Larrey (1808-1895), professeur de pathologie chirurgicale à l'École de perfectionnement du Val-de-Grâce, membre de l'Institut.

6. Le professeur de médecine Jules Cloquet et son épouse anglaise. Voir ci-dessus, n. 1, p. 443.

7. Claudius Popelin, peintre, écrivain d'art et poète (1825-1902), familier de la princesse Mathilde.

8. Eugène Giraud, peintre, membre assidu du salon de la princesse Mathilde.

9. Le poète François Coppée.

Page 857.

1. Mlle Ozenne, amie de Caroline Commanville.

2. Mme Adam raconte à ce propos dans *Nos amitiés politiques avant l'abandon de la Revanche* : « Le bon géant s'est redressé de toute sa taille et Barbey de toute sa hauteur. On s'est demandé si les deux coqs n'allaient pas se jeter l'un sur l'autre. » Barbey d'Aurevilly avait vivement critiqué les romans de Flaubert.

À SA NIÈCE CAROLINE
[7 septembre 1874]

Autographe Lovenjoul, H 1357 (A III), ffos 59-60 ; Conard, t. VII, p. 193-195.

3. Xemer est sans doute un employé d'Ernest Commanville.

4. Le directeur du théâtre de Cluny.

5. Émile Zola va faire jouer *Les Héritiers Rabourdin* au théâtre de Cluny. La pièce, dont la première a lieu le 3 novembre, n'aura que dix-sept représentations, ce qui est peu.

6. Abraham Dreyfus — Flaubert orthographie *Dreyfous* —, né en 1847, journaliste et auteur dramatique. J'ignore si cette pièce en vers a été jouée.

Page 858.

1. La vieille servante de la famille Flaubert.

À JEANNE DE LOYNES

9 septembre [1874]

Autographe non retrouvé ; lettre copiée lors de la vente Besançon du 17 juin 1980, n° 54. Voir le catalogue G. Andrieux, vente à l'hôtel Drouot le 28 juin 1837, n° 24, extraits. La date est fournie par la lettre : mercredi 9 septembre ; elle ne peut être que de 1874.

GEORGES CHARPENTIER

[Vers le 10 septembre 1874]

Autographe non retrouvé ; lettre publiée dans René Descharmes, « Flaubert et ses éditeurs [...] », *R.H.L.F.*, juillet-septembre 1911, p. 39 ; *Correspondance*, éd. du Centenaire, t. III, p. 572 ; Conard, t. VII, p. 199-200.

2. Le pavillon de Croisset.

Page 859.

1. *Dernières chansons*, poésies posthumes de Louis Bouilhet, avaient été publiées par Michel Lévy en 1872.

À SA NIÈCE CAROLINE

[13 septembre 1874]

Autographe Lovenjoul, H 1357, ff^os 61-63 ; incomplète dans Conard, t. VII, p. 197-198.

2. *Les Bêtes noires du capitaine*, comédie en quatre actes de Paul Cellières.

3. *Le Sexe faible*, pièce incomplète de Louis Bouilhet, remaniée et terminée par Flaubert, ne sera jamais joué.

4. Maupassant a travaillé pendant une dizaine d'années au ministère de la Marine et à celui de l'Instruction publique.

Page 860.

1. Frankline Grout, amie intime de Caroline Commanville, qui épousera en 1875 le pasteur protestant Auguste Sabatier.

2. Théodore de Banville séjournera chez Flaubert du 4 au 6 octobre 1874 (voir la lettre de Flaubert à la princesse Mathilde du 1er octobre [1874], p. 872).

3. J'ignore si Claudius Popelin et Eugène Giraud sont venus à Croisset.

4. Ernest Commanville.

5. Les Eaux-Bonnes, station thermale, commune des Basses-Pyrénées, arrondissement d'Oloron, altitude 748 m.

À CLAUDIUS POPELIN

[18 septembre 1874]

Autographe non retrouvé ; lettre publiée par Joanna Richardson dans le *Times Literary Supplement*, 13 juin 1968. La collection Lovenjoul conserve sept lettres de Claudius Popelin à Flaubert.

6. « André, régent de la Banque » (note de l'édition Conard, t. IX, p. 50).

7. Claudius Popelin devait venir à Croisset.

Page 861.

À SA NIÈCE CAROLINE

[19 septembre 1874]

Autographe Lovenjoul, H 1357, ff^os 64-65 ; incomplète dans Conard, t. VII, p. 200-201.

1. Mme Touzan est l'épouse du tapissier de Flaubert.

2. J'ignore qui est Mme Hamet.

3. *Les Deux Orphelines*, drame en cinq actes et huit tableaux, joué avec beaucoup de succès au théâtre de la Porte-Saint-Martin en 1874. Ce mélodrame raconte l'histoire pathétique de deux orphelines, venues à Paris, Henriette et Louise, qui est aveugle, et exploitées par la Frochard, une mégère. Tout finit bien : Henriette épouse le chevalier de Vaudray et Louise va recouvrer la vue. L'intrigue est située sous Louis XV.

4. Je n'ai pu identifier Mlle Kléber.

5. *Le Château des cœurs*, féerie conçue en 1862, écrite d'août à septembre 1863, et présentée sans succès au théâtre de la Gaîté en 1866 ; à la Porte-Saint-Martin en 1869 ; aux Variétés quelques années plus tard ; au nouveau directeur du théâtre de la Gaîté Weinschenk en 1878 ; enfin au théâtre des Nations en 1879. Flaubert finira par se résigner à publier la féerie dans *La Vie moderne* d'Émile Bergerat du 24 janvier au 8 mai 1880, jour de sa mort.

Page 862.

1. Frankline Grout, amie intime de Caroline Commanville.

À GEORGES CHARPENTIER

[20 septembre 1874]

Autographe non retrouvé ; copie sur l'autographe par René Descharmes dans son article « Flaubert et ses éditeurs : Michel Lévy et Georges Charpentier », *R.H.L.F.*, juillet-septembre 1911, p. 40 ; lettre reprise dans *Correspondance*, éd. René Descharmes, Le Centenaire, t. III, p. 574 et l'édition Conard, t. VII, p. 202.

2. Voir la lettre de Flaubert à Georges Charpentier du [3 ? septembre 1874], n. 6, p. 855.

3. Il s'agit de la comédie d'Émile Zola, *Les Héritiers Rabourdin*, qui sera jouée au théâtre de Cluny le 3 novembre 1874.

À EDMOND DE GONCOURT

22 [septembre 1874]

Autographe B. N., N.A.F. 22462, ff^os 373-374 ; Conard, t. VII, p. 202-204.

4. Le texte exact de la dernière phrase de *Candide* est : « […] mais il faut cultiver notre jardin. »

Page 863.

1. *Bouvard et Pécuchet.*
2. *Le Sexe faible* ne sera jamais joué.
3. Il s'agit d'Alexandre Dumas fils ; son père était mort en 1870. Le buste d'Alexandre Dumas fils, du sculpteur Carpeaux, fut exposé au Salon de 1874.
4. Alexandre Dumas fils écrira en effet une préface pour l'*Histoire de Manon Lescaut et du chevalier des Grieux* (Paris, Glany, 1875), mais non pour *Paul et Virginie.*

À IVAN TOURGUENEFF
22 [septembre 1874]

Autographe collection Decugis, puis Dina Vierny ; *Lettres inédites à Ivan Tourgueneff*, éd. Gérard-Gailly, lettre n° 48 ; *Supplément*, t. III, p. 144-145 ; *Gustave Flaubert-Ivan Tourguéniev. Correspondance*, éd. Alexandre Zviguilsky, p. 157.

Page 864.

1. Paul de Musset, « Histoire d'un diamant », *Revue des Deux Mondes*, 1er septembre 1874.

À GUY DE MAUPASSANT
23 septembre 1874

Autographe non retrouvé ; éd. Conard, t. VI, p. 417, lettre mal datée du 23 septembre 1872 ; bien datée par Georges Normandy dans Flaubert, *Lettres à Maupassant*, Le Livre moderne, 1942 ; *Gustave Flaubert-Guy de Maupassant. Correspondance*, éd. Yvan Leclerc, p. 93-94.

2. Flaubert se renseignait auprès de Guy de Maupassant pour les copistes Bouvard et Pécuchet.
3. « Ouvrière de la couture travaillant à la machine à coudre » (*Littré*).

À SA NIÈCE CAROLINE
[24 septembre 1874]

Autographe Lovenjoul, H 1357, ffos 66-68 ; incomplète dans Conard, t. VII, p. 204-206. Enveloppe : Madame Commanville, Neuville, Dieppe ; C.P. : Rouen, 24 septembre 1874 ; Dieppe, 25 septembre [1874].

Page 865.

1. D'après René Dumesnil (*Gustave Flaubert, l'Homme et l'Œuvre*, p. 288) Houzeau était chimiste.
2. Philippe Leparfait, fils adoptif de Louis Bouilhet.

3. J'ignore de qui il est question.

4. Le notaire à Rouen de la famille Flaubert.

5. Théodore de Banville et son beau-fils le peintre Georges Rochegrosse sont venus passer trois jours à Croisset du 4 au 6 octobre 1874. Voir la lettre de Flaubert à sa nièce Caroline du [8 octobre 1874], p. 873.

6. Je ne sais si Claudius Popelin et Charles Giraud, amis de la princesse Mathilde sont allés rendre visite à Flaubert à cette époque.

7. Alors directeur du théâtre de Cluny ; Weinschenk devait donner une réponse au sujet du *Sexe faible*, pièce de Louis Bouilhet terminée et remaniée par Flaubert.

Page 866.

À EDMA ROGER DES GENETTES

26 septembre [1874]

Autographe Lovenjoul, H 1360, ff^os 163-164 ; *Supplément*, t. III, p. 145-146.

1. *Bouvard et Pécuchet.*

Page 867.

À GEORGE SAND

26 septembre [1874]

Autographe Lovenjoul, A IV, ff^os 364-365 ; incomplète dans l'édition Conard, t. VII, p. 206-208 ; *Correspondance Flaubert-Sand*, éd. Alphonse Jacobs, p. 479-480.

Page 868.

1. Il s'agit d'*Hélène et Mathilde*, roman d'Alphonse Belot, Paris, Dentu, juin 1874.

2. *Une chaîne*, comédie en cinq actes d'Eugène Scribe, jouée le 29 novembre 1841 au Théâtre-Français, et reprise avec grand succès au Théâtre-Français le 8 septembre 1874.

3. L'une des sentinelles gardant le maréchal Bazaine avait été « visitée à trois reprises différentes par un gardien de la maison de détention, qui lui avait tenu des propos impudiques » (reportage du *Figaro*).

4. Le docteur Henri Favre (1827-1916), ami de Dumas fils et de George Sand, dont il était le médecin ordinaire.

5. Victor Hugo, *Ruy Blas*, acte III, sc. II.

À SA NIÈCE CAROLINE

[27 septembre 1874]

Autographe non retrouvé ; *Supplément*, t. III, p. 147.

6. Touzan était le tapissier de Flaubert à Paris.

Page 869.

À EDMOND LAPORTE

[28 septembre 1874]

Autographe non retrouvé, *Supplément*, t. III, p. 147-148, à la date de [septembre 1874]. Flaubert avait écrit le [19 septembre 1874] une lettre à Laporte lui annonçant son retour à Croisset ; cette lettre peut donc être datée du 28.

GEORGE SAND À GUSTAVE FLAUBERT

28 septembre [18]74

Autographe B.H.V.P. G 2528. Lettre publiée dans Georges Lubin, *Dialogue des deux troubadours, Correspondance entre George Sand et Gustave Flaubert*, Les Cent-Une, 1978, p. 102.

Page 870.

1. *Flamarande* paraîtra dans la *Revue des Deux Mondes* du 1er février au 1er mai 1875.

Page 871.

À JEANNE DE LOYNES

[Fin septembre-début octobre 1874]

Autographe vente Besançon (17 juin 1980), copiée chez Mme Vidal-Mégret que je remercie de son obligeance ; lettre publiée dans *L'Autographe S.A.*, catalogue n° 1, Genève, n° 82, 1 p. in-12.

À SA NIÈCE CAROLINE

1er octobre [1874]

Autographe Lovenjoul, H 1537, incomplète dans Conard, t. VII, p. 208-209.

1. Le premier chapitre de *Bouvard et Pécuchet*.

Page 872.

1. Caroline Commanville avait hérité de sa tante Fauvel une propriété à Pissy-Poville, commune très proche de Rouen.

À LA PRINCESSE MATHILDE

1er octobre [1874]

Autographe Archivio Campello, n° 1020 ; éd. Conard, t. VII, p. 195-197, datée de « septembre [1874] » ; Marcello Spaziani, *Gli Amici della principessa Matilde*, p. 77, bien datée du 1er octobre [1874].

2. L'édition Conard imprime « lendemain ».

3. Louis Jourdan (1810-1891), journaliste, saint-simonien et auteur de nombreux ouvrages.

4. *Le Sexe faible* ne sera jamais joué.

Page 873.

À CLAUDIUS POPELIN

1er octobre [1874]

Autographe non retrouvé ; consulté et reproduit par Joanna Richardson dans le *Times Literary Supplement* du 13 juin 1968 : « Claudius Popelin, "Unpublished Letters of Flaubert" », p. 615.

1. Je n'ai pu identifier M. Durassié.

À SA NIÈCE CAROLINE

[8 octobre 1874]

Autographe Lovenjoul, H 1357, ffos 73-74 ; incomplète dans Conard, t. VII, p. 209-210.

2. Flaubert orthographie *Wentschenk*. Nous corrigeons.

3. Le commis d'Ernest Commanville.

Page 874.

1. Le beau-fils de Théodore de Banville, Georges Rochegrosse, né en 1859, deviendra un peintre assez célèbre ; il était spécialisé dans les tableaux historiques, par exemple *Andromaque* (1883, prix du Salon), *La Mort de Babylone* (1891, musée du Luxembourg).

2. Caroline Commanville connaissait bien l'allemand.

3. Lillebonne, petite ville du canton du Havre, à trente-sept kilomètres à l'est du port, près de la Seine.

À EDMOND LAPORTE

[8 octobre 1874]

Autographe non retrouvé ; *Supplément*, t. III, p. 149-150.

4. Laporte avait été élu le 4 octobre 1874 conseiller d'arrondissement du canton de Grand-Couronne.

5. La ferme de Lisors, et non *Lizors*, comme l'écrit Flaubert, était une ferme modèle, que Flaubert voulait visiter pour le chapitre de *Bouvard et Pécuchet* sur l'agriculture. Lisors est une commune du département de l'Eure, canton de Lyons-la-Forêt.

6. Le théâtre de Cluny, à Paris, où Flaubert cherchait sans succès à faire jouer *Le Sexe faible*.

Page 875.

À JOHN PRADIER

8 [octobre 1874]

Autographe non retrouvé ; lettre publiée *in extenso* par Douglas Siler dans « Autour de Flaubert et de Louise Pradier », *Studi Francesi*, janvier-août 1977, no 61-62, p. 145-146. Voir aussi l'article de Pierre Lièvre « Flaubert et Pradier », *Les Nouvelles littéraires*, 24 et 31 décembre 1932 et 14-28 janvier 1933.

1. J'ignore qui eſt M. Jacques, parent de Flaubert, après avoir relu les biographies et les généalogies de Flaubert.

2. Louise Pradier eſt morte à Paris le 28 décembre 1885.

À IVAN TOURGUENEFF
8 [octobre 1874]

Autographe Dina Vierny (ancienne collection Decugis); *Lettres inédites à Tourgueneff*, éd. Gérard-Gailly, p. 49.

3. BURIDAN *à Marguerite*: « [...] Je lui [Gaultier d'Aulnay] remis la clef que tu m'avais donnée. Il va venir par cet escalier, par où je devais venir, moi. MARGUERITE : Malédiction ! comme c'était toi que j'attendais, j'avais placé... damnation !... j'avais placé des assassins sur ton passage !... GAULTIER, *entrant tout ensanglanté*: Marguerite ! Marguerite ! je te rapporte la clef de la tour. MARGUERITE : Malheureux, malheureux, je suis ta mère ! GAULTIER : Ma mère ?... Et bien, ma mère, soyez maudite *(il tombe et meurt)* » (Félix Gaillard et Alexandre Dumas, *La Tour de Nesle*, drame joué au théâtre de la Porte-Saint-Martin le 29 mai 1832). Flaubert avait lu ce drame à treize ans (voir t. I, p. 20 de la présente édition).

4. Mme Ritschl. Voir la lettre de Flaubert à Jules Duplan du [7 avril 1863], t. III, p. 318.

5. Le théâtre de Cluny, où Flaubert voulait faire jouer *Le Sexe faible*.

Page 876.

1. Les jéromiſtes sont les partisans de Jérôme Bonaparte, les louloutiens, ceux du prince impérial Louis Napoléon.

2. Voltaire a publié en 1764 un *Discours aux Velches*; le mot s'orthographie aussi *Welches*. Il viendrait de l'allemand *Waelch*, qui serait issu du latin *gallicus*. À l'époque de Voltaire, ce surnom péjoratif eſt appliqué particulièrement aux Français, et signifie: « hommes dépourvus de culture et de goût ».

À ÉMILE ZOLA
8 octobre [1874]

Autographe non retrouvé; copie communiquée par Mme Émile Zola à René Descharmes, publiée dans l'édition du Centenaire de la *Correspondance*, t. III, p. 580. Voir la réponse de Zola du 9 octobre 1874 dans la collection Lovenjoul, B VI, ffos 319-320.

3. *Les Héritiers Rabourdin*, pièce d'Émile Zola, jouée au théâtre de Cluny le 4 novembre 1874.

À SA NIÈCE CAROLINE
[11 octobre 1874]

Autographe Lovenjoul, H 1357, ffos 75-77; incomplète dans Conard, t. VII, p. 311-312. Enveloppe: Madame Commanville, Neuville, Dieppe; C.P.: Rouen, 11 octobre 1874; C.P.: Dieppe, 12 octobre 1874.

4. Il s'agit des répétitions de la comédie de Louis Bouilhet, terminée et refaite par Flaubert. Elle ne sera jamais jouée.

5. Édouard Plouvier (1821-1876), ouvrier corroyeur, autodidacte, auteur de nombreux contes, romans, chansons, pièces de théâtre. Le titre de la pièce est *Les Mangeurs de fer.*

Page 877.

1. Ce « Prologue » deviendra le premier chapitre de *Bouvard et Pécuchet.*

2. Voir le premier chapitre de *Bouvard et Pécuchet.*

3. Censier était conseiller à la cour de Rouen.

À EDMOND LAPORTE

[11 octobre 1874]

Autographe collection colonel Sickles ; *Supplément*, t. III, p. 150.

À ÉMILE ZOLA

[11 octobre 1874]

Autographe non retrouvé ; *Correspondance*, éd. René Descharmes, édition du Centenaire, t. III, p. 581-582 (copie faite sur l'autographe) ; Conard, t. VII, p. 212.

Page 878.

À EDMOND LAPORTE

[14 octobre 1874]

Autographe colonel Sickles ; photocopie aimablement communiquée par M. Thierry Bodin ; *Supplément*, t. III, p. 151.

À SA NIÈCE CAROLINE

[15 octobre 1874]

Autographe Lovenjoul, H 1357, ffos 78-79 ; Conard, t. VII, p. 212-214.

1. Le directeur du Jardin des plantes de Rouen.

Page 879.

1. Le préfet de la Seine-Inférieure.

2. Alfred Baudry, frère cadet de Frédéric Baudry, famille rouennaise amie des Flaubert.

À LÉONIE BRAINNE

[16 octobre 1874]

Autographe B. M. Rouen, m m 265, pièce 118 ; *Supplément*, t. III, p. 151-152.

3. J'ignore qui est Mme Laurent.

4. La ferme modèle de Lisors.

5. Flaubert écrit : « jusqu'à 15 h. du soir ». Nous corrigeons.

6. *Marion de Lorme*, drame de Victor Hugo, joué en 1831, et repris en août 1873 au Théâtre-Français. L'action se passe sous le règne de Louis XIII.

Page 880.

À SA NIÈCE CAROLINE

[20 octobre 1874]

Autographe Lovenjoul, H 1357, ff[os] 80-82. Enveloppe (f° 80) : Madame Commanville, Neuville, *Dieppe* ; C.P. : Rouen, 20 octobre 1874 ; C.P. : Dieppe, 21 octobre 1874.

1. Le directeur du Jardin des plantes de Rouen.

À GEORGES CHARPENTIER

[25 ? octobre 1874]

Autographe non retrouvé ; lettre publiée par René Descharmes dans « Flaubert et ses éditeurs [...] », *R.H.L.F.*, juillet-septembre 1911, p. 40.

2. Ernest Renan ; Flaubert lui avait demandé d'écrire un article sur *La Tentation de saint Antoine.* Dans ses *Feuilles détachées* (Paris, Calmann-Lévy, 1892), Renan publie une « Lettre à M. Gustave Flaubert sur *La Tentation de saint Antoine* », datée de Venise, 8 septembre 1874 ; dans cette lettre (p 344-354), Renan consacre exactement six lignes et un mot à *La Tentation.* Je rappelle que Flaubert avait envoyé à Renan un exemplaire de *L'Éducation sentimentale* en 1869, et n'avait pas reçu de réponse.

3. *Les Bêtes noires du capitaine*, comédie en quatre actes, en prose, de Paul Cellières, représentée en septembre 1874 au théâtre de Cluny.

Page 881.

À EDMOND LAPORTE

[27 octobre 1874]

Autographe non retrouvé ; *Supplément*, t. III, p. 152.

1. Le docteur Devouges, de Corbeil, amateur de jardins et ami de Laporte, qui l'avait mis en rapport avec Flaubert pour des renseignements sur l'horticulture.

2. *Les Héritiers Rabourdin* : la première aura lieu le 3 novembre 1874 au théâtre de Cluny (voir la lettre à sa nièce Caroline du [3 novembre 1874]).

3. Surnom d'Émile Weinschenk, directeur du théâtre de Cluny.

À ÉMILE ZOLA

[28 octobre 1874]

Autographe non retrouvé ; non dans la collection Lovenjoul ; non copié dans le fonds René Descharmes de la Bibliothèque nationale ; Conard, t. VII, p. 215-216.

4. Il s'agit des *Héritiers Rabourdin.*

Page 882.

À SA NIÈCE CAROLINE

[3 novembre 1874]

Autographe collection Lovenjoul, H 1357, ff[os] 87-88 ; Conard, t. VII, p. 216. Enveloppe : Madame Commanville, Croisset, près Rouen ; C.P. : Paris, 3 novembre 1874 ; Paris au Havre, 3 novembre 1874 ; Rouen, 4 novembre 1874.

1. Directeur du théâtre de Cluny.

2. Agent artistique.

3. La ferme de Lisors, que Flaubert avait visitée pour le premier chapitre de *Bouvard et Pécuchet*.

À EDMA ROGER DES GENETTES

4 [novembre 1874]

Autographe Lovenjoul, H 1360, ff[os] 165-166 ; *Supplément*, t. III, p. 155.

4. Pièce de théâtre d'Edmond Plouvier.

5. La rue du Mont-Thabor, dans le premier arrondissement, près de la place de la Concorde.

Page 883.

À GEORGE SAND

4 [novembre 1874]

Autographe Lovenjoul, H 1358, ff[os] 366-367 ; *Supplément*, t. III, p. 155-156 ; *Correspondance Flaubert-Sand*, éd. Alphonse Jacobs, p. 483.

1. *Bouvard et Pécuchet*.

2. *Les Héritiers Rabourdin*.

3. Ivan Tourgueneff.

GEORGE SAND À GUSTAVE FLAUBERT

5 novembre [1874]

Autographe Alfred Dupont ; *Correspondance Flaubert-Sand*, éd. Alphonse Jacobs, p. 483-484.

Page 884.

1. Charles Duvernet, l'un des plus anciens amis de George Sand, venait de mourir, le 17 octobre 1874.

À ÉMILE ZOLA

[10 novembre 1874]

Autographe non retrouvé ; la copie de cette lettre ne figure pas dans le fonds René Descharmes de la Bibliothèque nationale ; Conard, t. VII, p. 217.

2. *Les Héritiers Rabourdin*, à l'affiche du théâtre de Cluny.

À SA NIÈCE CAROLINE

[14 novembre 1874]

Autographe Lovenjoul, H 1357, ff^os 89-90 ; incomplète dans Conard, t. VI, p. 217-218.

3. La lecture du *Sexe faible*, comédie de Louis Bouilhet complétée et revue par Flaubert. La pièce ne sera jamais jouée.

Page 885.

1. Jules Godefroy et son épouse Suzanne Lagier habitaient Villeneuve-le-Roi, près de Corbeil (Seine-et-Oise), où Godefroy était exploitant agricole.

2. Les « chapeaux » : surnoms de Mmes Lapierre et Brainne.

3. Alfred Nion, avocat à Rouen.

4. Philippe Leparfait, fils adoptif de Louis Bouilhet.

5. Le chien de Flaubert.

À EDMOND LAPORTE

[14 novembre 1874]

Autographe non retrouvé ; *Supplément*, t. III, p. 157.

6. Il s'agit du *Sexe faible*, qui ne sera jamais joué.

Page 886.

À RAOUL-DUVAL

[17 novembre 1874]

Archives Raoul-Duval, pièce n° 18 ; Gustave Flaubert, *Lettres inédites à Raoul-Duval*, commentées par Georges Normandy ; p. 166, datée du [17 novembre 1874] ; *Supplément*, t. III, p. 153-154, mal datée du [3 novembre 1874. De la main de Raoul-Duval, sur l'autographe : « 19 9bre 74 Rép.... » La réponse de Raoul-Duval n'a pas été retrouvée.

1. La censure a obligé Flaubert à supprimer ou à changer des mots et des parties de phrases ; voir l'édition du *Candidat* par Yvan Leclerc, Le Castor astral, 1987, p. 40 et 88.

À PHILIPPE LEPARFAIT

17 novembre [1874]

Autographe non retrouvé ; Conard, t. VII, p. 218-219.

2. M. des Orbières, ministre récemment nommé, personnage du *Sexe faible*.

3. Le marquis de Chennevières, alors directeur des beaux-arts au ministère de l'Instruction publique.

4. Victor Rousseau de Beauplan (1823-1890), d'abord dramaturge, puis chef du bureau des théâtres (1871) et sous-directeur des beaux-arts au ministère de l'Instruction publique.

Page 887.

1. François, baron de Chabaud-Latour (1804-1885), militaire de carrière, général dans le génie militaire, puis député, ministre de l'Intérieur de juillet 1874 à mars 1875.

À SA NIÈCE CAROLINE
[17-19 novembre 1874]

Autographe Lovenjoul, H 1357, ffos 85-86 ; *Supplément*, t. III, p. 159-160 [, 17-19 novembre 1874].

2. Montigny était alors directeur du théâtre du Gymnase, Peragallo, agent général de la Société des auteurs et compositeur dramatique.

À EDMOND LAPORTE
[18 ? novembre 1874]

Autographe non retrouvé ; *Supplément*, t. III, p. 156-157.

3. Voir la lettre de Flaubert à Edmond Laporte du [27 octobre 1874], n. 1, p. 881. Il s'agit du docteur Devouges, de Corbeil.

Page 888.

1. *Le Sexe faible* était donc encore au théâtre de Cluny.

À SA NIÈCE CAROLINE
[19 novembre 1874]

Autographe Lovenjoul, H 1357, ffos 83-84 ; *Supplément*, t. III, p. 153, à la date de [début novembre 1874].

2. *La Boule*, comédie en quatre actes de H. Meilhac et L. Halévy, jouée au théâtre du Palais-Royal.

À EDMOND LAPORTE
[20 novembre 1874]

Autographe non retrouvé ; *Supplément*, t. III, p. 160.

3. De Vouges ou Devouges, docteur de Corbeil. Je n'ai pu l'identifier.
4. Directeur du théâtre du Gymnase.

Page 889.

1. Député-maire de Rouen.
2. La *Lettre de M. Gustave Flaubert à la municipalité de Rouen au sujet d'un vote concernant Louis Bouilhet*, c'est-à-dire la fontaine surmontée d'un buste de Bouilhet, avait été envoyée le 17 janvier 1872, publiée par *Le Temps* le 26 janvier et sous forme de plaquette la même année.

À PHILIPPE LEPARFAIT

[20 novembre 1874]

Autographe Jacques Lambert; Conard, t. VII, p. 220-221 ; Gérard-Gailly, « Datation des lettres de Flaubert », *Bulletin du bibliophile*, octobre 1947, p. 469, [27 novembre 1874]. Je crois cette lettre du [20 novembre 1874]. Voir la lettre de Flaubert à Zola du [23 novembre 1874], p. 890.

3. *Le Sexe faible* avait été imaginé et écrit en partie par Louis Bouilhet, et terminé par Flaubert. Philippe Leparfait était le fils adoptif de Bouilhet.

4. Catulle Mendès (1843-1909), bien oublié de nos jours, a joui à son époque d'une grande célébrité, comme journaliste, poète, dramaturge et romancier.

5. Flaubert a toujours lu les manuscrits de ses œuvres à ses amis.

6. *Les Mangeurs de fer*, pièce d'Édouard Plouvier.

7. *Le Château des cœurs* ; féerie en dix tableaux, écrite par Flaubert en collaboration avec Louis Bouilhet et Charles d'Osmoy.

8. Je n'ai pu identifier Tischer.

9. Voir la lettre de Flaubert à Charpentier du [25 ? octobre 1874], p. 880.

Page 890.

À SA NIÈCE CAROLINE

[22 novembre 1874]

Autographe Lovenjoul, H 1357, ff^os 93-94 ; Conard, t. VII, p. 220.

1. La lecture du *Sexe faible* au théâtre du Gymnase, dont le directeur est Montigny.

2. C'est-à-dire dans le château de la princesse Mathilde, près d'Enghien.

À ÉMILE ZOLA

[23 novembre 1874]

Autographe collection du pavillon de Croisset, B. M. Rouen ; Conard, t. VII, p. 223.

Page 891.

À GEORGES CHARPENTIER

[23 novembre 1874]

Autographe collection du pavillon de Croisset, B. M. Rouen ; Conard, t. VII, p. 223.

1. J'ignore si l'article de Renan sur *La Tentation de saint Antoine* a paru dans les journaux de l'époque. Il figure dans *Feuilles détachées*, p. 344-354). Il a pour titre : « Lettre à M. Gustave Flaubert sur *La Tentation de saint Antoine* ».

2. *La Conquête de Plassans*, roman d'Émile Zola paru le 3 juin 1874, chez Charpentier.

3. Montigny, directeur du théâtre du Gymnase, refusera de jouer *Le Sexe faible.*

À SA NIÈCE CAROLINE
[25 ? novembre 1874]

Autographe Lovenjoul, H 1357, ffos 85-86 ; *Supplément*, t. III, p. 154.

4. Adèle Husson. Le ménage Husson était très lié avec Maxime Du Camp.

5. Voir *Bouvard et Pécuchet*, éd. Claudine Gothot-Mersch, Gallimard, coll. « Folio », 1979, chap. II, p. 95 et suiv.

Page 892.

À IVAN TOURGUENEFF
[25 novembre 1874]

Autographe non retrouvé ; *Lettres inédites à Tourgueneff*, éd. Gérard-Gailly, n° 50 ; *Supplément*, t. III, p. 161.

1. Le « dîner des auteurs sifflés », qui réunissait Flaubert, Tourgueneff, Zola, Daudet et Edmond de Goncourt.

À SA NIÈCE CAROLINE
[2 décembre 1874]

Autographe Lovenjoul, H 1357, ffos 95-96 ; *Supplément*, t. III, p. 161.

À GEORGES CHARPENTIER
[2 décembre 1874]

Autographe Étienne Moreau-Nélaton ; René Descharmes, « Flaubert et ses éditeurs [...] », *R.H.L.F.*, juillet-septembre 1911, p. 41.

Page 893.

1. Le marquis de Chennevières était alors directeur des beaux-arts au ministère de l'Instruction publique ; il est le père de Philippe Leparfait, fils adoptif de Louis Bouilhet.

2. Dans sa lettre à George Sand du [28 février 1874], Flaubert écrivait à propos du *Candidat* : « Il s'en est fallu de très peu que la Censure française n'empêchât ma pièce. L'ami *Chennevières* m'a donné un bon coup d'épaule. — Sans lui, je ne serais pas joué » (p. 773).

3. Flaubert avait proposé *Le Candidat* au théâtre du Gymnase. Son directeur, Montigny, avait refusé.

À GEORGE SAND
2 décembre [1874]

Autographe Lovenjoul, A IV, ffos 368-369 ; *Lettres de Gustave Flaubert à George Sand*, précédées d'une étude par Guy de Maupassant, p. 262 ; *Correspondance Flaubert-Sand*, éd. Alphonse Jacobs, p. 484-486.

4. Dans *Le Malade imaginaire* (acte II, sc. II), le docteur Diafoirus présente son fils Thomas à la famille d'Argan : « Lorsque je l'envoyai au collège, il trouva de la peine ; mais il se roidissait contre les difficultés. »

5. *Fromont jeune et Risler aîné*, roman d'Alphonse Daudet, paru le 26 juin 1874 ; *Les Diaboliques*, de Jules Barbey d'Aurevilly, paru le 28 novembre 1874.

Page 894.

GEORGE SAND À GUSTAVE FLAUBERT
8 décembre [18]74

Autographe collection Alfred Dupont ; George Sand, *Correspondance 1812-1876*, t. VI, p. 327 ; *Correspondance Flaubert-Sand*, éd. Alphonse Jacobs, p. 486-487.

Page 895.

À LÉONIE BRAINNE
[14 décembre 1874]

Autographe B. M. Rouen, m m. 265, pièce 46 ; *Supplément*, t. III, p. 162.

Page 896.

À GEORGES CHARPENTIER
[1re quinzaine de décembre 1874]

Autographe non retrouvé ; René Descharmes, « Flaubert et ses éditeurs [...] », *R.H.L.F.*, juillet-septembre 1911, p. 41-42 ; *Œuvres complètes illustrées de Gustave Flaubert. Correspondance*, éd. René Descharmes, t. III, p. 590-591 ; Conard, t. VII, p. 226.

1. « Lettre à M. Gustave Flaubert sur *La Tentation de saint Antoine* », parue dans *Feuilles détachées* en 1892 (p. 344-354).

À GEORGES CHARPENTIER
[1re quinzaine de décembre 1874]

Autographe non retrouvé ; copie dans René Descharmes, « Flaubert et ses éditeurs [...] », *R.H.L.F.*, juillet-septembre 1911, p. 41-42 ; *Correspondance*, éd. René Descharmes, t. III, p. 591 ; Conard, t. VII, p. 226-227.

2. C'est-à-dire l'idée commune à Georges Charpentier et Flaubert ; mais dans la lettre suivante à l'éditeur [18 décembre 1874], Flaubert écrit : « Quant à Renan, je ne me souviens plus de ce qui vous contrariait dans la fin de son article. »

3. Flaubert avait soumis *Le Sexe faible* à Montigny, le directeur du théâtre du Gymnase.

Page 897.

À ÉMILE ZOLA

[17 décembre 1874]

Autographe non retrouvé ; copie René Descharmes, B.N., N.A.F., p. 23827, f° 38 ; C.H.H., *Correspondance*, t. V, p. 382 [, décembre 1874].

1. Le dîner des auteurs sifflés.

À GEORGES CHARPENTIER

[18 décembre 1874]

Autographe non retrouvé ; copie René Descharmes, « Flaubert et ses éditeurs [...] », *R.H.L.F.*, juillet-septembre 1911, p. 42 ; *Correspondance*, éd. René Descharmes, t. III, p. 591 ; Conard, t. VII, p. 227-228.

2. Alice Pasca, actrice célèbre, l'une des trois Grâces, avec Mmes Léonie Brainne et Valérie Lapierre.

3. D'après René Descharmes, qui a vu les autographes, Flaubert aurait écrit « *Bov.* », et non « *B et P* ». Voir René Descharmes, *R.H.L.F.*, art. cité, p. 42.

4. « [...] vous avez pris un assommoir pour mettre en fuite vos admirateurs bourgeois » (Ernest Renan, « Lettre à M. Gustave Flaubert sur *La Tentation de saint Antoine* », *Feuilles détachées*, p. 354). C'est peut-être la phrase qui, « contrariait » l'éditeur Charpentier, voulant, naturellement, faire un succès à l'œuvre de Flaubert.

Page 898.

À JULES TROUBAT

[18 décembre 1874]

Autographe non retrouvé ; copie par René Descharmes dans le fonds Descharmes, B.N., N.A.F. 23827, f° 79 ; C.H.H., *Correspondance*, t. IV, p. 364-365. Enveloppe ; C.P. : 19 décembre 1874.

1. J'ignore de quel renseignement il s'agit.

À GEORGES CHARPENTIER

[Après le 25 décembre 1874]

Autographe non retrouvé ; lettre copiée sur l'autographe par René Descharmes et publiée par lui dans « Flaubert et ses éditeurs [...] », *R.H.L.F.*, juillet-septembre 1911, p. 42 ; *Œuvres complètes illustrées de Gustave Flaubert, Correspondance*, éd. René Descharmes, t. III, p. 592 ; Conard, t. VII, p. 228.

2. La fête de l'arbre de Noël d'Alsace-Lorraine à l'Élysée-Montmartre.

À JEANNE DE LOYNES

28 [décembre 1874 ?]

Autographe non retrouvé ; extraits dans G. Andrieux, *Catalogue de correspondances inédites de Gustave Flaubert*, adressées à Jeanne de Tourbey, comtesse de Loynes, 28 juin 1937, n° 25.

Page 899.

À LÉONIE BRAINNE
[30 décembre 1874]

Autographe B. M. Rouen, m m 265, pièce 7 ; *Supplément*, t. III, p. 162-163.

1. Mme Brainne éprouvait de très vives inquiétudes au sujet de la santé physique et morale de son fils Henri (note du *Supplément*, t. III, n. 1, p. 162).

2. Le 5 janvier 1875, le directeur de l'Opéra de Paris, Halanzier, inaugurera par une représentation de gala le théâtre dont Garnier avait été l'architecte.

3. Raymond Deslandes (1825-1890), journaliste et dramaturge.

4. Émile Fontaine, né en 1814, journaliste et dramaturge ?

Page 900.

À HENRI BRAINNE
30 décembre [1874]

Autographe non retrouvé ; Conard, t. VII, p. 230.

À HIPPOLYTE TAINE
[Fin décembre 1874?]

Autographe non retrouvé ; *Supplément*, t. III, p. 190.

1. Pierre-Augustin Bertin, dit Bertin-Mourot (1818-1884) ; physicien et professeur de physique, il était en 1875 sous-directeur de l'École normale supérieure.

Page 901.

À HIPPOLYTE TAINE
[Début janvier 1875 ?]

Autographe non retrouvé ; *Supplément*, t. III, p. 191.

1. Georges Pouchet fut en effet nommé maître de conférences à l'École normale supérieure en 1875 (note du *Supplément*, n. 1, p. 191).

À SA NIÈCE CAROLINE
[3 janvier 1875]

Autographe non retrouvé ; cette lettre ne figure pas dans le manuscrit H 1357 de la collection Lovenjoul ; Conard, t. VII, p. 230-231.

2. Le chapitre II dans le manuscrit définitif de *Bouvard et Pécuchet*.

Page 902.

À LÉONIE BRAINNE
[4 janvier 1875]

Autographe B. M. Rouen, m m 265, pièce 47 ; *Supplément*, t. III, p. 164-165.

1. Cette lettre d'Henri Brainne ne figure pas dans la collection Lovenjoul.

À GEORGE SAND
13 [janvier 1875]

Autographe Lovenjoul, A IV, ff^os^ 370-371 ; *Lettres de Gustave Flaubert à George Sand*, précédées d'une étude par Guy de Maupassant, p. 212 ; Conard, t. VII, p. 228-229 ; *Correspondance Flaubert-Sand*, éd. Alphonse Jacobs, p. 489-490.

Page 903.

1. La nouvelle salle de l'Opéra, construite par l'architecte Charles Garnier, avait été inaugurée le 5 janvier 1875, avec Halanzier pour directeur.

2. Sylvanie Arnould-Plessy, actrice de la Comédie-Française, se retirera de la vie théâtrale en 1876.

À EDMOND DE GONCOURT
[14 janvier 1875]

Autographe B. N., N.A.F. 22462, f° 377 ; C.H.H., *Correspondance*, t. IV, p. 370.

3. Il s'agit du « dîner des auteurs sifflés » ou « dîner des Cinq », qui avait lieu le lundi.

Page 904.

GEORGE SAND À GUSTAVE FLAUBERT
16 janvier [18]75

Autographe Alfred Dupont ; George Sand, *Correspondance,* Calmann-Lévy, 1884, t. VI, p. 332 ; *Correspondance Flaubert-Sand*, éd. Alphonse Jacobs, p. 490-491.

1. Alphonse Jacobs croit « distinguer sur l'autographe, à côté du nom de Napoléon, un signe que nous interprétons par le chiffre 5 ». Donc Napoléon V, le prince Napoléon, au second rang dans la succession bonapartiste, après le prince impérial, fils de Napoléon III (*Correspondance Flaubert-Sand*, n. 1, p. 491).

Page 905.

À EDMOND DE GONCOURT
[17 janvier 1875]

Autographe B. N., N.A.F. 22462, f° 379 ; C.H.H., *Correspondance*, t. IV, p. 434, lettre datée de l'[hiver 75-76].

1. Flaubert recevait ses amis les dimanches après-midi.

À LÉONIE BRAINNE

[20 janvier 1875]

Autographe B. M. Rouen, m m, pièce 33, *Lettres à Léonie Brainne*; *Supplément*, t. III, p. 165-166.

Page 906.

1. Halanzier, le premier directeur du nouvel Opéra de Paris.

2. Il s'agit sans doute de la préface d'Alexandre Dumas fils au roman de l'abbé Prévost, *Manon Lescaut*. Voir la lettre de Flaubert à Léonie Brainne du [30 décembre 1874], p. 899.

3. Le directeur du *Figaro*, qui quittera ses fonctions la même année.

À ÉMILE ZOLA

[20 janvier 1875]

Autographe non retrouvé; copie par René Descharmes dans le fonds René Descharmes, B. N., N.A.F. 23827, f° 33; C.H.H., *Correspondance*, t. V, p. 401.

4. « Le dîner de Flaubert n'a pas de chance. C'est en sortant du premier que j'ai attrapé ma fluxion de poitrine » (Edmond de Goncourt, *Journal*, éd. Robert Ricatte, t. X, p. 227-228, à la date du vendredi 8 janvier 1875).

À IVAN TOURGUENEFF

[Janvier 1875 ?]

Autographe non retrouvé ; C.H.H., *Correspondance*, t. IV, p. 390-391 ; *Gustave Flaubert-Ivan Tourguéniev. Correspondance*, éd. Alexandre Zviguilsky, p. 159-160.

5. Pauline Viardot, la célèbre cantatrice.

Page 907.

1. Émile Collange, le domestique de Flaubert.

À ALPHONSE DAUDET

[9 février 1875]

Autographe non retrouvé ; Conard, t. VII, p. 231-232.

2. Vincent Daudet, père d'Alphonse, mort le 7 février 1875.

GEORGE SAND À GUSTAVE FLAUBERT

20 février [1875]

Autographe Mme Vandendriessche ; *Correspondance entre George Sand et Gustave Flaubert*, éd. Henri Amic, p. 418-419 ; *Correspondance Flaubert-Sand*, éd. Alphonse Jacobs, p. 492.

Page 908.

À JULES TROUBAT

[22 février 1875]

Autographe non retrouvé ; copie dans le fonds Descharmes, B. N., N.A.F. 23827, f° 80 ; C.H.H., *Correspondance*, t. IV, p. 371-372, à la date du jeudi [25 février 1875]. Je crois lire *lundi* plutôt que *jeudi*.

À EDMOND LAPORTE

[24 ? février 1875]

Autographe colonel Sickles ; *Supplément*, t. III, p. 166-167 (date : « février 1875 »).

1. Guy de Maupassant.

2. Bezons, sur la Seine, dans le canton de Versailles.

3. Sans doute *À la feuille de rose, maison turque*, qui sera représentée par Maupassant, Pinchon et leurs camarades dans l'atelier du peintre Leloir le 13 avril 1875.

4. *Bouvard et Pécuchet.*

À EDMA ROGER DES GENETTES

[25 février 1875]

Autographe Lovenjoul, H 1360, ff^os 167-168 ; *Supplément*, t. III, p. 170.

Page 909.

À LÉONIE BRAINNE

[25 février 1875]

Autographe B. M. Rouen, m m 265, pièce 90 ; *Supplément*, t. III, p. 167-169.

1. Henri Brainne, fils unique de Léonie et orphelin de père.

2. Le directeur de l'Opéra de Paris.

Page 910.

1. Valérie Lapierre, femme du directeur du *Nouvelliste de Rouen*.

2. Alice Pasca, actrice célèbre et grande amie des sœurs Brainne et Lapierre.

À EDMOND LAPORTE

[4 mars ? 1875]

Autographe non retrouvé ; *Supplément*, t. III, p. 170 [, mars 1875].

À EDMOND LAPORTE

[6 ? mars 1875]

Autographe colonel Sickles ; *Supplément*, t. III, p. 170-171 [, mars 1875].

3. Sur le docteur Devouges, voir la lettre de Flaubert à Edmond Laporte du [27 octobre 1874], n. 1, p. 881.

4. Claudius Popelin ; aucune lettre de Popelin à Flaubert n'a été retrouvée pour la période 1872-1876. Flaubert l'avait connu dans le salon de la princesse Mathilde.

Page 911.

1. Directeur du *Journal de Rouen.*
2. Le 24 février 1875, l'Assemblée délibéra sur la « loi relative à l'organisation des pouvoirs publics » dont l'article 1er déclare que « le pouvoir exécutif s'exerce par deux assemblées, la Chambre des députés et le Sénat ». Elle fut votée le 25 malgré l'abstention de la droite, grâce aux interventions énergiques de Wallon » (note 3 du *Supplément*, t. III, p. 171).

À LÉONIE BRAINNE
8 mars [1875]

Autographe B. M. Rouen, m m 265, pièce 120 ; *Supplément*, t. III, p. 169.

À JULES TROUBAT
[8 mars 1875]

Autographe non retrouvé ; copie par René Descharmes sur l'autographe, B.N., N.A.F. 23827, f° 74 ; lettre inédite d'après René Descharmes ; C.H.H. ; *Supplément*, t. IV, p. 373-374, date du cachet postal.

3. Je n'ai pu identifier Tanval.
4. Je n'ai pu identifier Gentil. Émile de Girardin (1806-1881), grand journaliste et homme politique important durant toute sa longue carrière ; Jeanne de Tourbey, demi-mondaine de haut-vol, avait épousé en 1871 le comte de Loynes, ce que Flaubert semble oublier dans cette lettre ; il la connaissait intimement depuis le Second Empire sous son nom de Jeanne de Tourbey. Girardin a été protecteur de Jeanne toute sa vie.
5. Le *sic* me paraît dû à René Descharmes dans sa copie de l'autographe. La phrase est en effet obscure.

Page 912.

À EDMA ROGER DES GENETTES
[12 mars 1875]

Autographe Lovenjoul, H 1360, ff[os] 169-170 ; *Supplément*, t. III, p. 171-172.

1. Les quarante premières pages de *Bouvard et Pécuchet.*
2. M. de Sacy avait conseillé à Flaubert de se présenter à l'Académie (voir plus loin la lettre de Flaubert à Léonie Brainne du 9 décembre [1875] : « [...] on me re-fait la *Scie* commencée l'hiver dernier par M. de Sacy » (p. 994).

À SA NIÈCE CAROLINE

[Vers le 15 mars 1875]

Autographe Lovenjoul, H 1357, ff^os 97-98 ; Conard, t. VI, p. 338, à la date erronée de [1872 ?]. La lettre serait de mars 1875, vers le 15. Voir la lettre de Flaubert à Caroline du [24 mars 1875], p. 914.

3. Anatole Delaforge, sous-préfet de Saint-Quentin (note de l'édition Conard, t. VI, p. 338).

Page 913.

1. Frankline Grout, amie de Caroline, allait épouser le pasteur Auguste Sabatier, à l'automne 1875 (voir la lettre de Flaubert à sa nièce Caroline du [30 septembre 1875], p. 963). Elle aurait voulu faire une carrière de cantatrice.

À MONSIEUR X***

17 mars 1875

Autographe non retrouvé ; Conard, t. VII, p. 232-233.

À IVAN TOURGUENEFF

[18 mars 1875 ?]

Autographe Jacques Lambert ; *Lettres inédites à Tourgueneff*, éd. Gérard-Gailly, p. 17-18, lettre datée d'[automne 1869] ; *Gustave Flaubert-Ivan Tourguéniev. Correspondance*, éd. Alexandre Zviguilsky, p. 160-161, à la date du [18 mars 1875] ; je partage cette opinion, car le ton mélancolique de cette lettre est proche de celui de la lettre à George Sand du [27 mars 1875].

Page 914.

À IVAN TOURGUENEFF

[22 mars 1875]

Autographe Jacques Lambert ; *Lettres inédites à Tourgueneff*, éd. Gérard-Gailly, lettre n° 52 ; *Supplément*, t. III, p. 176-177 ; *Gustave Flaubert-Ivan Tourguéniev. Correspondance*, éd. Alexandre Zviguilsky, p. 161.

1. Mme Commanville habitait au 77, rue de Clichy ; Victor Hugo au 21, depuis le 14 avril 1874.

À SA NIÈCE CAROLINE

[24 mars 1875]

Autographe Lovenjoul, H 1357, ff^os 99-100 ; Conard, t. VII, p. 233-234.

2. *Prometheus*, poème de Goethe adressé à Zeus, et qui attaque tous les dieux.

3. Léon Bonnat (1833-1922), peintre, surtout de portraits (Victor Hugo, Thiers...), membre de l'Institut.

4. J'ignore qui est Mme Trelat.

5. Amédée Achard (1814-1875), journaliste et romancier à la mode.

6. Sans doute ces *deux* idées sont-elles sa ruine financière, peut-être totale, et sa capacité peut-être diminuée d'écrire ses romans futurs ?

Page 915.

1. Frankline Grout, qui allait épouser Auguste Sabatier.

À LINA SAND

[25 mars 1875]

Autographe non retrouvé ; Conard, t. VII, p. 299, à la date erronée du [25 mai 1876] ; comme l'a montré Gérard-Gailly, cette lettre est du [25 mars 1875] (*Bulletin du bibliophile*, « Datation des lettres de Flaubert », octobre 1947, p. 469).

2. Lina Sand est l'épouse de Maurice, le fils de George Sand.

3. Edmond Plauchut (1824-1909) a été, de 1865 à la mort de George Sand, son plus fidèle ami.

GEORGE SAND À GUSTAVE FLAUBERT

25 mars [18]75

Autographe Mme Vandendriessche ; *Correspondance entre George Sand et Gustave Flaubert*, éd. Henri Amic, p. 419 ; *Correspondance Flaubert-Sand*, éd. Alphonse Jacobs, p. 493.

4. *Flamarande* a été publié dans la *Revue des Deux Mondes* du 1er février au 1er mai 1875 ; le roman paraîtra en deux volumes séparés : *Flamarande*, le 14 août 1875 (*Bibliographie de la France)* et *Les Deux Frères*, le 28 août 1875 (*ibid.*).

Page 916.

À GEORGE SAND

27 [mars 1875]

Autographe Lovenjoul, A VI, ffos 372-373 ; *Lettres de Gustave Flaubert à George Sand*, précédées d'une étude par Guy de Maupassant, p. 265-267.

1. *Le Camp de Wallenstein* (1798), première pièce de la trilogie de Schiller, intitulée *Wallenstein.* Benjamin Constant a publié en 1809 une *Tragédie en cinq actes et en vers*, adaptée de cette trilogie ; il écrit dans son introduction : « En concevant le projet de faire connaître au public français cet ouvrage de Schiller, j'ai senti qu'il fallait réunir en une seule les trois pièces de l'original » (p. XIV). L'adaptation de Benjamin Constant est donc plus courte que la trilogie de Schiller. Cette trilogie a été publiée, entre autres, par Xavier Marnier dans son *Théâtre de Schiller*, traduction nouvelle, Paris, Charpentier, 1844, t. II, p. 1-233.

2. *Les Affinités électives* de Goethe, roman paru en 1809.

Page 917.

1. Amédée Achard, mort à Paris le 25 mars 1875.

2. Paul Meurice (1820-1905), grand ami d'Auguste Vacquerie, et, comme lui, admirateur et exécuteur testamentaire de Victor Hugo ; il a fait jouer de nombreuses pièces de théâtre, en prose et en vers, et a été l'un des fondateurs du journal *Le Rappel.*

À LÉONIE BRAINNE

[Mars 1875]

Autographe B. M. Rouen, m m 265, pièce 119 ; *Supplément*, t. III, p. 172.

3. Voir n. 3, p. 346.

4. Xavier de Maistre (1763-1852), frère de Joseph de Maistre, de nationalité sarde, auteur de beaux ouvrages littéraires, dont le *Voyage autour de ma chambre* (1794) et *Le Lépreux de la cité d'Aoste* (1811).

Page 918.

À LÉONIE BRAINNE

[Mars 1875]

Autographe B. M. Rouen, m m 265, pièce 106 ; *Supplément*, t. III, p. 173.

À ALICE PASCA

[5 ? avril 1875]

Autographe non retrouvé ; *Supplément*, t. III, p. 176.

1. Alice Pasca avait créé en 1868 le rôle de Fanny Lear dans la pièce du même nom de Meilhac et Halévy, au théâtre du Gymnase. Elle reprend ce rôle au théâtre du Vaudeville au printemps 1875 ; Léon Bonnat expose au Salon au même moment le portrait d'Alice Pasca vêtue de la robe de velours blanc bordé de fourrure noire que porte Fanny Lear dans la pièce.

À EDMOND LAPORTE

[9 avril 1875]

Autographe non retrouvé ; *Supplément*, t. III, p. 174.

2. *À la feuille de rose, maison turque*, pièce érotique représentée par Maupassant, Pinchon et leurs camarades dans l'atelier du peintre Leloir.

Page 919.

À IVAN TOURGUENEFF

[12 avril 1875]

Autographe B. N., fonds Tourgueneff, collection Maupoil, f° 214 ; *Lettres inédites à Tourgueneff*, éd. Gérard-Gailly, p. 90 ; *Supplément*, t. III, p. 175.

1. Voir n. 2, p. 918.

À GUSTAVE TOUDOUZE

13 avril 1875

Autographe non retrouvé ; *Supplément*, t. III, p. 175.

À EDMA ROGER DES GENETTES

[15 ? avril 1875]

Autographe Lovenjoul. H 1360, ffos 171-172 ; incomplète dans l'éd. Conard, t. VII, p. 236-238 (manque le post-scriptum) ; la publication de *La Faute de l'abbé Mouret*, annoncée le 10 avril 1875 dans la *Bibliographie de la France*, permet de dater cette lettre.

2. L'épouse du général Letellier-Valazé, frère d'Edma Roger des Genettes.

Page 920.

1. Voltaire, *Histoire de Charles XII.*

2. Je n'ai trouvé aucune trace de « la reine Pécaule ». Serait-ce la reine Pédauque ?

3. *La Faute de l'abbé Mouret.*

Page 921.

À GEORGES CHARPENTIER

[15 ? avril 1875]

Autographe non retrouvé ; copie par René Descharmes et publiée par lui dans « Flaubert et ses éditeurs, Michel Lévy et Georges Charpentier », *R.H.L.F.*, juillet-septembre 1911, p. 43 ; et reproduite dans René Descharmes, *Correspondance*, Le Centenaire, t. III, p. 597-598 ; Conard, t. VII, p. 236.

À GUY DE MAUPASSANT

[15 avril 1875]

Autographe collection Armand Godoy, vente à l'hôtel Drouot le 3 juillet 1985, faisant partie d'un volume relié des trente-sept lettres de Flaubert à Maupassant et à d'autres correspondants comme Auguste Vacquerie, Laure de Maupassant, etc. ; Conard, t. VII, p. 238.

1. Cette lettre est la seule qui mentionne un voyage de Flaubert à Chenonceaux à cette époque. Il s'agit sans doute d'une visite à Mme Pelouze, propriétaire du château de Chenonceaux. J'ignore comment Flaubert l'avait connue. Ils étaient amis, et elle l'aidait dans ses difficultés financières.

À EDMA ROGER DES GENETTES

[30 avril 1875]

Autographe non retrouvé ; *Supplément*, t. III, p. 177.

2. Ce volume serait-il un livre de messe ou de piété ?

Page 922.

À GUY DE MAUPASSANT

[30 avril 1875]

Fac-similé de l'autographe dans le catalogue de l'hôtel Drouot de la vente de la collection Armand Godoy, le 3 juillet 1985 ; Conard, t. VII, p. 232, à la date erronée de [février 1875]. Le dernier dimanche de Flaubert durant ce séjour à Paris a lieu le 2 mai 1875.

1. Je n'ai pas trouvé de poème de Goethe intitulé « Le Satyre ».

À MARGUERITE CHARPENTIER

[Avril 1875]

Autographe non retrouvé ; copie par René Descharmes publiée dans « Flaubert et ses éditeurs [...] », *R.H.L.F.*, juillet-septembre 1911, p. 43 ; *Correspondance*, éd. René Descharmes, t. III, p. 599 ; Conard, t. VII, p. 239.

2. Le baptême de Paul Charpentier, le second fils de l'éditeur, dont le parrain était Zola.

À ÉMILE ZOLA

[1er mai 1875 ?]

Autographe non retrouvé ; copie René Descharmes, B.N., N.A.F. 23827, f° 36 ; C.H.H., *Correspondance*, t. IV, p. 433. Voir le *Journal* d'Edmond de Goncourt du « lundi 3 mai », t. X, p. 17-18.

Page 923.

À ADÈLE PERROT

[4 mai 1875]

Inédite. Autographe docteur Jean.

1. Mme Perrot était écrivain ; la princesse Mathilde l'aurait-elle aidée financièrement pour ses publications ?
2. Mme Lepic est la fille de Mme Perrot.

GEORGE SAND À GUSTAVE FLAUBERT

7 mai [18]75

Autographe collection Alfred Dupont ; *Correspondance entre George Sand et Gustave Flaubert*, éd. Henry Amic, p. 420-421 ; *Correspondance Flaubert-Sand*, éd. Alphonse Jacobs, p. 495-496.

3. Michel Lévy était mort subitement le 4 mai 1875. Flaubert s'était brouillé avec lui le 20 mars 1872, à propos de la publication des *Dernières chansons* de Louis Bouilhet. Voir Jacques Suffel, *Lettres inédites de Gustave Flaubert à son éditeur Michel Lévy*, p. 210-212.

4. Homère, *Iliade*, traduction nouvelle par Leconte de Lisle, Paris, Lemerre, 1867. Cette traduction est très littérale et respecte les noms des héros grecs : voici celle des deux premiers vers de l'*Iliade* : « Chante, déesse, du Péléiade Akhilleus la colère désastreuse, qui de

maux infinis accabla les Akhaiens […] ». Marcel Proust s'est amusé à pasticher le style de cette traduction d'Homère par la bouche de Bloch, l'un des amis du narrateur.

Page 924.

À EDMOND LAPORTE
9 [mai 1875]

Autographe non retrouvé ; *Supplément*, t. III, p. 177-178.

1. « C'était le nom de l'un des bateaux à vapeur faisant le service de Rouen à la Bouille, et qui touchaient à Croisset et au val de la Haye, sur la rive opposée à Grand-Couronne. Ce bateau devrait son nom à ce qu'il était fait de coques parallèlement assemblées, unies entre elles par le pont » (*Supplément*, t. III, n. 1, p. 178).

À GEORGE SAND
10 mai [1875]

Autographe Lovenjoul, A IV, ffos 374-375 ; *Lettres de Gustave Flaubert à George Sand*, précédées d'une étude par Guy de Maupassant, p. 267 ; Conard, t. VII, p. 239-241 ; *Correspondance Flaubert-Sand*, éd. Alphonse Jacobs, p. 496-497.

Page 925.

1. Les Commanville avaient loué un appartement au 5e étage du no 240, rue du Faubourg-Saint-Honoré, au coin du boulevard de la Reine-Hortense (aujourd'hui avenue Hoche). Flaubert avait loué à son tour un appartement contigu à celui de ses neveux.
2. Flaubert ne fera pas, alors, cette excursion dans le Calvados pour la partie archéologique et géologique de *Bouvard et Pécuchet*, car il abandonne ce roman en juillet. Il la fera en septembre 1877.

Page 926.

À SA NIÈCE CAROLINE
[10 mai 1875]

Autographe Lovenjoul, H 1357, ffos 101-102 ; Conard, t. VII, p. 241-243.

1. Mme Achille et sa fille : l'épouse du docteur Achille Flaubert et sa fille Juliette, épouse d'Adolphe Roquigny, qui s'était suicidé le 29 juillet 1865.
2. Clausse, propriétaire de l'appartement de Flaubert, rue Murillo à Paris.

Page 927.

1. Je ne sais qui est M. Dolfus, sans doute un banquier ; Ernest Commanville tentait-il d'emprunter de l'argent ?

À EDMA ROGER DES GENETTES

[Juin 1875]

Autographe Lovenjoul, A III, ff[os] 101-102 ; Conard, t. VII, p. 241-243.

2. Flaubert ne semble pas avoir suivi sa nièce à Dieppe, ni être allé à Arcachon avec son frère ; en revanche, il ira à Concarneau retrouver Georges Pouchet. Ce choix est assez significatif.

Page 928.

AU MAIRE DE ROUEN

27 juin 1875

Autographe non retrouvé ; *Supplément*, t. III, p. 178-179.

1. Voir la *Lettre de M. Gustave Flaubert à la municipalité de Rouen au sujet d'un vote concernant Louis Bouilhet*, parue dans *Le Temps* du 17 janvier 1872 et publiée la même année en plaquette.

Page 929.

À IVAN TOURGUENEFF

3 juillet [1875]

Autographe Alexandre Polonski ; *Lettres inédites à Tourgueneff*, éd. Gérard-Gailly, p. 92-93, *Supplément*, t. III, p. 180-181 ; je n'ai pas vu l'autographe et donne le texte d'Alexandre Zviguilsky, qui est identique à celui du *Supplément*.

1. Flaubert arrivera à Concarneau le jeudi 16 septembre 1875 et en repartira le 28 octobre.

À LA PRINCESSE MATHILDE

[6 ? juillet 1875]

Autographe Archivio Campello, n° Inv. 1021 ; Conard, t. VII, p. 253-255, avec deux omissions légères. Cette lettre, écrite un mardi, est datée par sa grande ressemblance avec la lettre de Flaubert à Tourgueneff du samedi 3 juillet [1875].

2. Je rappelle qu'aucune lettre de la princesse Mathilde à Flaubert n'a été retrouvée.

Page 930.

1. Cet émouvant article, daté du 10 juin 1875, a été recueilli par Ernest Renan dans *Feuilles détachées,* « Madame Hortense Cornu », p. 302-321.

2. Marie Wyse, petite-fille de Lucien Bonaparte, frère de Napoléon Ier, mariée d'abord à de Solms, ensuite à l'homme politique italien Urbano Rattazzi, député et ministre. Flaubert écrit *Ratazzi.* Nous corrigeons.

3. Eudore Soulié était conservateur du château de Versailles.

À SA NIÈCE CAROLINE
[8 juillet 1875]

Autographe Lovenjoul, H 1357, ff^os 103-104 ; incomplète dans l'édition Conard, t. VII, p. 243-244.

Page 931.

1. Caroline déménageait l'appartement de son oncle 4, rue Murillo, pour sa nouvelle adresse, au 240, rue du Faubourg-Saint-Honoré, où son nouvel appartement était contigu au sien.
2. Flavie Vasse de Saint-Ouen, amie intime de la famille Flaubert.

À SA NIÈCE CAROLINE
[9 juillet 1875]

Autographe Lovenjoul, H 1357, ff^os 105-106 ; incomplète dans l'édition Conard, t. VII, p. 244-246.

3. Mme Prieur était l'un des créanciers d'Ernest Commanville.
4. M. Winter, homme d'affaires, avait épousé Maria Du Paty, amie d'enfance de la nièce de Flaubert.

Page 932.

1. J'ignore qui est Mme Harel.
2. Émile Collange, le domestique de Flaubert.

À SA NIÈCE CAROLINE
[10 juillet 1875]

Autographe Lovenjoul, H 1357, ff^os 107-108 ; incomplète dans l'édition Conard, t. VII, p. 246-247.

Page 933.

1. Flavie Vasse de Saint-Ouen a dû aider Flaubert financièrement, ou apporter une caution.
2. Salander est vraisemblablement un homme d'affaires, comme Winter. Il s'agit de la ruine d'Ernest Commanville.

À SA NIÈCE CAROLINE
[11 juillet 1875]

Autographe Lovenjoul, H 1357, ff^os 109-110 ; *Supplément*, t. III, p. 181-183. L'édition Conard a amalgamé les lettres de Flaubert des 10 et 11 juillet (t. VII, p. 246-247).

3. L'emménagement des Commanville et de Flaubert au 240, rue du Faubourg-Saint-Honoré.
4. Il s'agit de l'appartement de Flaubert 4, rue Murillo, qu'il venait de quitter.

Page 934.

À SA NIÈCE CAROLINE

[12 juillet 1875]

Autographe Lovenjoul, H 1357, ff^os^ 111-112 ; incomplète dans l'édition Conard, t. VII, p. 248-249.

1. Pinguet pourrait être un homme d'affaires, comme Winter.

Page 935.

À SA NIÈCE CAROLINE

[13 juillet 1875]

Autographe Lovenjoul, H 1357, ff^os^ 113-114 ; *Supplément*, t. III, p. 183-185.

1. Nétien, maire de Rouen.
2. Faucon est un banquier de Sotteville-lès-Rouen, qui paraît avoir été l'un des principaux créanciers d'Ernest Commanville.

Page 936.

1. Bataille, conseiller d'État.
2. Flaubert écrit : *Jalander*. Nous corrigeons.
3. J'ignore qui est M. Bourrié.

À SA NIÈCE CAROLINE

[14 juillet 1875]

Autographe Lovenjoul, H 1357, ff^os^ 115-116 ; incomplète dans l'édition Conard, t. VII, p. 249-250.

4. Tavernier, banquier à Rouen et consul de Turquie. La banque Tavernier et Cie est inscrite à l'annuaire sous le nom de *L'Union commerciale*.

Page 937.

À SA NIÈCE CAROLINE

[15 juillet 1875]

Autographe Lovenjoul, H 1357, ff^os^ 117-118 ; incomplète dans l'édition Conard, t. VII, p. 250-251.

Page 938.

1. Auguste Sabatier (1839-1901), né à Vallon (Ardèche), pasteur protestant. Il avait fait ses études à la faculté de théologie protestante de Montauban. Il est appelé à la chaire de théologie protestante de Strasbourg en 1867 ; il fonde ensuite à Paris une École libre de sciences religieuses, qui deviendra en 1877 la faculté de théologie protestante de Paris. Le pasteur Sabatier est l'un des grands théologiens protestants de son époque. Flaubert l'appréciait beaucoup.

2. Frankline Grout, fille du docteur Parfait Grout, famille de médecins rouennais, dont le frère, Franklin Grout, épousera Caroline Commanville, après la mort d'Ernest Commanville, en 1890. Frankline épousera le pasteur Auguste Sabatier. Voir le livre important de la fille de Frankline, Lucie Chevalley-Sabatier, *Gustave Flaubert et sa nièce Caroline.*

À SA NIÈCE CAROLINE
[16 juillet 1875]

Autographe Lovenjoul, H 1357, ff[os] 119-120 ; incomplète dans l'édition Conard, t. VII, p. 252.

Page 939.

À SA NIÈCE CAROLINE
[17 juillet 1875]

Autographe Lovenjoul, H 1357, ff[os] 121-122 ; incomplète dans l'édition Conard, t. VII, p. 251.

À LÉONIE BRAINNE
18 [juillet 1875]

Autographe B. M. Rouen, m m 265, pièce 88 ; *Supplément*, t. III, p. 185-187.

Page 940.

1. Flaubert sera obligé de vendre sa ferme de Deauville le 30 août 1875 (voir sa lettre à Raoul-Duval du 31 août [1875], p. 950).

Page 941.

À GEORGES CHARPENTIER
[25 juillet ? 1875]

Autographe non retrouvé ; Flaubert, *Œuvres complètes*, publiées par René Descharmes, Le Centenaire, t. III, p. 609-610, fondée sur l'autographe ; Conard, t. VII, p. 252-253.

1. Flaubert était le parrain du premier fils des Charpentier, et Zola parrain du second.

2. La phrénologie, « science » créée par Gall et Spürzheim, est fondée sur l'étude des fonctions du cerveau à partir des bosses du crâne.

À LÉONIE BRAINNE
[27 juillet 1875]

Autographe B. M. Rouen, m m 265, pièce 70 ; *Supplément*, t. III, p. 187-188.

Page 942.

À IVAN TOURGUENEFF

30 juillet [1875]

Autographe passé en vente à l'hôtel Drouot, le 18 décembre 1987 ; *Lettres inédites à Tourgueneff*, éd. Gérard-Gailly, lettre n° 55 ; *Gustave Flaubert-Ivan Tourguéniev. Correspondance*, éd. Alexandre Zviguilsky, p. 163-164.

1. Cette lettre de Tourgueneff à Flaubert n'a pas été retrouvée.

Page 943.

1. La dernière lettre de Flaubert à George Sand date du 10 mai [1875]. Leur correspondance reprendra le 18 août 1875.

À EDMOND DE GONCOURT

2 août [1875]

Autographe B.N., N.A.F. 22462, ff^os^ 375-376 ; C.H.H., *Œuvres complètes illustrées de Gustave Flaubert, Correspondance*, t. IV, p. 395-396.

Page 944.

1. La princesse Mathilde.

À IVAN TOURGUENEFF

[10 août 1875]

Autographe Mme Dina Vierny, non consulté ; *Lettres inédites à Tourgueneff*, éd. Gérard-Gailly, n° 56 ; *Gustave Flaubert-Ivan Tourguéniev. Correspondance*, éd. Alexandre Zviguilsky, qui a consulté l'autographe, p. 164.

À ÉMILE ZOLA

13 août [1875]

Autographe non retrouvé ; Conard, t. VII, p. 255-256 ; il n'y a pas de lettres de Zola à Flaubert entre le 24 novembre 1874 et le 12 octobre 1877 dans la collection Lovenjoul.

2. Ernest Commanville.

Page 945.

À EDMA ROGER DES GENETTES

18 [août 1875]

Autographe Lovenjoul, A VI, ff^os^ 177-178 ; sur l'autographe, cette lettre est datée du « mercredi 19 », mais le 19 est un jeudi. La lettre suivante à George Sand est correctement datée du mercredi 18 ; *Supplément*, t. III, p. 193-194.

Page 946.

1. Flaubert trouvera à Concarneau le sujet de *Saint Julien l'Hospitalier*, et en commencera le plan.

À GEORGE SAND

18 août [1875]

Autographe Lovenjoul, A IV, ff[os] 376-377 ; *Supplément*, t. III, p. 191-192.

Page 947.

1. Georges Pouchet, naturaliste, professeur au Muséum d'histoire naturelle de Paris, qui travaillait au laboratoire de zoologie marine de Coste, dépendant du Muséum.

GEORGE SAND À AGÉNOR BARDOUX ?

20 août [18]75

Autographe B.H.V.P., G. 2535 ; lettre publiée par M. Georges Lubin dans le *Bulletin des Amis de Flaubert*, n° 31 (1967), p. 8-9 ; *Correspondance Flaubert-Sand*, éd. Alphonse Jacobs, p. 501-502. Agénor Bardoux, avocat, était alors sous-secrétaire d'État au ministère de la Justice. L'identification du correspondant est très vraisemblable.

Page 948.

À RAOUL-DUVAL

28 [août 1875]

Autographe non retrouvé ; il ne figure pas dans les archives Raoul-Duval, qui ne conservent aucune lettre de Flaubert concernant les affaires d'argent ; *Gustave Flaubert. Lettres inédites à Raoul-Duval*, éd. Georges Normandy, p. 171-173 ; *Supplément*, t. III, p. 195.

1. Flaubert possédait une ferme à Deauville, qu'il vendra le 30 août à M. Delahante (voir sa lettre à Raoul-Duval du 31 août [1875], p. 950).

2. L'un des principaux créanciers de Commanville. Voir la lettre de Flaubert à sa nièce Caroline du [13 juillet 1875], n. 2, p. 935.

Page 949.

À AGÉNOR BARDOUX

29 août [1875]

Autographe collection particulière ; lettre publiée incomplètement par Jean Bardoux, fils d'Agénor, dans son article intitulé « Un ami de Flaubert », *Revue des Deux Mondes*, 1er avril 1937, p. 609-610, et reproduite dans le *Supplément*, t. III, p. 196-197. La fin de cette lettre manque dans ces deux publications. Je la rétablis.

1. Agénor Bardoux et Raoul-Duval avaient fait une démarche au ministère pour faire obtenir une pension à Flaubert, comme le montre la suite de la lettre.

2. Jules Ferry, ministre de l'Instruction publique nommera Flaubert « bibliothécaire hors cadre » à la bibliothèque Mazarine en 1879. Il avait succédé à Agénor Bardoux dans ce poste.

Page 950.

À RAOUL-DUVAL

31 août [1875]

Autographe non retrouvé ; *Gustave Flaubert, Lettres inédites à Raoul-Duval*, éd. Georges Normandy, p. 173-174 ; *Supplément*, t. III, p. 198-199.

1. La rue Verte, à Rouen, près de la gare de la rive droite.
2. Flaubert veut dire qu'une bonne partie de l'argent de la vente sera versée aux créanciers d'Ernest Commanville.

Page 951.

À LÉONIE BRAINNE

[2 ? septembre 1875]

Autographe B. M. Rouen, m m 265, pièce 107 ; *Supplément*, t. III, p. 203-204. La date proposée est conjecturale.

À EDMOND LAPORTE

3 septembre [1875]

Autographe colonel Sickles, catalogue G. Andrieux, hôtel Drouot, 20-28 mars 1933, n° 87 ; *Supplément*, t. III, p. 199-200. La lettre de Flaubert est suivie d'un billet de Caroline Commanville, qui remercie Edmond Laporte d'avoir garanti pour moitié l'engagement de Caroline de rembourser les cinquante mille francs sur ses revenus.

Page 952.

À LA PRINCESSE MATHILDE

3 septembre [1875]

Autographe Archivio Campello, n° Inv. 1022 ; Conard, t. VII, p. 256-257.

Page 953.

À RAOUL-DUVAL

6 septembre [1875]

Autographe non retrouvé et qui ne figure pas dans les archives Raoul-Duval ; *Gustave Flaubert. Lettres inédites à Raoul-Duval*, éd. Georges Normandy, p. 175 ; *Supplément*, t. III, p. 200-201.

GEORGE SAND À GUSTAVE FLAUBERT

7 septembre [18]75

Autographe Mme Vandendriessche ; George Sand, *Correspondance. (1812-1876)*, t. VI, p. 355 ; *Correspondance Flaubert-Sand*, éd. Alphonse Jacobs, p. 302.

1. Jules Boucoiran, mort à Nîmes le 18 août 1875.

Page 954.

À RAOUL-DUVAL
9 [septembre 1875]

Autographe non retrouvé ; il ne figure pas dans les archives Raoul-Duval ; *Gustave Flaubert. Lettres inédites à Raoul-Duval*, éd. Georges Normandy, p. 176 ; *Supplément*, t. III, p. 201.

1. Comme Edmond Laporte, Raoul-Duval répond à Flaubert qui lui avait demandé une lettre de garantie pour le remboursement des cinquante mille francs par Mme Commanville sur ses revenus.

À EDMA ROGER DES GENETTES
[12 septembre 1875]

Autographe non retrouvé ; H 1360, ffos 179-180 ; *Supplément*, t. III, p. 204.

2. La ferme de Deauville, que M. Delahante achètera pour deux cent mille francs.

Page 955.

À GEORGE SAND
12 [septembre 1875]

Autographe non retrouvé ; A IV, fo 378 ; *Supplément*, t. III, p. 203 ; *Correspondance Flaubert-Sand*, éd. Alphonse Jacobs, p. 502-503.

À IVAN TOURGUENEFF
[12 septembre 1875]

Autographe B. N., N.A.F. 16275, fo 233 ; *Supplément*, t. III, p. 202.

Page 956.

À EDMOND LAPORTE
12 septembre [1875]

Autographe colonel Sickles ; *Supplément*, t. III, p. 202.

1. Delahante est l'acquéreur de la ferme de Deauville appartenant à Flaubert.

À AGÉNOR BARDOUX
13 septembre [1875]

Autographe collection particulière ; lettre publiée incomplètement par Jean Bardoux dans « Un ami de Flaubert », *Revue des Deux Mondes*, 1er avril 1937, p. 610-611, ainsi que dans le *Supplément*, t. III, p. 610-611.

2. Voir la lettre à Agénor Bardoux du 29 août [1875] : Bardoux et Raoul-Duval avaient fait une démarche auprès du ministère de l'Instruction publique pour obtenir une pension ou un poste honorifique pour Flaubert.

Page 957.

À SA NIÈCE CAROLINE
[18 septembre 1875]

Autographe Lovenjoul, H 1357, ffos 123-124 ; lettre incomplète dans l'édition Conard, t. VII, p. 257-260.

Page 958.

1. Le docteur Pennetier, directeur du Muséum d'histoire naturelle de Rouen.

2. Georges Pouchet, fils de Félix-Archimède Pouchet, médecins naturalistes amis de la famille Flaubert.

Page 959.

1. Flaubert habitait l'hôtel Sergent, à Concarneau.

2. M. Delahante, homme d'affaires : il semble qu'il projetait d'acheter la scierie d'Ernest Commanville.

À SA NIÈCE CAROLINE
[21 septembre 1875]

Autographe Lovenjoul, H 1357, ffos 125-126 ; incomplète dans l'édition Conard, t. VII, p. 260-261.

Page 960.

1. J'ignore quelle est la profession de Pourpoint : homme d'affaires, homme de loi ? Il semble que sa signature évitait à Ernest Commanville la faillite, qui se réduirait à une liquidation.

2. Frankline Grout, amie intime de Caroline Commanville, venait d'épouser Auguste Sabatier, professeur à la faculté de théologie protestante de Paris.

Page 961.

À SA NIÈCE CAROLINE
[25 septembre 1875]

Autographe Lovenjoul, H 1357, A III, ffos 127-128 ; lettre incomplète dans l'édition Conard, t. VII, p. 262-264.

1. E. H. Langlois, *Essai historique et descriptif sur la peinture sur verre [...] et sur les vitraux les plus remarquables [...]*, Rouen, 1832. Le vitrail est dans la cathédrale de Rouen, à gauche du chœur, entre le transept gauche et le fond de l'abside.

Page 962.

1. Yves Guyot, homme politique, né en 1843, conseiller municipal de Paris de 1874 à 1878, et qui deviendra, après la mort de Flaubert, député et ministre des Travaux publics. Il écrivait aussi dans les jour-

naux et revues, comme le montre la lettre de Flaubert à Edmond de Goncourt du 19 mars [1879], Conard, t. VIII, p. 238. J'ignore comment Flaubert a fait sa connaissance, et je n'ai trouvé aucune trace relatant son emprisonnement en 1877.

2. Philippe Burty (1830-1890), littérateur, critique d'art et collectionneur, nommé inspecteur des Beaux-Arts en 1881. Il a écrit de nombreux ouvrages et articles concernant les beaux-arts. Sa lettre ne figure pas dans la collection Lovenjoul.

Page 963.

À SA NIÈCE CAROLINE
[26 septembre 1875]

Autographe Lovenjoul, H 1357, ff^os 129-130; *Supplément*, t. III, p. 206-207.

À SA NIÈCE CAROLINE
[30 septembre 1875]

Autographe Lovenjoul, H 1357, A III, ff^os 131-132; incomplète dans l'édition Conard, t. VII, p. 264-265. Le début et la fin manquent.

1. La *Légende dorée*, de Jacques de Voragine, écrite en latin au XIIIe siècle, et augmentée dans les éditions successives.

2. Alfred Maury, *Essai sur les légendes pieuses du Moyen Âge*, publié en 1843.

Page 964.

1. Frankline Grout, amie intime de Caroline Commanville, venait d'épouser le pasteur Auguste Sabatier.

À LÉONIE BRAINNE
2 octobre [1875]

Autographe Lovenjoul, B. M. Rouen, m m 265, pièce 86; *Supplément*, t. III, p. 210-212.

2. Je ne sais quelle marque d'amitié Charles Lapierre, directeur du *Nouvelliste de Rouen*, a montrée à Léonie Brainne et Flaubert.

Page 965.

1. *Saint Julien l'Hospitalier.*

2. *Salicoque*, en patois normand, veut dire : « crevette ». Maupassant l'utilise dans ses œuvres, par exemple dans *Pierre et Jean.*

3. Le naturaliste Georges Pouchet.

4. Henri Brainne, fils unique de Léonie Brainne.

5. Alice Pasca, comédienne célèbre et grande amie de Mmes Brainne et Lapierre.

Page 966.

À SA NIÈCE CAROLINE
2 octobre [1875]

Autographe Lovenjoul, H 1357, A III, ffos 133-134 ; incomplète dans Conard, t. VII, p. 266.

1. Pourpoint est probablement un créancier ou un homme de loi.

Page 967.

À EDMOND LAPORTE
2 octobre [1875]

Autographe non retrouvé ; *Supplément*, t. III, p. 207-209.

Page 968.

1. Mot censuré dans le texte du *Supplément*.
2. Napoléon III.
3. Bayard, surnom du maréchal de Mac-Mahon.
4. « En octobre 1876 Raoul-Duval et Albert Duruy fondaient *La Nation*, de nuance bonapartiste » (*Supplément*, t. III, n. 1, p. 209).

À LA PRINCESSE MATHILDE
3 octobre [1875]

Autographe Archivio Campello, n° Inv., 1023 ; Conard, t. VII, p. 268-269.

Page 969.

1. Armand Baschet, littérateur et publiciste (1829-1886) ; il a longtemps vécu à Venise où il fit le dépouillement des archives de l'ancienne République.
2. Ernest Panckoucke (1808-1886), libraire et auteur d'une traduction d'Horace en vers français.
3. Claudius Popelin, ami intime de la princesse Mathilde.
4. Ce roman a pour titre *La Fille Élisa*, et paraîtra en 1877.
5. Je n'ai pu identifier Chauveau.

À EDMA ROGER DES GENETTES
3 octobre [1875]

Copie manuscrite, collection Lovenjoul, H 1360, ffos 181-182 ; incomplète dans l'édition Conard, t. VII, p. 267-268.

Page 970.

À GEORGE SAND
3 octobre [1875]

Autographe Lovenjoul, A IV, f° 380-381 ; *Supplément*, t. III, p. 380-381 ; *Correspondance Flaubert-Sand*, éd. Alphonse Jacobs, p. 503-505.

Page 971.

1. *Le Siècle* du 3 octobre 1875 annonça : « *Le Marquis de Villemer* de George Sand, qui eut tant de succès à l'Odéon, passe à la Comédie-Française. Les principaux rôles seront tenus par Mmes Arnould-Plessy, Sarah Bernhardt, Baretta, Broizat et par H. Delaunay. »

Page 972.

1. Maurice Sand, fils de George, avait deux filles, Aurore (1866-1961) et Gabrielle (1868-1909).

À IVAN TOURGUENEFF
3 octobre [1875]

Autographe non retrouvé ; *Supplément*, t. III, p. 212-213 ; *Lettres inédites à Tourgueneff*, éd. Gérard-Gailly, n° 58, p. 97-98 ; *Gustave Flaubert-Ivan Tourguéniev. Correspondance*, éd. Alexandre Zviguilsky, p. 165-166.

2. *Bouvard et Pécuchet.*

3. *La Légende de saint Julien l'Hospitalier.*

Page 973.

À JEANNE DE LOYNES
5 [octobre 1875]

Autographe collection particulière ; *Supplément*, t. III, p. 216-217.

Page 974.

À SA NIÈCE CAROLINE
[7 octobre 1875]

Autographe Lovenjoul, H 1357, A III, ffos 135-137.

1. Mme Flaubert, grand-mère de Caroline.

2. Le romancier Ernest Feydeau ; Flaubert et lui se tutoyaient ; Feydeau est mort en 1873.

3. Pissy-Poville, à quelques kilomètres de Rouen ; la tante préférée de Caroline, Mme Fauvel, y possédait une propriété, dont Caroline héritera à sa mort.

Page 975.

1. Émile Collange, le domestique de Flaubert.

À ERNEST COMMANVILLE
[7 octobre 1875]

Autographe collection Lovenjoul, H 1357, ffos 527-528 ; *Supplément*, t. III, p. 217-219.

2. Faucon, banquier de Rouen, avait une hypothèque sur la ferme de Deauville de Flaubert.

3. Agénor Bardoux, alors collaborateur du président du Conseil Dufaure.

Page 976.

1. Delahante, homme d'affaires de Rouen, favorable aux intérêts de Flaubert.
2. J'ignore qui est « *l'Espagnol* ».
3. Noël Guéneau de Mussy (1814-1885), médecin des hôpitaux, agrégé de la faculté de médecine de Paris en 1847, membre de l'Académie de médecine, réputé surtout pour son ouvrage *Clinique médicale* (1874-1885).

GEORGE SAND À GUSTAVE FLAUBERT
8 octobre [18]75

Autographe collection Alfred Dupont ; *Correspondance entre G. Sand et Gustave Flaubert*, éd. Henri Amic, p. 427 ; *Correspondance Flaubert-Sand*, éd. Alphonse Jacobs, p. 505-506.

Page 977.

1. Seront joués à la Comédie-Française *Le Mariage de Victorine*, le 7 mars 1876 (Flaubert assistera à la première), et *Le Marquis de Villemer*, le 4 juin 1877. Il s'agit de reprises : *Le Mariage de Victorine* avait été joué au théâtre du Gymnase le 26 novembre 1851, et *Le Marquis de Villemer* joué en 1861, et déjà repris en 1867.

À GEORGE SAND
[11 octobre 1875]

Autographe Lovenjoul, A IV, p. 382-383 ; *Supplément*, t. III, p. 219-221.

Page 978.

1. *Bouvard et Pécuchet.*

À SA NIÈCE CAROLINE
[11 octobre 1875]

Autographe collection Lovenjoul ; H 1357, ff[os] 138-140 ; Conard, t. VII, p. 272. Enveloppe : Mme Commanville, Croisset, près Rouen. Pressé ; C.P. : Concarneau, 12 octobre 1876 ; Paris au Havre, 13 octobre 1876 ; Rouen, 13 octobre 1876.

Page 979.

a. que le [meilleur] <seul> remède *correction due à la relecture.*

IVAN TOURGUENEFF À GUSTAVE FLAUBERT

11 oct[obre 18]75

Autographe collection Lovenjoul ; B VI, ffos 161-162 ; *Œuvres complètes d'Ivan Turgenev, Correspondance*, édition de l'Académie des sciences de l'U.R.S.S., t. XI, p. 135 ; *Gustave Flaubert-Ivan Tourguéniev. Correspondance*, éd. Alexandre Zviguilsky, p. 166-167.

1. Les *trente* pages de *La Légende de saint Julien l'Hospitalier.*
2. *La Montre.*
3. *Terres vierges.*

Page 980.

1. Le feuilleton intitulé « Le Suicide d'un enfant » avait paru dans *La République française* des 10 et 11 octobre et était signé : X.
2. Émile Zola venait de publier dans *Le Messager de l'Europe* de septembre 1875 un article intitulé : « Sœur Philomène, Charles Demailly, Renée Mauperin, Germinie Lacerteux, Manette Salomon, Madame Gervaisais ».

À ERNEST COMMANVILLE

[14 octobre 1875]

Autographe Lovenjoul, H 1357, fo 529 ; *Supplément*, t. III, p. 221-222.

3. Il s'agit sans doute de la liquidation d'Ernest Commanville.
4. Agénor Bardoux cherchait pour Flaubert une place dans une bibliothèque, où il recevrait un traitement sans obligation de résidence. Flaubert ne sera nommé à la bibliothèque Mazarine que le 8 juin 1879.

Page 981.

1. J'ignore de qui il est question.
2. Sans doute un créancier d'Ernest Commanville ? Flaubert le connaissait, d'après sa lettre du [25 septembre 1875] à sa nièce Caroline, n. 1, p. 962.
3. *La Légende de saint Julien l'Hospitalier.*
4. Flaubert écrit toujours « Puzzle ».

À EDMA ROGER DES GENETTES

[14 octobre 1875]

Autographe Lovenjoul, H 1360, ffos 185-186 ; incomplète dans l'édition Conard, t. VII, p. 276-277.

5. Flaubert arrivera à Paris le 1er novembre 1875.
6. Edma Roger des Genettes était restée l'amie de Louise Colet. Il s'agit sans doute de deux sonnets que venait d'écrire la poétesse. J'ignore si ces sonnets ont été publiés.

Page 982.

À CLAUDIUS POPELIN
[Mi-octobre 1875]

Autographe consulté par Joanna Richardson et publié dans le *Times Literary Supplement* du 13 juin 1968, p. 616, à la date de « *mid-october 1875* ».

1. Claudius Popelin, *Cinq octaves de sonnets*, recueil paru le 31 juillet 1875 d'après la *Bibliographie de la France* du 7 août.
2. Flaubert écrit *Borjia*. Nous corrigeons.
3. La princesse Mathilde, dont Claudius Popelin était l'ami intime.

À SA NIÈCE CAROLINE
[17 octobre 1875]

Autographe Lovenjoul ; H 1357, ff[os] 141-142 ; incomplète dans l'édition Conard, t. VII, p. 273-274.

4. Les Commanville déménageaient au 240, rue du Faubourg-Saint-Honoré, à Paris. L'appartement de Flaubert était contigu au leur.

Page 983.

1. Georges Pouchet.
2. Le docteur Fortin, que Caroline avait « bousculé ». Voir la lettre de Flaubert à sa nièce du [21 septembre 1875], p. 960.

Page 984.

À EDMOND LAPORTE
[19 octobre 1875]

Autographe non retrouvé ; *Supplément*, t. III, p. 222-223.

1. Georges Pouchet.
2. Le marquis de Sade.
3. Le maréchal de Mac-Mahon.

Page 985.

À SA NIÈCE CAROLINE
[21 octobre 1875]

Autographe Lovenjoul, H 1357, ff[os] 143-145 ; lettre incomplète dans l'édition Conard, t. VII, p. 274-276.

1. Comme à son habitude, Flaubert voulait se renseigner sérieusement sur le Moyen Âge.
2. La bonne de la famille Flaubert.

Page 986.

1. Delahante était un homme d'affaires, qui acquerra la ferme de Deauville.

2. La Compagnie de l'Ouest est une compagnie de chemins de fer, qui aurait pu acheter la scierie d'Ernest Commanville, alors en liquidation.

3. Voir n. 3, p. 976.

4. Je n'ai pu identifier le docteur Blot.

5. Marie Régnier, épouse d'un médecin, résidant à Mantes ; elle écrivait des romans sous le nom de Daniel Darc.

6. « La Place » : vu les capitales, les amis de Flaubert lui auraient trouvé une position rémunérée, mais j'ignore laquelle.

À IVAN TOURGUENEFF
[21 octobre 1875]

Autographe Lovenjoul ; H 1366, ff^os 161-162, *Œuvres complètes d'Ivan Turgenev, Correspondance*, édition de l'Académie des sciences de l'U.R.S.S., t. XI, p. 135 ; *Gustave Flaubert-Ivan Tourguéniev. Correspondance*, éd. Alexandre Zviguilsky, p. 168-169.

Page 987.

1. Voir la lettre de Tourgueneff à Flaubert du 11 oct[obre 18]75, p. 980.

2. Georges Pouchet.

À SA NIÈCE CAROLINE
[25 octobre 1875]

Autographe Lovenjoul ; H 1357, ff^os 146-147 ; incomplète dans l'édition Conard, t. VII, p. 277-278.

3. Flaubert allait habiter au 240, rue du Faubourg-Saint-Honoré, dans un appartement contigu à celui des Commanville.

Page 988.

À SA NIÈCE CAROLINE
[28 octobre 1875]

Autographe Lovenjoul, H 1357, ff^os 148-149 ; *Supplément*, t. III, p. 225-226.

Page 989.

À AGÉNOR BARDOUX
[3 novembre 1875]

Inédite. Autographe collection particulière ; lettre non publiée par Jean Bardoux, fils d'Agénor, dans son article paru dans la *Revue des Deux Mondes* du 1er avril 1937.

1. Flaubert avait donné congé à son propriétaire du 4, rue Murillo en mai 1875 et s'installe au début de novembre 1875 dans un appartement contigu à celui des Commanville au 240, rue du Faubourg-Saint-Honoré.

À GUY DE MAUPASSANT

[4 novembre 1875]

Autographe non retrouvé ; Conard, t. VII, p. 278.

À HENRI DE BORNIER

[6 novembre 1875]

Autographe Nicole Magnan de Bornier ; j'ignore si cette lettre a été publiée. Le vicomte Henri de Bornier était conservateur à la bibliothèque de l'Arsenal, à Paris, qui possède un fonds considérable de livrets de pièces de théâtre. Il était poète et a publié ses *Poésies complètes* en 1894 ; il a aussi écrit des pièces de théâtre, drames et comédies, dont la plus célèbre est *La Fille de Roland* ; la première a eu lieu le 15 février 1875. Il a été élu à l'Académie française en 1893.

2. Ce projet de Flaubert ne semble pas avoir été poursuivi.

Page 990.

À EDMOND DE GONCOURT

[6 novembre 1875]

Autographe B. N., N.A.F. 22462, f° 378 ; C.H.H., *Correspondance*, t. IV, p. 425.

À ÉMILE ZOLA

[6 novembre 1875]

Autographe non retrouvé ; copie dans le fonds René Descharmes, Bibliothèque nationale, N.A.F. 23827, f° 37 ; lettre publiée dans C.H.H. ; *Correspondance*, t. IV, f° 400, datée de [1875].

À AGÉNOR BARDOUX

[7 novembre 1875]

Inédite. Autographe collection particulière.

Page 991.

À GEORGE SAND

[14 novembre 1875]

Autographe collection Lovenjoul ; A IV, f° 384 ; *Supplément*, t. III, p. 226 ; *Correspondance Flaubert-Sand*, éd. Alphonse Jacobs, p. 507.

1. *Le Siècle* du 12 novembre 1875 annonce le début des répétitions du *Mariage de Victorine*, reprise par la Comédie-Française.

GEORGE SAND À GUSTAVE FLAUBERT

15 novembre [18]75

Autographe B. N. non encore coté ; George Sand, *Correspondance*, Calmann-Lévy, 1884, t. VI, p. 369.

Page 992.

À EDMA ROGER DES GENETTES
[28 novembre 1875]

Autographe non retrouvé ; *Supplément*, t. III, p. 227.

À X***
[30 novembre 1875]

Amy Lowell Autographs, Houghton Library, Harvard University, Cambridge (Mass.), États-Unis.

1. Il s'agit de l'*Otello* de Rossini, de 1816, car l'opéra du même titre de Verdi ne sera joué qu'en 1887.

Page 993.

À X***
30 [novembre 1875 ?]

Autographe non retrouvé ; *Supplément*, t. III, p. 227.

1. Je n'ai pu identifier M. de Pauville.

À LÉONIE BRAINNE
9 décembre [1875]

Autographe B. M. Rouen, m m 265, pièce 88 ; *Supplément*, t. III, p. 228-231.

2. Léonie Brainne s'était rendue à Alger avec son fils Henri, malade, pour y passer l'hiver.

3. *La Légende de saint Julien l'Hospitalier.*

4. Alphonse Daudet. Son frère aîné Ernest était polygraphe : journaliste, romancier et historien.

5. La princesse Mathilde.

Page 994.

1. La famille de Raoul-Duval, très liée avec Flaubert.

2. Virginie Déjazet (1797-1875) fut l'une des comédiennes les plus aimées et applaudies pendant toute sa vie. Elle mourut le 1er décembre 1875.

3. *L'Étrangère* sera jouée l'année suivante, le 14 février 1876, à la Comédie-Française.

4. Henri Patin (1793-1876), professeur de poésie latine à la Sorbonne, puis doyen, élu à l'Académie française en 1843.

5. Camille Doucet (1812-1895), auteur dramatique, élu à l'Académie française en 1865 et secrétaire perpétuel en 1876.

6. Samuel de Sacy (1801-1879), rédacteur au *Journal des débats*, sénateur du Second Empire.

Page 995.

À EDMOND LAPORTE

11 décembre [1875]

Autographe passé en vente à l'hôtel Drouot le 6 mai 1969, lors de la vente Jean-Victor Pellerin, n° 312.

Page 996.

1. Il s'agit des problèmes financiers de Flaubert.

À GEORGE SAND

16 décembre [1875]

Autographe Alfred Dupont ; Conard, t. VII, p. 279-280, lettre mal datée du [11 décembre 1876] ; *Correspondance Flaubert-Sand*, éd. Alphonse Jacobs, p. 508-509, bien datée.

Page 997.

1. *La Légende de saint Julien l'Hospitalier.*
2. Sans doute « Sous Napoléon III » et « Harel-Bey », que Flaubert n'écrira jamais.
3. Hippolyte Taine, *Les Origines de la France contemporaine* ; t. I, *L'Ancien Régime*, paru le 9 décembre 1875.
4. Le Sénat avait été institué par la loi constitutionnelle du 24 février 1875. Le scrutin, commencé le 9 décembre, se terminait le 21.
5. L'acteur Delaunay, de la Comédie-Française, s'était retiré au cours des répétitions de *L'Étrangère* d'Alexandre Dumas fils.
6. Émile Augier avait toujours fait représenter ses comédies à la Comédie-Française. Mais *Madame Caverlet*, sa dernière pièce, sera jouée au théâtre du Vaudeville le 1er février 1876 ; elle aurait été refusée par la Comédie-Française parce qu'elle était un plaidoyer en faveur du divorce.
7. Cet « ours vivant » figure dans l'adaptation par Alexandre Dumas fils de la pièce de l'écrivain russe Pierre Newsky, intitulée *Les Danicheff*, jouée à l'Odéon le 8 janvier 1876.

Page 998.

GEORGE SAND À GUSTAVE FLAUBERT

18 et 19 décembre [18]75

Autographe Alfred Dupont ; *Correspondance entre George Sand et Gustave Flaubert*, éd. Henri Amic, p. 431 ; *Dialogue des deux troubadours. Correspondance entre George Sand et Gustave Flaubert*, éd. Georges Lubin, p. 112 ; *Correspondance Flaubert-Sand*, éd. Alphonse Jacobs, p. 510-512.

1. Victor Borie (1818-1880), spécialiste des questions agricoles, directeur du Comptoir d'escompte, puis, en 1872, administrateur de la Société financière. Il a écrit, entre autres ouvrages, *Les Travaux des champs* (1860) et *Cours élémentaire d'agriculture* (1862). Il avait été l'amant de George Sand en 1847 et 1848.

Page 999.

1. La seconde fille de Maurice et Lina Sand s'appelait Gabrielle.

À GEORGE SAND
[Fin décembre 1875]

Autographe Lovenjoul, A IV, ffos 388-389 ; Conard, t. VII, p. 280-283 ; *Correspondance Flaubert-Sand*, éd. Alphonse Jacobs, p. 513-514.

Page 1005.

Appendice I

LETTRES ET EXTRAITS DE LETTRES DE MAXIME DU CAMP À GUSTAVE FLAUBERT

Ce choix de lettres et d'extraits de lettres a bénéficié de la belle édition due aux professeurs Giovanni Bonaccorso et Rosa Maria di Stefano : *Lettres inédites à Gustave Flaubert*, Messine, Edas, 1978, 385 p. Les originaux de ces lettres se trouvent à la bibliothèque de l'Institut, à laquelle Maxime Du Camp avait légué ses manuscrits. Les lettres de Du Camp et de Flaubert ont été en partie brûlées par les deux amis (voir la Préface du tome I de la présente édition, n. 1, p. x). C'est le cas des lettres de Du Camp pour la période qui va de la lettre du 31 mai 1871 à celle du 3 mai 1877.

[Paris,] 19 février 1869

Autographe Lovenjoul, B II, fo 370 ro.

[Paris,] 23 avril 1869

Autographe Lovenjoul, B II, fo 372 ro.

[Paris,] 29 mai 1869

Autographe Lovenjoul, B II, fo 376 ro.

1. Frédéric Fovard, condisciple de Flaubert à la faculté de droit de Paris, qui devint le notaire de la famille Flaubert à Paris.

2. Flaubert louera l'appartement du 4, rue Murillo de juillet 1869 à mai 1875.

Page 1006.

[Paris,] 30 mai 1869

Autographe Lovenjoul, B II, ffo 378 ro.

1. Il s'agit sans doute de Jules Duplan, frère cadet d'Ernest Duplan, notaire à Paris. Il exploitait, avec un associé, une maison commerciale et, après la liquidation de celle-ci, voyagea avec son ami Cernuschi. Il a été l'ami le plus intime de Flaubert après Bouilhet.

2. *L'Éducation sentimentale* a paru chez Michel Lévy, en deux volumes, au mois de novembre 1869, portant la date de 1870. La

seconde édition datée de 1880, mais parue en novembre 1879, ne comprend qu'un seul volume.

[Paris,] 8 juin 1869

Autographe Lovenjoul, B II, ffos 380-381.

3. Ces pages ont été publiées par P. M. Wetherill dans son édition de *L'Éducation sentimentale* parue dans la collection « Classiques Garnier », sortie en novembre 1984.

4. Du Camp identifie totalement Arnoux à Schlésinger, Rosanette Bron à Apollonie Sabatier, Delmar à Nadar (?) et Hussonnet à Claudin. Ces identifications me paraissent exagérées.

5. Paul de Kock (1794-1872), romancier et auteur dramatique fécond. Il appelait ses œuvres des « poèmes de joie ». Le roman *Mon ami Raymond* (1822) représente le type de ce genre.

Page 1007.

1. Ce mot ne se trouve ni dans le *Dictionnaire de l'Académie* de 1835, ni dans Littré, ni dans le *Grand Larousse de la langue française.*

2. Le Mouton est le surnom d'Adèle Husson, amie intime de Maxime Du Camp.

[Paris,] 9 juin 1869

Autographe Lovenjoul, B II, fo 382 ro.

3. Anna Deslions, actrice et demi-mondaine, maîtresse pendant quelque temps du prince Napoléon, finit pauvrement dans un appartement modeste, secourue par un Espagnol compatissant qu'elle avait à peu près ruiné. (Voir *La Vie quotidienne sous le Second Empire*, de Maurice Allem, p. 86-88.)

4. Augustin-Thomas Pouyer-Quertier, 1820-1891, grand industriel dans les cotonnades, élu député au Corps législatif en 1857, réélu en 1863, mais non en 1869, d'où l'ironie de Du Camp. Jules Simon le caractérise ainsi : « L'œil fin, la face épanouie, l'embonpoint d'un homme heureux, normand depuis la tête jusqu'au pied, grand parleur, grand mangeur, grand buveur et grand parieur, il passait à juste titre pour un sceptique en politique et pour un habile homme en affaires » (*Nouveau Larousse illustré, Dictionnaire universel encyclopédique*).

Page 1008.

[Paris,] 10 juin 1869

Autographe Lovenjoul, B II, ffos 384-385.

1. Flaubert a suivi le conseil de Maxime Du Camp et a remplacé « coucher avec » par « avons fait dodo avec sa femme », mais il a conservé l'évanouissement de Cisy.

Page 1009.

[Paris,] 4 juillet 1869

Autographe Lovenjoul, B II, ff^os 386-387.

1. Flaubert était l'ami des deux frères Duplan (voir n. 1, p. 1006). Je crois qu'il s'agit de Jules, des deux frères le plus intime.

[Paris,] 7 juillet 1869

Autographe Lovenjoul, B II, ff^os 388-389.

Page 1010.

1. Ces trois dictionnaires datent de la même période : le *Dictionnaire national ou Dictionnaire universel de la langue française* de Bescherelle paraît en 1855, en cinq volumes ; le *Nouveau dictionnaire universel de la langue française* de P. Poitevin, en deux volumes, en 1860, et le *Dictionnaire de la langue française* d'Émile Littré, en quatre tomes et supplément, de 1863 à 1872. Flaubert écrit *Poittevin.*

2. Je n'ai retrouvé ni la lettre de Flaubert ni celle d'Amélie Bosquet à Du Camp arrivée le 7 juillet 1869.

3. Maxime Du Camp et ses amis Husson allaient chaque année passer quelques mois aux eaux de Baden-Baden.

Page 1011.

[Paris, 8 juillet 1869]

Autographe Lovenjoul, B II, f° 390 r°.

1. Je n'ai pu identifier Pillet.

2. Badinguet, surnom de Napoléon III, malade comme Louis Bouilhet d'une albuminurie, mais non mortelle.

[Baden-Baden,] 14 août 1869

Autographe Lovenjoul, B II, f° 392.

3. Louis-Antoine Pagès, dit Garnier-Pagès (1803-1878), homme politique français. Il prit part à la révolution de 1830, fut élu député, puis membre du Gouvernement provisoire et maire de Paris en 1848, député à la Constituante, et au Corps législatif. Il est l'auteur d'une *Histoire de la révolution française de 1848* (1860-1872).

4. Le massacre du boulevard des Capucines a eu lieu le mercredi 23 février 1848. Une bande de manifestants arrivèrent au ministère des Affaires étrangères, gardé par un cordon d'infanterie. Un coup de feu fut tiré par un manifestant et tua un soldat. Les fantassins ripostèrent sans commandement et firent trente-cinq morts et une cinquantaine de blessés.

Baden-Baden, 3 octobre 1869

Autographe Lovenjoul, B II, f° 394.

5. La « Hussonnerie » est le surnom du couple Émile et Adèle Husson, avec qui Maxime Du Camp faisait ménage à trois, comme Ivan Tourgueneff avec Louis et Pauline Viardot.

Page 1012.

1. Jean-Baptiste Troppmann, né en 1849, guillotiné à Paris le 19 janvier 1870, après avoir assassiné, dans des circonstances particulièrement atroces, Mme Kinck et ses cinq enfants dont il enterra les cadavres dans un champ, à Pantin. Le crime avait le vol pour mobile.

2. *Mademoiselle Aïssé*, pièce posthume de Louis Bouilhet, sera jouée au théâtre de l'Odéon le 6 janvier 1872, près de trois ans après la mort de son auteur, grâce à la persévérance de Flaubert.

3. *L'Aventurière*, comédie en vers d'Émile Augier, fut jouée pour la première fois en 1848.

[Baden-Baden,] 4 novembre 1869

Autographe Lovenjoul, B II, f° 396 r°.

4. Le voyage en Égypte de Maxime du Camp et Flaubert commence à Paris le 29 octobre, mais son véritable début se situe le 4 novembre 1849, quand ils s'embarquent sur le paquebot *Le Nil*, à destination d'Alexandrie.

5. Le canal de Suez est ouvert solennellement le 17 novembre 1869. Théophile Gautier avait été invité pour la cérémonie, parmi les journalistes.

[Paris,] 62 rue de Rome, 4 avril 1870

Autographe Lovenjoul, B II, ffos 398-399.

6. Dans *Berceuse philosophique* (pièce XL), la strophe en question a été supprimée.

Page 1013.

1. L'édition des *Dernières chansons* ne contient qu'un seul volume de trois cent trente-six pages.

[Paris,] 19 septembre 1870

2. Dans *Les Aventures du baron de Fœneste*, Agrippa d'Aubigné fait discourir le baron et son ami Énay de l'être et du paraître.

Page 1014.

[Paris,] 15 mars 1871

Autographe Lovenjoul, B II, ffos 400-401.

1. Frédéric Fovard, ami de Flaubert et notaire à Paris.

2. Pallanza, ville située sur la côte ouest du lac Majeur (Piémont).

Page 1015.

[Paris,] 31 mai 1871

Autographe Lovenjoul, B II, f° 404 r°.

1. Surnom d'Adèle Husson, amie intime de Maxime Du Camp.

2. Je n'ai pas retrouvé cette lettre, qui a sûrement existé.

Page 1017.

Appendice II

EXTRAITS DU *JOURNAL* DES FRÈRES GONCOURT

Pour le *Journal* des frères Goncourt, puis d'Edmond, nous renvoyons à l'édition de Robert Ricatte parue en quatre volumes chez Fasquelle-Flammarion en 1956.

Page 1018.

EXTRAITS DU *JOURNAL* D'EDMOND DE GONCOURT

1. Le terme de « cellule » ne paraît pas dans la conclusion de *La Tentation de saint Antoine.* Voici la phrase publiée dans l'édition originale Charpentier de 1874, p. 495 : « Enfin, il [saint Antoine] aperçoit de petites masses globuleuses grosses comme des têtes d'épingles et garnies de cils tout autour. Une vibration les agite. »

2. Flaubert voudrait faire engager son amie l'actrice Ramelli dans la pièce posthume de Louis Bouilhet, *Mademoiselle Aïssé*, qui sera jouée au théâtre de l'Odéon le 6 janvier 1872.

3. Ce terme ne se trouve dans aucun dictionnaire de l'époque. Il reviendra plus loin sous la plume de Flaubert.

Page 1019.

1. La princesse Mathilde.

Page 1020.

1. Xavier Aubryet (1827-1880), journaliste, puis auteur de nouvelles et de comédies. Il dut sa notoriété à un recueil d'études de critique littéraire et musicale, intitulé *Jugements nouveaux* (1860). Paul Bins, comte de Saint-Victor (1825-1881), auteur d'articles réunis en volume, dont le premier, « Hommes et dieux », date de 1867. Flaubert ne l'aimait pas.

2. Expression d'origine inconnue : « verre de champagne glacé que l'on boit avec une paille » (d'après le *Grand Larousse de la langue française*).

Page 1021.

1. Gustave Droz (1832-1895) publia de jolis contes dans *La Vie parisienne* ; le plus célèbre fut « Monsieur, Madame et Bébé ». Alphonse Belot (1829-1890), romancier et dramaturge fécond, auteur entre autres, du roman *La Femme de feu* (1872) et de la comédie *Les Indifférents.*

2. Suzanne Lagier, actrice et amie intime de Flaubert.

3. *Loys XI*, drame écrit par Flaubert en 1838. La phrase citée se trouve bien dans le drame : « Il faut assaisonner nos légumes avec nos pleurs » (éd. du Centenaire, *Trois contes*, *Théâtre*, p. 297).

4. Il s'agit du *Sexe faible.*

Page 1022.

1. *Le Candidat* avait été accepté par Carvalho, le directeur du théâtre du Vaudeville. Il sera joué pour la première fois le 11 mars 1874.

Page 1023.

1. Auguste-Ambroise Tardieu (1818-1879), médecin des Hôpitaux, puis professeur de médecine légale et élu à l'Académie de médecine. Il est l'auteur de nombreuses publications de médecine légale. Jean-Marie Demarquay, chirurgien célèbre pour son dévouement dans la guerre de 1870. Auteur du *Traité des tumeurs de l'orbite* et du *Traité clinique des maladies de l'utérus.*

Page 1024.

1. Il s'agit du *Candidat.*

Page 1025.

1. Jean-Baptiste Louvet de Couvray (1760-1797), auteur des *Amours du chevalier de Faublas*, roman paru de 1787 à 1790. Il s'agit d'un roman à multiples intrigues, érotique et très joliment écrit. Louvet de Couvray fit une carrière politique dans le camp des Girondins, puis à la Convention après le 9 Thermidor.

2. Il s'agit du roman écrit en latin intitulé *Aloysiae Sygeai satira sotadica de arcanis Amoris et Veneris*, ouvrage érotique paru en 1658, attribué parfois à Jan Van Meursius (1579-1639), mais l'auteur serait Nicolas Chorier (1612-1692). L'adjectif *sotadica* est tiré du nom de l'écrivain érotique grec Sotadès.

3. Le château de Compiègne, commencé en 1742, fut continué par Gabriel et terminé en 1786. C'est là que Louis XVI épousa l'archiduchesse d'Autriche Marie-Antoinette, et Napoléon Ier l'archiduchesse Marie-Louise. Sous le Second Empire, Napoléon III y offrait des réceptions intimes, des chasses et des représentations théâtrales.

Page 1026.

1. Marguerite Bellanger, l'une des « lionnes » les plus célèbres, et dont l'empereur Napoléon III fut l'un des amants.

2. Michel Lévy avait fondé sa maison d'édition, qui devint célèbre, en 1836. Il édita les œuvres de Flaubert jusqu'à sa querelle avec lui le 20 mars 1872. Michel Lévy avait jugé trop onéreuse la publication luxueuse de *Dernières chansons* de Louis Bouilhet, et refusé de faire l'avance des frais d'impression. Quand Michel Lévy a été décoré de la Légion d'honneur, Flaubert avait retiré la sienne de la boutonnière. Il la rétablit à sa mort en 1875.

Page 1029.

Appendice III

LETTRES ET EXTRAITS DE LETTRES DE LOUIS BOUILHET À GUSTAVE FLAUBERT

Rouen, 11 janvier [18]69

Autographe Lovenjoul, C, ff[os] 937-938, lettre publiée par Mme Maria Luisa Cappello dans *Lettres à Gustave Flaubert* par Louis Bouilhet, CNRS édition 1996, p. 689.

1. Flaubert cherchait des renseignements sur les enterrements pour les deux derniers chapitres de *L'Éducation sentimentale.*

2. Surnom donné à Flaubert par Louis Bouilhet. Voir la lettre à sa mère du 24 juin 1850, t. I, p. 641.

Rouen, 3 février 1869

Autographe Lovenjoul, C, ff[os] 939-940, lettre publiée par Mme Maria Luisa Capello, *Lettres à Gustave Flaubert*, p. 690.

Page 1030.

Rouen, 12 février 1869

Autographe Lovenjoul, C, ff[os] 941-942.

Rouen, 18 février 1869

Autographe Lovenjoul, C, ff[os] 943-944.

Rouen, 27 février 1869

Autographe Lovenjoul, C, ff[os] 945-946.

1. Sur Raoul-Duval, voir la lettre de Flaubert à sa nièce Caroline du [17 septembre 1868], t. III, n. 5, p. 802.

2. *Mademoiselle Aïssé.*

3. Les pages nouvellement rédigées de *L'Éducation sentimentale.*

Page 1031.

Paris, lundi [15 mars 1869]

Autographe Lovenjoul, C, ff^{os} 771-772. L'écriture de Louis Bouilhet se dégrade progressivement.

1. Le directeur du théâtre de l'Odéon.
2. *Mademoiselle Aïssé.*
3. Jules Duplan.
4. Le notaire Ernest Duplan.
5. La princesse Mathilde.
6. Théophile Gautier.

[Paris,] jeudi 18 [mars 1869]

Autographe Lovenjoul, C, ff^{os} 773-774.

7. De Chilly, le directeur de l'Odéon ; la lecture concerne *Mademoiselle Aïssé. La Conjuration d'Amboise* avait été jouée à l'Odéon à partir du 29 octobre 1866.
8. La princesse Mathilde.
9. C'est-à-dire le 25 mars 1869.

Rouen, 22 mars 1869

Autographe Lovenjoul, C, ff^{os} 947-948.

Page 1032.

1. Caroline Commanville, la nièce de Flaubert.

Cany, 3 avril 1869

Autographe Lovenjoul, C, ff^{os} 949-950.

2. *Melaenis* avait été écrit durant le voyage de Flaubert en Égypte (1849-1851).

Rouen, 17 avril 1869

Autographe Lovenjoul, C, ff^{os} 953-954.

3. Voir n. 2, p. 1029.
4. Il s'agit des *Aventures du baron de Féreste* (1869), roman d'Ernest Feydeau.

Page 1033.

1. Louis Bouilhet fait allusion aux problèmes qu'il a rencontrés pour faire jouer *Faustine* au théâtre de la Porte-Saint-Martin, dont le directeur était alors Marc Fournier. La première avait eu lieu, finalement, le 20 février 1864.

Rouen, 24 avril 1869

Autographe Lovenjoul, C, ffos 955-956.

2. Le premier acte de *Mademoiselle Aïssé.*
3. Le premier volume de *L'Homme qui rit*, de Victor Hugo, avait paru chez Lacroix le 19 avril 1869.
4. Sans doute le chapitre IV de la troisième partie de *L'Éducation sentimentale.*
5. Caroline Commanville, la nièce de Flaubert.
6. Directeur du théâtre de l'Odéon.
7. Le Coup d'État du 2 décembre 1851, qui crée le Second Empire. Voir *L'Éducation sentimentale*, IIIe partie, chap. v.
8. Personnages de *L'Homme qui rit*, de Victor Hugo ; le vieux bateleur, Ursus, et son loup, Homo.

Rouen, 1er mai 1869

Autographe Lovenjoul, C, ffos 957-958.

9. Louis Bouilhet corrige *Mademoiselle Aïssé.*
10. Voir n. 8.

Page 1034.

Rouen, 8 mai 1869

Autographe Lovenjoul, C, ffos 959-960.

1. Voir la lettre de Flaubert à Caroline du [5 mai 1869], n. 9, p. 43.
2. Il s'agit de *L'Éducation sentimentale.*

Rouen, 15 mai 1869

Autographe Lovenjoul, C, ffos 961-962.

3. La fin de *L'Éducation sentimentale.*
4. Les corrections de *Mademoiselle Aïssé.*
5. Sur Eugène Delattre, voir t. II, n. 6, p. 978. Il était franc-maçon, et sera élu député radical de Saint-Denis en 1881.
6. Victor-Henri, marquis de Rochefort-Luçay. Fondateur du journal *La Lanterne*, il avait dû se réfugier en Belgique pour continuer à imprimer son journal, qui passait clandestinement en France.

Rouen, 22 mai 1869

Autographe Lovenjoul, C, ffos 963-964.

7. Professeur au collège royal de Rouen ; voir la lettre de Louis Bouilhet à Flaubert du [10 juillet 1859], t. III, Appendice III, n. 7, p. 891.
8. Voir n. 5 et 6 de la page.
9 Saint Polycarpe, évêque de Smyrne (IIe siècle apr. Jésus-Christ), passait pour avoir prononcé cette phrase.
10. Jeanne d'Arc sera béatifiée en 1909 et canonisée en 1920.

Page 1035.

1. Ernest Feydeau avait envoyé à Louis Bouilhet son dernier roman, *Les Aventures du baron de Féreste.*

Rouen, 29 mai 1869

Autographe Lovenjoul, C, ffos 965-966.

2. Voir la lettre de Flaubert à sa nièce Caroline du [9 juin 1869], n. 7, p. 51.

3. Le républicain Desseaux battra Pouyer-Quertier. Il s'agit des élections législatives.

4. *L'Éducation sentimentale.*

5. *Le Cœur à droite* est une comédie de Louis Bouilhet, qui avait paru dans *L'Audience,* le journal d'Eugène Delattre, du 26 janvier au 23 février 1859.

Rouen, 30 mai 1869

Autographe Lovenjoul, C, ffos 967-968.

6. Ces deux lettres n'ont pas été retrouvées. Il semble que Louis Bouilhet les ait mal comprises.

Page 1036.

1. Le directeur du théâtre de l'Odéon.

2. En fait, la lecture de *Mademoiselle Aïssé* aura lieu à l'Odéon le 12 juin 1869. Mais la pièce de Louis Bouilhet ne sera jouée que bien après sa mort, le 6 janvier 1872.

Rouen, 2 juin 1869

Autographe Lovenjoul, C, ffos 969-970.

Cette lettre de Louis Bouilhet à Flaubert est la dernière qui nous soit conservée, peut-être même la dernière qu'il lui ait écrite. Louis Bouilhet est mort le 18 juillet 1869.

3. La Rounat a monté quatre pièces de Louis Bouilhet : *Madame de Montarcy* (1856), *Hélène Peyron* (1858), *L'Oncle Million* (1860) et *Dolorès* (1862), au théâtre de l'Odéon. Marc Fournier a monté *Faustine* (1864) au théâtre de la Porte-Saint-Martin.

4. *Mademoiselle Aïssé.*

5. Le directeur du théâtre de l'Odéon avait proposé à Louis Bouilhet la date de janvier 1870 pour la première de *Mademoiselle Aïssé.*

6. Caroline Commanville accompagnait son mari qui faisait un voyage d'affaires en Norvège.

TABLE

CORRESPONDANCE DE FLAUBERT

Appendices II

EXTRAITS DU *JOURNAL* DES FRÈRES GONCOURT [1869]

EXTRAITS DU *JOURNAL* D'EDMOND DE GONCOURT [1871-1875]

Appendices III

LETTRES ET EXTRAITS DE LETTRES DE LOUIS BOUILHET À GUSTAVE FLAUBERT [1869]

Ce volume, portant le numéro
quatre cent quarante-trois
de la « Bibliothèque de la Pléiade »
publiée aux Éditions Gallimard,
a été achevé d'imprimer
sur Bible des Papeteries Bolloré Technologies
le 15 décembre 1997
sur les presses
de l'imprimerie Darantiere
à Quetigny-Dijon,
et relié,
en pleine peau dorée
à l'or fin 23 carats,
par Babouot à Lagny.

ISBN : 2-07-011436-8.
N° d'édition : 64913. N° d'impression : L 55196.
Dépôt légal : décembre 1997.

Imprimé en France.